에듀윌
에듀
현실이 됩니다
기적에서 전설로

합격자 수 1,800%* 수직 상승! 매년 놀라운 성장

에듀윌 공무원은 '합격자 수'라는 확실한 결과로 증명하며
지금도 기록을 만들어 가고 있습니다.

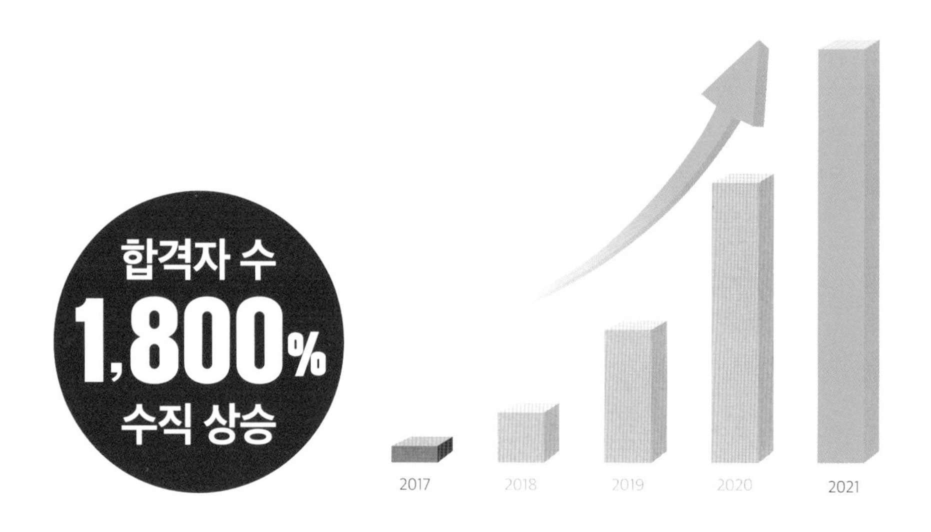

합격자 수를 폭발적으로 증가시킨 합격패스

합격 시 수강료 0원 최대 300% 환급 (최대 432만 원 환급)	+	합격할 때까지 전 강좌 무제한 수강	+	1타 교수진의 집중 관리 제공

※ 환급내용은 상품페이지 참고. 상품은 변경될 수 있음.

상품
페이지

* 2017/2021 에듀윌 공무원 과정 최종 환급자 수 기준

강의 만족도 99%*
명품 강의

에듀윌 공무원 전문 교수진!
합격의 차이를 직접 경험해 보세요

합격자 수 1,800%* 수직 상승으로 증명된 합격 커리큘럼

독한 시작	▶	독한 회독	▶	독한 기출요약	▶	독한 문풀	▶	독한 파이널
기초 + 기본이론		심화이론 완성		핵심요약 + 기출문제 파악		단원별 문제풀이		동형모의고사 + 파이널

* 2017/2021 에듀윌 공무원 과정 최종 환급자 수 기준
* 7·9급공무원 대표 교수진 2022년 1월~10월 강의 만족도 평균 (배영표/성정혜/신형철/윤세훈/강성민/고세훈)
* 경찰공무원 대표 교수진 2022년 1월~10월 강의 만족도 평균 (김종욱/정진천/김민현/정인홍)
* 소방공무원 대표 교수진 2022년 1월~10월 강의 만족도 평균 (이중희/이재준/양승아)
* 계리직공무원 대표 교수진 2022년 10월 강의 만족도 평균 (조현수/신형철/손승호/안기선)

2021 공무원 수석 합격자* 배출!
합격생들의 진짜 합격스토리

에듀윌 강의·교재·학습시스템의 우수성을
2021년도에도 입증하였습니다!

에듀윌 커리큘럼을 따라가며 기출 분석을 반복한 결과 7.5개월 만에 합격

권○혁 지방직 9급 일반행정직 최종 합격

샘플 강의를 듣고 맘에 들었는데, 가성비도 좋아 에듀윌을 선택하게 되었습니다. 특히, 공부에 집중하기 좋은 깔끔한 시설과 교수님께 바로 질문할 수 있는 환경이 좋았습니다. 학원을 다니면서 에듀윌에서 무료로 제공하는 온라인 강의를 많이 활용했습니다. 늦게 시작했기 때문에 처음에는 진도를 따라가기 위해서 활용했고, 그 후에는 기출 분석을 복습하기 위해 활용했습니다. 마지막에 반복했던 기출 분석은 합격에 중요한 영향을 미쳤던 것 같습니다.

고민없이 에듀윌을 선택, 온라인 강의 반복 수강으로 합격 완성

박○은 국가직 9급 일반농업직 최종 합격

공무원 시험은 빨리 준비할수록 더 좋다고 생각해서 상담 후 바로 고민 없이 에듀윌을 선택했습니다. 과목별 교재가 동일하기 때문에 한 과목당 세 교수님의 강의를 모두 들었습니다. 심지어 전년도 강의까지 포함하여 강의를 무제한으로 들었습니다. 덕분에 중요한 부분을 알게 되었고 그 부분을 집중적으로 먼저 외우며 공부할 수 있었습니다. 우울할 때에는 내용을 아는 활기찬 드라마를 틀어놓고 공부하며 위로를 받았는데 집중도 잘되어 좋았습니다.

체계가 잘 짜여진 에듀윌은 합격으로 가는 최고의 동반자

김○욱 국가직 9급 출입국관리직 최종 합격

에듀윌은 체계가 굉장히 잘 짜여져 있습니다. 만약, 공무원이 되고 싶은데 아무것도 모르는 초시생이라면 묻지 말고 에듀윌을 선택하시면 됩니다. 에듀윌은 기초·기본이론부터 심화이론, 기출문제, 단원별 문제, 모의고사, 그리고 면접까지 다 챙겨주는, 시작부터 필기합격 후 끝까지 전부 관리해 주는 최고의 동반자입니다. 저는 체계적인 에듀윌의 커리큘럼과 하루에 한 페이지라도 집중해서 디테일을 외우려고 노력하는 습관 덕분에 합격할 수 있었습니다.

다음 합격의 주인공은 당신입니다!

* 2021 국가직 7급 검찰직 수석 합격

회원 가입하고 100% 무료 혜택 받기

가입 즉시, 공무원 공부에 필요한 모든 걸 드립니다!

혜택 1 출제경향을 반영한 과목별 테마특강 제공

※ 에듀윌 홈페이지 ⋯› 직렬 사이트 선택
⋯› 상단 '무료특강' 메뉴를 통해 수강

혜택 2 초보 수험생 필수 기초강의 제공

※ 에듀윌 홈페이지 ⋯› '합격필독서 무료증정' 선택
⋯› '9급공무원 합격교과서' 신청 후 '나의 강의실'에서 확인
(7일 수강 가능)

혜택 3 전 과목 기출문제 해설강의 제공

※ 에듀윌 홈페이지 ⋯› 직렬 사이트 선택
⋯› 상단 '학습자료' 메뉴를 통해 수강
(최신 3개년 주요 직렬 기출문제 해설강의 제공)

＊배송비 별도 / 비매품

기초학습 합격 입문서+기초강의

무료배포 선착순 100명

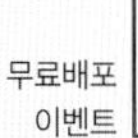

무료배포 이벤트

＊본 혜택과 경로는 예고 없이 변경되거나 대체될 수 있음.

1초 합격예측 모바일 성적분석표

1초 안에 '클릭' 한 번으로 성적을 확인하실 수 있습니다!

STEP 1

QR 코드 스캔

- 교재의 QR 코드를 모바일로 스캔 후 에듀윌 회원 로그인
- QR 코드 하단의 바로가기 주소로도 접속 가능

STEP 2

모바일 OMR 입력

- 회차 확인 후 '응시하기' 클릭
- 모바일 OMR에 답안 입력
- 문제풀이 시간까지 측정 가능

STEP 3

자동채점 & 성적분석표 확인

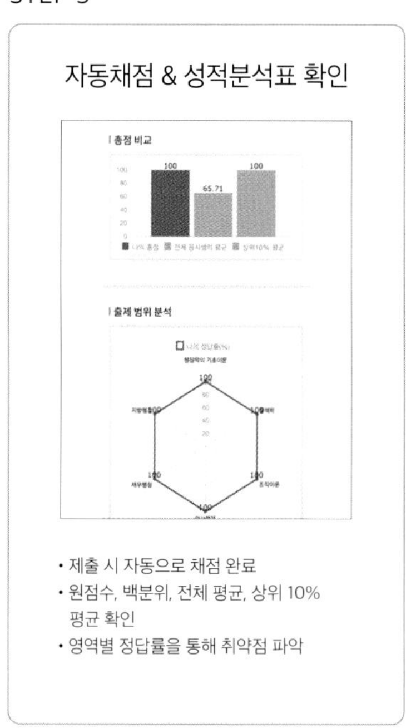

- 제출 시 자동으로 채점 완료
- 원점수, 백분위, 전체 평균, 상위 10% 평균 확인
- 영역별 정답률을 통해 취약점 파악

※ 본 서비스는 에듀윌 공무원 교재(연도별, 회차별 문항이 수록된 교재)를 구입하는 분에게 제공됨.

회독플래너

실패율 Zero! 따라만 해도 5회독 가능!

권 구분	PART	CHAPTER	1회독	2회독	3회독	4회독	5회독
문법과 어문규정	현대 문법	언어와 국어	1	1	1	1	1
		음운론	2–4	2–4	2–3		
		형태론	5–8	5–8	4–5	2	
		통사론	9–12	9–12	6–8	3	2
		의미론과 화용론	13	13	9		
	어문 규정	한글 맞춤법	14–17	14–17	10–11	4	3
		문장 부호	18	18	12		
		표준어 사정 원칙	19–22	19–22	13–14	5	4
		표준 발음법	23–24	23–24	15	6	5
		로마자 표기법과 외래어 표기법	25	25	16	7	
	고전 문법	국어사	26	26	17	8	6
		훈민정음과 고전 문법	27–28	27–28	18	9	
		주요 고전문 분석	29	29	19	10	
	언어 예절과 바른 표현	언어 예절	30	30	20	11	7
		바른 표현	31	31	21	12	
비문학	이론 비문학	작문	32	32	22	13	8
		화법	33				
		논증과 오류	34				
	독해 비문학	주제 찾기 유형	35	33	23		
		내용 일치/불일치 유형	36				
		밑줄/괄호 유형	37				
문학	문학 기본 이론	문학의 이해	38	34	24	14	9
		한국 문학의 이해					
	현대 문학의 이해	한국 현대 문학의 흐름	39–40	35			
		현대 시	41	36	25	15	10
		현대 소설	42				
		희곡, 시나리오, 수필	43				
	고전 문학의 이해	한국 문학과 고대의 문학	44	37	26	16	11
		상고 시대의 문학					
		고려 시대의 문학	45				
		조선 시대의 문학	46				
	주요 문학 작품	현대 시	47–50	38–41	27–29	17	12
		현대 소설	51–54	42–45	30–31	18	13
		현대 희곡과 수필	55	46	32		
		고전 운문	56–59	47–49	33–34	19	14
		고전 산문	60	50	35	20	
어휘와 관용표현	순우리말		틈틈이!	틈틈이!	틈틈이!	틈틈이!	틈틈이!
	관용 표현		틈틈이!	틈틈이!	틈틈이!	틈틈이!	틈틈이!
	한자와 한자어		틈틈이!	틈틈이!	틈틈이!	틈틈이!	틈틈이!
			60일 완성	**50일 완성**	**35일 완성**	**20일 완성**	**14일 완성**

* 전 영역에 대한 회독플래너입니다.
* 일부 영역만 학습 시, 해당 일자를 참고하여 플래너를 활용하세요.

자르는 선

직접 체크하는

회독플래너

본문의 회독체크표를 한눈에!

권 구분	PART	CHAPTER	1회독	2회독	3회독	4회독	5회독
문법과 어문규정	현대 문법	언어와 국어					
		음운론					
		형태론					
		통사론					
		의미론과 화용론					
	어문 규정	한글 맞춤법					
		문장 부호					
		표준어 사정 원칙					
		표준 발음법					
		로마자 표기법과 외래어 표기법					
	고전 문법	국어사					
		훈민정음과 고전 문법					
		주요 고전문 분석					
	언어 예절과 바른 표현	언어 예절					
		바른 표현					
비문학	이론 비문학	작문					
		화법					
		논증과 오류					
	독해 비문학	주제 찾기 유형					
		내용 일치/불일치 유형					
		밑줄/괄호 유형					
문학	문학 기본 이론	문학의 이해					
		한국 문학의 이해					
	현대 문학의 이해	한국 현대 문학의 흐름					
		현대 시					
		현대 소설					
		희곡, 시나리오, 수필					
	고전 문학의 이해	한국 문학과 고대의 문학					
		상고 시대의 문학					
		고려 시대의 문학					
		조선 시대의 문학					
	주요 문학 작품	현대 시					
		현대 소설					
		현대 희곡과 수필					
		고전 운문					
		고전 산문					
어휘와 관용표현	순우리말						
	관용 표현						
	한자와 한자어						
			___일 완성	___일 완성	___일 완성	___일 완성	___일 완성

* 전 영역에 대한 회독플래너입니다.
* 일부 영역만 학습 시, 해당 일자를 참고하여 플래너를 활용하세요.

ENERGY

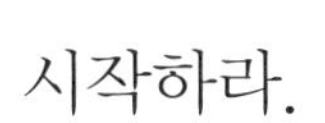

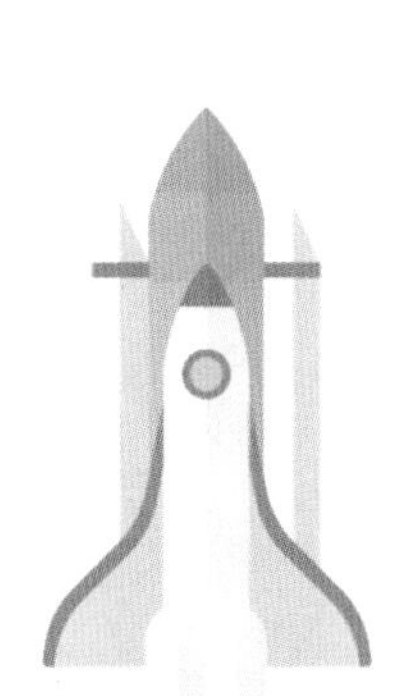

그 자체가 천재성이고,
힘이며, 마력이다.

– 요한 볼프강 폰 괴테(Johann Wolfgang von Goethe)

기출OX 문제풀이 APP

에듀윌 합격앱 접속하기

QR코드 스캔하기

또는

에듀윌 합격앱 다운받기

기출OX 퀴즈 무료로 이용하기

하단 딱풀 메뉴에서 기출OX 선택 ▸ 과목과 PART 선택 ▸ 퀴즈 풀기

- 틀린 문제는 기출오답노트(기출OX)에서 다시 확인할 수 있습니다.

교재 구매 인증하기

- 무료체험 후 7일이 지나면 교재 구매 인증을 해야 합니다(최초 1회 인증 필요).
- 교재 구매 인증화면에서 정답을 입력하면 기간 제한 없이 기출OX 퀴즈를 무료로 이용할 수 있습니다(정답은 교재에서 찾을 수 있음).

※ 에듀윌 합격앱 어플에서 회원 가입 후 이용하실 수 있는 서비스입니다.
※ 스마트폰에서만 이용 가능하며, 일부 단말기에서는 서비스가 지원되지 않을 수 있습니다.
※ 해당 서비스는 추후 다른 서비스로 변경될 수 있습니다.

2023

에듀윌 7·9급공무원

기본서

국어 | 문법과 어문규정

변화하는 공무원 시험 트렌드 맞춤 기본서

공무원 시험의 트렌드는 변화하고 있습니다.
이제 기존의 공무원 공부법으로는 수험생 여러분의 안정적 고득점을 보장할 수 없게 되었습니다.

안녕하세요. 에듀윌 국어 강사 배영표, 탐쌤입니다.
수험생 여러분! 여러분들이 더 잘 느끼시겠지만 공무원 국어 시험은 변화하고 있습니다. 기존의 잡다한 국어 지식 평가에서 진정한 국어 능력(언어 능력) 평가로 변화하고 있고 그러한 경향성은 앞으로 더욱 뚜렷해질 것입니다. 그동안 해오던 단순 암기식의 국어 능력 평가는 공무원 임용 후보자들의 진정한 언어 능력을 평가할 수 없을 뿐만 아니라 점점 더 엘리트화되고 있는 공무원 집단의 눈높이를 맞출 수도 없습니다. 따라서 그러한 단순 지식의 유형들은 그 비중이 점차 축소될 것입니다.

반면 그동안 공무원 국어 시험에서만 유독 배제됐던 '언어 능력 평가'가 마치 수능 국어처럼, 조금 더 정확히 얘기한다면 대기업 인적성 평가 언어/국어 영역처럼 변하게 될 것입니다. 물론 아직까지는 기존의 공무원 시험의 경향이 많이 유지되고 있습니다. 위치로 보자면 기존의 것과 새로운 것의 중간쯤 된다고 생각하시면 좋을 것 같습니다. 따라서 공무원 시험 대비 강의와 공부 또한 기존의 접근(문법 · 어휘 중심)으로 하되 새로운 대비(비문학 · 문학)가 필요한 시점입니다.

다시 한번 말씀드리지만, 기존의 공무원 시험 공부법으로는 수험생 여러분들의 안정적인 고득점이 불가능합니다. 이제 공무원 국어 공부는 진정한 언어 능력 평가로 변화하는 트렌드에 발맞출 필요가 있습니다. 그러므로 현장에서 대입 수능과 대기업 인적성을 연구 · 분석하고 강의하는 저, 탐쌤이 수험생 여러분들께 변화하는 공무원 국어 시험의 트렌드에 발맞춘 실질적 도움을 드릴 수 있을 것이라고 생각합니다.

앞에서 말씀드린 것처럼 이제 공무원 시험은 두 가지 방향으로 접근해야 합니다.

1. 문법 · 어휘

문법 이론, 언어 규정, 규범 위주의 문법 · 어휘 영역은 기존의 방식대로 이해와 암기가 적절히 진행되어야 합니다. 공무원 시험의 경향이 변하더라도 문법과 언어 규정, 규범은 임용자의 업무 시 실용적인 차원에서 필요한 부분이므로 꾸준하게 출제될 가능성이 높기 때문입니다. 물론 과거의 시험이 너무 지엽적이었다면 앞으로는 좀 더 대표성 있는 부분들에서 집중적으로 출제될 가능성이 높습니다. 따라서 자료의 방대함으로 무조건 외우던 방향에서 대표성 있는 부분들에 대한 효율적 · 합리적 접근 방향으로 변해야 할 것입니다.

2. 비문학 · 문학

제가 앞에서 언급한 공무원 시험 트렌드의 변화를 수험생 여러분들께서 가장 많이 체감하실 수 있는 영역이 될 것입니다. 따라서 이론, 단순 암기 위주의 공부는 지양하고 진정한 언어 능력, 독해 능력 신장 차원에서 접근해야 할 것입니다. 비문학과 문학의 경우 실질적인 독해법과 감상법을 정확히 익히고 교재에 실려 있는 수능형 문제풀이 등을 통해 꾸준히 공부하신다면 충분히 대비할 수 있을 것이라 생각합니다.

이 세상에 그 무엇도 완벽한 것은 없습니다. 이 책도 마찬가지입니다. 하지만 저 탐쌤이 자신 있게 말씀드리겠습니다. 수험생 여러분 스스로의 의지만 있으시다면 다른 책의 도움 없이 이 책만으로도 얼마든지, 충분히 합격하실 수 있습니다. 《2023 에듀윌 7 · 9급 공무원 기본서》는 조만간 찾아올 여러분의 합격의 순간에 일등공신으로서 영광된 그 자리에 함께하겠습니다.

마지막으로 출판을 허락해 주신 에듀윌에 먼저 감사의 인사를 전합니다. 그리고 긴 시간 동안 저보다 훨씬 더 많이 고생해 주신 공무원출판팀에 가장 큰 감사의 인사를 전합니다. 항상 지식적 부족함을 메워 주시는 미르마루 연구 선생님, 바쁘신 중에도 힘든 일도 마다않고 도와주시는 경태형 연구 실장님께도 깊은 감사의 인사를 전합니다.
감사합니다.

2022년 6월

국어 강사 배영표

시험의 모든 것

응시자격

- 학력 및 경력: 제한 없음
- 응시연령 (*2022년도 시험 기준)

구분	응시연령
7급 공개경쟁채용시험	20세 이상(2002. 12. 31. 이전 출생자)
9급 공개경쟁채용시험(교정 · 보호직 제외)	18세 이상(2004. 12. 31. 이전 출생자)
9급 공개경쟁채용시험 중 교정 · 보호직	20세 이상(2002. 12. 31. 이전 출생자)

※ 응시결격사유

– 국가직: 해당 시험의 최종시험 시행예정일(면접시험 최종예정일) 현재를 기준으로 「국가공무원법」 제33조(외무공무원은 「외무공무원법」 제9조, 검찰직 · 마약수사직 공무원은 「검찰청법」 제50조)의 결격사유에 해당하거나, 「국가공무원법」 제74조(정년) · 「외무공무원법」 제27조(정년)에 해당하는 자 또는 「공무원임용시험령」 등 관계법령에 의하여 응시자격이 정지된 자

– 지방직: 해당 시험의 최종시험 시행예정일(면접시험 최종예정일) 현재를 기준으로 「지방공무원법」 제31조(결격사유), 제66조(정년), 「지방공무원 임용령」 제65조(부정행위자 등에 대한 조치) 및 「부패방지 및 국민권익위원회의 설치와 운영에 관한 법률」 등 관계법령에 따라 응시자격이 정지된 자

시험절차 및 일정

■ 시험절차

01 시험공고 > 02 원서교부 및 접수 > 03 필기시험 > 04 면접시험 > 05 최종합격자발표 > 06 채용후보자등록 > 07 임용추천 및 배치 > 08 공무원임용

- 필기시험

<table>
<tr><th colspan="3">구분</th><th>과목 수</th><th>문항 수</th><th>시간</th></tr>
<tr><td colspan="3">국가직 · 지방직 9급</td><td>5과목</td><td>과목당 20문제(4지선다)</td><td>100분</td></tr>
<tr><td rowspan="3">국가직 7급</td><td rowspan="2">1차</td><td rowspan="2">PSAT</td><td>언어논리 · 상황판단영역</td><td rowspan="2">영역별 25문항(5지선다)</td><td>120분</td></tr>
<tr><td>자료해석영역</td><td>60분</td></tr>
<tr><td>2차</td><td colspan="2">4과목(전문 과목)</td><td>과목당 25문제(4지선다)</td><td>100분</td></tr>
<tr><td colspan="3" rowspan="2">지방직 7급</td><td>영어, 한국사 2과목</td><td colspan="2">능력검정시험 대체</td></tr>
<tr><td>5과목</td><td>과목당 20문제(4지선다)</td><td>100분</td></tr>
</table>

※ 필기시험 과락 기준: 각 과목 만점의 40% 미만

※ 필기시험 합격 기준: 각 과목 만점의 40% 이상을 득점한 사람 중 전 과목 총득점에 의한 고득점자 순

- 면접시험

<table>
<tr><th>구분</th><th>내용</th><th>시간</th></tr>
<tr><td rowspan="2">9급</td><td>경험 · 상황면접과제 작성(20분) + 5분 발표과제 검토(10분)</td><td>30분 내외</td></tr>
<tr><td>5분 발표(5분) 및 후속 질의 · 응답(5분) + 경험 · 상황면접(공직가치/전문성 등)(20분)</td><td>30분 내외</td></tr>
<tr><td rowspan="2">7급</td><td>경험 · 상황면접과제 작성(20분) + 개인발표문 검토 · 작성(30분)</td><td>50분 내외</td></tr>
<tr><td>개인발표(8분) 및 후속 질의 응답(7분) + 경험 · 상황면접(공직가치/전문성 등)(25분)</td><td>40분 내외</td></tr>
</table>

※ 경험면접은 임용 이후 근무하고 싶은 부처(기관)와 담당하고 싶은 직무(정책)에 대해 기술하고, 해당분야의 직무수행능력 및 전문성 함양을 위해 평소에 준비한 노력과 경험 등을 평가함. 전 직렬 동일한 문제가 출제됨(2021년도 기준)

■ 시험일정

– 국가직: 공고(대체로 1월 중) / 필기시험 9급(대체로 4월 중), 필기시험 7급(대체로 7~8월 중)

– 지방직 · 서울시: 공고(대체로 2월 중) / 필기시험 9급(대체로 6월 중), 필기시험 7급(대체로 10월 중)

※ 전국 동시 시행되는 지방직 공무원 7급 및 8 · 9급 임용시험의 응시원서는 1개 지방자치단체만 접수 가능하며, 중복접수는 불가함

시험과목

■ 국가직 9급

※ 지방직의 경우 도 · 광역시에 따라 선발하는 직렬(직류)이 상이하여 수록하지 않았으며, 상세내용은 응시하고자 하는 지역의 시행계획 공고를 확인해야 함

직렬(직류)	시험과목(필수)
행정직(일반행정)	국어, 영어, 한국사, 행정법총론, 행정학개론
행정직(고용노동)	국어, 영어, 한국사, 노동법개론, 행정법총론
행정직(교육행정)	국어, 영어, 한국사, 교육학개론, 행정법총론
행정직(선거행정)	국어, 영어, 한국사, 공직선거법, 행정법총론
직업상담직(직업상담)	국어, 영어, 한국사, 노동법개론, 직업상담 · 심리학개론
세무직(세무)	국어, 영어, 한국사, 세법개론, 회계학
관세직(관세)	국어, 영어, 한국사, 관세법개론, 회계원리
통계직(통계)	국어, 영어, 한국사, 통계학개론, 경제학개론
교정직(교정)	국어, 영어, 한국사, 교정학개론, 형사소송법개론
보호직(보호)	국어, 영어, 한국사, 형사소송법개론, 사회복지학개론
검찰직(검찰)	국어, 영어, 한국사, 형법, 형사소송법
마약수사직(마약수사)	국어, 영어, 한국사, 형법, 형사소송법
출입국관리직(출입국관리)	국어, 영어, 한국사, 행정법총론, 국제법개론
철도경찰직(철도경찰)	국어, 영어, 한국사, 형사소송법개론, 형법총론
공업직(일반기계)	국어, 영어, 한국사, 기계일반, 기계설계
공업직(전기)	국어, 영어, 한국사, 전기이론, 전기기기
공업직(화공)	국어, 영어, 한국사, 화학공학일반, 공업화학
농업직(일반농업)	국어, 영어, 한국사, 재배학개론, 식용작물
임업직(산림자원)	국어, 영어, 한국사, 조림, 임업경영
시설직(일반토목)	국어, 영어, 한국사, 응용역학개론, 토목설계
시설직(건축)	국어, 영어, 한국사, 건축계획, 건축구조
시설직(시설조경)	국어, 영어, 한국사, 조경학, 조경계획 및 설계
방재안전직(방재안전)	국어, 영어, 한국사, 재난관리론, 안전관리론
전산직(전산개발)	국어, 영어, 한국사, 컴퓨터일반, 정보보호론
전산직(정보보호)	국어, 영어, 한국사, 네트워크 보안, 정보시스템 보안
방송통신직(전송기술)	국어, 영어, 한국사, 전자공학개론, 무선공학개론

※ 2022년부터 전 과목이 필수화됨에 따라 선택과목 및 조정(표준)점수제도는 폐지됨

※ 2022년부터 일반행정 직류는 사회, 과학, 수학이, 일반행정 직류를 제외한 직류는 행정학개론, 사회, 과학, 수학이 시험과목에서 제외됨

■ 국가직 7급

※ 지방직의 경우 도·광역시에 따라 선발하는 직렬(직류)이 상이하여 수록하지 않았으며, 상세 내용은 응시하고자 하는 지역의 시행계획 공고를 확인해야 함

직렬(직류)	제1차시험	제2차시험
행정직(일반행정)	PSAT (언어논리영역, 상황판단영역, 자료해석영역), 영어 (영어능력검정시험으로 대체), 한국사 (한국사능력검정 시험으로 대체)	헌법, 행정법, 행정학, 경제학
행정직(인사조직)		헌법, 행정법, 행정학, 인사·조직론
행정직(재경)		헌법, 행정법, 경제학, 회계학
행정직(고용노동)		헌법, 노동법, 행정법, 경제학
행정직(교육행정)		헌법, 행정법, 교육학, 행정학
행정직(회계)		헌법, 행정법, 회계학, 경제학
행정직(선거행정)		헌법, 행정법, 행정학, 공직선거법
세무직(세무)		헌법, 세법, 회계학, 경제학
관세직(관세)		헌법, 행정법, 관세법, 무역학
통계직(통계)		헌법, 행정법, 통계학, 경제학
감사직(감사)		헌법, 행정법, 회계학, 경영학
교정직(교정)		헌법, 교정학, 형사소송법, 행정법
보호직(보호)		헌법, 형사소송법, 심리학, 형사정책
검찰직(검찰)		헌법, 형법, 형사소송법, 행정법
출입국관리직(출입국관리)		헌법, 행정법, 국제법, 형사소송법
공업직(일반기계)		물리학개론, 기계공작법, 기계설계, 자동제어
공업직(전기)		물리학개론, 전기자기학, 회로이론, 전기기기
공업직(화공)		화학개론, 화공열역학, 전달현상, 반응공학
농업직(일반농업)		생물학개론, 재배학, 식용작물학, 토양학
임업직(산림자원)		생물학개론, 조림학, 임업경영학, 조경학
시설직(일반토목)		물리학개론, 응용역학, 수리수문학, 토질역학
시설직(건축)		물리학개론, 건축계획학, 건축구조학, 건축시공학
방재안전직(방재안전)		재난관리론, 안전관리론, 도시계획, 방재관계법규
전산직(전산개발)		자료구조론, 데이터베이스론, 소프트웨어공학, 정보보호론
방송통신(전송기술)		물리학개론, 통신이론, 전기자기학, 전자회로
외무영사직 (외무영사)		필수(3): 헌법, 국제정치학, 국제법 선택(1): 독어, 불어, 러시아어, 중국어, 일어, 스페인어

※ 2021년부터 7급 공채시험의 선발방식이 1차 공직적격성평가(PSAT), 2차 전문과목 평가, 3차 면접시험 등 3단계로 바뀜

※ 영어, 한국사 과목은 능력검정시험으로 대체됨: 7급 공개경쟁 임용시험의 최종시험 시행예정일로부터 역산하여 5년이 되는 해의 1월 1일 이후에 실시된 시험으로서 제1차 시험 시행예정일 전날까지 점수(등급)가 발표된 시험으로 한정

■ 국가직 7급 한국사능력검정시험 기준점수 및 인정범위

- 기준점수(등급): 한국사능력검정시험(국사편찬위원회) 2급 이상
- 인정범위: 2017. 1. 1. 이후 실시된 시험으로서, 제1차시험 시행예정일 전날까지 점수(등급)가 발표된 시험으로 한정하며 기준점수 이상으로 확인된 시험만 인정됨(2022년도 시험 기준)

※ 성적이 발표되지 않는 등 불가피한 사정으로 원서접수 시까지 성적을 제출하지 못하는 경우에는 추가등록기간(별도 확인 필요) 내에 사이버국가고시센터(www.gosi.kr)를 통해 등록해야 함

■ 국가직 7급 영어능력검정시험 기준점수 및 인정범위

구분	TOEFL		TOEIC	TEPS		G-TELP	FLEX
	PBT	IBT		2018. 5. 12. 이전 시험	2018. 5. 12. 이후 시험		
7급 공채 (외무영사직 제외)	530	71	700	625	340	65(level 2)	625
7급 공채 (외무영사직)	567	86	790	700	385	77(level 2)	700

※ 2017. 1. 1. 이후 국내에서 실시된 시험으로서, 제1차시험 시행예정일 전날까지 점수(등급)가 발표된 시험으로 한정하며 기준점수 이상으로 확인된 시험만 인정됨(2017. 1. 1. 이후 외국에서 응시한 TOEFL, 일본에서 응시한 TOEIC, 미국에서 응시한 G-TELP도 동일함, 2022년도 시험 기준)

※ 자체 유효기간이 2년인 시험(TOEIC, TOEFL, TEPS, G-TELP)의 경우에는 유효기간이 경과되면 시행기관으로부터 성적을 조회할 수 없어 진위여부가 확인되지 않으므로, 반드시 유효기간 만료 전의 별도 안내하는 기간에 사이버국가고시센터(www.gosi.kr)를 통해 사전등록해야 함(사전등록 없이 유효기간 경과로 진위여부 확인이 불가한 성적은 인정되지 않음)

가산점

■ 국가직

구분	가산 비율
취업지원대상자	과목별 만점의 40% 이상 득점한 자에 한하여 과목별 만점의 5% 또는 10%
의사상자 등	과목별 만점의 40% 이상 득점한 자에 한하여 과목별 만점의 3% 또는 5%
직렬별 가산대상 자격증 소지자	과목별 만점의 40% 이상 득점한 자에 한하여 과목별 만점의 3% 또는 5% (1개의 자격증만 인정)

구분	자격증	
행정직	• 행정직(일반행정/선거행정): 변호사, 변리사 5% • 행정직(재경): 변호사, 공인회계사, 감정평가사 5% • 행정직(교육행정): 변호사 5% • 행정직(회계): 공인회계사 5% • 행정직(고용노동)·직업상담직: 변호사, 공인노무사, 직업상담사 1급·2급 5% (단, 7급은 3% 가산)	• 세무직: 변호사, 공인회계사, 세무사 5% • 관세직: 변호사, 공인회계사, 관세사 5% • 감사직: 변호사, 공인회계사, 감정평가사, 세무사 5% • 교정직·보호직·철도경찰직: 변호사, 법무사 5% • 검찰직·마약수사직: 변호사, 공인회계사, 법무사 5% • 통계직: 사회조사분석사 1급·2급 5% (단, 7급은 3% 가산)
기술직	• 7급: 기술사, 기능장, 기사 5% / 산업기사 3%	• 9급: 기술사, 기능장, 기사, 산업기사 5% / 기능사 3%

※ 7급 공개경쟁채용 제1차시험에는 적용하지 않음

■ 지방직

구분	가산 비율
취업지원대상자	과목별 만점의 40% 이상 득점한 자에 한하여 과목별 만점의 5% 또는 10%
의사상자 등	과목별 만점의 40% 이상 득점한 자에 한하여 과목별 만점의 3% 또는 5%
직렬별 자격증 가산점	과목별 만점의 40% 이상 득점한 자에 한하여 과목별 만점의 3% 또는 5% (1개의 자격증만 인정)

구분	자격증	
행정직, 기술직	• 행정(일반행정): 변호사, 변리사 5% • 세무(지방세): 변호사, 공인회계사, 세무사 5%	• 행정(사회복지): 변호사 5% • 기술(보건): 임상심리사 1급 · 2급 5%
기술직	• 7급: 기술사, 기능장, 기사 5% • 7급: 산업기사 3%	• 8 · 9급: 기술사, 기능장, 기사, 산업기사 5% • 8 · 9급: 기능사 3%

※ 의사상자는 의사자 유족, 의상자 본인 및 가족까지 적용

※ 자격증 가산점을 받기 위해서는 필기시험 시행 전일까지 해당 요건을 갖추어야 하며, 반드시 가산점 등록기간에 자격증의 종류 및 가산비율 등을 입력해야 함(가산점 등록기간은 공고를 확인)

공무원 시험 FAQ

국가직

Q. 원서접수 시 따로 유의해야 할 사항들이 있을까요?

[사이버국가고시센터] – [원서접수] – [응시원서 확인] 화면에서 결제 여부가 '접수/결제완료'라고 표기되어 있다면 응시원서가 제대로 접수된 것입니다. 참고로 접수기간이 종료된 후에는 어떠한 경우에도 추가 접수가 불가능할 뿐만아니라 응시직렬, 응시지역, 선택과목, 지방인재 여부 등에 대한 수정 또한 불가능하니 원서접수 시에 신중하게 선택해 주시기 바랍니다.

Q. 원서 접수 사진! 어떤 사진을 사용해야 하나요?

시험 당일, 응시 원서상의 사진과 실물이 많이 달라서 본인 확인이 어려울 경우에는 시험 시간 중 또는 종료 후, 양쪽 엄지손가락의 지문 날인과 신분 확인용 개인정보 제공 동의서 등을 작성하게 되어 소중한 시험시간을 허비하거나 번거로운 일이 생길 수도 있습니다. 때문에 수험생의 소중한 시험 시간을 보장하기 위해서 단색 배경의 이마와 귀를 가리지 않은 6개월 이내의 사진(JPG, PNG)을 권장하고 있습니다. 다만 이미 찍어두신 사진으로 본인 식별이 명확하게 가능하다면 권장 사항들을 엄격하게 갖추지 않아도 해당 사진을 사용하셔도 됩니다. 이 경우에는 이마와, 귀를 가린 사진도 사용이 가능합니다.

참고로 원서 접수 시에 등록하신 사진은 접수 취소 기간까지만 수정이 가능하고 이후에는 면접시험까지 그대로 사용되니 유의해주세요. 군복 등 제복 착용, 90도 누운 사진, 희미한 사진(역광 포함), 얼굴 일부만 보이거나 전혀 안 보이는 사진, 상반신 전체를 사용하여 얼굴이 너무 작은 사진, 신분증을 재촬영하여 사용한 사진, 좌우로 몸을 돌린 사진, 한 방향만 축소한 사진 등은 사용할 수 없습니다.

Q. 응시원서를 제출한 이후, 연락처가 바뀌었습니다. 어떻게 해야 하나요?

주소, 휴대전화 번호, 전자우편 등의 정보는 원서 접수기간 종료 후라도 언제든지 [사이버국가고시센터]의 [개인정보 수정] 메뉴에서 본인이 직접 수정 가능합니다. 그러나 성명, 주민등록번호 등의 필수 인적정보는 수험생이 임의로 변경할 수 없습니다.

Q. 친구랑 동시에 접수하면 수험번호가 앞 · 뒤로 배치되나요?

응시원서 취소기간이 종료되고 원서접수를 한 총인원이 확정되면 수험생 개개인에게 응시번호를 부여합니다. 응시번호는 부정행위 방지 차원에서 전산을 통해 무작위로 부여되므로 친구와 연달아 원서접수를 했더라도 응시번호를 연속으로 부여받을 가능성은 없습니다.

Q. 개명 전 이름으로 한국사 2급 성적을 취득했고, 국사편찬위에 개명된 이름으로 변경 요청했는데 처리가 안 되었어요. 응시원서 접수 시 문제가 되지 않나요?

응시원서를 접수할 때, 본인의 한국사능력검정시험 성적 인증번호와 시험일자를 그대로 등록하시기 바랍니다. 개명된 응시자의 경우에는 국사편찬위원회에서 성적(등급)은 확인되나, '성명 불일치'로 조회가 됩니다. 이 경우에는 한국사능력검정시험 홈페이지(www.historyexam.go.kr) 내 [나의 시험정보]–[개명신청 및 내역]에서 개명신청을 하신 후 변경된 인증서를 우편 또는 [사이버국가고시센터]로 제출하시면 정상처리하고 있습니다.

Q. 2017년에 취득한 토익점수가 있는데 2019년에 유효기간이 만료되었습니다. 2017년 토익점수를 2022년 7급 공채시험에도 사용할 수 있는지 궁금합니다.

인사혁신처에서는 공채시험 내 영어 과목을 대체하는 영어 성적의 유효기간을 5년까지 인정하고 있습니다. 다만, 자체 유효기간이 2년인 토익, 토플 등의 시험은 2년이 지나면 성적이 삭제되어 진위여부를 확인할 수 없으므로 유효기간이 경과되기 전에 반드시 [사이버국가고시센터]를 통하여 사전등록해야 합니다. 사전등록을 해서 유효한 성적으로 확인되면 5년까지 인정됩니다. 따라서 2017년 토익성적을 사전등록하여 유효한 것으로 확인되었다면 2022년 7급 공채시험까지 응시가 가능합니다. 다만, 유효기간 만료 전에 사전등록을 하지 않았다면 2017년도의 토익점수는 진위여부를 확인할 수 없으므로 2022년 7급 공채시험의 유효한 영어성적으로 인정되지 않습니다.

Q. 시험실 입실시간이나 응시자 준수사항 등의 정보는 언제, 어디에서 확인할 수 있나요?

보통 필기시험일 7일 전에 [사이버국가고시센터]에 게시하는 '일시·장소 및 응시자 준수사항 공고문'에는 시험장 정보뿐만 아니라 시험실 입실시간, 일자별 시험과목(5급공채 제2차시험의 경우), 응시자 준수사항 등의 주요 정보가 포함되어 있습니다. 이 공고문에는 숙지하지 않으면 시험 자체를 볼 수 없는 등 큰 불이익을 받을 수 있는 내용들이 포함되어 있습니다. 실제로 시험장을 잘못 확인하여 본인 시험장이 아닌 다른 시험장으로 간다거나, 문제책이 시험실에 도착한 이후에 응시자가 시험장에 도착해 시험응시 자체가 안 되는 상황이 종종 발생하고 있습니다. 또한 시험 도중 실수로 핸드폰을 소지하고 있다거나, 시험종료 후 답안을 추가로 마킹하는 등의 부정행위로 인해 불이익을 받는 경우가 계속해서 발생하고 있습니다. 이러한 예상치 않은 피해를 받지 않기 위해서 반드시 '일시·장소 및 응시자 준수사항 공고문'의 내용을 꼼꼼히 확인하시기 바랍니다.

※ 출처: 사이버국가고시센터 > 채용시험 종합 안내(FAQ)

지방직

Q. 아직 가산자격증이 발급되지 않아서 체크하지 못했는데, 가산점을 수정 및 추가등록할 수 있나요?

대체적으로 다음과 같으나, 시도 및 시험에 따라 가산자격증 등록 가능 기간과 방법이 다를 수 있으니 응시한 시험의 공고문을 반드시 확인하셔야 합니다.

– (기간) 원서접수기간~필기시험 시행 전일 / (방법) 원서작성 시 바로 등록 또는 원서접수 후 [마이페이지]>[가산자격등록] 메뉴에서 등록
– (기간) 원서접수기간~필기시험 시행 당일 / (방법) 원서작성 시 바로 등록 또는 원서접수 후 [마이페이지]>[가산자격등록] 메뉴에서 등록
– (기간) 필기시험일~필기시험 시행일을 포함한 4일 이내 / (방법) [마이페이지]>[가산자격증등록] 메뉴에서 등록
– (기간) 필기시험일~필기시험 시행일을 포함한 5일 이내 / (방법) [마이페이지]>[가산자격증등록] 메뉴에서 등록

기한 내 가산점을 입력하지 않거나 부정확한 정보로 인하여 가산점을 적용받지 못하는 경우가 없도록 유념해야 합니다. 또한 부정확한 정보를 입력하여 발생하는 결과는 응시자의 귀책사유가 됩니다.

Q. 가산자격증은 시험 접수마다 매번 등록해야 하나요?

시험별, 직렬별 가산점 대상 자격증이 상이하므로 접수마다 등록하셔야 합니다.

Q. 개명 후 이름이 바뀌지 않았는데 어떻게 해야 하나요?

개명을 하신 경우 [회원정보]–[개인정보 수정]에서 실명인증 후 변경이 가능합니다만, 이미 작성완료된 원서의 경우 이름 변경이 불가하므로 해당 지역 고시 담당자에게 문의 후 시험에 응시하셔야 합니다.

Q. 응시표는 흑백으로 출력해도 되나요?

응시표는 접수 및 본인을 확인하기 위한 수단으로 흑백으로 출력하셔도 무방합니다. 단, 흑백 출력 시 사진확인이 가능하도록 프린트기 명암조절 등을 통해 출력하시기 바랍니다.

※ 출처: 지방자치단체 인터넷원서접수센터 > FAQ

기출분석의 모든 것

최근 5개년 출제 문항 수

2022~2018 9급
국가직, 지방직, 서울시 기준

권 구분	PART	CHAPTER	2022	2021		2020		2019			2018			합계
			국9	국9	지/서9	국9	지/서9	국9	지9	서9	국9	지9	서9	
문법과 어문 규정	현대 문법	언어와 국어		1						1				2
		음운론						1	1		1		2	5
		형태론		1				1		1			3	6
		통사론				2	1			1				4
		의미론과 화용론	1	1			1	1	2	1	1	1		9
	어문 규정	한글 맞춤법	3	1	1	1	3		2	4	1	3	2	21
		문장 부호												0
		표준어 사정 원칙			1								1	2
		표준 발음법								1				1
		국어의 로마자/외래어 표기법								2	1			3
	고전 문법	국어사												0
		훈민정음과 고전 문법								1	1	1		3
		주요 고전문 분석												0
	언어 예절과 바른 표현	언어예절												0
		바른 표현	1	1		2			1			1	1	7
비문학	이론 비문학	작문		2	1	1	2	2	1		3		1	13
		화법	1	2	1	2	1	3	2			2		14
		논증과 오류									1			1
	독해 비문학	주제 찾기 유형				2	2		2		1			7
		내용 일치/불일치 유형	4	3	3	3	1	3	3		3	4	2	29
		밑줄/괄호 유형	1	1	3	1	1	2		1				10
		기타	3	1	3		1					2		10
문학	기본 이론	문학의 이해						1	1				1	3
	현대 문학의 이해	한국 현대 문학의 흐름											2	2
	고전 문학의 이해	한국 문학과 고대의 문학												0
	주요 문학 작품	현대 시	1	1	1		1	1		3	1	1		10
		현대 소설	1		1	2	1	1	1	1	1	1	1	11
		현대 희곡과 수필		1	2			1						4
		고전 운문	1	2		1		2	1	2	1	2	1	13
		고전 산문	1		1		3	1	1		2	1		10
어휘와 관용 표현	순우리말	문학 작품 속 순 우리말												0
		사람 관련 순우리말												0
		자연 관련 순우리말												0
		기타 순우리말			1									1
		단어의 의미 관계												0
	관용 표현	주요 관용구			1									1
		신체 관련 관용구												0
		주요 속담								1			1	2
	한자와 한자어	한자와 한문법												0
		주요 한자												0
		두 글자 주요 한자어	1	1		2			1		1	1	1	8
		주의해야 할 한자와 한자어					1				1			2
		주요 사자성어	1	1		1	1		1				1	6
문항 수 합계			20	20	20	20	20	20	20	20	20	20	20	220

최근 5개년 출제 개념

2022~2018 9급
국가직, 지방직, 서울시
기준

권 구분	PART	CHAPTER	출제 개념
문법과 어문규정	현대 문법	언어와 국어	언어와 사고, 고유어, 한자어, 외래어, 귀화어, 비어, 국어의 형태적 특성, 언어의 자의성과 사회성, 순화어
		음운론	음운 변동, 자음과 모음
		형태론	용언의 불규칙 활용, 품사, 접두사, 대명사, 용언의 기본형, 보조사(는, 만, 대로, 조차), 조사(에서), 본용언과 보조 용언, 합성어와 파생어, 통사적 합성어와 비통사적 합성어, 접미사
		통사론	안긴문장의 성분, 주체 높임, 객체 높임, 상대 높임, 주동문과 사동문
		의미론과 화용론	지시 표현, 의미의 확대와 축소, 어휘의 의미 관계, 반의 관계[부상(扶桑)－함지(咸池)], 반의어(분분하다－합치하다, 겸손－오만, 결미－모두, 살다－죽다, 높다－낮다, 늙다－젊다, 뜨겁다－차갑다), 다의어와 동음이의어(싸다, 짚다, 타다), 유의어(잡다), 동일한 주어 찾기, '살다'의 의미
	어문 규정	한글 맞춤법	사이시옷 규정, 란–난, 량–양, 썩이다–썩히다, 가름–갈음, 부문–부분, 구별–구분, 로서–로써, 웬일, 며칠, 박이다, 으레, 한밤중, 잘할뿐더러, 두 시간 만에, 안된다, 도외시하다, 대리전으로밖에는, 내키는 대로, 회복될지, 으로부터, 십여 년 전, 정한 대로, 재조정하여야, 추진력마저, 나하고, 활용될 수밖에, 공부깨나, 가는 김에, 창밖, 우단 천, 30년 동안, 낫다, 이어서, '데'와 '대', 쳐주다, 먹어 버렸다, 부쳐 주었다, 젊어 보인다, 입원시켰다, 부부간, 아무것, 집채만 한, 믿을 만한, 미닫이, 졸음, 익히, 육손이, 집집이, 곰배팔이, 끄트머리, 바가지, 이파리
		문장 부호	
		표준어 사정 원칙	콧방울, 눈초리, 귓밥, 장딴지, 퍼레서, 똬리, 머리말, 잠가야, 버젓이, 깨단하다, 뒤져내다, 허구하다, 개발새발, 이쁘다, 덩굴, 마실, 치켜세우다, 사글세, 설거지, 수캉아지, 주책, 두루뭉술하다, 허드레
		표준 발음법	디귿이[디그시], 홑이불[혼니불]
		국어의 로마자/외래어 표기법	국어의 로마자 표기법: 음절 사이 붙임표(－), 학여울[항녀울]－Hangnyeoul / 외래어 표기법: 플래시, 슈림프, 프레젠테이션, 뉴턴, 배지, 앙코르, 콘테스트, 난센스, 소파, 소시지, 슈퍼마켓, 보디로션, 팸플릿, 도트
	고전 문법	국어사	
		훈민정음과 고전 문법	조사, 어미, 접사, 훈민정음의 28 자모, 초성 17자
		주요 고전문 분석	
	언어 예절과 바른 표현	언어 예절	
		바른 표현	바른 단어 사용, 문장 성분의 호응, 바른 조사 사용
비문학	이론 비문학	작문	전개 방식(유추, 대조, 분석, 예시, 대조, 정의, 묘사), 통일성, 자료의 활용, 개요, 고쳐쓰기, 두괄식 문단, 미괄식 문단
		화법	공감적 듣기, 대담, 대화, 대화의 원리, 토의, 토론, 인터뷰
		논증과 오류	우연의 오류, 애매어의 오류, 결합의 오류, 분해의 오류, 대중에 호소하는 오류, 무지에 호소하는 오류, 권위에 호소하는 오류, 연민에 호소하는 오류, 논증 구조
	독해 비문학	주제 찾기 유형	필자가 궁극적으로 강조하는 내용으로 옳은 것은, 제목으로 가장 적절한 것은, 칸트의 입장과 부합하는 것은, 중심 내용으로 가장 적절한 것은, 글쓴이의 생각을 적절히 추론한 것은
		내용 일치/불일치 유형	글에 대한 이해로 적절하지 않은 것은, 글쓴이의 견해에 부합하는 것은, 하버마스의 주장에 부합하는 사례로 가장 적절한 것은, 추론한 내용으로 적절하지 않은 것은, 설명으로 적절하지 않은 것은, 부합하지 않는 것은, 추론할 수 있는 내용으로 적절하지 않은 것은, 부합하는 것은, 필자의 견해로 볼 수 없는 것은, 알 수 있는 내용이 아닌 것은,
		밑줄/괄호 유형	다음 문장이 들어가기에 가장 적절한 곳을 ㉠~㉣에서 고르면, (가)~(라)에 들어갈 말로 가장 적절한 것은, 다음 문장이 들어가기에 가장 적절한 곳은, 다음 글에서 〈보기〉가 들어가기에 가장 적절한 것은, 다음 글의 괄호 안에 들어갈 문장으로 적절한 것은
		기타	문단 순서 배열, 문장 순서 배열, 조건에 맞는 글, 예시 찾기
문학	문학 기본 이론	문학의 이해/한국 문학의 이해	골계미, 풍자, 해학, 작품 감상의 관점
	현대 문학의 이해	한국 현대 문학의 흐름	6 · 25 전쟁과 관련된 소설 작품, 1960년대 한국 문학의 특징, 시사(詩史)의 전개와 순서, 동일한 시대적 배경의 시, 서울 배경의 소설 작품
	고전 문학의 이해	한국 문학과 고대의 문학	
	주요 문학 작품	현대 시	신동엽의 「봄은」 · 「이야기하는 쟁기꾼의 대지」 · 「누가 하늘을 보았다 하는가」, 조병화의 「나무의 철학」, 조지훈의 「봉황수」, 함민복의 「그 샘」, 박목월의 「나그네」 · 「청노루」, 이육사의 「절정」, 곽재구의 「사평역에서」
		현대 소설	이태준의 「패강랭」, 김정한의 「산거족」, 강신재의 「젊은 느티나무」, 조세희의 「난쟁이가 쏘아 올린 작은 공」, 양귀자의 「비 오는 날이면 가리봉동에 가야 한다」, 오정희의 「중국인 거리」, 황순원의 「목넘이 마을의 개」, 이호철의 「닳아지는 살들」, 김승옥의 「서울, 1964년 겨울」 · 「무진기행」, 김유정의 「봄 · 봄」, 염상섭의 「삼대」
		현대 희곡과 수필	이상의 「권태」, 김훈의 「수박」, 이강백의 「느낌, 극락 같은」 · 「파수꾼」
		고전 운문	고려 가요: 작자 미상의 「동동」 / 악장: 정인지, 권제, 안지 등의 「용비어천가」 / 한시: 이달의 「제총요」, 허난설헌의 「사시사」 / 가사: 박인로의 「누항사」 / 시조: 유응부의 「간밤에 부던 ᄇᆞ람에~」, 이항복의 「철령 노픈 봉에~」, 계랑의 「이화우 흣ᄲᅮ릴 제~」, 조식의 「삼동의 뵈옷 닙고~」, 박인로의 「반중 조홍감이~」, 황진이의 「동짓ᄃᆞᆯ 기나긴 밤을~」, 성혼의 「말 업슨 청산이오~」, 이현보의 「농암에 올라보니~」, 길재의 「오백년 도읍지를~」, 이황의 「도산십이곡」, 윤선도의 「초연곡」, 권섭의 「하하 허허 ᄒᆞᆫ들~」, 정철의 「내 마음 베어 내어~」, 정철의 「훈민가」, 김상헌의 「가노라 삼각산아~」
		고전 산문	신화: 「주몽 신화」 / 가전체 문학: 이첨의 「저생전」, 임춘의 「공방전」 / 고전 소설: 김만중의 「구운몽」 · 「사씨남정기」, 작자 미상의 「춘향전」 / 민속극: 작자 미상의 「봉산 탈춤」
어휘와 관용표현		순우리말	반나절, 달포, 그끄저께, 해거리, 해미, 안갚음, 볼썽, 상고대, 쌈, 제, 거리, 굼적대다, 비나리 치다, 가리사니
		관용 표현	속담, 관용구
		한자와 한자어	사자성어, 두 글자 한자어, 한자의 훈과 음

이 책의 구성

영역별 구성

문법과 어문규정

'문법과 어문규정'은 현대 문법, 어문 규정, 고전 문법, 언어 예절과 바른 표현으로 구성하였다. 현대 문법과 고전 문법은 기초부터 심화까지 학습할 수 있도록 하였다. 1~2회독 때에는 본문 위주로, 3회독부터는 심화 내용인 【더 알아보기】까지 회독하여 순차적인 실력을 기르길 바란다. 어문 규정은 현대 문법과 연계성을 고려하여 【연계학습】을 기재해 두었다. 유사 개념끼리 연계하여 학습해 학습효과를 높일 수 있을 것이다.
세부적으로는 개념학습 후에 【개념 확인문제】를 통해 바로 복습을 하도록 하였고, 【개념 적용문제】를 통해 개념을 4지선다에 적용하는 연습을 할 수 있도록 하였다.

기출분석 > 개념 > 개념 확인문제 > 개념 적용문제

회독극대화 워크북

워크북에는 암기와 이해가 동시에 필요한 현대 문법과 어문 규정의 핵심내용만 엄선하여 수록하였다. 따라서 회독 후 요약서로도 활용할 수 있다. 또한 워크북을 통해 자동으로 3회독할 수 있도록 설계하였다. 핵심내용만 반복적으로 회독하여 빠르고 확실하게 국어 문법을 정복할 수 있다.

기본서 1차 복습 > 빈칸 채우기 > 기본서 2차 복습 > 빈칸 수정 > 정답으로 3차 복습

비문학

'비문학'은 이론 비문학과 독해 비문학으로 구성하였다. 말 그대로 이론 비문학에서는 비문학 독해 문제를 풀기 위한 개념적 지식을 학습할 수 있도록 하였고, 독해 비문학에서는 실전에 대비하기 위한 문제풀이 연습을 충분히 할 수 있도록 구성하였다. 최근 출제경향이 점차 수능화되는 추세에 발맞추어 【수능형 확인문제】도 수록하였고, 문제풀이 연습을 충분히 할 수 있도록 하였다.

기출분석 > 개념 > 개념 적용문제 > 수능형 확인문제

문학

'문학'은 문학 기본 이론, 현대 문학, 고전 문학, 주요 문학 작품으로 구성하였다. 문학사 문제까지 대비할 수 있도록 현대 문학사와 고전 문학사를 모두 수록하였으며, 장르별 개념과 기출분석을 토대로 주요 작품을 선정하여 상세히 분석하여 수록하였다. 또한 실제 시험에서 어떻게 출제되는지 확인할 수 있는 【개념 적용문제】를 통해 개념을 4지선다에 적용하는 연습을 할 수 있도록 하였고, 【수능형 확인문제】를 통해 사고력을 요하는 통합문제까지 대비할 수 있도록 하였다.

기출분석 > 개념 > 개념 적용문제 > 수능형 확인문제

어휘와 관용표현

'어휘와 관용표현'은 순우리말, 관용 표현(관용구, 속담), 한자와 한자어(사자성어 포함)로 구성하였다. 순우리말과 관용 표현은 주제별로 챕터를 구분하여 암기할 때에 효율성을 높일 수 있도록 하였다. 한자와 한자어는 출제되는 어휘들로만 구성하여 쓸데없는 한자 때문에 시간을 버리지 않을 수 있도록 하였다. 어휘 암기 후 【개념 적용문제】를 통해 개념을 4지선다에 적용하는 연습을 할 수 있도록 하였다.

기출분석 > 개념 > 개념 적용문제

탄탄한 기출분석 & 기출분석 기반의 개념

최근 5개년 출제 문항 수

2022~2018 9급 국가직, 지방직, 서울시 기준

권 구분	PART	CHAPTER	2022 국9	2021 국9	2021 지/서9	2020 국9	2020 지/서9	2019 국9	2019 지9	2019 서9	2018 국9	2018 지9	2018 서9	합계
문법과 어문 규정	현대 문법	언어와 국어		1						1				2
		음운론						1	1		1		2	5
		형태론		1				1		1			3	6
		통사론				2	1			1				4
		의미론과 화용론	1	1			1	1	2	1	1	1		9
	어문 규정	한글 맞춤법	3	1	1	1	3		2	4	1	3	2	21
		문장 부호												0
		표준어 사정 원칙			1								1	2
		표준 발음법								1				1
		국어의 로마자/외래어 표기법								2	1			3
	고전 문법	국어사												0
		훈민정음과 고전 문법								1	1	1		3
		주요 고전문 분석												0
	언어 예절과 바른 표현	언어예절												0
		바른 표현	1	1		2			1			1	1	7
비문학	이론 비문학	작문		2	1	1	2	2	1		3		1	13
		화법	1	2	1	2	1	3	2			2		14
		논증과 오류									1			1
	독해	주제 찾기 유형				2	2		2		1			7
		내용 일치/불일치 유형	4	3	3	3	1	3	3		3	4	2	29

최근 5개년 출제 개념

2022~2018 9급 국가직, 지방직, 서울시 기준

권 구분	PART	CHAPTER	출제 개념
문법과 어문규정	현대 문법	언어와 국어	언어와 사고, 고유어, 한자어, 외래어, 귀화어, 비어, 국어의 형태적 특성, 언어의 자의성과 사회성, 순화어
		음운론	음운 변동, 자음과 모음
		형태론	용언의 불규칙 활용, 품사, 접두사, 대명사, 용언의 기본형, 보조사(는, 만, 대로, 조차), 조사(에서), 본용언과 보조 용언, 합성어와 파생어, 통사적 합성어와 비통사적 합성어, 접미사
		통사론	안긴문장의 성분, 주체 높임, 객체 높임, 상대 높임, 주동문과 사동문
		의미론과 화용론	지시 표현, 의미의 확대와 축소, 어휘의 의미 관계, 반의 관계[부상(扶桑)-함지(咸池)], 반의어(분분하다-합치하다, 겸손-오만, 곁이-모두, 살다-죽다, 높다-낮다, 늙다-젊다, 뜨겁다-차갑다), 다의어와 동음이의어(싸다, 짊다, 타다), 유의어(잡다), 동일한 주어 찾기, '살다'의 의미
	어문 규정	한글 맞춤법	사이시옷 규정, 란-난, 량-양, 썩이다-썩히다, 가름-갈음, 부문-부분, 구별-구분, 로서-로써, 웬일, 며칠, 박이다, 으레, 한밤중, 잘할뿐더러, 두 시간 만에, 안된다, 도외시하다, 대리전으로밖에는, 내키는 대로, 회복될지, 으로부터, 십여 년 전, 정한 대로, 재조정하여야, 추진력마저, 나하고, 활용될 수밖에, 공부깨나, 가는 김에, 청탁, 우단 천, 30년 동안, 낫다, 이어서, '데'와 '대', 쳐주다, 먹어 버렸다, 부쳐 주었다, 젊어 보인다, 입원시켰다, 부부간, 아무것, 집채만 한, 믿을 만한, 미닫이, 졸음, 익히, 육손이, 집집이, 곰배팔이, 끄트머리, 바가지, 이파리
		문장 부호	
		표준어 사정 원칙	콧방울, 눈초리, 귓밥, 장딴지, 피레서, 뙤리, 머리말, 잠가야, 버젓이, 깨단하다, 뒤져내다, 허구하다, 개발새발, 이쁘다, 덩쿨, 마실, 치켜세우다, 사글세, 설거지, 수캉아지, 주책, 두루뭉술하다, 허드레
		표준 발음법	디귿이[디그시], 홑이불[혼니불]
		국어의 로마자/외래어 표기법	국어의 로마자 표기법: 음절 사이 붙임표(-), 학여울[항녀울]-Hangnyeoul / 외래어 표기법: 플래시, 슈림프, 프레젠테이션, 뉴턴, 배지, 앙코르, 콘테스트, 난센스, 소파, 소시지, 슈퍼마켓, 보디로션, 팸플릿, 도트
	고전 문법	국어사	
		훈민정음과 고전 문법	조사, 어미, 접사, 훈민정음의 28 자모, 초성 17자
		주요 고전문 분석	
	언어 예절과 바른 표현	언어 예절	
		바른 표현	바른 단어 사용, 문장 성분의 호응, 바른 조사 사용
	이론 비문학	작문	전개 방식(유추, 대조, 분석, 예시, 대조, 정의, 묘사), 통일성, 자료의 활용, 개요, 고쳐쓰기, 두괄식 문단, 미괄식 문단
		화법	공감적 듣기, 대담, 대화, 대화의 원리, 토의, 토론, 인터뷰
		논증과 오류	우연의 오류, 애매어의 오류, 결합의 오류, 분해의 오류, 대중에 호소하는 오류, 무지에 호소하는 오류, 권위에 호소하는 오류, 연민에 호소하는 오류, 논증 구조

탄탄한 기출분석

최근 5개년 9급 기출을 분석하여 영역별 출제 문항수와 출제 개념을 분석하였다. 본격적인 개념학습 전에 영역별 출제비중과 개념을 먼저 파악하면 학습의 나침반으로 활용할 수 있을 것이다.

▶ 최근 5개년 출제 문항 수: 최근 5개년 동안 국가직, 지방직, 서울시 9급 시험에서 영역별로 몇 문항이 출제되었는지 분석하였다.

▶ 최근 5개년 출제 개념: 최근 5개년 동안 국가직, 지방직, 서울시 9급 시험에서 영역별로 어떤 개념이 출제되었는지 분석하였다.

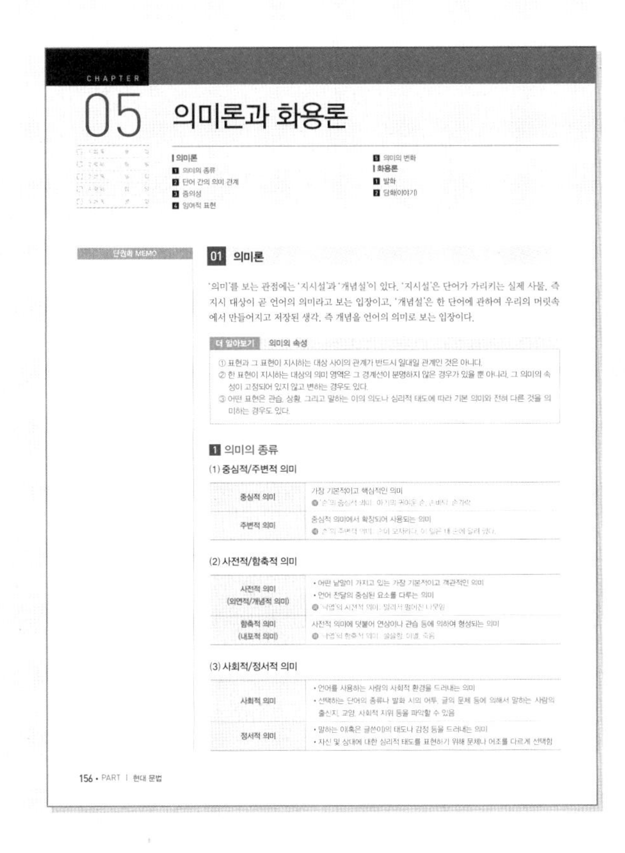

CHAPTER 05 의미론과 화용론

| 의미론
1 의미의 종류
2 단어 간의 의미 관계
3 중의성
4 잉여적 표현
5 의미의 변화
| 화용론
1 발화
2 담화(이야기)

단권화 MEMO

01 의미론

'의미'를 보는 관점에는 '지시설'과 '개념설'이 있다. '지시설'은 단어가 가리키는 실제 사물, 즉 지시 대상이 곧 언어의 의미라고 보는 입장이고, '개념설'은 한 단어에 관하여 우리의 머릿속에서 만들어지고 저장된 생각, 즉 개념을 언어의 의미로 보는 입장이다.

더 알아보기 의미의 속성

① 표현과 그 표현이 지시하는 대상 사이의 관계가 반드시 일대일 관계인 것은 아니다.
② 한 표현이 지시하는 대상의 의미 영역은 그 경계선이 분명하지 않은 경우가 있을 뿐 아니라, 그 의미의 속성이 고정되어 있지 않고 변하는 경우도 있다.
③ 어떤 표현은 관습, 상황, 그리고 말하는 이의 의도나 심리적 태도에 따라 기본 의미와 전혀 다른 것을 의미하는 경우도 있다.

1 의미의 종류

(1) 중심적/주변적 의미

중심적 의미	가장 기본적이고 핵심적인 의미 예 '손'의 중심적 의미: 아기의 귀여운 손, 손바닥, 손가락
주변적 의미	중심적 의미에서 확장되어 사용되는 의미 예 [illegible]

(2) 사전적/함축적 의미

사전적 의미 (외연적/개념적 의미)	• 어떤 낱말이 가지고 있는 가장 기본적이고 객관적인 의미 • 언어 전달의 중심된 요소를 다루는 의미 예 '낙엽'의 사전적 의미: 떨어져 떨어진 나뭇잎
함축적 의미 (내포적 의미)	사전적 의미에 덧붙어 연상이나 관습 등에 의하여 형성되는 의미 예 '낙엽'의 함축적 의미: 쓸쓸함, 이별, 죽음

(3) 사회적/정서적 의미

사회적 의미	• 언어를 사용하는 사람의 사회적 환경을 드러내는 의미 • 선택하는 단어의 종류나 발화 시의 어투, 글의 문체 등에 의해서 말하는 사람의 출신지, 교양, 사회적 지위 등을 파악할 수 있음
정서적 의미	• 말하는 이(혹은 글쓴이)의 태도나 감정 등을 드러내는 의미 • 자신 및 상대에 대한 심리적 태도를 표현하기 위해 문체나 어조를 다르게 선택함

156 • PART Ⅰ 현대 문법

기출분석 기반의 개념

학습효과를 높일 수 있도록 개념을 체계적으로 배열하였고, 베이직한 내용은 본문에, 더 알아두어야 할 내용은 【더 알아보기】에 수록하였다. 1~2회독 때에는 본문 위주로, 3회독부터는 심화 내용인 【더 알아보기】까지 회독하면 기초부터 심화까지 실력을 기를 수 있을 것이다.

▶ Daily 회독체크표: 챕터마다 회독체크와 공부한 날을 기입할 수 있다.

▶ 더 알아보기: 더 깊게 또는 참고로 알아두면 좋을 내용을 담았다.

단계별 문제풀이

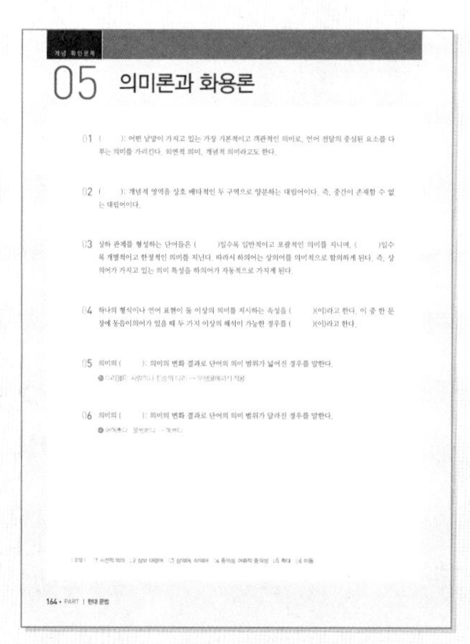

개념 확인문제

개념학습 후 2회독 효과!

암기가 필요한 영역은 본문과 동일한 문장으로 제시된 【개념 확인문제】를 통해 바로 복습이 가능하도록 하였다.

※ 【개념 확인문제】는 문법과 어문규정, 비문학에만 수록되어 있습니다.

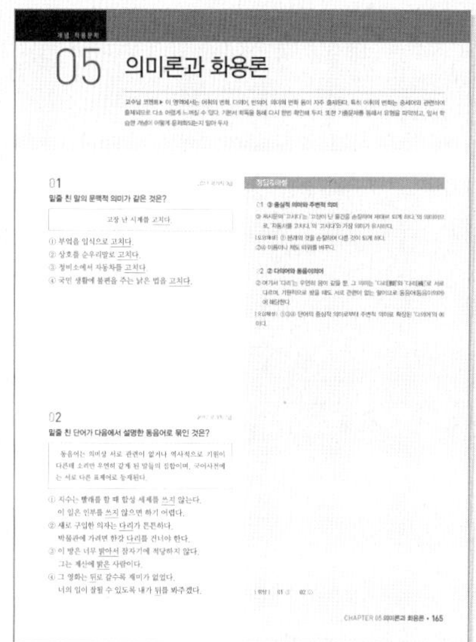

개념 적용문제

챕터별 공무원 기출문제 풀이로 문제 적용력 향상!

챕터별 최신 공무원 기출문제를 수록하여 개념이 어떻게 문제화되는지, 유형은 어떠한지 파악할 수 있도록 하였다.

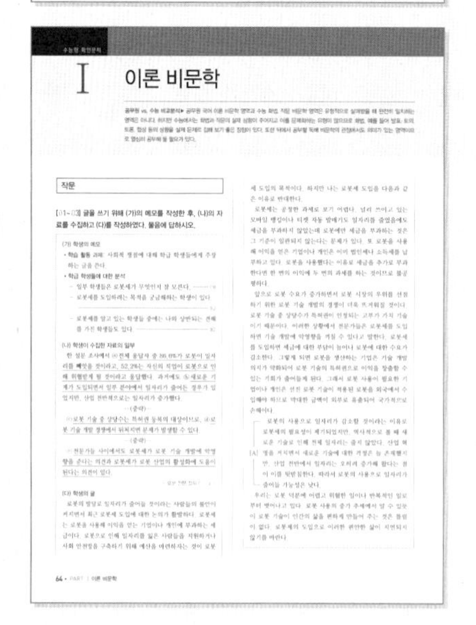

수능형 확인문제

고난도까지 대비 가능!

수능 기출문제를 수록하여 장문화되어 가는 최근 기출 트렌드를 파악하며, 고난도 문제, 신유형 문제에 익숙해질 수 있도록 하였다.

※ 【수능형 확인문제】는 사고력이 필요한 비문학과 문학에만 수록되어 있습니다.

특별제공

회독플래너 & 회독극대화 워크북

회독플래너

실패율 Zero! 따라만 해도 5회독 가능!

권 구분	PART	CHAPTER	1회독	2회독	3회독	4회독	5회독
문법과 어문규정	현대 문법	언어와 국어	1	1	1	1	1
		음운론	2–4	2–4	2–3		
		형태론	5–8	5–8	4–5	2	
		통사론	9–12	9–12	6–8	3	2
		의미론과 화용론	13	13	9		
	어문 규정	한글 맞춤법	14–17	14–17	10–11	4	3
		문장 부호	18	18	12		
		표준어 사정 원칙	19–22	19–22	13–14	5	4
		표준 발음법	23–24	23–24	15	6	5
		로마자 표기법과 외래어 표기법	25	25	16	7	
	고전 문법	국어사	26	26	17	8	6
		훈민정음과 고전 문법	27–28	27–28	18	9	
		주요 고전문 분석	29	29	19	10	
	언어 예절과 바른 표현	언어 예절	30	30	20	11	7
		바른 표현	31	31	21	12	
비문학	이론 비문학	작문	32	32	22	13	8
		화법	33				
		논증과 오류	34				
	독해 비문학	주제 찾기 유형	35	33	23		
		내용 일치/불일치 유형	36				
		밑줄/괄호 유형	37				
문학	문학 기본 이론	문학의 이해	38	34	24	14	9
		한국 문학의 이해					
	현대 문학의 이해	한국 현대 문학의 흐름	39–40	35			
		현대 시	41	36	25	15	10
		현대 소설	42				
		희곡, 시나리오, 수필	43				
	고전 문학의 이해	한국 문학과 고대의 문학	44	37	26	16	11
		상고 시대의 문학					
		고려 시대의 문학	45				
		조선 시대의 문학	46				
	주요 문학 작품	현대 시	47–50	38–41	27–29	17	12
		현대 소설	51–54	42–45	30–31	18	13
		현대 희곡과 수필	55	46	32		
		고전 운문	56–59	47–49	33–34	19	14
		고전 산문	60	50	35	20	
어휘와 관용표현	순우리말		틈틈이!	틈틈이!	틈틈이!	틈틈이!	틈틈이!
	관용 표현		틈틈이!	틈틈이!	틈틈이!	틈틈이!	틈틈이!
	한자와 한자어		틈틈이!	틈틈이!	틈틈이!	틈틈이!	틈틈이!
			60일 완성	50일 완성	35일 완성	20일 완성	14일 완성

• 전 영역에 대한 회독플래너입니다.
• 일부 영역만 학습 시, 해당 일자를 참고하여 플래너를 활용하세요.

회독플래너

회독 실패율 ZERO!

실패율 없이 회독을 할 수 있도록 5회독 플래너를 제공한다. 앞면에는 회독의 방향성을 잡을 수 있도록 가이드라인을 제시하였고, 뒷면에는 직접 공부한 날짜를 매일 기록하여 누적된 회독 횟수를 확인할 수 있도록 하였다.

▶ [앞] 회독플래너
▶ [뒤] 직접 체크하는 회독플래너

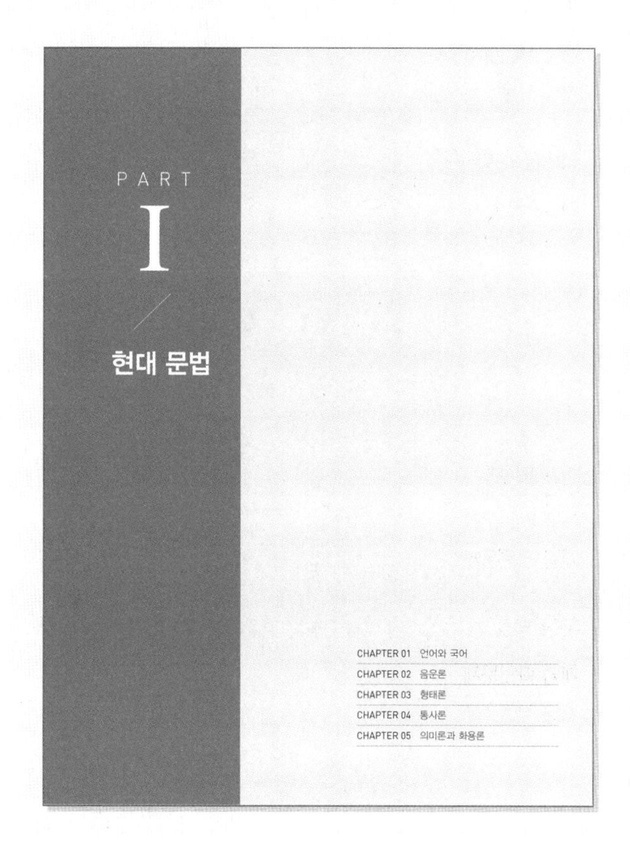

PART
I
현대 문법

CHAPTER 01 언어와 국어
CHAPTER 02 음운론
CHAPTER 03 형태론
CHAPTER 04 통사론
CHAPTER 05 의미론과 화용론

회독극대화 워크북

핵심만 모아 회독을 극대화한다!

암기와 이해가 동시에 필요한 현대 문법과 어문 규정의 핵심 내용만 엄선하여 수록하였다. 회독 후 요약서로도 활용할 수 있다. 또한 워크북을 통해 자동 3회독이 되도록 설계하였다. 핵심내용만 반복적으로 회독하여 빠르고 확실하게 국어 문법을 정복할 수 있다.

※ 회독극대화 워크북은 문법과 어문규정에만 수록되어 있습니다.

CONTENTS

이 책의 차례

PART

I

현대 문법

5개년 챕터별 출제비중 & 출제개념

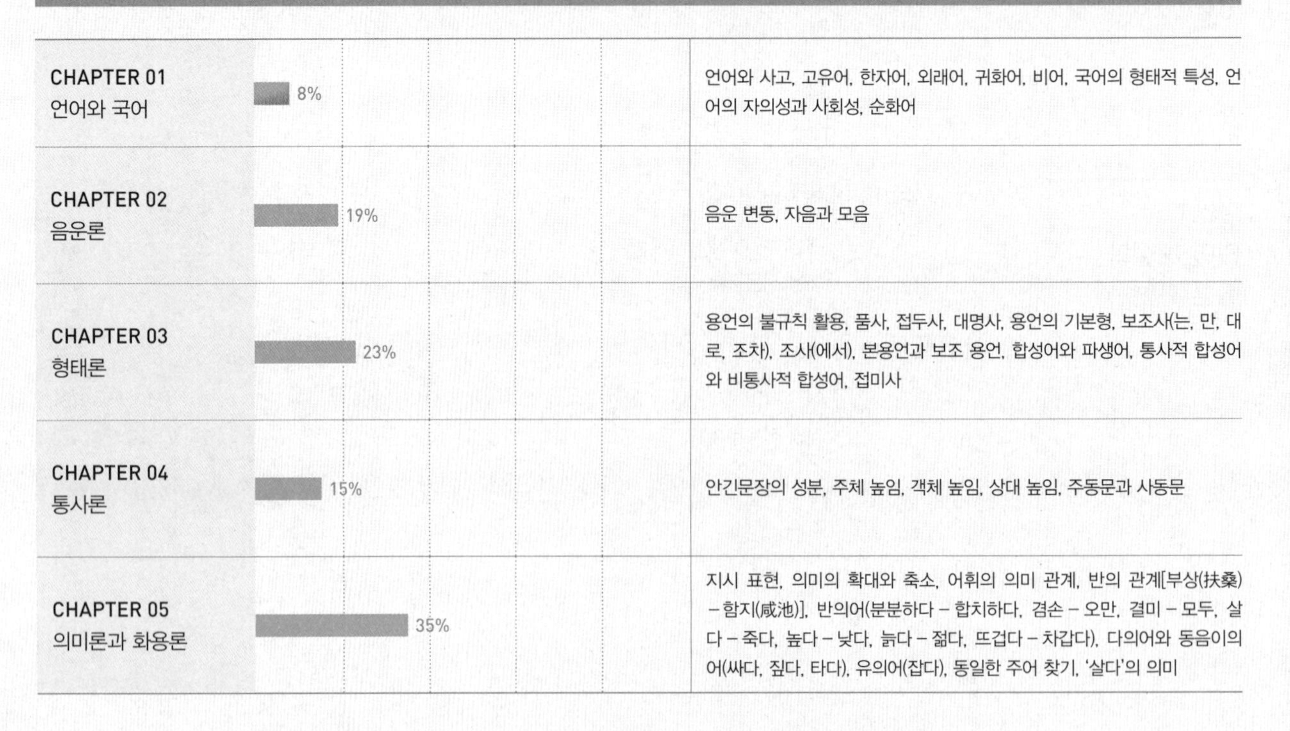

챕터	출제비중	출제개념
CHAPTER 01 언어와 국어	8%	언어와 사고, 고유어, 한자어, 외래어, 귀화어, 비어, 국어의 형태적 특성, 언어의 자의성과 사회성, 순화어
CHAPTER 02 음운론	19%	음운 변동, 자음과 모음
CHAPTER 03 형태론	23%	용언의 불규칙 활용, 품사, 접두사, 대명사, 용언의 기본형, 보조사(는, 만, 대로, 조차), 조사(에서), 본용언과 보조 용언, 합성어와 파생어, 통사적 합성어와 비통사적 합성어, 접미사
CHAPTER 04 통사론	15%	안긴문장의 성분, 주체 높임, 객체 높임, 상대 높임, 주동문과 사동문
CHAPTER 05 의미론과 화용론	35%	지시 표현, 의미의 확대와 축소, 어휘의 의미 관계, 반의 관계[부상(扶桑) – 함지(咸池)], 반의어(분분하다 – 합치하다, 겸손 – 오만, 결미 – 모두, 살다 – 죽다, 높다 – 낮다, 늙다 – 젊다, 뜨겁다 – 차갑다), 다의어와 동음이의어(싸다, 짚다, 타다), 유의어(잡다), 동일한 주어 찾기, '살다'의 의미

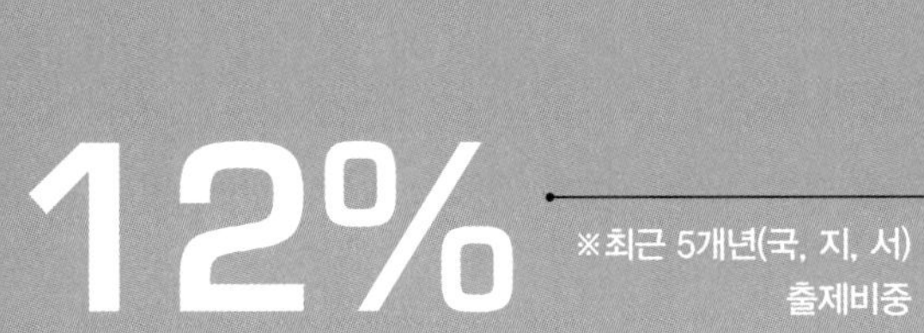

학습목표

CHAPTER 01 언어와 국어	❶ 언어의 기호적 특성 공부하기 ❷ 국어의 특질 공부하기 ❸ 고유어, 한자어, 외래어 차이점 공부하기
CHAPTER 02 음운론	❶ 자음과 모음 특성 공부하기 ❷ 교체, 첨가, 축약, 탈락 개념 공부하기 ❸ 각 동화별 개념, 특성 공부하기 ❹ 사잇소리 현상 공부하기
CHAPTER 03 형태론	❶ 형태소, 단어 개념 공부하기 ❷ 접사 목록 외우기 ❸ 합성어, 파생어 개념 공부하기 ❹ 9품사 특성 공부하기
CHAPTER 04 통사론	❶ 문장의 개념 공부하기 ❷ 어절, 구절, 절 개념 공부하기 ❸ 문장 성분 개념 공부하기 ❹ 사동문, 피동문, 부정문 공부하기
CHAPTER 05 의미론과 화용론	❶ 의미의 종류 공부하기 ❷ 의미의 확대, 축소, 이동 공부하기 ❸ 발화, 이야기의 개념 공부하기

CHAPTER

01 언어와 국어

□ 1 회독 월 일
□ 2 회독 월 일
□ 3 회독 월 일
□ 4 회독 월 일
□ 5 회독 월 일

1 언어의 특성
2 국어의 특성
3 국어의 갈래
4 북한어

단권화 MEMO

01 언어의 특성

1 언어의 기호적 특성

언어는 의사소통을 위한 기호이다. 이 기호는 내용(의미)과 형식(음성)으로 이루어져 있으며, 다음과 같은 특징을 가지고 있다.

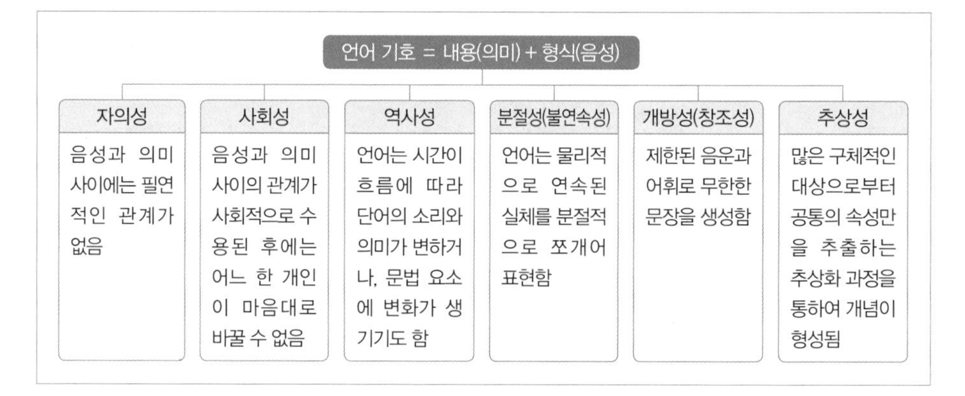

(1) 자의성

언어는 그 형식인 음성과 내용인 의미 사이에 어떠한 필연적인 관계도 맺고 있지 않은 자의적·임의적 기호이다. 이를 '언어의 자의성'이라고 한다.

① 동일한 내용(의미)을 표현하는 형식(음성)이 언어마다 다르다.

예 '사랑'을 가리키는 말: [saraŋ](한국어), [ai](일본어), [lʌv](영어), [amu:R](프랑스어), [ljubóvʼ](러시아어)

② 한두 단계 전의 어원은 찾을 수 있으나 최초의 어원은 찾을 수 없다.

예 (?) ← (풀) ← (푸르다), (?) ← (불) ← (붉다)

③ 언어의 내용(의미)과 형식(음성)의 변화가 따로 이루어진다. 그래서 언어의 역사성은 자의성의 근거가 될 수 있다.

㉠ 의미 변화 없이 음성만 변화한 경우

예 ᄀᆞᅀᆞᆯ > ᄀᆞᄋᆞᆯ > ᄀᆞ을 > 가을

㉡ 음성 변화 없이 의미만 변화한 경우

예 어리다: 愚(어리석다) > 幼(나이가 적다)

④ 언어의 내용(의미)과 형식(음성)의 관계가 1:1이 아니다.

㉠ 동음이의어: 우연히 형태는 같으나, 뜻은 완전히 다른 단어이다.

㉡ 다의어: 두 가지 이상의 뜻을 가진 단어로, 다의어는 중심 의미와 주변 의미로 이루어지며, 그 어원이 동일하다.

더 알아보기 동음이의어와 다의어의 구분

다리1「명사」
「1」 사람이나 동물의 몸통 아래 붙어 있는 신체의 부분. 서고 걷고 뛰는 일 따위를 맡아 한다.
「2」 물체의 아래쪽에 붙어서 그 물체를 받치거나 직접 땅에 닿지 아니하게 하거나 높이 있도록 버티어 놓은 부분.

다리2「명사」
「1」 물을 건너거나 또는 한편의 높은 곳에서 다른 편의 높은 곳으로 건너다닐 수 있도록 만든 시설물.
「2」 둘 사이의 관계를 이어 주는 사람이나 사물을 비유적으로 이르는 말.
「3」 중간에 거쳐야 할 단계나 과정.
「4」 지위의 등급.

⇨ 동음이의어: 다리1과 다리2
⇨ 다의어: 다리1의 「1」~「2」, 다리2의 「1」~「4」

㉢ 이음동의어: 소리는 다르나 뜻이 같은 단어이다.

예 죽다 – 사망하다 – 숨지다

㉣ 유의어: 형태는 다르나 뜻이 서로 비슷한 단어이다.

예 기쁨 – 환희

⑤ 의성어와 의태어의 경우 소리와 의미의 관계가 필연적인 것처럼 보이지만 그 사이에 유연성은 있으나 필연성은 없다.

예 [꼬끼오](한국어), [고케고꼬](일본어), [커커두둘두](영어), [꼬꼬리꼬](프랑스어), [키케리키](독일어)

(2) 사회성

언어 기호는 같은 언어 사회 내에서 특정한 의미를 특정한 말소리로 나타내자는 약속의 결과물이다. 따라서 이러한 약속이 한번 언중에게 수용되면 개인이 마음대로 바꿀 수 없다. 이를 '언어의 사회성'이라고 한다.

예 한 개인이 '법(法)'을 [밥]이라고 발음하거나 '발(足)'을 [발:]로 발음하는 것은 통용될 수 없다.

(3) 역사성

언어 기호가 비록 그 사회 구성원의 약속으로 성립된 관습이라 하더라도 고정불변하는 것은 아니다. 오랜 세월이 흐르면서 소리와 의미가 변하거나 문법 요소에 변화가 생기는 등 언어에 변화(신생, 성장, 사멸)가 일어나는데, 이를 '언어의 역사성'이라고 한다.

① **신생**: 새로운 말이 만들어지는 것을 말한다.

예 인터넷, 인공위성, 컴퓨터, 원자로, 인공 지능

② **성장**: 의미나 형태가 변화하는 것을 말한다.

예

의미 변화	확장	세수(洗手): 손을 씻다 > 손과 얼굴을 씻다
	축소	중생(衆生): 모든 생명체 > 사람
	이동	어리다: 어리석다[愚] > 나이가 적다[幼]
형태 변화		ᄆᆞᅀᆞᆷ > 마음, 바ᄅᆞᆯ > 바다, 거우루 > 거울

③ **사멸**: 시간이 지나 과거에 사용되던 말이 없어지는 것을 말한다.

예 즈믄(천, 千), ᄀᆞᄅᆞᆷ(강, 江), 녀름짓다(농사짓다)

단권화 MEMO

■ 언어의 유연성
• 의성어, 의태어, '노루발(생김새가 노루의 발을 닮았기 때문)', '초롱꽃(생김새가 초롱을 닮았기 때문)' 등의 경우 내용과 형식 사이에 어느 정도 일정한 관계가 성립한다. 이러한 특성을 언어의 유연성이라고 한다.
• 의성어, 의태어는 언어의 자의성으로 설명되지만 언어의 유연성이 존재하여 다른 단어와 비교했을 때 자의성의 정도가 약하다.

단권화 MEMO

■ 고유 명사의 추상성

고유 명사는 지시 대상이 단 하나이기 때문에 공통적인 속성을 뽑아내는 과정, 즉 추상화의 과정을 거치지 않는다.

(4) 분절성(불연속성)

세상의 사물은 특별한 경계선을 가지고 있지 않음에도 불구하고 언어에서는 구분하여 표현하는데, 이를 '언어의 분절성'이라고 한다.

① **언어의 분절성**: 연속적으로 이루어진 세계를 불연속적인 것으로 끊어서 표현한다.

예 • 무지개: 실제 무지개는 색깔 사이의 경계가 분명하지 않다. 하지만 우리는 그것과 상관없이 무지개 색깔을 일곱 가지로 나누어서 표현한다.
• 얼굴: 정확한 구획(區劃)이 정해져 있지 않은 얼굴을 '뺨, 턱, 이마' 등으로 나누어 표현한다.
• 방위: 방위의 경계는 실제로 연속된 공간이지만 우리는 이를 동, 서, 남, 북으로 나누어 그 경계를 구분한다.

② **기호의 분절성**: 실제로는 연속적으로 발음되는 말소리를 자음과 모음으로 나누고, 이를 음절, 형태소, 단어, 어절, 문장 등으로 묶어서 인식한다.

예 개나리: '개나리'라는 단어는 '개, 나, 리'(3음절), 'ㄱ, ㅐ, ㄴ, ㅏ, ㄹ, ㅣ'(6음소)로 이루어진다. 하지만 이 소리를 물리학적 관점에서 보면 그 경계가 분명하지 않다.

(5) 개방성(창조성)

언어를 사용하는 우리는 제한된 음운이나 어휘를 가지고 무한한 문장을 만들어 사용할 수 있고, 처음 들어 보는 문장을 이해할 수 있다. 이러한 언어의 성질을 '개방성' 또는 '창조성', '열린 생산성'이라고 한다.

① 길이와 수에 제한 없이 무한에 가까운 문장을 만들 수 있다.

예 원숭이 엉덩이는 빨개, 빨가면 사과, 사과는 맛있어……

② 무한한 단어를 만들어 무한한 정보를 전달할 수 있다. 이것은 언어로 말미암아 인간의 사고(思考)가 미치는 범위에 제한이 사라지게 되었음을 의미한다. 즉, 상상하는 사물이나 관념적이고 추상적인 개념을 모두 표현할 수 있다.

예 용, 봉황새, 해태, 유토피아, 희망, 사랑, 평화, 위기, 우정 등

(6) 추상성

① 서로 다른 개별적이고 구체적인 대상으로부터 공통적인 요소를 뽑아 일반적인 것으로 파악하는 언어적 특성을 '추상성'이라고 한다. 그 공통적인 요소는 다른 대상에는 없는 한 대상만의 본질적 속성이어서 다른 사물과 확연히 구분된다. 이러한 과정을 통해 개념이 형성된다.

예 빨강, 주황, 노랑, 초록, 파랑, 남색, 보라 → 색깔(추상성)

② 추상화 과정에서는 대상을 한 번만 묶어 표현하는 것이 아니라 묶인 것을 다시 묶기도 한다.

예 • 냉이 → 풀 → 식물
• 개나리 → 꽃 → 식물

더 알아보기 언어의 도상성

'언어의 도상성'은 언어의 형식(음성)이 내용(의미)을 바탕으로 만들어진 결과물이라는 말로, 형식과 내용 둘 사이의 유사성을 전제하는 개념이다.

양적 도상성	언어의 형식이 내용의 언어적 재료의 양과 비례하는 경우 예 복수나 복합어(합성어, 파생어)의 경우 단수나 단일어보다 일반적으로 길이가 길다.
순서적 도상성	시간적, 순서적 선후 관계가 언어의 형식에 영향을 주는 경우 예 문답(問答)의 경우 먼저 묻고 그다음 답해야 하므로 '답문(答問)'보다는 '문답(問答)'이 더 자연스럽다.
거리적 도상성	개념의 가까운 정도가 언어의 형식에 영향을 주는 경우 예 '아버지와 할아버지', '어머니와 할머니'의 경우 가까운 정도가 둘의 결합 방식에 영향을 주고 있음을 알 수 있다.

2 언어의 구조적 특성

(1) 언어의 구조

언어를 이루는 음운, 단어, 문장, 이야기는 각각의 구조를 가지며, 그 구조는 일정한 규칙과 체계인 통합 관계(문장 성분 간의 통사적 연결 관계) 및 계열 관계(문장 성분 간의 대체 관계)로 짜여 있다.

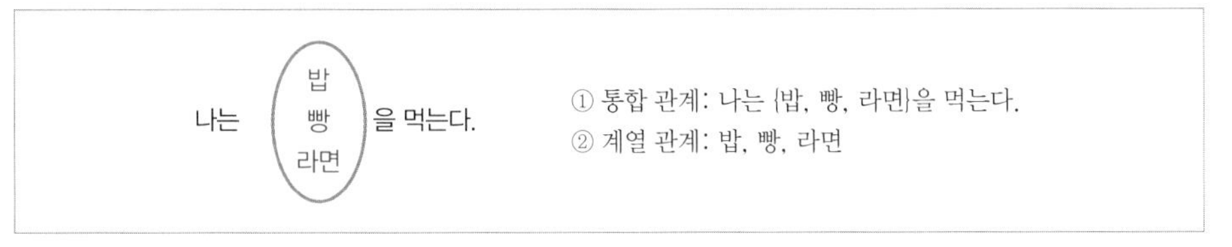

(2) 언어 구조의 체계성

언어의 구조는 언어 기호를 특정 기준에 따라 정리한 하위 체계의 연속으로, 말소리(음운), 어휘(단어), 문법 규칙 등 전체적으로 체계를 이루고 있다.

언어 구조 체계의 특징은 다음과 같다.

① **계층성**: 하위의 체계는 또 다른 하위의 체계로 구성된다.
 예 국어의 음운 체계: 자음 → 안울림소리 → 파열음 → ㅂ(비읍)

② **긴밀성**: 체계를 이루는 각 항목이나 범주는 서로 긴밀하게 연관되어 있다. 따라서 그중 하나가 변화하게 되면 다른 항목이나 체계에 영향을 미친다.
 예 중세 국어 시기 'ㆍ'의 소실로 인한 모음 체계의 변화: 양성 모음 'ㆍ'의 소실 결과, 'ㆍ'가 담당하고 있던 기능이 'ㅡ, ㅏ, ㅗ'의 세 모음으로 분산되면서, 이 세 모음이 담당해야 하는 단어가 늘어남에 따라 모음 조화가 문란해지게 되었다.

③ **선택성**: 한 체계를 구성하는 항목들 중에서 언어 사용자가 필요에 따라 선택하여 사용하는 것을 의미한다. 예를 들어, '술을 마시러 가자.'와 같은 문장에서 '술' 대신에 '물', '음료수' 등 '마시다'의 대상이 될 수 있는 여러 항목 중 하나를 언어 사용자의 필요에 따라 선택적으로 사용할 수 있다. 그리고 이때의 각 항목(예 술, 물, 음료수)은 선택 관계에 있다고 한다.
 ㉠ **폐쇄적인 선택**: 선택할 수 있는 항목의 수가 제한적인 경우 → 일반적으로 문법 체계를 말한다.
  예 시제: 나는 밥을 먹(었, 는, 겠)다.
 ㉡ **개방적인 선택**: 선택할 수 있는 항목의 수에 거의 제한이 없는 경우 → 일반적으로 어휘 체계를 말한다.
  예 철수는 ( )을/를 좋아한다.

3 언어의 기능

담화는 화자, 청자, 상황, 메시지로 구성되는데, 이러한 구성 요소 간의 상호 관계에 의해 여러 가지 기능을 가진다.

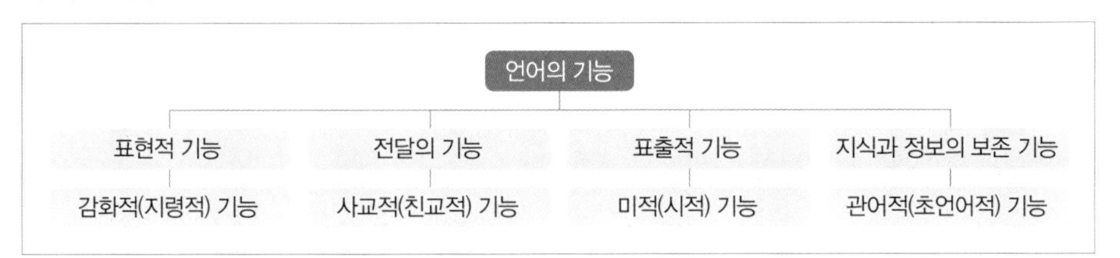

단권화 MEMO

① **표현적(表現的) 기능**: 화자가 현실 세계에 대한 자신의 사실적 판단이나 심리적 감정을 언어로 표현하는 기능을 말한다.

예 • 내 몸무게는 70kg이다. (사실적 판단)
• 넌 볼수록 재미있는 친구야. (지시 대상에 대한 화자의 태도)
• 철수는 영희를 좋아하는 것 같지 않다. (판단에 대한 확신 표현)
• 나는 고 3 때 견디기 어려웠다. (화자의 감정)

② **전달의 기능**: 주제에 관한 객관적인 정보나 사실을 전달하는 기능을 말한다. 주로 공공 기관의 안내, 뉴스, 신문 등이 전달의 기능을 갖는다.

예 2022년 국가직 9급 시험일은 4월 2일이다.

③ **표출적(表出的) 기능**: 언어를 의식하지 않고 거의 본능적으로 사용하는 것으로, 감탄사가 대표적이다. 표현 의도와 전달 의도가 없어서 기대하는 반응도 있기 어렵다.

예 "엄마야!" / "에구머니나!"

④ **지식과 정보의 보존 기능**: 언어를 통해 지식과 정보를 축적하고 보존하는 기능으로, 언어의 전달 기능, 과정과 목적이라는 측면에서 밀접한 관계를 갖는다. 정보의 보존에 있어 문자가 주를 이루던 과거와 달리, 현대에 와서는 그 보존의 영역이 넓어졌다.

예 서적, 방송, CD

⑤ **감화적(感化的) 기능(지령적 기능)**: 청자로 하여금 특정 행동을 하게 하는 기능을 말한다. 청자에게 감화 작용을 하여 실제 행동에 옮기도록 한다는 점에서 표현적 기능과 다르다.

예 • 밥 먹어라. (명령)
• 열심히 공부하자. (청유)
• 빨리 못 가겠니? (반어 의문)
• 기타: 표어, 유세, 광고, 속담, 격언, 표지판 문구 등

⑥ **사교적(社交的) 기능(친교적 기능)**: 언어를 통해 친밀한 관계를 확인하는 행위로서, 원만한 사회생활을 유지하는 데 필요한 기능이다. 발화의 형식적 의미보다는 발화 상황과 밀접한 관계를 맺는다. 대표적인 예로 인사말이 있다.

예 안녕히 주무셨습니까? / 좋아 보이시네요.

⑦ **미적(美的) 기능(시적 기능)**: 화자가 말을 할 때 그 말을 아름답게 하려는 노력을 의미한다. 즉, 말의 미적 효과에 관심을 갖는 기능을 말한다. 주로 문학 작품에서 중시된다.

예 • 내 마음은 호수요
• 순이와 바둑이: '바둑이와 순이'라고 해도 의미상 아무 상관이 없으나 일반적으로 음절 수가 적은 단어를 먼저 말해야 말이 더 부드럽다. 즉, 미적 기능이 살아나게 된다.

⑧ **관어적 기능(초언어적 기능)**: 언어와 언어끼리 관계하는 기능으로, 말을 통해 새로운 말을 학습하고 지식을 증진하는 기능을 말한다.

예 • '춘부장'은 남의 아버지를 높여 이르는 말이다.
• '물'은 일상어이나, 'H_2O'는 전문어이다.

4 언어와 인간

(1) 언어와 사고

① **언어 우위론적 관점**: 사고는 언어라는 그릇 속에 담기기 전에는 불분명하고 불완전한 것이며 사고가 언어로 표현될 때 비로소 사고는 분명하게 그 모습을 드러내게 된다는 견해이다. 즉, 언어로 명명해야만 인식할 수 있다는 관점이다.

예 • 우리 국어에서 청색, 초록색, 남색을 구별하지 않고 모두 '푸르다' 혹은 '파랗다'라고 표현하는 경우가 많다 보니 아이들이 이 세 가지 색을 구별하지 못하는 경우
• 실제 무지개의 색을 쉽게 변별할 수 없지만 7가지 색으로 구분하는 경우

단권화 MEMO

② **사고 우위론적 관점**: 어린이들을 통해 알 수 있듯이 지각이나 사고가 먼저 발달한 후에 언어 발달이 이루어진다는 견해이다. 즉, 언어로 명명하는 과정이 없더라도 사고는 존재할 수 있다는 관점이다.

예 • 좋아하는 이성 친구에게 자신의 마음을 표현하고 싶은데 적당한 말이 떠오르지 않는 경우
• 공무원 시험에 합격했을 때의 기쁜 마음이 말이나 생각으로는 설명이 안 되는 경우

③ **언어와 사고가 상호 보완적이라는 견해**: 어린이들의 경우도 언어를 통해 사고력이 향상되면 복잡한 문장을 사용할 수 있게 되어 언어 능력이 발달한다. 이처럼 언어와 사고는 일방통행이 아닌 상호 보완적인 관계라는 견해이다.

(2) 언어와 문화

언어는 그 언어를 사용하는 사람들의 역사, 생활상 등 문화를 반영한다. 즉, 언어는 문화의 한 요소이다. 따라서 언어의 습득 과정은 사회화와 문화화의 과정이다.

① 언어는 그 언어를 사용하는 민족의 독특하고 고유한 문화를 반영한다.
② 언어는 그 자체가 문화적 산물이다.
③ 대부분의 문화적 산물들은 언어를 도구로 하여 축적되고 전승된다.

예 에스키모 언어에는 '눈'과 관련된 단어가, 우리나라 말에는 '농사'와 관련된 단어가 많다.

더 알아보기 언어를 통해 바라본 우리 사회의 문화적 특성

① 농사와 관련된 단어가 많다. → 농경 사회였다.
② '우리'와 관련된 표현이 많다. → 공동체 중심의 문화였다.
③ 친족명이 발달되어 있다. → 가족 관계를 중시하는 문화였다.

(3) 언어와 사회

언어는 사회에서 사용되는 의사소통의 도구로서 사회와 분리될 수 없다. 언어는 지역, 나이, 사회적 지위, 학력 등의 차이에 의해 각기 다른 모습으로 나타날 수 있다.

① **사회 형성의 기능**: 인간에게 언어는 인간 사이의 관계 형성을 가능하게 해 준다. 따라서 언어가 없었다면 인간 사이의 교류가 이루어지기 어려워 관계 형성, 더 나아가 사회를 형성할 수 없었을 것이다.
② **사회 통합의 기능**: 동일한 언어를 사용하는 것은 사용자끼리의 공동체 의식을 형성하고, 일체감을 형성하는 등 구성원을 통합하는 데 많은 도움을 준다.

02 국어의 특성

1 국어의 개념

① 국어는 국가를 배경으로 한, 특수성을 가진 개별적·구체적 언어이다.
② 국어는 국민 대다수의 통용어이다.
③ 국어는 국가 통치상, 국민 교육상 공용어이자 공식어이다.
④ 국어는 표준어이어야 한다.
⑤ 한 국가에서 2가지 이상의 언어를 국어로 사용하는 경우도 있다.

예 스위스: 프랑스어, 독일어, 이탈리아어를 국어로 사용하고 있다.

단권화 MEMO

2 국어의 범주

(1) 계통상: 알타이 어족

국어는 몽골어, 만주-퉁구스어, 튀르크어와 함께 알타이 어족에 속한다고 본다.

(2) 형태상: 첨가어(添加語), 교착어(膠着語)

언어의 형태적 유형의 하나로, 실질적인 의미를 가진 단어 또는 어간에 문법적인 기능을 가진 요소가 차례로 결합함으로써 문장 속에서의 문법적인 역할이나 관계의 차이를 나타내는 것을 말한다. 한국어, 터키어, 일본어, 핀란드어 등이 첨가어(교착어)에 속한다.

더 알아보기 언어의 형태적 분류

1. 교착어(agglutinative language)
   단어가 활용될 때 단어의 어간과 어미가 비교적 명백하게 분리되는 언어이다. 우리에게 친숙한 예로 당연히 한국어를 들 수 있으며, 그 패턴은 고등학교 국어 시간에 배우는 형태소 분석을 이해하면 쉽게 파악된다. 대체로 하나의 형태소는 하나의 문법적인 기능을 한다. 교착어는 첨가어라고도 하며 한국어, 터키어, 일본어, 핀란드어 등이 교착어에 속한다. 영어의 경우 복수형 접미사 '-s'나 과거형 접미사 '-(e)d' 등에서 교착어적인 모습도 가지고 있음을 알 수 있다.
   예 한국어: 아버지는 나귀 타고 장에 가신다. → 아버지/는(조사) 나귀 타(어간)/고(어미) 장/에(조사) 가(어간)/시(선어말 어미)/ㄴ(선어말 어미)/다(어말 어미)
2. 굴절어(inflectional language)
   굴절어는 단어의 활용 형태가 단어 자체의 변형으로 나타나는 언어로, 어간과 접사(접사적 역할을 하는 형태소)가 쉽게 분리되지 않는 형태를 보인다. 따라서 어휘 자체에 격, 품사 등을 나타내는 요소가 포함되어 있다. 대표적인 것은 인도·유럽 어족이다.
   예 영어: sing-sang-sung, He(3인칭 주격), loves(3인칭 동사), you(2인칭 목적격)
3. 고립어(isolating language)
   문법적인 형태를 나타내는 어형 변화나 접사가 거의 없고, 어순과 위치만으로 문법적인 관계를 나타내는 언어이다. 중국어가 대표적이며, 중국·티베트 어족에 속하는 중국어, 티베트어, 미얀마어가 고립어에 속한다고 알려져 있다.
   예 중국어: 我愛你 → 나 사랑해 너

3 국어 어휘의 특질

(1) 음운상의 특질

① 국어의 자음 중 파열음 'ㄱ, ㄷ, ㅂ'과 파찰음 'ㅈ'은 '예사소리(평음), 된소리(경음), 거센소리(격음)'가 대립하는 3중 체계, 즉 삼지적 상관속을 이룬다.

예 • 예사소리(평음): ㄱ, ㄷ, ㅂ, ㅈ
• 된소리(경음): ㄲ, ㄸ, ㅃ, ㅉ
• 거센소리(격음): ㅋ, ㅌ, ㅍ, ㅊ
• 불-뿔-풀

② **유음 'ㄹ'의 특성**: 설전음 [r]과 설측음 [l]의 구별이 분명하지 않다. 우리말의 유음 'ㄹ'은 음절의 끝소리 자리나 자음 앞에서는 [l]로 실현되며, 음절의 첫소리나 모음 앞 또는 유성 자음을 포함하는 유성음 사이에서는 [r]로 실현된다. 그러나 국어에서는 'ㄹ'을 [l]과 [r]로 특별히 구분하여 인식하지 않는다. 즉, 우리말에서 [l]과 [r]은 서로 다른 음운이 아니라 단지 'ㄹ'의 변이음(變異音)일 뿐이다.

예 '칼과'의 'ㄹ': [l], '칼이'의 'ㄹ': [r]

③ 두음 법칙

㉠ 영어와 달리 우리말에서는 첫소리에 둘 이상의 자음(어두 자음군)이 오는 것을 꺼린다. 단, 과거에는 어두 자음군이 올 수 있었다.

예 spring → 스프링, ᄣᅢ(時) → 때, ᄡᆞᆯ(米) → 쌀

㉡ 어두에 'ㄹ'이 오는 것을 꺼린다. 이때 'ㄹ'은 'ㄴ'으로 변한다.

예 락원 → 낙원, 로인 → 노인

㉢ 어두의 'ㄴ'은 'ㅣ' 또는 반모음 'ㅣ[j]' 앞에 오는 것을 꺼린다.

예 녀자 → 여자, 력도 → 녁도 → 역도

④ **음절의 끝소리 규칙**: 음절의 끝에 받침으로 특정한 자음(ㄱ, ㄴ, ㄷ, ㄹ, ㅁ, ㅂ, ㅇ)만이 오는 규칙을 '음절의 끝소리 규칙'이라고 한다. 'ㄱ, ㄴ, ㄷ, ㄹ, ㅁ, ㅂ, ㅇ' 이외의 자음들은 음절의 끝에 오게 되면 이것들 중 하나로 바뀐다. 예를 들어, '잎'은 'ㅍ'이 음절의 끝소리 규칙에 의해 'ㅂ'으로 바뀌어 [입]으로 소리 난다. 그 외에 '옷[옫], 있고[읻꼬], 꽃[꼳], 부엌[부억], 밖[박]' 등도 모두 음절의 끝소리 규칙을 보여 주는 예이다.

⑤ **모음 조화**: 양성 모음은 양성 모음끼리만 어울리고, 음성 모음은 음성 모음끼리만 어울리는 현상을 '모음 조화'라고 한다. '모음 조화'는 일종의 모음 동화 규칙으로, 언어의 다음절어(多音節語) 안에서, 혹은 어간·어근 형태소가 어미·접사 형태소들과 결합할 때 그에 포함되는 모음들이 일정한 자질을 공유하는 것을 말한다.

예 반짝반짝, 번쩍번쩍, 잡아, 먹어

⑥ 음상(音相)의 차이로 인해 어감이 변하며 심지어 낱말의 뜻이 분화되기도 한다.

㉠ **자음의 경우**: '예사소리 → 된소리 → 거센소리'로 갈수록 강한 느낌이 난다.

예 뚱뚱하다 → 퉁퉁하다, 빙빙 → 삥삥 → 핑핑

㉡ **모음의 경우**: 양성 모음이 음성 모음에 비하여 '작고, 날카롭고, 가볍고, 경쾌하고, 밝은' 느낌을 준다.

예 방글방글 – 벙글벙글, 졸졸 – 줄줄, 살살 – 슬슬, 옴찔 – 움찔

㉢ 음상의 차이는 어감을 다르게 하는 데 그치지 않고, 낱말의 뜻을 분화시키는 작용도 한다.

예 덜다[減] – 털다[拂], 뛰다[躍] – 튀다[彈], 맛(음식 따위를 혀에 댈 때 느끼는 감각) – 멋(차림새, 행동, 됨됨이 따위가 세련되고 아름다움), 살(연령) – 설(설날)

(2) 어휘상의 특질

① 기원전 3세기경 한자어의 유입을 시작으로 오늘날 국어의 어휘는 고유어, 한자어, 외래어의 삼중 체계를 가지고 있다.

② 윗사람과 아랫사람의 구별이 분명했던 사회 구조와 문화의 영향으로 높임법이 발달해 있다.

예 '하십시오/하오', '하게/해라', '자다/주무시다', '주다/드리다'

③ 고유어 중 색채어와 감각어가 풍부하게 발달해 있다. 또한 이러한 감각어는 정서적 유사성(類似性)에 의해 비유 표현으로까지 전용(轉用)되어 일반 언어생활에서 애용되기도 한다.

예 • 노란색을 나타내는 색채어: 노랗다, 노르께하다, 노르끄레하다, 노르무레하다, 노르스름하다, 노릇하다, 노릇노릇하다, 누릇누릇하다, 싯누렇다 등
• 감각어: 그 사람은 '짜다, 싱겁다, 가볍다.', 그 사람은 입이 '가볍다, 무겁다.'

④ 의성어와 의태어 같은 음성 상징어가 발달해 있다. 상징어란 주로 소리, 동작, 형태를 모사(模寫)한 단어로, 구체적이고 감각적인 표현 수단이며 음상의 차이에 의해 다양하게 분화될 수 있다.

예 • 의성어: 우당탕, 퍼덕퍼덕
• 의태어: 아장아장, 엉금엉금

단권화 MEMO

단권화 MEMO

(3) 구문상의 특질

① 교착어적(膠着語的) 성질로 인해 조사, 어미가 발달해 있다.

② 조사와 어미는 뜻을 덧붙이거나 표현을 더 섬세하게 하는 문체적 효과가 있다.

예 철수는 밥을 먹는다. / 철수도 밥을 먹는다. / 철수까지 밥을 먹는다.

(4) 어순상의 특질

① 국어에서는 화자의 결론을 맨 끝에 진술한다.

- 국어: 주어 + 목적어 + 서술어
- 영어: 주어 + 서술어 + 목적어

국어는 이러한 어순상의 특성으로 인해 청자를 끝까지 잡아 놓을 수 있다는 장점이 있으나 비판적인 사고가 다소 어려울 수 있다는 단점이 있다. 반면, 영어의 경우 청자가 비판적으로 들을 수 있다는 장점이 있으나 청자를 끝까지 붙들어 두는 긴장감이 다소 부족할 수 있다는 단점이 있다.

② 수식어가 피수식어 앞에 온다.

③ 주어가 생략되는 경우가 많고, 주어가 둘 이상 나열될 수도 있다.

④ 문법적인 성(性, gender)의 구별이 없고, 단수·복수의 개념이 명확하지 않다.

더 알아보기 국어의 분류

1. 국어 어휘의 대표적인 기준: 어종(語種), 품사, 의미
2. 집합의 성격에 따른 구분

구분	내용
개방 집합	어휘를 구성하는 단어들이 유동적인 것 예 한국어의 어휘, 새말
폐쇄 집합	어휘를 구성하는 단어들이 고정된 것 예 김소월의 시어, 소설 「배따라기」의 어휘

3. 체계에 따른 구분

구분	내용
어종에 따라	'고유어, 한자어, 외래어'의 삼중 체계
품사에 따라	명사, 대명사, 수사, 조사, 동사, 형용사, 부사, 관형사, 감탄사

4 국어의 문자

(1) 한글 명칭의 변화

① **훈민정음(訓民正音)**: '백성을 가르치는 바른 소리'라는 뜻으로, 1443년에 세종이 창제한 우리나라 글자를 이르는 말이다. 줄여서 '정음(正音)'이라고 한다.

② **언문(諺文)**: '상말을 적는 문자'라는 뜻으로, 한글을 속되게 이르던 말이다.

③ **암글**: 예전에, '여자들이나 쓰는 글'이라는 뜻으로, 한글을 낮잡아 이르던 말이다. 남자들이 쓰는 한문을 높여 이르는 말인 '진서(眞書)'에 비해 여자들은 쉬운 글자인 한글을 쓴다는 남존여비의 사고방식과 사대사상(事大思想)에서 나온 명칭이다.

④ **중글**: 불교 사찰의 승려들이 한글을 이용하여 번역·교육하던 것에서 유래한 말로, 불교와 한글을 경시한 명칭이다.

⑤ **반절(反切)**: 중종 때 간행된 최세진의 『훈몽자회(訓蒙字會)』에 기록된 명칭이다. 한자음의 표기를 위해 적던 반절(反切)*에서 가져온 표현이다. 최세진이 당시 한글을 한자음의 표기 수단 정도로 인식했음을 알 수 있는 용어이다.

⑥ **국서(國書)**: 김만중이 『서포만필(西浦漫筆)』에서 쓴 표현이다.

*반절(反切)
한자의 음을 나타낼 때 다른 두 한자의 음을 반씩 따서 합치는 방법

⑦ **국문(國文)**: 갑오개혁 이후 사대주의에서 벗어나 국어의 자주성과 존엄성을 자각하면서 생긴 명칭이다.
⑧ **가갸글**: 한글 음절의 차례를 반영해 만든 명칭으로, 현재 '한글학회'의 전신인 '조선어연구회'에서 사용한 표현이다.
⑨ **한글**: 주시경이 붙인 명칭이다. 1928년부터는 '가갸날'이 '한글날'로 개칭되었다.

(2) 한글의 우수성

① 한글은 창제한 연대와 사람이 있는 유일한 글자이다.
② 한글은 천지인(天地人)을 본뜬 상형의 원리와 발음 기관에 맞추어 실제 소리가 나는 모습을 본떠 만든 글자로서 글자와 입안의 발성 모습이 일치한다. 또한 가획(기본자에 획을 더하여 새로운 글자를 만드는 것)의 원리를 통해 추가되는 음운 자질까지 드러내는 음운 자질 문자로서 매우 과학적인 글자이다. 따라서 어느 누구든 빨리 익히고 사용할 수 있는 글자이다.
③ 한글은 음운의 위치에 따라 소릿값이 바뀌지 않으며, 묵음이 없어 소리와 문자가 일치한다.
④ 한글은 우리말은 물론 세계 어느 국가의 언어든지 실제 소리와 거의 유사하게 문자로 표기할 수 있고, 유사한 발음을 낼 수 있다.
⑤ 한글은 인터넷의 보급과 휴대폰, 전자 메일, 컴퓨터 등의 사용이 확대됨에 따라 그 과학적인 우수성이 더욱 빛나고 있는 문자이다.

03 국어의 갈래

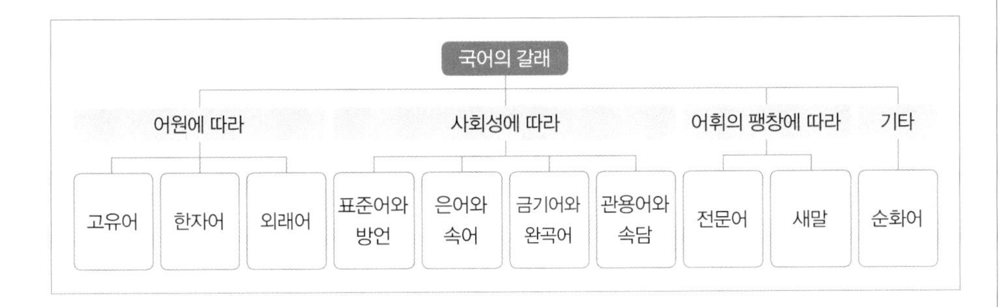

1 어원에 따른 갈래: 고유어, 한자어, 외래어

(1) 고유어

우리가 옛날부터 사용하여 온 순수 우리말 어휘이다.
고유어의 특징과 기능은 다음과 같다.

① 의미의 폭이 넓고 상황에 따라 여러 가지 다른 의미로 해석되는 다의어가 많아서, 고유어 하나에 둘 이상의 한자어들이 폭넓게 대응한다.
② 우리 민족 특유의 문화와 정서를 표현하며, 정서적 감수성을 풍요롭게 한다.
③ 새말을 만들 때 중요한 자원으로 활용할 수 있다.

(2) 한자어

한자를 바탕으로 만들어진 어휘이다. 한자어는 중국의 한자 체계가 우리나라에 도입된 뒤 오랜 시간 우리말로서 자리 잡았고, 여전히 우리 국어 속에서 생산력을 가지고 있다는 점에서 중국어 차용어와 구별된다.

단권화 MEMO

■ **고유어와 한자어의 일대다(一對多) 대응 현상**
하나의 고유어를 축으로 복수의 한자어들이 대응하는 양상을 말한다. '정말 좋은 생각이다.'의 경우 고유어 '생각'은 한자어 '발상(發想)', '구상(構想)' 등과 일대다 대응할 수 있다.

단권화 MEMO

*모습(模襲)
다른 것을 본뜨거나 본받음.

한자어의 특징과 기능은 다음과 같다.

① 주로 추상어·개념어로서, 정확하고 분화된 의미를 가지고 있어 고유어를 보완하는 역할을 한다.
② 이미 귀화가 끝난 우리말이다.
③ 의미가 전문화되고 분화되어 있어서 전문적이고 세부적인 분야에서 정밀한 의미를 나타내는 데 주로 사용된다.
④ 복잡한 개념을 집약하고 있어서 잡지 표제문과 같이 내용을 간단하게 제시하여야 할 경우 많이 사용된다.
⑤ 고유어에 대하여 '존대어'로 사용되는 경향이 있다.

더 알아보기 주의해야 할 한자어

1. 한자어의 기원과 기능
한자어는 매우 오래전에 들어왔고, 발음 또한 국어의 음운 체계에 적응하고 변화하여 고유어와 구별하기 어려운 단어들이 많다.

한자를 병기하지 않더라도 많은 사람들이 한자어임을 인식하는 말	국가(國家), 학생(學生), 춘추(春秋), 사고(思考), 학습(學習)
한자어인지 모르는 사람들이 비교적 많을 것으로 생각되는 말	양말(洋襪), 어차피(於此彼), 모습(模襲)*, 사돈(査頓), 산(山), 강(江)
어원이 한자어인지 모르는 사람들이 매우 많을 것으로 생각되는 말	배추[白菜], 무명[木棉], 감자[甘藷], 붓[筆], 말[馬], 가지[茄子], 김치[沈菜]
한국식 한자음을 사용하지 않는 말	자장면[炸醬麵], 난젠완쯔[南煎丸子], 라면[拉麵], 라조기[辣椒鷄]

2. 시험에 자주 나오고 특히 주의해야 할, 순우리말이 아닌 말
- 어원이 한자어인 말: 고약하다, 내숭, 붓, 샌님, 서랍, 썰매, 십상, 잔치, 잠깐, 짐승
- 한자어인 말: 감기, 고생, 귤, 급기야, 기린, 난장, 도대체, 도외시, 독수리, 무려, 물론, 무진장, 박하, 부득이, 별안간, 복어, 사과, 사탕, 사자, 설령, 심지어, 역력, 유독, 잠시, 전복, 점심, 창피, 철부지, 총각, 하마, 하여간, 하필, 호떡, 호랑이

(3) 외래어

외국에서 들어온 말들 중 국어의 일부로 인정되는 것들로, 귀화어와 차용어가 있다. 외래어는 일반적으로 한자어를 제외하고 외국에서 들어온 말을 의미하나 한자어까지 외래어에 포함하는 경우도 있다. 외래어는 외국 문화와 오랜 교류의 결과로 형성되는데, 지나치게 외래어가 많으면 문화적 자긍심이 손상되고 자국어의 정체성마저 위협받게 되므로 외래 문물을 받아들일 때부터 우리말로 바꾸어 쓰는 노력을 기울여야 한다.

① **귀화어**: 한자어와 같이 완전히 우리말처럼 인식되거나 우리말로 받아들여진 외래어를 말한다. 오래전에 우리말에 들어와서 이미 외래어라는 감각마저 잃어버린 것들이라 할 수 있다.

한자어 어원	붓[筆], 먹[墨], 고추[苦草], 구역질(嘔逆－), 비위(脾胃), 반찬(飯饌), 자반[佐飯], 배추[白菜]
몽골어 어원	가라말[黑馬], 구렁말[栗色馬], 송골매, 보라매, 수라
범어(산스크리트어) 어원	부처, 달마, 석가, 보살, 사리, 열반, 탑, 바라문
여진어 어원	수수, 메주, 두만(강), 호미
포르투갈어 어원	담배(tabaco), 빵
일본어 어원	고구마, 구두, 냄비

영어 어원	남포(lamp)
네덜란드어 어원	가방
프랑스어 어원	고무, 망토, 루주

② **차용어**: 외국에서 들어와 널리 쓰이는 말로, 완전히 우리말처럼 인식되지는 못하고 외국어라는 의식이 남아 있는 외래어이다.

예 버스, 컴퓨터, 아르바이트, 다다미

더 알아보기 기원에 따른 외래어 분류

아래의 외래어들은 대부분 문화가 접촉되는 상황에서 유입된 것으로, 각각 해당 문화와 관련이 있다.

범어 (산스크리트어)	보살, 불타, 사리, 석가, 열반, 찰나, 달마, 만다라, 선(禪), 아미타, 탑, 바라문	불교 문화와 관련
영어	버스, 컴퓨터, 로켓, 챔피언, 아이스크림	근대에 들어 새로 발명된 문물들과 관련
프랑스어	망토, 루주, 샹송, 모델, 마담, 앙코르	프랑스 문화, 패션, 예술과 관련
그리스어	로고스, 파토스	그리스 고대 철학과 관련
이탈리아어	첼로, 오페라, 템포, 아리아, 스파게티	이탈리아 음악, 음식과 관련
러시아어	툰드라, 페치카, 트로이카	한대(寒帶) 기후 지역의 자연, 문물과 관련

2 사회성에 따른 갈래: 표준어, 방언 등

(1) 표준어

표준어는 한 나라에서 공용어로 쓰는 규범으로서의 언어이다. 표준어는 의사소통의 불편을 덜기 위하여 전 국민이 공통적으로 쓸 공용어의 자격을 부여받은 말로, 우리나라에서는 교양 있는 사람들이 두루 쓰는 현대 서울말로 정함을 원칙으로 한다.

표준어의 기능은 다음과 같다.

① **통일의 기능**: 각 방언들로 인한 언어 분리를 막을 수 있어 원활한 의사소통이 가능하다.

② **독립의 기능**: 표준어는 한 나라의 언어가 다른 나라의 언어와 구별되게 해 준다.

③ **우월의 기능**: 표준어는 정규 교육을 통하여 얻는 교양인의 필수품이기 때문에, 표준어를 쓸 수 있다는 것은 사회적으로 우위를 확보하였다는 뜻도 된다. 따라서 표준어는 우월감과 자부심을 갖게 한다.

④ **준거의 기능**: 표준어는 끊임없이 변화하는 자연 언어를 인위적으로 고정시킨 것이다. 때에 따라서는 어형(語形)뿐 아니라 그 의미까지도 규범화한다. 표준어는 사람들이 공적인 언어 생활을 할 때, 이렇게 고정된 어형과 규범화된 의미를 가지고 기준을 삼게 한다.

(2) 방언

같은 언어권, 같은 시대에 생활하는 사람들의 언어도 출신 지역, 직업, 지위, 성별, 나이에 따라 다를 수 있다. 이렇게 같은 언어권에 속하지만 지역이나 집단에 따라 다른 언어적 특수성을 가진 언어를 '방언'이라고 한다. 방언은 각 지방 및 집단의 역사와 문화를 반영하고 있으므로 기피하거나 없애야 할 말이 아니라 지켜야 할 우리말에 해당한다.

① 방언의 종류

㉠ **사회 방언**: 연령, 성별, 사회 집단(직업, 종교, 계층) 등에 따라 분화된 말이다.

㉡ **지역 방언**: 한 언어가 지역적으로 오랜 시간 격리되어 있으면서 달라진 말이다.

예 동북 방언, 서북 방언, 중부 방언, 동남 방언, 서남 방언, 제주 방언 등

단권화 MEMO

■ **표준어 규정**

표준어 사정의 원칙과 표준 발음법을 체계화한 규정으로, 1936년에 조선어학회에서 사정하여 공표한 『조선어 표준말 모음』을 크게 보완하고 합리화하여 1988년 1월에 문교부가 고시하였다.

단권화 MEMO

② 방언의 기능 및 가치

㉠ 방언은 그 말을 사용하는 사회의 구성원들 간에 정서적 유대감을 돈독하게 한다.

㉡ 방언은 집단마다 각기 다른 정서와 체계를 지니고 있으며, 시간의 흐름에 따라 변하는 양상도 상이하다. 따라서 방언은 우리 언어의 다양성을 확인시켜 주는 훌륭한 언어 자료이자 우리말의 한 부분을 차지하는 귀중한 문화 자산이기도 하다.

(3) 은어와 속어

① 은어: 특정 집단의 비밀어를 '은어'라고 한다. 은어는 어떤 특정 집단에 속한 사람들이 자신들을 타 집단과 구분하고 결속시키려는 목적으로 다른 사람들이 자신들의 말을 알아듣지 못하도록 사용하는 말이다. 은어는 기본적으로 비밀 통신 수단의 발생과 깊은 관련을 가지는데, 언어를 집단 내의 비밀 통신 수단처럼 사용하면 은어가 된다. 은어는 집단의 비밀 유지의 기능을 하며, 일반 사회에 알려지면 즉시 변경되는 것이 원칙이다.

예 은어의 발생 동기: 종교적 동기(세속어 기피), 상업적 동기(청과상의 셈하는 방식), 방어적 동기(범죄 집단)

② 속어(비속어, 비어): 비속하고 천한 어감이 있는 점잖지 못한 말을 '속어'라고 한다. 속어는 공식적이거나 점잖은 자리에서는 쓰이지 않는다. 장난기 어린 표현, 신기한 표현, 반항적인 표현, 구체성을 강하게 드러내는 사실적인 표현을 위하여 사용되며, 말을 쓰는 사람들 사이에 동질감을 확보하고 스트레스를 푼다는 느낌을 준다. 속어는 이를 사용하는 언어 사용자들을 강하게 결속시킨다는 점에서 은어와 유사하지만, 강한 폐쇄성과 은비성(隱秘性)* 이 없다는 점에서 은어와 다르다. 속어는 주로 '놀이성이나 신기함의 추구, 또래 의식의 공유, 반항' 등과 같은 기능을 하며, 특정한 집단 안에서 이러한 유형의 언어가 끊임없이 생겨나서 사용된다.

*은비성(隱秘性)
숨겨서 비밀로 하는 성질

(4) 금기어와 완곡어

① 금기어: 금기어는 불쾌하고 두려운 것을 연상하게 하여 입 밖에 내기를 피하거나 싫어하는 말이다. 속어가 '장난스러움, 점잖지 못함'의 느낌을 주는 데 반하여, 금기어는 사회적으로 '두려움, 지저분함'과 같은 불쾌감을 준다는 점에서 속어와 구분된다.

예 죽음, 질병, 범죄, 위험한 동물, 추한 동물, 성, 배설물 등과 관련된 말

② 완곡어: 금기어를 불쾌감이 덜하도록 대체한 말이다. 상대방에게 불쾌감을 주지 않기 위해서는 상황과 대상을 고려하여 완곡어를 사용해야 한다.

예

금기어	천연두	변소	죽다
완곡어	손님	화장실	잠들다

더 알아보기 완곡 표현의 한계

감옥 → 형무소 → 교도소　　후진국 → 개발 도상국　　청소부 → 환경미화원

금기어가 부정적인 인상을 주는 현상에 대하여 말이 오염되었기 때문이라고 하는 사람도 있으나, 사실은 이러한 현상은 말 그 자체와는 직접 관계가 없다. 다만, 그 사물 자체가 가지고 있는 특성이 본질적으로 좋지 않기 때문이다. 따라서 이런 말들을 완곡어로 바꾸면 잠깐 동안 인상이 개선될 수는 있지만, 사물의 본질이 변하지 않는 한 말만 바꾼다고 하여 그에 대한 인상까지 개선되지는 않는다. 이것이 완곡 표현이 갖는 한계이다. 따라서 완곡어가 계속 발달한다고 하더라도 그것이 가리키는 대상이 갖는 이미지가 개선되지 않으면 또다시 완곡어를 만들어야 할 것이다.

(5) 관용어와 속담

① **관용어**: 둘 이상의 단어들이 결합하여 특별한 의미로 사용되는, 관습적으로 굳어진 말을 '관용어'라고 한다. '미역국을 먹다'라는 표현에서 우리는 '시험에서 떨어지다.'라는 의미를 읽을 수 있는데, 이처럼 관용어는 원래 단어의 의미에서 멀어져 새로운 의미로 사용된다.

② **속담**: 우리의 전통적 생활 문화와 농축된 삶의 지혜가 완결된 문장의 형태로 들어 있는 표현이 '속담'이다. 속담은 민족의 전통 생활 문화와 관련된 이야기를 배경으로, 상황을 매우 압축적이고 효과적으로 표현한다. 속담은 대개 구체적이고 일상적인 생활 어휘를 통해 삶의 교훈을 전달하여 특별한 표현 효과를 발휘한다. 형태적으로는 완결된 통사 구조와 의미 구조를 갖추고 있다.

③ 관용어와 속담의 공통점과 차이점

공통점	• 다채로운 표현 효과가 있다. • 민족의 문화나 사고방식을 파악할 수 있는 우리 고유의 언어 문화 자산이다. • 두 개 이상의 단어들이 모여 만들어졌지만, 그 의미가 특수하게 사용되어 하나의 단어로 취급된다.
차이점	• 대체로 관용어보다는 속담에 구체적이고 일상적인 삶의 교훈이 더 들어가 있다. 즉, 말하고자 하는 내용을 직접적으로 전달하지 않고 상징적으로 전달한다는 점에 주목한다. • 형태적으로 관용어에 비해 속담이 조금 더 긴 구조를 가진다. '가는 방망이 오는 홍두깨'처럼 속담에는 두 개의 서술 표현이 오곤 하는데, 이처럼 속담은 하나의 서술에 다른 하나의 서술이 결합하여 특별한 효과를 거둔다.

3 어휘의 팽창에 따른 갈래: 전문어, 새말

(1) 전문어

전문적 작업을 효과적으로 수행하기 위하여 도구처럼 사용하는 말을 '전문어'라고 한다. 전문어는 의미가 매우 정밀하고, 다의성이 적으며, 그에 대응하는 일반 어휘가 없다. 또한 의미가 문맥의 영향을 적게 받으며, 감정적인 의미가 개입되지 않는다. 전문어는 일반 사회의 기본 어휘로 사용되는 경향이 적고, 의미에 의도적인 규제가 가해져 있는 경우가 많다. 또한 외국어로부터 차용된 어휘가 많고, 새말의 생성이 활발하다. 어떤 사람이 해당 분야의 전문가인지 아닌지를 판단할 때, 해당 분야의 전문어에 대한 지식이 그 판단 기준이 될 수 있다.

단권화 MEMO

■ **전문어의 기능**
전문어는 전문 분야에 종사하는 사람들이 일반인들에게 비밀을 유지하기 위한 방편으로 사용할 경우, 은어와 유사한 기능을 한다.

(2) 새말

새로운 사물이나 개념을 표현하기 위하여 언어 사회에 새로이 등장하는 어휘를 '새말'이라 한다. 사회가 변화·발전함에 따라 새로운 사물이나 개념이 등장할 때나 이미 존재하는 개념이라 하더라도 그것을 표현하던 어휘의 표현력이 감소되었을 때, 그것을 보강하거나 신선한 맛을 내기 위하여 새말이 등장하기도 한다. 새로운 말소리를 사용할 경우 언중들이 받아들이기 어려워할 수 있고, 기존의 말을 활용할 경우 기존의 의미가 방해를 하는 경우가 많기 때문에 외국 말을 그대로 빌려 쓰는 경우가 많다.
새말의 형성 방식은 다음과 같다.

① **신조어**: 자국의 조어 방식에 따라 새로 만들어 쓰는 말이다.

② **차용어**: 외국의 말을 그대로 빌려 쓰는 것을 말한다.

단권화 MEMO

*토박이말
해당 언어에 본디부터 있던 말이나 그 것에 기초하여 새로 만들어진 말을 뜻한다. 고유어와 같은 의미의 말이다.

4 순화어

국어 순화란 우리말을 다듬는 일을 말하며, 순화 대상어를 가능한 범위에서 토박이말*로 재정리하는 것이다.
순화 대상어는 다음과 같다.

① 어려운 말은 쉬운 말로 순화한다.

예 그 물건은 가가호호 없는 집이 없었다. → 그 물건은 집집마다 없는 집이 없었다.

② 어법에 맞지 않는 표현을 어법에 맞게 순화한다.

예 저희 나라 → 우리나라

③ 비속어를 순화한다.

예 해골 굴리지 마라. → 잔꾀를 부리지 마라.

④ 가능한 범위 내에서 외래어, 외국어를 토박이말이나 한자어(우리식)로 순화한다.

예 우리 서클에서 이번에 공연을 한다. → 우리 동아리에서 이번에 공연을 한다.

⑤ 직업이나 장애인에 대한 편견, 비하의 표현을 순화한다.

예 • 휴가 나온 군바리가 참 많다. → 휴가 나온 군인이 참 많다.
• 그의 아버지는 장님이다. → 그의 아버지는 시각 장애인이다.

⑥ 성차별적 표현이나 인종 차별적 표현을 순화한다.

예 • 학교에 학부형들이 많이 모였다. → 학교에 학부모들이 많이 모였다.
• 이태원에 코쟁이들이 많다. → 이태원에 서양 사람들이 많다.

더 알아보기 순화어 목록

1. 주요 순화어

순화어	순화 대상어	순화어	순화 대상어
댓글	리플	해안 유원지	마리나
참살이	웰빙	흥행 수익	박스 오피스
안전문	스크린 도어	최상위연맹	빅 리그
그림말	이모티콘	맨주먹 정신	헝그리 정신
① 다걸기, ② 집중	올인	겹벌이, 겸업	투잡
힘내자!, 아자	파이팅	상표경쟁력	브랜드 파워
누리꾼	네티즌	~ 의혹사건	~ 게이트
자동길	무빙워크	쪽지창	메신저
은행연계보험	방카쉬랑스	무점포 사업, 재택 사업자	소호
임무, 중요 임무	미션	현실공간	오프라인
맵시가꿈이	스타일리스트	민원 도우미	옴부즈맨
붙임쪽지	포스트잇	상처 치료, 상처 치료약	드레싱
청백리 마당	클린 센터	통제탑, 지휘 본부	컨트롤 타워
길도우미, 길안내기	내비게이션	대안시장	블루오션
혼합형	하이브리드	선발쾌투	퀄리티 스타트
직선치기, 길게치기, 몰아가기	드라이브	자가 촬영	셀프카메라
품재기*	후카시	개인용 컴퓨터	퍼스컴

*품재기
'품'(행동이나 말씨에서 드러나는 태도나 됨됨이)과 '재기'['재다'(잘난 척하며 으스대거나 뽐내다)의 명사형]의 합성어

순화어	순화 대상어	순화어	순화 대상어
자백감형제, 자백감형제도	플리 바기닝	어르신 도우미, 경로 도우미	실버시터
대중명품	매스티지	어울모임	교례회
후보 지명	노미네이트	대중명곡	스탠더드 넘버
체험 판매장	플래그십 스토어	① 부호, ② 성향	코드
빛가림	선팅	중간구원	홀드
자활꿈터	그룹홈	하늘채	펜트하우스
직전우승팀, 전대회우승팀	디펜딩 챔피언	과립즙	퓌레
맛보기 프로그램, 시험 프로그램	파일럿 프로그램	~번째 이야기	시즌 ~
상징 노래	로고송	다시보기, 다시보기 서비스	브이오디 서비스 (VOD 서비스)
채 한 벌	풀 세트	조난 신호, 구조 요청	에스오에스(SOS)
소수취향	컬트	출장밥상	케이터링
옷차림 약속	드레스 코드	맛보기묶음	샘플러
손수 제작	다이(디아이와이, DIY)	길거리그림	그라피티
활동복	캐포츠	필수품	머스트 해브
눈그늘	다크서클	① 도움말, ② 봉사료	팁
머릿결영양제	트리트먼트	① 가리개, ② 정보 가림	블라인드
동반 관계	파트너십	누리 검색, 웹 검색, 인터넷 검색	웹서핑
명인강좌	마스터클래스	고품질	레퍼런스
① 맞대결, 대진, ② 일대일	매치업	냉혹기법	하드보일드
각색실화	팩션	사랑구도	러브 라인
인격 표지권	퍼블리시티권	동물 찻길 사고, 동물 교통사고	로드킬
산학협력지구, 연합지구, 협력지구	클러스터	① 등장인물, 인물, ② 특징물	캐릭터
(장면) 갈무리, 화면 담기	캡처	기억상자	타임캡슐
반짝할인	타임 서비스	맵시꾼	패셔니스타
전망 쉼터, 하늘 쉼터	스카이라운지	시청각설명(회)	프레젠테이션
상품권 제도, 이용권 제도	바우처 제도	물놀이 공원	워터파크
참여형 소비자	프로슈머	보기창	뷰파인더
우편 광고, 우편 광고물	디엠(DM)	조립모형, 조립장난감	플라모델
문예후원, 예술후원	메세나	실사모형	디오라마
토막 광고	스폿 광고*	줄거리판, 이야기판	스토리보드
여정영화	로드 무비	숫자넣기	스도쿠
맞춤전술, 각본전술	세트 피스/세트 플레이	뜨락정원	성큰 가든
중추인물	키맨	기념 손찍기	핸드 프린팅
여론몰이	언론 플레이	다목적꽂이	크레이들
금기	터부		

단권화 MEMO

＊스폿 광고의 오표기

스팟 광고, 스파트 광고, 스포트 광고

단권화 MEMO

순화어	순화 대상어	순화어	순화 대상어
자료 보관소, 자료 저장소, 기록 보관, 자료 전산화	아카이브	기대주	영건
거품크림	휘핑	행복결말	해피엔딩
손수제작물, 손수저작물	유시시(UCC)	광고창작자	크리에이터
금융암체족	체리피커	손질상품	리퍼브
기름뭉치	오일볼	폐쇄회로 텔레비전 (티브이)	시시티브이 (CCTV)
불빛축제, 불빛잔치, 불빛조명시설	루미나리아	마루지, 상징물, 상징건물, 대표건물	랜드마크
꿈의 낙원	샹그릴라	주요 쟁점	핫이슈
기품	오라	조리법	레시피
결지방	마블링	댓글나눔터	마이크로 블로그
받아막기	디그	(담당) 지도자	멘토
가늠터, 시험장, 시험(무)대	테스트베드	알림창	팝업 창
환경친화주부, 친환경주부	에코맘	① 상징, 상징물, ② 그림 단추	아이콘
백지상태, 원점	제로 베이스	구설(수) 홍보	노이즈 마케팅
역사교훈여행	다크 투어리즘	부실음식(식품)	정크푸드
폐쇄은둔족	히키코모리	짝 차림	커플룩
아래차로	언더패스	뒤풀이공연	갈라쇼
감각세대	아티젠	모닥불놀이	캠프파이어
자기가치 개발족	예티족	결함보상, 결함보상제	리콜
놀이식 교육, 놀이학습	에듀테인먼트	치명적 약점	아킬레스건
통신 예절	모티켓	직장인 엄마, 일하는 엄마	워킹맘
골방누리꾼	마우스 포테이토	손뼉맞장구	하이파이브
자유벌이족	프리터족	대리주차	발레파킹
계발형 직장인	샐러던트	(아이) 안전의자	카시트
예술감각상품	데카르트 마케팅	어울가게	숍인숍
이용실적점수	마일리지	눈속임짓	할리우드 액션
알뜰개성족	프라브족	지도층 의무	노블레스 오블리주
끝자막, 맺음자막	엔딩 크레디트	체험평가자	테스터
(원작) 재구성	리메이크	맵시꽃	코르사주
사기 전화	보이스피싱	각자내기	더치페이
여가 활용 기술, 여가 활용 방법	휴테크	칠판펜	보드마커
교사 의존 학생	티처보이	누리 소통망 (서비스), 사회 관계망 (서비스)	소셜 네트워크 서비스 (SNS)
원정구매족	쇼플러	원격 근무	스마트 워크
작명가, 이름설계사	네이미스트	열린 장터(시장)	오픈 마켓
결혼설계사	웨딩플래너	지붕창	선루프
정치철새교수	폴리페서	모둠전원꽃이	멀티탭

순화어	순화 대상어	순화어	순화 대상어
늑장졸업족	엔지족(NG족)	공동 할인구매	소셜 커머스
입방아거리	가십거리	자체 기획 상품	피엘 상품(PL 상품)
① 꾸러미 상품, ② 기획 상품	패키지 상품	신제품 발표회	론칭쇼
맴돌이곡	후크송	악덕 소비자	블랙 컨슈머
관광취업	워킹 홀리데이	책 낭독자	북텔러
정보 무늬	큐아르 코드(QR 코드)	소리 책, 듣는 책	오디오북
친환경살이	로하스	곁들이찬	쓰키다시
친환경운전	에코드라이브 (에코드라이빙)	맑은탕, 싱건탕	지리
끝장승부	치킨게임	맛가루	후리카케
싹쓸이	올킬	착한 해커	화이트 해커
무리하다	오버페이스하다	새싹기업, 창업초기기업	스타트업
커피전문가	바리스타	대중투자	크라우드펀딩
무표정	포커페이스	옥상정원	그린루프
본보기(상)	롤 모델	대정전	블랙아웃
모두갖춤	풀옵션	에너지자급주택	제로에너지하우스
분장놀이	코스프레	초단열주택	패시브 하우스
비침옷	시스루	계절마감, 계절할인	시즌오프
열린가격제	오픈 프라이스제	(하나에) 하나 더	원 플러스 원
사고후유(정신)장애	트라우마	매력상품	잇 아이템
일치율	싱크로율	뜨는곳, 인기명소	핫 플레이스
추가시간	인저리 타임	손톱미용사	네일 아티스트
생생예능	리얼 버라이어티	육아설계사	베이비 플래너
따름벗	팔로잉	야외활동 지도자	아웃도어 인스트럭터
딸림벗	팔로어	문신사	타투이스트
① 본따르기, 견주기, ② (컴퓨터) 성능시험	벤치마킹	문자결제사기	스미싱
앞선 사용자	얼리 어답터	식별무늬	워터마크
미국형 주택담보대출	모기지론	사이트금융사기	파밍
녹색소비자	그린슈머	전자금융사기	피싱
멋글씨, 멋글씨 예술	캘리그래피	의료관광호텔	메디텔
새활용	업사이클(링)	전속매장	브랜드숍
포장구매, 포장판매, 사 가기	테이크아웃	반짝매장	팝업 스토어
참공약	매니페스토	색깔먹거리, 색깔식품	컬러푸드
누리잡지	웹진	먹거리나눔터	푸드뱅크
내집빈곤층	하우스푸어	맨손음식	핑거푸드
근로빈곤층	워킹푸어	(노면) 살얼음	블랙 아이스
수행매니저	로드매니저	노면 홈, 도로 파임, 노면 구멍	포트 홀
① 촬영 기록자, ② 구성작가	스크립터	길반짝이	(도로)표지병

단권화 MEMO

단권화 MEMO

순화어	순화 대상어	순화어	순화 대상어
자작가수	싱어송라이터	연결로	램프(ramp)
깜짝출연(자)	카메오	길말뚝	볼라드
검정먹거리	블랙푸드	복합동력차	하이브리드카
뻬째회	세고시	주훈련장, 근거지	베이스캠프
위안음식	솔푸드	코치진	코칭 스태프
책길잡이	북마스터	(팀)전담의사, (팀)전속의사, 팀주치의	팀닥터
책돌려보기	북크로싱	(정보) 추천 서비스	큐레이션 서비스
쳐내다	펀칭하다	무인기	드론
대형 (갖추기), 진형 (갖추기)	포메이션	즉시퇴출(제)	원 스트라이크 아웃(제)
생각그물	마인드맵	곁들이	사이드 메뉴
야외활동차림	아웃도어 룩	노화 방지	안티에이징
(전화) 회신서비스	콜백 서비스	음성 안내(기)	오디오 가이드
해독 (요법)	디톡스	요점 교습	원 포인트 레슨
공유 주택	셰어 하우스	급변점	티핑 포인트
일일 강좌	원데이 클래스	판촉, 홍보, 흥행(사)	프로모션
함몰 구멍, 땅꺼짐	싱크홀	누리꾼 예절	네티켓
덮지붕	캐노피	행운권 추첨	러키 드로
고강도 복합 운동	크로스핏	전사편(前史篇)	프리퀄
일대일 맞춤운동	피티/퍼스널 트레이닝	주민 회의	타운홀 미팅
생활 원예	가드닝	사륜 오토바이	에이티브이(ATV)
친환경 가방	에코백	금융 기술 (서비스)	핀테크
통컵	텀블러	① 선수명단, 진용, ② 순번, ③ 출연진, ④ 제품군	라인업
벼룩시장	플리마켓	거리 공연	버스킹
허벅지뒷근육*, 허벅지뒤힘줄*	햄스트링	개인 간 (공유)	피투피(P2P)
(정량) 공급기	디스펜서	산중 노숙	비바크
방향기	디퓨저	기업 간 거래	비투비(B2B)
국민 경선(제)	오픈 프라이머리	기업·소비자 거래	비투시(B2C)
유행 선도자	트렌드 세터	마중그림	섬네일
정원 결혼식	하우스 웨딩	유아 수레	왜건
소망 목록	버킷 리스트	보상 환급	페이백
몸싸움, 집단 몸싸움, 선수단 몸싸움	벤치 클리어링	흥행 보수	러닝 개런티
명품 조연	신스틸러	외벽 영상	미디어 퍼사드
개방형 주방	오픈 키친	선집	컴필레이션
범죄분석가/범죄분석	프로파일러/프로파일링	네발 방파석	테트라포드
승차 구매(점)	드라이브스루	정밀 모형	피겨
뽁뽁이	에어캡	시연회	데모데이
일회용 비밀번호	오티피(OTP)	(화장) 지움액	리무버

***허벅지뒷근육**
근육을 가리킬 때
***허벅지뒤힘줄**
힘줄을 가리킬 때

순화어	순화 대상어	순화어	순화 대상어
전면 지붕창	파노라마 선루프	고객 만족	시에스(CS)
배낭 도보 여행	백패킹	둥지 내몰림	젠트리피케이션
정보 가림 평가	블라인드 테스트	담음새	플레이팅
파생작	스핀 오프	전자 잠금장치	디지털 도어록
대표 상품	시그니처 아이템/ 시그너처 아이템	공식 매장	공식 스토어
정보 그림	인포그래픽	(대회) 유산	레거시
공기 세척기	에어 와셔	경기장, 행사장	베뉴
가열대	쿡톱	협력사	파트너사
옥상	루프톱	시험 경기, 시험 행사	테스트 이벤트
일광욕 의자	선베드	전망, 보임	뷰
(전용) 수영장 빌라	풀빌라	호수 전망	레이크 뷰
어린이 공간	키즈존	산 전망	마운틴 뷰
어린이 제한 공간	노키즈존	도시 전망	시티 뷰
거리 보기	로드뷰	바다 전망	오션 뷰
작은 결혼식	스몰 웨딩	건식 숙성	드라이 에이징
쾌적함, 편의 물품	어메니티	습식 숙성	웨트 에이징
그룹 운동	그룹 엑서사이즈	(정보) 가림 채용	블라인드 채용
미공개 장면(영상)	비하인드 컷	짬 즐김 문화, 짬 소비문화	스낵 컬처
조회 수 조작	어뷰징	행사 효과	컨벤션 효과
언론 시연회	프레스 콜	수제맥주	크래프트 맥주
밥상모임	소셜 다이닝	집 꾸미기	홈 퍼니싱
팬 상품	구즈/굿즈	규제 유예 (제도)	규제 샌드박스
(도서) 되사기	바이백 (서비스)	최소 규제	네거티브 규제
전자책	이북	가치 사슬	밸류 체인
총괄 안내(인)	콘시어지	약자 (효과)	언더독 (효과)
재고 할인 (판매)	클리어런스 세일	가정 간편식	에이치엠아르(HMR)
매장 광고	피오피(P.O.P)	국면 전환자, 국면 전환 요소	게임 체인저
투자 설명회	로드 쇼	탈진 증후군	번아웃 증후군
1인 전동차	스마트 모빌리티/ 퍼스널 모빌리티	장기 호황	슈퍼 사이클
결정적 증거	스모킹 건	영향력자	인플루언서
공개 소스, 공개 자료	오픈 소스	모둠 접시	플래터

2. 일본어식 표현의 순화어

순화어	순화 대상어	순화어	순화 대상어
덧셈, 뺄셈, 곱셈, 나눗셈	가감승제	풍로, 화로	곤로
임시 건물	가건물	감색, 감청색	곤색
임시 계약	가계약	본성, 심지	곤조
임시 등기	가등기	콘크리트	공구리
가짜	가라	돌려 봄	공람
녹음 반주 (노래방)	가라오케	지난해	과년도

단권화 MEMO

단권화 MEMO

순화어	순화 대상어	순화어	순화 대상어
치료, 고침, 병 고침	가료	낡은 모양, 구형	구가타
임시 압류	가압류	단체, 클럽	구락부
가위표	가케표	계좌	구좌
(깡통) 따개, 통조림 따개	간즈메	머리말	권두언
대지 건물 비율	건폐율	사환, 사동	급사
닮, 올림	게양	상중	기중
수습	견습	빛나는 별	기라성
찾기 딱지, 분류 딱지	견출지	흠, 흠집	기스
이어달리기	계주	① 생천, ② 옷감	기지
신고	계출	얼차려, 기넣기, 벌주다, 정신차리게 하다	기합
잔, 컵	고뿌	부하	꼬붕
둔치	고수부지	금귤, 동귤	낑깡
선임(자), 선참(자)	고참	민소매	나시
다짐, 다진 양념	다대기	명세	내역
① 구슬, 알, ② 전구, ③ 당구	다마	갓길	노견
예삿일, 흔한 일	다반사	품삯	노임
채비, 단속	단도리	팔 물건, 팔 것	매물
닭볶음탕	닭도리탕	판매장	매장
당황	당혹	통속극	멜로드라마
큰새우, 왕새우	대하	내년, 다음 해	명년
나사돌리개, 드라이버	도라이바	일바지	몸뻬
변압기, 트랜스	도란스	귤, 밀감, 감귤	미깡
모두, 합계	도합	대지	부지
머리뼈	두개골	분배, 노늠, 노느매기	분빠이
물방울 (무늬)	땡땡이 (무늬)	매각, 팔아 버림	불하
본전치기	똔똔	몰상식	비상식
둥근 거리, 로터리	로타리	구멍, 펑크	빵꾸
손수레	리야카	샐러드	사라다
보온병	마호병	선지급	선불
목도리, 머플러, 소음기	마후라/머플러	나루(터)	선착장
지움, 지워 없앰	말소	어묵	오뎅
송년회, 송년모임	망년회	외투	오바
감상적이다	센치하다	우두머리, 두목, 책임자	오야붕
하늘색, 하늘 빛깔	소라색	나무젓가락	와리바시
곰보빵	소보로빵	고추냉이	와사비
절차, 순서	수속	왔다갔다	왔다리갔다리
초밥	스시	이쑤시개	요지
싫증 남	식상	가락국수	우동
단골 장기, 단골 노래	십팔번	운전사, 운전기사	운전수

순화어	순화 대상어	순화어	순화 대상어
붕장어	아나고	융통, 여유(분)	유도리
장식물, 액세서리, 노리개	악세사리	뒷보증	이시
거둬 감	압수	참여, 참관	입회
누름못	압정	원앙부부	잉꼬부부
깨끗이, 산뜻이, 깔끔히	앗사리	지퍼	자꾸(← 잣쿠)
팥빵	앙꼬빵	그레이프프루트	자몽
진액, 농축액	엑기스	① 잔액, ② 잔량	잔고
노자	여비	남은 밥, 음식 찌꺼기	잔반
거간(꾼)	중매인	시간 외 일	잔업
우묵모자	중절모자	모음, 모아 쌓음	적립
선전지, 낱장 광고	지라시	붉은 조류	적조
몫	지분	책 매기	제본
① 초마면, ② 뒤섞기	짬뽕	마침표	종지부
압류, 잡아 둠	차압	(물건) 없음	품절
뽑아냄	차출	덜이	할인
운동복	추리닝	웃돈, 추가금	할증료
출생률	출산율	현장 식당	함바
무름, 철회, 취소	취하	가는 곳	행선지
집 배달, 문 앞 배달	택배	괴질, 콜레라	호열자
증기탕	터키탕	순조	호조
안전모	화이바/파이버	행성	혹성
돌려 보기	회람	후 지급	후불

3. 어려운 한자 순화어

*형광펜 표시는 기출 어휘를 포함한 우선순위 순화어입니다.

순화어	순화 대상어	순화어	순화 대상어
집집마다	가가호호	잘못 낸, 잘못 낸 세금(돈)	과오납
검사물	가검물	내어 줌	교부
웃돈	가전	도랑	구거
임시 처분	가처분	똑같이 나눔	균분
이간질	간언	계속 근무하다	근속하다
뉘우치다	개전	마침내	필경
뜯다, 열어보다	개피하다	속이다	기망하다
교통비, 차비	거마비	이름을 적고 도장을 찍음	기명날인
확인 도장	검인	기부 받음	기부 채납
싣다, 써 붙이다, 기재하다	게기하다	장부에 적다	기장하다
굳기, 굳음새	경도	맨눈 시력	나안 시력
맡기다	공탁하다	어려운 빛을 나타내다	난색을 표명하다
원물(元物)로부터 생기는 경제적 수익	과실	안비탈	내사면
사재기	매점	은밀히 조사하다	내사하다

단권화 MEMO

단권화 MEMO

순화어	순화 대상어	순화어	순화 대상어
이익을 얻음, 수혜, 덕을 봄	몽리	농지	농경지
수혜자	몽리자	전세	대절
손도장	무인	빌려준 이	대주
아닌 게 아니라	미상불	빈틈없이 하다	만전을 기하다
미리	미연에	파는 사람	매도인
비탈면, 비탈쪽	법면	사는 사람	매수인
비탈 보호	사면 보호	길들이기	순치
맞계산, 엇셈	상계	잠금장치	시건장치
정한 날짜	소정기일	설명서	시방서
이른바	소위	늘, 항상	시종
태워 없앰	소훼	깊이 팜	심굴
보냄	송달	넘겨줌	양도
새롭게 하다	쇄신하다	굳히기	양생
권한을 줌	수권	넘겨받음	양수
순서, 차례	수순	넘겨주다	양여하다
맡아 처리함	장리	형량 결정	양형
심음	재식	말을 할 때마다	언필칭
소송	쟁송	총면적	연면적
법에 걸리다	저촉되다	잘못 읽기	오독
알맞게 처리, 적절한 조치	적의조치	두메산골	오지
쌓기, 싣기	적하	버리고 돌보지 않다, 내버려 두다	위기하다
논밭	전답	감추다, 숨기다	은닉하다
오로지 혼자 함	전행	숨김	은비
진취적, 적극적	전향적	다음 해	익년
불 켜지다	점등되다	참고 견딤	인용
눈여겨보다	주시하다	물을 끌어들임	인수
세금을 무겁게 매김	중과세	자금 능력	자력
받다	징구하다	첫방문	초도 순시
알다	지득하다	손대지 마시오	촉수 엄금
윷놀이	척사	독촉	최고
말을 덧붙임	첨언	숨지게 하다	치사하다
게으름	해태	부숨	파훼
융숭한 대접	향응	헐뜯고 깎아내리기	폄훼
꽃 재배지	화훼 단지	막힘	폐색
부족, 흠, 모자람	흠결	임신	포태
잘못, 흠	하자	마치다	필하다

4. 직업 · 장애인을 비하하는 표현의 순화어

순화어	순화 대상어	순화어	순화 대상어
간호사	간호원	가두 신문 판매원	신문팔이
구두 미화원	구두닦이	지체 장애인	앉은뱅이, 절름발이
군인	군바리	우편집배원	우체부
청각 장애인	귀머거리	운전사	운전수
연예인	딴따라	지적 장애인	저능아
막노동자	막노동꾼	역술가	점쟁이
시각 장애인	맹인, 소경, 장님	정신 장애인	정신병자
나환자, 한센인	문둥이	집행관	집달리
이른둥이	미숙아	경찰관	짭새
언어 장애인	벙어리, 언청이	환경미화원	청소부
봉급생활자	봉급쟁이	가사 도우미	파출부
세무 공무원	세리	화가	환쟁이
경비원	수위		

5. 성 · 인종 차별 표현의 순화어

순화어	순화 대상어	순화어	순화 대상어
흑인	검둥이	첫 작품	처녀작
권력의 앞잡이	권력의 시녀	서양 사람	코쟁이
고 ○○○ 씨의 부인	미망인	새터민	탈북자
살구색	살색	혼혈인	튀기
작가	여류 작가	하느님의 자녀	하느님의 아들
경찰	여경	학부모	학부형
중국 동포	조선족		

단권화 MEMO

단권화 MEMO

04 북한어

북한은 국가가 주도하여 언어를 순화하고, 낱말의 뜻을 최대한 살려 그 이름을 만들어 내는 경우가 많아 남한보다 고유어를 많이 사용한다.
남한어와 북한어를 비교하면 다음과 같다.

구분	남한어	북한어
특징	다양한 외래어를 수용하는 개방적인 태도	국가의 주도로 외래어를 우리말로 바꿈
장점	① 과학 문명의 발전 속도를 따라가기 위해서는 처음 만들어진 용어를 받아들이는 것이 효과적 ② 국제적인 의사소통을 원활히 하기 위해서는 외래어를 그대로 사용하는 것이 효과적	① 우리말로 바꾸어서 쉽게 이해할 수 있음 ② 외래어를 주체적인 입장에서 수용할 수 있음 ③ 외래어에 해당하는 말을 만들어야 하기 때문에 새로운 우리말이 많이 만들어짐
단점	무분별한 외래어의 사용으로 고유어의 영역이 위축되고 있음	① 우리말로 바꾸는 데 시간이 많이 걸림 ② 고유어만으로 단어를 만들려고 하다 보니 억지스러운 느낌이 듦 ③ 국제적인 의사소통을 원활히 하기 어려움
공통점	① 표의주의 원리에 입각하되 표음주의를 부분 반영함 ② 체언과 어간의 기본형을 밝혀 적음 ③ 띄어 씀	
차이점	① 두음 법칙을 적용 예 여자, 노동 신문 ② 사이시옷을 둠 예 냇가, 아랫집 ③ 의존 명사를 앞 단어와 띄어 씀 예 걷는 분 ④ 보조 용언을 띄어 씀을 원칙으로 함 ⑤ 명사 결합구를 띄어 씀을 원칙으로 함 예 서울 대학교 ⑥ 조사와 어미를 구별함 ⑦ 자음 동화를 인정함 ⑧ 'ㅣ' 모음 역행 동화, 전설 모음화를 인정하지 않음 ⑨ 대체로 낮은 억양으로 말함 ⑩ 부드럽게 흘러가는 자연스러운 느낌의 어조 ⑪ 한자어를 많이 사용함 예 인물화, 한복 ⑫ 외래어를 그대로 사용하는 경우가 많음 예 볼펜, 노크	① 두음 법칙을 적용하지 않음 예 녀자, 로동 신문 ② 사이시옷을 두지 않음 예 내가, 아래집 ③ 의존 명사를 앞 단어에 붙여 씀 예 걷는분 ④ 보조 용언을 붙여 씀 ⑤ 명사 결합구를 붙여 씀 예 조선로동당 ⑥ 조사와 어미를 합쳐 '토'라고 함 ⑦ 자음 동화를 인정하지 않음 ⑧ 'ㅣ' 모음 역행 동화, 전설 모음화를 인정함 ⑨ 높은 데서 낮은 데로 떨어지는 억양이 반복됨 ⑩ 명확하고 또박또박하면서 강하고 드센 느낌의 어조 ⑪ 고유어를 많이 사용함 예 사람그림, 조선옷 ⑫ 외래어를 주로 우리말로 바꿔 사용함 예 원주필, 손기척

더 알아보기 주요 남북한 어휘 비교

남한어	북한어	남한어	북한어
가르치다	배워주다	개고기	단고기
가사(家事)	집안거두매	개수대	가시대
가정주부	가두녀성	거짓말	꽝포
각선미	다리매	건널목	건늠길
간섭, 참견	간참	나돌아다니다	게바라다니다
간통 사건	부화사건	날씨	날거리

남한어	북한어	남한어	북한어
건성으로	걸써	내습성	누기견딜성
검문소	차단소	냉대하다	미우다
검산	셈따지기	냉수욕	찬물미역
계단논	다락논	냉동고	랭동고
계란말이	색쌈	냉차	찬단물
계모	후어머니	노려보다	지르보다
고생살이	강심살이	노크	손기척
골키퍼	문지기	농지 정리	포전정리
공무원	정무원	높은음자리표	고음기호
공염불	말공부	누룽지	가마치
관광버스	유람뻐스	눈총	눈딱총
구성	엮음새	단무지	무우겨절임
국물	마룩	단비	꿀비
군인 가족	후방가족	대중가요	군중가요
궁금하다	궁겁다	대풍년	만풍년
궁리	궁냥	덴마크	단마르크
궐련	마라초	도넛	가락지빵
귀빈석	주석단	도약 경기	조약경기
극놀이	극유희	도와주다	방조하다
근거	근터구	도화선, 심지	불심지
기가 막히다	억이 막히다	돌풍	갑작바람
기록 영화	시보영화	동의어	뜻같은말
기성복	지은옷	드라이클리닝	화학빨래
김매기	풀잡이	드레스	나리옷
까발리다	까밝히다	드문드문	도간도간
꽁생원	골서방	미숙아	달못찬아이
꿈나라	잠나라	미풍	가는바람
낌새	짬수	민간요법	토법
들창코	발딱코	민속놀이	민간오락
뜬소문	뜬말	반격	반타격
로터리	도는네거리	반환점	돌이점표식
롤러	굴개	방 청소	방거두매
루마니아	로므니아	방직 공장	직포공장
리그전	연맹전	방화	불막이
리듬 체조	예술체조	배영	누운헤염
리본	댕기	백일해	백날기침
마무리	뒤거두매	버라이어티 쇼	노래춤묶음
만화 영화	그림영화	벼락부자	갑작부자
맞벌이 가정	직장세대	변태	모습갈이
매스게임	집단체조	보장	담보
맷돌	망돌	보태 주다	덧주다
먼지	몽당	볶음밥	기름밥
명령문	시킴문	볼펜	원주필
명암	검밝기	부근	아근
모노드라마	독연극	브래지어	가슴띠
모눈종이	채눈종이	블라우스	양복적삼
모닥불	무덕불	비밀 아지트	비트

단권화 MEMO

단권화 MEMO

남한어	북한어	남한어	북한어
모락모락	몰몰	삐삐	주머니종
모자이크화	쪽무이그림	사례 발표회	경험교환회
모터사이클	모터찌클	사병	하전사
몹시 강하다	걸탐스럽다	사이사이	두간두간
몹시 떠들어대다	과따대다	사회인	사회사람
몹시 애쓰는 모양	아글타글	산란기	알낳이철
몽타주	판조립	산책로	거님길
무겁고 큰 걱정	된걱정	상여금	가급금
무상 교육	면비교육	상추	부루
뭉게구름	더미구름	애연가	담배질군
뮤지컬	가무이야기	야맹증	밤눈증
상호 간	호상간	양계장	닭공장
생리통, 월경통	달거리아픔	어림짐작	어방치기
샴페인	샴팡술	어젯날	어제날
서명	수표	얼떨결에	어망결에
서커스(곡예)	교예	업신여기다	숙보다
성숙아	자란 아이	엘살바도르	쌀바도르
세차게 때리다	답새기다	역산	거꿀셈법
소시지	칼파스	연애 결혼	맞혼인
소프라노	녀성고음	열도	줄섬
손님 치르기	일무리	엽록체	풀색체
수상 스키	물스키	영락없다	락자없다
수중 발레	예술헤엄	예방하다	미리막이하다
수화	손가락말	오두막	마가리
숨바꼭질	숨을내기	오전	낮전
승무원	렬차원	오프사이드	공격어김
밥을 지음	작식	옥수수가루쌀	옥쌀
식혜	밥감주	온난 전선	더운전선
실격	자격잃기	온통	전탕
싸구려 물건	눅거리	올케	오레미
싹싹하다	연삽하다	완숙	다익기
쓸개	열주머니	외각	바깥각
아니꼽다	야시꼽다	외래어	들어온말
아리송하다	새리새리하다	용병술	령군술
아이스크림	얼음보숭이	우울증	슬픔증
악센트	세기마루	운행표	다님표
알랑방귀	노죽	원료	밑감
알량하다	잘량하다	젤리	단묵
유산	애지기	접영	나비헤엄
음지	능쪽	정사각형	바른사각형
응고	엉겨굳기	정수	옹근수
의식주	식의주	조마조마하다	오마조마하다
이월	조월	조준	묘준
이자놀이	변놓이	주먹밥	쥐기밥
이제	인차	주민등록증	공민증
이해하다	료해하다	주차장	차마당
인방	린방	중소기업	중세소업
인수인계	넘겨주고받기	즉결 재판	즉일선고제

남한어	북한어	남한어	북한어
인칭 대명사	사람대명사	증인	증견자
일교차	하루차	지난달	간달
일정한 수준에 이르다	가닿다	직무 유기죄	직무부집행죄
일조량	해쪼임량	진폭	떨기너비
일직 사관	직일군관	집 둘레	집두리
임신하다	태앉다	집단 구타	모두매
입덧	입쓰리	집적집적	지부렁지부렁
입주권	입사권	짙은 화장	진단장
자기 수양	자체수양	찌개	남비탕
자신감	자신심	찐밥	떨렁밥
자연 자원	자연부원	창피하다	열스럽다
자유형	뺄헤염	채소	남새
작은 자동차	발바리차	책상다리를 하다	올방자를 틀다
잔소리	진소리	천막	풍막
잡곡밥	얼럭밥	초등학교	소학교
장모	가시어머니	촌뜨기	촌바우
전기밥솥	전기밥가마	출입문	나들문
전당포	편의금고	카스텔라	설기과자
전장	옹근길이	캠페인	깜빠니야
절도죄	훔친죄	해열제	열내림약
커튼	창가림막	허우대	키대
컨테이너	짐함	허풍 떨다	우통치다
클로즈업	큰보임새	헝가리	웽그리아
태업	태공	헬리콥터	직승비행기
테너	남성고음	화물 열차	짐렬차
투과성	나듬성	화장실	위생실
투사지	비침종이	화전	부대밭
투수	넣는사람	황새걸음	왁새걸음
투피스	나뉜옷	훈제	내굴찜
트랙터	뜨락또르	흡연실	담배칸
트레일러	도레라	펜싱	격검
틀림없다	거의없다	평영	가슴헤염
파마 머리	볶음머리	폴란드	뽈스까
판정승	점수이김	푹 수그리다	직수그리다

단권화 MEMO

01 언어와 국어

01 (　　　): 언어는 그 형식인 음성과 내용인 의미 사이에 어떠한 필연적인 관계도 맺고 있지 않은 자의적 · 임의적 기호이다.

02 (　　　): 시간적, 순서적 선후 관계가 언어의 형식에 영향을 주는 경우이다. 문답(問答)의 경우 먼저 묻고 그다음 답해야 하므로 '답문(答問)'보다는 '문답(問答)'이 더 자연스럽다.

03 (　　　): 언어를 의식하지 않고 거의 본능적으로 사용하는 것으로, 표현 의도와 전달 의도가 없어서 기대하는 반응도 있기 어렵다.

04 (　　　): 단어가 활용될 때 단어의 어간과 어미가 비교적 명백하게 분리되는 언어이다. 우리에게 친숙한 예로 당연히 한국어를 들 수 있으며, 그 패턴은 고등학교 국어 시간에 배우는 형태소 분석을 이해하면 쉽게 파악된다. 대체로 하나의 형태소는 하나의 문법적인 기능을 한다.

05 한글: (　　　)이/가 붙인 명칭이다. 1928년부터는 '가갸날'이 (　　　)(으)로 개칭되었다.

06 어원에 따른 국어의 체계: (　　　), (　　　), (　　　)의 삼중 체계

07 (　　　): 한자어와 같이 완전히 우리말처럼 인식되거나 우리말로 받아들여진 외래어를 말한다. 오래전에 우리말에 들어와서 이미 외래어라는 감각마저 잃어버린 것들이라 할 수 있다.

08 (　　　) 어원: 담배(tabaco), 빵 / 일본어 어원: 고구마, 구두, 냄비 / 영어 어원: 남포(lamp) / 네덜란드어 어원: 가방 / (　　　) 어원: 고무, 망토, 루주

09 어려운 말은 쉬운 말로 순화한다.
그 물건은 <u>가가호호</u> 없는 집이 없었다. → 그 물건은 (　　　) 없는 집이 없었다.

10 어려운 한자 순화어: 위기하다 → (　　　)

| 정답 | 01 언어의 자의성　02 순서적 도상성　03 표출적 기능　04 교착어　05 주시경, 한글날　06 고유어, 한자어, 외래어　07 귀화어　08 포르투갈어, 프랑스어　09 집집마다　10 버리고 돌보지 않다/내버려 두다

01 언어와 국어

교수님 코멘트▶ 이 영역에서는 언어의 기호적 특성, 고유어·한자어·외래어의 구분, 순화어 등이 자주 출제된다. 기출문제를 통해서 유형을 파악하고, 앞서 학습한 개념이 어떻게 문제화되는지 알아 두자. 또한 기본서 회독을 통해 다시 한번 확인해 두자.

01

2013 국가직 9급

다음에서 알 수 있는 언어 기호의 특성으로 적절한 것은?

- 언어는 문장, 단어, 형태소, 음운으로 쪼개어 나눌 수 있다. 특히 한정된 음운을 결합하여서 수많은 형태소, 단어를 만들고 무한한 문장을 만들 수 있다.
- 언어는 외부 세계를 반영할 때 있는 그대로 반영하지 않고 연속적으로 이루어져 있는 세계를 불연속적인 것으로 끊어서 표현한다. 실제로 무지개 색깔 사이의 경계를 찾아볼 수 없는데도 우리는 무지개 색깔이 일곱 가지라고 말한다.

① 추상성　② 자의성
③ 분절성　④ 역사성

02

2017 서울시 사회복지직 9급

다음 중 괄호 안에 들어갈 말로 가장 적절한 것은?

'·'가 현대 국어에서 더 이상 사용되지 않고 '믈[水]'이 현대 국어에 와서 '물'로 형태가 바뀌었으며, '어리다'가 '어리석다[愚]'로 쓰이다가 현대 국어에 와서 '나이가 어리다[幼]'의 뜻으로 바뀌어 쓰이는 것 등과 같은 예에서 알 수 있는 언어의 특성을 언어의 (　　　)이라고 한다.

① 사회성　② 역사성
③ 자의성　④ 분절성

정답&해설

01 ③ 언어의 기호적 특성

③ 모두 '언어의 분절성'에 대한 설명이다.

02 ② 언어의 기호적 특성

② 언어는 고정되지 않고 변화한다. 기존의 언어가 바뀌거나(성장) 사라지며(사멸) 없던 말이 새로 생겨나기도(신생) 한다. 이러한 언어의 특성을 '언어의 역사성'이라고 한다.

| 정답 | 01 ③　02 ②

03

2019 서울시 9급

〈보기 1〉의 사례와 〈보기 2〉의 언어 특성이 가장 잘못 짝 지어진 것은?

보기 1

(가) '방송(放送)'은 '석방'에서 '보도'로 의미가 변하였다.
(나) '밥'이라는 의미의 말소리 [밥]을 내 마음대로 [법]으로 바꾸면 다른 사람들은 '밥'이라는 의미로 이해할 수 없다.
(다) '종이가 찢어졌어'라는 말을 배운 아이는 '책이 찢어졌어'라는 새로운 문장을 만들어 낸다.
(라) '오늘'이라는 의미를 가진 말을 한국어에서는 '오늘[오늘]', 영어에서는 'today(투데이)'라고 한다.

보기 2

㉠ 규칙성 ㉡ 역사성
㉢ 창조성 ㉣ 사회성

① (가) – ㉡ ② (나) – ㉣
③ (다) – ㉢ ④ (라) – ㉠

04

2016 사회복지직 9급

밑줄 친 표현에서 주로 나타나는 언어적 기능은?

나흘 전 감자 쪼간만 하더라도, 나는 저에게 조금도 잘못한 것은 없다. 계집애가 나물을 캐러 가면 갔지 남 울타리 엮는 데 쌩이질을 하는 것은 다 뭐냐. 그것도 발소리를 죽여 가지고 등 뒤로 살며시 와서

"애! 너 혼자만 일하니?"

하고 긴치 않은 수작을 하는 것이었다.

어제까지도 저와 나는 이야기도 잘 않고 서로 만나도 본척만척하고 이렇게 점잖게 지내던 터이련만, 오늘로 갑작스레 대견해졌음은 웬일인가. 항차 망아지만 한 계집애가 남 일하는 놈 보구…….

"그럼 혼자 하지 떼루 하디?"

– 김유정, 「동백꽃」 중에서 –

① 미학적 기능 ② 지령적 기능
③ 친교적 기능 ④ 표현적 기능

05

2021 국가직 9급

다음 글의 사례로 적절하지 않은 것은?

인간은 언어를 사용하며 언어는 인간의 사고, 사회, 문화를 반영한다. 인간의 지적 능력이 발달하게 된 것은 바로 언어를 사용하기 때문이다.

언어와 사고는 기본적으로 상호작용을 한다. 둘 중 어느 것이 먼저 발달하고 어떻게 영향을 주는지는 알 수 없다. 그러나 언어와 사고가 서로 깊은 관계를 맺고 있다는 사실은 여러 가지 근거를 통해서 뒷받침된다.

① 영어의 '쌀(rice)'에 해당하는 우리말에는 '모', '벼', '쌀', '밥' 등이 있다.
② 어떤 사람은 산도 파랗다고 하고, 물도 파랗다고 하고, 보행 신호의 녹색등도 파랗다고 한다.
③ 일상생활에서 어떠한 사물의 개념은 머릿속에서 맴도는데도 그 명칭을 떠올리지 못할 때가 있다.
④ 우리나라는 수박(watermelon)은 '박'의 일종으로 보지만 어떤 나라는 '멜론(melon)'에 가까운 것으로 파악한다.

06

2013 국회직 8급

다음 밑줄 친 단어 중 고유어인 것은?

① 그녀는 운전면허 시험에 또 떨어져서 창피했다.
② 그는 담배에 불을 붙였다.
③ 나는 바지 기장을 줄여서 입었다.
④ 냄비에서 물이 끓고 있다.
⑤ 그는 모자를 벗어 가방 속에 넣었다.

07

2014 사회복지직 9급

밑줄 친 말 중 한자어가 아닌 것은?

① 하필 오늘 올 것이 뭐람.
② 하여간 내가 그럴 줄 알았다.
③ 물론 거기에는 이견이 있을 수 있지.
④ 설마 그가 나를 벌써 잊지는 않았겠지?

08

2016 서울시 9급

다음 설명 중 옳지 않은 것은?

① 하늘, 바람, 심지어, 어차피, 주전자와 같은 단어들은 한자로 적을 수 없는 고유어이다.
② 학교, 공장, 도로, 자전거, 자동차와 같은 단어들은 모두 한자로도 적을 수 있는 한자어이다.
③ 고무, 담배, 가방, 빵, 냄비와 같은 단어들은 외국에서 들어온 말이지만 우리말처럼 되어 버린 귀화어이다.
④ 눈깔, 아가리, 주둥아리, 모가지, 대가리와 같이 사람의 신체 부위를 점잖지 못하게 낮추어 부르는 단어들은 비어(卑語)에 속한다.

정답&해설

03 ④ 언어의 기호적 특성

④ (라)는 '언어의 자의성'에 대한 예이다. 언어의 자의성이란 언어의 형식과 의미의 관계가 필연적이지 않다는 것이다. 즉, '오늘'이라는 의미가 한국어에서는 '오늘', 영어에서는 'today'와 같이 다르게 나타나는 것은 언어의 자의성과 관계가 있다.

| 오답해설 | (가) – 언어의 역사성(㉡), (나) – 언어의 사회성(㉣), (다) – 언어의 창조성(㉢)

04 ③ 언어의 기능

③ '친교적 기능'은 상대방과 친교를 긴밀하게 하는 데 사용되는 기능이다. 제시된 글에서 '계집애'는 '나'에게 관심을 표현하기 위해서 혼자만 일하냐고 묻고 있다.

05 ③ 언어와 사고

③ 제시된 글은 '언어우위론'과 관련된 설명이다. ③은 언어를 제외한 사고의 영역이 분명히 존재함을 설명하는 것으로 '사고우위론'과 관련된다.

| 오답해설 | ① 언어에 의해 '쌀'이 다양하게 표현되고 구분되므로, 언어에 의해 사고가 발달하고 있는 모습이다.
② 언어에 의해 다른 색이 같은 색으로 표현되어 구별되지 않고 있음을 설명하는 것으로, 언어에 의해 사고가 제한되고 있음을 보여 준다.
④ 언어에 의해 '수박'이 '박'과 '멜론'으로 나뉘는 것을 보여 주는 것으로, 언어에 의해 사고가 정의되고 제한되고 있음을 보여 준다.

06 ③ 국어의 어원상 갈래

③ '기장'은 '옷의 길이'를 뜻하는 순우리말이다.

| 오답해설 | ① 창피(猖披): 한자어
② 담배: 포르투갈어 'tabaco'에서 시작해 일본어 '타바코'를 거쳐 만들어진 말
④ 냄비: 일본어 '나베(鍋, なべ)'에서 온 말
⑤ 가방: 네덜란드어 'kabas'에서 시작해 일본어 'kaban'을 거쳐 만들어진 말

07 ④ 국어의 어원상 갈래

④ '설마'는 '그럴 리는 없겠지만'을 뜻하는 말로, 부정적인 추측을 강조할 때 쓰는 순우리말이다.

| 오답해설 | ①②③은 모두 한자어이다. 각각 ① 하필(何必), ② 하여간(何如間), ③ 물론(勿論)으로 표기한다.

08 ① 국어의 어원상 갈래

① '심지어(甚至於)', '어차피(於此彼)', '주전자(酒煎子)'는 한자어이다.

| 오답해설 | ② 학교(學校), 공장(工場), 도로(道路), 자전거(自轉車), 자동차(自動車)
③ 고무(프랑스어), 담배(포르투갈어), 가방(네덜란드어), 빵(포르투갈어), 냄비(일본어)
④ 각각 순서대로 '눈, 입, 입, 목, 머리'를 낮추어 부르는 말이다. 단, '주둥아리'는 '주둥이'와 같은 말인데, '주둥이'를 사람이 아닌 동물에게 쓰는 경우에는 낮추어 부르는 말이 아니다.

| 정답 | 03 ④ 04 ③ 05 ③ 06 ③ 07 ④ 08 ①

09

2013 서울시 7급

외국어에서 차용된 어휘가 아닌 것은?

① 빵 ② 구두 ③ 붓
④ 미르 ⑤ 고무

10

2017 기상직 9급

다음 〈보기〉의 외래어들이 한국어 어휘에 유입된 순서대로 나열하면?

보기

㉠ 붇[筆], 먹[墨]
㉡ 탕건[唐巾], 담배
㉢ 바리깡, 구락부
㉣ 아질게몰[兒馬], 보라매[秋鷹]

① ㉠ – ㉡ – ㉣ – ㉢
② ㉠ – ㉣ – ㉡ – ㉢
③ ㉣ – ㉡ – ㉠ – ㉢
④ ㉣ – ㉠ – ㉡ – ㉢

11

2014 국회직 8급

다음 제시문의 밑줄 친 단어 중 한자어와 고유어를 바르게 구분한 것은?

> 바쁜 일상 중에 모처럼 한가한 저녁이다. 오랜만에 한강 ㉠ 둔치에 서서 ㉡ 휘영청 밝은 달을 구경하는 호사를 누려본다. ㉢ 소담한 자태와 ㉣ 은근한 광채 때문에 나는 어려서부터 ㉤ 유독 달을 좋아했다. 오늘처럼 외롭고 ㉥ 적적하기 그지없는 순간에 달은 내게 큰 위로가 된다. 어머니는 ㉦ 늠름하고 ㉧ 훤칠한 장부가 어울리지 않게 달을 좋아하느냐며 농을 하신 적이 있다. 하지만 어머니가 모르시는 것이 있다. 어린 시절, 퇴근이 늦는 어머니를 대신해 내 곁을 지킨 것이 저 달임을 말이다.

	한자어	고유어
①	㉠, ㉡, ㉢, ㉣, ㉦, ㉧	㉤, ㉥
②	㉤, ㉥, ㉦, ㉧	㉠, ㉡, ㉢, ㉣
③	㉢, ㉤, ㉥	㉠, ㉡, ㉣, ㉦, ㉧
④	㉠, ㉡, ㉢, ㉣, ㉤	㉥, ㉦, ㉧
⑤	㉣, ㉤, ㉥, ㉦	㉠, ㉡, ㉢, ㉧

12

2013 서울시 7급

다음 중 순화해야 할 일본어로 볼 수 없는 것은?

① 돈가스 ② 뗑깡
③ 뗑뗑이 ④ 노다지
⑤ 아나고

13

2014 서울시 7급

법률 용어를 순화한 것 중 옳지 못한 것은?

① 蒙利者: 이익에 어두운 자
② 隱秘: 숨김 또는 몰래 감춤
③ 懈怠하다: 게을리하다
④ 溝渠: 도랑 또는 개골창
⑤ 委棄하다: 내버려 두다

정답&해설

09 ④ 국어의 어원상 갈래

④ '미르'는 '용'을 가리키는 순우리말이다.

| 오답해설 | ① 빵: 포르투갈어 'pão'에서 나온 말이다.
② 구두: 일본어 'kutsu'에서 나온 말이다.
③ 붓: 중국어 '필(筆)'의 옛 발음에서 나온 말이다.
⑤ 고무: 프랑스어 'gomme'에서 나온 말이다.

10 ② 국어의 어원상 갈래

㉠ 한자어에서 온 말로, 고대 국어 시기에 유입되었다.
㉣ 몽골어에서 온 말로, 고려 시대에 유입되었다.
㉡ '탕건'은 중국어에서, '담배'는 포르투갈에서 일본을 거쳐 들어온 말로, 조선 시대에 유입되었다.
㉢ 서구에서 일본을 거쳐 들어온 말로, 개화기 이후에 유입되었다.

11 ⑤ 국어의 어원상 갈래

㉠ 둔치: 고유어
㉡ 휘영청: 고유어
㉢ 소담한: 고유어
㉣ 은근(慇懃)한: 한자어
㉤ 유독(惟獨): 한자어
㉥ 적적(寂寂)하기: 한자어
㉦ 늠름(凜凜)하고: 한자어
㉧ 훤칠한: 고유어

12 ④ 순화어

④ 「표준국어대사전」은 '노다지'를 고유어로 분류하고 있고, '노다지'를 영어 '노터치(no touch)'에서 온 말로 보는 설도 있다. 둘 다 일본어와는 관련이 없다.

| 오답해설 | ① 돈가스: 일본어 '돈가스'에서 온 말로, 2013년 출제 당시에는 '돼지고기(너비) 튀김'으로 순화하는 것을 제안하였으나, 현재는 폐기하였다.
② 뗑깡: 일본어 '텐캉'에서 온 말로, '생떼'로 순화해야 한다.
③ 뗑뗑이: 일본어 '텐텐'에서 온 말로, '물방울무늬'로 순화해야 한다.
⑤ 아나고: 일본어에서 온 말로, '붕장어'로 순화해야 한다.

13 ① 순화어

① '蒙利者(몽리자)'는 '이익을 얻는 사람'이므로 '이익에 어두운 자'로 순화하는 것은 옳지 않다.

| 오답해설 | ② 隱秘(은비): 숨김, 몰래 감춤
③ 懈怠(해태)하다: 게을리하다.
④ 溝渠(구거): 도랑, 개골창
⑤ 委棄(위기)하다: 내버려 두다, 버리고 돌보지 않다.

| 정답 | 09 ④ 10 ② 11 ⑤ 12 ④ 13 ①

CHAPTER

02 음운론

1 회독	월	일
2 회독	월	일
3 회독	월	일
4 회독	월	일
5 회독	월	일

단권화 MEMO

01 말소리

1 음향과 음성

(1) 음향

자연에 존재하는 대부분의 소리를 '음향'이라고 한다. 바람 소리, 파도 소리, 동물의 소리 등이 자연의 소리인 음향인 셈인데, 음향은 사람의 '음성'과 달리 비분절적인 소리라는 특징을 가진다.

(2) 음성

'음성'이란 인간의 발음 기관*을 통하여 만들어진 물리적인 소리로, 말을 만드는 데 활용되는 분절적인 소리를 말한다. '언어음'이라고도 한다. 음성은 사람에 따라 다르며, 같은 사람이라 하더라도 때와 장소, 상황에 따라 약간씩 다르게 발음된다. 음성은 음절상의 위치에 따라서도 다르게 실현된다.

예 '가곡'이라는 단어에는 'ㄱ'이 세 번 쓰인다. 이때 'ㄱ'은 표기상으로는 동일하지만 음성학적으로는 각 위치에 따라 다른 소리로 실현된다.

*발음 기관
허파에서 나온 공기가 입 밖으로 나오는 동안 말소리를 만드는 데 관여하는 일체의 기관을 말한다. 조음 기관이라고도 한다.

| 음향과 음성의 비교

음향(소리)	음성
① 자연에 존재하는 대부분의 비분절 소리 ② 사람의 입에서 나는 소리 중 울음소리, 기침 소리, 재채기 등	① 발음 기관을 통하여 나오는 말소리 ② 물리적인 다양성, 구체적인 실체가 있는 소리 ③ 발음하는 사람과 때에 따라 다르게 나는 소리 ④ 자음과 모음으로 분리할 수 있는 분절적 성질의 소리 ⑤ 어떤 소리가 말의 뜻을 분화시키는 변별적 자질은 없음

2 음운과 음절

(1) 음운

각각의 개별적인 음성일지라도, 사람들이 머릿속에서 같은 소리로 인식하는 추상적인 말소리를 '음운'이라고 한다. 음운은 말의 뜻을 변별해 주는 소리의 최소 단위로, 의미를 분화하는 기능을 한다. 다시 말해, 한 언어에서 어떤 음이 의미를 변별하여 주는 기능을 할 때, 이 음을 '음운'이라고 한다. 가령, '국'과 '묵'은 'ㄱ'과 'ㅁ'의 차이로 뜻이 변별되는데, 이렇게 뜻을 변별하는 'ㄱ'과 'ㅁ'이 음운인 것이다. 음운은 언어마다 다르며, 따라서 한 언어 내에서 음운의 수는 한정되어 있다.
'음운'은 '음소'와 '운소'를 합친 말로, 각각의 특징은 다음과 같다.

① **분절 음운(음소)**: 절대적이고 독립적으로 실현되면서 의미 분화를 일으키는 음운을 '분절 음운'이라고 한다. 자음과 모음이 이에 해당한다.

자음	19개	ㄱ, ㄴ, ㄷ, ㄹ, ㅁ, ㅂ, ㅅ, ㅇ, ㅈ, ㅊ, ㅋ, ㅌ, ㅍ, ㅎ, ㄲ, ㄸ, ㅃ, ㅆ, ㅉ
모음	21개	단모음(10개): ㅏ, ㅐ, ㅓ, ㅔ, ㅗ, ㅚ, ㅜ, ㅟ, ㅡ, ㅣ
		이중 모음(11개): ㅑ, ㅒ, ㅕ, ㅖ, ㅘ, ㅙ, ㅛ, ㅝ, ㅞ, ㅠ, ㅢ

② **비분절 음운(운소)**: 의미 분화를 일으키기는 하지만 스스로 실현하지는 못하고 분절 음운에 덧붙어 실현되는 음운을 '비분절 음운'이라고 한다. 비분절 음운은 음절 전체에 영향을 미치며, 소리의 길이(장·단음), 고저(성조), 세기(억양) 등이 이에 해당한다.

장음(長音)과 단음(短音)	낱말을 이루는 소리 가운데 본래 다른 소리보다 길게, 또는 짧게 내는 소리 예 눈[眼]-눈:[雪], 말[馬]-말:[言語], 밤[夜]-밤:[栗]
성조(聲調)	음의 높낮이 예 중국어의 사성 등
억양	음(音)의 상대적인 높이를 변하게 하는 것 또는 그런 변화 예 음절 억양, 단어 억양, 문장 억양 등

| 음향, 음성, 음운의 비교

구분	소리의 차이		분절성	변별적 기능	단위
음향	자연의 소리		비분절적	의미와 무관	-
음성	언어음	개인적, 구체적, 물리적 소리	분절적	의미와 무관	음운의 음성적 실현 단위
음운	언어음	사회적, 추상적, 관념적 소리	분절적	의미와 관련	변별적인 기능을 하는 소리의 최소 단위

(2) 음절

'음절'이란 발음할 때 한번에 낼 수 있는 소리의 단위, 또는 한 뭉치로 이루어진 소리의 덩어리를 말한다. 즉, 말소리의 단위를 '음절'이라 한다.

음절의 특징은 다음과 같다.

① 음절의 중심을 이루는 모음을 중성(가운뎃소리), 그 앞의 자음을 초성(첫소리), 그 뒤의 자음을 종성(끝소리)이라고 한다.

② 국어에서 음절의 수는 모음의 수와 일치한다. 그 이유는 모음이 있어야만 음절을 이룰 수 있기 때문이다. 그래서 국어의 경우 모음을 '성절음'*이라고도 부른다.

③ **국어의 음절 구조**: 모음 단독, 모음+자음, 자음+모음, 자음+모음+자음

예 • '모음 단독' 음절: 아, 야, 어, 여 ……
• '모음+자음' 음절: 악, 안, 을 ……
• '자음+모음' 음절: 가, 나, 다, 라 ……
• '자음+모음+자음' 음절: 강, 산, 달 ……

더 알아보기 영어와 국어의 음절 차이

영어의 'milk'라는 단어를 보자.
영어의 'milk'는 1음절이다. 그런데 우리말은 음절의 끝소리에 자음과 자음이 연속하여 올 수 없기 때문에, 연속되는 둘 이상의 자음을 발음할 수 없다. 따라서 이 단어를 우리말로 굳이 한 음절로 발음하거나 표기하려면 [밀]이나 [믹]이 될 수밖에 없다. 그러나 이는 원래의 발음과는 완전히 다르므로 우리는 어쩔 수 없이 모음 [으]를 첨가하고 두 음절로 나누어 [밀크]라고 발음하고 표기한다.

단권화 MEMO

■ 'ㅚ'와 'ㅟ'
단모음 중 'ㅚ'와 'ㅟ'는 이중 모음으로 발음하는 것도 허용한다.

■ 음운과 음절
• 음운: 변별적 기능을 하는 소리의 최소 단위
• 음절: 한번에 낼 수 있는 말소리의 단위

*성절음
한 음절을 이루는 데 중심이 되는, 울림도가 가장 큰 소리를 뜻한다. 단독으로 음절을 이룰 수 있는 '모음'을 지칭한다고 보면 된다.

단권화 MEMO

02 국어의 음운 체계

1 자음

목이나 입안의 어떤 자리가 완전히 막히거나 좁아져서 허파에서 나오는 공기의 흐름이 장애를 받으며 나는 소리를 '자음'이라 한다.
자음은 모두 19개이다.

| 국어의 자음 체계: 19개

조음 방법 \ 소리의 세기 \ 조음 위치			입술소리 (양순음)	혀끝소리 (잇몸소리, 치조음)	센입천장 소리 (경구개음)	여린입천장 소리 (연구개음)	목청소리 (후음)
안울림 소리	파열음	예사소리	ㅂ	ㄷ		ㄱ	
		된소리	ㅃ	ㄸ		ㄲ	
		거센소리	ㅍ	ㅌ		ㅋ	
	파찰음	예사소리			ㅈ		
		된소리			ㅉ		
		거센소리			ㅊ		
	마찰음	예사소리		ㅅ			ㅎ
		된소리		ㅆ			
울림 소리	비음		ㅁ	ㄴ		ㅇ	
	유음			ㄹ			

(1) 성대의 울림 여부에 따른 분류

① **안울림소리(무성음)**: 발음할 때 입안이나 코안에서 울림이 일어나지 않는 소리를 말한다. 'ㄴ, ㄹ, ㅁ, ㅇ' 외의 모든 자음이 안울림소리에 해당한다.
예 ㄱ, ㄷ, ㅂ, ㅅ, ㅈ, ㅊ, ㅋ, ㅌ, ㅍ, ㅎ, ㄲ, ㄸ, ㅃ, ㅆ, ㅉ

② **울림소리(유성음)**: 발음할 때 입안이나 코안에서 울림이 일어나는 소리를 말한다. 모든 모음이 울림소리이며, 자음은 'ㄴ, ㄹ, ㅁ, ㅇ'만 울림소리에 해당한다.

(2) 조음 방법(소리 내는 방법)에 따른 분류

① **파열음**: 공기의 흐름을 일단 막았다가 그 막은 자리를 터뜨리면서 내는 소리를 말한다. 일단 막은 것을 강조하여 정지음 또는 폐쇄음이라고도 한다. 예 ㅂ, ㅃ, ㅍ / ㄷ, ㄸ, ㅌ / ㄱ, ㄲ, ㅋ

② **파찰음**: 공기를 막았다가 서서히 터뜨리면서 마찰을 일으켜 내는 소리를 말한다. 즉, 파열음과 마찰음의 성질을 다 가지는 소리이다. 예 ㅈ, ㅉ, ㅊ

③ **마찰음**: 입안이나 목청 사이의 통로를 좁히고 공기를 그 좁은 틈 사이로 내보내어 마찰을 일으키며 내는 소리를 말한다. 예 ㅅ, ㅆ / ㅎ

④ **비음**: 연구개와 목젖을 내려 입안의 통로를 막고 코로 공기를 내보내면서 내는 소리를 말한다. 예 ㅁ / ㄴ / ㅇ

⑤ **유음**: 혀끝을 잇몸에 가볍게 대었다가 떼거나, 혀끝을 잇몸에 댄 채 공기를 그 양옆으로 흘려 보내면서 내는 소리를 말한다. 예 ㄹ

■ **변이음**
동일 음운이라도 나타나는 자리에 따라 다른 음성으로 실현되는 것을 '변이음'이라고 한다. 예를 들어, 'ㅂ, ㄷ, ㄱ, ㅈ'은 안울림소리이지만 울림소리와 울림소리 사이에 올 경우 울림소리로 발음된다. 변이음은 음운으로 변별되지 않는다.

■ **삼지적 상관속**
파열음과 파찰음은 각각 예사소리(평음), 된소리(경음), 거센소리(격음)로 나누어져 소위 삼지적 상관속을 이룬다. 마찰음은 'ㅅ, ㅆ'처럼 거센소리 없이 예사소리, 된소리로만 발음이 된다.

■ **소리의 세기에 따른 분류**
- 예사소리(평음): 순하고 부드러운 느낌을 주는 자음
  예 ㅂ/ㄷ/ㄱ/ㅈ/ㅅ
- 된소리(경음): 강하고 단단한 느낌을 주는 자음
  예 ㅃ/ㄸ/ㄲ/ㅉ/ㅆ
- 거센소리(격음): 크고 거친 느낌을 주는 자음
  예 ㅍ/ㅌ/ㅋ/ㅊ

(3) 조음 위치(소리 내는 자리)에 따른 분류

① 입술소리(양순음): 두 입술 사이에서 나는 소리 예 ㅂ, ㅃ, ㅍ, ㅁ
② 혀끝소리(잇몸소리, 치조음): 혀끝과 윗잇몸이 맞닿아 나는 소리 예 ㄷ, ㄸ, ㅌ, ㅅ, ㅆ, ㄴ, ㄹ
③ 센입천장소리(경구개음): 혓바닥과 경구개 사이에서 나는 소리 예 ㅈ, ㅉ, ㅊ
④ 여린입천장소리(연구개음): 혀뿌리 부분과 연구개 사이에서 나는 소리 예 ㄱ, ㄲ, ㅋ, ㅇ
⑤ 목청소리(후음): 성문, 즉 목청 사이에서 나는 소리 예 ㅎ

2 모음

허파에서 나오는 공기의 흐름이 발음 기관의 장애를 받지 않고 순하게 나는 소리를 '모음'이라고 한다.

(1) 단모음

발음하는 도중에 혀나 입술이 고정되어 움직이지 않고 발음되는 모음을 '단모음'이라고 한다. 단모음은 모두 10개이다.

| 국어의 단모음 체계: 10개

혀의 높이 \ 혀의 위치 / 입술의 모양	전설 모음		후설 모음	
	평순 모음	원순 모음	평순 모음	원순 모음
고모음	ㅣ[i]	ㅟ[y]	ㅡ[ɨ]	ㅜ[u]
중모음	ㅔ[e]	ㅚ[ø]	ㅓ[ə]	ㅗ[o]
저모음	ㅐ[ɛ]		ㅏ[a]	

① 혀의 높이(입을 벌리는 정도)에 따른 분류
㉠ 고모음: 발음할 때 입을 조금 벌려서 혀의 위치가 높은 모음 예 ㅣ, ㅟ, ㅡ, ㅜ
㉡ 중모음: 발음할 때 고모음보다는 입을 더 벌려서 혀의 위치가 중간인 모음 예 ㅔ, ㅚ, ㅓ, ㅗ
㉢ 저모음: 발음할 때 입을 크게 벌려서 혀의 위치가 낮은 모음 예 ㅐ, ㅏ

② 입술의 모양에 따른 분류
㉠ 평순 모음: 발음할 때 입술을 평평하게 해서 내는 모음 예 ㅣ, ㅔ, ㅐ, ㅡ, ㅓ, ㅏ
㉡ 원순 모음: 발음할 때 입술을 둥글게 오므려 내는 모음 예 ㅟ, ㅚ, ㅜ, ㅗ

③ 혀의 위치(앞뒤)에 따른 분류
㉠ 전설 모음: 입천장의 중간점을 기준으로 혀의 정점이 입안의 앞쪽에 위치하여 발음되는 모음 예 ㅣ, ㅔ, ㅐ, ㅟ, ㅚ
㉡ 후설 모음: 입천장의 중간점을 기준으로 혀의 정점이 입안의 뒤쪽에 위치하여 발음되는 모음 예 ㅡ, ㅓ, ㅏ, ㅜ, ㅗ

(2) 반모음

이중 모음을 형성하는 'ㅣ[j], ㅗ[w]/ㅜ[w]'를 '반모음'이라고 한다. 반모음은 음성의 성질로 보면 모음과 비슷하지만, 반드시 다른 모음에 붙어야 발음될 수 있다는 점에서 자음과 비슷하다. 이 때문에 '반자음'이라고 부르기도 하며, 독립된 음운으로 보지 않아 반달표(˘)를 붙여 표기하기도 한다.

단권화 MEMO

■ 모음의 또 다른 분류
입을 벌린 정도에 중점을 두고 '폐모음(고모음), 개모음(저모음), 반개모음(중모음)'으로 분류하기도 한다.

■ 'ㅚ'와 'ㅟ'
단모음 'ㅚ[ø]', 'ㅟ[y]'는 단모음으로 실현되는 경우(예 뵙다, 참외, 쉽다, 아쉽다)도 있으나, 이중 모음으로 발음하는 경우도 많아 표준 발음법에서는 이중 모음 'ㅚ[we]', 'ㅟ[wi]'로 발음하는 것도 허용하고 있다.

■ 'ㅔ'와 'ㅐ'
전설 평순 중모음 'ㅔ[e]'와 전설 평순 저모음 'ㅐ[ɛ]'의 구별이 어렵고, 현재 'ㅔ'가 'ㅐ'에 가깝게 실현되며 통합되어 가는 실정이다.

단권화 MEMO

■ 'ㅢ'를 보는 입장
'ㅢ'의 경우 상향 이중 모음으로 보는 입장, 하향 이중 모음으로 보는 입장, 수평 이중 모음으로 보는 입장이 있다. 학교 문법에서는 'ㅡ + 반모음 ㅣ[j]'인 하향 이중 모음으로 본다.

■ 예외
- 둘째 음절 이하에서도 분명히 긴소리로 발음되는 것은 그 긴소리를 인정한다.
  예 선남선녀[선:남선:녀]
- 같은 음절이 반복되는 경우에는 둘째 음절을 긴소리로 인정하지 않는다.
  예 시시비비[시:시비비]

(3) 이중 모음

발음할 때 혀의 위치나 입술의 모양이 변하는 모음을 '이중 모음'이라고 한다. 이중 모음은 반모음과 단모음이 결합하여 이루어진다. 따라서 두 개의 모음이 연속적으로 발음되는 것과 비슷하며, 이중 모음을 길게 끌어서 발음하면 결국 단모음으로 끝나게 된다. 반모음이 단모음 앞에 오는 것을 '상향 이중 모음'이라고 하고, 반모음이 단모음 뒤에 오는 것을 '하향 이중 모음'이라고 한다.

| 국어의 이중 모음: 11개

상향 이중 모음	ㅣ[j] 계열	ㅑ, ㅕ, ㅛ, ㅠ, ㅒ, ㅖ
	ㅗ[w]/ㅜ[w] 계열	ㅘ, ㅙ, ㅝ, ㅞ
하향 이중 모음	ㅣ[j] 계열	ㅢ

3 소리의 길이(장음과 단음)

국어에서는 모음이 길게 발음되느냐 짧게 발음되느냐에 따라 그 음절의 뜻이 달라지므로, 소리의 길이는 하나의 음운이 된다.

예 [눈](眼)－[눈:](雪), [말](馬)－[말:](言語), [밤](夜)－[밤:](栗)

① 긴소리는 일반적으로 단어의 첫째 음절에서만 나타난다. 따라서 본래 길게 발음되던 단어도 둘째 음절 이하에 오면 짧게 발음된다.
   예 눈보라[눈:보라] → 첫눈[천눈], 말씨[말:씨] → 잔말[잔말], 밤나무[밤:나무] → 생밤[생밤]

② 비록 긴소리를 가진 음절이라도 다음과 같은 경우에는 긴소리로 나지 않는다.
   ㉠ 단음절인 어간에 모음으로 시작된 어미가 이어지는 경우
      예 (머리를, 눈을) 감다[감:따] → 감으니[가므니], 밟다[밥:따] → 밟으니[발브니]
   ㉡ 용언의 어간에 사동, 피동의 접미사가 결합되어 사동사나 피동사가 되는 경우
      예 밟다[밥:따] → 밟히다[발피다], 꼬다[꼬:다] → 꼬이다[꼬이다], 삶다[삼:따] → 삶기다[삼기다]

더 알아보기 대표적인 긴소리의 발음

1. 1음절 명사

간(맛)－간:(肝)	김(성씨)－김:(먹는 김, 기체)
굴(먹는)－굴:(窟)	눈[眼]－눈:[雪]
돌(생일)－돌:[石]	말[馬]－말:[言語]
발[足]－발:[簾]	밤[夜]－밤:[栗]
배(과일, 신체, 선박)－배:(갑절)	벌(죄)－벌:(곤충)
병(용기)－병:(질환)	섬(단위)－섬:[島]
손(신체)－손:(孫)	솔(나무)－솔:(먼지떨이)
장(내장, 腸)－장:(가구, 음식)	종(種, 鐘)－종:(하인)

2. 2음절 한자어

가장(家長): 가정을 이끌어 나가는 사람 － **가:장(假葬)**: 임시로 장사 지냄
가정(家庭): 가족이 생활하는 집 － **가:정(假定)**: 분명하지 않은 것을 임시로 인정함
감사(勘査): 잘 살펴 조사함 － **감:사(感謝)**: 고맙게 여김
감상(鑑賞): 예술 작품을 음미함 － **감:상(感想, 感傷)**: 느끼어 일어나는 생각, 마음이 상함
감정(鑑定): 좋고 나쁨을 감별함 － **감:정(感情, 憾情)**: 마음의 느낌, 원망하거나 성내는 마음
거리(길): 사람이나 차가 많이 다니는 길 － **거:리(距離)**: 두 곳 사이의 떨어진 정도
경계(境界): 기준에 의해서 분간되는 한계 － **경:계(警戒)**: 주의하고 살핌
경비(經費): 일을 하는 데 드는 비용 － **경:비(警備)**: 사고, 도난 등이 일어나지 않도록 살핌
경사(傾斜): 기울기 － **경:사(慶事)**: 축하할 만한 일
고속(高速): 빠른 속도 － **고:속(古俗)**: 옛 풍속

고장: 사람이 많이 사는 지방이나 지역 – 고:장(故障): 기구 등에 문제가 생김
고적(孤寂): 쓸쓸함 – 고:적(古蹟): 남아 있는 옛 물건이나 건물
금주(今週): 이번 주 – 금:주(禁酒): 술을 마시지 않음
난민(難民): 전쟁이나 재난으로 곤경에 처한 백성 – 난:민(亂民): 무리 지어 다니며 질서를 어지럽히는 백성
대장(臺帳): 일정한 양식으로 기록한 장부 – 대:장(大腸, 大將): 소화 기관 중 하나, 무리를 대표하는 사람
도로(徒勞): 헛되이 수고함 – 도:로(道路): 사람이나 차량이 다니는 길
동기(同期, 同氣): 같은 시기, 형제자매 – 동:기(動機, 冬期): 어떤 일을 일으키는 직접적인 원인, 겨울 기간
동의(同意): 같은 의미 – 동:의(動議): 토의할 안건을 제기함
면직(綿織): 면직물 – 면:직(免職): 직무에서 물러남
모자(帽子): 머리에 쓰는 것 – 모:자(母子): 어머니와 아들
무력(無力): 힘이 없음 – 무:력(武力): 군사력
방문(房門): 방의 문 – 방:문(榜文, 訪問): 알리기 위해 써 붙인 글, 어떤 사람 등을 찾아가서 만남
방화(防火): 불을 예방 – 방:화(放火): 불을 지름
배치(排置): 일정하게 벌여 놓음 – 배:치(背馳): 서로 어긋남
변경(邊境): 변두리 – 변:경(變更): 바꾸거나 고침
병사(兵舍, 兵士): 군대가 거처하는 집, 예전에 군이나 군대를 이르던 말, 군인 – 병:사(病死): 병으로 죽음
부자(父子): 아버지와 아들 – 부:자(富者): 재물이 많은 사람
부정(不淨, 不正): 깨끗하지 못함, 옳지 못함 – 부:정(否定): 그렇지 않다고 단정함
사과(沙果): 과일 – 사:과(謝過): 용서를 빎
사료(飼料): 가축의 먹이 – 사:료(史料): 역사 자료
사리(私利): 사사로운 이익 – 사:리(事理): 일의 이치
사실(寫實): 사물을 있는 그대로 그려 냄 – 사:실(史實, 事實): 역사적 사건, 실제 있었거나 현재 있는 일
상권(商圈): 상업상의 범위 – 상:권(上卷): 책의 첫째 권
상품(賞品): 상으로 주는 물품 – 상:품(上品): 질이 좋은 물품
서명(書名): 책의 이름 – 서:명(署名): 자기 이름을 써넣음
선전(宣傳): 주의, 주장 등을 설명 – 선:전(善戰): 있는 힘을 다해 잘 싸움
성인(成人): 자라서 어른이 된 사람 – 성:인(聖人): 지혜와 덕이 뛰어난 인물
시계(時計): 시간을 재는 기구 – 시:계(視界): 시야
시장: 배고픔 – 시:장(市長, 市場): 시의 책임자, 물건을 사고파는 곳
여권(旅券, 女權): 외국 여행 시의 신분증, 여성 권리 – 여:권(與圈): 여당의 세력권
이사(移徙): 사는 곳을 옮김 – 이:사(異事): 기이한 일
의사(醫師, 議事): 의술을 가진 사람, 회의에서 논의함 – 의:사(義士, 意思): 의로운 일에 목숨을 바친 사람, 무엇을 하고자 하는 생각
자기(自己): 그 사람 자신 – 자:기(磁器): 사기그릇
장수(長壽): 오래 삶 – 장:수(將帥): 군대의 우두머리
전직(前職): 이전에 가졌던 직업 – 전:직(轉職): 직업이나 직장을 바꿈
정당(政黨): 정치적 주장이 같은 정치 집단 – 정:당(正當): 올바르고 마땅함
정돈(停頓): 침체되어 나아가지 못함 – 정:돈(整頓): 어지러운 것을 가지런히 함
정상(頂上): 맨 꼭대기 – 정:상(正常): 제대로인 상태
조문(條文): 규정이나 법령에 적힌 글 – 조:문(弔問): 남의 죽음을 위로함
차관(次官): 장관을 보좌하는 직위 – 차:관(借款): 자금을 빌림
천직(天職): 타고난 직업 – 천:직(賤職): 천한 직업
화장(化粧): 화장품으로 얼굴을 곱게 꾸밈 – 화:장(火葬): 시체를 불살라 장사 지냄

3. 고유어 용언

갈다[代]–갈:다[耕]	걷다[收]–걷:다[步]	곱다[寒縮]–곱:다[麗]
굽다[曲]–굽:다[炙]	그리다(사모하다)–그:리다[畵]	달다[甘]–달:다[火]
말다[捲]–말:다[勿]	묻다[埋]–묻:다[問]	있다[有]–잇:다[續]
적다(기록)–적:다(소량)	한눈(잠깐 봄)–한:눈(딴 데를 보는 눈)	

단권화 MEMO

단권화 MEMO

■ 음운 변화의 원인과 종류
- 조음 편리화의 원리(경제성의 원리): 동화, 축약, 탈락
- 표현 효과의 원리: 이화, 첨가, 사잇소리 현상

03 음운의 변동

'음운의 변동'이란 어떤 형태소가 다른 형태소와 결합할 때 그 환경에 따라 발음이 달라지는 현상을 말한다. 음운의 변동에는 대표적으로 교체(대치), 축약, 탈락, 첨가가 있다.

① **교체(대치)**: 음운이 다른 음운으로 바뀌는 현상으로, 동화 현상도 포함한다.
② **축약**: 두 음운이 하나의 음운으로 줄어드는 현상
③ **탈락**: 두 음운 중 어느 하나가 없어지는 현상
④ **첨가**: 형태소가 결합할 때 그 사이에 음운이 덧붙는 현상

| 음운 변동의 분류

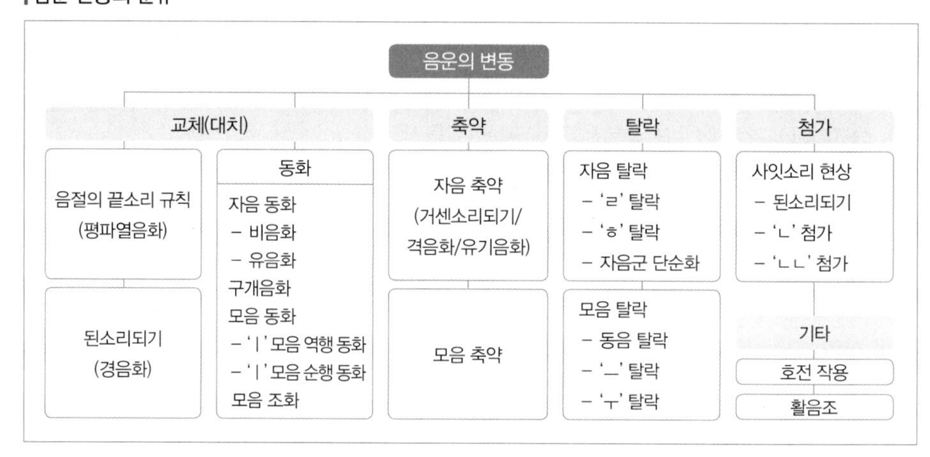

더 알아보기 음운 변화의 유형

1. 시간성에 따라
   - 변천: 통시적 변화, 시간의 흐름에 따른 변화
   - 변동: 공시적 변화, 일정한 시대 내에서의 변화
2. 변화의 성격에 따라
   - 자생적 변화: 음운 자체의 성격으로 스스로 변화하는 것
   - 결합적 변화: 다른 음운의 영향으로 변화하는 것
3. 변화의 필연성에 따라
   - 결정적(필연적) 변화: 일정한 조건 아래에서 필연적으로 일어나는 변화
   - 수의적 변화: 임의적으로 일어나는 변화

음운 변화의 유형			음운 변동 현상
변천			–
변동	자생적 변화	결정적 변화	음절의 끝소리 규칙(평파열음화, 대표음화, 절음화)
		수의적 변화	–
	결합적 변화	결정적 변화	자음 동화: 구개음화, 비음화, 유음화
		수의적 변화*	• 자음 동화: 연구개음화, 양순음화 • 모음 동화: 'ㅣ' 모음 역행 동화, 'ㅣ' 모음 순행 동화, 원순 모음화, 전설 모음화 • 첨가: 사잇소리 현상

* 수의적 변화
- 일부 표준 발음: 'ㅣ' 모음 역행 동화
- 표준 발음 여부 논란: 'ㅣ' 모음 순행 동화
- 비표준 발음: 연구개음화, 양순음화, 원순 모음화, 전설 모음화

1 음운의 교체(대치)

단권화 MEMO

1. 음절의 끝소리 규칙(평파열음화)

(1) 개념

국어의 음절 구조상, 받침에 해당하는 끝소리에는 하나의 자음만 올 수 있다. 그리고 이 끝소리에서 실제로 발음되는 자음은 'ㄱ, ㄴ, ㄷ, ㄹ, ㅁ, ㅂ, ㅇ'의 7개 대표음뿐이다. 따라서 음절 끝에 이 7개의 소리 이외의 자음이 오면, 이 7자음 중의 하나로 바뀌어 발음된다. 따라서 음절의 끝소리 규칙(평파열음화)은 음운의 교체로 볼 수 있다.

대표음	ㄱ	ㄴ	ㄷ	ㄹ	ㅁ	ㅂ	ㅇ
받침 표기	ㄱ, ㄲ, ㅋ	ㄴ	ㄷ, ㅌ, ㅅ, ㅆ, ㅈ, ㅊ, ㅎ	ㄹ	ㅁ	ㅂ, ㅍ	ㅇ

(2) 조건

① 환경 1

후행 형태소	받침의 유형	음절의 끝소리 규칙(평파열음화)	용례
자음	홑자음	ㄲ, ㅋ → ㄱ	밖 → [박], 부엌 → [부억]
		ㅌ, ㅅ, ㅆ, ㅈ, ㅊ, ㅎ → ㄷ	바깥 → [바깓], 옷 → [옫], 있고 → [읻꼬], 낮 → [낟], 꽃 → [꼳], 히읗 → [히읃]
		ㅍ → ㅂ	잎 → [입]

② 환경 2

후행 형태소	받침의 유형	음절의 끝소리 규칙(평파열음화)	용례	비고
모음으로 시작하는 실질 형태소	환경 1과 동일		잎 위 → [입위] → [이뷔], 옷 안 → [옫안] → [오단], 꽃 아래 → [꼳아래] → [꼬다래], 부엌 안 → [부억안] → [부어간]	절음화

㉠ 연음화: 앞 음절의 받침 소리가 모음으로 시작하는 뒤 음절의 초성으로 이어져 나는 것
㉡ 절음화: 앞 음절의 받침이 다음에 있는 모음에 바로 연음되지 않고 대표음으로 바뀐 뒤 연음되는 것

2. 된소리되기(경음화)

(1) 개념

안울림소리 뒤에 안울림 예사소리가 올 때 뒤의 소리가 된소리로 발음되는 현상을 '된소리되기'라고 한다. 된소리되기를 과도하게 적용하면 비표준 발음이 되므로 주의해야 한다.

(2) 조건

① 두 개의 안울림소리가 만나면 뒤의 예사소리를 된소리로 발음한다.

예 국밥 → [국빱], 걷다[步] → [걷:따], 없다 → [업:따], 덮개 → [덥깨], 역도 → [역또], 젖소 → [젇쏘]

② 한자어의 'ㄹ' 받침 다음에 'ㄷ, ㅅ, ㅈ'이 오면 'ㄷ, ㅅ, ㅈ'을 된소리로 발음한다.

예 갈등(葛藤) → [갈뜽], 말살(抹殺) → [말쌀]

단권화 MEMO

③ 'ㄴ(ㄵ), ㅁ(ㄻ)'으로 끝나는 어간 뒤에 예사소리로 시작하는 어미가 오면 뒤의 예사소리를 된소리로 발음한다.

예 안고 → [안꼬], 심다 → [심:따]

■ 동화의 분류
- 동화 대상에 따라
  - 자음 동화
  - 모음 동화
- 동화 방향에 따라
  - 순행 동화
  - 역행 동화
- 동화 정도에 따라
  - 완전 동화
  - 부분 동화

3. 음운의 동화

'음운의 동화'는 한 음운이 인접하는 다른 음운의 성질을 닮아 가는 음운 현상을 말한다. 동화가 일어나면 앞뒤 음운의 위치나 소리 내는 방법이 서로 유사하게 변하는데, 이는 소리를 좀 더 쉽게 내기 위함이다. 조음 위치가 가깝거나 조음 방법이 비슷한 소리가 연속되면 그렇지 않은 경우보다 발음할 때 힘이 덜 들고 편하기 때문이다. 동화는 그 대상에 따라 자음 동화와 모음 동화로 나뉘며, 방향과 정도에 따라 다음과 같이 나눌 수 있다.

① **순행 동화**: 앞 음운의 영향으로 뒤 음운이 변한다.
② **역행 동화**: 뒤 음운의 영향으로 앞 음운이 변한다.
③ **상호 동화**: 앞뒤 음운이 모두 변한다.
④ **완전 동화**: 똑같은 소리로 변한다.
⑤ **불완전 동화(부분 동화)**: 비슷한 소리로 변한다.

(1) 자음 동화

음절의 끝 자음이 그 뒤에 오는 자음과 만날 때, 어느 한쪽이 다른 쪽 자음을 닮아서 그와 비슷한 소리로 바뀌거나 양쪽이 서로 닮아서 두 소리가 모두 바뀌는 현상이다.

| 자음 동화의 분류

■ 비음화 유의 사항
비음화는 변하기 전 음운과 변한 이후의 음운이 동일한 조음 위치를 유지한다. 즉, 조음 방법만 바뀐다.

① **비음화**: 비음이 아니었던 것이 비음을 만나 비음이 되는 것을 말한다. 구체적으로는 파열음이나 유음이 비음을 만나 비음으로 바뀌는 현상을 가리킨다.

조음 방법 \ 조음 위치		소리의 세기	입술소리(양순음)	혀끝소리(잇몸소리, 치조음)	센입천장소리(경구개음)	여린입천장소리(연구개음)	목청소리(후음)
안울림소리	파열음	예사소리	ㅂ	ㄷ		ㄱ	
		된소리	ㅃ	ㄸ		ㄲ	
		거센소리	ㅍ	ㅌ		ㅋ	
	파찰음	예사소리			ㅈ		
		된소리			ㅉ		
		거센소리			ㅊ		
	마찰음	예사소리		ㅅ			ㅎ
		된소리		ㅆ			
울림소리	비음		ㅁ	ㄴ		ㅇ	
	유음			ㄹ			

㉠ 파열음의 비음화(역행 비음 동화): 파열음 'ㅂ, ㄷ, ㄱ'이 비음 'ㅁ, ㄴ' 앞에서 비음에 동화되어 'ㅁ, ㄴ, ㅇ'으로 발음되는 현상을 말한다.

양순음 'ㅂ, ㅍ'은 비음 앞에서 [ㅁ]으로 발음	예 반물 → [밤물], 앞문 → [압문] → [암문]
치조음 'ㄷ, ㅌ'은 비음 앞에서 [ㄴ]으로 발음	예 닫는 → [단는], 겉문 → [걷문] → [건문]
연구개음 'ㄱ, ㄲ, ㅋ'은 비음 앞에서 [ㅇ]으로 발음	예 국민 → [궁민], 국물 → [궁물], 깎는 → [깍는] → [깡는], 부엌만 → [부억만] → [부엉만]

㉡ 유음의 비음화: 유음 'ㄹ'이 비음 'ㅁ, ㅇ'을 만나 비음 'ㄴ'으로 발음되는 현상을 말한다.

예 종로 → [종노], 남루 → [남:누]

㉢ 상호 동화: 앞 음절의 끝소리 'ㅂ, ㄷ, ㄱ'이 뒤에 오는 'ㄹ'을 'ㄴ'으로 변하게 하고, 변화된 'ㄴ'의 영향으로 앞의 'ㅂ, ㄷ, ㄱ'이 비음 'ㅁ, ㄴ, ㅇ'으로 동화되는 현상을 말한다.

예 섭리 → [섭니] → [섬니], 몇 리 → [멷리] → [멷니] → [면니], 백로 → [백노] → [뱅노], 국력 → [국녁] → [궁녁]

② 유음화: 유음이 아니었던 것이 유음을 만나 유음으로 바뀌는 것을 말한다. 구체적으로는 비음인 'ㄴ'이 유음인 'ㄹ'을 만나 'ㄹ'로 바뀌는 현상을 가리킨다.

조음 방법 \ 소리의 세기 \ 조음 위치			입술소리 (양순음)	혀끝소리 (잇몸소리, 치조음)	센입천장 소리 (경구개음)	여린입천장 소리 (연구개음)	목청소리 (후음)
안울림 소리	파열음	예사소리	ㅂ	ㄷ		ㄱ	
		된소리	ㅃ	ㄸ		ㄲ	
		거센소리	ㅍ	ㅌ		ㅋ	
	파찰음	예사소리			ㅈ		
		된소리			ㅉ		
		거센소리			ㅊ		
	마찰음	예사소리		ㅅ			ㅎ
		된소리		ㅆ			
울림 소리	비음		ㅁ	ㄴ ↓		ㅇ	
	유음			ㄹ			

㉠ 'ㄴ'이 'ㄹ'의 앞이나 뒤에서 'ㄹ'로 변한다.

예 신라 → [실라], 난로 → [날:로], 칼날 → [칼랄], 설날 → [설:랄]

㉡ 'ㅀ, ㄾ'과 같은 겹자음 뒤에 'ㄴ'이 오면 'ㄴ'이 'ㄹ'로 변한다.

예 앓는 → [알른], 끓는 → [끌른], 훑는 → [훌른]

단권화 MEMO

■ 유음화 현상의 예외
- 결단력[결딴녁]
- 공권력[공꿘녁]
- 구근류[구근뉴]
- 동원령[동:원녕]
- 등산로[등산노]
- 상견례[상견녜]
- 생산량[생산냥]
- 음운론[으문논]
- 이원론[이:원논]
- 임진란[임:진난]
- 횡단로[횡단노/휑단노]

단권화 MEMO

더 알아보기 표준 발음으로 인정하지 않는 자음 동화

1. **연구개음화**: 연구개음이 아닌 'ㄷ, ㅂ, ㄴ, ㅁ' 등이 연구개음에 동화되어 연구개음인 'ㄱ, ㅇ'으로 발음되는 현상. 수의적 변화로 비표준 발음이다.

   예 ㄷ → ㄱ: 숟가락[숙까락], ㅂ → ㄱ: 갑갑하다[각까파다], ㄴ → ㅇ: 건강[겅강], ㅁ → ㅇ: 감기[강:기]

조음 방법 / 소리의 세기 / 조음 위치			입술소리(양순음)	혀끝소리(잇몸소리, 치조음)	센입천장소리(경구개음)	여린입천장소리(연구개음)	목청소리(후음)
안울림소리	파열음	예사소리	ㅂ	ㄷ	→	ㄱ	
		된소리	ㅃ	ㄸ		ㄲ	
		거센소리	ㅍ	ㅌ		ㅋ	
	파찰음	예사소리			ㅈ		
		된소리			ㅉ		
		거센소리			ㅊ		
	마찰음	예사소리		ㅅ			ㅎ
		된소리		ㅆ			
울림소리	비음		ㅁ	ㄴ	→	ㅇ	
	유음			ㄹ			

2. **양순음화**: 양순음이 아닌 'ㄴ, ㄷ'이 양순음에 동화되어 양순음 'ㅁ, ㅂ'으로 발음되는 현상. 수의적 변화로 비표준 발음이다.

   예 ㄴ → ㅁ: 신문[심문], ㄷ → ㅁ: 꽃말[꼼말], ㄷ → ㅂ: 꽃바구니[꼽빠구니]

조음 방법 / 소리의 세기 / 조음 위치			입술소리(양순음)	혀끝소리(잇몸소리, 치조음)	센입천장소리(경구개음)	여린입천장소리(연구개음)	목청소리(후음)
안울림소리	파열음	예사소리	ㅂ ←	ㄷ		ㄱ	
		된소리	ㅃ	ㄸ		ㄲ	
		거센소리	ㅍ	ㅌ		ㅋ	
	파찰음	예사소리			ㅈ		
		된소리			ㅉ		
		거센소리			ㅊ		
	마찰음	예사소리		ㅅ			ㅎ
		된소리		ㅆ			
울림소리	비음		ㅁ ←	ㄴ		ㅇ	
	유음			ㄹ			

(2) 구개음화

조음 방법		조음 위치 / 소리의 세기	입술소리 (양순음)	혀끝소리 (잇몸소리, 치조음)	센입천장소리 (경구개음)	여린입천장소리 (연구개음)	목청소리 (후음)
안울림 소리	파열음	예사소리	ㅂ	ㄷ		ㄱ	
		된소리	ㅃ	ㄸ		ㄲ	
		거센소리	ㅍ	ㅌ		ㅋ	
	파찰음	예사소리			ㅈ		
		된소리			ㅉ		
		거센소리			ㅊ		
	마찰음	예사소리		ㅅ			ㅎ
		된소리		ㅆ			
울림 소리	비음		ㅁ	ㄴ		ㅇ	
	유음			ㄹ			

① 끝소리가 'ㄷ, ㅌ'인 형태소가 모음 'ㅣ'나 반모음 'ㅣ'로 시작되는 형식 형태소와 만나면 'ㄷ, ㅌ'이 구개음 'ㅈ, ㅊ'으로 바뀌는 현상을 '구개음화'라고 한다.

예 • 굳이 → [구디] → [구지], 해돋이 → [해도디] → [해도지]
• 같이 → [가티] → [가치], 닫혀 → [다텨] → [다쳐] → [다처], 붙이다 → [부티다] → [부치다]
• 굳히다 → [구티다] → [구치다]

② 현대 국어의 경우 단일 형태소 안에서는 구개음화가 일어나지 않지만 근대 국어에서는 단일 형태소 안에서도 구개음화가 일어났다.

예 • 현대: 느티나무 → [느치나무](×), 티끌 → [치끌](×)
• 중세: 텬디 > 쳔지 > 천지(天地)(○)

(3) 모음 동화

모음과 모음이 만날 때 한 모음이 다른 모음을 닮는 현상이다.

| 모음 동화의 분류

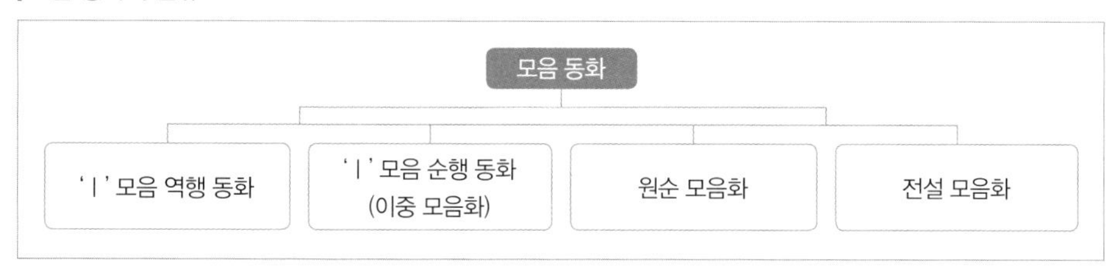

① 'ㅣ' 모음 역행 동화

허의 높이 \ 허의 위치 / 입술의 모양	전설 모음: 평순 모음	전설 모음: 원순 모음	후설 모음: 평순 모음	후설 모음: 원순 모음
고모음	ㅣ[i]	ㅟ[y]	ㅡ[ɨ]	ㅜ[u]
중모음	ㅔ[e]	ㅚ[ø]	ㅓ[ə]	ㅗ[o]
저모음	ㅐ[ɛ]		ㅏ[a]	

단권화 MEMO

단권화 MEMO

㉠ 앞 음절의 후설 모음 'ㅏ, ㅓ, ㅗ, ㅜ'가 뒤 음절의 전설 모음 'ㅣ'와 만나면 이에 끌려서 전설 모음 'ㅐ, ㅔ, ㅚ, ㅟ'로 변하는 현상을 말한다. 'ㅣ' 모음 역행 동화에 의한 변동은 대부분 표준어와 표준 발음으로 인정하지 않는다.

예 • 아비 → [애비], 잡히다 → [재피다]
- 먹이다 → [메기다]
- 속이다 → [쇠기다]
- 죽이다 → [쥐기다]
- 굶기다 → [귐기다]

㉡ 'ㅣ' 모음 역행 동화 중에서 표준어로 인정하는 예외적인 경우가 있다.

예 남비 → 냄비, 풋나기 → 풋내기

더 알아보기 'ㅣ' 모음 역행 동화

① 양순음(ㅂ, ㅃ, ㅍ, ㅁ)이나 연구개음(ㄱ, ㄲ, ㅋ, ㅇ)이 'ㅣ' 모음 앞에 놓일 때 잘 일어난다.
② 표준어로 인정하지 않는다.
③ 모두 원형대로 읽고, 원형을 밝혀 적어야 한다.
④ 예외적으로 표준어로 인정하는 경우가 있다.
- 냄비(○) – 남비(×)
- 동댕이치다(○) – 동당이치다(×)
- (불을) 댕기다(○) – 당기다(×)
- 접미사 '–내기'(사람을 나타냄)(○): 서울내기, 시골내기, 신출내기, 풋내기–나기(×)
- 기술자에게는 접미사 '–장이', 그 외에는 '–쟁이'가 붙는 형태를 표준어로 삼는다.

예 미장이(○)–미쟁이(×), 유기장이(○)–유기쟁이(×), 멋쟁이(○)–멋장이(×), 소금쟁이(○)–소금장이(×), 담쟁이덩굴(○)–담장이덩굴(×), 골목쟁이(○)–골목장이(×)

■ 'ㅣ' 모음 순행 동화
- 『표준국어대사전』: 모든 용언에 허용
- 〈표준 발음법〉: '되어, 피어, 이오, 아니오' 4가지만 허용

② 'ㅣ' 모음 순행 동화(이중 모음화): 전설 모음 'ㅣ' 뒤에 후설 모음 'ㅓ, ㅗ'가 오면 'ㅣ'의 영향을 받아 각각 'ㅕ, ㅛ'로 변하는 현상을 말한다. 'ㅣ' 모음 순행 동화는 표준 발음 인정 여부에 관한 논란이 있다.

예 • [되어](○)–[되여](○), [피어](○)–[피여](○), [이오](○)–[이요](○), [아니오](○)–[아니요](○)
- [기어](○)–[기여](?), [미시오](○)–[미시요](?): [기여]와 [미시요] 등은 『표준국어대사전』에서는 허용되는 표준 발음이지만, 〈표준 발음법〉 기준으로는 비표준 발음이다.

더 알아보기 이외에 표준 발음으로 인정하지 않는 모음 동화

구분	원순 모음화	전설 모음화
내용	• 평순 모음 'ㅡ, ㅓ'가 원순 모음 'ㅜ'로 바뀌는 현상 • 주로 양순음 'ㅂ, ㅃ, ㅍ, ㅁ' 다음에 잘 일어남 • 비표준 발음이므로 발음에 주의해야 함	• 'ㅅ, ㅈ, ㅊ, ㅆ, ㅉ' 등의 치조음이나 경구개음 다음에 후설 모음 'ㅡ/ㅜ'가 오는 경우 'ㅡ/ㅜ'가 전설 모음 'ㅣ'로 바뀌는 현상 • 비표준 발음이므로 발음에 주의해야 함
용례	• 기쁘다(○) – 기뿌다(×) • 널브러지다(○) – 널부러지다(×) • 아버지(○) – 아부지(×) • 아등바등(○) – 아둥바둥(×) • 오므리다(○) – 오무리다(×) • 움츠리다(○) – 움추리다(×) • 주르륵(○) – 주루룩(×) • 푸드덕(○) – 푸두덕(×) • 후드득(○) – 후두둑(×)	• 괜스레(○) – 괜시리(×) • 부스스(○) – 부시시(×) • 스라소니(○) – 시라소니(×) • 까슬까슬(○) – 까실까실(×) • 으스대다(○) – 으시대다(×) • 고수레(○) – 고시레(×) • 으스스(○) – 으시시(×) • 추스르다(○) – 추스리다(×) • 메스껍다(○) – 메시껍다(×)

(4) 모음 조화

양성 모음 'ㅏ, ㅗ'는 'ㅏ, ㅗ'끼리, 음성 모음 'ㅓ, ㅜ, ㅡ'는 'ㅓ, ㅜ, ㅡ'끼리 어울리려는 현상이다. 현대 국어에서는 의성어, 의태어나 용언의 어간, 어미에서 모음 조화가 비교적 잘 지켜진다.

① 용언의 어미 '-아/-어, -아서/-어서, -아도/-어도, -아야/-어야, -아라/-어라, -았-/-었-' 등이 용언의 어간과 서로 어울리는 경우에 잘 나타난다.

예 • 깎아, 깎아서, 깎아도, 깎아야, 깎아라, 깎았다
• 먹어, 먹어서, 먹어도, 먹어야, 먹어라, 먹었다

② 의성어와 의태어에서 가장 뚜렷이 나타난다.

예 • 의성어: 졸졸-줄줄
• 의태어: 알락알락-얼럭얼럭, 살랑살랑-설렁설렁, 오목오목-우묵우묵

③ 모음의 종류에 따른 의미의 차이가 있다.

ㅏ, ㅗ(양성 모음)를 사용한 단어	밝고, 경쾌하고, 가볍고, 빠르고, 날카롭고, 작은 느낌
ㅓ, ㅜ(음성 모음)를 사용한 단어	어둡고, 무겁고, 둔하고, 느리고, 큰 느낌

④ 현대 국어에서 모음 조화는 규칙적이지 못하다.

모음 조화가 지켜진 예	곱-+-아 → 고와, 서럽-+-어 → 서러워, 거북스럽-+-어 → 거북스러워, 무겁-+-어 → 무거워
모음 조화가 지켜지지 않은 예	아름답-+-어 → 아름다워, 차갑-+-어 → 차가워, 날카롭-+-어 → 날카로워, 놀랍-+-어 → 놀라워

더 알아보기 모음 조화 파괴의 원인

모음 조화는 15세기에는 매우 엄격히 지켜졌고, 16~18세기에는 'ㆍ(아래아)'의 소실로 'ㅡ'가 중성 모음이 되어 예외가 많이 생겼다. 현대 국어에서는 의성어, 의태어, 용언의 어간과 어미 정도에서만 모음 조화가 비교적 잘 지켜지고 있다.

| 'ㆍ(아래아)'의 소실

1단계	16세기 후반: 둘째 음절에서 'ㅡ'로 바뀜	← 모음 조화 붕괴의 직접적인 원인
2단계	18세기 중엽: 첫째 음절에서 'ㅏ'로 변천	

2 음운의 축약

앞뒤 형태소의 두 음운이 마주칠 때, 두 음운이 결합되어 하나의 음운으로 줄어드는 현상을 '음운의 축약'이라고 한다. 둘 중 어느 하나의 음운이 생략되는 것이 아니기 때문에 그 특성이 살아 있다.

좋+고→[조코]: 'ㅎ+ㄱ'→'ㅋ'	파+이어→[패어]: 'ㅏ+ㅣ'→'ㅐ'

• 자음: 'ㄱ'과 'ㅋ'은 조음 방법과 조음 위치가 동일하다. 즉, 파열음과 연구개음이라는 동일한 특성을 가진다.
• 모음: 'ㅏ'와 'ㅐ'는 혀의 높이와 입술 모양이 동일하다. 즉, 저모음과 평순 모음이라는 동일한 특성을 가진다.

| 음운 축약의 분류

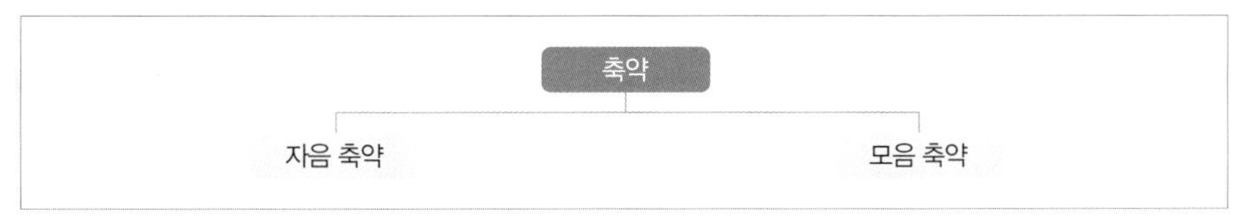

단권화 MEMO

■ 모음의 분류
• 양성 모음: ㅏ, ㅗ 계열
• 음성 모음: ㅓ, ㅜ 계열과 ㅡ
• 중성 모음: ㅣ

■ 음성 상징어의 모음 조화
현대 국어에서는 의성어, 의태어에서 모음 조화가 가장 잘 지켜지는 편이다. 하지만 모든 경우가 그렇지는 않다. 아래는 의성어와 의태어에서 모음 조화가 지켜지지 않은 예이다.
예 깡충깡충, 보슬보슬, 꼼질꼼질, 몽실몽실, 산들산들, 반들반들, 남실남실, 자글자글, 대굴대굴, 생글생글

단권화 MEMO

(1) 자음 축약(거센소리되기/격음화/유기음화)

예사소리인 'ㄱ, ㄷ, ㅂ, ㅈ'과 'ㅎ'이 서로 만나면 거센소리인 'ㅋ, ㅌ, ㅍ, ㅊ'이 되는 것이다.

예 좋고 → [조코], 않던 → [안턴], 먹히다 → [머키다], 잡히다 → [자피다], 옳지 → [올치]

(2) 모음 축약

두 형태소가 만날 때 앞뒤 형태소의 두 음절의 모음이 한 음절로 줄어드는 것이다. 두 모음이 만날 때 'ㅣ'나 'ㅗ/ㅜ'는 반모음으로 바뀌어 두 모음을 이중 모음으로 바꾸기도 한다.

예 오+아서 → 와서, 가리+어 → 가려, 두+었다 → 뒀다, 되+어 → 돼

다만, 용언의 활용형 중 '져, 쪄, 쳐'는 발음할 때, [져, 쪄, 쳐]가 아닌 [저, 쩌, 처]로 발음한다.

예 가지어 → 가져[가저], 찌어 → 쪄[쩌], 다치어 → 다쳐[다처]

더 알아보기 모음 축약의 형식

어간 끝 모음 'ㅏ, ㅗ, ㅜ, ㅡ' 뒤에 '-이어'가 결합하여 줄 때에는 두 가지 형식으로 나타난다. 곧, '-이-'가 앞(어간) 음절에 올라 붙으면서 줄기도 하고, 뒤(어미) 음절에 내리 이어지면서 줄기도 한다.

예 • 보이어 → 뵈어, 보여 • 쏘이어 → 쐬어, 쏘여 • 싸이어 → 쌔어, 싸여 • 뜨이어 → 띄어, 뜨여
• 누이어 → 뉘어, 누여 • 쓰이어 → 씌어, 쓰여 • 트이어 → 틔어, 트여

3 음운의 탈락

앞뒤 형태소의 두 음운이 마주칠 때, 그중 한 음운이 완전히 생략되는 현상을 '음운의 탈락'이라고 한다. 음운의 축약과는 달리 음운의 탈락은 생략된 음운의 성질이 모두 사라진다.

| 음운 탈락의 분류

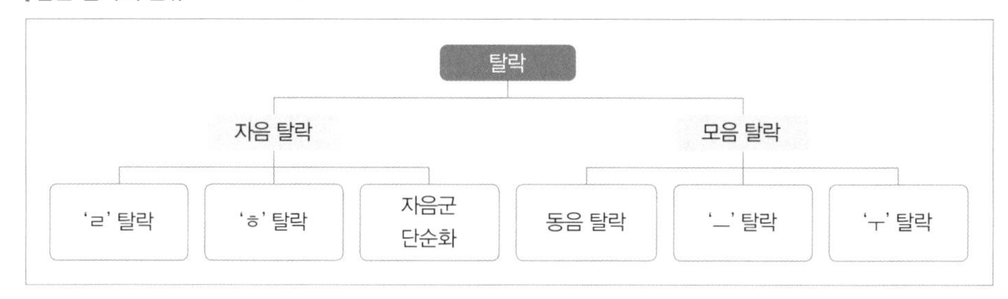

(1) 자음 탈락

① 'ㄹ' 탈락

㉠ 용언 어간의 끝소리인 'ㄹ'이 어미의 첫소리 'ㄴ, ㄹ, ㅂ, ㅅ, 오' 앞에서 예외 없이 탈락하는 현상

예 • 갈다: 가니, 간, 갈, 갑니다, 가시다, 가오
• 둥글다: 둥그니, 둥근, 둥글, 둥급니다, 둥그시다, 둥그오

㉡ 파생어와 합성어를 만드는 과정에서 'ㄴ, ㄷ, ㅅ, ㅈ' 앞에서 'ㄹ'이 탈락하는 현상

예 • 'ㄴ' 앞: 따님(딸-님), 부나비(불-나비)
• 'ㄷ' 앞: 다달이(달-달-이), 마되(말-되), 여닫이(열-닫-이)
• 'ㅅ' 앞: 마소(말-소), 부삽(불-삽)
• 'ㅈ' 앞: 무자위(물-자위), 바느질(바늘-질), 싸전(쌀-전)

㉢ 'ㄷ, ㅈ' 앞에서 'ㄹ'이 탈락하는 현상

예 • 'ㄷ' 앞: 不同 → 부동, 不當 → 부당, 不得已 → 부득이, 不斷 → 부단
• 'ㅈ' 앞: 不知 → 부지, 不正 → 부정, 不條理 → 부조리

② 'ㅎ' 탈락: 'ㅎ(ㄶ, ㅀ)'을 끝소리로 가지는 용언의 어간이 모음으로 시작하는 어미 앞에서 'ㅎ'이 탈락하는 현상이다. 'ㅎ' 탈락은 명사에는 적용되지 않는다.

예 • 용언의 활용: 낳으니 → [나으니], 놓아 → [노아], 쌓이다 → [싸이다], 많아 → [마:나], 않은 → [아는], 닳아 → [다라], 끓이다 → [끄리다]

• 명사: 올해[오래](×) [올해](○), 전화[저:놔](×) [전:화](○)

더 알아보기 'ㅎ' 탈락의 유의 사항

① '하얗습니다'에서 'ㅎ'이 탈락한 '하얍니다'는 표준어로 인정하지 않는다. 따라서 '하얗습니다, 까맣습니다, 퍼렇습니다, 동그랗습니다, 그렇습니다'로 적어야 한다.

② 용언 어간의 끝소리 'ㅎ'이 어미 '-네'와 결합하는 경우, 'ㅎ'이 탈락한 형태와 탈락하지 않은 형태 모두를 표준어로 인정한다.

예 동그랗네(○) - 동그라네(○)

③ 자음군 단순화: 음절 끝에 겹받침이 올 경우 두 개의 자음 중 하나가 탈락하고 남은 하나만 발음된다.

예

앞 자음이 탈락하는 경우	밝다 → [박따], 젊다 → [점:따]
뒤 자음이 탈락하는 경우	앉다 → [안따], 값 → [갑]

자음군 단순화는 다음과 같은 조건에서 적용된다.

받침의 유형		용례	예외
겹자음	ㄳ, ㄵ, ㄶ, ㄼ, ㄽ, ㄾ, ㅀ, ㅄ → 첫째 자음이 남음	몫 → [목], 앉고 → [안꼬], 않는 → [안는], 넓다 → [널따], 외곬 → [외골/웨골], 핥고 → [할꼬], 잃는 → [알른], 값 → [갑]	ㄼ
	ㄺ, ㄻ, ㄿ → 둘째 자음이 남음 ('ㅍ'은 대표음인 'ㅂ'이 남음)	닭 → [닥], 읽지 → [익찌], 젊다 → [점:따], 읊지 → [읍찌]	ㄺ

더 알아보기 겹받침 발음의 유의 사항

예외 겹받침	내용	용례
ㄼ	• 'ㄼ'은 대개의 경우 앞의 'ㄹ'이 남는 것이 일반적 • 예외적으로 '밟-'은 뒤에 자음이 오면 앞의 'ㄹ'이 탈락	• 밟다 → [밥:따], 밟소 → [밥:쏘], 밟지 → [밥:찌], 밟는 → [밥:는] → [밤:는], 밟게 → [밥:께], 밟고 → [밥:꼬]
	• '넓죽하다, 넓둥글다'의 경우에도 예외적으로 앞의 'ㄹ'이 탈락	• 넓죽하다 → [넙쭈카다], 넓둥글다 → [넙뚱글다]
ㄺ	• 'ㄺ'은 대개의 경우 앞의 'ㄹ'이 탈락하는 것이 일반적 • 예외적으로 용언의 어간 말음 'ㄺ'은 'ㄱ' 앞에서 뒤의 'ㄱ'이 탈락	맑고 → [말꼬], 묽고 → [물꼬], 얽거나 → [얼꺼나]
ㄶ, ㅀ	• 'ㄶ, ㅀ'의 'ㅎ'은 뒤에 'ㄱ, ㄷ, ㅈ'이 오면 'ㅋ, ㅌ, ㅊ'으로 축약	• 않고 → [안코], 앓고 → [알코]
	• 'ㄶ, ㅀ' 뒤에 'ㅅ'이 오면 'ㅎ'이 탈락하고 'ㅅ'은 'ㅆ'으로 변화	• 않소 → [안쏘]
	• 'ㄶ, ㅀ' 뒤에 'ㄴ'이 오면 'ㅎ'을 발음하지 않음	• 않는 → [안는], 앓는 → [알는] → [알른]
	• 'ㄶ, ㅀ' 뒤에 모음으로 시작하는 어미나 접미사가 오면 'ㅎ'을 발음하지 않음	• 않았다 → [안앋따] → [아낟따]

단권화 MEMO

단권화 MEMO

■ 'ㅜ' 탈락
'ㅜ'로 끝나는 용언의 어간 뒤에 '-어'로 시작하는 어미가 결합하면, 'ㅜ'가 탈락하는 현상이다.
예 푸+어 → 퍼

■ 사잇소리와 된소리되기

사잇소리	된소리되기
• 음운의 첨가 • 단어와 단어 사이에서 발생 • 수의적 현상	• 음운의 교체 • 보편적, 필연적 현상

(2) 모음 탈락

① **동음 탈락**: 'ㅏ, ㅓ'로 끝나는 용언의 어간 뒤에 같은 모음이 연달아 나오면, 하나의 모음이 탈락하는 현상이다.

예 타+아 → 타, 타+았다 → 탔다 / 서+어 → 서, 서+었다 → 섰다 / 켜+어 → 켜, 켜+었다 → 켰다 / 펴+어 → 펴, 펴+었다 → 폈다

② **'ㅡ' 탈락**: 'ㅡ'로 끝나는 용언의 어간 뒤에 '-아/-어', '-아서/-어서'로 시작하는 어미가 결합하면, 'ㅡ'가 예외 없이 탈락하는 현상이다.

예 뜨다 → 떠, 떴다 / 끄다 → 꺼, 껐다 / 크다 → 커, 컸다 / 담그다 → 담가, 담갔다 / 고프다 → 고파, 고팠다

4 음운의 첨가: 사잇소리 현상

앞뒤 형태소의 두 음운이 마주칠 때, 원래 없던 음운이 덧붙여지는 현상을 '음운의 첨가'라고 한다. 음운 첨가의 대표적인 예는 '사잇소리 현상'이다.

(1) 사잇소리 현상의 뜻과 조건

두 개의 형태소 또는 단어가 어울려 합성 명사를 이룰 때, 그 사이에 소리가 덧생기는 현상을 '사잇소리 현상'이라고 한다.

(2) 사잇소리의 유형

① **된소리되기**: 두 개의 형태소 또는 단어가 합쳐져서 합성 명사를 이룰 때, 앞말의 끝소리가 울림소리이고 뒷말의 첫소리가 안울림 예사소리이면, 뒤의 예사소리가 된소리로 변한다. 이를 표시하기 위하여 합성어의 앞말이 모음으로 끝났을 때는 받침으로 사이시옷을 적는다.

예 • 촛불(초+불) → [초뿔/촏뿔], 뱃사공(배+사공) → [배싸공/밷싸공]
• 밤+길 → [밤낄], 촌+사람 → [촌:싸람], 등+불 → [등뿔], 길+가 → [길까]

② **'ㄴ' 첨가**

㉠ 합성어가 형성되는 환경에서 앞말이 모음으로 끝나고 뒷말이 'ㅁ, ㄴ'으로 시작되면 'ㄴ' 소리가 첨가된다.

예 잇몸(이+몸) → [인몸], 콧날(코+날) → [콘날]

㉡ 합성어가 형성되는 환경에서 앞말이 자음으로 끝나고 뒷말이 모음 'ㅣ'나 반모음 'ㅣ[j]'로 시작되면 'ㄴ' 소리가 첨가된다.

예 논일(논+일) → [논닐], 집일(집+일) → [짐닐]

③ **'ㄴㄴ' 첨가**: 합성어가 형성되는 환경에서 앞말이 모음으로 끝나고 뒷말이 모음 'ㅣ'나 반모음 'ㅣ[j]'로 시작되면 'ㄴㄴ' 소리가 첨가된다.

예 깻잎(깨+잎) → [깬닙], 베갯잇(베개+잇) → [베갠닏]

(3) 사잇소리 현상의 특징

① 발음상 사잇소리가 있다.

예 초+불(촛불) → [초뿔/촏뿔]

② 사잇소리 현상은 불규칙해서 일정한 법칙을 찾기 힘들고 예외 현상이 많다.

예 고래기름, 참기름, 기와집, 은돈, 콩밥, 말방울, 인사말, 머리말, 고무줄

③ 사잇소리 현상에 따른 의미의 분화가 일어날 수 있다.

예 • 고기+ㅅ+배 → [고기빼/고긷빼] (뜻: 고기잡이를 하는 배)
고기+배 → [고기배] (뜻: 고기의 배[腹])
• 나무+ㅅ+집 → [나무찝/나묻찝] [뜻: 나무(장작)를 파는 집]
나무+집 → [나무집] (뜻: 나무로 만든 집)

④ 한자로 이루어진 합성어는 사잇소리 현상이 나타나더라도 사이시옷을 적지 않는 것을 원칙으로 한다. 단, 그 소리가 확실하게 인식되는 여섯 단어 '곳간(庫間), 셋방(貰房), 숫자(數字), 찻간(車間), 툇간(退間), 횟수(回數)'에서만 사이시옷을 받치어 적는다.

⑤ 두 단어를 이어서 한 마디로 발음할 때에도 사잇소리 현상과 같은 현상이 일어나는 경우가 있다.

예 한 일 → [한닐], 옷 입다 → [온닙따], 할 일 → [할닐] → [할릴], 잘 입다 → [잘닙다] → [잘립따], 먹은 엿 → [머근녇]

더 알아보기 'ㄴ' 소리를 첨가하여 발음하되, 표기대로 발음할 수도 있는 단어들

감언이설[가먼니설/가머니설]	순이익[순니익/수니익]
강약[강냑/강약]	야금야금[야금냐금/야그먀금]
검열[검:녈/거:멸]	연이율[연니율/여니율]
그런 일[그런닐/그러닐]	영영[영:녕/영:영]
금융[금늉/그뮹]	옷 입다[온닙따/오딥따]
먹을 엿[머글렫/머그렫]	욜랑욜랑[욜랑뇰랑/욜랑욜랑]
먹은 엿[머근녇/머그녇]	이글이글[이글리글/이그리글]
못 이기다[몬니기다/모디기다]	이죽이죽[이중니죽/이주기죽]
못 잊다[몬닏따/모딛따]	의기양양[의:기양냥/의:기양양]
못 잊어[몬니저/모디저]	잘 익히다[잘리키다/자리키다]
밤이슬[밤니슬/바미슬]	한 일[한닐/하닐]
서른여섯[서른녀섣/서르녀섣]	할 일[할릴/하릴]

5 기타 음운 현상

(1) 호전 작용

'ㄹ' 받침을 가진 단어 또는 어간이 다른 단어 또는 접미사와 결합할 때, 'ㄹ'이 'ㄷ'으로 바뀌어 발음되고 표기되는 현상이다.

예 이틀+날 → 이튿날, 사흘+날 → 사흗날, 삼질+날 → 삼짇날, 설+달 → 섣달, 술+가락 → 숟가락, 잘+다랗다 → 잗다랗다

(2) 활음조

발음을 쉽고 매끄럽게 하기 위하여 음운을 변화 또는 첨가시키는 것을 말한다. 활음조는 다음의 두 가지 현상으로 나타난다.

'ㄴ' → 'ㄹ'	예 한아버지 → 할아버지, 안음[抱] → 아름, 한나산(漢拏山) → 한라산, 곤난(困難) → 곤란
'ㄴ, ㄹ' 첨가	예 폐염(肺炎) → 폐렴, 지이산(智異山) → 지리산

단권화 MEMO

02 음운론

01 (　　　): 사람들이 머릿속에서 같은 소리로 인식하는 추상적인 말소리로, 단어의 의미를 분화시키고 변별적 기능을 하는 소리의 최소 단위이다.

02 (　　　): 공기의 흐름을 일단 막았다가 그 막은 자리를 터뜨리면서 내는 소리를 말한다. 일단 막은 것을 강조하여 정지음 또는 폐쇄음이라고도 한다.

03 단모음: 발음하는 도중에 혀나 입술이 고정되어 움직이지 않고 발음되는 모음이다. 모두 (　　　)개이며 혀의 위치, 입술의 모양, 혀의 높이에 따라 분류한다.

04 (　　　): 음운이 다른 음운으로 바뀌는 현상을 말한다. 대표적으로 음절의 끝소리 규칙이 있다.

05 비음화: 비음화는 변하기 전 음운과 변한 이후의 음운이 동일한 (　　　)을/를 유지한다.

06 (　　　)은/는 15세기에는 매우 엄격히 지켜졌고, 16~18세기에는 'ㆍ'의 소실로 'ㅡ'가 중성 모음이 되어 예외가 많이 생겼다. 현대 국어에서는 의성어, 의태어, 용언의 어간과 어미에서 비교적 잘 지켜지고 있다.

07 겹받침 'ㄼ'의 탈락

ㄼ	• 'ㄼ'은 대개의 경우 앞의 'ㄹ'이 남는 것이 일반적이다. • 예외적으로 '(　　　)'은/는 뒤에 자음이 오면 앞의 'ㄹ'이 탈락된다. • '넓죽하다, 넓둥글다'의 경우에도 예외적으로 앞의 'ㄹ'이 탈락된다.

08 사잇소리의 유형

(　　　) 첨가	• 합성어가 형성되는 환경에서 앞말이 모음으로 끝나고 뒷말이 'ㅁ, ㄴ'으로 시작되면 '(　　　)' 소리가 첨가된다. • 합성어가 형성되는 환경에서 앞말이 자음으로 끝나고 뒷말이 모음 'ㅣ'나 반모음 'ㅣ[j]'로 시작되면 '(　　　)' 소리가 첨가된다.

09 유일한 한자어의 사잇소리: 곳간(庫間), (　　　), 숫자(數字), 찻간(車間), (　　　), 횟수(回數)

10 호전 작용: 'ㄹ' 받침을 가진 단어 또는 어간이 다른 단어 또는 접미사와 결합할 때, 'ㄹ'이 '(　　　)'(으)로 바뀌어 발음되고 표기되는 현상이다.

| 정답 | 01 음운　02 파열음　03 10　04 교체(대치)　05 조음 위치　06 모음 조화　07 밟-　08 ㄴ, ㄴ, ㄴ　09 셋방(貰房), 툇간(退間)　10 ㄷ

02 음운론

교수님 코멘트▶ 이 영역에서는 자음과 모음의 특성, 음운 변동이 자주 출제된다. 특히 음운 변동 영역이 시험에서 가장 자주 출제된다. 기출문제를 통해서 유형을 파악하고, 앞서 학습한 개념이 어떻게 문제화되는지 알아 두자. 또한 기본서 회독을 통해 다시 한번 확인해 두자.

01

2018 서울시 7급 제2회

현대 한국어의 양순음에 대한 설명으로 옳은 것을 〈보기〉에서 모두 고른 것은?

보기

ㄱ. 양순음에는 'ㅂ, ㅃ, ㅍ, ㅁ' 등이 있다.
ㄴ. 양순음은 파열음과 마찰음이 골고루 발달되어 있다.
ㄷ. 'ㅁ'은 비음이지 양순음은 아니다.
ㄹ. 양순음은 발음 과정에서 윗입술과 아랫입술이 닿는 공통점이 있다.

① ㄱ, ㄴ ② ㄴ, ㄷ
③ ㄱ, ㄹ ④ ㄴ, ㄹ

02

2017 국가직 9급

다음 설명이 옳지 않은 것은?

① 'ㄴ, ㅁ, ㅇ'은 유음이다.
② 'ㅅ, ㅆ, ㅎ'은 마찰음이다.
③ 'ㅡ, ㅓ, ㅏ'는 후설 모음이다.
④ 'ㅟ, ㅚ, ㅗ, ㅜ'는 원순 모음이다.

정답&해설

01 ③ 국어의 음운 체계: 자음

|오답해설| ㄴ. 양순음에는 파열음과 비음이 있다.
ㄷ. 'ㅁ'은 조음 위치로 구분했을 때 양순음이고 조음 방법으로 구분했을 때 비음에 해당한다.

02 ① 국어의 음운 체계

① 'ㄴ, ㅁ, ㅇ'은 비음이다. 유음은 'ㄹ'이다.
|오답해설| ② 'ㅅ, ㅆ'은 치조 마찰음, 'ㅎ'은 후두 마찰음이다.

|정답| 01 ③ 02 ①

03

2017 경찰직 1차

다음 중 국어의 음운 현상에 대한 설명으로 가장 적절하지 않은 것은?

① 탈락: 자음군 단순화는 겹받침을 가진 형태소 뒤에 모음으로 시작하는 문법 형태소가 결합할 때 일어나는 현상이다.
② 첨가: 'ㄴ' 첨가는 자음으로 끝나는 말 뒤에 'ㅣ'나 반모음 'ㅣ[j]'로 시작하는 말이 결합할 때 'ㄴ'이 새로 덧붙는 현상이다.
③ 축약: 유기음화는 'ㅎ'과 'ㄱ, ㄷ, ㅂ, ㅈ' 중 하나가 만날 때 이 두 자음이 하나의 음으로 실현되는 현상이다.
④ 교체(대치): 유음화는 'ㄴ'이 앞이나 뒤에 오는 'ㄹ'의 영향을 받아 'ㄹ'로 동화되는 현상이다.

04

2017 서울시 9급

음운 현상은 변동의 양상에 따라 크게 다섯 가지로 구분된다. 다음 중 음운 현상의 유형이 나머지 셋과 가장 다른 하나는?

> ㉠ 대치 – 한 음소가 다른 음소로 바뀌는 음운 현상
> ㉡ 탈락 – 한 음소가 없어지는 음운 현상
> ㉢ 첨가 – 없던 음소가 새로 끼어드는 음운 현상
> ㉣ 축약 – 두 음소가 합쳐져 다른 음소로 바뀌는 음운 현상
> ㉤ 도치 – 두 음소가 서로 자리를 바꾸는 음운 현상

① 국+만 → [궁만]
② 물+난리 → [물랄리]
③ 입+고 → [입꼬]
④ 한+여름 → [한녀름]

05

2018 국가직 9급

'깎다'의 활용형에 적용된 음운 변동에 대한 설명으로 옳은 것은?

> • 교체: 한 음운이 다른 음운으로 바뀌는 현상
> • 탈락: 한 음운이 없어지는 현상
> • 첨가: 없던 음운이 생기는 현상
> • 축약: 두 음운이 합쳐져서 또 다른 음운 하나로 바뀌는 현상
> • 도치: 두 음운의 위치가 서로 바뀌는 현상

① '깎는'은 교체 현상에 의해 '깡는'으로 발음된다.
② '깎아'는 탈락 현상에 의해 '까까'로 발음된다.
③ '깎고'는 도치 현상에 의해 '깍꼬'로 발음된다.
④ '깎지'는 축약 현상과 첨가 현상에 의해 '깍찌'로 발음된다.

06

2017 국회직 8급

다음 〈보기〉의 밑줄 친 ㉠~㉤에 대한 표준 발음으로 옳은 것을 모두 고르면?

> 보기
> • ㉠ 깃발이 바람에 날리다. – [기빨]
> • ㉡ 불법적인 방법으로 돈을 벌고 있다. – [불법쩍]
> • 나는 오늘 점심을 ㉢ 면류로 간단히 때웠다. – [멸류]
> • ㉣ 도매금은 도매로 파는 가격을 말한다. – [도매금]
> • 준법의 테두리 안에서 시위를 한다면 ㉤ 공권력 발동을 최대한 자제할 것이다. – [공:꿘녁]

① ㉠, ㉡, ㉢
② ㉠, ㉡, ㉤
③ ㉠, ㉢, ㉤
④ ㉡, ㉢, ㉣
⑤ ㉡, ㉣, ㉤

07

2016 교육행정직 9급

〈보기〉의 ㄱ ~ ㄷ에 해당하는 예가 모두 올바른 것은?

| 보기 |

ㄱ. 없던 음소가 새로이 첨가되는 현상
ㄴ. 두 음소나 두 음절이 하나의 음소나 하나의 음절로 줄어드는 현상
ㄷ. 인접한 두 음소에서 어느 하나가 다른 하나에 영향을 받아 비슷하거나 같은 소리로 바뀌는 현상

	ㄱ	ㄴ	ㄷ
①	안방[안빵]	보-+-아 → [봐]	더럽다[드럽따]
②	금융[금늉]	좋-+-은 → [조은]	해돋이[해도지]
③	식용유[시굥뉴]	이기-+-어[이겨]	국민[궁민]
④	오리알[오리얄]	살-+-으니 → [사니]	감기[강기]

08

2016 기상직 7급

'늑막염'을 〈표준 발음법〉에 맞게 발음할 때, 음운 변동의 종류와 횟수를 바르게 짝 지은 것은?

	음의 동화	음의 첨가
①	1회	0회
②	1회	1회
③	2회	0회
④	2회	1회

정답&해설

03 ① 음운의 변동

① '자음군 단순화'는 겹받침을 가진 형태소 뒤에 자음으로 시작하는 형태소가 올 때 겹받침 중 하나가 탈락하는 현상이다. 참고로, 겹받침을 가진 형태소 뒤에 모음으로 시작하는 문법 형태소가 오면 연음이 일어난다.

04 ④ 음운의 변동

④ 'ㄴ' 첨가는 첨가에 해당한다.

| 오답해설 | ① 비음화, ② 유음화, ③ 된소리되기는 변동 양상에 따른 구분에 따르면 대치(교체)에 해당한다.

05 ① 음운의 변동

① '깎는'은 '[깎는] → [깍는] → [깡는]'의 과정을 거쳐서 [깡는]으로 발음된다. 이는 음절의 끝소리 규칙과 비음화가 적용된 것이므로 음운 변동의 유형으로 보면 '교체(대치)'에 해당한다.

| 오답해설 | ④ '깎지'는 '[깎지] → [깍지] → [깍찌]'의 과정을 거쳐서 [깍찌]로 발음된다. 이는 음절의 끝소리 규칙과 된소리되기가 적용된 것이므로 음운 변동의 유형으로 보면 '교체(대치)'에 해당한다.

06 ① 음운의 변동

㉠ 깃발[기빨/긷빨]: 'ㄱ, ㄷ, ㅂ, ㅅ, ㅈ'으로 시작하는 단어 앞에 사이시옷이 올 때는 이들 자음만을 된소리로 발음하는 것을 원칙으로 하되, 사이시옷을 [ㄷ]으로 발음하는 것도 허용한다.
㉡ 불법적[불법쩍/불뻡쩍]: 된소리되기 현상에 의해서 [불법쩍/불뻡쩍]으로 발음한다.
㉢ 면류[멸류]: 유음화에 의해 [멸류]로 발음한다.

| 오답해설 | ㉣ 도매금[도매끔]: 사잇소리 현상에 의해서 [도매끔]으로 발음한다. 다만, 한자어 합성어이기 때문에 사이시옷을 표기하지 않는다.
㉤ 공권력[공꿘녁]: [공꿘녁]으로 발음하고 장음으로 발음하지 않는다.

07 ③ 음운의 변동

③ ㄱ은 첨가, ㄴ은 축약, ㄷ은 동화 현상에 대한 설명이다. '식용유[시굥뉴]'는 'ㄴ' 첨가에 해당하고, '이기-+-어[이겨]'는 음절의 축약에 해당하며, '국민[궁민]'은 비음화로 동화에 해당한다.

| 오답해설 | ④ '살-+-으니[사니]'에서는 음절의 축약 외에 'ㄹ' 탈락도 일어난다는 점에 유의해야 한다.

08 ④ 음운의 변동

④ '늑막염'의 표준 발음은 [능망념]이다. 음운 변동의 과정을 살펴보면 '[늑막염] → [능막염] → [능막념] → [능망념]'이므로 비음화(동화) 2회, 'ㄴ' 첨가 1회가 일어났음을 알 수 있다.

| 정답 | 03 ① 04 ④ 05 ① 06 ① 07 ③ 08 ④

09

2014 기상직 9급

음운 변동의 원인을 ㉠과 ㉡으로 구분할 때, 변동의 원인이 이질적인 하나는?

> 음운 변동이 일어나는 원인으로는 발음을 좀 더 쉽게 하려는 ㉠ 경제성의 원리에 의한 것과 표현 강화를 위한 ㉡ 표현 효과의 원리에 의한 것이 있다. 전자에는 음절의 끝소리 규칙, 음운의 동화, 음운의 축약과 탈락이 있고, 후자에는 된소리되기와 사잇소리 현상 등이 있다.

① 맏누이　② 굳히다
③ 잡히다　④ 집비둘기

10

2014 국가직 7급

동일한 음운 변동 현상을 보여 주는 예들로 묶인 것은?

① 늙는, 않고　② 맏형, 쇠붙이
③ 산동네, 보름달　④ 생일날, 추진력

11

2019 국가직 9급

국어의 주요한 음운 변동을 다음과 같이 유형화할 때, '부엌일'에 일어나는 음운 변동 유형으로 옳은 것은?

	변동 전		변동 후
㉠	XaY	→	XbY(교체)
㉡	XY	→	XaY(첨가)
㉢	XabY	→	XcY(축약)
㉣	XaY	→	XY(탈락)

① ㉠, ㉡　② ㉠, ㉣
③ ㉡, ㉢　④ ㉡, ㉣

12

2019 국가직 7급

㉠~㉣에 해당하는 예를 바르게 연결한 것은?

> 경음화는 장애음 중 평음이 일정한 환경에서 경음으로 바뀌는 현상이다. 한국어의 대표적인 경음화 유형은 다음과 같다.
>
> ㉠ 'ㄱ, ㄷ, ㅂ' 뒤에 연결되는 평음은 경음으로 발음된다.
> ㉡ 비음으로 끝나는 용언 어간에 연결되는 어미의 첫소리는 경음으로 발음된다.
> ㉢ 관형사형 어미 '-(으)ㄹ' 뒤에 연결되는 평음은 경음으로 발음된다.
> ㉣ 한자어에서 'ㄹ' 뒤에 연결되는 'ㄷ, ㅅ, ㅈ'은 경음으로 발음된다.

	㉠	㉡	㉢	㉣
①	잡고	담고	갈 곳	하늘소
②	받고	앉더라	발전	물동이
③	놓습니다	삶더라	열 군데	절정
④	먹고	껴안더라	어찌할 바	결석

13

2019 지방직 9급

다음에 대한 설명으로 적절한 것은?

㉠ 가을일[가을릴]	㉡ 텃마당[턴마당]
㉢ 입학생[이팍쌩]	㉣ 흙먼지[흥먼지]

① ㉠: 한 가지 유형의 음운 변동이 나타난다.
② ㉡: 인접한 음의 영향을 받아 조음 위치가 같아지는 동화 현상이 나타난다.
③ ㉢: 음운 변동 전의 음운 개수와 음운 변동 후의 음운 개수가 서로 다르다.
④ ㉣: 음절 끝에 'ㄱ, ㄴ, ㄷ, ㄹ, ㅁ, ㅂ, ㅇ' 이외의 자음이 오면 이 7개의 자음 중 하나로 바뀌는 규칙이 적용된다.

정답&해설

09 ④ 음운의 변동

④ '집비둘기'는 [집삐둘기]로 발음된다. 이는 된소리되기 현상으로 ①~③과는 다르게 '표현 효과의 원리'에 의한 현상이다.

|오답해설| ①~③은 모두 '경제성의 원리'에 의한 현상이다.
① 맏누이: [만누이]로 발음된다. 이는 비음화 현상으로 자음 동화에 해당한다.
② 굳히다: [구치다]로 발음된다. 이는 'ㄷ'과 'ㅎ'이 만나 'ㅌ'이 되는 자음 축약과 'ㅌ'이 'ㅣ'모음을 만나 'ㅊ'이 되는 구개음화 현상이 함께 일어나는 경우이다. 구개음화 현상도 동화 현상에 포함된다.
③ 잡히다: [자피다]로 발음된다. 이는 'ㅂ'이 'ㅎ'과 만나 'ㅍ'으로 축약되는 자음 축약 현상이다.

10 ③ 음운의 변동

③ 산동네[산똥네], 보름달[보름딸]: 모두 유성음 'ㄴ, ㅁ'과 무성음 'ㄷ'이 만나 'ㄷ'이 된소리로 변하는 사잇소리 현상이다.

|오답해설| ① • 늙는[늑는 → 능는]: 비음 아닌 'ㄱ'이 비음인 'ㄴ'을 만나 비음인 'ㅇ'으로 바뀌는 비음화
• 않고[안코]: 'ㅎ'이 'ㄱ'과 만나 'ㅋ'으로 변하는 자음 축약
② • 맏형[마텽]: 'ㄷ'이 'ㅎ'을 만나 'ㅌ'으로 변하는 자음 축약
• 쇠붙이[쇠부치/쉐부치]: 'ㅌ'이 'ㅣ'를 만나 'ㅊ'으로 변하는 구개음화(동화)
④ • 생일날[생일랄]: 비음 'ㄴ'이 유음 'ㄹ'을 만나 유음인 'ㄹ'로 변하는 유음화
• 추진력[추진녁]: 유음 'ㄹ'이 비음 'ㄴ'을 만나 비음인 'ㄴ'으로 변하는 비음화

11 ① 음운의 변동

① 부엌일: [부억일](음절의 끝소리 규칙-교체) → [부억닐]('ㄴ' 첨가, 사잇소리 현상-첨가) → [부엉닐](비음화-교체)

12 ④ 음운의 변동

④ ㉠ 먹고[먹꼬]: '먹'의 끝소리 'ㄱ'(안울림소리)과 '고'의 첫소리 'ㄱ'(안울림소리)이 만나서 경음으로 발음되는 경우이다.
㉡ 껴안더라[껴안떠라]: 비음으로 끝나는 용언의 어간('껴안-'의 'ㄴ')에 연결되는 어미의 첫소리('-더-'의 'ㄷ')가 경음으로 발음되는 경우이다.
㉢ 어찌할 바[어찌할빠]: 관형사형 어미 'ㄹ'('-할'의 'ㄹ') 뒤에 연결되는 평음('바'의 'ㅂ')이 경음으로 발음되는 경우이다.
㉣ 결석[결썩]: 한자어에서 'ㄹ'('결'의 'ㄹ') 뒤에 연결되는 'ㅅ'('석'의 'ㅅ')이 경음으로 발음되는 경우이다.

|오답해설| ① '하늘소'는 한자어가 아니다.
② '발전'은 관형사형 어미 '-(으)ㄹ'이 사용되지 않았다. '물동이'도 한자어가 아니다.
③ '열 군데'의 '열'은 수 관형사이다. 관형사형 어미 '-(으)ㄹ'이 사용된 예가 아니다.

13 ③ 음운의 변동

③ '입학생'은 '[이팍생](자음 축약) → [이팍쌩](된소리되기)'으로 발음된다. 'ㅂ + ㅎ → ㅍ'이 되는 축약이 일어나므로 음운 변동 후에 음운의 개수가 줄어든다.

|오답해설| ① '가을일'은 '[가을닐]('ㄴ' 첨가) → [가을릴](유음화)'로 발음된다. 즉, 두 가지 유형의 음운 변동이 일어난다.
② '텃마당'은 '[턷마당](음절의 끝소리 규칙) → [턴마당](비음화)'으로 발음된다. 인접한 음의 영향을 받아 '조음 위치'가 아니라 '조음 방법'이 같아진다.
④ '흙먼지'는 '[흑먼지](자음군 단순화) → [흥먼지](비음화)'로 발음된다. '자음군 단순화'는 탈락 현상으로, 대치 현상인 '음절의 끝소리 규칙(평파열음화)'과는 다르다.

|정답| 09 ④ 10 ③ 11 ① 12 ④ 13 ③

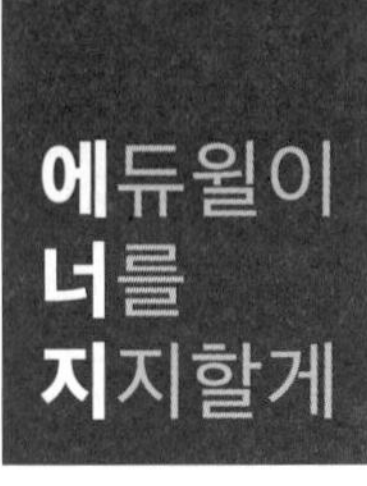

ENERGY

문이 하나 닫히면 다른 문이 열립니다.
인생의 모든 문이 닫히는 법은 없습니다.

– 조정민, 『인생은 선물이다』, 두란노

CHAPTER

03 형태론

☐ 1회독	월	일
☐ 2회독	월	일
☐ 3회독	월	일
☐ 4회독	월	일
☐ 5회독	월	일

단권화 MEMO

■ 한자어와 형태소
일반적으로 한자어는 글자 하나하나를 각각의 형태소로 취급한다.

01 문법의 단위

음소 → 음절 → 형태소 → 단어(낱말) → 어절 → 구 → 절 → 문장 → 이야기(담화)

	구분	내용
음운론	음소	국어의 자음과 모음(= 단음, 분절 음운), 의미의 최소 변별 단위
	음절	자음과 모음이 합쳐진 하나의 소리마디
형태론	형태소	의미를 가진 가장 작은 말의 단위
	단어(낱말)	최소 자립 형식, 품사 분류 기준, 사전 등재의 기본 단위
통사론	어절	문장을 구성하고 있는 각각의 마디, 띄어쓰기 단위와 일치
	구	단어들이 모여 이루어지며 단어보다 큰 단위, 주어와 서술어의 구성이 아닌 언어 형식
	절	단어들이 모여 주어와 서술어를 갖추고 있는 단위, 주어와 서술어가 있으나 독립적으로 사용되지 못함
	문장	하나의 완결된 의사 표현의 단위
화용론	이야기(담화)	문장이 쓰이는 실질적인 맥락으로, 실제 언어의 사용에서 문장들이 모여 이루는 단위

1 형태소

'형태소'란 일정한 뜻을 가진 가장 작은 말의 단위로, 여기에서 '뜻'은 어휘적 의미와 문법적 의미를 모두 포괄한다.

하늘	이	맑-	-았-	-다
명사	주격 조사	어간	과거 시제 선어말 어미	어말 어미

형태소는 다음 기준에 따라 분류할 수 있다.

(1) 자립성의 유무에 따라

① **자립 형태소**: 홀로 자립해서 단어가 될 수 있는 형태소로, 명사·대명사·수사·관형사·부사·감탄사가 자립 형태소에 해당한다.

예 하늘

② **의존 형태소**: 반드시 다른 형태소와 결합해야만 단어가 되는 형태소로, 조사·용언의 어간과 어미·접사가 의존 형태소에 해당한다.

예 이, 맑-, -았-, -다

(2) 의미의 유형에 따라

① **실질 형태소**: 구체적인 대상이나 구체적인 상태를 나타내는 실질적 의미를 가지고 있는 형태소로, 자립 형태소와 용언의 어간이 실질 형태소에 해당한다.

예 하늘, 맑-

② **형식 형태소**: 형식적인 의미, 즉 문법적 의미만을 나타내는 형태소로, 조사와 어미·접사가 형식 형태소에 해당한다.

예 이, -았-, -다

더 알아보기 형태소의 종류에 따른 품사의 구분

형태소 구분		품사 구분
자립성의 유무	자립 형태소	명사, 대명사, 수사, 관형사, 부사, 감탄사
	의존 형태소	조사, 용언의 어간과 어미
의미의 유형	실질 형태소	명사, 대명사, 수사, 관형사, 부사, 감탄사, 용언의 어간
	형식 형태소	조사, 용언의 어미

2 이형태(異形態)

하나의 형태소가 환경에 따라 모습을 달리하는 것을 '이형태'라고 한다. 이형태는 다음의 세 가지로 분류할 수 있다.

① **음운론적 이형태**: 하나의 형태소가 음운 환경에 따라 다르게 나타나는 이형태로, 선행하는 음운이 모음이냐 자음이냐, 양성 모음이냐 음성 모음이냐에 따라 다르게 나타난다.

예 '이/가', '을/를', '로/으로', '-시-/-으시-', '-았-/-었-', '-아-/-어-'

② **형태론적 이형태**: 연결되는 형태소 자체에 의해서만 설명되는 이형태이다.

예 • 과거 시제를 나타내는 '-였-/-었-': '-었-'이 기본 형태이지만, 특별히 어간 '하-' 뒤에서는 '-였-'으로 바뀌게 된다.
• 명령형 어미 '-아라/-어라', '-거라', '-너라': '-아라/-어라', '-거라'가 기본 형태이지만, 특별히 어간 '오-' 뒤에서는 '-너라'로 바뀌게 된다.

③ **자유 이형태**: 음운적 환경이나 형태적인 환경에 영향을 받지 않고 동일한 환경에서 조건 없이 서로 대체될 수 있는 이형태이다.

예 • 밥+을/밥+ø(밥을 먹었다/밥 먹었다): '을'과 'ø'는 서로 같은 환경에서 자유롭게 교체되어 나타날 수 있다.
• 노을/놀: 복수 표준어도 자유 이형태로 볼 수 있다.

3 단어(낱말)

문장 내에서 자립하여 쓰일 수 있는 말이나 자립할 수 있는 형태소에 붙어서 쉽게 분리될 수 있는 말을 '단어'라고 한다. 단어는 품사 분류의 기준이며, 사전 등재의 기본 단위이다. 단어는 띄어 쓰는 것을 원칙으로 하며, 조사는 앞말에 붙여 쓴다.

① 자립성이 없는 조사가 단어로 인정받는 이유는 쉽게 분리될 수 있기 때문이다. 반면에 어미는 자립성이 없고 앞말과 분리할 수 없으므로 단어로 보지 않는다.

② 의존 명사와 보조 용언은 자립성이 결여되어 있으나, 자립 형태소의 출현 환경에서 나타나고 의미도 문법적인 것이 아니므로 준자립어로 간주하여 단어로 분류한다.

③ 복합어의 경우 형태소는 두 개 이상으로 나눌 수 있지만 한 단어로 여긴다.

단권화 MEMO

■ '으'를 보는 관점
'으'를 매개 모음으로 보는 입장도 있다.

4 문법 단위의 분석

하늘이 맑았다.													
음소	ㅎ	ㅏ	ㄴ	ㅡ	ㄹ	ㅣ	ㅁ	ㅏ	ㄺ	ㅏ	ㅆ	ㄷ	ㅏ
음절	하		느		리		말			갇		따	
형태소	하늘					이	맑			았		다	
단어(낱말)	하늘					이	맑았다						
어절	하늘이						맑았다						
문장	하늘이 맑았다.												

02 단어의 형성

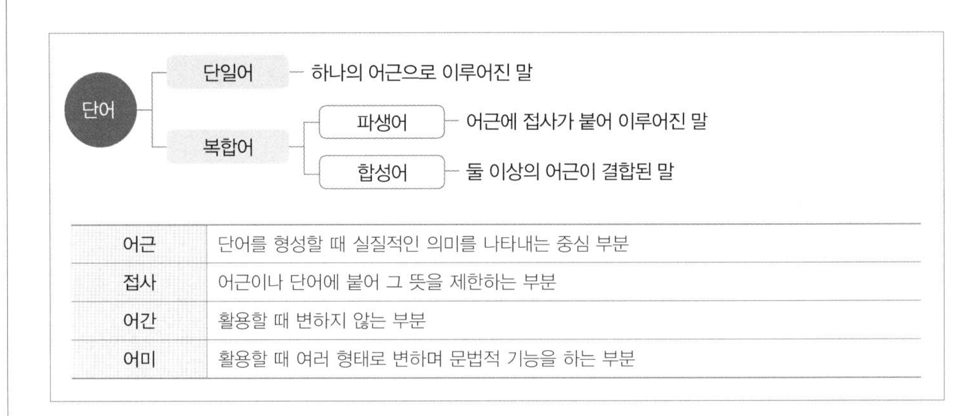

어근	단어를 형성할 때 실질적인 의미를 나타내는 중심 부분
접사	어근이나 단어에 붙어 그 뜻을 제한하는 부분
어간	활용할 때 변하지 않는 부분
어미	활용할 때 여러 형태로 변하며 문법적 기능을 하는 부분

1 단일어

하나의 어근으로 된 단어이다. 예 산, 하늘, 꽃, 맑다

2 복합어

둘 이상의 어근이 결합하여 이루어진 단어(합성어)나, 하나의 어근에 파생 접사가 결합하여 이루어진 단어(파생어)이다.

더 알아보기 합성어와 파생어

1. 합성어

어깨+동무, 앞+뒤, 작(은)+아버지, 뛰(어)+나다, 학+교, 코+(웃-+-음)

- '작은아버지'의 '작은'의 경우 어간 '작-'에 관형사형 전성 어미 '-은'이 결합된 형태이므로 '작은아버지'는 합성어로 본다.
- '학교'는 한자어끼리의 결합이므로 합성어로 본다.
- '코웃음'의 '-음'은 접미사이지만 결합 방식이 '(코웃)+-음'이 아닌 '코+(웃음)'이므로 합성어로 본다.

2. 파생어

풋-+사랑, 치-+솟(다), 잡+-히(다), (평+화)+-적, (공+부)+-하다
새큼(어근)+달큼(어근)+-하-(파생 접사)+-다(굴절 접사)

- '새큼달큼하다'의 경우 결합 방식이 '(새큼달큼)+-하다'이므로 파생어로 본다.

■ **접두사 '작은-'**
'작은-' 자체를 접두사로 보는 견해도 존재하는데, 이 관점에서 보면 '작은아버지'는 파생어이다.

3 파생어

단권화 MEMO

어근의 앞이나 뒤에 접사가 붙어서 만들어진 단어를 '파생어'라고 한다.

1. 어근과 접사

(1) 어근

단어를 형성할 때 실질적인 의미를 나타내는 중심 부분을 '어근'이라고 한다.

예 '덮개'의 '덮-', '군소리'의 '소리'

(2) 접사

어근에 붙어 그 뜻을 제한하거나 품사를 바꾸는 형식 형태소를 '접사'라고 한다. 품사의 전성 여부에 따라 한정적 접사와 지배적 접사로, 위치에 따라 접두사와 접미사로 구분할 수 있다.

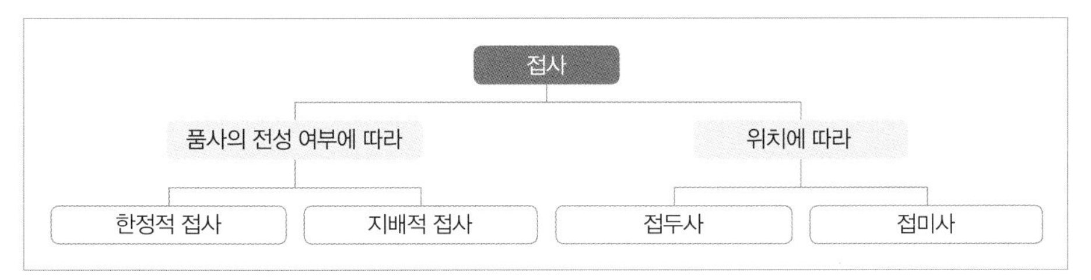

① **한정적 접사:** 어근과 결합하여 그 뜻을 한정함으로써 뜻만 첨가해 주는 접사

② **지배적 접사:** 어근과 결합하여 품사를 바꾸어 주는 접사

③ **접두사:** 어근 앞에 놓이는 접사를 '접두사'라고 한다. 접두사는 대부분 특정한 뜻을 더하거나 강조(한정적 접사)하면서 새로운 말을 만들어 내며, 품사를 바꾸는 것(지배적 접사)도 극소수 존재한다.

관형사성 접두사	체언(명사)과 결합하며, 관형사적 기능을 함 예 군소리, 날고기, 맨손, 돌배, 한겨울
부사성 접두사	용언(동사, 형용사)과 결합하며, 부사적 기능을 함 예 • 접두사+동사: 짓누르다, 엿보다, 치솟다 • 접두사+형용사: 새까맣다, 드높다
통용 접두사	명사와 용언에 모두 결합 가능 예 덧신/덧신다, 뒤범벅/뒤섞다, 올벼/올되다, 헛수고/헛되다

④ **접미사:** 어근 뒤에 놓이는 접사를 '접미사'라고 한다. 접미사는 어근에 뜻을 더하는 한정적 기능뿐만 아니라 어근의 품사를 바꾸는 지배적 기능도 하면서 새로운 말을 만들어 낸다. 접두사에 비해 그 수와 분포가 매우 다양하다. 접미사에 의한 파생어가 많을 때는 접미사의 원형을 밝혀 적고(규칙적 접미사), 그렇지 않은 경우에는 원형을 밝히지 않는다(불규칙적 접미사).

2. 접두사에 의한 파생어

(1) **관형사성 접두사:** 파생 명사를 만든다.

접두사	의미	예
가-	① 임시적인	가건물, 가계약, 가등기
	② 가짜, 거짓	가성명, 가주소, 가문서

단권화 MEMO

접두사	의미	예
강-	① 다른 것이 섞이지 않은	강굴, 강술
	② 마른, 물기가 없는	강기침, 강모
	③ 억지스러운	강울음, 강호령
개-	① 야생 상태의, 질이 떨어지는	개살구, 개떡
	② 헛된, 쓸데없는	개꿈, 개수작, 개죽음
	③ 정도가 심한	개망나니, 개잡놈
겉-	① 겉으로만 보아 대강하는	겉가량, 겉대중, 겉어림
	② 실속과는 달리 겉으로만 그러한	겉대답, 겉멋, 겉치레
	③ 껍질을 벗기지 않은 채로 그냥	겉밤, 겉수수
겹-	① 면이나 선 따위가 포개져 있는	겹주머니, 겹치마
	② 비슷한 사물이나 일이 거듭된	겹경사
공-	① 힘이나 돈이 들지 않은	공것, 공돈, 공밥
	② 빈, 효과가 없는	공수표, 공염불
군-	① 쓸데없는	군것, 군글자, 군기침
	② 가외로 더한, 덧붙은	군사람, 군식구
날-	① 말리거나 익히거나 가공하지 않은	날것, 날김치, 날고기
	② 다른 것이 없는	날바늘, 날바닥
	③ 장례를 다 치르지 않은	날상가, 날상제, 날송장
	④ 지독한	날강도, 날건달, 날도둑놈
	⑤ 경험이 없어 어떤 일에 서투른	날뜨기, 날짜
내-	안[內]	내분비, 내출혈
늦-	늦은	늦더위, 늦바람
덧-	거듭된, 겹쳐 신거나 입는	덧저고리, 덧신
돌-	품질이 떨어지는, 야생으로 자라는	돌배, 돌감, 돌조개
둘-	새끼나 알을 낳지 못하는	둘암소, 둘암캐, 둘암탉
들-	야생으로 자라는	들벌, 들소, 들국화
막-	① 거친, 품질이 낮은	막고무신, 막국수, 막소주
	② 닥치는 대로 하는	막노동, 막말, 막일
	③ 마지막의	막둥이, 막차, 막판
말-	큰	말벌, 말매미, 말개미
맏-	① 맏이	맏며느리, 맏사위
	② 그해에 처음 나온	맏나물, 맏배
맞-	마주 대하여 하는, 서로 엇비슷한	맞고함, 맞담배, 맞대결
맨-	다른 것이 없는	맨땅, 맨발, 맨주먹
맹-	아무것도 섞지 않은	맹물, 맹탕
명-	이름난, 뛰어난	명문장, 명배우
몰-	모두 한곳으로 몰린	몰매, 몰표
민-	① 꾸미거나 딸린 것이 없는	민가락지, 민돗자리, 민얼굴
	② 그것이 없는	민꽃, 민등뼈, 민무늬

접두사	의미	예
밭-	바깥	밭다리, 밭사돈, 밭주인
범-	그것을 모두 아우르는	범태평양, 범세계적
복-	단일하지 않은, 겹친	복자음, 복수
불-	① 몹시 심한	불가물, 불깍쟁이, 불상놈, 불호령
	② 붉은 빛깔을 가진	불개미, 불곰
	③ 아님, 아니함, 어긋남	불가능, 불경기, 불공정, 불균형
빗-	기울어진	빗금, 빗면
살-	온전하지 못함	살얼음
생-	① 익지 아니한	생김치, 생나물, 생쌀
	② 물기가 아직 마르지 아니한	생가지, 생나무, 생장작
	③ 가공하지 아니한	생가죽, 생맥주
	④ 직접적인 혈연관계인	생부모, 생어머니
	⑤ 억지스러운, 공연한	생고생, 생과부, 생이별, 생떼, 생트집
	⑥ 지독한, 혹독한	생급살, 생지옥
	⑦ 얼리지 아니한	생고기, 생새우
선-	① 서툰, 충분치 않은	선무당, 선웃음, 선잠
	② 앞선	선보름, 선이자
	③ 이미 죽은	선대왕, 선대인
수-	① 새끼를 배지 않거나 열매를 맺지 않는	수꿩, 수소, 수캐, 수탉, 수탕나귀, 수퇘지, 수평아리
	② 길게 튀어나온 모양의	수나사, 수단추, 수키와, 수톨쩌귀, 수틀
숫-	① 새끼를 배지 않는	숫양, 숫염소, 숫쥐
	② 더럽혀지지 않아 깨끗한	숫눈, 숫백성, 숫사람
시-	남편의	시아버지, 시어머니, 시동생
실-	가느다란, 엷은	실비, 실개천, 실버들
알-	① 진짜, 알짜	알가난, 알건달, 알거지
	② 겉을 덮어 싼 것이나 딸린 것을 다 제거한	알감, 알몸, 알바늘
	③ 작은	알바가지, 알요강, 알항아리
암-	① 새끼를 배거나 열매를 맺는	암놈, 암사자
	② 오목한 형태를 가진	암나사, 암단추
애-	① 어린, 작은	애호박, 애벌레
	② 맨 처음	애당초
양-	① 서구식의, 외국에서 들어온	양변기, 양송이, 양담배
	② 직접적인 혈연관계가 아닌	양부모, 양아들
얼-	덜된, 모자라는, 어중간한	얼뜨기, 얼치기
엇-	어긋난, 어긋나게 하는	엇각, 엇결, 엇길
올-	생육 일수가 짧아 빨리 여무는	올벼

단권화 MEMO

단권화 MEMO

접두사	의미	예
외-	① 혼자인, 하나인, 한쪽에 치우친	외아들, 외갈래, 외기러기, 외골수
	② 모계 혈족 관계인	외삼촌, 외할머니
	③ 밖, 바깥	외분비, 외출혈
웃-	위	웃거름, 웃국, 웃돈, 웃어른
원-	본래의, 바탕이 되는	원그림, 원말
잔-	가늘고 작은, 자질구레한	잔가지, 잔꾀, 잔소리
잡-	① 여러 가지가 뒤섞인, 자질구레한	잡상인, 잡수입, 잡것
	② 막된	잡놈
주-	그 나라에 머물러 있는	주미, 주한
준-	구실이나 자격이 그 명사에는 못 미치나 그에 비길 만한	준결승, 준우승
중-	① 무거운	중금속, 중장비, 중공업
	② 심한	중병, 중환자, 중노동
짓-	심한	짓고생, 짓망신
짝-	쌍을 이루지 못한	짝버선, 짝귀, 짝눈
쪽-	① 작은	쪽담, 쪽문
	② 작은 조각으로 만든	쪽걸상, 쪽김치
차-	끈기가 있어 차진	차조, 차좁쌀
찰-	① 끈기가 있고 차진	찰떡, 찰벼, 찰옥수수, 찰흙
	② 매우 심한, 지독한	찰가난, 찰거머리
	③ 제대로 된, 충실한	찰개화, 찰교인
	④ 품질이 좋은	찰가자미, 찰복숭아
참-	① 진짜, 진실하고 올바른	참뜻, 참사랑
	② 품질이 우수한	참먹, 참흙, 참젖
	③ 먹을 수 있는	참꽃
초-	① 어떤 범위를 넘어선, 정도가 심한	초강대국, 초음속, 초만원
	② 처음, 초기	초대면, 초봄
최-	가장, 제일	최고위, 최우수, 최전방
친-	① 혈연관계로 맺어진	친부모, 친아들, 친형제
	② 부계 혈족 관계인	친삼촌, 친할머니
	③ 그것에 찬성하는	친미, 친정부
통-	① 통째	통가죽, 통마늘, 통닭
	② 온통, 평균	통거리
풋-	① 처음 나온, 덜 익은	풋고추, 풋김치
	② 미숙한, 깊지 않은	풋사랑, 풋잠
피-	그것을 당함	피보험, 피압박, 피정복
한-	① 큰	한걱정, 한길, 한시름
	② 정확한, 한창인	한가운데, 한겨울, 한낮, 한복판

접두사	의미	예
핫-	① 짝을 갖춘	핫아비, 핫어미
	② 솜을 둔	핫것, 핫바지, 핫이불
항-	그것에 저항하는	항균, 항암제
해-	그해에 난	해콩, 해팥
햇-	그해에 난	햇감자, 햇과일
헛-	이유 없는, 보람 없는	헛걸음, 헛고생, 헛소문
홀-	짝이 없이 혼자뿐인	홀몸, 홀시아버지, 홀시어머니
홑-	한 겹으로 된, 하나인, 혼자인	홑바지, 홑옷, 홑이불

(2) 부사성 접두사: 파생 동사, 파생 형용사를 만든다.

접두사	의미	예
겉-	어울리거나 섞이지 않고 따로	겉놀다, 겉돌다
공-	쓸모없이	공돌다, 공치다
늦-	늦게	늦되다, 늦들다
덧-	거듭, 겹쳐	덧나다, 덧대다
데-	불완전하게, 불충분하게	데삶다, 데알다, 데익다
되-	① 도로	되돌아가다, 되찾다, 되팔다
	② 도리어, 반대로	되깔리다, 되넘겨짚다
	③ 다시	되살리다, 되새기다, 되씹다
뒤-	① 몹시, 마구, 온통	뒤섞다, 뒤엉키다
	② 반대로, 뒤집어	뒤바꾸다, 뒤엎다
드-	심하게, 높이	드날리다, 드넓다, 드세다
들-	무리하게 힘을 들여, 마구, 몹시	들볶다, 들끓다, 들쑤시다
들이-	몹시, 마구, 갑자기	들이갈기다, 들이닥치다
맞-	마주, 서로 엇비슷하게	맞들다, 맞물다, 맞바꾸다
몰-	모두 한곳으로, 모두 한곳에	몰밀다, 몰박다
빗-	잘못	빗나가다, 빗맞다
새-	매우 짙고 선명하게	새까맣다, 새빨갛다
샛-	매우 짙고 선명하게	샛노랗다
설-	충분하지 못하게	설익다, 설마르다, 설깨다
시-	매우 짙고 선명하게	시꺼멓다, 시뻘겋다, 시뿌옇다
싯-	매우 짙고 선명하게	싯누렇다, 싯멀겋다
얼-	분명하지 못하게, 대충	얼넘어가다, 얼버무리다
엿-	몰래	엿듣다, 엿보다
올-	빨리	올되다
외-	홀로	외떨어지다
짓-	마구, 함부로, 몹시	짓밟다, 짓누르다, 짓이기다

단권화 MEMO

단권화 MEMO

접두사	의미	예
처-	마구, 많이	처먹다, 처넣다
치-	위로 향하게, 위로 올려	치솟다, 치뜨다
헛-	보람 없이, 잘못	헛살다, 헛디디다
휘-	마구, 매우 심하게	휘갈기다, 휘감다, 휘날리다

3. 접미사에 의한 파생어

(1) 어근에 뜻을 더해 주는 한정적 접미사

접미사	의미	예
-가	① 그것을 전문적으로 하는 사람	건축가, 평론가
	② 그것에 능한 사람	전략가, 전술가
	③ 그것을 많이 가진 사람	자본가
	④ 그 특성을 지닌 사람	애연가, 대식가
	⑤ 가문	세도가, 명문가
-간	동안	이틀간, 한 달간, 삼십 일간
-거리	비하	떼거리, 패거리, 짓거리
-구	① 구멍, 구멍이 나 있는 장소	분화구, 통풍구
	② 출입구	비상구
	③ 창구	매표구, 접수구
	④ 용구, 도구	운동구, 필기구
-기	① 기운, 느낌, 성분	시장기, 소금기, 기름기
	② 기록	여행기, 유람기, 일대기
	③ 기간, 시기	유아기, 청년기
	④ 도구, 기구	녹음기, 주사기
	⑤ 그러한 활동을 위한 기관	생식기, 소화기
	⑥ 그런 기능을 하는 기계 장비	비행기, 전투기
-깔	상태, 바탕	빛깔, 성깔
-껏	그때까지 내내	지금껏, 아직껏
-꾸러기	그것이 심하거나 많은 사람	욕심꾸러기, 장난꾸러기
-꾼	① 어떤 일을 전문적으로 하는 사람, 어떤 일을 잘하는 사람	살림꾼, 소리꾼, 장사꾼, 씨름꾼, 심부름꾼
	② 어떤 일을 습관적으로 하는 사람, 어떤 일을 즐겨 하는 사람	낚시꾼, 노름꾼, 말썽꾼, 잔소리꾼, 주정꾼
	③ 어떤 일 때문에 모인 사람	구경꾼, 일꾼
	④ 어떤 일을 하는 사람을 낮잡음	건달꾼, 도망꾼, 모사꾼
	⑤ 어떤 사물이나 특성을 많이 가진 사람	건성꾼, 꾀꾼, 만석꾼, 재주꾼
-끼리	그 부류만이 서로 함께	우리끼리
-내기	① 그 지역에서 태어나고 자라서 그 지역 특성을 지니고 있는 사람	서울내기, 시골내기
	② 그런 특성을 지닌 사람	풋내기, 신출내기

접미사	의미	예
-네	① 그러한 부류 또는 그러한 부류에 속하는 사람	동갑네, 아낙네
	② 그 사람이 속한 가족 따위의 무리	아저씨네, 영희네
-님	① 높임의 뜻	사장님, 총장님
	② 그 대상을 인격화하여 높임	달님, 별님
	③ 그 대상을 높이고 존경의 뜻을 더함	공자님, 맹자님
-다랗다	그 정도가 꽤 뚜렷함	높다랗다, 굵다랗다
-데기	관련된 일을 하거나 그런 성질이 있음	부엌데기, 새침데기
-둥이	그러한 성질이 있거나 관련이 있는 사람	귀염둥이, 바람둥이
-들	복수(複數)	사람들, 너희들, 사건들
-딱지	비하	고물딱지, 화딱지
-뜨기	부정적 속성을 가진 사람	시골뜨기, 촌뜨기
-때기	비하	배때기, 볼때기
-뜨리다/ -트리다	강조	밀어뜨리다, 떨어트리다
-리	가운데, 속	비밀리, 성황리
-맞이	어떤 것을 맞이함	달맞이, 손님맞이, 추석맞이
-맡	가까운 곳	머리맡
-매	생김새, 맵시	눈매, 몸매, 옷매
-머리	비하	싹수머리, 안달머리, 인정머리
-바가지	매우 심함(속되거나 놀림조로)	주책바가지, 고생바가지
-발	기세, 힘, 효과	말발, 약발
-배기	① 그 나이를 먹은 아이	두 살배기
	② 그것이 들어 있거나 차 있음	나이배기
	③ 그런 물건	공짜배기, 진짜배기
-뱅이	그것을 특성으로 가진 사람, 사물	가난뱅이, 게으름뱅이, 안달뱅이
-빼기	① 비하	얽둑빼기, 외줄빼기, 코빼기
	② 그런 특성이 있는 사람이나 물건	곱빼기, 악착빼기
-보	① 특성이나 특징을 지닌 사람	꾀보, 싸움보
	② 그것이 쌓여 모인 것	심술보, 웃음보
	③ 보좌하는 직책	주사보, 차관보
-붙이	① 같은 겨레	살붙이, 피붙이
	② 무엇에 딸린 같은 종류	쇠붙이, 금붙이
-새	모양, 상태, 정도	짜임새, 모양새
-살이	어떤 일에 종사하거나 어디에 기거하여 사는 생활	머슴살이
-상	① 그것과 관계된 입장, 그것에 따름	미관상, 사실상
	② 추상적인 공간에서의 한 위치	인터넷상

단권화 MEMO

단권화 MEMO

접미사	의미	예
-씨	① 태도, 모양	마음씨, 말씨
	② 성씨, 가문	김씨, 이씨
-어치	그 값에 해당하는 분량	천 원어치
-여	그 수를 넘은	10여 일
-이-, -히-, -리-, -기-	사동과 피동	먹이다, 잡히다, 얼리다, 남기다
-잡이	① 잡는 일	고기잡이
	② 다루는 사람	총잡이
-장이	그것과 관련된 기술을 가진 사람	옹기장이
-쟁이	그것이 나타내는 속성을 많이 가진 사람	겁쟁이, 멋쟁이
-질	① 직업, 직책, 좋지 않은 행위의 비하	도둑질, 선생질, 노름질
	② 그 도구를 가지고 하는 일	가위질, 걸레질
	③ 그 신체 부위를 이용한 행위	곁눈질, 손가락질
	④ 그런 소리를 내는 행위	딸꾹질
-집	① 크기, 부피	몸집, 살집
	② 그것이 생긴 자리, 흔적	물집, 흠집
-짝	비하	낯짝, 등짝
-채	구분된 건물 단위	문간채, 바깥채, 사랑채
-치	① 강조	밀치다
	② 물건	당년치, 중간치
	③ 값	기대치, 최고치
-치레	① 치러 내는 일	병치레, 손님치레
	② 겉으로만 꾸미는 일	말치레, 인사치레
-한	그와 관련된 사람	무뢰한, 파렴치한
-희	복수	저희

(2) 품사를 바꾸어 주는 지배적 접미사

① 명사 파생 접미사

접미사	예
-ㅁ/-음/-이	슬픔, 얼음, 놀이, 높이, 깜빡이
-기	쓰기, 본보기
-개	덮개, 지우개, 오줌싸개
-애	마개(막+애), 얼개(얽+애)
-게	지게
-어지	나머지(남+어지)
-엄	무덤(묻+엄), 주검(죽+엄)
-웅	마중(맞+웅)

단권화 MEMO

② 동사 파생 접미사

접미사	예
-하(다)	눈농하다, 공부하다
-이-	깜박이다

③ 형용사 파생 접미사

접미사	예
-하(다)	가난하다, 씩씩하다
-답-	아름답다, 학생답다
-스럽-	자랑스럽다
-업-	미덥다(믿+업+다)
-브-	미쁘다(믿+브+다), 아프다(앓+브+다), 슬프다(슳+브+다)
-읍-	우습다(웃+읍+다)
-ㅂ-	그립다(그리+ㅂ+다)
-롭-	명예롭다
-지-	값지다, 멋지다

④ 부사 파생 접미사

접미사	예
-이 / -히	많이, 반듯이, 깨끗이, 끔찍이, 깊숙이, 급히, 넉넉히
-오 / -우	비로소(비롯+오), 도로(돌+오), 너무(넘+우), 마주(맞+우)
-로	새로, 날로, 진실로
-내	끝내, 마침내
-껏	정성껏, 마음껏

⑤ 관형사 파생 접미사

접미사	예
-적	우호적, 물질적
-까짓	그까짓

4 합성어

어근과 어근이 결합해서 만들어진 단어를 '합성어'라고 한다. 합성어는 어근의 결합 방식, 통사적 구성 방식과의 일치 여부, 합성어의 품사에 따라 다음과 같이 구분할 수 있다.

(1) 어근의 결합 방식에 따른 분류

구분	합성 방법	예
대등 합성어	두 어근이 본래의 뜻을 유지하고 대등하게 결합한 합성어	앞뒤, 손발
종속 합성어	두 어근이 본래의 뜻을 유지하고 결합하되, 한 어근이 다른 한 어근에 종속되어 있는 합성어(한 어근이 다른 어근을 수식함)	돌다리, 국밥
융합 합성어	두 어근의 결합 결과, 두 어근과는 완전히 다른 제3의 의미가 도출되어 나온 합성어	춘추, 세월

단권화 MEMO

■ '연결 어미'의 종류
-아/-어, -게, -지, -고

■ 비통사적 합성어의 구분
• 조사 생략: 통사적 합성어
• 어미 생략: 비통사적 합성어

(2) 통사적 구성 방식과의 일치 여부에 따른 분류

① **통사적 합성어**: 두 어근의 결합 방식이 우리말의 일반적인 단어 배열 방법과 일치하는 합성어

합성 방법	예
명사+명사	손발, 밤낮, 손등, 코웃음
관형어+체언	첫사랑, 군밤, 새해, 어린이
부사+부사	곧잘, 이리저리
부사+용언	잘나다, 못나다
체언+(조사 생략)+용언	힘들다, 장가가다, 본받다, 값싸다
용언+연결 어미+용언	들어가다, 돌아가다, 뛰어가다
한자어의 결합이 우리말 어순과 일치하는 경우	북송(北送), 전진(前進)

② **비통사적 합성어**: 두 어근의 결합 방식이 우리말의 일반적인 단어 배열 방법과 일치하지 않는 합성어

합성 방법	예
용언+(관형사형 전성 어미 생략)+체언	꺾쇠, 감발, 덮밥, 접칼
용언+(연결 어미 생략)+용언	여닫다, 우짖다, 검푸르다, 뛰놀다, 오가다
부사+체언	부슬비, 산들바람
우리말 어순과 다른 경우 참 한자어에서 많이 나타나는 구성임	독서(讀書), 급수(給水), 등산(登山)

(3) 합성어의 품사에 따른 분류

구분	합성 방법		관계	예
합성 명사	통사적 합성어	명사+명사	대등 관계	손발, 마소, 집집, 까막까치
			수식어+피수식어 (수식 관계)	물결, 산울림, 돌다리, 뱃노래, 젖어미
		관형어+체언	관형사+명사 (수식 관계)	이승, 저승, 새마을
			용언의 관형사형+명사 (수식 관계)	작은집, 큰물, 어린이, 빈주먹
	비통사적 합성어	용언+명사	용언의 어근+(어미 생략)+명사	꺾쇠, 감발, 덮밥
		부사+명사	의성/의태 부사+명사	부슬비, 산들바람
			부사+명사	혼잣말
합성 대명사	통사적 합성어		지시 관형사+의존 명사	이것, 그것, 저것 / 이이, 그이, 저이 / 이분, 그분, 저분
			대명사의 반복	누구누구
합성 수사	통사적 합성어		수사+수사	예닐곱

합성 동사	통사적 합성어	체언+용언	주어+(조사 생략)+서술어	철들다
			목적어+(조사 생략)+서술어 (타동사)	본받다, 장가들다, 힘쓰다
		용언+용언	본동사+보조적 연결 어미+보조 동사	빌어먹다, 돌아가다, 지나가다, 일어서다, 짊어지다, 나오다
		부사어+용언	부사+용언 (한정 관계)	가로지르다, 마주서다, 잘하다, 잘되다
			부사어+(조사 생략)+용언	앞서다, 뒤서다
	비통사적 합성어	용언+용언	용언+(연결 어미 생략)+용언 (대등 관계)	여닫다, 우짖다
			용언+(연결 어미 생략)+용언 (주종 관계)	뛰놀다
합성 형용사	통사적 합성어	체언+용언	주어+(조사 생략)+서술어	낯설다, 맛있다, 대중없다, 맛나다, 힘차다
		용언+용언	본용언+보조적 연결 어미+보조 용언	깎아지르다
		부사어+용언	부사어+(조사 생략)+서술어	남부끄럽다
			부사+서술어	덜되다
	비통사적 합성어	용언+용언	형용사+(연결 어미 생략)+형용사	굳세다, 검푸르다, 높푸르다
합성 관형사	통사적 합성어		관형사+관형사	한두
			관형사+명사	온갖
			수사+동사의 관형사형	스무남은
			형용사+형용사의 관형사형	기나긴
합성 부사	통사적 합성어		명사+(조사 생략)+명사	밤낮, 구석구석, 하루하루
			대명사+부사	제각각
			관형사+명사	온종일, 한바탕
			부사+부사	곧잘
			부사+동사	가끔가다
			동일한 수사의 반복	하나하나
			동일한 부사의 반복	철썩철썩, 울긋불긋, 구불구불, 느릿느릿
합성 감탄사	통사적 합성어		감탄사+감탄사	얼씨구절씨구
			감탄사+명사	아이참
			관형사+명사	웬걸
			명사+명사	자장자장

단권화 MEMO

단권화 MEMO

03 품사

단어들을 성질이 공통된 것끼리 모아 갈래를 지어 놓은 것을 '품사'라고 한다. 품사는 형태, 기능, 의미에 따라 다음과 같이 구분할 수 있다.

(1) 형태에 따른 분류

단어의 형태 변화가 있는지 없는지에 따른 분류이다.

명칭	분류 기준
가변어	• 단어의 형태가 변함 • 용언, 서술격 조사가 해당됨
불변어	• 단어의 형태가 변하지 않음 • 체언, 관계언, 수식언, 독립언이 해당됨

(2) 기능에 따른 분류

단어가 문장 내에서 하는 역할(문장 성분)에 따른 분류로, '5언'이라고 지칭한다.

명칭	분류 기준
체언	대체로 문장에서 주어가 되는 자리에 놓여 주체의 역할을 하는 기능
관계언	체언에 붙어 문법적 관계를 표시하거나 뜻을 더해 주는 기능
용언	문장의 주체를 서술하는 기능
수식언	체언이나 용언 앞에 놓여 체언이나 용언을 꾸미거나 의미를 한정하는 기능
독립언	문장 속에서 다른 단어와 어울리지 않고 독립적으로 쓰임

(3) 의미에 따른 분류

단어가 가지는 의미에 따른 분류로, '9품사'라고 지칭한다.

명칭		분류 기준
체언	명사	사물의 명칭을 표시
	대명사	사물의 명칭을 대신하여 표시
	수사	사물의 수와 차례를 표시
관계언	조사	말과 말의 관계를 표시
용언	동사	사물의 움직임을 표시
	형용사	사물의 성질, 상태, 존재를 표시
수식언	관형사	체언 앞에 놓여 체언을 수식
	부사	용언 앞에 놓여 사물의 움직임, 성질, 상태를 한정
독립언	감탄사	느낌이나 부름, 대답을 표시

1 체언: 명사, 대명사, 수사

(1) 개념

문장의 주체가 되는 자리에 쓰이는 단어의 갈래를 '체언'이라고 한다. '명사, 대명사, 수사'를 체언으로 구분할 수 있다.

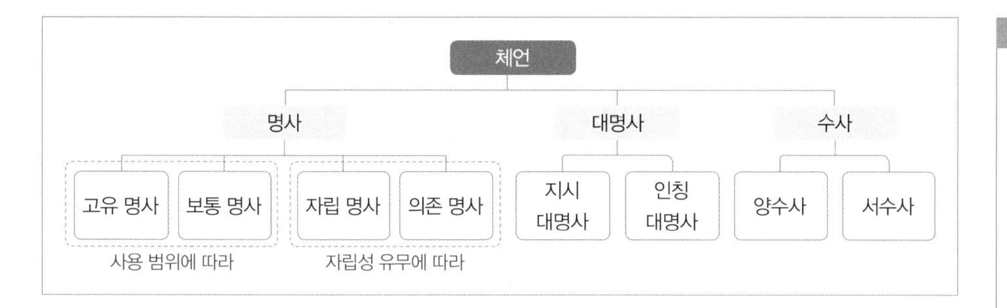

(2) 특징

① **기능**: 문장에서 주로 '주어'가 되는 자리에 놓여, 문장의 주체가 되는 구실을 한다. 용법에 따라 체언적 기능(주어 · 목적어 · 보어), 서술적 기능(체언+이다), 수식적 기능(관형어 · 부사어), 독립적 기능(독립어)을 가진다.

② **형태**: 체언은 활용할 수 없으며, 어형이 고정된 불변어이다.

③ **조사와의 결합**: 체언의 모든 기능은 원칙적으로 체언에 조사가 결합하여 이루어진다. 또한 조사를 통해 격 표시가 이루어진다.

④ **관형어의 수식**: 일반적으로 체언은 관형어의 수식을 받을 수 있으나 체언 중에서 대명사는 관형사의 수식을, 수사는 관형사와 용언의 관형사형의 수식을 받을 수 없는 경우가 있다.

1. 명사

사람이나 사물, 장소 등의 이름을 나타내는 단어의 묶음을 '명사'라고 한다.

(1) 특징

① 명사는 문장에서 조사와 함께 여러 문장 성분(주어, 목적어, 서술어 등)으로 쓰일 수 있다.

② 다른 체언들과는 다르게 관형사의 수식을 받을 수 있다.

③ 복수형 표현이 가능하다.

(2) 사용 범위에 따른 분류

구분	설명
고유 명사	특정한 사람이나 사물에 붙인 이름 예 사람 이름(이순신), 나라명(대한민국), 책 이름(열하일기)
보통 명사	일반적인 사물의 이름 예 자동차, 꽃, 시계, 책

■ **고유 명사와 보통 명사**
고유 명사와 보통 명사의 분류 기준은 절대적인 척도에 의한 것이 아니라, 가리키는 범위가 넓으면 넓을수록 보통 명사에 가깝고, 좁을수록 고유 명사에 가깝다.

더 알아보기 고유 명사의 특징

① '이', '모든', '새' 등 관형사의 수식을 받을 수 없다.
예 이 영자가 저 영자를 때렸다. (×)

② 복수 표현이 어렵다.
예 영자들이 마구 몰려 왔다. (×)

③ 수와 관련된 말과 결합하지 않는다.
예 두 백제가 (×), 설악산마다 (×)

④ 복수형을 취하면 보통 명사가 되기도 한다.
예 우리는 장래의 세종대왕들을 기다린다.

⑤ 보통 명사가 사람이나 사물의 명칭으로 고정되어 쓰이면 고유 명사가 된다.
예 솔은 내가 즐겨 피우는 담배이다. (담배 이름)

⑥ 같은 이름이지만 실체가 다르면 각각 고유 명사이다.
예 금강산의 비로봉은 오대산의 비로봉보다 웅장하다.

단권화 MEMO

＊의존 명사

- 자립성이 없으면서도 명사로 인정을 받는 것은 뒤에 격 조사를 취하고 그 앞에 관형어의 수식을 받기 때문이다.
- 단독으로 쓰이지 못하고 문장의 첫머리에 놓일 수 없기 때문에 불완전하다.
- 일반 명사처럼 실질적인 의미를 나타내지 못하고, '일, 곳, 내용, 사람' 등의 실질적인 의미를 간접적으로 나타낸다.

(3) 자립성 유무에 따른 분류

구분		내용
자립 명사		문장에서 다른 말의 도움을 받지 않고 여러 성분으로 쓰이는 명사 예 자동차, 꽃, 시계, 책
의존 명사*		명사의 성격을 띠면서도 그 의미가 형식적이어서 홀로 자립하여 쓰이지 못하고 반드시 관형어가 있어야만 문장에 쓰일 수 있는 명사 예 것, 데, 바, 수, 이
	보편성 의존 명사	• 격 조사가 붙어 주어, 목적어, 서술어 등으로 쓰이는 의존 명사 예 것, 분, 데, 바 • 문장의 여러 성분에 두루 쓰인다. 예 것이, 것을, 것에 • 보편성 의존 명사 중 대표적인 것은 '것'으로, 자립 명사의 대용 이외에도 여러 가지 특수한 기능을 한다. 예 • 선행 체언 지시: 우리 집의 백자는 조선 시대 후기의 것입니다. ('백자'를 지시) • 문장의 뜻 강조: 그들은 무한한 행복을 추구하고 있는 것이다.
	주어성 의존 명사	• 주로 주격 조사가 붙어 주어로 쓰이는 의존 명사 예 지, 수, 리, 나위 • 주격 조사와 결합하여 주어로 쓰이지만 주격 조사가 생략될 때도 있다. 예 이곳에 온 지가 벌써 한 해가 가까워 온다. / 나도 어쩔 수가 없었다. / 그럴 리 없다.
	서술성 의존 명사	• 주로 '이다'가 붙어 서술어로 쓰인다. 예 뿐, 터, 때문, 따름 • 서술어로 사용되며, '의존 명사+이다'의 형태나 '아니다'의 형태로 나타난다. 예 뿐이다, 터이다, 때문이 아니다
	부사성 의존 명사	• 주로 '하다' 앞에 와서 부사어로 쓰인다. 예 대로, 만큼, 듯, 채 • 부사격 조사와 결합하여 부사어로 쓰인다. • '뻔, 체, 양, 듯, 만' 등은 '하다'와 결합하여 동사, 형용사처럼 쓰이기도 한다. 예 비가 올 듯하다.
	단위성 의존 명사	• 수 관형사 다음에 쓰여 앞에 오는 명사의 수량 단위를 나타낸다. 예 마리, 자, 섬, 자루 • 선행하는 명사의 수량을 단위의 이름으로 지시하는 기능을 가진다. • 반드시 수 관형사와 결합한다. 예 사람이 열 명, 병이 다섯 개 • 자립 명사와 의존 명사의 기능을 함께 가지는 것도 있다. 예 나무 세 그루 - 그루만 남은 나무 / 막걸리 세 사발 - 사발에 담긴 막걸리

더 알아보기 의존 명사의 판별

① '만큼, 대로, 뿐'은 용언의 관형사형 뒤에 오면 '의존 명사'이지만, 체언 뒤에 오면 '조사'로 취급하여 붙여 쓴다.

예 • 대로: 아는 대로(의존 명사), 나는 나대로(조사)
• 만큼: 먹을 만큼(의존 명사), 너만큼 나도 안다.(조사)

② '법, 성, 만, 뻔, 체, 양, 듯, 척'이 혼자 쓰이면 의존 명사이고, '하다'와 함께 쓰이면 보조 용언이다.

예 척: 아는 척을 한다.(의존 명사), 아는 척한다.(동사)

③ 동일한 형태가 쓰임에 따라 의존 명사, 접미사, 어미로 구분되기도 한다. 이때, '의존 명사'는 앞말과 띄어 쓰고, '접미사'나 '어미'는 어근 또는 어간 뒤에 붙여 쓴다.

예 • 이: 말하는 이(의존 명사), 옮긴 이(의존 명사), 젖먹이/때밀이(접미사)
• 듯: 씻은 듯 깨끗하다.(의존 명사), 구름에 달 가듯(어미)

④ 동일한 형태가 쓰임에 따라 '의존 명사'와 '자립 명사'로 구분되기도 한다.

예 되: 열 되를 한 말이라고 한다.(의존 명사), 되는 말보다 적다.(자립 명사)

2. 대명사

사람이나 사물의 이름을 대신해서 그것을 직접 가리켜 이르는 단어의 묶음, 곧 명사를 대신하는 말을 '대명사'라고 한다.

(1) 특징

① 대명사는 조사가 붙어 격 표시가 이루어진다.
② 복수 표현이 가능하다.
③ 관형사의 수식을 받을 수 없지만, 용언의 관형사형의 수식은 받을 수 있다.

(2) 지시 대명사

① 개념: 사물이나 처소, 방향을 대신 가리키는 대명사를 '지시 대명사'라고 한다.

② 분류

구분	근칭	중칭	원칭	미지칭	부정칭
사물 대명사	이, 이것	그, 그것	저, 저것	무엇	–
처소 대명사	여기	거기	저기		–

③ 특징

㉠ '관형사+의존 명사'의 합성어 형태가 있다.
예 이것, 그것, 저것

㉡ '이, 그, 저'에 조사가 연결되거나 '이것, 그것, 저것'으로 바꿀 수 있으면 지시 대명사이다.
예 이를 보라. (→ 이것을 보라.)

㉢ '여기, 거기, 저기'가 주체 성분으로 쓰였으면 지시 대명사이고, 용언이나 문장 전체를 꾸미면 부사이다.
예 • 지시 대명사: 여기가 바로 대관령이다.
• 지시 부사: 바로 여기 있었구나.

(3) 인칭 대명사

① 개념: 사람을 대신 가리키는 대명사를 '인칭 대명사'라고 한다.

② 분류

㉠ 1인칭: 지시 대상이 화자 자신이다.
예 나, 우리, 저

㉡ 2인칭: 지시 대상이 청자이다.
예 너, 당신

㉢ 3인칭: 지시 대상이 제3의 인물이다.
예 이이, 그이, 저이

㉣ 미지칭: 대상의 이름이나 신분을 모를 때 쓰는 인칭 대명사로, 주로 의문문에 쓰인다.
예 누구 얼굴이 먼저 떠오르나?

㉤ 부정칭: 특정 인물을 가리키지 않는 인칭 대명사이다.
예 아무라도 응시할 수 있다. 누구든지 할 수 있으면 해라!

㉥ 재귀칭: 한 문장 안에서 앞에 나온 명사(주로 3인칭 주어)를 다시 가리킬 때 쓰는 인칭 대명사이다.
예 • 철수도 자기 잘못을 알고 있다.
• 그분은 당신 딸만 자랑한다.
• 중이 제(저+의) 머리를 못 깎는다.

단권화 MEMO

■ 대명사의 수식
• 관형사 ┌ 이 그들(×)
└ 저 그들(×)
• 관형사형 ┌ 즐거운 우리(○)
└ 젊은 그들(○)

단권화 MEMO

더 알아보기 대명사의 높임 표현

구분		아주 높임 (극존칭)	예사 높임 (보통 존칭)	예사 낮춤 (보통 비칭)	아주 낮춤 (극비칭)
1인칭		–	–	나, 우리	저, 저희
2인칭		당신, 어른, 어르신	당신, 임자, 그대	자네, 그대	너, 너희
3인칭	근칭	(이 어른)	이분	이이	–
	중칭	(그 어른)	그분	그이	–
	원칭	(저 어른)	저분	저이	–
	미지칭	(어느 어른)	(어느 분)	누구	
	부정칭	(아무 어른)	(아무 분)	아무	
	재귀칭	당신	자기	자기	저

3. 수사

사물의 수량이나 순서를 가리키는 단어를 '수사'라고 한다.

(1) 특징

① 수사는 조사가 붙어서 여러 문장 성분이 될 수 있다.
② 복수 접미사 '-들, -네, -희' 등이 붙어 복수가 될 수 없다는 점이 다른 체언과 다르다.
③ 특수한 경우를 제외하고는 관형사나 용언의 관형사형의 수식을 받을 수 없다.
예 저 둘은 단짝이다. (그만한 수의 사람 또는 동물을 가리키는 경우 관형사의 수식을 받음)
④ 고유어계 수사는 10단위에 제한하여 사용하며, 100단위 이상은 한자어계 수사가 사용된다.

(2) 분류

고유어계 수사	양수사	정수	하나, 둘, 셋, 스물
		부정수	한둘, 두셋, 예닐곱
	서수사	정수	첫째, 둘째, 다섯째, 마흔째
		부정수	한두째, 서너째, 너덧째
한자어계 수사	양수사	정수	일, 이, 삼, 이십, 백, 천
		부정수	일이, 이삼, 오륙
	서수사	정수	제일, 제이, 제삼, 일호, 이호
		부정수	없음

더 알아보기 수사의 판별

① 수 개념의 말이 조사를 취하면 '수사'이고, 취하지 않고 다음에 오는 체언을 수식하면 '관형사'이다.
예 하나의 사건(수사), 한 사건(관형사)
② 단순히 조사가 생략된 경우도 '수사'이다.
예 장비 하나 없이 등산 가니?
③ 차례를 나타내는 말이 사람을 지칭하거나, 무엇보다도 앞서는 것을 나타내는 경우 '명사'이다.
예 • 수사: 첫째로 물을 넣고 둘째로 간장을 넣는다.
• 명사: 첫째는 공무원이고, 둘째는 회사원이다. 신발은 첫째로 발이 편해야 한다.
④ '두 번째, 세 번째'의 형태는 수사가 아니라 '관형사+의존 명사'이다.
⑤ '하루, 이틀, 초승, 그믐'과 연월일, 요일, 시간의 말은 그 날짜와 시간의 이름이므로 '명사'이다.
예 1919년 3월 1일에 기미 독립 운동이 일어났다.

2 관계언: 조사

단권화 MEMO

자립 형태소(체언 따위) 뒤에 붙어서 다양한 문법적 관계를 나타내거나 의미를 추가하는 의존 형태소를 '조사'라고 한다. 조사는 문장에서의 역할에 따라 격 조사, 접속 조사, 보조사로 분류할 수 있다.

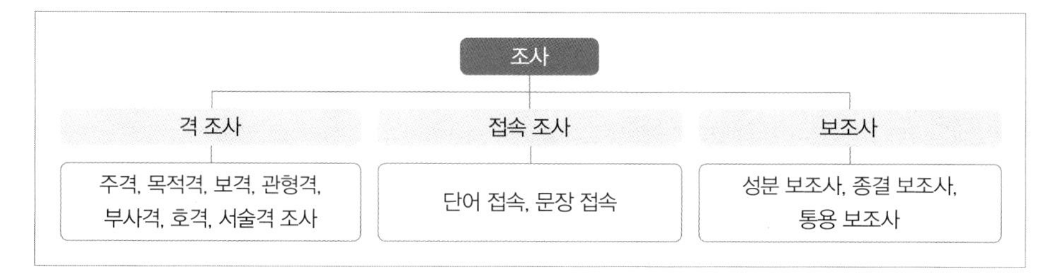

조사는 다음과 같은 특징을 가진다.

① 조사는 자립성이 없지만 자립성이 있는 말과 쉽게 분리될 수 있는 성격을 인정하여 단어로 취급한다.

② 조사는 기능적으로 보면 문법적 관계를 나타내거나(격 조사), 특별한 뜻을 더해 주거나(보조사), 두 단어를 같은 자격으로 이어 주는(접속 조사) 역할을 한다.

③ 조사는 활용하지 않으나, 서술격 조사 '이다'는 형용사와 비슷하게 활용을 한다.

④ 조사는 이형태가 있다.

예 이/가, 을/를, 은/는, 와/과

⑤ 조사는 주로 체언 뒤에 붙지만, 때로는 동사, 형용사, 부사 뒤에 붙기도 하고 문장 뒤에 붙기도 한다.

예 이 옷을 한번 입어만 보아라.
그저 빨리만 오너라. 빨리요?
무엇을 하느냐보다 어떻게 하느냐가 중요하다.

⑥ 일반적으로 체언은 모든 조사와 결합이 가능하지만 몇몇 체언은 특정한 조사와만 결합한다. 즉, 조사 결합에 제약이 있다.

의존 명사	'지, 수, 리, 나위'는 주로 주격 조사와 결합
자립 명사	• '불굴'은 관형격 조사 '의'하고만 결합 • '미연'은 부사격 조사 '에'하고만 결합 • '마찬가지'는 서술격 조사 '이다', 부사격 조사 '로', 관형격 조사 '의'하고만 결합

더 알아보기 조사 결합의 제약

다음에 제시된 한자어는 일부의 제한된 조사와만 결합한다.

구분	용례
불굴(不屈)	불굴의 의지
미연(未然)	미연에 방지하다.
가관(可觀)	가관이다.
가망(可望)	가망이 없다.
재래(在來)	재래의 관습
무진장(無盡藏)	무진장으로 깔려 있다.
불가분(不可分)	불가분의 관계이다.

단권화 MEMO

■ 주격 조사의 보조사적 용법

학교 문법에서는 '이/가'를 주격 조사로 규정하고 있다. 그러나 '본래가 그런 사람은 아닌데'의 예문에서 밑줄 친 '가'는 주격 조사로 사용되었다기보다는 '강조'의 의미를 나타내는 보조사로 사용되었다고 볼 수 있다. 그러므로 학교 문법에서는 이를 주격 조사의 보조사적 용법으로 처리하고 있다. (다른 문법적 의견으로는 강조의 보조사 '이/가'를 따로 설정)

■ 목적격 조사의 보조사적 용법

학교 문법에서는 '을/를'을 목적격 조사로 규정하고 있다. 그러나 '영수가 학교를 갔다.'의 예문에서 밑줄 친 '를'은 목적격 조사로 사용되었다기보다는 '강조'의 의미를 나타내는 보조사로 사용되었다고 볼 수 있다. 그러므로 학교 문법에서는 이들을 목적격 조사의 보조사적 용법으로 처리하고 있다. (다른 문법적 의견으로는 강조의 보조사 '을/를'을 따로 설정)

1. 격 조사

앞에 오는 체언이 문장 안에서 일정한 자격(문장의 성분)을 가지도록 하여 주는 조사이다.

(1) 분류

선행 체언에 어떤 자격을 부여하느냐에 따라 주격 조사, 목적격 조사, 보격 조사, 관형격 조사, 부사격 조사, 호격 조사, 서술격 조사로 구분할 수 있다.

구분	형태	기능	용례
주격 조사	이/가, 께서, 에서, 서	선행 체언에 주어 자격 부여 • 께서: 선행 체언이 높임 대상일 때 • 에서: 일반적으로 선행 체언이 단체일 때	• 꽃이 예쁘다. • 아버님께서 신문을 보신다. • 우리 학교에서 우승을 했다.
목적격 조사	을/를	서술어에 대한 목적어의 자격 부여	• 밥을 먹는다. • 나는 학교를(에) 다닌다. • 그가 나를 사랑한다.
보격 조사	이/가	'되다/아니다' 앞에 붙어 선행 체언이나 용언의 명사형에 보어 자격 부여	• 그는 선생이 아니다. • 언니는 의사가 되었다.
관형격 조사	의	• 선행 체언에 붙어 후행 체언을 수식 • 선·후행 체언은 다양한 의미 관계를 가짐	이것은 나의 사진이다. → 내가 가진 사진(소유) → 내가 찍은 사진(행위의 주체) → 나를 찍은 사진(행위의 객체)
부사격 조사	에서, 한테, 에, 에게, 으로/로, 로써, 로서, 하고, 와/과, 보다, 에게서, 한테서	선행 체언에 부사어 자격 부여	아이들이 마당에서 뛰어논다.
호격 조사	야, 아, 이여	주로 사람을 가리키는 체언 뒤에 붙어 독립어 자격 부여	호동아!
서술격 조사	이다	체언 뒤에 붙어 서술어 자격 부여	이것은 연필이다.

(2) 부사격 조사의 의미상 구분

구분	형태	용례
장소, 소유	에서, 에, 한테	• 아이들이 마당에서 뛰논다. • 창문에 차고 슬픈 것이 어른거린다. • 영희한테 책이 있다.
원인	에, (으)로	• 사람들이 떠드는 소리에 잠을 이룰 수가 없었다.
때	에	• 여섯 시에 만납시다.
도구(수단), 재료	(으)로, 로써	• 이곳은 어디를 가나 흙벽돌로 지은 집을 볼 수 있다.
자격	(으)로, 로서	• 내가 의장으로(서) 그 회의를 주재하게 되었다.
공동	와/과, 하고	• 이 일에 대해서는 너와 의논을 하겠다. • 친구하고 놀러 간다. (구어체)
비교	와/과, 보다	• 아우의 키가 형의 키와 똑같았다. • 배꼽이 배보다 커서야 되겠니?
출발점(유래)	에서, 에게서, 한테서	• 그는 부산에서 왔다. • 형에게서 책을 물려받았다. • 형한테서 책을 물려받았다. (구어체)

낙착점	유정 명사+에게, 한테, 무정 명사+에	• 철수가 영수에게 돌을 던졌다. • 친구가 나에게 좋은 선물을 주었다. • 친구가 나한테 좋은 선물을 주었다. (구어체) • 철수가 강에 돌을 던졌다.
인용	(이)라고, 고	"제가 하겠습니다."라고 말했다.

더 알아보기 서술격 조사 '이다'

1. 서술격 조사 '이다'의 특징
   - 조사와 용언의 속성을 함께 지니고 있다.
   - 활용 형태는 형용사와 비슷하다. '이다'는 그 부정어인 '아니다(형용사)'와 비슷하게 활용한다.
   - 서술격 조사의 종결 어미는 '해라체, 하게체, 하오체, 합쇼체' 등 높임의 등급이 있다.

   예 이것은 연필이다. / 연필이네. / 연필이오. / 연필입니다.

2. 서술격 조사와 다른 격 조사의 비교

공통점	• 격 조사는 앞에 오는 체언이 문장 안에서 일정한 자격을 갖도록 하는데, 서술격 조사 '이다'도 다른 격 조사와 마찬가지로 앞의 체언이 서술어로서의 자격을 갖도록 한다. • 자립할 수 없고, 체언에 의존한다.
차이점	다른 격 조사는 그 형태가 고정되어 있으나, 서술격 조사 '이다'는 '이면', '이니', '이고', '이어서' 처럼 활용한다.

2. 접속 조사

두 단어를 같은 자격으로 이어 주는 구실을 하는 조사를 '접속 조사'라고 한다. 접속 조사는 때에 따라 생략할 수 있다.

예 오늘 수업에 철수(와), 영희(와), 민수가 결석했다.

(1) 분류

종류	의미	용례
와/과*	대등	철수와 영수는 우등생이다.
에다(가)	추가	오늘 점심은 파스타에다 피자에다 매우 푸짐하게 먹었다.
에	추가	잔칫집에서 밥에 떡에 술에 아주 잘 먹었다.
(이)며	대등	학원이며 독서실이며 서점에 갈 시간이 없다.
(이)랑	대등	철수랑 영희는 학원에 다닌다.
하고	대등(구어체)	붉은 장미하고 흰 장미하고 안개꽃을 사 달라.
(이)나	선택	힘을 내기 위해서는 밥이나 빵을 먹어야 한다.

(2) 접속 조사 '와/과'의 기능

① 문장 접속

'철수와 영수'는 우등생이다.

⇨ 철수는 우등생이다. + 영수는 우등생이다.

여기서 '와'는 '철수'와 '영수'를 묶어서 주어가 되게 한다. 그리고 이 문장은 두 문장으로 나눌 수 있으므로 '철수와 영수는 우등생이다.'는 겹문장(대등하게 이어진문장)이다.

단권화 MEMO

* 접속 조사 '와/과'
단어 접속과 문장 접속의 기능이 있다.

단권화 MEMO

■ 대칭 서술어의 종류
같다, 다르다, 만나다, 마주치다, 닮다 등

② 단어 접속

> '영수와 철수'는 아주 닮았다.
>
> ⇨ *영수는 아주 닮았다. *철수는 아주 닮았다.

이 문장은 두 문장으로 나눌 수 없으므로 문장의 접속이 아니라 단어의 접속이다(홑문장). 이것은 대칭 서술어만의 특징이다. 그런데 서술어가 대칭 서술어가 아니더라도 부사 '함께, 같이, 서로' 등 대칭성 부사가 쓰이면 대칭 서술어처럼 행동한다.

더 알아보기 접속 조사와 부사격 조사

'와/과' 등이 체언과 체언 사이에 쓰이지 않고 체언과 부사 혹은 용언 사이에 쓰여 '함께(공동)'나 '비교'의 뜻을 가지면 접속 조사가 아니라 부사격 조사이다.

체언과 부사 사이	'공동'의 의미	영희는 철수와 함께 학교에 갔다.
체언과 용언 사이	'비교'의 의미	이것은 저것과 다르다.

3. 보조사

앞말에 특별한 뜻을 더하여 주는 조사를 '보조사'라고 한다.

(1) 특징

① 보조사는 일정한 격을 갖추지 않고 그 문장이 요구하는 격을 가진다.
② 부사나 용언과도 결합한다.
③ 격 조사와 어울려 쓰이기도 하고, 격 조사를 생략시키기도 한다.
④ 문장 성분의 제약 없이 쓰이며, 자리 이동이 자유롭다.

(2) 분류

① **성분 보조사**: '만, 는, 도'와 같이 문장 성분 뒤에 붙는 보조사이다. 성분 보조사는 주어에도 붙고 부사어에도 붙고 용언에도 붙어 다양한 양상을 보인다.

종류	의미	용례
은/는	대조	산은 좋지만 왠지 바다는 싫어.
도	강조, 허용	구름도 쉬어 넘는 헐떡 고개 / 같이 가는 것도 좋습니다.
만, 뿐	단독, 한정	나만 몰랐어. / 이제 믿을 것은 오직 실력뿐이다.
까지, 마저, 조차	극단	할 수 있는 데까지 해 보자. / 브루투스, 너마저도!
부터	시작	내일부터 좀 쉬어야겠다.
마다	균일	학교마다 축제를 벌이는구나.
(이)야	강조	너야 잘 하겠지.
(이)나, (이)나마	최후 선택	애인은 그만두고 여자 친구나 있었으면 좋겠다.

② **종결 보조사**: '그려, 그래' 같은 보조사로, 종결 보조사는 문장 맨 끝에 붙어서 '강조'의 의미를 더한다.

예 그가 갔네그려. / 그가 갔구먼그래.

③ **통용 보조사**: '요'는 상대 높임을 나타내며, 어절이나 문장의 끝에 결합하는 독특한 성격을 가진다.

예 오늘은요, 학교에서 재미있는 노래를 배웠어요.

더 알아보기 **보조사 '은/는'**

'은/는'이 주어 표지나 목적어 표지의 구실을 한다고는 할 수 없고, 다만 주어 표지나 목적어 표지를 대치한 나고 보는 것이 적당하다. 따라서 '은/는'은 격 조사가 아니라 보조사이다.

의미	용례
문두(文頭)의 주어 자리에 쓰여 문장의 화제를 표시	귤은 노랗다.
대조의 의미	귤은 까서 먹고 배는 깎아서 먹는다.
강조의 의미	그렇게는 하지 마라.

단권화 MEMO

3 용언: 동사, 형용사

문장의 주체, 즉 주어를 서술하는 기능을 하는 문장 성분을 '용언'이라고 한다. 용언의 주기능은 서술어가 되는 일로, 사물의 동작이나 모양, 상태를 설명한다.

(1) 특징

① 쓰임에 따라 어형이 변하는 '가변어'이다.
② 뜻을 나타내는 실질 형태소인 '어간'과 문법적인 관계를 나타내는 형식 형태소인 '어미'로 이루어져 있다.
③ 용언의 기본형은 어간에 평서형 종결 어미인 '-다'를 붙인 형태이다.
④ 부사어의 한정을 받을 수 있으나, 관형어와는 호응하지 않는다.
⑤ 시간과 높임을 나타내는 어미와 결합하여 시제와 높임을 표현할 수 있다.
⑥ 조사와 결합할 수 있다.

(2) 분류

형태와 의미 내용에 따라	동사	주어의 동작이나 작용을 나타내는 단어	자동사 타동사
	형용사	주어의 성질이나 상태를 나타내는 단어	성상 형용사 지시 형용사
문장 안에서의 쓰임에 따라	본용언	실질적인 뜻이 있으며 자립 가능	
	보조 용언	본용언에 연결되어 그 말의 뜻을 도와주는 기능	
활용의 규칙성 여부에 따라	규칙 용언	규칙적으로 활용하는 용언	
	불규칙 용언	불규칙적으로 활용하는 용언	

1. 동사

주어의 동작이나 작용을 나타내는 단어의 묶음을 '동사'라고 한다.

(1) 특징

① 시제를 동반하며, 동작상을 나타낸다.
   예 읽는다(현재), 읽었다(과거), 읽겠다(미래), 읽고 있다(현재 진행형)
② 조사와 결합이 가능하다.
③ 관형사와는 어울릴 수 없으나, 부사의 한정을 받는다.

단권화 MEMO

④ 사동, 피동, 강세의 뜻을 나타내는 접사는 기본형에 넣어서 표제어로 삼는다.
예 먹다(타동사, 기본형) → 먹이다(사동사, 기본형), 먹히다(피동사, 기본형)

⑤ 높임법을 가진다.

(2) 분류

① 기능에 따라

구분	개념	용례
본동사	자립성을 가지고 실질적인 의미를 나타내며 단독적으로 서술 능력을 가지는 동사	밥을 먹다.
보조 동사	자립성이 없이 본용언 뒤에서 본용언의 의미를 도와주는 동사	밥을 먹어 버렸다.
자동사	움직임의 작용이 주체 스스로에게만 미치고 다른 대상에게는 미치지 않는 동사	강물이 흐르다.
타동사	움직임의 작용이 다른 사물에게 영향을 미치도록 하여 반드시 목적어를 필요로 하는 동사	옷을 입다.

② 활용의 규칙성에 따라

구분	개념	용례
규칙 동사	활용할 때 어간과 어미의 변화가 규칙적으로 이루어지는 동사	먹다 → 먹고, 먹으니, 먹어서 등
불규칙 동사	활용할 때 어간이 형태를 달리하거나 어미의 형태가 불규칙적으로 변하는 동사	짓다 → 짓고, 지으니, 지어서 등
불완전 동사	활용 어미를 두루 갖추어 활용하지 못하고 두셋 정도의 제한된 어미만을 취하거나, 기본형을 밝힐 수 없는 동사	데리다 → '데리고, 데려, 데리러' 정도로만 활용됨

③ 주체 동작의 성질에 따라

구분	개념	용례
주동사	동작주가 스스로 행하는 동작을 나타내는 동사(주체의 직접적인 동작)	동생이 책을 읽는다.
사동사	남으로 하여금 어떤 동작을 하도록 하는 것을 나타내는 동사(주체가 남에게 동작을 시킴)	엄마가 동생에게 책을 읽힌다.
능동사	제힘으로 행하는 동작을 나타내는 동사(주체가 목적 대상을 향해 직접 행함)	사자가 토끼를 잡아먹었다.
피동사	남의 행동을 입어서 행하는 동작을 나타내는 동사(주체가 남에게 움직임을 당함)	토끼가 사자에게 잡아먹혔다.

2. 형용사

주어의 성질이나 상태를 나타내는 단어의 부류이다. 사람이나 사물의 상태가 어떠한가를 형용하거나 그 존재를 나타내면서 문장 안에서 주로 서술어의 기능을 가지는 단어의 묶음을 '형용사'라고 한다.

(1) 특징

① 동사와 함께 활용을 하는 용언으로 사물의 성질, 상태를 표시한다.
② 목적어와의 호응이 없어 자동과 타동, 사동과 피동의 구별이 없다.

③ 부사어의 한정을 받을 수 있으며, 기본형이 현재형으로 쓰인다.

예 부사어+형용사 기본형: 몹시 달다.

④ 조사와 결합이 가능하다.

예 • 형용사의 명사형+격 조사: 달기가 꿀과 같다.
• 형용사 연결형 어미+보조사: 달지도 쓰지도 않다.

(2) 분류

형용사는 의미에 따라 성상 형용사와 지시 형용사로 구분할 수 있다.

구분	개념	예
성상 형용사	사물의 성질이나 상태를 나타내는 형용사	파랗다, 달다, 넓다, 높다
지시 형용사	사물의 성질, 모양, 상태를 지시하는 형용사	이러하다, 그러하다, 저러하다

① 성상 형용사: 사물의 속성(성질이나 상태)을 나타낸다.

감각적 의미 표현	희다, 달다, 시끄럽다, 거칠다
비교 표현	같다, 다르다, 낫다
존재 표현	있다, 없다
부정 표현	아니다
대상 평가 표현	모질다, 착하다, 아름답다

② 지시 형용사: 사물의 성질, 모양, 상태를 지시한다. 지시 형용사는 다음과 같은 특징을 가진다.

㉠ 지시 형용사는 성상 형용사에 앞서는 순서상 특징을 가진다.

㉡ 근칭, 중칭, 원칭 표현이 가능하다.

근칭	화자와 가까운 거리	'이' 계열(이러하다, 이렇다 등)
중칭	청자와 가까운 거리	'그' 계열(그러하다, 그렇다 등)
원칭	화자와 청자 모두에게 먼 거리	'저' 계열(저러하다, 저렇다 등)

더 알아보기 동사와 형용사

1. 동사와 형용사의 구분 기준
('있다, 크다, 밝다' 등과 같이 동사와 형용사로 모두 쓰이는 단어는 제외한다.)

① 동사는 주어의 동작이나 작용(과정)을, 형용사는 성질이나 상태를 나타낸다.

예

동사	• 그는 자리에서 일어난다. (유정 명사의 동작) • 피가 솟는다. (무정 명사의 과정)
형용사	• 과일은 대부분 맛이 달다. (성질) • 꽃이 매우 아름답다. (상태)

② 기본형에 현재 시제 선어말 어미 '-는-/-ㄴ-'이 결합할 수 있으면 동사이고, 결합할 수 없으면 형용사이다. (형용사는 기본형이 현재형으로 쓰임)

예

동사	그는 자리에서 일어난다.
형용사	*꽃이 매우 아름답는다.

③ 기본형에 현재를 나타내는 관형사형 전성 어미 '-는'이 결합할 수 있으면 동사이고, 결합할 수 없으면 형용사이다. 참고로, 동사 '본, 솟은'에 쓰인 '-(으)ㄴ'은 과거 시제를 나타내는 전성 어미이고 형용사 '단, 아름다운'에 쓰인 '-(으)ㄴ'은 현재 시제를 나타내는 전성 어미이다.

예

동사	산을 {보는 / 본} 나　　하늘로 {솟는 / 솟은} 불길
형용사	맛이 {*다는 / 단} 과일　　매우 {*아름답는 / 아름다운} 꽃

단권화 MEMO

■ '있다, 없다, 이다, 아니다'의 품사
- 있다: 동사, 형용사
  - 참 '존재'의 의미일 때는 형용사
- 없다: 형용사
- 이다: 서술격 조사
- 아니다: 형용사

단권화 MEMO

④ '의도'를 뜻하는 어미 '-(으)려'나 '목적'을 뜻하는 어미 '-(으)러'와 함께 쓰일 수 있으면 동사, 그렇지 못하면 형용사이다.

예

동사	• 철수가 영희를 때리려 한다. • 호동이는 공책을 사러 나갔다.
형용사	• *영자는 아름다우려 화장을 한다. • *영자는 예쁘러 화장을 한다.

⑤ 동사는 명령형 어미 '-어라/-아라'와 청유형 어미 '-자'와 결합할 수 있는 데 반하여, 형용사는 명령형 어미나 청유형 어미와 결합할 수 없다.

예

동사	• 철수야, 일어나라. • 우리 심심한데 수수께끼 놀이나 하자.
형용사	• *영자야, 오늘부터 착해라. • *영자야, 우리 오늘부터 성실하자.

⑥ 동사는 감탄형 어미로 '-는구나'를, 형용사는 '-구나'를 취한다.

예

동사	잘 하는구나.
형용사	맛있구나.

2. 품사의 통용: 동사와 형용사로 모두 쓰이는 단어

구분	동사	형용사
감사하다	고맙게 여기다. 예 나는 그가 이곳을 직접 방문해 준 것에 무척 감사하고 있습니다.	고마운 마음이 있다. 예 감사한 말씀이지만 사양하겠습니다.
길다	머리카락, 수염 따위가 자라다. 예 그녀는 머리가 잘 기는 편이다.	① 잇닿아 있는 물체의 두 끝이 서로 멀다. 예 해안선이 길다. ② 이어지는 시간상의 한 때에서 다른 때까지의 동안이 오래다. 예 긴 세월 ③ 글이나 말 따위의 분량이 많다. 예 긴 말씀 ④ 소리, 한숨 따위가 오래 계속되다. 예 길게 한숨을 내쉬다.
늦다	정해진 때보다 지나다. 예 그는 약속 시간에 항상 늦는다.	① 기준이 되는 때보다 뒤져 있다. 예 시계가 오 분 늦게 간다. ② 시간이 알맞을 때를 지나 있다. 또는 시기가 한창인 때를 지나 있다. 예 늦은 점심 ③ 곡조, 동작 따위의 속도가 느리다. 예 박자가 늦다.
밝다	밤이 지나고 환해지며 새날이 오다. 예 벌써 새벽이 밝아 온다.	① 불빛 따위가 환하다. 예 밝은 조명 / 햇살이 밝다. ② 빛깔의 느낌이 환하고 산뜻하다. 예 밝은 색깔의 옷 ③ 감각이나 지각의 능력이 뛰어나다. 예 눈이 밝은 사람
있다	① 사람이나 동물이 어느 곳에서 떠나거나 벗어나지 아니하고 머물다. 예 내가 갈 테니 너는 학교에 있어라. ② 사람이 어떤 직장에 계속 다니다. 예 딴 데 가지 말고 그 직장에 그냥 있어라. ③ 사람이나 동물이 어떤 상태를 계속 유지하다. 예 떠들지 말고 얌전하게 있어라. ④ 얼마의 시간이 경과하다. 예 앞으로 사흘만 있으면 추석이다.	① 사람, 동물, 물체 따위가 실제로 존재하는 상태이다. 예 나는 신이 있다고 믿는다. ② 어떤 사실이나 현상이 현실로 존재하는 상태이다. 예 증거가 있다. ③ 어떤 일이 이루어지거나 벌어질 계획이다. 예 오늘 회식이 있으니 모두 참석하세요.

크다	① 동식물이 몸의 길이가 자라다. 예 키가 몰라보게 컸구나. ② 사람이 자라서 어른이 되다. 예 너 커서 무엇이 되고 싶니? ③ 수준이나 지위 따위가 높은 상태가 되다. 예 한창 크는 분야라서 지원자가 많다.	① 사람이나 사물의 외형적 길이, 넓이, 높이, 부피 따위가 보통 정도를 넘다. 예 키가 크다. / 집이 크다. ② 신, 옷 따위가 맞아야 할 치수 이상으로 되어 있다. 예 허리 치수가 커서 바지가 내려갈 것 같다. ③ 일의 규모, 범위, 정도, 힘 따위가 대단하거나 강하다. 예 가치가 큰 일 / 그녀는 씀씀이가 크다.

※ '밝다'가 형용사로 쓰이는 경우는 위의 3가지 경우보다 더 많다. 하지만 '밝다'가 동사로 쓰이는 경우는 1가지뿐이다. 따라서 제시된 1가지 경우를 제외한 나머지를 '밝다'가 형용사로 쓰이는 경우로 알고 있으면 이해하기 쉽다.

※ '있다'가 형용사로 쓰이는 경우는 위의 3가지 경우보다 더 많다. 하지만 '있다'가 동사로 쓰이는 경우는 단 4가지뿐이다. 따라서 제시된 4가지 경우를 제외한 나머지를 '있다'가 형용사로 쓰이는 경우로 알고 있으면 이해하기 쉽다.

※ '크다'가 형용사로 쓰이는 경우는 위의 3가지 경우보다 더 많다. 일반적으로 동사 '크다'는 '자라다'의 의미를 갖고 있으므로 '자라다'의 의미가 아닌 '크다'의 경우 형용사로 볼 수 있다.

예 한창 크는(자라나는) 분야라서 지원자가 많다. → 동사

단권화 MEMO

3. 본용언과 보조 용언

(1) 본용언

보조 용언 없이도 본래의 실질적 의미를 가지는 문장의 중심 서술어이다. 따라서 본용언은 단독으로 문장의 서술어가 될 수 있고, 본용언의 개수로 겹문장인지 홑문장인지 구별할 수 있다.

(2) 보조 용언

앞의 용언에 뜻을 더하는 기능을 하는 용언이다. 보조 용언은 본래의 실질적 의미를 상실한 상태로 쓰이고 자립성이 없어서 단독으로 주체를 서술할 수 없다. 따라서 보조 용언은 단독으로 사용될 수 없으므로 문장에 용언이 하나만 나타난다면 그것은 본용언이다. 또한 보조 용언은 한 문장에서 연달아 사용될 수 있다.

• 나도 너를 따라가고 싶다.
→ 나도 너를 따라간다. (실질적 의미를 가진 본용언)
+ *나도 너를 싶다. (부수적 의미를 가진 보조 용언)

• 아침을 든든하게 먹어 두었다.
→ 아침을 든든하게 먹었다. (실질적 의미를 가진 본용언)
+ *아침을 든든하게 두었다. (부수적 의미를 가진 보조 용언)

• 책을 서가에 꽂아 두었다.
→ 책을 서가에 꽂았다. (실질적 의미를 가진 본용언)
+ *책을 서가에 두었다. (부수적 의미를 가진 보조 용언)
⇨ '꽂다'는 '쓰러지거나 빠지지 않게 끼우다.'의 의미가 실질적 의미로, 본용언이다.
⇨ '두다'는 앞말이 뜻하는 행동을 끝내고 그 결과를 유지함을 나타내는 말로, '쓰러지거나 빠지지 않게 끼우다.'라는 의미가 없으므로 '두었다'는 부수적 의미로 쓰인 보조 용언이다.

(3) 본용언과 보조 용언의 구성

① 본용언의 어간+-아/-어, -게, -지, -고(보조적 연결 어미)+보조 용언

예 먹어 보았다. / 울지 않는다.

② 본용언의 어간+-기(명사형 어미)+보조사+보조 용언

예 먹기는 한다.

단권화 MEMO

③ 본용언의 어간+의문형 어미+보조 용언

예 울었나 보다.

④ 본용언의 관형사형+의존 명사+하다(보조 용언)

예 비가 올 듯하다.

더 알아보기 보조 용언의 자리에 오지만 보조 용언이 아닌 경우

① 용언 본래의 의미를 유지하고 있어서 단독으로 서술어가 될 수 있는 경우
- 가을 하늘은 맑고 푸르다. → 가을 하늘은 맑다.+가을 하늘은 푸르다.
- 순이가 울고 간다. → 순이가 운다.+순이가 간다.

② '-아/-어' 뒤에 '서'가 줄어진 형식에서는 뒤의 단어도 본용언임
- 고기를 잡아(서) 본다.
- 사과를 깎아(서) 드린다.

(4) 보조 동사와 보조 형용사의 구별

① 선어말 어미 '-는-/-ㄴ-'이 결합할 수 있으면 보조 동사, 결합할 수 없으면 보조 형용사이다. 즉, 일반적인 동사와 형용사의 구별법과 같다.

예 책을 읽어 본다. (보조 동사) / 책을 읽는가 보다. (보조 형용사)

② '아니하다, 못하다' 등의 부정 보조 용언은 선행 용언이 동사이면 보조 동사이고, 선행 용언이 형용사이면 보조 형용사이다.

예 • 아직도 꽃이 피지 않는다. (보조 동사)
• 이 꽃이 아름답지 않다. (보조 형용사)

③ 동사 뒤에 붙어 앞말이 뜻하는 행동을 일단 긍정하거나 강조하는 '-기는 하다, -기도 하다, -기나 하다'에서 '하다'는 선행 용언이 동사이면 보조 동사이고, 선행 용언이 형용사이면 보조 형용사이다. 단, '-다가 못하여'의 구성으로 쓰인 경우(극에 달해 더 이상 유지할 수 없음을 나타내는 경우)에는 보조 형용사로 본다.

예 • 철수가 옷을 잘 입기는 한다. (보조 동사)
• 사람이 괜찮기는 하네. (보조 형용사)
• 먹다 못해 음식을 남기는 경우 (보조 형용사)

④ '보다'*는 추측, 의도, 원인 등의 의미를 나타내면 보조 형용사이고, 나머지 경우는 보조 동사이다.

예 • 밥이 다 됐나 보다. (보조 형용사 - 추측)
• 확, 욕할까 보다. (보조 형용사 - 의도)
• 돌이 워낙 무겁다 보니 혼자서 들 수가 없었다. (보조 형용사 - 원인)

⑤ '하다'는 앞말을 강조하거나 이유를 나타내면서 선행하는 본용언이 형용사인 경우에는 보조 형용사이고, 나머지 경우는 보조 동사이다.

예 • 부지런하기만 하면 됐다. (보조 형용사 - 강조)
• 할 일이 많기도 하니 어서 서두르자. (보조 형용사 - 이유)

■ 품사의 통용: 보조 동사와 보조 형용사

구분	형용사	동사
아니하다	선행 용언이 형용사	선행 용언이 동사
못하다	선행 용언이 형용사	선행 용언이 동사
보다	추측, 의도, 원인	나머지
하다	강조, 이유	나머지

*보다

'보다'는 보조 용언 이외에 본동사, 조사, 부사 등으로도 사용된다.

예 • 나는 꽃을 본다. (본동사)
• 나는 너보다 잘생겼다. (비교 부사격 조사)
• 보다 멀리 생각하라. (부사)

4. 용언의 활용

용언의 일정한 문법적 관계를 표시하기 위하여 어간에 붙는 어미의 형태를 여러 가지로 바꾸는 현상을 '활용'이라고 한다. 활용 대상에는 동사, 형용사, 서술격 조사 '이다'가 있으며, 용언 활용의 규칙성 여부에 따라 규칙 활용 용언과 불규칙 활용 용언으로 나눌 수 있다. 먼저, 활용에서 중요한 요소인 어간과 어미에 대해 알아보자.

| 어간과 어미

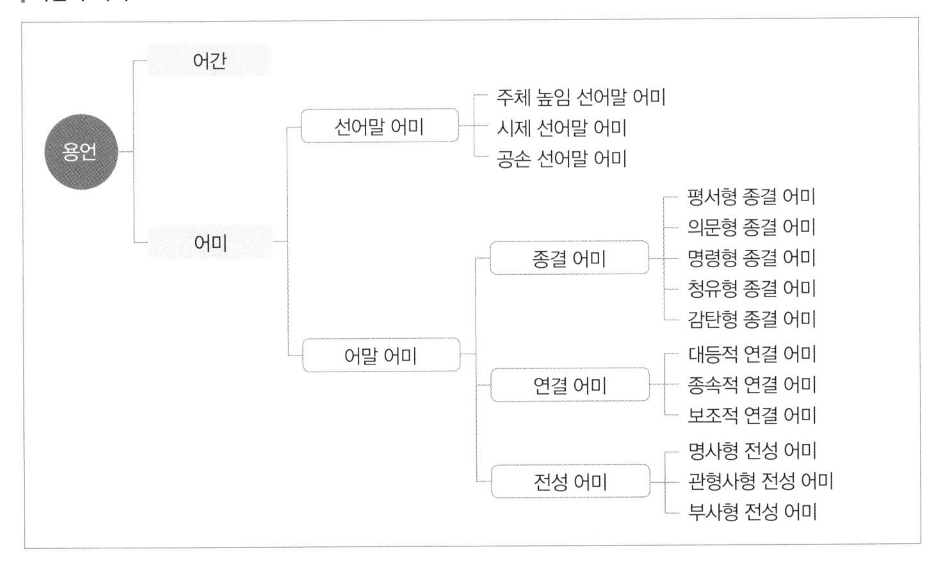

(1) 어간

활용할 때 변하지 않는 부분으로, 피동·사동·강세 등의 접사가 붙은 말도 포함된다.

(2) 어미

활용할 때 변하는 부분이다. 용언 및 서술격 조사 '이다'가 활용하여 변하는 부분으로, '선어말 어미'와 '어말 어미'로 구분된다.

① **선어말 어미**: 어간과 어말 어미 사이에 오는 개방 형태소로, '높임, 시제, 공손'을 표시하는 어미이다. 선어말 어미는 그 자체만으로 단어를 완성시키지 못하고 반드시 어말 어미를 요구한다. 또한 분포에 따라 자리가 고정되어 있어 순서를 함부로 바꿀 수 없으며, 차례는 분포의 넓고 좁음에 비례한다.

드	시	었	겠	더	라
어간	높임 선어말 어미	과거 시제 선어말 어미	추측 선어말 어미	회상 선어말 어미	어말 어미

| 선어말 어미의 구분

구분	기능	형태	용례
주체 높임 선어말 어미*	주체 높임	-(으)시-	할머니께서 공부를 하신다.
시제 선어말 어미*	과거	-았-/-었-	호동이가 공부를 했다.
	현재	-는-/-ㄴ-	호동이가 공부를 한다.
	미래(추측)	-겠-	나는 반드시 공부를 하겠다.
	(과거) 회상	-더-	호동이가 공부를 하더라.
공손 선어말 어미	상대방에게 공손한 뜻을 나타냄, 주로 문어체에 사용됨	-오-/-옵-, -삽-/-사옵-/-사오-, -잡-/-자옵-/-자오-	변변치 못한 물건이오나 정성으로 보내드리오니 받아 주옵소서.

단권화 MEMO

***주체 높임 선어말 어미**
주체 높임 선어말 어미 '-시-'는 선어말 어미 중 어미와의 결합 비율이 가장 높으며, 위치도 선어말 어미들 중 제일 앞에 온다.

***시제 선어말 어미**
어간 뒤에 비교적 자유롭게 나타나는 어미 중 하나이다.

단권화 MEMO

② 어말 어미: 용언의 맨 끝에서 단어나 문장을 종결하거나 연결하는 어미로, 반드시 필요한 형태소이다. 종결 어미와 연결 어미, 전성 어미로 구분된다.

㉠ 종결 어미: 문장의 서술어가 되어 그 문장을 종결시키는 어말 어미를 '종결 어미'라고 한다. 상대 높임법, 문장의 종류를 결정짓는다.

| 종결 어미의 분류

문장의 유형	비격식체		격식체			
	해체	해요체	해라체	하게체	하오체	하십시오체
평서형	-아/-어	-아요/-어요	-다	-네, -세	-오	-(습)니다
의문형	-아/-어	-아요/-어요	-느냐, -냐, -니, -지	-나, -는가	-오	-습니까
명령형	-아/-어, -지	-아요/-어요	-아라/-어라	-게	-오, -구려	-보시오
청유형	-아/-어	-아요/-어요	-자	-세	-ㅂ시다	-시지요
감탄형	-군/-어	-군요	-구나, -어라	-구먼	-구려	-

■ 문장의 유형

평서형	단순 설명	밥을 먹는다.
의문형	물음	밥을 먹니?
명령형	행동 촉구	밥을 먹어라.
청유형	행동 권유	밥을 먹자.
감탄형	감탄, 느낌	밥을 먹는구나!

㉡ 연결 어미: 뒤따르는 문장이나 용언을 연결시키는 어말 어미를 '연결 어미'라고 한다. 연결 어미는 다시 대등적 연결 어미와 종속적 연결 어미, 보조적 연결 어미로 나뉜다.

| 연결 어미의 분류

구분	기능	형태	용례
대등적 연결 어미*	나열	-고, -(으)며, -거나	영희는 없고, 철수는 있다.
	상반	-(으)나, -지만, -다만	영희는 집에 갔지만, 철수는 남아 있다.
	선택	-든지	가든지 오든지 마음대로 하게.
종속적 연결 어미*	동시	-자(마자)	까마귀 날자 배 떨어진다.
	조건	-면	서리가 내리면 잎이 빨갛게 물든다.
	이유/원인	-(어)서, -(으)니(까)	• 배가 고파서 식당에 간다. • 봄이 되니 날씨가 따뜻하다.
		-(으)므로	비가 많이 왔으므로 가뭄이 해갈될 것이다.
		-느라고	얼음을 깨느라고 고생한다.
	양보	-아도/-어도, -더라도	철수가 와도 겁나지 않는다.
		-든지, -(으)나	누가 가든지 상관하지 않겠다.
		-거나, -(으)ㄴ들	철수가 간들 해결할 수 있겠니?
	목적/의도	-(으)러, -고자, -(으)려고	• 공부를 하러 도서관에 갔다. • 밥을 먹으려고 식당에 갔다.
	결과/방식	-게, -도록	지나가게 길을 비켜 다오.
	필연	-(어)야	산에 가야 범을 잡지.
	전환	-다가	웃다가 울었다.
	전제	-는데	비가 오는데 어디로 가느냐?
	비유	-듯(이)	비 오듯이 흘리는 땀
	더욱	-(으)ㄹ수록	벼는 익을수록 고개를 숙인다.
보조적 연결 어미*		-아/어, -게, -지, -고	• 철수도 의자에 앉아 있다. • 인수도 그곳에 머무르게 되었다.

＊대등적 연결 어미
앞뒤 문장을 독립적으로 이어 주는 어미. 앞뒤 문장의 의미가 독립적이다.

＊종속적 연결 어미
앞뒤 문장을 종속적으로 이어 주는 어미. 앞뒤 문장의 의미 관계는 시간적 관계, 인과적 관계, 논리적 관계를 가진다.

＊보조적 연결 어미
본용언과 보조 용언을 이어 주는 어미

㉢ 전성 어미: 용언의 어간에 붙어 해당 용언이 명사, 관형사, 부사의 기능을 할 수 있도록 기능의 변화를 주는 어미이다. 기능만 변화시킬 뿐 품사는 용언이며, 명사형 전성 어미, 관형사형 전성 어미, 부사형 전성 어미로 구분할 수 있다.

| 전성 어미의 분류

구분	기능	형태	용례
명사형 전성 어미	한 문장을 명사처럼 만들어 체언과 같은 성분으로 쓰이게 하는 어미	-(으)ㅁ/-기	• 사랑은 눈물을 만들어 내는 것임을 알았다. • 공부하기가 너무 힘들다.
관형사형 전성 어미	한 문장을 관형사처럼 만들어 체언을 수식하는 성분으로 쓰이게 하는 어미	-(으)ㄴ/-는, -던*, -(으)ㄹ	• 도서관은 책 읽는 사람들로 붐볐다. • 이것은 제가 만들던 물건입니다.
부사형 전성 어미	한 문장을 부사처럼 만들어 용언을 수식하는 성분으로 쓰이게 하는 어미	-게, -(아)서, -도록 등	꽃이 아름답게 피었다.

단권화 MEMO

*관형사형 전성 어미 '-던'
관형사형 전성 어미 '-ㄴ, -ㄹ, -는'과는 달리 '-던'은 '-더-'와 '-ㄴ'으로 분리될 가능성이 있다. 즉, '-던'은 회상 선어말 어미 '-더-'와 관형사형 전성 어미 '-ㄴ'으로 형태소를 분석할 수 있는 것이다. 그렇지만 학교 문법에서는 '-던'을 하나의 관형사형 전성 어미로 보고 있다.

더 알아보기 전성 어미

1. 명사형 전성 어미 결합 시 주의 사항
어간에 명사형 전성 어미를 결합하여 명사형을 만들 때 어간의 'ㄹ' 받침은 생략되지 않는다. 용언의 활용 과정에서 어간의 'ㄹ'이 탈락하는 경우는 'ㄴ, ㄹ, ㅂ'으로 시작하는 어미나 선어말 어미 '-시-', 어말 어미 '-오니', '-오' 앞에 오는 경우이다.
예 물건을 만듦(○), 만듬(×) / 정성을 베풂(○), 베품(×)

2. 명사 파생 접미사 vs. 명사형 전성 어미

깊은 잠을 자고 나니 피로가 풀렸다. vs. 깊이 잠으로써 피로가 풀렸다.
큰 웃음을 웃었다. vs. 크게 웃음으로써 분위기를 바꾸었다.

⇨ "깊은 잠(자-+-ㅁ)을 자고 나니 피로가 풀렸다."의 '잠'은 동사의 어간 '자-'에 접사 '-(으)ㅁ'이 붙은 파생 명사이다. 이에 비하여 "깊이 잠(자-+-ㅁ)으로써 피로가 풀렸다."의 '잠'은 동사의 어간 '자-'에 명사형 어미 '-ㅁ'이 붙은 동사의 명사형이다. 마찬가지로 "큰 웃음(웃-+-음)을 웃었다."의 '웃음'은 파생 명사이며, "크게 웃음(웃-+-음)으로써 분위기를 바꾸었다."의 '웃음'은 동사의 명사형이다.
⇨ '잠'과 '웃음'을 통하여 살펴본 바와 같이 접사 '-(으)ㅁ'은 명사형 어미 '-(으)ㅁ'과 형태가 같아 표면상으로는 구별이 되지 않는다. 그러나 하나는 명사이고, 하나는 동사이다. 동사의 명사형은 서술성이 있어 주어를 서술하며, 그 앞에 '깊이', '크게' 등의 부사어가 쓰일 수 있다. 그러나 파생 명사(어근+접미사)로 쓰인 '잠'과 '웃음'은 서술성이 없으므로 그 앞에 부사어가 쓰일 수 없고, 대신 '깊은, 큰' 처럼 명사를 수식하는 관형어가 올 수 있다.

3. 관형사형 전성 어미의 시제

시제	어미	동사 용례	형용사 용례
과거	-(으)ㄴ(동사), -던(형용사)	온 손님	예쁘던 그 선녀
과거(회상)	-던	오던 손님	예쁘던 그 선녀
현재	-는(동사), -(으)ㄴ(형용사)	오는 손님	예쁜 그 선녀
미래(추측)	-(으)ㄹ	올 손님	예쁠 그 꽃

4. 주의해야 할 어미

어미	용례
-을는지(○), -을른지(×), -을런지(×)	내가 그 일을 할 수 있을는지 모르겠다.
-기에(○), -길래(○)	사랑이 무엇이기에, 사랑이 무엇이길래.
-구려(○), -구료(×)	멋진 동네이구려.
-우(○), -수(×)	별일 없우?(○), 없수?(×)
-(으)려야('려고 해야'의 줄임말)(○)	미워하려야 미워할 수 없었다.

단권화 MEMO

-래야('라고 해야'의 줄임말)(○)	집이래야 방 하나뿐이다.
'ㄹ' 받침 다음에 '-ㄴ/-는'이나 '-(으)ㅂ-'이 올 경우에는 매개 모음이 첨가되지 않고 'ㄹ'이 탈락됨	하늘을 날으는(×) 비행기 → 나는(○) 돈을 열심히 벌읍시다.(×) → 법시다(○)
-으냐(○)/-냐(○), -네(○)/-으네(×)	철수 방은 넓으냐?(○) → 넓냐?(○) 철수 방이 넓으네.(×) → 넓네(○)

(3) 규칙 활용

① 어간과 어미가 결합하는 과정에서 어간이나 어미 모두 형태 변화가 없는 활용을 말한다.

예 • 먹+어 → 먹어, 먹+고 → 먹고
• 입+어 → 입어, 입+고 → 입고

② 형태 변화가 있어도 보편적 음운 규칙으로 설명되는 활용은 규칙 활용으로 인정한다.

구분	내용(조건)	용례
모음 조화	어미 '-아/-어'의 교체	잡아, 먹어
어간 'ㄹ' 탈락	어간의 끝소리 'ㄹ'이 'ㄴ, ㄹ, ㅂ, ㅅ, 오' 앞에서 규칙적으로 탈락	• 살다: 사니, 살, 삽니다, 사시오, 사오 • 울다: 우는, 울, 웁니다, 우시오, 우오 • 놀다: 노는, 놀, 놉니다, 노시오, 노오
어간 모음 'ㅡ' 탈락	어말 어미 '-아/-어'로 시작되는 어미 및 선어말 어미 '-었-' 앞에서 규칙적으로 탈락	• 쓰다: 써 / 모으다: 모아 • 담그다: 담가 / 아프다: 아파 • 우러르다: 우러러 / 따르다: 따라
구체적 매개 모음 '으' 첨가	('ㄹ' 이외의 자음으로 끝난 어간)+'으'+('-ㄴ, -ㄹ, -오, -ㅁ, -시-' 등의 어미)	• 잡-+-ㄴ → 잡은 • 먹-+-ㄴ → 먹은

■ 매개 모음 '으'
매개 모음 '으'를 인정하지 않는 의견도 있다.

(4) 불규칙 활용

어간과 어미의 기본 형태가 유지되지 않고 보편적 음운 규칙으로 설명할 수도 없는 활용을 '불규칙 활용'이라고 한다. 어간이 바뀌는 불규칙과 어미가 바뀌는 불규칙, 어간과 어미가 모두 바뀌는 불규칙으로 구분할 수 있다.

① 어간이 바뀌는 경우

구분	내용(조건)	용례		규칙 활용 예
		동사	형용사	
'ㅅ' 불규칙	'ㅅ'이 모음 어미 앞에서 탈락	잇-+-어 → 이어 짓-+-어 → 지어 붓-+-어 → 부어[注] 낫-+-아 → 나아[癒]	낫-+-아 → 나아[勝, 好]	벗어, 씻어, 솟으니
'ㄷ' 불규칙	'ㄷ'이 모음 어미 앞에서 'ㄹ'로 바뀜	듣-+-어 → 들어 걷-+-어 → 걸어[步] 묻-+-어 → 물어[問] 깨닫-+-아 → 깨달아 싣-+-어 → 실어[載] 붇-+-어 → 불어	없음	묻어[埋], 얻어[得]
'ㅂ' 불규칙	• 'ㅂ'이 모음 어미 앞에서 '오/우'로 바뀜 • '돕-', '곱-'만 '오'로 바뀌고 나머지는 모두 '우'로 바뀜	돕-+-아 → 도와 눕-+-어 → 누워 줍-+-어 → 주워 굽-+-어 → 구워[燔]	곱-+-아 → 고와 덥-+-어 → 더워	굽어[曲], 잡아, 뽑으니

‘ㄹ’ 불규칙	‘ㄹ’가 모음 어미 앞에서 ‘ㄹㄹ’ 형태로 바뀜	흐르-+-어 → 흘러 이르-+-어 → 일러[謂] 가르-+-아 → 갈라[分] 나르-+-아 → 날라	빠르-+-아 → 빨라 배부르-+-어 → 배불러 이르-+-어 → 일러[早]	따라, 치러, 우러러
‘우’ 불규칙	‘우’가 모음 어미 앞에서 탈락	푸-+-어 → 퍼	없음	주어(줘), 누어(눠), 꾸어(꿔)

더 알아보기 ‘ㄷ’ 불규칙 용언과 ‘ㅂ’ 불규칙 용언

1. ‘ㄷ’ 불규칙 용언
   - ‘ㄷ’ 불규칙 용언은 모음 어미 앞에서만 ‘ㄹ’로 변화한다. 자음 어미 앞에서는 변화하지 않는다.
     예 묻다(問): 물어서, 물은, 묻고, 묻지
   - 특히, ‘붇다’를 조심해야 한다.
     예 • 라면이 아직 붇지 않았다. (불지 ×)
     • 라면이 불으면 맛이 없다. (불면 ×)
     • 라면이 불으니 맛이 없다. (부니 ×)
2. ‘ㅂ’ 불규칙 용언
   ‘ㅂ’ 불규칙 용언이 모음으로 시작하는 어미와 결합할 때에는 축약되지 않는다.
   예 • 이번 시험에서 상당히 만족스런(×) 결과가 나왔다. → 만족스러운(○)
   • 군(×) 옥수수가 먹고 싶다. → 구운(○)

② 어미가 바뀌는 경우

구분	내용(조건)	용례		규칙 활용 예
		동사	형용사	
‘여’ 불규칙*	‘하-’ 뒤에서 어미 ‘-아’가 ‘-여’로 바뀜	공부하-+-아 → 공부하여 일하-+-아 → 일하여	상쾌하-+-아 → 상쾌하여 따뜻하-+-아 → 따뜻하여	먹어, 잡아
‘러’ 불규칙	어간이 ‘르’로 끝나는 일부 용언에서 ‘으’가 탈락하지 않고 어미 ‘-어’가 ‘-러’로 바뀜	이르[至]-+-어 → 이르러 (이것뿐임)	노르[黃]-+-어 → 노르러 누르[黃]-+-어 → 누르러 푸르-+-어 → 푸르러 (오직 이 세 개만 있음)	치러
‘오’ 불규칙	‘달다’의 명령형 어미가 ‘-오’로 바뀜	달-+-아라 → 다오	없음	주어라
‘너라’ 불규칙*	명령형 어미 ‘-아라/-어라’가 ‘-너라’로 바뀜	오-+-아라 → 오너라	없음	먹어라, 잡아라

③ 어간과 어미가 모두 바뀌는 경우

구분	내용(조건)	용례		규칙 활용 예
		동사	형용사	
‘ㅎ’ 불규칙	‘ㅎ’으로 끝나는 어간에 ‘-아/-어’가 오면 어간의 일부인 ‘ㅎ’이 없어지고 어미도 바뀜	없음	하얗-+-아서 → 하얘서 파랗-+-아 → 파래	좋아서, 낳아서

단권화 MEMO

*‘여’ 불규칙
‘하다’와 ‘-하다’로 끝난 모든 용언에 해당한다.

*‘너라’ 불규칙 활용 삭제
2017년에 ‘오다’에 명령형 종결 어미 ‘-너라’, ‘-아라’, ‘-거라’가 모두 올 수 있는 것으로 「표준국어대사전」을 수정하면서 ‘너라’ 불규칙 활용이 폐지되었다.

단권화 MEMO

> **더 알아보기** 불완전 동사
>
> 일반적인 동사와는 달리 제한된 어미만을 취하는 동사를 불완전 동사라고 한다.
> • 가로다 → 가로되, 가론
> • 데리다 → 데리고, 데리러, 데려
> • 더불다 → 더불어
> • 말미암다 → 말미암아, 말미암으니

4 수식언: 관형사, 부사

문장에서 체언이나 용언 등을 꾸며 주는 단어의 갈래를 '수식언'이라고 한다. 관형사와 부사가 이에 해당한다.

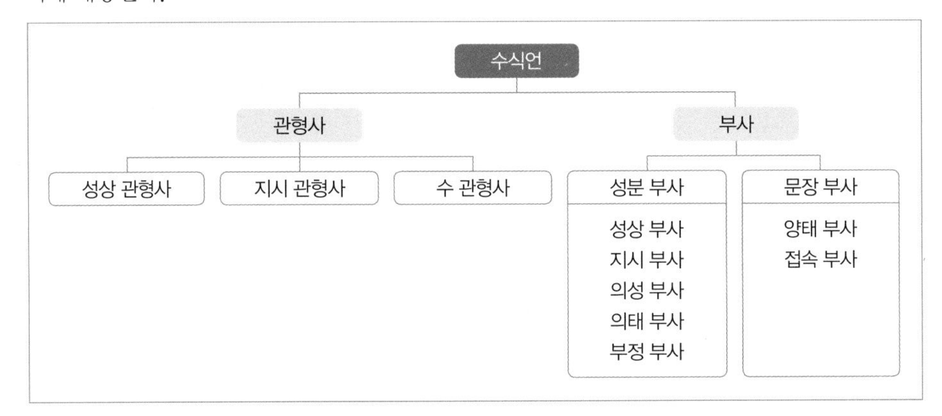

1. 관형사

체언 앞에 놓여서 체언을 꾸며 주는 기능을 하는 단어의 묶음을 '관형사'라고 한다.

(1) 특징

① 주로 명사를 꾸며 준다.
② 문장 안에서 관형어로만 쓰인다.
③ 관형사가 나란히 놓일 때는 뒤의 관형사를 꾸미는 것처럼 보이나, 궁극적으로는 뒤따르는 명사를 꾸민다.
  예 저 모든 새 책상
④ 불변어이고, 조사와 결합할 수 없다.
  예 새 옷 / *새가 옷, *새를 옷

(2) 분류

관형사는 고유어로 된 것과 한자어로 된 것이 있으며, 의미를 기준으로 성상 관형사, 지시 관형사, 수 관형사로 나눌 수 있다.

■ 관형사의 배열 순서

지시 → 수 → 성상 관형사

예 저 모든 새 집

구분	내용
성상 관형사	① 개념: 체언의 성질, 상태가 어떠한지 꾸며 주는 구실을 하는 관형사 예 새, 헌, 옛, 첫, 한, 온갖 ② 종류 고유어계: 온갖, 새, 헌, 온, 뭇, 옛, 첫, 한, 외딴, 갖은, 허튼, 웬 한자어계: 순(純), 주(主), 약(約)

지시 관형사	① 개념: 어떤 대상을 가리키는 관형사 예 이, 그, 저, 이런, 그런, 저런, 무슨, 어느, 아무, 다른[他]* ② 발화 현장이나 문장 밖에 존재하는 대상을 가리킨다. 예 • 틀림없이 저 아이가 가져갔을 거야. (발화 현장에 존재하는 아이 지칭) • 그 사람들도 그렇게 생각합니다. (문장 밖에 존재하는 사람 지칭)
수 관형사	① 개념: 수량을 나타내는 관형사 예 한, 두, 세(석), 네(넷), 다섯, 첫째, 둘째, 여러, 모든, 몇 ② 종류

양수	정수	한, 두, 세(석, 서), 네(넉, 너), 다섯(닷), 여섯(엿), 일곱, 여덟, 아홉, 열, 스무
	부정수	한두, 두세, 서너, 너댓, 몇몇, 여러, 모든
서수	정수	첫, 첫째, 둘째, 셋째, 제일(第一), 제이(第二)
	부정수	한두째, 두어째, 여남은째

(3) 관형사의 구별

① 성상 관형사 vs. 용언의 관형사형: '새'는 관형사이고, '새로운'은 형용사의 관형사형이다.

성상 관형사	새 신발
형용사의 관형사형	새로운 뉴스

② 성상 관형사 vs. 명사 vs. 부사: '-적(的)'이 붙은 말은 다음과 같이 품사를 달리한다.

성상 관형사	-적(的)+체언	국가적 행사
명사	-적(的)+조사	국가적으로 중요하다.
부사	-적(的)+용언이나 부사	비교적 많이 쉬웠다.

③ 지시 관형사 vs. 대명사: '이, 그, 저'가 대명사로 쓰일 때에는 조사를 동반하고, 조사가 생략되었더라도 내용상 '이것, 저것, 그것'으로 대치할 수 있으면 대명사이다.

지시 관형사	이 책상(○) → 이것 책상(×)
대명사	이 가운데(○) → 이것 가운데(○)

④ 수 관형사 vs. 수사: 수 관형사는 뒤에 오는 체언을 꾸며 주므로 조사와 결합할 수 없다. 조사와 결합할 수 있으면 '수사'이다.

수 관형사	첫째 분이 나의 형이다.
수사	첫째로 물을 넣고 둘째로 간장을 넣는다.

2. 부사

주로 용언 앞에 놓여서 뒤에 오는 용언이나 문장 등을 수식하여 그 의미를 더욱 분명히 해 주는 단어의 묶음을 '부사'라고 한다.

(1) 특징

① 불변어이며, 시제나 높임 표시를 못한다.

② 격 조사를 취할 수 없으나, 보조사는 취할 수 있다.

예 • 올 겨울은 너무도 춥다.
• 세월이 참 빨리도 간다.

단권화 MEMO

*다른[他]-다른[異]
• 다른[他]: 지시 관형사
• 다른[異]: 형용사

단권화 MEMO

③ 용언을 한정하는 것이 주기능이지만, 부사, 관형사, 체언, 문장 전체를 수식하기도 한다.

예 • 다행히 산불이 진압되었다. (문장 전체 수식)
• 1등은 바로 나! (체언 수식)

④ 자리 이동이 비교적 자유롭다.

(2) 분류

부사는 일반적으로 문장에서의 역할에 따라 성분 부사와 문장 부사로 나눌 수 있다.

① **성분 부사**: 문장의 특정한 성분을 수식하는 부사로 성상 부사, 지시 부사, 의성 부사, 의태 부사, 부정 부사가 있다.

㉠ **성상 부사**: 상태나 정도가 어떠한지 꾸미는 부사이다.

상태	빨리, 갑자기, 깊이, 많이, 펄쩍
정도	매우, 퍽, 아주, 너무, 잘, 거의, 가장

㉡ **지시 부사**: 발화 현장을 중심으로 장소나 시간 및 앞에 나온 이야기의 내용을 지시하는 부사이다.

처소	이리, 그리, 저리, 이리저리, 요리조리
시간	오늘, 어제, 일찍이, 장차, 언제, 아까, 곧, 이미, 바야흐로, 앞서, 문득, 난데없이, 매일

■ **부사의 동사 한정**
소리를 모방한 의성 부사와 움직이는 모양을 모방한 의태 부사는 동사를 꾸미는 기능을 한다.
예 시냇물이 졸졸 흐른다.

㉢ **의성 부사**: 사람이나 사물의 소리를 흉내 내는 부사이다.

예 철썩철썩, 콸콸, 도란도란, 쾅쾅, 땡땡

㉣ **의태 부사**: 사람이나 사물의 모양이나 움직임을 흉내 내는 부사이다.

예 살금살금, 뒤뚱뒤뚱, 느릿느릿, 울긋불긋, 사뿐사뿐, 옹기종기, 깡충깡충

㉤ **부정 부사**: 꾸밈을 받는 동사나 형용사의 내용을 부정하는 부사로, '못, 안(아니)'이 있다.

예 오늘 학원에 못 갔다. / 오늘 학원에 안 갔다.

② **문장 부사**: 문장 전체를 꾸며 주는 부사로, 양태 부사와 접속 부사로 나뉜다.

㉠ **양태 부사**: 말하는 이의 마음먹기나 태도를 표시하는 부사로, 문장 전체에 대한 판단을 내리는 기능을 한다. 문장의 첫머리에 오는 것이 일반적이다. 양태 부사는 그 의미에 상응하는 어미와 호응을 이루는데, 단정은 평서형, 의혹은 의문형, 희망은 명령문이나 조건의 연결 어미와 호응을 이룬다.

기능	형태	용례
사태에 대한 믿음, 서술 내용을 단정할 때	과연, 정말, 실로, 물론 등	과연 그분은 위대한 정치가였다.
믿음이 의심스럽거나 단정을 회피할 때	설마, 아마, 비록, 만일, 아무리	설마 거짓말이야 하겠느냐?
희망을 나타내거나 가상적 조건 아래에서 일이 이루어지기를 바랄 때	제발, 부디, 아무쪼록 등	제발 비가 조금이라도 왔으면 좋겠는데.

㉡ **접속 부사**: 단어와 단어, 문장과 문장을 이어 주면서 뒤의 말을 꾸며 주는 부사이다. '그리고, 그러나, 혹은, 및' 등이 있다.

단어 접속	연필 또는 볼펜을 사야겠다.
문장 접속	지구는 돈다. 그러나 아무도 그것을 믿지 않았다.

더 알아보기 체언 수식 부사

'바로, 오직, 다만, 단지, 특히, 겨우, 아주' 등은 주로 용언을 수식하는 기능을 하지만 체언을 수식하기도 한다. 때문에 이들을 관형사로 볼 수도 있겠으나 일반적으로 부사로 인정하면서 체언 수식의 기능을 한다고 본다.

용언 수식	체언 수식
• 그 사람은 바로 떠났다. • 친구를 사귈 때는 특히 조심해라. • 우리는 저녁이 되어서야 겨우 도착했다. • 그 영화는 아주 재미있었다.	• 내가 원하는 것이 바로 그것이다. • 다른 때보다 차가 많이 밀리는 때는 특히 퇴근 시간이다. • 겨우 셋이 회의에 참석했다. • 그는 그 동네에서 아주 부자이다.

5 독립언: 감탄사

문장 속의 다른 성분에 얽매이지 않고 독립성이 있는 단어를 묶어 '독립언'이라고 한다. 독립언 중 '감탄사'는 화자의 부름, 대답, 느낌, 놀람 등을 나타내는 데 쓰이면서, 다른 성분들에 비하여 비교적 독립성이 있는 말이다.

(1) 특징

① 불변어이며, 문장 내에서 위치가 자유롭다. 다만, 대답하는 말은 문장의 첫머리에만 놓인다.

예 • 남편이 어디 어린앤가?
• 실직자 수당이라든가 뭐 그런 게 충분하면 좋으련만.

② 조사와 결합하지 않는다. 호격 조사가 붙어 상대를 부르는 표현은 감탄사가 아니다.

③ 독립성이 강해 감탄사 하나로 문장을 이룰 수 있다.

(2) 분류

구분	기능	예
감정 감탄사	• 상대방을 의식하지 않고 감정을 표출하는 감탄사 • 기쁨, 성냄, 슬픔, 한숨, 놀라움 등을 나타냄	허허, 에끼, 아이고, 후유, 에구머니, 아뿔싸 등
의지 감탄사	• 상대방을 의식하며 자기의 생각을 표시하는 감탄사 • 단념, 독려, 부름, 긍정, 부정 및 의혹 표시 등을 나타냄	• 아서라, 자, 여보, 여보세요, 이봐(상대방에게 어떻게 행동할 것을 요구) • 응, 네, 그래, 천만에(상대방의 이야기에 대해 긍정이나 부정 혹은 의혹을 표시)
기타	입버릇이나 더듬거리는 의미 없는 소리	뭐, 어디, 어, 아, 에, 에헴

단권화 MEMO

03 형태론

01 (   ): 일정한 뜻을 가진 가장 작은 말의 단위로, 여기에서 '뜻'은 어휘적 의미와 문법적 의미를 모두 포괄한다.

02 (   ): 어근과 결합하여 품사를 바꾸어 주는 접사

03 5언과 9품사

- 체언 – 명사, 대명사, 수사
- 관계언 – 조사
- 용언 – 동사, 형용사
- 수식언 – (   ), (   )
- 독립언 – 감탄사

04 '이, 그, 저'에 조사가 연결되거나 '이것, 그것, 저것'으로 바꿀 수 있으면 (   )이다.

05 (   ): 조사와 용언의 속성을 함께 지니고 있으며, 활용 형태는 형용사와 비슷하다.

06 보조사: 문장 성분 뒤에 오는 '성분 보조사'와 문장 끝에 붙는 '종결 보조사', 그리고 문장 성분에도 붙고 문장 끝에도 붙는 '(   )'이/가 있다.

07 동사와 형용사의 구분 기준: 기본형에 현재를 나타내는 관형사형 전성 어미 '(   )'이/가 결합할 수 있으면 동사이고, 결합할 수 없으면 형용사이다.

08 (   ): 본용언과 보조 용언을 이어 주는 어미

09 (   ): '(   )'이/가 모음 어미 앞에서 'ㅡ'는 탈락하고 'ㄹㄹ' 형태로 바뀌는 활용이다.

예 흐르+어 → 흘러, 이르+어 → 일러[謂], 빠르+아 → 빨라

10 (   ): 말하는 이의 마음먹기나 태도를 표시하는 부사로, 문장 전체에 대한 판단을 내리는 기능을 한다. 문장의 첫머리에 오는 것이 일반적이다. (   )은/는 그 의미에 상응하는 어미와 호응을 이룬다.

| 정답 | 01 형태소 02 지배적 접사 03 관형사, 부사 04 지시 대명사 05 서술격 조사 '이다' 06 통용 보조사 07 –는 08 보조적 연결 어미 09 '르' 불규칙, 르 10 양태 부사, 양태 부사

03 형태론

교수님 코멘트▶ 이 영역에서는 형태소와 단어의 특성, 품사의 구분, 합성어와 파생어의 구분 등이 자주 출제된다. 기출문제를 통해서 유형을 파악하고, 앞서 학습한 개념이 어떻게 문제화되는지 알아 두자. 또한 기본서 회독을 통해 다시 한번 확인해 두자.

01

2018 서울시 9급 제1회

국어의 형태소에 대한 설명으로 가장 옳지 않은 것은?

① 조사는 앞말에 붙어서 나타난다는 점에서 '의존 형태소'이다.

② 동사의 어간은 스스로 실질적인 단어이므로 명사와 더불어 '자립 형태소'이다.

③ 명사는 실제적인 의미를 가지고 있다는 면에서 동사의 어간과 더불어 '실질 형태소'이다.

④ 어미는 조사와 마찬가지로 문법적 기능을 하므로, '문법 형태소'이다.

02

2014 국회직 9급

다음 중 밑줄 친 부분이 접두사가 아닌 것은?

① 막그릇에 찬밥이지만 진수성찬이 따로 없네.

② 올해 심을 씨감자가 비를 맞고 다 썩어버렸어요.

③ 최근 일본산 참다랑어의 가격이 매우 하락하였다.

④ 처남이 우리 집으로 이사 오면서 군식구가 늘었어.

⑤ 피지도 못한 꽃들을 짓밟아버린 사람은 대체 누구인가.

정답&해설

01 ② 형태소

② 동사의 어간은 단독으로 자립하여 쓰일 수 없고, 어미와 결합해야만 쓰일 수 있으므로 '의존 형태소'이다.

02 ② 접두사

② 씨: '식물의 열매 속에 있는, 장차 싹이 터서 새로운 개체가 될 단단한 물질'을 뜻하는 어근이다.

| 오답해설 | ① 막- : '품질이 낮은'의 의미를 더하는 접두사이다.
③ 참- : '진짜, 진실하고 올바른'의 의미를 더하는 접두사이다.
④ 군- : '가외로 더한'의 의미를 더하는 접두사이다.
⑤ 짓- : '마구, 함부로'의 의미를 더하는 접두사이다.

| 정답 | 01 ② 02 ②

03

2015 국가직 7급

통사적 합성어로만 묶인 것은?

① 흔들바위, 곶감
② 새언니, 척척박사
③ 길짐승, 높푸르다
④ 어린이, 가져오다

04

2017 경찰직 2차

다음 〈보기〉 중 밑줄 친 단어들에 대한 설명으로 가장 적절한 것은?

> ㉠ 사람을 기르는 것이 중요해.
> ㉡ 그것은 그가 할 따름이죠.
> ㉢ 우리가 할 만큼은 했어.
> ㉣ 선생님 한 분이 새로 오신대요.

① 명사를 대신하여 대상을 가리키는 말이다.
② 사용 범위에 따라 고유 명사와 보통 명사로 나뉜다.
③ 사물의 수량을 가리키는 양수사와 순서를 가리키는 서수사로 나뉜다.
④ 실질적 의미가 희박한 형식성 의존 명사와 수량 등의 단위를 나타내는 단위성 의존 명사로 나뉜다.

05

2016 국가직 9급

밑줄 친 보조사의 의미를 설명한 것으로 옳지 않은 것은?

① 그렇게 천천히 가다가는 지각하겠다.
　– 는: 어떤 대상이 다른 것과 대조됨을 나타냄
② 웃지만 말고 다른 말을 좀 해 보아라.
　– 만: 다른 것으로부터 제한하여 어느 것을 한정함을 나타냄
③ 단추는 단추대로 모아 두어야 한다.
　– 대로: 따로따로 구별됨을 나타냄
④ 비가 오는데 바람조차 부는구나.
　– 조차: 이미 어떤 것이 포함되고 그 위에 더함을 나타냄

06

2021 국가직 9급

㉠, ㉡의 사례로 옳은 것만을 짝 지은 것은?

> 용언의 불규칙활용은 크게 ㉠ 어간만 불규칙하게 바뀌는 부류, ㉡ 어미만 불규칙하게 바뀌는 부류, 어간과 어미 둘 다 불규칙하게 바뀌는 부류로 나눌 수 있다.

	㉠	㉡
①	걸음이 빠름	꽃이 노람
②	잔치를 치름	공부를 함
③	라면이 불음	합격을 바람
④	우물물을 품	목적지에 이름

07

2018 서울시 9급 제2회

'본용언+보조 용언' 구성이 아닌 것은?

① 영수는 쓰레기를 주워서 버렸다.
② 모르는 사람이 나를 아는 척한다.
③ 요리 맛이 어떤지 일단 먹어는 본다.
④ 우리는 공부를 할수록 더 많은 것을 알아 간다.

정답&해설

03 ④ 통사적 합성어와 비통사적 합성어의 구분

④ • 어린이: 형용사 '어리다'가 관형사형으로 활용한 형태인 '어린'에 의존 명사 '이'가 결합하였다. 관형어가 체언을 수식하는 형태이므로 통사적 합성어이다.
• 가져오다: 동사 '가지다'와 '오다'가 연결 어미 '-어'가 붙어 결합된 통사적 합성어이다.

|오답해설| ① • 흔들바위: 부사 '흔들'이 명사 '바위'와 결합한 형태이다. 부사가 명사를 수식하는 형태이므로 비통사적 합성어이다.
• 곶감: 용언의 어간 '곶-'에 명사 '감'이 결합한 형태로, 어간과 체언이 연결 어미 없이 바로 연결된 비통사적 합성어이다.
② • 새언니: 관형사 '새'와 명사 '언니'가 결합한 형태로 통사적 합성어이다.
• 척척박사: 부사 '척척'과 명사 '박사'가 결합한 형태로 비통사적 합성어이다.
③ • 길짐승: 용언 '기다'에 관형사형 전성 어미 '-ㄹ'이 붙어 활용한 형태인 '길'에 명사 '짐승'이 결합한 형태로, 통사적 합성어이다.
• 높푸르다: 형용사 '높다'와 '푸르다'가 결합한 형태로, 어간과 어간이 연결 어미 없이 바로 연결된 비통사적 합성어이다.

04 ④ 의존 명사

④ 밑줄 친 '것, 따름, 만큼, 분'은 단독으로는 사용되지 않고 관형어 뒤에 사용되는 의존 명사이다. 의존 명사는 형식성 의존 명사와 단위성 의존 명사로 나뉜다.

|오답해설| ① 명사를 대신 가리키는 말은 '대명사'이다.
② 명사는 자립성 유무에 따라 '의존 명사'와 '자립 명사'로 나눌 수 있다.

05 ① 보조사

① 보조사 '은/는'은 다음의 3가지 경우로 쓰이는데, ①은 '강조'의 뜻을 나타낸다.
• 어떤 대상이 다른 것과 '대조'됨을 나타냄
예 귤은 까서 먹고 배는 깎아서 먹어라.
• 문장 속에서 어떤 대상이 '화제(주체)'임을 나타냄
예 귤은 노랗다.
• '강조'의 뜻을 나타냄
예 그렇게는 하지 마라.

06 ④ 용언의 불규칙 활용

④ '푸다'는 어간만 불규칙하게 바뀌는 '우' 불규칙에 해당한다. '도달하다'의 의미인 '이르다'는 어미만 불규칙하게 바뀌는 '러' 불규칙에 해당한다.

|오답해설| ① '빠르다'는 어간만 불규칙하게 바뀌는 '르' 불규칙에 해당한다. '노랗다'는 어간과 어미가 둘 다 불규칙하게 바뀌는 'ㅎ' 불규칙에 해당한다.
② '치르다'는 'ㅡ' 탈락이 일어나는 단어이며, 이는 규칙 활용으로 인정된다. '하다'는 어미만 불규칙하게 바뀌는 '여' 불규칙에 해당한다.
③ '붇다'는 어간만 불규칙하게 바뀌는 'ㄷ' 불규칙에 해당한다. '바라다'는 동음 탈락이 일어나는 단어이다.

07 ① 본용언과 보조 용언

① '본용언+보조 용언'의 구성이라면 보조 용언 단독으로는 문장이 이루어질 수 없어야 한다. 그러나 '주워서 버렸다'의 경우 '영수는 쓰레기를 주웠다.', '영수는 쓰레기를 버렸다.'와 같이 모두 문장이 성립하므로 '주워서'와 '버렸다' 모두 본용언으로 보아야 한다.

|정답| 03 ④ 04 ④ 05 ① 06 ④ 07 ①

08

2019 국가직 7급

밑줄 친 단어의 기본형이 옳지 않은 것은?

① 아침이면 얼굴이 부어서 늘 고생이다. (→ 붓다)
② 개울물이 불어서 징검다리가 안 보인다. (→ 불다)
③ 은행에 부은 적금만도 벌써 천만 원이다. (→ 붓다)
④ 물속에 오래 있었더니 손과 발이 퉁퉁 불었다. (→ 붇다)

09

2017 지방직 9급 추가 채용

밑줄 친 부분에 해당하는 것은?

> '-ㅁ/-음'은 'ㄹ'을 제외한 받침 있는 용언의 어간이나 어미 '-었-', '-겠-' 뒤에 붙어, 그 말이 명사 구실을 하게 하는 어미로 쓰이는 경우와, 어간 말음이 자음인 용언 어간 뒤에 붙어 명사를 만드는 접미사로 쓰이는 경우가 있다.

① 그는 수줍음이 많은 사람이다.
② 그는 죽음을 각오하고 일에 매달렸다.
③ 태산이 높음을 사람들은 알지 못한다.
④ 나라를 위해 젊음을 바친 사람이 애국자다.

10

2018 서울시 9급 제2회

밑줄 친 단어의 품사가 다른 하나는?

① 그곳에서 갖은 고생을 다 겪었다.
② 우리가 찾던 것이 바로 이것이구나.
③ 인천으로 갔다. 그리고 배를 탔다.
④ 아기가 방글방글 웃는다.

11

2018 서울시 9급 제2회

밑줄 친 부분 중에서 품사가 다른 하나는?

① 그곳은 비교적 교통이 편하다.
② 손이 저리다. 아니, 아프다.
③ 보다 나은 내일을 위해 노력해라.
④ 얼굴도 볼 겸 내일 만나자.

12

2019 국가직 9급

밑줄 친 단어의 품사를 같은 것끼리 묶은 것은?

> • 쌍둥이도 서로 성격이 ㉠ 다른 법이다.
> • 날씨가 건조하면 나무가 잘 ㉡ 크지 못한다.
> • 남부 지방에 홍수가 ㉢ 나서 많은 수재민이 생겼다.
> • 그 사람이 농담은 하지만 ㉣ 허튼 말은 하지 않는다.
> • 상대에게 자유를 주는 것이 진정한 사랑이 ㉤ 아닐까?

① ㉠, ㉡　　② ㉡, ㉢
③ ㉢, ㉣　　④ ㉣, ㉤

13

2019 서울시 9급

밑줄 친 부분의 품사가 다른 하나는?

① 옷 색깔이 아주 밝구나!
② 이 분야는 전망이 아주 밝단다.
③ 내일 날이 밝는 대로 떠나겠다.
④ 그는 예의가 밝은 사람이다.

정답&해설

08 ② 용언의 활용

② '분량이나 수효가 많아지다.'의 의미인 '붇다'는 자음 어미 앞에서는 '붇다, 붇고'처럼 어간의 'ㄷ'이 유지되지만 모음 어미 앞에서는 어간의 'ㄷ'이 'ㄹ'로 바뀌는 'ㄷ' 불규칙 활용을 한다. 따라서 '개울물이 불어서'처럼 활용한다.

| 오답해설 | ① 여기서 '붓다'는 '살가죽이나 어떤 기관이 부풀어 오르다.'의 의미이며 'ㅅ'이 모음 어미 앞에서 탈락하는 'ㅅ' 불규칙 용언이다. 따라서 '부어서'로 활용한다.
③ 여기서 '붓다'는 '불입금, 이자, 곗돈 따위를 일정한 기간마다 내다.'의 의미이며, 'ㅅ' 불규칙 용언이므로 '부은'으로 활용한다.
④ 여기서 '붇다'는 '물에 젖어서 부피가 커지다.'의 의미이며, 자음 어미 앞에서는 '붇다, 붇고'처럼 어간의 'ㄷ'이 유지되지만 모음 어미 앞에서는 어간의 'ㄷ'이 'ㄹ'로 바뀌는 'ㄷ' 불규칙 활용을 한다. 따라서 '손과 발이 퉁퉁 불었다.'처럼 활용한다.

09 ③ 명사형 전성 어미와 명사 파생 접미사의 구분

③ 명사형 전성 어미와 명사 파생 접미사는 '-ㅁ/-음'으로 형태가 같아서 구분하기 어려운 경우도 있다. 그러나 명사형 전성 어미가 결합한 말은 부사의 수식을 받으며 서술성이 강하다는 특징이 있다.

10 ① 관형사와 부사의 구분

① 갖은: 뒤에 오는 명사를 수식하는 관형사이다.

| 오답해설 | ②③④ 모두 부사이다.
② '바로'의 경우 뒤에 오는 '이것'을 수식하는 것으로 볼 수 있어서 관형사로 볼 여지가 있으나 학교 문법에서는 체언 수식 부사로 다루고 있다. (품사 통용의 입장에 어긋난다는 비판이 있음)

11 ④ 의존 명사와 부사의 구분

④ '겸'은 두 가지 이상의 동작이나 행위를 아울러 함을 나타내는 말로서 관형어의 수식을 받는 의존 명사이다.

| 오답해설 | ① '비교적'과 같이 '-적'이 결합한 말은 일반적으로 뒤에 오는 명사를 수식하는 관형사로 쓰이거나 조사 '이다, 으로' 등과 결합하면 명사로 쓰인다. 그러나 ①의 예에서는 '비교적'이 뒤에 오는 명사 '교통'을 수식하는 것이 아니며 조사와 결합하지도 않았고 문장 내에서 위치 이동이 가능하므로 부사로 보아야 한다.

12 ② 품사의 구분

② ㉡과 ㉢은 동사이다.
㉡의 '크다'는 형용사로 주로 쓰이지만 '자라다'의 의미일 때에는 동사이다.
㉢의 '나다'는 동사로만 쓰이는 단어이다.

| 오답해설 | ㉠ 다르다: '다른'이 '이것 말고 그밖의'의 의미이면 관형사이고, '차이가 있는'의 의미이면 형용사이다. ㉠은 '다른'이 형용사로 쓰인 문장이다.
㉣ 허튼: 관형사로만 쓰이는 단어이다.
㉤ 아니다: 형용사로만 쓰이는 단어이다.

13 ③ 동사와 형용사의 구분

'밝다'는 동사나 형용사로 쓰이는 단어이다. ③의 '밝다'는 현재를 의미하는 관형사형 어미 '-는'이 결합하였고, '밤이 지나고 환해지며 새날이 오다.'의 의미로 쓰였으므로 품사는 동사이다.

| 오답해설 | ①②④의 '밝다'는 형용사로 쓰였다.
① 빛깔의 느낌이 환하고 산뜻하다.
② 예측되는 미래 상황이 긍정적이고 좋다.
④ 생각이나 태도가 분명하고 바르다.

| 정답 | 08 ② 09 ③ 10 ① 11 ④ 12 ② 13 ③

CHAPTER

04 통사론

☐ 1회독 월 일
☐ 2회독 월 일
☐ 3회독 월 일
☐ 4회독 월 일
☐ 5회독 월 일

단권화 MEMO

■ 문장의 구성
문장은 주어부와 서술부로 나뉜다.
- 주어부: 주어와 그에 딸린 부속 성분
- 서술부: 서술어와 그에 딸린 목적어, 보어 등의 성분

01 문장

생각이나 감정을 완결된 내용으로 표현하는 최소의 언어 형식을 '문장'이라고 한다.

1 문장의 특징

① 문장은 주어와 서술어를 갖추는 것을 기본 원칙으로 한다. 단, 문맥에 따라 생략할 수도 있다.

예 • 저 코스모스가(주어부) / 아주 아름답다(서술부)
• 불이야! (서술어 단독 구성)

② 문장은 의미상으로는 완결된 내용을 갖추고, 구성상으로는 주어와 서술어의 관계를 갖추며, 형식상으로는 문장이 끝났음을 나타내는 표지가 있다.

③ 문장은 형식 면에서 구성 요소가 질서 있고 통일되게 유의적으로 배열되어야 한다.

④ 문장을 구성하는 문법 단위로는 어절, 구, 절이 있다. 최소 자립 단위인 단어는 문장의 문법 단위에 해당하지 않는다.

2 문장을 구성하는 기본적인 문법 단위

(1) 어절

① 문장을 구성하는 기본 문법 단위이다.

② 띄어쓰기 단위와 일치한다.

③ 조사나 어미와 같이 문법적인 기능을 하는 요소들이 앞의 말에 붙어 한 어절을 이룬다.

예 영수가 집에서 밥을 먹는다. (4어절)

(2) 구

① 중심이 되는 말과 그것에 딸린 말들의 묶음이다.

② 두 개 이상의 어절이 모여 하나의 단어와 동등한 기능을 한다.

③ 주어와 서술어의 관계를 가지지 못한다.

④ 종류

구분	내용	용례
명사구	관형사+체언, 체언+접속 조사+체언	• 새 차가 좋다. • 철수와 민수가 만났다.
동사구	부사+동사, 본동사+보조 용언	• 그는 문 쪽으로 빨리 달렸다. • 음식을 먹어 본다.

형용사구	부사+형용사, 본형용사+보조 용언	• 봄인데도 오늘은 매우 춥다. • 나도 재처럼 예쁘고 싶다.
관형사구	부사+관형사, 관형사+접속 부사+관형사	• 이 교재는 아주 새 책이다. • 이 그리고 저 사람이 했다.
부사구	부사+부사, 부사+접속 부사+부사	• 그는 매우 빨리 친해졌다. • 너무 그리고 자주 전화를 했다.

(3) 절

① 어떤 문장의 한 성분 노릇을 하는 문장이다.

② 주어와 서술어의 관계를 가지는 단위를 설정할 수 있다는 점에서 구와 구별되고, 더 큰 문장 속에 들어가서 전체 문장의 일부분으로 쓰인다는 점에서 문장과 구별된다.

③ 종류

구분	내용	용례
명사절	문장+명사형 어미 '-(으)ㅁ/-기'	나는 철수가 학생임을 알았다.
서술절	이중 주어문의 끝 문장	철수가 키가 크다.
관형절	문장+관형사형 어미 '-(으)ㄴ/-는/-은/-던/-(으)ㄹ'	너는 마음이 예쁜 사람을 만나라.
부사절	문장+부사 파생 접미사 '-이'	철수가 말이 없이 집에 갔다.
인용절	인용 문장+직·간접 인용 조사 '하고/라고/고'	철수가 아기가 귀엽다고 말했다.

02 문장 성분

문장 안에서 문장을 구성하면서 일정한 문법적인 기능을 하는 각 부분을 '문장 성분'이라고 한다. 문장 성분에는 주성분, 부속 성분, 독립 성분이 있다.

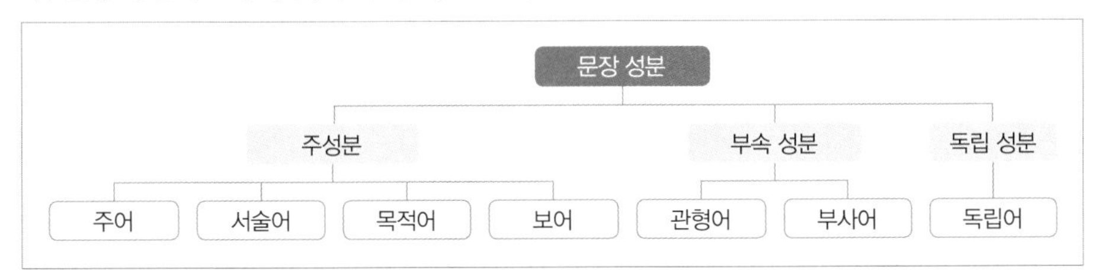

1 주성분: 주어, 서술어, 목적어, 보어

(1) 주어

주어는 문장에서 동작이나 작용, 상태, 성질의 주체를 나타내는 문장 성분으로, '무엇이', '누가'에 해당한다. 주어는 체언이나 체언 구실을 하는 구나 절에 '이/가', '께서' 등이 붙어 나타나는데, 주격 조사가 생략될 수도 있고 보조사가 붙을 수도 있다.

① 체언+주격 조사(이/가, 께서, 에서)

체언, 명사구, 명사절, 문장+'이/가'	• 순옥이가 공부를 한다. • 새 책이 좋다. • 마음이 곱기가 비단 같다. • 정아가 합격할 것인가가 문제이다.

단권화 MEMO

■ 문장 성분

주성분	문장을 이루는 데 골격이 되는 필수 성분
부속 성분	주로 주성분의 내용을 수식하는 수의적 성분
독립 성분	문장 안에서 다른 성분과 직접적인 관련이 없는 성분

■ 문장의 기본 형태
• 무엇이 어찌하다.
• 무엇이 어떠하다.
• 무엇이 무엇이다.

단권화 MEMO

*이중 주어문
주어가 2개 이상인 문장을 가리키는 말로, 서술절을 안은문장이 이에 해당한다. 그러나 이들 문장을 이중 주어문으로 규정 짓는 것에 대해서는 아직 논란이 있다.

■ 서술어의 역할
- 서술어는 높임법과 시제를 나타낸다.
- 서술어는 다른 성분의 격을 결정해 주는 구실을 한다.

*수여 동사
주다, 드리다, 바치다, 가르치다, 넣다 등
*'삼다'류 동사
삼다, 여기다, 간주하다, 만들다 등

높임 명사+'께서'	아버지께서 외국에 나가셨다.
단체(무정 명사)+'에서'	교육부에서 임용 고사를 주관한다.

② 체언+보조사

㉠ 체언 뒤에 주격 조사 대신 보조사가 결합하여 주어를 실현할 수 있다.

예 나는 빵을 좋아해. 너도 그러니?

㉡ '체언+보조사' 뒤에 주격 조사가 다시 결합할 수도 있다.

예 너만이 옳다고 생각하지 마.

③ 이중 주어문*: 서술어는 하나인데 주어가 겹쳐 사용되는 경우이다.

예 선생님은 키가 크시다.

더 알아보기 주격 조사의 보조사적 용법

본래가 그런 사람은 아닌데.

학교 문법에서는 '이/가'를 주격 조사로 규정하고 있다. 그러나 예문에서 밑줄 친 '가'는 주격 조사로 사용되었다기보다는 '강조'의 의미를 나타내는 보조사로 볼 수 있다. 그러므로 학교 문법에서는 이를 주격 조사의 보조사적 용법으로 처리하고 있다. (다른 문법적 의견으로는 강조의 보조사 '이/가'를 따로 설정)

(2) 서술어

서술어는 주어를 동사(어찌하다), 형용사(어떠하다), 체언+서술격 조사 '이다'(무엇이다)로 나타내는 문장 성분이다. 즉, 서술어는 주어의 동작이나 작용, 상태, 성질 등을 풀이하는 기능을 한다.

① 서술어의 성립

용언의 기본형과 활용형	• 철수가 밥을 먹다. • 하늘이 맑고 푸르다.
서술격 조사 '이다'의 사용	이것은 책이다.
본용언+보조 용언	본용언과 보조 용언이 결합된 형태는 하나의 서술어로 보며, 용언은 두 개로 인정한다. 예 그녀는 웃고 있다. / 정미는 물을 마시고 있다.

② 서술어의 자릿수: 서술어는 그 성격에 따라서 필요로 하는 문장 성분의 개수가 다른데, 이를 '서술어의 자릿수'라고 한다. 한 문장 안에서 서술어가 요구하는 문장 성분은 '주어, 목적어, 보어, 필수적 부사어'이다. 서술어의 자릿수에 따라서 나머지 필수 성분들이 결정되기 때문에 주성분으로서 서술어의 중요성이 크다고 할 수 있다.

㉠ 서술어 자릿수의 종류

서술어의 종류	필요 성분	서술어의 성격	용례
한 자리 서술어	주어	자동사	코스모스가 (아름답게) 피었다.
		형용사	코스모스가 (매우) 아름답다.
두 자리 서술어	주어+목적어	타동사	영지는 (많은) 책을 읽었다.
	주어+보어	되다, 아니다	영수가 (좋은) 선생님이 되었다.
	주어+부사어	자동사	철수가 영희에게 속았다.
세 자리 서술어	주어+목적어+부사어	수여 동사*, '삼다'류* 등	나는 (착한) 그녀를 딸로 삼았다.

㉡ 서술어 자릿수의 변화: 같은 형태의 서술어라도 환경에 따라 서술어의 자릿수가 달라지는 경우가 있다.

구분	한 자리 서술어	두 자리 서술어	세 자리 서술어
놀다	아이들이 (즐겁게) 논다.	아이들이 윷을 (마당에서) 논다.	–
멈추다	차가 (저절로) 멈추었다.	경찰이 차를 멈추었다.	–
밝다	달이 밝다.	나는 마산 지리에 밝다.	–
좋다	영희는 [몸집이 좋다.] 서술절 (주어) (주어) (서술어)	술은 정신에 좋다.	–
생각하다	–	나는 그녀를 생각한다.	나는 그녀를 선녀로 생각한다.

㉢ 서술어의 선택 제약: 서술어가 특정한 말과는 어울리지만, 어떤 말과는 어울리지 않는 특징이 있는 것을 말한다.

예 • 철수는 눈을 감았다. / *철수는 입을 감았다.
• 영수는 입을 다물었다. / *영수는 눈을 다물었다.

(3) 목적어

타동사가 쓰인 문장에서 그 동작의 대상이 되는 문장 성분을 '목적어'라고 한다. 체언에 목적격 조사 '을/를'이 붙는 것이 일반적이나, 때로 '을/를'이 생략될 수도 있다. 또한 '을/를'이 생략되는 대신에 특정한 의미를 더하여 주는 보조사가 붙기도 한다.

구분	예
체언+목적격 조사(을/를)	나는 맥주를 마신다.
명사 상당 어구(명사구, 명사절, 문장 등) +목적격 조사(을/를)	• 언제나 그 담배를 피운다. • 나는 그녀가 꼭 합격하기를 바란다.
체언+보조사, 체언+보조사+목적격 조사	• 이 선생님은 그림도 잘 그린다. • 그는 술만을 좋아한다.
한 문장에 목적어가 두 개 이상 나타나는 경우, 둘 중 하나를 다른 성분으로 바꾸거나 어느 한 목적어의 조사를 생략하는 것이 일반적	• 그가 책을 나를 주었다. → 그가 책을 나에게(부사어) 주었다. • 나는 조카에게 용돈을 만 원을 주었다. → 나는 조카에게 용돈(조사 생략) 만 원을 주었다.

더 알아보기 목적격 조사의 보조사적 용법

영수가 학교에 갔다. → 영수가 학교를 갔다.

학교 문법에서는 '을/를'을 목적격 조사로 규정하고 있다. 그러나 예문에서 밑줄 친 '를'은 목적격 조사로 사용되었다기보다는 '강조'의 의미를 나타내는 보조사로 볼 수 있다. 그러므로 학교 문법에서는 이들을 목적격 조사의 보조사적 용법으로 처리하고 있다. (다른 문법적 의견으로는 강조의 보조사 '을/를'을 따로 설정)

(4) 보어

서술어 '되다, 아니다'가 필수적으로 요구하는 문장 성분을 '보어'라고 한다.

구분	예
체언+보격 조사 '이/가'+되다/아니다	물이 얼음이 되었다.
체언+보조사 '만, 은/는, 도'+되다/아니다	물이 얼음은 아니다.

단권화 MEMO

■ 보격 조사와 주격 조사
• 보격 조사 '이/가' 대신 보조사가 붙을 수 있다는 점이 주격 조사와 같다.
• 보격 조사와 주격 조사 모두 형태는 '이/가'로 동일하지만 문장 성분이 다름에 유의해야 한다.
예 얼음이(주어) 물이(보어) 되었다.

단권화 MEMO

2 부속 성분: 관형어, 부사어

(1) 관형어

① 관형어의 특징

㉠ 체언으로 실현되는 주어, 목적어 앞에서 이들을 꾸미는 문장 성분을 말한다.

㉡ 의존 명사는 자립할 수 없으므로 의존 명사가 쓰인 문장에는 관형어가 반드시 나타난다. 즉, 관형어는 부속 성분이지만 의존 명사 앞에는 반드시 필요하므로 항상 수의적이라고 할 수 없다.

예 먹을 것이 필요하다.

㉢ 관형어 뒤에 체언으로 된 관형어가 쓰이는 경우 피수식어의 범위가 중의성을 갖게 되므로 쉼표 등을 사용하여 중의성을 없애야 한다.

예 아름다운, 친구의 동생을 만났다. (친구의 동생이 아름답다는 의미)

② 관형어의 성립

관형사	철수가 새 책상을 샀다.
체언+관형격 조사 '의'	나의 소원은 비밀이다.
체언 자체(관형격 조사 생략)	철수 동생
용언의 어간+관형사형 어미 '-(으)ㄴ, -는, -(으)ㄹ, -던'	자는 사람 깨우지 마라.

(2) 부사어

① 부사어의 특징

㉠ 서술어의 의미가 분명하게 드러나도록 서술어를 꾸며 주는 문장 성분이다.

㉡ 보조사와 비교적 자유롭게 결합한다.

예 저 개는 빨리도 뛴다.

㉢ 자리 옮김이 비교적 자유롭고, 문장 부사어가 성분 부사어보다 자리 옮김이 더 자유롭다.

예 • 영숙이가 역시 시험에 합격했어.
• 역시 영숙이가 시험에 합격했어.
• 영숙이가 시험에 역시 합격했어.

㉣ 부사어가 다른 부사어, 관형어, 체언을 꾸밀 때와 부정 부사일 때에는 자리 옮김이 불가능하다. 자리 옮김을 하면 꾸미는 대상이 달라지기 때문이다.

예 • 겨우 하나 끝낸 거니? ('하나'를 한정)
• 하나 겨우 끝낸 거니? ('끝내다'를 한정)

㉤ 부사어는 수의적 성분이다. 그러나 서술어 중 일부는 부사어를 반드시 요구하는 경우가 있는데, 이런 부사어를 '필수적 부사어'라고 한다. 필수적 부사어는 문장의 필수 성분이 된다.

② 부사어의 성립

부사 (지시 부사, 성상 부사, 양태 부사, 부정 부사 등)	바다가 매우 푸르다.
부사절	그 아이가 재주가 있게 생겼다.
체언+부사격 조사	철수가 집으로 갔다.
부사+보조사	우리 많이도 먹었다.
용언의 부사형	학교에서 얌전하게 있어라.

■ 부사어의 종류
• 성분 부사어: 특정한 성분 하나만을 수식하는 부사어(아주, 어서, 너무, 매우, 많이, 참 등)
예 발이 너무 아프다.
• 문장 부사어: 문장 전체를 수식하는 부사어(과연, 다행스럽게도, 확실히, 의외로, 그러나, 부디, 설마 등)
예 다행스럽게도 많이 다치지 않았다.

더 알아보기 부사어

1. 필수적 부사어
   ① 개념: 서술어의 특성에 따라 필수적으로 요구되는 부사어를 말한다.
   ② 실현: 수의적 부사어가 파생 부사(많이, 일찍이)나 순수 부사(꼭)로 이루어져 있는 데 비하여, 필수적 부사어는 부사격 조사 '와/과, 로, 으로, 에게'와 결합한다.
   - 두 자리 서술어: 생기다, 같다, 비슷하다, 닮다, 다르다, 마주치다, 부딪치다, 싸우다 등
     예 • 그는 집으로 향했다.
     • 피망은 고추와 다르다.
     • 그놈 멋지게 생겼네.
   - 세 자리 서술어: 주다, 삼다, 넣다, 두다, 얹다 등
     예 • 아버지는 그 아이를 수양딸로 삼으셨다.
     • 소라가 나래에게 선물을 주었다.

2. '바로'의 품사와 성분

   ① 바로 오너라.
   ② 그건 바로 너의 책임이다.

   ① '바로 오너라.'의 '바로'는 용언을 수식하므로 부사이고 부사어이다.
   ② '그건 바로 너의 책임이다.'의 '바로'는 원래 부사로 쓰이는 것이 체언 '너'를 수식하고 있으나, 학교 문법에서는 이를 체언 수식 부사로 보고 부사어로 처리한다.

3 독립 성분: 독립어

문장의 어느 성분과도 직접적인 관련이 없는 문장 성분으로, 생략해도 문장이 성립한다.

감탄사	• 어머나, 벌써 벚꽃이 피었네. • 에구머니나, 지갑을 놓고 왔네.
체언+호격 조사	• 임금님이시여, 자비를 베풀어 주소서. • 영표야, 밥 먹으러 가자.
제시어나 표제어	돈, 이것이 인생의 모든 것일까?

03 문장의 짜임

단권화 MEMO

■ 감탄사의 종류
아이고, 어머나, 어, 어이쿠 등

단권화 MEMO

■ 대칭 서술어와 문장의 짜임

'부딪치다, 만나다, 싸우다, 악수하다, 비슷하다, 다르다, 같다, 닮다' 등의 대칭 서술어가 쓰인 문장은 '와/과' 등의 명사구가 이어졌다고 하더라도 두 문장으로 분리할 수 없기 때문에 홑문장으로 본다.

예 민수와 정아가 서점에서 싸웠다.
→ '민수가 서점에서 싸웠다.'+'정아가 서점에서 싸웠다.'로 분리할 수 없으므로 홑문장으로 봐야 함

1 홑문장과 겹문장

(1) 홑문장

주어와 서술어의 관계가 한 번만 나타나는 문장이다.

예 • 철수가 커피를 마신다.
• 그녀가 결국 머리카락을 잘랐다.

(2) 겹문장

주어와 서술어의 관계가 두 번 이상 나타나는 문장이다. 겹문장은 다시 안은문장과 이어진문장으로 구분할 수 있다.

더 알아보기 홑문장과 겹문장 구별하기

① 없어. → 홑문장
⇨ 온점(.)이 찍혔다는 것은 발화 중에 사용되었다는 뜻이므로 문장으로 인정할 수 있다.

② 누가 그런 일을 한다고 그래? → 겹문장
⇨ '누가 그런 일을 한다' 전체가 하나의 절이고, 밖의 서술어 '그래'와 호응하는 생략된 주어(너는)를 상정할 수 있기 때문에 겹문장으로 인정할 수 있다.

③ 나는 나만의 삶을 나만의 방식으로 산다. → 홑문장
⇨ '산다'만이 서술어이고, '삶'은 파생 명사일 뿐이다. 주어는 '나는'이고, '나만의 삶을'이 목적어, '나만의 방식으로'는 부사어이다.

④ 꿈을 꾸자, 날개를 달자! → 겹문장
⇨ '꾸자', '달자' 두 개의 서술어가 있으므로 겹문장이다.

■ 안은문장과 안긴문장

• 안은문장: 안긴문장을 포함한 문장
• 안긴문장: 홑문장이 다른 문장 속에 들어가 하나의 문장 성분처럼 쓰이는 것으로, 명사절, 관형절, 서술절, 부사절, 인용절 등이 있다.

2 안은문장

다른 문장을 절의 형식으로 안고 있는 문장을 '안은문장'이라고 한다. 안은문장은 어떤 문장 성분(절)을 안았는지에 따라 다음과 같이 구분할 수 있다.

(1) 명사절을 안은문장

명사절은 절 전체가 문장에서 명사처럼 쓰이는 것으로, 주어, 목적어, 보어, 부사어 등의 기능을 한다. 명사절은 서술어에 명사형 어미 '-(으)ㅁ, -기'가 붙거나 관형사형 어미+의존 명사로 된 '-는 것'이 붙어서 만들어진다.

① **'-(으)ㅁ' 명사절**: 사건 완료의 의미를 나타내며, 어울리는 서술어로는 '알다, 밝혀지다, 드러나다, 깨닫다, 기억하다, 마땅하다' 등이 있다.
예 철수가 합격했음이 밝혀졌다. (주어 명사절)

② **'-기' 명사절**: 미완료의 의미를 나타내며, 어울리는 서술어로는 '바라다, 기다리다, 쉽다, 좋다, 나쁘다, 알맞다' 등이 있다.
예 나는 농사가 잘되기를 진정으로 빌었다. (목적어 명사절)

③ '-느냐/-(으)냐, -는가/-(으)ㄴ가, -는지/-(으)ㄴ지' 등의 종결 어미로 끝난 문장도 그대로 명사절로 쓰일 수 있다.
예 그들이 정말 그 일을 해내느냐가 관심거리였다.

④ **'것' 명사절**: 종결형으로 끝난 문장에 '-는 것'이 붙어서 되는 것과 관형사형으로 된 문장에 바로 '것'이 붙어서 되는 것이 있다.
예 • 세영이가 여수에 산다는 것은 거짓말이다.
• 그가 고향에 돌아간 것이 확실하다.

더 알아보기 명사절의 완료 vs. 미완료

① 그는 좋은 시절이 다 {지나갔음을 / *지나갔기를} 알았다.
② 농부들은 비가 {오기를 / *옴을} 기다린다.

두 문장에 들어 있는 명사절은 각각 '좋은 시절이 다 지나갔음'과 '비가 오기'이다. 이때 명사형 어미 '-(으)ㅁ'과 '-기'는 각각 '좋은 시절이 다 지나갔다'와 '비가 오다'를 명사절로 만드는 기능을 한다. '-(으)ㅁ'과 '-기'는 둘 다 명사형 어미이나, '-(으)ㅁ'이 완료의 의미를 나타내는 데 반해, '-기'는 미완료의 의미를 나타낸다는 점에서 차이가 있다.

단권화 MEMO

■ '-(으)ㅁ'과 '-기' 명사절
'-(으)ㅁ'과 '-기' 명사절은 극소수의 예외를 제외하고는 서로 바뀌어 쓰이는 일이 없다.

(2) 관형절을 안은문장

관형절은 절 전체가 문장에서 관형어의 기능을 하는 것으로, 관형사형 어미 '-(으)ㄴ, -는, -(으)ㄹ, -던'이 붙어서 만들어진다. 관형절은 길이와 성분의 쓰임에 따라 다음과 같이 구분할 수 있다.

① 길이에 따라

구분	내용	용례
긴 관형절	문장 종결형+관형사형 어미 '-는'	나는 그가 애썼다는 사실을 알았다.
짧은 관형절	용언의 어간+관형사형 어미 '-(으)ㄴ, -(으)ㄹ, -던'	나는 그가 애쓴 사실을 알았다.

② 성분의 쓰임에 따라

구분	내용	용례
관계 관형절	• 관형절의 수식을 받는 체언이 관형절의 한 성분이 되는 경우 • 성분 생략 가능	• 나는 극장에 가는 영수를 봤다. → (영수가) 극장에 갔다: 주어 생략 • 나는 영수가 그린 그림이 좋다. → 영수가 (그림을) 그렸다: 목적어 생략
동격(대등) 관형절	• 관형절의 피수식어(체언)가 관형절의 한 성분이 아니라 관형절 전체의 내용을 받아 주는 관형절 • 안긴문장이 뒤의 체언과 동일한 의미를 가짐 • 관형절 내 생략된 성분이 없음	나는 순이가 합격했다는 소식을 들었다. → 소식 = 순이가 합격했다.

(3) 부사절을 안은문장

① 부사절은 절 전체가 문장에서 부사어의 기능을 하는 것으로, 서술어를 수식하는 기능을 한다.

② 보통 부사 파생 접미사 '-이'가 문장의 서술어 자리에 붙어 형성된다.

예 철수가 말이 없이 집에 갔다.

③ 활용 어미 '-듯이, -게, -도록, -아서/-어서' 등이 붙어서 부사절을 이루기도 한다.

예 • 호동이가 바람이 불듯이 뛰어갔다. • 그 건물은 옥상이 특별하게 꾸며졌다.
• 영표는 발에 땀이 나도록 뛰었다. • 길이 비가 와서 미끄럽다.

■ 부사절을 안은문장 중 활용 어미가 붙어서 부사절을 이룬 경우는 종속적으로 이어진문장으로도 볼 수 있다.

(4) 서술절을 안은문장

① 서술절은 절 전체가 서술어의 기능을 하는 것으로, 서술절을 안은문장은 서술어 1개에 주어가 2개 이상 나타난다. 즉, '주어+(주어+서술어)' 구성을 취한다. 따라서 이중 주어문으로 보기도 한다.

예 영수는 키가 크다.

단권화 MEMO

② 서술절은 그 속에 다시 다른 서술절을 가질 수 있다.

예 코끼리가 코가 길이가 길다.

(5) 인용절을 안은문장

화자의 생각, 느낌, 다른 사람의 말 등을 인용한 것이 절의 형식으로 안기는 문장을 말한다. 인용절은 인용의 직접성 여부에 따라 직접 인용절과 간접 인용절로 구분할 수 있다.

① **직접 인용절**: 주어진 문장을 그대로 직접 끌어오는 것을 말한다. 일반적으로 '라고'가 붙고 큰따옴표를 사용해 직접 인용한다.

예 철수가 "아기는 역시 귀여워."라고 말했다.

② **간접 인용절**

㉠ 끌어올 문장을 말하는 사람의 표현으로 바꾸어서 표현하는 것으로, '고'가 붙어서 이루어진다.

예 철수는 영희가 학원에 간다고 말했다.

㉡ 서술격 조사 '이다'로 끝난 간접 인용절은 '(이)다고'가 아니라 '(이)라고'로 나타난다.

예 철수가 이것이 책이라고 말했다.

3 이어진문장

둘 또는 그 이상의 홑문장이 이어지는 방법에 따라 대등하게 이어진문장과 종속적으로 이어진문장으로 나뉜다.

(1) 대등하게 이어진문장

① 이어지는 홑문장들의 의미 관계가 대등한 경우를 말한다.

② 의미상 대칭 구조를 이루므로, 앞 절과 뒤 절의 순서가 바뀌어도 의미가 달라지지 않는다.

예 엄마는 라디오를 듣고, 아빠는 TV를 본다. = 아빠는 TV를 보고, 엄마는 라디오를 듣는다.

③ 대등하게 이어진문장에서 앞 절은 뒤 절과 '나열, 대조, 선택' 등의 의미 관계를 가지며, 대등적 연결 어미 '-고, -며'(나열), '-지만, -(으)나'(대조), '-든지'(선택) 등으로 나타난다.

구분	사용되는 어미	용례
나열	-고, -며	형은 집에 가고, 동생은 운동장에서 논다.
대조	-지만, -(으)나	비가 내렸지만 길이 미끄럽지 않다.
선택	-든지	자장면을 먹든지 짬뽕을 먹든지 어서 결정합시다. → 선택 관계는 연결 어미가 중첩되는 경우가 많다.

(2) 종속적으로 이어진문장

① 앞 절과 뒤 절의 의미 관계가 독립적이지 못하고 종속적인 경우이다.

② 앞 절과 뒤 절의 순서를 바꾸면 원래 문장의 의미와 달라지거나 어색해진다.

③ 종속적 연결 어미 '-(다)면'(조건), '-어(서), -(으)니(까)'(원인, 이유) 등으로 나타난다.

구분	사용되는 어미	용례
조건	-(다)면, -(으)면	내가 일찍 일어나면 아버지께서 칭찬하신다.
원인, 이유	-아(서)/-어(서), -(으)니(까)	시간이 다 되어서 나는 일어났다.
	-(으)므로	열심히 공부했으므로 합격을 했다.
	-느라고	어제 공부하느라고 힘들었다.

■ **종속적으로 이어진문장의 특징**

종속적으로 이어진문장에서는 앞 절이 뒤에 있는 절 속으로 이동하기도 한다. 또한 앞 절과 뒤 절에 같은 말이 있으면 그 말이 다른 말로 대치되거나 생략된다.

예 • 비가 와서 길이 미끄럽다. / 길이 비가 와서 미끄럽다.
→ 앞 절이 뒤에 있는 절 속으로 이동
• 철수는 열심히 공부했으므로 시험에 합격을 했다.
→ '철수'를 '그'로 대치하거나 생략

양보	-아도/-어도, -더라도	아무리 시험이 어렵더라도 문제없다.
	-든지, -(으)나	누가 무엇을 하든지 신경을 쓰지 않는다.
	-거나, -(으)ㄴ들	네가 한들 무슨 수가 있겠니?
목적, 의도	-(으)러, -고자	공부를 하러 도서관에 간다.
	-(으)려고	책을 사려고 서점에 갔다.
미침	-게, -도록	공부하게 조용히 해라.
필연, 당위	-아야/-어야	산에 가야 범을 잡지.
전환	-다가	웃다가 울었다.
비유	-듯(이)	비 오듯이 땀이 흐른다.
더함	-(으)ㄹ수록	벼는 익을수록 고개를 숙인다.
동시	-자	까마귀 날자 배 떨어진다.
배경	-는데/-(으)ㄴ데	내가 집에 가는데, 저쪽에서 누군가 달려왔다.

단권화 MEMO

04 문장의 표현

1 문장의 종결 표현

국어 문장의 종결 표현은 크게 평서문(-다), 의문문(-느냐, -냐), 명령문(-아라), 청유문(-자), 감탄문(-구나)으로 나눌 수 있다.

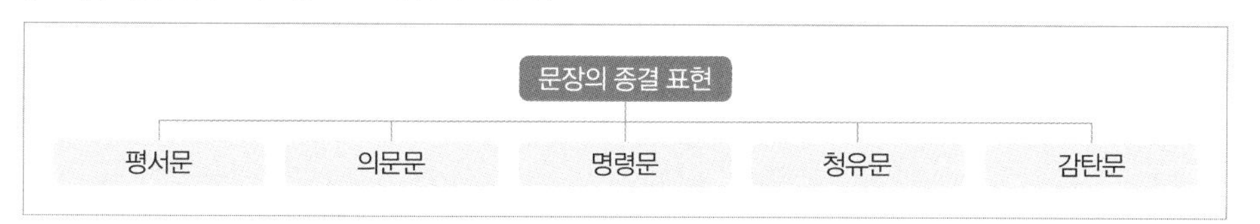

■ 종결 표현의 유형
- 요구 사항 無: 평서문, 감탄문
- 요구 사항 有: 의문문, 명령문, 청유문

1. 평서문

화자가 청자에게 특별히 요구하는 바 없이 하고 싶은 말을 단순하게 진술하는 문장으로, 대표적으로 어미 '-다'를 붙여 종결한다.

(1) 특징

① 평서문은 일정한 상대 높임의 등분(해라체/하게체/하오체/하십시오체)이 있다.

② 평서문은 어떤 종결 어미로 종결되었더라도 간접 인용절로 안길 때에는 종결 어미가 모두 '-다'[서술격 조사 '이다'의 경우에는 '(이)라']로 바뀐다.

예 • 철수는 어제 시골에 다녀왔다. / 철수는 어제 시골에 다녀왔습니다. → 철수는 어제 시골에 다녀왔다고 말했다.
• 그것은 서랍이다. → 그것은 서랍이라고 말했다.

■ 약속을 표현하는 평서문
'-(으)마', '-(으)ㅁ세'는 약속을 표현하는 평서문이다.
예 • 그 약속은 꼭 지키겠노라 맹세하마.
• 체면을 걸고 약속함세.

(2) 평서형 어미의 종류

구분	격식체				비격식체	
	해라체	하게체	하오체	하십시오체	해체	해요체
유형	-다	-네	-오	-ㅂ니다	-아/-어	-아요/-어요
용례	한다	하네	하오	합니다	해	해요

단권화 MEMO

■ 내용에 따른 의문문의 종류
• 확인 의문문: 내용의 확인을 위한 의문문
예 너는 노래를 부르지 않았잖니?
→ 노래를 부르지 않았다는 사실을 알고 있음
• 부정 의문문: 부정에 의한 의문문
예 너는 노래를 부르지 않았니?
→ (긍정) 네, 안 불렀어요.
(부정) 아니요, 불렀어요.

2. 의문문

화자가 청자에게 질문하여 대답을 요구하는 문장을 말하며, 대표적으로 어미 '-느냐, -냐' 등에 의해 실현된다. 의문문이 간접 인용절로 안길 때에는 종결 어미가 '-느냐, -(으)냐'로 바뀐다.

예 철수가 멋있니? → 민지는 철수가 멋있냐고 물었다.

(1) 의문형 어미의 종류

구분	격식체				비격식체	
	해라체	하게체	하오체	하십시오체	해체	해요체
유형	-느냐, -니, -지	-나, -는가	-(으)오	-ㅂ니까	-아/-어, -(으)ㄹ까	-아요/-어요, -(으)ㄹ까요
용례	가느냐, 가니, 가지	가나, 가는가	가오	갑니까	가, 갈까	가요, 갈까요

(2) 의문문의 종류

① **설명 의문문:** 어떤 사실에 대한 일정한 설명을 요구하는 의문문으로, 문장에 의문사가 포함되어 나타난다.

예 • 점심밥 뭐 먹었니?
• 그 친구를 얼마나 좋아하니?

② **판정 의문문:** 단순히 긍정이나 부정의 대답을 요구하는 의문문으로, 문장에 의문사가 나타나지 않는다.

예 • 점심밥 먹었니?
• 장미꽃을 좋아하니?

③ **수사 의문문:** 굳이 대답을 요구하지 않고 서술의 효과나 명령의 효과를 내는 의문문으로, 대표적으로 반어 의문문, 감탄 의문문, 명령 의문문이 있다.

㉠ **반어 의문문:** 겉으로 나타난 의미와는 반대되는 뜻을 지니는 의문문으로, 강한 긍정 진술을 내포하는 것이 보통이다.

예 너한테 피자 한 판 못 사 줄까? (사 줄 수 있다는 의미이다.)

㉡ **감탄 의문문:** 감탄의 뜻을 지니는 의문문이다.

예 얼마나 아름다운가? (매우 아름답다는 의미이다.)

㉢ **명령 의문문:** 명령, 권고, 금지의 뜻을 지니는 의문문이다.

예 빨리 가지 못하겠느냐? (빨리 가라는 의미이다.)

3. 명령문

화자가 청자에게 어떤 행동을 하도록 강하게 요구하는 문장으로, 대표적으로 어미 '-아라/-어라'에 의해 실현된다.

(1) 특징

① 주어는 항상 청자가 되고 서술어로는 동사만 올 수 있으며, 시간 표현의 선어말 어미 '-었-, -더-, -겠-'을 사용하지 않는다.

② 명령문은 상대 높임법에 따라 의미가 조금씩 달라지는데, '해라체'에서는 '시킴'이나 '지시'의 의미가 있고, '하게체' 이상에서는 '권고'나 '제의', 나아가 '탄원'의 의미로 해석될 때도 있다. 하지만, 간접 명령문에서는 단순한 '지시'의 의미만 나타난다.

③ 명령문은 어떤 종결 어미로 종결되었더라도 간접 인용절로 안길 때에는 종결 어미가 모두 '-(으)라'로 바뀐다.

예 물음에 알맞은 답의 번호를 골라라. → 물음에 알맞은 답의 번호를 고르라고 하셨다.

(2) 명령형 어미의 종류

구분	격식체				비격식체	
	해라체	하게체	하오체	하십시오체	해체	해요체
유형	-아라/-어라	-게	-오, -구려	-ㅂ시오	-아/어, -지	-아요/-어요, -지요
용례	풀어라	풀게	풀구려	푸십시오	풀어, 풀지	풀어요, 풀지요

(3) 명령문의 종류

① **직접 명령문**: 얼굴을 서로 맞대고 하는 일반적인 명령문으로, 어미 '-아라/-어라, -여라, -거라, -너라'와 결합하여 실현된다.

예 밥은 꼭 챙겨 먹어라.

② **간접 명령문**: 매체를 통해 이루어지는 특수한 명령문으로, 어미 '-(으)라'와 결합하여 실현된다.

예 정부는 수해 대책을 시급히 세우라.

③ **허락 명령문**: 허락의 뜻을 나타내는 명령문으로, 어미 '-(으)려무나, -(으)렴'과 결합하여 실현된다. 단, 부정적인 말에는 쓰지 않는 것이 보통이다.

예 너도 먹어 보려무나. / *너도 실패해 보려무나.

④ **경계 명령문**: '-(으)ㄹ라'는 청자로 하여금 조심하거나 경계할 것을 드러내는 종결 어미이다. 청자에게 명령하는 의미를 나타내고 있으므로 이 종결 어미를 사용한 문장도 명령문의 일종으로 볼 수 있다.

예 얘야, 넘어질라.

단권화 MEMO

■ 명령문의 형태

구분	직접 명령문	간접 명령문
먹다	먹어라	먹으라
풀다	풀어라	풀라
보다	보아라	보라
쓰다	써라	쓰라
세우다	세워라	세우라
고르다	골라라	고르라
일하다	일해라	일하라
공부하다	공부해라	공부하라

4. 청유문

화자가 청자에게 어떤 행동을 함께하도록 요청하는 문장으로, 대표적으로 어미 '-자'에 의해 실현된다.

(1) 특징

① 주어에는 화자와 청자가 함께 포함되고 서술어로는 동사만 올 수 있으며, 시간 표현의 선어말 어미 '-었-, -더-, -겠-'을 사용하지 않는다.

② 청유형의 의미적 특성

㉠ 화자가 청자에게 같이 할 것을 제안하는 의미가 있다. (가장 기본적 의미)

예 오늘 집에 같이 가자.

㉡ 청자에게만 어떤 행위를 수행할 것을 제안하는 의미도 있다. 사실상 명령의 의미이지만 청유문의 형식을 사용하는 것이라고 할 수 있다.

예 (독서실에서 옆자리 친구가 떠드는 상황) 공부 좀 하자!

③ 청유문은 어떤 종결 어미로 종결되었더라도 간접 인용절로 안길 때에는 종결 어미가 모두 '-자'로 바뀐다.

예 우리 함께 갑시다. → 우리 함께 가자고 제안했다.

단권화 MEMO

(2) 청유형 어미의 종류

구분	격식체				비격식체	
	해라체	하게체	하오체	하십시오체	해체	해요체
유형	-자	-세	-ㅂ시다	-시지요	-아/-어	-아요/-어요
용례	하자	하세	합시다	하시지요	해	해요

5. 감탄문

화자가 청자를 별로 의식하지 않거나 거의 독백하는 상태에서 자기의 느낌을 표현하는 문장이다.

(1) 특징

① 감탄문이 간접 인용절로 안길 때에는 종결 어미가 모두 '-다'로 바뀐다.

예 철수는 공부도 잘하는군! → 나는 철수가 공부도 잘한다고 말했다.

② '-어라(-어)' 감탄문: 주체가 화자이면서 서술어가 형용사일 때, 어미로 '-어라(-어)'가 쓰인다.

예 아이고! 추워라! (추워!)

(2) 감탄형 어미의 종류

구분	격식체				비격식체	
	해라체	하게체	하오체	하십시오체	해체	해요체
유형	-구나, -어라	-구먼	-구려	-	-군, -어	-군요
용례	춥구나, 추워라	춥구먼	춥구려	-	춥군, 추워	춥군요

2 문장의 높임 표현

화자가 어떤 대상이나 청자에 대하여 그의 높고 낮은 정도에 따라 언어적으로 구별을 하여 표현하는 방식이나 체계를 말한다. 높임 표현은 문장 종결 표현, 선어말 어미 '-(으)시-', 조사 '께, 께서', 특수 어휘 '계시다, 드리다'와 같은 표현을 통해서 실현된다. 높임 표현은 높임의 대상이 누구냐에 따라 상대 높임법, 주체 높임법, 객체 높임법으로 구분할 수 있다.

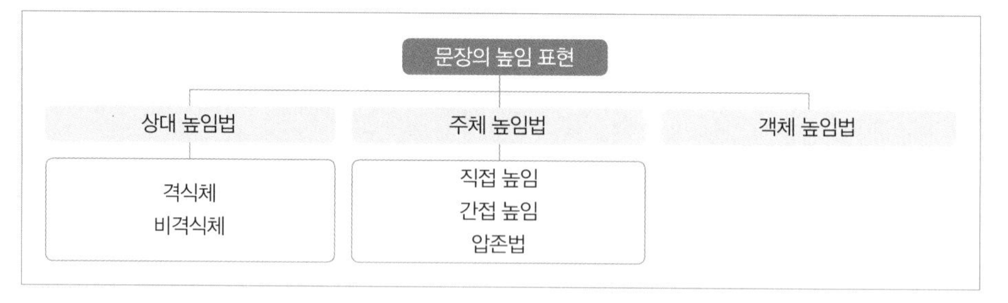

1. 상대 높임법

화자가 청자에 대하여 높이거나 낮추어 말하는 방법으로, 상대 높임법은 종결 표현으로 실현된다. 상대 높임법은 국어 높임법 중 가장 발달해 있으며, 크게 격식체와 비격식체로 나뉜다.

(1) 격식체
의례적 용법으로, 화자와 청자 사이의 심리적인 거리가 멀 때 사용한다.

(2) 비격식체
화자와 청자 사이의 심리적인 거리가 가까울 때 사용하거나 격식을 덜 차리는 표현으로 사용한다.

(3) 상대 높임법에 따른 문장 종결법

구분	격식체				비격식체	
	하십시오체 (아주 높임)	하오체 (예사 높임)	하게체 (예사 낮춤)	해라체 (아주 낮춤)	해요체 (두루 높임)	해체 (두루 낮춤)
평서법	합니다	하오	하네	한다	해요	해
의문법	합니까	하오	하나, 하는가	하느냐, 하니	해요	해
명령법	하십시오	하오	하게	해라(하여라)	해요	해
청유법	하시지요	합시다	하세	하자	해요	해
감탄법	–	하는구려	하는구먼	하는구나	하는군요	해, 하는군

(4) 명령법의 '하라체'
인쇄물의 표제나 군중의 구호 등과 같이 불특정 다수를 대상으로 명령을 할 때에는 높임과 낮춤이 중화된 '하라체'를 쓴다.

예 • 다음 글을 읽고 물음에 답하라.
• 정부는 미세 먼지에 대한 대책을 세우라.

2. 주체 높임법
화자보다 서술어의 주체가 나이나 사회적 지위 등에서 상위자일 때, 서술어의 주체를 높이는 방법이다. 주체 높임 선어말 어미 '–(으)시–'를 붙여 높이며, 부수적으로 주격 조사 '이/가' 대신 '께서'가 쓰이기도 하고 주어 명사에 접사 '–님'이 덧붙기도 한다. 그리고 몇 개의 특수한 어휘 '계시다, 잡수시다, 주무시다, 편찮으시다, 돌아가시다'로 실현되기도 한다. 주체 높임법은 주체를 높이는 방식에 따라 직접 높임과 간접 높임으로 구분할 수 있다.

(1) 직접 높임
① 용언의 어간에 주체 높임 선어말 어미 '–(으)시–'가 붙어 문장의 주체를 높인다.
예 아버지께서 운동을 하신다.

② 주체가 말하는 이보다 낮아도 듣는 이보다 높으면 용언의 어간에 선어말 어미 '–(으)시–'를 붙일 수 있다.
예 (할머니가 손자에게) 이거 아버지가 쓰시게 가져다 드려라.

③ 특수 어휘를 사용하여 문장의 주체를 높인다.
예 할머니께서 댁에서 주무신다.

④ 조사 '께서', 접사 '–님'을 사용하여 문장의 주체를 높인다.
예 아버님께서 청소를 하셨다.

⑤ 객관적이고 역사적인 사실을 나타낼 때에는 선어말 어미 '–(으)시–'를 생략할 수 있다.
예 충무공은 뛰어난 장군이다.

단권화 MEMO

■ 특수 어휘의 종류
계시다, 잡수시다, 주무시다, 편찮으시다, 돌아가시다, 드시다, 진지, 댁 등

단권화 MEMO

■ '있다', '없다'의 높임 표현

구분	있다	없다
직접 높임	계시다	안 계시다
간접 높임	있으시다	없으시다

(2) 간접 높임

주체와 관련된 대상을 통하여 주체를 간접적으로 높이는 것을 말한다. 높여야 할 대상의 신체 부분, 생활의 필수적 조건, 개인적인 소유물 등을 높임으로써 주체에 대한 관심과 친밀감을 표현하여 주체에 대한 높임을 나타낸다.

신체 부분에 의한 간접 높임	그분은 아직도 귀가 밝으십니다.
사물에 의한 간접 높임	그분은 시계가 없으시다.

더 알아보기 과도한 간접 높임

① 주체 높임법은 선어말 어미 '-(으)시-'를 통해 실현되는 것이 일반적이나 몇 개의 특수한 어휘(계시다, 잡수시다 등)로 실현되기도 한다. 특히 '있다'의 주체 높임 표현은 '-(으)시-'가 붙은 '있으시다'와 특수 어휘 '계시다'를 사용하는 방법이 있는데, 이 둘의 쓰임이 같지 않다. 즉, '계시다'는 화자가 주체를 직접 높일 때 사용하고, '있으시다'는 주체와 관련된 대상을 통하여 주체를 간접적으로 높일 때 사용한다. 전자를 직접 높임, 후자를 간접 높임이라고 한다.

예 • 어머니께서는 화장실에 있으시다. (×) / 어머니께서는 화장실에 계신다. (○)
→ 주체를 직접 높이므로 직접 높임인 '계시다'를 사용한다.
• 선생님께서는 고민이 계시다. (×) / 선생님께서는 고민이 있으시다. (○)
→ 주체인 '선생님'과 연관된 대상인 '고민'을 높이므로 간접 높임을 사용한다.

② 상품을 판매하는 상황에서 고객을 과하게 의식하여 쓰는 간접 높임은 잘못된 표현이다.

예 • 주문하신 물건은 품절이십니다. (×) → 품절입니다. (○)
• 주문하신 물건은 사이즈가 없으십니다. (×) → 없습니다. (○)
• 주문하신 물건 나오셨습니다. (×) → 나왔습니다. (○)
• 주문하신 물건, 포장이세요? (×) → 포장해 드릴까요? (○)

(3) 압존법

문장의 주체가 말하는 이보다 높다 하더라도 듣는 이가 주체보다 높을 때에는 주체 높임 선어말 어미 '-(으)시-'를 쓸 수 없는 것을 말한다. 압존법은 주로 가정에서나 스승과 제자 사이에서 사용하고 직장에서는 사용하지 않는다. 또한 가족 이외의 사람에게 부모를 말할 때에는 언제나 높인다.

예 • 할머니, 어머니가 지금 왔어요. / 할머니, 어머니가 지금 왔습니다. (○)
• 할머니, 어머니께서 지금 오셨습니다. (×)
• 선생님, 저희 할머니께서 모자를 만들어 주셨습니다. (○)

3. 객체 높임법

객체 높임법은 서술어의 객체(목적어, 부사어)를 높이는 방법이다.

① 서술어의 객체를 높이는 특수 어휘, 그중 특수한 동사(여쭙다, 모시다, 뵙다, 드리다)를 사용한다.

예 나는 아버지를 모시고 병원으로 갔다. (목적어 '아버지'를 높이고 있다.)

② 부사격 조사 '에게' 대신 '께'를 사용하기도 한다.

예 나는 선생님께 과일을 드렸다.

더 알아보기 높임법 사용 시 주의할 점

① 압존법은 주로 가정에서 사용되며, 직장 등 사회생활에서는 사용하지 않는다. 즉, 회사에서는 직급에 상관없이 선어말 어미 '-(으)시-'를 붙이는 것이 바람직하다.

예 (평사원이) 회장님, 김 사장님께서 지금 도착하셨습니다.

② 직함은 항상 본인 이름 앞에 붙여야 자신을 낮추는 표현이 된다. 반대로 직함을 이름 뒤에 붙이면 높임의 의미를 갖게 된다.

예 안녕하십니까, 국어 강사 배영표입니다.

③ 윗사람 또는 남에게 말할 때 '우리'가 아닌 '저희'를 쓰는 것이 바람직하다. 다만, 나라를 나타낼 때 '저희 나라'는 잘못된 표현이며, 어떠한 상황에서도 '우리나라'라고 표현해야 한다.

예 • 저희 집으로 놀러 오세요.
• 우리나라가 4강에 진출했습니다.

④ 불길하거나 부정적인 표현 또는 어르신들이 본인의 나이를 의식하게 하는 표현은 피해야 한다.

예 • (칠순 잔치에서) 할머니 만수무강하세요. (×)
• (아버지를 배웅하며) 요즘 교통사고 사망자가 증가하는 추세래요. 조심히 다녀오세요. (×)

⑤ 스스로가 본인의 성을 지칭할 때에는 '씨(氏)'보다는 '–가(哥)'가 올바른 표현이다. 반면, 남의 성을 말할 때에는 '씨(氏)'가 올바른 표현이다.

예 저는 전주 이씨입니다. (×) → 저는 전주 이가입니다. (○)

⑥ 가족 이외의 다른 사람에게 부모를 말할 때에는 높임 표현을 사용한다.

예 사장님, 저희 아버지께서 말씀하셨습니다.

⑦ 존칭을 나타내는 조사 '께서, 께'는 공식적인 상황일 때 주로 사용하고 일반적인 구어 상황에서는 '이/가', '한테' 등을 사용하는 것이 더 자연스럽다.

예 • 사장님께서 도착하셨습니다. (공식 상황)
• 사장님이 도착하셨습니다. (구어 상황)

⑧ 부모님을 소개할 때에는 성(姓)에 '자(字)'를 붙이지 않는다.

예 저희 아버지가 김 철 자 수 자 쓰십니다.

⑨ 어른에게 '수고하다, 야단맞다, 당부하다' 등의 표현을 사용하지 않는다.

예 • 선생님, 수고하십시오. (×) → '고맙습니다' 정도로 수정
• 선생님께 야단을 맞았다. (×) → '꾸중을 들었다, 꾸지람을 들었다, 걱정을 들었다' 정도로 수정
• 선생님께 당부드렸습니다. (×) → '부탁드렸습니다' 정도로 수정

3 문장의 시간 표현: 시제

'시제'란 발화시를 중심으로 앞뒤의 시간을 제한하는 문법 범주이다. 시간 표현은 대개 시제 선어말 어미나, 관형사형 어미, 시간 부사어 등으로 실현되며, 발화시와 사건시를 기준으로 절대적 시제와 상대적 시제의 개념을 갖는다.

| 사건시와 발화시*

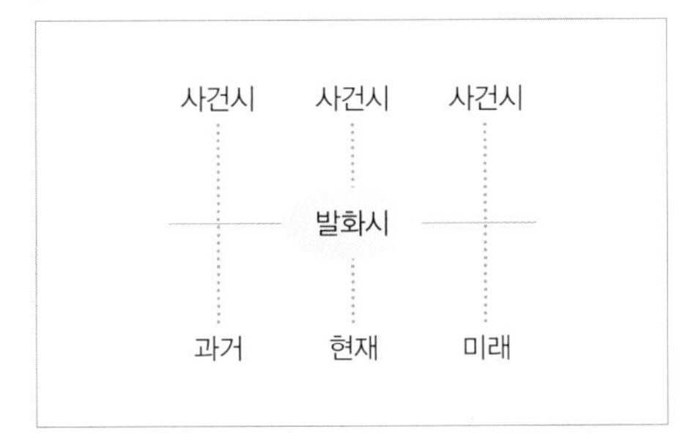

| 시제

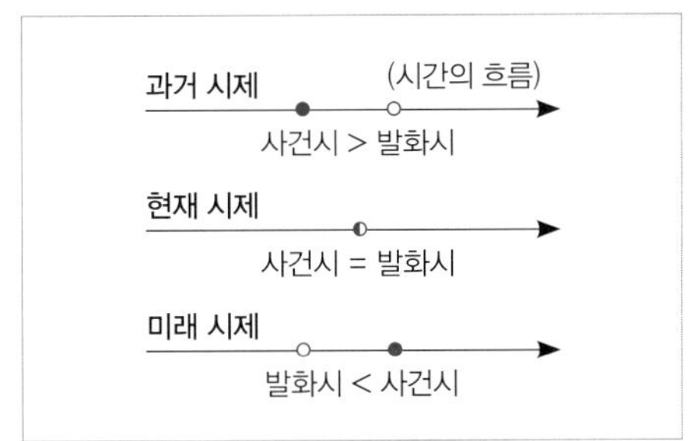

단권화 MEMO

*사건시와 발화시
• 발화시: 말하는 이가 말하는 시점
• 사건시: 동작이나 상태가 일어나는 시점

1. 시제의 구분과 성격

(1) 시제의 구분

구분	개념	형태	용례
절대적 시제	발화시를 기준으로 결정되는 문장의 시제	종결형	• 나는 어제 삼계탕을 먹었다. (과거) • 영희가 지금 공부를 한다. (현재)
상대적 시제	사건시에 의존하여 상대적으로 결정되는 시제	관형사형, 연결형	나는 어제 청소하시는(상대적 시제 – 현재) 어머니를 도와드렸다(절대적 시제 – 과거).

단권화 MEMO

■ '-았-/-었-'의 쓰임

'-았-/-었-'은 주로 과거를 나타내지만, 현재와 미래를 나타내기도 한다.

예 • 그녀는 지금 모자를 썼다.
→ 동작의 완료(의미상 현재)
• 산에 개나리가 예쁘게 피었다.
→ 동작의 지속(의미상 현재)
• 나 엄마한테 걸리면 죽었다.
→ 앞날의 인식(의미상 미래)

(2) 시제의 성격

① 우리말의 시제는 종결형에서 뚜렷이 나타나고, 관형사형이나 연결형에 의해서도 표시될 수 있다.

종결형(과거)	오늘 아침 공원에서 달리기를 했다.
관형사형(과거에 있어서의 현재)	나는 어제 공부를 하는 순옥이를 방해했다.
연결형(과거에 있어서의 현재 또는 지속되는 동작)	나는 가방을 메고 학교에 갔다.

② 시제의 형태가 의미를 분명히 나타내려면 시제 표현이 사건시와 관련된 부사나 부사어와 호응 관계를 이루어야 한다.

현재	학생들이 지금 등교를 한다.
과거	나는 어제 결석을 했다.
미래	내일도 비가 오겠다.

③ '본용언+보조 용언'의 형태로 동작의 양상을 나타내는 동작상도 있다.

예 학생들이 지금 책을 읽고 있다.

2. 과거 시제

사건시가 발화시보다 앞서 있는 시제를 말한다.

(1) 종결형에 의한 과거 시제

① 과거 시제 선어말 어미 '-았-/-었-' 등에 의해 실현되는 것이 일반적이다. 동사와 형용사, 서술격 조사 모두에 '-았-/-었-'으로 표시되는데, 어간 '하-' 뒤에서는 '-였-'으로 교체된다.

예 나는 운동을 하였다.

② 시간 부사에 의해 시제가 뒷받침된다.

예 어제, 그날, 몇 년 전 등

③ '-았었-/-었었-'에 의해 과거 시제가 실현되기도 한다.

㉠ 과거의 사건 내용이 현재와 다르거나 강하게 단절되어 있다고 생각될 때 사용하며, 시간 부사와 함께 쓰이는 경우가 많다.

예 아버님께서는 젊었을 때 아주 건강하셨었다.

㉡ 형용사나 서술격 조사에도 쓰이는데, 발화시보다 먼 과거의 일(대과거)을 나타낼 때 흔히 쓰이며, 주로 문장체에 쓰인다.

예 중학교 때의 꿈은 대통령이었었고, 고등학교 때의 꿈은 장군이었는데, 지금은 기업 경영인이 되는 것이 꿈이다.

(2) 관형사형에 의한 과거 시제

관형사형 어미 '-(으)ㄴ'이 동사 어간에 붙어 과거 시제가 실현되기도 한다.

예 내가 먹은 과자는 유통 기한이 지났다.

(3) '-더-'에 의한 과거 시제

① 회상 선어말 어미 '-더-'에 의해 과거 시제가 실현되기도 한다. 일반적으로 '-더-'는 직접 경험하여 알게 된 사실을 객관적으로 회상해서 표현할 때 쓰이는 선어말 어미이다.

예 철수는 어제 집에서 공부하더라.

② 주어가 화자일 때에는 '-더-'가 종결 어미에 쓰이지 않는다.

예 *나는 어제 집에서 공부하더라.

③ '-더-'는 관형사형에서는 '-던'으로 나타난다.

예
- 그것은 내가 읽던 책이다.
- 그것은 내가 읽었던 책이다.
- 왜군을 무찔렀던 충무공은 노량에서 전사했다.

3. 현재 시제

발화시와 사건시가 일치하는 시제를 말한다.

(1) 종결형에 의한 현재 시제

① 동사에서는 종결 어미 '-는다/-ㄴ다'에 의해 실현되지만, 형용사와 서술격 조사는 현재 시제 표시의 형태가 따로 존재하지 않고 기본형이 현재를 나타낸다.

예
- 미라는 지금 노래를 듣는다.
- 이 강아지는 귀엽다.
- 그것은 바람이다.

② 시간 부사와 함께 쓰여 시제를 정확히 나타낸다.

예 지금, 현재, 요즘 등

③ 현재 진행의 의미가 있을 때에는 '-는 중이다'로 바꾸어 쓸 수 있다. 이와 같은 동작의 양상을 동작상이라 한다.

완료의 동작상	의자에 앉아 있다.
진행의 동작상	과자를 먹고 있다. → 과자를 먹는 중이다.

(2) 관형사형에 의한 현재 시제

동사 어간에서는 관형사형 어미 '-는', 형용사나 서술격 조사에서는 관형사형 어미 '-(으)ㄴ'에 의해 현재 시제가 실현된다. 현재를 나타낼 때 형용사에는 '-는'을 사용하지 않는다.

예
- 내가 듣는 노래이다.
- 그것은 귀여운 장난감이다.
- 3번은 알맞는 답이다. (×) → 3번은 알맞은 답이다. (○)

4. 미래 시제

발화시가 사건시보다 앞서는 시제를 말한다. 즉, 사건시가 발화시보다 나중인 시제이다.

(1) 종결형에 의한 미래 시제

① 미래 시제 선어말 어미 '-겠-, -리-'로 미래 시제가 실현된다.

예 내일도 바람이 불겠다.

② '-겠-'은 단순한 미래 시제 이외에 화자의 태도와 관련된 추측, 의지, 가능 등 양태적 의미도 나타낸다.

추측	내일도 비가 오겠다.
의지	내가 먼저 가겠다.
가능	나도 그 정도의 양은 마시겠다.

단권화 MEMO

단권화 MEMO

(2) 관형사형에 의한 미래 시제

① 관형사형 어미 '-(으)ㄹ'로 미래 시제를 표현한다. 단, 시간을 나타내는 '때, 적, 따름, 뿐' 등의 앞에서는 의미가 미래를 가리키지 않는 경우도 있다.

예 • 내일 살 꽃을 정해야지.
• 동생이 어릴 적에는 참 귀여웠는데. (과거)

② '-(으)ㄹ 것'으로 미래 시제를 표현한다. 구어적으로는 '-ㄹ 거다'로 표현한다.

예 • 내일은 피아노를 칠 것이다.
• 내일은 피아노를 칠 거다.

5. 동작상

발화시를 기준으로 동작이 일어나는 모습을 나타내는 문법 기능을 말한다.

(1) 완료상

동작이 완료되었음을 표시하는 것으로, 보조 용언 '-아/-어 있다', '-아/-어 버리다', 연결 어미 '-고서'로 실현된다.

예 • 철수는 책상에 앉아 있다.
• 글씨를 지워 버렸다.
• 나는 점심을 먹고서 커피를 마셨다.

■ '-아/-어 있다'의 용례
• 현재 완료상: 철수는 책상에 앉아 있다.
• 과거 완료상: 철수는 책상에 앉아 있었다.
• 미래 완료상: 철수는 책상에 앉아 있겠다.

(2) 진행상

동작이 진행되고 있음을 표시하는 것으로, 보조 용언 '-고 있다', '-아/-어 가다', 연결 어미 '-(으)면서'로 실현된다.

예 • 철수는 밥을 먹고 있다.
• 글씨가 지워져 간다.
• 나는 편지를 쓰면서 노래를 들었다.

■ '-고 있다'의 용례
• 현재 진행상: 철수는 간식을 먹고 있다.
• 과거 진행상: 철수는 간식을 먹고 있었다.
• 미래 진행상: 철수는 간식을 먹고 있겠다.

4 문장의 피동 표현과 사동 표현

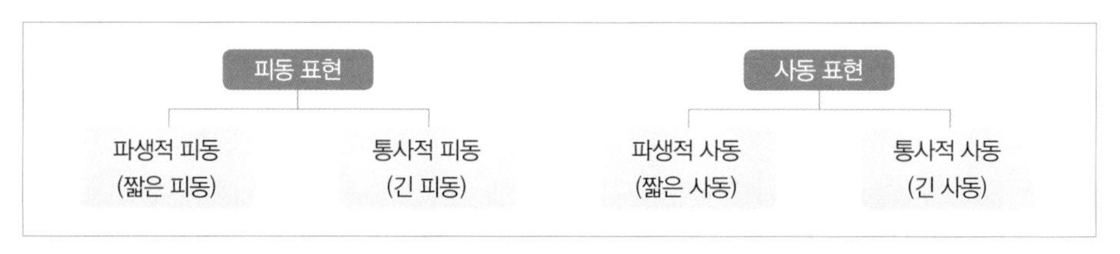

1. 피동 표현

주어가 동작을 제힘으로 하는 것을 '능동', 주어가 다른 주체에 의해서 동작을 당하게 되는 것을 '피동'이라고 한다.

예 • 철수가 물고기를 낚았다. (능동)
• 물고기가 철수에게 낚였다. (피동)

■ 어휘적 피동
'-당하다', '-받다', '-게 만들다' 등의 어휘적 피동은 의미상 피동 의미를 띠긴 하지만 피동법 차원에서는 제외한다.

(1) 파생적 피동(짧은 피동)

① 실현

㉠ 능동사의 어간에 피동 접미사 '-이-, -히-, -리-, -기-'가 붙어 실현된다.

예 • 강아지가 민수를 물었다. (능동) → 민수가 강아지에게 물렸다. (피동)
• 민수가 강아지를 안았다. (능동) → 강아지가 민수에게 안겼다. (피동)

㉡ '-하다' 대신 접미사 '-되다'가 붙어 피동의 뜻을 더한다.

예 • 사용하다 (능동) / 사용되다 (피동)
• 형성하다 (능동) / 형성되다 (피동)
• 생각하다 (능동) / 생각되다 (피동)
• 요구하다 (능동) / 요구되다 (피동)

② 특징

㉠ 피동사의 파생이 모든 타동사에 적용되는 것은 아니다. 피동사로 파생되지 않는 타동사가 더 많다.

• '주다, 받다, 얻다, 잃다, 참다, 돕다, 배우다, 바라다, 느끼다, 닮다' 등은 대응하는 피동사가 없다.
• '좋아하다, 슬퍼하다, 사랑하다, 공부하다' 등 '-하다'로 끝나는 동사는 모두 피동사화하지 않는다.

㉡ 능동문의 주어가 유정 명사이면 피동문에서는 여격이 되어 조사 '에게'나 '한테'가 붙지만, 무정 명사이면 '에'가 붙는다.

예 • 경찰이 도둑을 잡았다. (능동) / 도둑이 경찰에게 잡혔다. (피동)
• 홍수가 서울을 휩쓸었다. (능동) / 서울이 홍수에 휩쓸렸다. (피동)

㉢ 접미사 '-되다'는 서술성을 가진 일부 명사 뒤에 붙어 피동의 뜻을 더하고 동사를 만드는 역할을 한다.

예 가결되다, 관련되다, 사용되다, 연결되다, 진정되다, 체포되다, 형성되다

(2) 통사적 피동(긴 피동)

① 보조적 연결 어미 '-아/-어'에 보조 용언 '지다'가 붙은 '-아(-어)지다'로 실현된다.

예 동생이 신발 끈을 풀었다. (능동) / 신발 끈이 동생에 의해 풀어졌다. (피동)

② 보조적 연결 어미 '-게'에 보조 용언 '되다'가 붙은 '-게 되다'로 실현된다.

예 민지가 논술 대회에 나갔다. (능동) / 민지가 논술 대회에 나가게 되었다. (피동)

더 알아보기 피동 표현

1. '-어지다'의 특징
① '-어지다'에 의한 피동은 큰 제약이 없이 거의 모든 동사에 쓰이며, 형용사에도 붙을 수 있다.
② '-어지다'가 반드시 능동문에 대응하는 것은 아니다.

2. 이중 피동
① 피동 접사+'-어지다' 표현은 사용하지 않는다.

신발 끈이 풀려지다. (×)

'풀려지다'의 경우 '풀리어지다'로 분석된다. 즉, 어간 '풀-'에 짧은 피동을 나타내는 피동 접미사 '-리-'와 긴 피동을 나타내는 '-어지다'가 모두 붙어 중복된 형태이다. 이는 이중 피동으로, 국어에서 올바른 표현으로 인정받지 못한다. 따라서 '풀리다' 또는 '풀어지다' 중 하나로 표현해야 한다.

② '-되다'+'-어지다' 표현은 사용하지 않는다.

그 일이 잘 해결될 거라고 생각되어진다. (×)

'생각되다'에 '-어지다'가 붙어 피동의 표현을 중복 사용한 이중 피동이다. '생각된다'로 표현해야 한다.

단권화 MEMO

■ 피동형의 능동형 전환
피동형은 능동형으로 전환이 가능하다. 그러나 모든 피동형을 능동형으로 전환할 수 있는 것은 아니다.
예 • 액자가 벽에 걸리다. → 벽에 액자를 걸다. (능동문으로 전환)
• 민수가 감기에 걸리다. ('걸리다'는 병이 들었다는 의미이므로, 능동형으로 전환할 수 없음)

■ 이중 피동이 아닌 경우
• 밝혀지다, 알려지다: 잘못된 이중 피동이 아니며, 표준어로 인정된다.
• '잊혀지다'는 현재 비표준어이고 이중 피동에 해당하지만 '잊히다'가 점점 단일어화(어휘화) 되어 가는 경향이 있으므로 앞으로는 이중 피동의 예에서 제외될 가능성이 있다.

③ '갈리우다, 불리우다, 잘리우다, 팔리우다' 등은 잘못된 표현이다. '갈리다'는 '가르다'의 피동사, '불리다'는 '부르다'의 피동사이므로, 또다시 접사가 결합되지 않는다.

예 • 그는 별명으로 불리웠다. (×) → 그는 별명으로 불렸다. (○)
• 두 갈래로 갈리운 길을 찾아라. (×) → 두 갈래로 갈린 길을 찾아라. (○)

3. 탈행동적 피동

피동문에서 동작주를 상정하기 어려운 경우가 많이 있는데, 이처럼 분명한 동작주를 상정하기 어려운 경우를 탈행동적 피동이라고 한다.

날씨가 풀렸다.

위 예문의 경우 '(하늘이) 날씨를 풀었다.'처럼 동작주를 상정할 수 있지만, 일상생활에서는 이를 동작주로 분명히 의식하지 않고 쓴다. 이처럼 구체적인 동작주를 상정하거나 의식하기 어려운 경우를 탈행동적 피동이라고 한다.

4. 능동문과 피동문의 동의성 파악하기

① 엄마가 아기를 안았다. / 아기가 엄마에게 안겼다.
② 포수 열 명이 토끼 한 마리를 잡았다. / 토끼 한 마리가 포수 열 명에게 잡혔다.

능동문이 피동문으로 바뀌면서 의미가 바뀌는 경우와 그렇지 않은 경우가 있다. 대부분 위 예문 ①처럼 의미가 바뀌지 않는 경우가 일반적이지만, ②와 같은 수량사 문장에서는 의미가 달라질 수도 있다. 물론 ①에서도 능동문에서는 주어(엄마)가 목적어(아기)에 대해 단순히 어떤 행동을 하였다는 의미를 지니고, 피동문에서는 행동에 주어(아기)의 의지가 반영될 수도 있다는 차이가 있다. ②에서는 능동문이 두 가지 의미(포수 열 명이 모두 함께 토끼 한 마리만 잡다, 포수 열 명이 각각 토끼 한 마리씩 잡다)를 가질 수 있음에 비하여, 피동문은 첫 번째 의미만을 지니고 있음을 알 수 있다.

5. 주의해야 할 피동 표현

구분		뜻	용례
①	베다	날이 있는 연장 따위로 무엇을 끊거나 자르거나 가르다.	칼로 물건을 벴다.
	베이다	'베다'의 피동형	손이 칼에 베이었다. (베였다 ○, 베었다 ×)
②	배다	스며들거나 스며 나오다. 버릇이 되어 익숙해지다. 냄새가 스며들어 오래도록 남아 있다.	• 옷에 땀이 배다. • 담배 냄새가 옷에 배었다.
	배이다	표준어 표기가 아님	담배 냄새가 옷에 배였다. (×)
③	에다	칼 따위로 도려내듯 베다. 마음을 몹시 아프게 하다.	가뜩이나 빈속은 칼로 에는 것처럼 쓰렸다.
	에이다	'에다'의 피동형	가슴이 에이는 듯한 슬픔이었다.

2. 사동 표현

주어가 동작을 직접 하는 것을 '주동'이라 하고, 주어가 남에게 동작을 하도록 시키는 것을 '사동'이라고 한다.

예 • 민지가 당근을 먹었다. (주동)
• 엄마가 민지에게 당근을 먹였다. (사동)

(1) 파생적 사동문(짧은 사동문)

주동사인 자동사나 타동사의 어간, 또는 형용사 어간에 사동 접미사 '－이－, －히－, －리－, －기－, －우－, －구－, －추－'가 붙거나 명사에 접미사 '－시키다'가 붙어 실현된다. 일부 자동사는 두 개의 접미사가 연속된 '－이우－'가 붙어서 사동사가 되기도 한다.

예 서다/세우다, 자다/재우다, 뜨다/띄우다, 차다/채우다, 타다/태우다

구분	자동사 → 사동사	타동사 → 사동사	형용사 → 사동사
–이–	녹이다, 죽이다, 속이다, 줄이다	보이다	높이다
–히–	앉히다, 익히다	입히다, 잡히다, 읽히다, 업히다	좁히다, 밝히다, 넓히다
–리–	날리다, 살리다, 돌리다, 울리다, 얼리다	들리다, 물리다, 들리다[聞]	–
–기–	웃기다, 남기다, 숨기다	안기다, 뜯기다, 벗기다, 맡기다, 감기다	–
–우–	비우다, 깨우다, 세우다, 재우다	지우다, 채우다	–
–구–	솟구다	–	–
–추–	맞추다	–	늦추다, 낮추다

구분	명사 → 사동사
–시키다	정지시키다

(2) 통사적 사동문(긴 사동문)

보조적 연결 어미 '–게'에 보조 용언 '하다'가 붙은 '–게 하다'로 실현된다.

예
- 동생이 밥을 먹는다. (주동)
- 엄마가 동생에게 밥을 먹게 한다. (사동)

더 알아보기 사동 표현

1. 사동문의 의미 해석
   대개 파생적 사동문은 주어가 객체에게 직접적인 행위를 하거나 간접적인 행위를 한 것 모두를 나타내고, 통사적 사동문은 간접적인 행위를 한 것을 나타낸다.

파생적 사동문	어머니가 딸에게 옷을 입혔다. (직접·간접적 의미)
통사적 사동문	어머니가 딸에게 옷을 입게 하였다. (간접적 의미)

2. 주의해야 할 표현: 접사 '–시키다'

컴퓨터를 구매하시면 저희 회사가 직접 교육시켜 드립니다.

   '교육시켜'와 같이 표현하면 다른 회사 등을 시켜 위탁 교육을 하게 한다는 의미가 될 수 있다. 따라서 위탁 교육이 아닌 한, '교육하여'와 같이 표현해야 한다. 즉, 동사 '시키다'와 구별해서 사용해야 한다.

3. 주의해야 할 사동 표현
   ① 과도하게 사동 표현을 사용하는 경우
   - 헤매이다(×) – 헤매다(○)

   ② 의미 구별 필요

구분		뜻	용례
㉠	새다	날이 밝아 오다.	여름이라 날이 빨리 샌다.
	새우다	한숨도 자지 아니하고 밤을 지내다.	밤을 새워 책을 읽었다.
㉡	피다	냄새나 먼지 따위가 퍼지거나 일어나다. 구름이나 연기 따위가 커지다. 꽃봉오리 따위가 벌어지다.	그윽한 향기가 피어 퍼졌다.
	피우다	'피다'의 사동형. 어떤 물질에 불을 붙여 연기를 빨아들였다가 내보내다.	담배를 피우다.
㉢	깨치다	일의 이치 따위를 깨달아 알다.	그는 어려서 한글을 깨쳤다.
	깨우치다	깨달아 알게 하다.	선생님이 학생의 잘못을 깨우쳐 주셨다.

단권화 MEMO

■ 주의해야 할 바르지 못한 표현
- 설레이다(×) → 설레다(○)
- 날씨가 개이다(×) → 개다(○)
- 끼여들다(×) → 끼어들다(○)

5 문장의 부정 표현

부정 표현이란 긍정 표현에 대하여 언어 내용의 의미를 부정하는 문법 기능을 말한다. 국어에서는 부정 부사 '안, 못'과 부정 용언 '아니하다, 못하다, 말다'를 사용하여 부정 표현을 만들 수 있다. 명령문, 청유문에서는 '말다'를 '마/마라', '말자'의 형태로 바꾸어 부정 표현을 만든다.

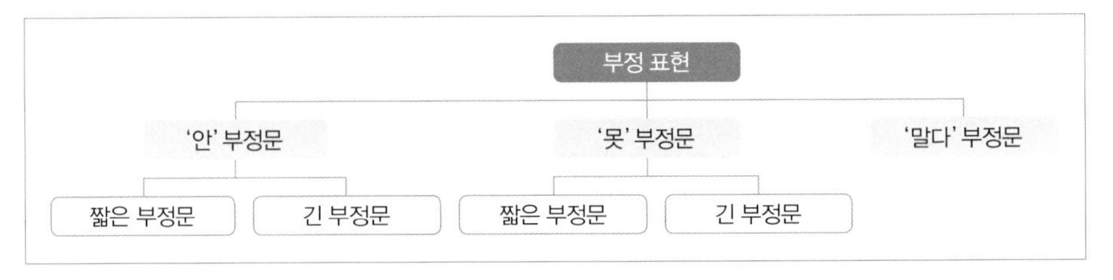

1. '안' 부정문

주체(동작주)의 의지에 의한 행동의 부정으로, '의지 부정', '단순 부정'이라고 한다.

(1) 실현 방법

① 서술어가 동사, 형용사일 경우

구분	내용	용례
짧은 부정문	'안(아니)'+동사/형용사	피아노를 안 치다.
긴 부정문	용언의 어간+'-지'+'아니하다(않다)'	피아노를 치지 않다.

② 서술어가 명사일 경우: '이/가 아니다'

예 그것은 꽃이다. (긍정문) / 그것은 꽃이 아니다. (부정문)

(2) '안' 부정문의 해석

① 주어가 유정 명사일 때에는 주어의 의지를 나타내지만, 주어가 무정 명사이거나 서술어가 형용사이면 주어의 의지는 암시되지 않는다.

예 • 나는 학교를 안 갔다.
• 꽃이 안 예쁘다.

② '안'이 무엇을 부정하느냐에 따라 문장의 의미가 달라진다.

㉠ 초점에 의한 중의성: '안'이 부정하는 초점에 따라 문장의 의미가 달라진다.

예 민수가 철수를 때리지 않았다.
→ '민수'에 초점: 민수가 아닌 다른 사람이 철수를 때렸다.
→ '철수'에 초점: 민수가 때린 사람은 철수가 아니다.
→ '때리다'에 초점: 민수가 철수를 때리지 않고 다른 행위를 했다.

㉡ 범위에 의한 중의성: 전체를 부정하는지, 부분을 부정하는지에 따라 의미가 달라진다. 부사어 '다, 모두, 많이, 조금' 등이 쓰이면 중의적으로 해석된다.

예 손님이 다 오지 않았다.
→ 전체 부정: 손님이 아무도 오지 않았다.
→ 부분 부정: 손님의 일부가 오지 않았다.

㉢ 보조사 '은/는, 도, 만'을 사용하면 중의성을 해소할 수 있다.

예 민수가 철수를 때리지 않았다.
→ 민수는 철수를 때리지 않았다.
→ 민수가 철수는 때리지 않았다.
→ 민수가 철수를 때리지는 않았다.

단권화 MEMO

■ 부정문의 유의 사항

부정문은 오직 '안(아니), 못'의 유무(형식상 기준)에 의해서만 판별된다. 따라서 '없다, 모르다' 등의 부정적 의미를 가진 어휘가 쓰여도 긍정문이며, 이중 부정문도 의미상 긍정문이지만 '안'이 쓰였으므로 부정문이다. 또한 '不, 非, 無' 등의 부정적 접두사가 쓰였다고 하더라도 긍정문이다.

■ 부정 표현의 구분

구분	짧은 부정문	긴 부정문
'안' 부정문 (의지/단순 부정)	안(아니) ~	-지 않다 (-지 아니하다)
'못' 부정문 (능력 부정)	못 ~	-지 못하다

2. '못' 부정문

주체의 의지가 아닌, 그의 능력상 불가능하거나 외부의 어떤 원인 때문에 그 행위가 일어나지 못하는 것을 표현할 때 쓰는 부정으로, '능력 부정'이라고 한다.

(1) 실현 방법

구분	내용	용례
짧은 부정문	'못'+동사(서술어)	밥을 못 먹다.
긴 부정문	동사의 어간+'-지'+'못하다'	밥을 먹지 못하다.

(2) '못' 부정문의 해석

'못' 부정문도 '안' 부정문과 마찬가지로 중의성을 지니며, 부사어 '다, 모두, 많이, 조금' 등이 쓰이면 중의적으로 해석된다.

예 • 내가 엄마를 못 만났다. (내가 엄마를 만나지 못했다.)
→ 내가 못 만난 사람은 엄마다.
→ 엄마를 만나지 못한 것은 나다.
→ 내가 엄마를 만나지만 못했을 뿐이다.

• 학생들이 다 못 왔다.
→ 학생들이 아무도 오지 못했다.
→ 학생들의 일부가 오지 못했다.

■ 부정문의 중의성
부정 표현은 단형 또는 장형, 능력 부정 또는 의지 부정 모두 부정의 범위에서 중의성을 지닌다. 부정문의 중의성을 해소하는 방법에는 문맥을 통한 방법, 강세를 통한 방법, 부정하고자 하는 단어에 보조사 '은/는, 도, 만'을 결합하는 방법이 있다.

3. '말다' 부정문

① 명령문이나 청유문 등에서는 '-지 말다'를 붙여 부정문을 만든다. '-지 마/마라, -지 말자'의 형태로 실현된다.

예 • 집에 가지 말아라. (명령문)
• 집에 가지 말자. (청유문)

② 소망을 나타내는 '바라다, 원하다, 희망하다' 등의 동사가 오면 명령문이나 청유문이 아니더라도 '-지 말다'를 쓰기도 한다.

예 비가 오지 말기를 바란다.
→ 희망을 나타내는 동사 앞에서는 평서문이더라도 '-지 말다'를 사용한다.

04 통사론

01 문장은 (　　　)와/과 (　　　)을/를 갖추는 것을 기본 원칙으로 한다.

02 서술어는 그 성격에 따라서 필요로 하는 문장 성분의 개수가 다른데, 이를 (　　　)(이)라고 한다.

03 관형어는 (　　　) 앞에서는 반드시 필요하므로 항상 수의적이라고 할 수 없다.

04 '바로 오너라.'의 '바로'는 용언을 수식하므로 부사이고 부사어이다. 그리고 '그건 바로 너의 책임이다.'의 '바로'는 원래 부사로 쓰이는 것이 체언 '너'를 수식하고 있으나, 학교 문법에서는 이를 (　　　)(으)로 보고 부사어로 처리한다.

05

① 그는 좋은 시절이 다 {지나갔음을 / *지나갔기를} 알았다. ② 농부들은 비가 {오기를 / *옴을} 기다린다.

두 문장에 들어 있는 명사절은 각각 '좋은 시절이 다 지나갔음'과 '비가 오기'이다. 이때 명사형 어미 '-(으)ㅁ'과 '-기'는 각각 '좋은 시절이 다 지나갔다'와 '비가 오다'를 명사절로 만드는 기능을 한다. '-(으)ㅁ'과 '-기'는 둘 다 명사형 어미이나, '-(으)ㅁ'이 (　　　)의 의미를 나타내는 데 반해, '-기'는 (　　　)의 의미를 나타낸다는 점에서 차이가 있다.

06 (　　　)은/는 관형절의 수식을 받는 체언이 관형절의 한 성분이 되는 경우로, 성분 생략이 가능하다.

07 설명 의문문은 어떤 사실에 대한 일정한 설명을 요구하는 의문문으로, 문장에 (　　　)이/가 포함되어 나타난다.

08 스스로가 본인의 성을 지칭할 때에는 (　　　)보다는 (　　　)이/가 올바른 표현이다. 반면, 남의 성을 말할 때에는 (　　　)이/가 올바른 표현이다.

09

신발 끈이 풀려지다.

'풀려지다'의 경우 '풀리어지다'로 분석된다. 즉, 어간 '풀-'에 짧은 피동을 나타내는 피동 접미사 '-리-'와 긴 피동을 나타내는 '-어지다'가 모두 붙어 중복된 형태이다. 이는 (　　　)(으)로, 국어에서 올바른 표현으로 인정받지 못한다. 따라서 '풀리다' 또는 '풀어지다' 중 하나로 표현해야 한다.

10 파생적 사동문(짧은 사동문)은 주동사인 자동사, 타동사 또는 형용사 어간에 사동 접미사 '(　　　)'이/가 붙거나 명사에 접미사 '(　　　)'이/가 붙어 실현된다.

| 정답 | 01 주어, 서술어　02 서술어의 자릿수　03 의존 명사　04 체언 수식 부사　05 완료, 미완료　06 관계 관형절　07 의문사
08 씨, -가, 씨　09 이중 피동　10 -이-, -히-, -리-, -기-, -우-, -구-, -추-, -시키다

04 통사론

교수님 코멘트▶ 이 영역에서는 문장 성분, 겹문장, 높임 표현, 사동과 피동 등이 자주 출제된다. 특히 안은문장 즉, 절과 관련된 문제가 가장 많이, 그리고 상대적으로 어렵게 출제되는 경향이 있다. 기출문제를 통해서 유형을 파악하고, 앞서 학습한 개념이 어떻게 문제화되는지 알아 두자. 또한 기본서 회독을 통해 다시 한번 확인해 두자.

01

2017 서울시 9급

다음 〈보기〉의 ㉠~㉣ 중 주어가 다른 하나는?

보기

진찰의 첫 단계로 임상 심리 검사를 시작해 보니 환자의 증세가 참으로 특이하더군요. 도대체 이야기를 하지 않으려는 진술 거부증이 있었어요. 그리고 아까 말씀대로 터무니없이 불안해하거나 자기 생각을 거짓말로 슬슬 ㉠속여 넘기려고 한단 말입니다. 그러면서 덮어놓고 자기의 머리가 이상해진 게 틀림없다고 고집이지 뭡니까. 아니 거짓말을 하거나 불안해하는 것도 모두 그렇게 자기의 머리가 이상해진 것을 확인시키려는 노력에서 ㉡그러는 것 같았어요. 하지만 우리도 물론 나중까지 환자의 이름이나 주소를 받아 놓지 않은 건 아니었지요. 한데 나중에 보호자 ㉢연락을 취해 보니 그것도 모두가 거짓말이었단 말입니다. 그런 주소에 그런 사람이 살고 있지 않다는 거예요. 환자에게 다시 진짜를 대 보라고 했지만 어디 대답이 쉽습니까. 게다가 이 환자는 소지품 중에서 자신의 신분이 드러날 만한 것을 ㉣지니고 있지 않았어요.

① ㉠　② ㉡
③ ㉢　④ ㉣

정답&해설

01 ③ 주어

③ ㉢의 생략된 주어는 '우리'이고, 나머지는 주어가 '환자'이다.

| 정답 | 01 ③

02
2018 경찰직 1차

다음 밑줄 친 성분에 대한 설명 중 가장 적절한 것은?

> ㉠ 영선이가 참 아름답다.
> ㉡ 과연 영선이는 똑똑하구나.
> ㉢ 영선이는 엄마와 닮았다.
> ㉣ 그러나 영선이는 역경을 이겨 냈다.

① ㉠과 ㉡의 밑줄 친 부분은 문장 내의 다른 성분을 수식하는 성분 부사어이다.
② ㉡과 ㉢의 밑줄 친 부분은 문장 전체를 수식하는 문장 부사어이다.
③ ㉢과 ㉣의 밑줄 친 부분은 앞뒤를 연결해 주는 접속 부사어이다.
④ ㉠부터 ㉣까지 밑줄 친 부분은 모두 부사어이다.

03
2020 국가직 9급

안긴문장이 없는 것은?

① 나는 동생이 시험에 합격하기를 고대한다.
② 착한 영호는 언제나 친구들을 잘 도와준다.
③ 해진이는 울산에 살고 초희는 광주에 산다.
④ 아버지께서는 나에게 내일 가족 여행을 가자고 말씀하셨다.

04
2016 국가직 9급

안긴문장이 주성분으로 쓰이지 않은 것은?

① 그 학교는 교정이 넓다.
② 농부들은 비가 오기를 학수고대했다.
③ 아이들이 놀다 간 자리는 항상 어지럽다.
④ 대화가 어디로 튈지 아무도 몰랐다.

05
2017 기상직 7급

다음 ㉠~㉣의 문장 성분과 문장 구조에 대한 설명으로 적절하지 않은 것은?

> ㉠ 농부들은 시원한 비가 오기를 기다린다.
> ㉡ 아이가 작은 침대에서 소리도 없이 잔다.
> ㉢ 내가 사과를 산 시장은 값이 싸다.
> ㉣ 내가 만난 친구는 마음이 정말 따뜻하다.

① ㉠은 주어가 생략된 안긴문장이 있다.
② ㉡은 부사어의 기능을 하는 안긴문장이 있다.
③ ㉢은 목적어가 생략된 안긴문장이 있다.
④ ㉣은 절 표지가 없이 안긴문장이 있다.

06

2019 서울시 9급

밑줄 친 부분의 문장 성분이 다른 하나는?

① 그는 밥도 안 먹고 일만 한다.
② 몸은 아파도 마음만은 날아갈 것 같다.
③ 그는 그녀에게 물만 주었다.
④ 고향의 사투리까지 싫어할 이유는 없었다.

07

2018 지방직 9급

사동법의 특징을 고려할 때 밑줄 친 단어의 쓰임이 옳은 것은?

① 그는 김 교수에게 박 군을 소개시켰다.
② 돌아오는 길에 병원에 들러 아이를 입원시켰다.
③ 생각이 다른 타인을 설득시킨다는 건 참 힘든 일이다.
④ 우리는 토론을 거쳐 다양한 사회적 갈등을 해소시킨다.

정답&해설

02 ④ 부사어

㉠ 참: 문장 내의 특정한 성분을 수식하는 성분 부사어이다.
㉡ 과연: 양태적 의미를 더하면서 문장 전체를 수식하는 문장 부사어이다.
㉢ 엄마와: 서술어가 요구하는 필수적 부사어이면서 뒤에 오는 특정 성분을 수식하는 성분 부사어이다.
㉣ 그러나: 문장과 문장을 이어 주는 문장 부사어(접속)이다.

03 ③ 겹문장

③ '해진이는 울산에 산다.'라는 문장과 '초희는 광주에 산다.'라는 문장이 대등하게 이어진 문장이다.

| 오답해설 | ① '동생이 시험에 합격하기'라는 부분이 명사절로 안긴문장이다.
② '(영호가) 착한'이라는 부분이 명사 '영호'를 꾸며 주는 관계 관형절로 안긴 문장이다.
④ '내일 가족 여행을 가자.'가 간접 인용절로 안긴 문장이다.

04 ③ 안긴문장

'주성분'은 '주어, 목적어, 보어, 서술어'이다. ③의 문장은 '아이들이 놀다 간'이 절을 이루며 체언인 '자리'를 수식하므로 관형절을 안은문장이고, 이 관형절은 관형어의 역할을 한다. 관형어는 주성분이 아니라 부속 성분이다.

| 오답해설 | ① '교정이 넓다'가 서술절을 이루며 서술어로 사용되었다.
② '비가 오기'가 명사절을 이루며 목적어로 사용되었다.
④ '대화가 어디로 튈지'가 명사절을 이루며 목적어로 사용되었다.

05 ③ 문장 성분과 문장 구조

③ ㉢의 관형절 '내가 사과를 산'에는 목적어 '사과를'이 있으므로 목적어가 생략된 안긴문장으로 볼 수 없다. ㉢은 부사어 '시장에서'가 생략된 안긴문장이 있다.

| 오답해설 | ① ㉠은 관형절 '시원한'에서 주어 '비가'가 생략되어 있다.
② ㉡에는 부사어의 기능을 하는 부사절 '소리도 없이'가 안겨 있다.
④ ㉣은 '마음이 정말 따뜻하다'라는 서술절을 안고 있는 문장이다. 서술절은 다른 절과 달리 절을 매개하는 특별한 표지가 없다는 특징이 있다.

06 ② 문장 성분

문장에서 각 구성 성분의 격을 결정해 주는 것에는 '격 조사'와 '서술어', '보조사'가 있다. 밑줄 친 부분은 모두 '보조사'가 쓰였으므로 이를 제거한 뒤 '서술어'를 통해 문장 성분을 쉽게 확인할 수 있다. ②의 밑줄 친 부분의 문장 성분은 '주어'이고, 나머지 ①③④는 모두 '목적어'이다.

07 ② 사동 표현

사동법이란 기본적으로 사동주가 피사동주로 하여금 어떤 행위를 하게 하거나 어떤 상황에 처하게 하는 것이다. 이런 관점에서 볼 때 ②의 생략된 사동주는 피사동주인 '아이'에게 입원이라는 동작을 시키거나, 입원이라는 상황에 처하게 한 것으로 볼 수 있다. 반면에, 나머지는 주어가 직접 동작을 하는 경우임에도 불구하고 '-시키다'라는 사동 표현을 사용하고 있으므로 적절하지 않다. 그러므로 '소개했다, 설득한다, 해소한다'로 바꾸는 것이 적절하다.

| 정답 | 02 ④ 03 ③ 04 ③ 05 ③ 06 ② 07 ②

08

2017 국가직 9급 추가 채용

높임법에 대한 설명으로 옳지 않은 것은?

> ㄱ. 할아버지께서 노인정에 가셨습니다.
> ㄴ. 선생님께서는 휴일에는 댁에 계십니다.
> ㄷ. 여러분, 아이들을 자리에 앉혀 주십시오.
> ㄹ. 우리는 할머니를 모시고 산책을 다녀왔다.

① ㄱ, ㄴ: 문장의 주체를 높이고 있다.
② ㄱ, ㄴ, ㄷ: 듣는 이를 높이고 있다.
③ ㄴ, ㄹ: 특수한 어휘를 사용하여 높임을 표현하고 있다.
④ ㄷ, ㄹ: 목적어를 높이고 있으므로 객체를 높이는 표현이다.

09

2019 국가직 7급

높임 표현에 대한 설명으로 가장 적절한 것은?

① "제 말씀 좀 들어 보세요."에서의 '말씀'은 '말'을 높여 이르는 단어이므로 '말'로 바꾸는 것이 바람직하다.
② "혜정아, 할아버지께서는 생전에 당신의 장서를 진짜 소중히 여기셨어."에서의 '당신'은 3인칭 '자기'를 아주 높여 이르는 말이다.
③ 남에게 말할 때는 자기와 관계된 부분을 낮추어 '저희 학과', '저희 학교', '저희 회사', '저희 나라' 등과 같이 표현해야 한다.
④ 요즈음 흔히 들을 수 있는 "그건 만 원이세요.", "품절이십니다."에서의 '-세요', '-십니다'는 객체를 높이는 새로운 표현 방식이다.

10

2010 국회직 8급

다음 글은 시제에 대한 설명이다. 〈보기〉의 밑줄 친 부분의 시제를 옳게 설명한 것은?

> 시제(時制)란 화자가 발화시를 기준으로 삼아 앞뒤의 시간을 구분하는 문법 범주이다. 발화시와 사건시가 일치하면 현재, 사건시가 발화시에 선행하면 과거, 발화시가 사건시에 선행하면 미래라고 한다. 발화시란 화자가 문장을 발화한 시간을 뜻하고 사건시란 문장에 드러난 사건이 발생한 시간을 뜻한다.
> 그런데 시제에는 절대 시제와 상대 시제도 있다. 절대 시제는 발화시를 기준으로 삼아 결정되는 시제이고 상대 시제는 주절의 사건시를 기준으로 결정되는 시제를 말한다.

보기

> 나는 아까 도서관에서 책을 읽는 철수를 보았다.

① 절대 시제나 상대 시제 모두 현재
② 절대 시제나 상대 시제 모두 과거
③ 절대 시제로는 현재, 상대 시제로는 과거
④ 절대 시제로는 과거, 상대 시제로는 현재
⑤ 절대 시제로는 과거, 상대 시제로는 미래

11

2014 경찰직 2차

다음 중 밑줄 친 문법 요소들에 대한 유형 분류가 옳은 것은?

① 할머니는 귀가 밝으시다. – 객체 높임 표현
② 철수가 지금 사과를 깎는다. – 현재 시간 표현
③ 나는 철수에게 그 책을 읽히겠다. – 파생적 피동 표현
④ 함께 생각해 보자. – 명령형 종결 표현

정답&해설

08 ④ 높임법

④ ㄹ은 객체를 높이는 특수 어휘인 '모시다'를 사용해 '할머니'를 높이고 있다. 그러나 ㄷ은 듣는 이인 '여러분'을 높이는 것이지 목적어인 '아이들'을 높이고 있는 것이 아니다.

| 오답해설 | ① ㄱ은 주어 '할아버지'를 '께서'와 '-시-'를 통해 높이고 있으며, ㄴ은 주어 '선생님'을 '께서는, 댁, 계시다'를 통해 높이고 있다.
② ㄱ, ㄴ, ㄷ 모두 종결 어미를 통해 듣는 이를 높이고 있다.
③ ㄴ은 '댁', '계시다', ㄹ은 '모시다'와 같은 특수 어휘를 사용하여 높임을 표현하고 있다.

09 ② 높임 표현

재귀 대명사는 문장에서 주어를 다시 언급할 필요가 있을 때 사용하는 대명사이다. ②에서 쓰인 '당신'은 높임의 상황에서 쓰이는 3인칭 재귀 대명사이다.

| 오답해설 | ① '말씀'이 '남이 한 말'의 의미로 쓰이면 높임의 의미가 되지만 '자신이 한 말'의 의미로 쓰이면 낮춤의 의미가 된다. ①의 문장은 '제 말씀'이므로 낮춤의 의미이다.
③ '저희 나라'는 어떤 상황에서도 쓸 수 없는 표현이다. '우리나라'로 표현해야 한다.
④ '그건(주어) 만 원이세요', '(무엇이-주어) 품절이십니다' 등의 표현은 손님을 과하게 의식하여 주어인 상품을 불필요하게 높이는 잘못된 간접 높임 표현이다. 또한 간접 높임은 객체 높임이 아니라 주체 높임이다.

10 ④ 시제

④ '읽는'을 발화시 기준에서 보면 과거이므로 절대 시제는 과거이고, 사건시 기준에서 보면 책을 읽고 있는 상태, 즉 현재이므로 상대 시제는 현재이다.

11 ② 문장의 표현

② 여기서 '-는'은 동사에 붙는 현재 시제 선어말 어미이다.

| 오답해설 | ① 여기서 '-으시-'는 주체 높임 선어말 어미이다. 경우에 따라서는 매개 모음 '-으-'와 주체 높임 선어말 어미 '-시-'의 결합으로 보기도 한다. 따라서 주체 높임과 관련된다.
③ 문장이 전체적으로 사동의 의미를 나타내고 있으므로 여기서 '-히-'는 피동 접미사가 아니라 사동 접미사이다.
④ 여기서 '-자'는 청유형 종결 어미이다.

| 정답 | 08 ④ 09 ② 10 ④ 11 ②

CHAPTER

05 의미론과 화용론

☐ 1회독 월 일
☐ 2회독 월 일
☐ 3회독 월 일
☐ 4회독 월 일
☐ 5회독 월 일

단권화 MEMO

01 의미론

'의미'를 보는 관점에는 '지시설'과 '개념설'이 있다. '지시설'은 단어가 가리키는 실제 사물, 즉 지시 대상이 곧 언어의 의미라고 보는 입장이고, '개념설'은 한 단어에 관하여 우리의 머릿속에서 만들어지고 저장된 생각, 즉 개념을 언어의 의미로 보는 입장이다.

더 알아보기 의미의 속성

① 표현과 그 표현이 지시하는 대상 사이의 관계가 반드시 일대일 관계인 것은 아니다.
② 한 표현이 지시하는 대상의 의미 영역은 그 경계선이 분명하지 않은 경우가 있을 뿐 아니라, 그 의미의 속성이 고정되어 있지 않고 변하는 경우도 있다.
③ 어떤 표현은 관습, 상황, 그리고 말하는 이의 의도나 심리적 태도에 따라 기본 의미와 전혀 다른 것을 의미하는 경우도 있다.

1 의미의 종류

(1) 중심적/주변적 의미

중심적 의미	가장 기본적이고 핵심적인 의미 예 '손'의 중심적 의미: 아기의 귀여운 손, 손바닥, 손가락
주변적 의미	중심적 의미에서 확장되어 사용되는 의미 예 '손'의 주변적 의미: 손이 모자라다. 이 일은 내 손에 달려 있다.

(2) 사전적/함축적 의미

사전적 의미 (외연적/개념적 의미)	• 어떤 낱말이 가지고 있는 가장 기본적이고 객관적인 의미 • 언어 전달의 중심된 요소를 다루는 의미 예 '낙엽'의 사전적 의미: 말라서 떨어진 나뭇잎
함축적 의미 (내포적 의미)	사전적 의미에 덧붙어 연상이나 관습 등에 의하여 형성되는 의미 예 '낙엽'의 함축적 의미: 쓸쓸함, 이별, 죽음

(3) 사회적/정서적 의미

사회적 의미	• 언어를 사용하는 사람의 사회적 환경을 드러내는 의미 • 선택하는 단어의 종류나 발화 시의 어투, 글의 문체 등에 의해서 말하는 사람의 출신지, 교양, 사회적 지위 등을 파악할 수 있음
정서적 의미	• 말하는 이(혹은 글쓴이)의 태도나 감정 등을 드러내는 의미 • 자신 및 상대에 대한 심리적 태도를 표현하기 위해 문체나 어조를 다르게 선택함

(4) 주제적/반사적 의미

주제적 의미	• 말하는 이(혹은 글쓴이)의 의도를 나타내는 의미 • 흔히 어순을 바꾸거나 강조하여 발음함으로써 드러남 예 • 사냥꾼이 사슴을 쫓는다.: '사냥꾼'에 초점 • 사슴이 사냥꾼에게 쫓긴다.: '사슴'에 초점
반사적 의미	• 단어가 가지는 사전적 의미와는 관계없이 특정 반응을 일으키는 의미 • 완곡어나 금기어의 사용은 반사적 의미가 고려된 것임 예 인민, 동무: 기본적인 의미 이외에 정치적인 의미가 반사적으로 전달된다.

2 단어 간의 의미 관계

(1) 유의 관계

① 말소리는 다르지만 의미가 같거나 비슷한 둘 이상의 단어가 맺는 의미 관계를 말한다.

② 단어가 유의 관계일 때 그 짝이 되는 말들을 '유의어'라고 한다.

③ 유의어는 말의 맛을 달리하기 위하여 만들어지기도 하며, 특정 단어를 꺼려 하는 금기 현상 때문에 만들어지기도 한다.

예 • 가끔 – 더러 – 이따금 – 드문드문 – 때로 – 간혹
• 변소 – 뒷간

(2) 동음이의 관계

① 서로 다른 두 개 이상의 단어가 우연히 소리만 같은 경우를 말한다.

예 말[言], 말[馬]

② 동음이의어는 소리와 철자에 따라 다음과 같이 구분할 수 있다.

소리와 철자가 모두 같은 동음이의어	• 절다: 소금기가 배다, 뒤뚱거리다 • 시내: 개울, 도시의 안(市內)
소리는 같으나 철자가 다른 동음이의어	입 – 잎, 반듯이 – 반드시, 식히다 – 시키다

(3) 반의 관계

① 둘 이상의 단어에서 의미가 서로 짝을 이루어 대립하는 경우를 '반의 관계'에 있다고 한다. 반의어는 둘 사이에 공통적인 의미 요소가 있으면서도 한 개의 요소만이 달라야 한다.

예 '총각'과 '처녀'는 '성'을 제외하면 의미상 공통적이다.

② 반의어는 반드시 한 쌍으로만 존재하는 것이 아니라 다의어의 경우처럼 한 단어에 여러 개의 단어가 대립하는 경우도 있다.

예

단어	의미	반의어
서다	① 일어나다	앉다
	② 멈추다	가다
	③ (체면이) 서다	깎이다
	④ (날이) 서다	무뎌지다

③ 반의 관계를 등급 대립어, 상보 대립어, 방향 대립어, 다원 대립어 등으로 세분할 수 있다.

등급 대립어 (정도 대립어)	정도나 등급을 나타내는 대립어로, 중간이 존재할 수 있는 대립어 예 길다 – 짧다, 쉽다 – 어렵다
상보 대립어	개념적 영역을 상호 배타적인 두 구역으로 양분하는 대립어로, 중간이 존재할 수 없는 대립어 예 살다 – 죽다, 남성 – 여성

단권화 MEMO

■ 동의 관계와 동의어
• 동의 관계: 두 개 이상의 단어가 서로 소리는 다르지만 의미가 같은 관계
• 동의어: 동의 관계에 있는 단어
예 책방 – 서점

■ 다의 관계와 다의어
• 다의 관계: 하나의 형태가 밀접한 관련성을 가진 여러 의미를 지니는 것
• 다의어: 다의 관계에 있는 단어

단권화 MEMO

방향 대립어	맞선 방향으로 이동을 나타내는 대립쌍, 즉 방향성에 주안점이 있는 대립어 예 동쪽 – 서쪽, 위 – 아래, 앞 – 뒤
다원 대립어	등급, 상보, 방향 대립어는 대립이 둘로 나뉘는 이원 대립어이고, 이와는 달리 색채어나 요일, 명칭 같이 대립이 동일 층위상 여러 가지로 나뉠 수 있는 대립어를 다원 대립어라고 함

더 알아보기 의미의 성분 분석

물질을 원자나 분자로 분해하는 방식과 마찬가지로 단어의 의미를 의미 성분의 결합체로 간주하고 이를 분석하는 것이다. 예를 들어, '소년'은 [－성숙][＋남성][＋인간]과 같이 분석할 수 있다.

(4) 상하 관계

① 단어의 의미적 계층 구조에서 한쪽이 의미상 다른 쪽을 포함(상의어)하거나 다른 쪽에 포섭(하의어)되는 관계를 말한다.

② 상하 관계를 형성하는 단어들은 상의어일수록 일반적이고 포괄적인 의미를 지니며, 하의어일수록 개별적이고 한정적인 의미를 지닌다. 따라서 하의어는 상의어를 의미적으로 함의하게 된다. 즉, 상의어가 가지고 있는 의미 특성을 하의어가 자동적으로 가지게 된다.

예 동물(상의어), 새(하의어)

더 알아보기 전제와 함의

1. **전제**: 어떤 명제가 의미적 정당성을 갖기 위해 이미 참이라고 생각하는 자명한 사실을 말한다.

㉠ 나는 어제 수강 신청한 강의를 들었다.
㉡ 나는 어제 강의를 수강 신청했다.
㉢ 나는 어제 수강 신청한 강의를 듣지 않았다.
⇨ 만약 ㉠의 주명제가 부정되더라도 전제, 즉 ㉡의 의미는 그대로 보존된다. 따라서 해당 정보가 전제인지 아닌지를 파악하려면 주명제를 부정하여 정보가 보존되는지를 살펴보아야 한다.

2. **함의**: 한 문장 안의 부수적인 정보 중에 전제를 제외한 정보를 '함의'라고 한다. 함의는 주명제가 부정될 경우 정보가 보존되지 못하는 특징이 있다.

㉠ 철수가 복사기를 고장 나게 만들었다.
㉡ 복사기가 고장 났다.
㉢ 철수가 복사기를 고장 내지 않았다.
⇨ ㉠의 주명제가 부정되더라도 함의, 즉 ㉡이 진실일 수도 있고 거짓일 수도 있다. 왜냐하면 ㉢은 '복사기가 고장은 났지만 고장 낸 사람이 철수가 아니다.'라는 의미일 수도 있고, '복사기가 고장 나지 않았다.'라는 의미일 수도 있기 때문이다.

3 중의성

■ 중의문
하나의 문장이 둘 이상의 의미로 해석되는 문장

하나의 형식이나 언어 표현이 둘 이상의 의미를 지시하는 속성을 '중의성'이라고 한다. 중의성은 어휘적 중의성, 은유적 중의성, 구조적 중의성으로 구분할 수 있다.

① **어휘적 중의성**: 한 문장에 동음이의어가 있을 때 두 가지 이상의 해석이 가능한 경우를 말한다.

나는 배를 보았다.

[중의적 해석] '배'를 '먹는 배', '사람의 배(복부)', '선박' 등의 의미로 해석할 수 있다.
[바른 문장] 나는 바다에 떠 있는 배를 보았다. ('선박'으로 의미 제한)

② 은유적 중의성: 은유적 표현을 사용하여 중의성이 유발되는 경우를 말한다.

> 내 동생은 여우야.
>
> [중의적 해석] 동생이 하는 행동이 깜찍하고 영악한 경우와 동생이 연극 등에서 여우 배역을 맡은 경우로 해석할 수 있다.
> [바른 문장] 내 동생은 학예회에서 여우 역할을 맡았어. ('여우 배역'으로 의미 제한)

③ 구조적 중의성: 통사적 관계에 의해 두 가지 이상의 의미로 해석이 가능한 경우를 말한다.

> 나는 엄마와 이모를 만났다.
>
> [중의적 해석] 내가 만난 대상이 '엄마와 이모'인 경우와 '이모'인 경우로 해석할 수 있다.
> [바른 문장] 나는 엄마와 함께 이모를 만났다. (만난 대상을 '이모'로 한정)

| 구조적 중의성의 분류

구분	내용
수식의 범위에 따른 중의성	귀여운 철수의 동생을 만났다. [중의적 해석] '귀여운' 사람이 '철수'인 경우와 '철수의 동생'인 경우로 해석할 수 있다. [바른 문장] 철수의 귀여운 동생을 만났다. (철수의 동생이 귀여운 것으로 의미 제한)
비교 구문의 중의성	영희는 나보다 컴퓨터 게임을 더 좋아한다. [중의적 해석] 비교 대상이 '나와 컴퓨터 게임'인 경우와 '나와 영희가 컴퓨터 게임을 좋아하는 정도의 비교'인 경우로 해석할 수 있다. [바른 문장] 영희는 나를 좋아하는 것보다 더 컴퓨터 게임을 좋아한다. (영희가 좋아하는 것을 '컴퓨터 게임'으로 한정)
부정의 범위에 따른 중의성	사람들이 다 오지 않았다. [중의적 해석] 사람들이 아무도 오지 않은 경우와 일부만 온 경우로 해석할 수 있다. [바른 문장] 사람들이 다 오지는 않았다. (일부만 왔다는 의미로 한정)

4 잉여적 표현

단어, 어절, 문장에 의미상 중복되는 말이 사용된 것을 '잉여적 표현'이라고 하며, '의미의 중복'이라고도 한다. 단, 의미가 중복된다고 해서 모두 잉여적 표현으로 볼 수는 없다. '동해 바다', '피해를 입다' 등은 동어 반복 방식의 조어라고 볼 수 있기 때문이다. 즉, 잉여적 표현이냐 아니냐를 구분하는 절대적 기준은 존재하기 어렵다. 따라서 어원이 잘 드러나지 않는 경우나 의미를 강조하려는 목적으로 반복한 경우 등은 잉여적 표현에서 제외할 수 있다.

| 잉여적 표현의 예

> 여성 자매, 농경을 지어 왔다, 근거 없는 낭설, 완전히 근절해야, 돌이켜 회고, 허다하게 많다, 보는 관점, 참고 인내, 공기를 환기, 삭제하여 빼도록, 과반수 이상, 이미 가지고 있던 기존의, 소급하여 올라가, 둘로 양분, 역전 앞, 기간 동안, 박수를 치다, 남은 여생, 축구를 차다, 형극의 가시밭길, 접수받다, 빈 공간, 처갓집, 명백히 밝히다, 시범을 보이다, 유산을 물려주다, 배우는 학생, 간단히 요약, 음모를 꾸미다, 스스로 자각, 족발, 넓은 광장, 푸른 창공, 새로 들어온 신입생, 같은 동포, 날조된 조작극, 높은 고온, 폭음 소리, 죽은 시체, 따뜻한 온정, 청천 하늘, 회의를 품다, 낙엽이 지다 등

단권화 MEMO

단권화 MEMO

더 알아보기 올바른 문장 표현

1. 문장 성분 갖추기: 문장 성분은 문맥을 통해 그 의미를 정확하게 알 수 있는 범위 내에서만 생략해야 한다.

주어의 부적절한 생략	언어는 그 자체가 문화의 산물이며, 언어를 통해 또 다른 문화를 창조한다. (×) → [바른 문장] 언어는 그 자체가 문화의 산물이며, 인간은 언어를 통해 또 다른 문화를 창조한다.
목적어의 부적절한 생략	인간은 자연에 복종하기도 하고, 지배하기도 하면서 살아간다. (×) → [바른 문장] 인간은 자연에 복종하기도 하고, 자연을 지배하기도 하면서 살아간다.
서술어의 부적절한 생략	그녀는 노래와 춤을 추고 있었다. (×) → [바른 문장] 그녀는 노래를 부르고 춤을 추고 있었다.

2. 불필요한 성분 없애기

어휘의 중복	속담의 특징은 교훈적인 의미를 담고 있고, 비유를 사용한다는 점이 특징이다. (×) : '특징'을 불필요하게 반복함 → [바른 문장] 속담의 특징은 교훈적인 의미를 담고 있고, 비유를 사용한다는 점이다. / 속담은 교훈적인 의미를 담고 있고, 비유를 사용한다는 점이 특징이다.
의미의 중복	사회악을 뿌리 뽑아 근절해야 한다. (×) : '뿌리(를) 뽑다'와 '근절하다'는 의미가 중복됨 → [바른 문장] 사회악을 뿌리 뽑아야 한다. / 사회악을 근절해야 한다.

3. 문장 성분의 호응 지키기: 주어와 서술어, 수식어와 피수식어, 부사어와 서술어 등이 잘 호응해야 한다.

주어와 서술어의 호응	내가 하고 싶은 말은 네가 착하게 살길 바란다. (×) → [바른 문장] 내가 하고 싶은 말은 네가 착하게 살길 바란다는 것이다.
수식어와 피수식어의 호응	한결같이 어려운 이웃을 돕는 사람들이 많습니다. (×) : 부사어 '한결같이'가 수식하는 말이 '어려운'이 되면 내용이 어색해짐 → [바른 문장] 어려운 이웃을 한결같이 돕는 사람들이 많습니다.
부사어와 서술어의 호응	너는 반드시 약속을 어겨서는 안 된다. (×) → [바른 문장] 너는 결코(절대) 약속을 어겨서는 안 된다.

5 의미의 변화

(1) 의미 변화의 원인

언어적 원인	단어와 단어의 접촉, 말소리나 낱말의 형태 변화가 원인이 되어 의미가 변하는 경우 예 • 우연치 않게: '우연하게'가 맞는 표현이나 잘못된 사용이 거듭되면서 의미가 바뀐 경우 • 아침(밥): '아침밥'이 맞는 표현이나 생략된 표현의 사용이 거듭되면서 표현이 굳어진 경우 • 행주치마: 행자승이 걸치는 치마의 의미이나 행주대첩의 의미와 잘못 연결된 경우
역사적 원인	단어는 그대로 남고 그 단어가 가리키는 대상이 변한 경우에 일어나는 의미 변화 예 영감, 배[船], 붓[毛筆], 공주
사회적 원인	특수 집단에서 사용되던 단어가 일반 사회에서 사용되거나 그 반대의 경우로 의미 변화가 일어난 경우 예 • 수술: 원래는 의학 용어로만 사용되어야 하나 일반화된 경우 • 공양: 원래는 불교 용어로만 사용되어야 하나 일반화된 경우 • 왕: 왕정의 최고 책임자의 의미로 사용되었으나 '일인자(암산왕)', '크다(왕방울)'의 의미로 쓰이고 있음 • 장가가다: '처갓집에 살러 들어간다.'는 의미로 사용되었으나 '남자가 결혼하다.'의 의미로 쓰이고 있음
심리적 원인	감정, 비유적 표현, 금기에 의한 완곡어 사용 등으로 단어의 의미가 변화한 경우 예 • 완곡어: 마마(천연두) • 비유적 표현: 곰(우둔하다는 의미), 컴퓨터(똑똑하다는 의미)

(2) 의미 변화의 유형

의미의 확대*	• 다리[脚]: 사람이나 짐승의 다리 → 무생물에까지 적용 • 박사: 최고 학위 → 어떤 일에 정통한 사람을 비유적으로 이름 • 세수하다: 손만 씻는 행위 → 손이나 얼굴을 씻는 행위 • 목숨: 목구멍으로 드나드는 숨 → 생명 • 핵: 열매의 씨를 보호하는 속껍데기 → 사물의 중심이 되는 알맹이, 원자의 핵 • 겨레: 종친(宗親) → 동포 • 길: 도로 → 방법, 도리 • 지갑: 종이로 만든 것만 가리킴 → 재료의 다양화 인정 • 방석: 네모난 모양의 깔개 → 둥근 모양의 깔개까지 지칭 • 약주: 특정 술 → 술 전체 • 영감: 당상관에 해당하는 벼슬 이름 → 남자 노인 • 아저씨: 숙부 → 성인 남성 • 장인: 기술자 → 예술가
의미의 축소*	• 학자: 학문을 하는 사람 → 학문을 연구하는 전문인 • 계집: 여성 전체 → 여성 비하 • 얼굴: 형체 → 안면부 • 미인: 남녀 모두 → 여성만 • 공갈: 무섭게 으르고 위협하는 행위 → 거짓말 • 놈: 남성 전체 → 남성 비하
의미의 이동*	• 어리다: 어리석다 → 나이가 어리다 • 씩씩하다: 엄하다 → 굳세고 위엄이 있다 • 수작: 술잔을 건네다 → 말을 주고받음, 남의 말·행동·계획을 낮잡아 이르는 말 • 비싸다: 값이 적당하다 → 값이 나가다 • 인정: 뇌물 → 사람 사이의 정 • 엉터리: 대강 갖추어진 틀 → 갖추어진 틀이 없음 • 에누리: 값을 더 얹어서 부르는 일 → 값을 깎는 일 • 감투: 벼슬아치가 머리에 쓰는 모자 → 벼슬 • 방송(放送): 석방 → 음성이나 영상을 전파로 보냄 • 싸다: 값이 적당하다 → 값이 싸다 • 내외: 안과 밖 → 부부 • 어여쁘다: 불쌍하다 → 예쁘다
의미의 확대와 축소가 단계적으로 이루어지는 경우	수술: 손으로 하는 기술이나 재주 → 의학 용어(의미 축소) → 사회 병리 현상이나 폐단을 고침(의미 확대)

단권화 MEMO

*의미의 확대
의미 변화의 결과로 단어의 의미 범위가 넓어진 경우

*의미의 축소
의미 변화의 결과로 단어의 의미 범위가 좁아진 경우

*의미의 이동
의미 변화의 결과로 단어의 의미 범위가 달라진 경우

02 화용론

1 발화

(1) 개념

일정한 상황 속에서 문장 단위로 표현되는 말을 '발화'라고 한다. 발화는 말하는 이, 듣는 이, 장면에 따라 그 의미가 결정된다.

(2) 발화의 기능

발화는 단순한 정보 전달뿐만 아니라 선언, 명령, 요청, 질문, 제안, 약속, 경고, 축하, 위로, 협박, 칭찬, 비난 등의 여러 의도를 담을 수 있다.

단권화 MEMO

■ 발화의 유형

구분	용례
선언	다음과 같이 선고한다.
요청	창문 좀 닫아 주시겠어요?
질문	과제를 몇 시까지 제출해야 하나요?
명령	1시까지 과제를 제출해라.
정보 전달	1시까지 과제를 제출해야 한다.

(3) 발화의 종류

직접적인 발화와 간접적인 발화로 구분할 수 있다.

① **직접적인 발화**: 직접 '선언, 명령, 요청, 질문, 제안, 약속, 경고, 축하' 등의 표지를 사용하여 발화의 의도를 드러내는 방법이다. 상황보다는 의도가 우선시되며, 종결 어미의 유형과 발화의 의도가 일치한다.

창문을 닫아라.

⇨ 명령형 어미 '-아라'를 사용해 청자에게 명령을 하고 있다.

② **간접적인 발화**: 발화의 의도를 직접 드러내지 않고 자신의 의도를 달성하는 방법이다. 이때 발화의 의미는 장면에 따라 결정된다. 의도를 상황에 맞추어 표현하는 방법으로, 종결 어미의 유형과 발화의 의도가 일치하지 않는다.

창문 좀 닫아 줄래?

⇨ 문장은 의문형으로 마치지만, 숨겨진 의도는 '명령'이다.

| 간접적인 발화에서 종결 어미의 유형과 발화의 의도

의문형 발화를 통한 요청의 표현	창문 좀 열어 주시겠습니까?
진술형 발화를 통한 요청, 질문, 축하의 표현	• 요청: 이 편지를 읽어 주길 바란다. • 질문: 이 책이 얼마인지 알고 싶습니다. • 축하: 네가 합격했다니 기쁘다.
요청을 나타내는 경우는 간접적 표현이 더 공손한 표현이 됨	창문을 열어 주세요. → 창문 좀 열어 주시겠어요? → 창문을 열어 주시면 감사하겠습니다. → 창문을 열어 달라고 부탁드려도 될까요?

2 담화(이야기)

(1) 개념

발화들이 모여서 이루어진 유기적인 통일체로, 경우에 따라서는 단 하나의 발화가 하나의 이야기가 될 수도 있다. 그러나 단순한 발화의 집합이 늘 이야기가 될 수 있는 것은 아니다.

(2) 특징

① **내용의 통일성**: 화자와 청자가 나누는 이야기는 하나의 주제로 연결되어 있다.

② **형식의 응집성**: 지시 표현, 접속 부사 등으로 문단 간의 연결이 긴밀해야 한다.

(3) 담화의 구성 요소

담화는 화자(말하는 이, 필자), 청자(듣는 이, 독자), 내용(발화), 장면(맥락)의 네 가지 요소로 구성된다.

화자(말하는 이, 필자)와 청자(듣는 이, 독자)	• 이야기에서 반드시 있어야 하는 요소 • 독백인 경우는 말하는 이와 듣는 이가 동일하다고 볼 수 있음
내용(발화)	• 말하는 이와 듣는 이가 주고받는 정보, 주로 발화로 실현됨 • 말하는 이의 느낌, 생각, 믿음 등이 포함됨

장면(맥락)	• 이야기가 이루어지는 시간적, 공간적 상황 • 이야기의 흐름이나 의미 해석에 결정적인 역할을 함 • 앞이나 뒤에 오는 다른 말들(맥락)이 장면이 되기도 함

단권화 MEMO

(4) 담화의 의미

① **지시 표현**: 사물이나 사람, 사건을 지시하는 표현으로, 장면이 고려되어야 정확히 해석될 수 있다.

지시 대명사	이것, 그것, 저것, 여기, 거기, 저기 등
지시 관형사	이, 그, 저
지시 부사	이렇게, 그렇게, 저렇게 등
지시 형용사	이렇다, 그렇다, 저렇다 등

② **높임 표현**: 우리말은 높임 표현이 발달하여 있다. 우리말에서 높임 표현은 일반적으로 화자와 청자 사이의 상하 관계 및 친소 관계를 규정짓는 역할을 한다.

예 호동: 지훈아, 가위 좀 가져다 줘.
지훈: 네, 지금 가져다 드릴게요.
⇨ 대화 내용으로 보아 '호동'이 연장자이고, '지훈'이 비격식체인 '해요체'를 쓰는 것으로 보아 둘이 친밀한 사이임을 알 수 있다.

③ **심리적 태도**: 말하는 이가 의도하는 다양하고 섬세한 의미를 청자에게 전달할 수 있다. 즉, 동일한 상황과 정보 속에서도 다양한 심리적 태도를 드러낼 수 있다.

예 • 물음: 여기 있던 과자 못 봤어?
• 짐작: 여기 있던 과자 네가 먹었어?
• 추궁: 여기 있던 과자 네가 먹었지?

④ **생략 표현**: 문장의 표면 구조에서 일정한 성분이 누락되는 현상이다.

예 동원: 지난번에 약속한 거 기억하지?
소영: 그럼, 당연하지.
⇨ 동원과 소영이 '지난번에 약속한 것'(주어)이 무엇인지 공유하고 있으므로, 생략되어도 의미가 전달된다.

㉠ 이야기의 장면이 주어지면 일정한 성분이 생략될 수 있다.
㉡ 국어에서는 주어가 자주 생략되는 경향이 있다.
㉢ 생략된 성분은 맥락을 참고하여 언제든지 다시 복구할 수 있다.
㉣ 경제성과 정보성으로 인해 생략이 일어난다.

경제성	문맥상 이해할 수 있는 말을 과감하게 생략함으로써 노력을 줄이려는 특성
정보성	중요한 말은 살리고 그렇지 않은 말은 생략함으로써 정보의 중요도를 구분하려는 특성

(5) 담화 표지

'담화 표지'는 담화의 내용에는 직접적으로 관여하지 않으나, 화자의 발화 의도나 심리적 태도를 효과적으로 전달하고, 대화의 최종 목적을 달성하고자 사용하는 말을 의미한다. 담화 표지는 다양한 지시어, 접속 표현, 구어적 표현 등의 언어 형식과 반언어적 표현(억양 등), 비언어적 표현(몸짓과 손짓 등)을 통해서도 나타난다.

예 • 자, 주목합시다.
• 러닝을 시작했다. 왜냐하면 봄에 마라톤 대회에 나가야 하기 때문이다.
• 오늘 하루 일과를 정리하자면 다음과 같다.

05 의미론과 화용론

01 (　　　): 어떤 낱말이 가지고 있는 가장 기본적이고 객관적인 의미로, 언어 전달의 중심된 요소를 다루는 의미를 가리킨다. 외연적 의미, 개념적 의미라고도 한다.

02 (　　　): 개념적 영역을 상호 배타적인 두 구역으로 양분하는 대립어이다. 즉, 중간이 존재할 수 없는 대립어이다.

03 상하 관계를 형성하는 단어들은 (　　　)일수록 일반적이고 포괄적인 의미를 지니며, (　　　)일수록 개별적이고 한정적인 의미를 지닌다. 따라서 하의어는 상의어를 의미적으로 함의하게 된다. 즉, 상의어가 가지고 있는 의미 특성을 하의어가 자동적으로 가지게 된다.

04 하나의 형식이나 언어 표현이 둘 이상의 의미를 지시하는 속성을 (　　　)(이)라고 한다. 이 중 한 문장에 동음이의어가 있을 때 두 가지 이상의 해석이 가능한 경우를 (　　　)(이)라고 한다.

05 의미의 (　　　): 의미의 변화 결과로 단어의 의미 범위가 넓어진 경우를 말한다.

예 다리[脚]: 사람이나 짐승의 다리 → 무생물에까지 적용

06 의미의 (　　　): 의미의 변화 결과로 단어의 의미 범위가 달라진 경우를 말한다.

예 어여쁘다: 불쌍하다 → 예쁘다

| 정답 | 01 사전적 의미 02 상보 대립어 03 상의어, 하의어 04 중의성, 어휘적 중의성 05 확대 06 이동

05 의미론과 화용론

교수님 코멘트▶ 이 영역에서는 어휘의 변화, 다의어, 반의어, 의미의 변화 등이 자주 출제된다. 특히 어휘의 변화는 중세어와 관련하여 출제되므로 다소 어렵게 느껴질 수 있다. 기본서 회독을 통해 다시 한번 확인해 두자. 또한 기출문제를 통해서 유형을 파악하고, 앞서 학습한 개념이 어떻게 문제화되는지 알아 두자.

01

2017 국가직 9급

밑줄 친 말의 문맥적 의미가 같은 것은?

> 고장 난 시계를 고치다.

① 부엌을 입식으로 고치다.
② 상호를 순우리말로 고치다.
③ 정비소에서 자동차를 고치다.
④ 국민 생활에 불편을 주는 낡은 법을 고치다.

02

2017 국가직 7급

밑줄 친 단어가 다음에서 설명한 동음어로 묶인 것은?

> 동음어는 의미상 서로 관련이 없거나 역사적으로 기원이 다른데 소리만 우연히 같게 된 말들의 집합이며, 국어사전에는 서로 다른 표제어로 등재된다.

① 지수는 빨래를 할 때 합성 세제를 쓰지 않는다.
이 일은 인부를 쓰지 않으면 하기 어렵다.
② 새로 구입한 의자는 다리가 튼튼하다.
박물관에 가려면 한강 다리를 건너야 한다.
③ 이 방은 너무 밝아서 잠자기에 적당하지 않다.
그는 계산에 밝은 사람이다.
④ 그 영화는 뒤로 갈수록 재미가 없었다.
너의 일이 잘될 수 있도록 내가 뒤를 봐주겠다.

정답&해설

01 ③ 중심적 의미와 주변적 의미

③ 제시문의 '고치다'는 '고장이 난 물건을 손질하여 제대로 되게 하다.'의 의미이므로, '자동차를 고치다.'의 '고치다'와 가장 의미가 유사하다.

|오답해설| ① 본래의 것을 손질하여 다른 것이 되게 하다.
②④ 이름이나 제도 따위를 바꾸다.

02 ② 다의어와 동음이의어

② 여기서 '다리'는 우연히 음이 같을 뿐, 그 의미는 '다리[脚]'와 '다리[橋]'로 서로 다르며, 기원적으로 봤을 때도 서로 관련이 없는 말이므로 동음어(동음이의어)에 해당한다.

|오답해설| ①③④ 단어의 중심적 의미로부터 주변적 의미로 확장된 '다의어'의 예이다.

|정답| 01 ③ 02 ②

03

2021 국가직 9급

㉠의 단어와 의미가 같은 것은?

> 친구에게 줄 선물을 예쁜 포장지에 ㉠ 싼다.

① 사람들이 안채를 겹겹이 싸고 있다.
② 사람들은 봇짐을 싸고 산길로 향한다.
③ 아이는 몇 권의 책을 싼 보퉁이를 들고 있다.
④ 내일 학교에 가려면 책가방을 미리 싸 두어라.

04

2018 국가직 9급

반의 관계 어휘에 대한 설명으로 옳지 않은 것은?

① '크다/작다'의 경우, 두 단어를 동시에 긍정하거나 부정하면 모순이 발생한다.
② '출발/도착'의 경우, 한 단어의 부정이 다른 쪽 단어의 부정과 모순되지 않는다.
③ '참/거짓'의 경우, 한 단어의 부정은 다른 쪽 단어의 긍정을 함의한다.
④ '넓다/좁다'의 경우, 한 단어의 의미가 다른 쪽 단어의 부정을 함의한다.

05

2014 서울시 9급

다음 문장들은 두 가지 이상의 의미로 해석될 수 있는 모호한 문장들이다. 모호성의 이유가 나머지 넷과 다른 것은?

① 내가 지난번에 만난 친구의 동생이 오늘 결혼을 한다고 한다.
② 그 연속극은 가정에 충실한 주부와 남편에게 불쾌감을 주었다.
③ 나는 국어 선생님과 교장 선생님을 찾아뵈었다.
④ 아내는 남편보다 아들을 더 좋아했다.
⑤ 그 배는 보기가 아주 좋았다.

06

2014 서울시 9급

국어의 어휘 의미 변화에 대한 다음의 진술 중 올바르지 못한 것은?

① '다리(脚)'가 사람이나 짐승의 다리만 가리켰으나 현대에는 '책상'에도 쓰인다.
② '짐승'은 '衆生'에서 온 말로 생물 전체를 가리켰으나 지금은 사람을 제외한 동물을 가리킨다.
③ '사랑하다'는 '생각하다'라는 의미가 있었으나 지금은 이 의미가 없다.
④ '어여쁘다'는 '조그맣다'라는 뜻이었으나 지금은 '아름답다'의 의미이다.
⑤ '어리다'는 '어리석다'의 뜻이었다가 지금은 '나이가 적다'의 의미로 쓰인다.

07

2020 지방직(= 서울시) 9급

다음에 해당하는 사례로 적절하지 않은 것은?

> '역전앞'과 마찬가지로 '피해(被害)를 당하다'에도 의미의 중복이 나타난다. '피해'의 '피(被)'에 이미 '당하다'라는 의미가 포함되어 있기 때문이다.

① 형부터 먼저 해라.
② 채훈이는 오로지 빵만 좋아한다.
③ 발언자마다 각각 다른 주장을 편다.
④ 그는 예의가 바를뿐더러 무척 부지런하다.

정답&해설

03 ③ 동음이의어

㉠ '싸다'는 '물건을 안에 넣고 보이지 않게 씌워 가리거나 둘러 말다.'의 의미이다. 따라서 ③의 '싸다'와 의미가 같다.

| 오답해설 | ① '어떤 물체의 주위를 가리거나 막다.'의 의미이다.
②④ '어떤 물건을 다른 곳으로 옮기기 좋게 상자나 가방 따위에 넣거나 종이나 천, 끈 따위를 이용해서 꾸리다.'의 의미이다.

04 ① 반의어

① '크다/작다'는 등급에 있어 대립되는 '정도 반의어'로, '크다/작다'를 동시에 부정해도 모순이 발생하지 않는다.

| 오답해설 | ④ '넓다/좁다'와 같은 정도 반의어는 한쪽의 의미가 다른 쪽의 부정을 함의한다. 그러나 그 역은 성립되지 않는다. 즉, '넓다'는 '좁지 않다'의 의미를 함의하지만 '좁지 않다'가 '넓다'의 의미를 함의하지는 않는다.

05 ⑤ 중의문

⑤ '배'는 '신체, 과일, 선박' 등 어휘적으로 여러 의미를 가지므로 ⑤는 어휘적 중의성이 있는 문장이고, 나머지는 모두 구조적 중의성이 있는 문장이다.

| 오답해설 | ① '내가 지난번에 만난' 사람이 '친구'인지 '동생'인지가 중의적이다.
② '가정에 충실한'이 '주부'만인지 '주부와 남편'인지가 중의적이다.
③ '찾아뵌'의 주체가 '나' 혼자인지 '나와 국어 선생님'인지가 중의적이다.
④ 아내가 남편과 아들 중 아들을 더 좋아하는 것인지 아니면 아내가 아들을 좋아하는 정도가 남편이 아들을 좋아하는 정도보다 큰 것인지가 중의적이다.

06 ④ 의미 변화

④ 어여쁘다: 과거에 '불쌍하다'라는 의미였으나 현재는 '예쁘다'의 의미로 쓰인다.

| 오답해설 | ① 다리: 과거에는 '사람이나 짐승의 다리'를 의미했지만, 현재는 사람이나 짐승은 물론 책상 따위에도 '다리'라는 표현을 쓰므로 의미가 '확대'된 경우이다.
③ 사랑하다: 과거에는 '생각하다'의 의미였으나 현재는 '그리워하거나 좋아하다'의 의미로 쓰이므로 의미가 '축소'된 경우이다.

07 ④ 의미 중복

④ '뿐더러'는 '어떤 일이 그것만으로 그치지 않고 나아가 다른 일이 더 있음을 나타내는 연결 어미'인 '-ㄹ뿐더러'로 쓰였고, '무척'은 '다른 것과 견줄 수 없이'라는 의미의 부사이다. 이 둘 사이에는 의미 중복이 나타나지 않는다.

| 오답해설 | ① '부터'는 '어떤 일이나 상태 따위의 관련된 시작'임을 나타내는 보조사이고, '먼저'는 '시간적으로나 순서상으로 앞선 때'로 의미가 중복된다.
② '오로지'는 '오직 한 곬으로', '만'은 '다른 것으로부터 제한하여 어느 것을 한정'함을 나타내는 보조사로 둘 다 '한정, 제한'의 의미를 갖는다.
③ '마다'는 '낱낱이 모두', '각각'은 '사람이나 물건의 하나하나마다'의 뜻으로 둘 다 '낱낱'의 의미를 갖는다.

| 정답 | 03 ③ 04 ① 05 ⑤ 06 ④ 07 ④

08

2020 국가직 9급

문장 성분의 호응이 자연스러운 것은?

① 내가 강조하고 싶은 점은 우리가 고유 언어를 가졌다.
② 좋은 사람과 대화하며 함께한 일은 즐거운 시간이었다.
③ 내 생각은 집을 사서 이사하는 것이 좋겠다고 결정했다.
④ 그는 내 생각이 옳지 않다고 여러 사람 앞에서 말을 하였다.

09

2022 국가직 9급

다음 대화의 ㉠~㉤에 대한 설명으로 적절하지 않은 것은?

이진: 태민아, ㉠ 이 책 읽어 봤니?
태민: 아니, ㉡ 그 책은 아직 읽어 보지 못했어.
이진: 그렇구나. 이 책은 작가의 문체가 독특해서 읽어 볼 만해.
태민: 응, 꼭 읽어 볼게. 한 권 더 추천해 줄래?
이진: 그럼 ㉢ 저 책은 어때? 한국 대중문화를 다양한 시각에서 다룬 재미있는 책이야.
태민: 그래, ㉣ 그 책도 함께 읽어 볼게.
이진: (두 책을 들고 계산대로 간다.) 읽어 보겠다고 하니, 생일 선물로 ㉤ 이 책 두 권 사 줄게.
태민: 고마워. 잘 읽을게.

① ㉠은 청자보다 화자에게, ㉡은 화자보다 청자에게 가까이 있는 대상을 가리킨다.
② ㉢은 화자보다 청자에게 멀리 있는 대상을 가리킨다.
③ ㉢과 ㉣은 같은 대상을 가리킨다.
④ ㉤은 ㉡과 ㉢ 모두를 가리킨다.

정답&해설

08 ④ 문장 성분의 호응

④ '그'가 한 말을 간접 인용하여 '그는 내 생각이 옳지 않다고'로 표현한 것은 자연스러운 구성이다.

|오답해설| ① 주술 호응이 자연스럽지 않은 문장이다. '내가 강조하고 싶은 점은 우리가 고유 언어를 가졌다는 것이다.' 정도로 표현해야 한다.
② 서술어 '함께한'의 주어가 없으므로, 주어를 설정하면 더 자연스러운 문장이 될 수 있다. 또한 '~은 시간이었다' 역시 주어와 서술어의 호응이 자연스럽지 않다. 따라서 '~은 즐거웠다' 정도로 수정하는 것이 좋다.
③ 주술 호응이 자연스럽지 않은 문장이다. '~은 ~이다/것이다' 등의 구성이 자연스럽다. 따라서 '내 생각은 ~ 좋겠다는 것이다.' 정도로 표현해야 한다.

09 ② 지시 표현

② 관형사 '저'는 말하는 이와 듣는 이 둘 다로부터 멀리 있는 대상을 지시할 때 쓰는 표현이다. 따라서 ㉢의 '저 책'은 화자와 청자 둘 다로부터 멀리 있는 대상을 가리킨다.

|오답해설| ① ㉠의 '이'는 말하는 이에게 가까이 있는 대상을 지시할 때 쓰는 관형사이고, ㉡의 '그'는 듣는 이에게 가까이 있는 대상을 지시할 때 쓰는 관형사이다.
③ ㉢의 '저 책'과 ㉣의 '그 책'은 모두 '한국 대중문화를 다양한 시각에서 다룬 재미있는 책'을 가리킨다.
④ ㉤의 '이 책'은 앞에서 언급된 두 책을 모두 가리킨다. 이진이 앞에서 언급된 두 책을 들고 계산대로 가고 있는 부분을 통해 확인할 수 있다.

|정답| 08 ④ 09 ②

내를 건너서 숲으로
고개를 넘어서 마을로

어제도 가고 오늘도 갈
나의 길 새로운 길

– 윤동주, 「새로운 길」

PART

II 어문 규정

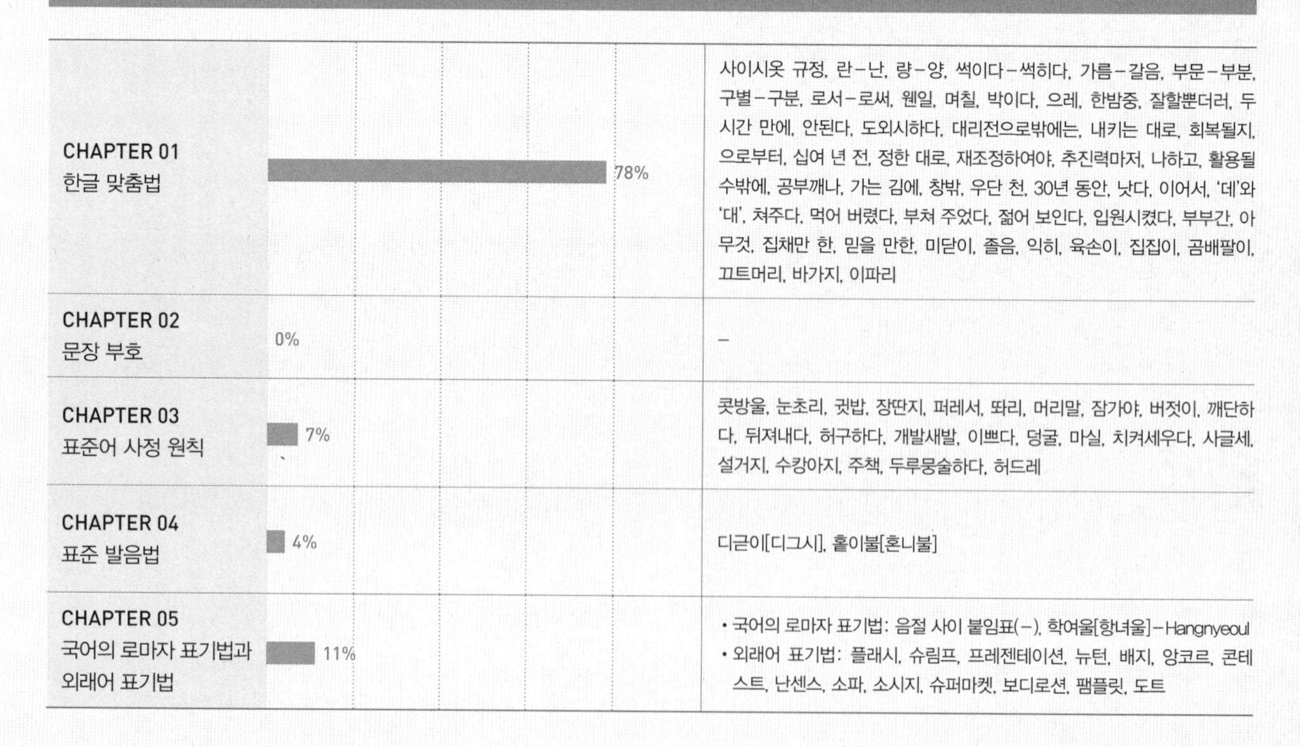

5개년 챕터별 출제비중 & 출제개념

챕터	출제비중	출제개념
CHAPTER 01 한글 맞춤법	78%	사이시옷 규정, 란-난, 량-양, 썩이다-썩히다, 가름-갈음, 부문-부분, 구별-구분, 로서-로써, 웬일, 며칠, 박이다, 으레, 한밤중, 잘할뿐더러, 두 시간 만에, 안된다, 도외시하다, 대리전으로밖에는, 내키는 대로, 회복될지, 으로부터, 십여 년 전, 정한 대로, 재조정하여야, 추진력마저, 나하고, 활용될 수밖에, 공부깨나, 가는 김에, 창밖, 우단 천, 30년 동안, 낫다, 이어서, '데'와 '대', 쳐주다, 먹어 버렸다, 부쳐 주었다, 젊어 보인다, 입원시켰다, 부부간, 아무것, 집채만 한, 믿을 만한, 미닫이, 졸음, 익히, 육손이, 집집이, 곰배팔이, 끄트머리, 바가지, 이파리
CHAPTER 02 문장 부호	0%	–
CHAPTER 03 표준어 사정 원칙	7%	콧방울, 눈초리, 귓밥, 장딴지, 퍼레서, 똬리, 머리말, 잠가야, 버젓이, 깨단하다, 뒤져내다, 허구하다, 개발새발, 이쁘다, 덩굴, 마실, 치켜세우다, 사글세, 설거지, 수캉아지, 주책, 두루뭉술하다, 허드레
CHAPTER 04 표준 발음법	4%	디귿이[디그시], 홑이불[혼니불]
CHAPTER 05 국어의 로마자 표기법과 외래어 표기법	11%	• 국어의 로마자 표기법: 음절 사이 붙임표(-), 학여울[항녀울]-Hangnyeoul • 외래어 표기법: 플래시, 슈림프, 프레젠테이션, 뉴턴, 배지, 앙코르, 콘테스트, 난센스, 소파, 소시지, 슈퍼마켓, 보디로션, 팸플릿, 도트

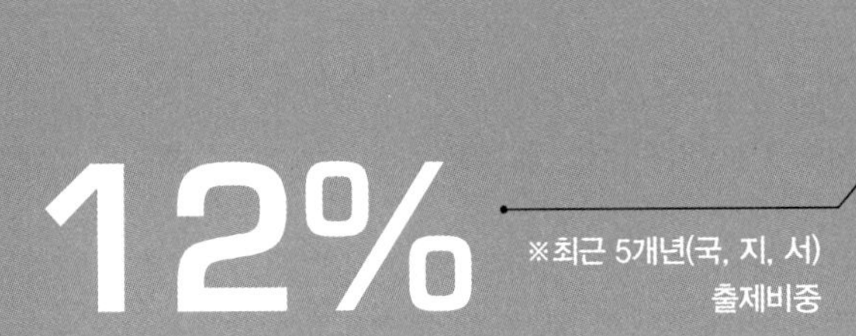

학습목표

CHAPTER 01 한글 맞춤법	❶ 두음 법칙 공부하기 ❷ 체언과 조사, 어간과 어미 구분하기 ❸ 띄어쓰기 공부하기 ❹ 헷갈리는 단어 공부하기
CHAPTER 02 문장 부호	❶ 각 부호별 특성 공부하기 ❷ 원칙과 허용 구별하기
CHAPTER 03 표준어 사정 원칙	❶ 표준어와 비표준어 구분하기 ❷ 단수 표준어와 복수 표준어 구분하기 ❸ 새로 추가된 최신 표준어 목록 공부하기
CHAPTER 04 표준 발음법	❶ 음운론과의 연계성 파악하기 ❷ 원칙과 허용 구별하기 ❸ 헷갈리는 발음 공부하기
CHAPTER 05 국어의 로마자 표기법과 외래어 표기법	❶ 국어의 로마자 표기법 원리 공부하기 ❷ 원칙과 허용 구별하기 ❸ 주요 외래어 표기 외우기

CHAPTER

01 한글 맞춤법

☐ 1 회 독 월 일
☐ 2 회 독 월 일
☐ 3 회 독 월 일
☐ 4 회 독 월 일
☐ 5 회 독 월 일

단권화 MEMO

■ '얽히고설키다'
표의주의(얽히다)와 표음주의(설키다)가 모두 고려되어 한 단어에서 동시에 나타나고 있다.

01 총칙

제1항 한글 맞춤법은 표준어를 소리대로 적되, 어법에 맞도록 함을 원칙으로 한다.

1. 한글 맞춤법의 대원칙을 정한 것이다. '표준어를 소리대로 적는다.'라는 기본 원칙은 한글 맞춤법이 표준어를 대상으로 하며, 표준어를 적을 때 발음에 따라 적는다는 뜻이다.
2. 또 다른 원칙인 '어법에 맞도록 한다.'는 뜻이 분명히 드러나도록 하기 위하여 각 형태소의 본모양을 밝히어 적는 것을 한글 맞춤법의 원칙으로 삼는다는 뜻이다.

제2항 문장의 각 단어는 띄어 씀을 원칙으로 한다.

단어는 독립적으로 쓰이는 말의 최소 단위이기 때문에, 단어 단위로 띄어 쓰는 것이 가장 합리적이다. 단, 조사는 독립성이 없으므로 앞말에 붙여 쓴다.

제3항 외래어는 '외래어 표기법'에 따라 적는다.

외래어*의 표기에서는 각 언어가 지닌 특질이 고려되어야 하므로, 외래어 표기법을 따로 정하고 그 규정에 따라 적도록 한 것이다.

* 외래어
고유어, 한자어와 함께 국어 어휘 체계에 정착한 어휘를 말한다. 외래어는 본래 외국에서 들어온 말이지만 이처럼 국어로 정착하였기에 국어사전에 실려 있다.

02 자모: 자음과 모음

제4항 한글 자모의 수는 스물넉 자로 하고, 그 순서와 이름은 다음과 같이 정한다.

ㄱ(기역) ㄴ(니은) ㄷ(디귿) ㄹ(리을) ㅁ(미음) ㅂ(비읍) ㅅ(시옷) ㅇ(이응)
ㅈ(지읒) ㅊ(치읓) ㅋ(키읔) ㅌ(티읕) ㅍ(피읖) ㅎ(히읗)
ㅏ(아) ㅑ(야) ㅓ(어) ㅕ(여) ㅗ(오) ㅛ(요) ㅜ(우) ㅠ(유)
ㅡ(으) ㅣ(이)

[붙임 1] 위의 자모로써 적을 수 없는 소리는 두 개 이상의 자모를 어울러서 적되, 그 순서와 이름은 다음과 같이 정한다.

ㄲ(쌍기역) ㄸ(쌍디귿) ㅃ(쌍비읍) ㅆ(쌍시옷) ㅉ(쌍지읒)
ㅐ(애) ㅒ(얘) ㅔ(에) ㅖ(예) ㅘ(와) ㅙ(왜) ㅚ(외) ㅝ(워)
ㅞ(웨) ㅟ(위) ㅢ(의)

[붙임 2] 사전에 올릴 적의 자모 순서는 다음과 같이 정한다.

자음 ㄱ ㄲ ㄴ ㄷ ㄸ ㄹ ㅁ ㅂ ㅃ ㅅ ㅆ ㅇ ㅈ ㅉ ㅊ ㅋ ㅌ ㅍ ㅎ

모음 ㅏ ㅐ ㅑ ㅒ ㅓ ㅔ ㅕ ㅖ ㅗ ㅘ ㅙ ㅚ ㅛ ㅜ ㅝ ㅞ ㅟ ㅠ ㅡ ㅢ ㅣ

[붙임 2] 글자(특히 겹글자)의 사전 등재 순서를 명확하게 하여 혼란을 막기 위한 것이다. 한편, 받침 글자의 순서는 다음과 같다.

ㄱ ㄲ ㄳ ㄴ ㄵ ㄶ ㄷ ㄹ ㄺ ㄻ ㄼ ㄽ ㄾ ㄿ ㅀ ㅁ ㅂ ㅄ ㅅ ㅆ ㅇ ㅈ ㅊ ㅋ ㅌ ㅍ ㅎ

03 소리에 관한 것

1 된소리

제5항 한 단어 안에서 뚜렷한 까닭 없이 나는 된소리는 다음 음절의 첫소리를 된소리로 적는다.

1. 두 모음 사이에서 나는 된소리

소쩍새 어깨 오빠 으뜸 아끼다 기쁘다 깨끗하다 어떠하다
해쓱하다 가끔 거꾸로 부썩 어찌 이따금

2. 'ㄴ, ㄹ, ㅁ, ㅇ' 받침 뒤에서 나는 된소리

산뜻하다 잔뜩 살짝 훨씬 담뿍 움찔 몽땅 엉뚱하다

다만, 'ㄱ, ㅂ' 받침 뒤에서 나는 된소리는, 같은 음절이나 비슷한 음절이 겹쳐 나는 경우가 아니면 된소리로 적지 아니한다.

국수 깍두기 딱지 색시 싹둑(~싹둑) 법석 갑자기 몹시

1. 여기서 '한 단어'는 '한 형태소로 이루어진 단어'를 의미한다. 따라서 복합어, 두 개의 형태소가 결합된 말은 이 조항의 영향을 받지 않는다.
   예 눈곱[눈꼽] 발바닥[발빠닥]
2. 한 형태소로 이루어진 단어라도 'ㄱ, ㅂ' 받침 뒤에 연결되는 'ㄱ, ㄷ, ㅂ, ㅅ, ㅈ'은 언제나 된소리로 소리 나므로, 이러한 경우에는 된소리로 적지 않는다.
   예 늑대[늑때] 낙지[낙찌] 접시[접씨] 갑자기[갑짜기]

【연계학습】
• 음운론 > 음운의 변동 > 교체(대치) > 된소리되기

2 구개음화

제6항 'ㄷ, ㅌ' 받침 뒤에 종속적 관계를 가진 '-이(-)'나 '-히-'가 올 적에는 그 'ㄷ, ㅌ'이 'ㅈ, ㅊ'으로 소리 나더라도 'ㄷ, ㅌ'으로 적는다. (ㄱ을 취하고, ㄴ을 버림)

ㄱ	ㄴ	ㄱ	ㄴ
맏이	마지	핥이다	할치다
해돋이	해도지	걷히다	거치다
굳이	구지	닫히다	다치다
같이	가치	묻히다	무치다
끝이	끄치		

1. '종속적 관계'란 형태소 연결에 있어서 실질 형태소인 체언, 어근, 용언의 어간 등에 형식 형태소인 조사, 접미사, 어미 등이 결합하는 관계를 말한다. 이 경우 형식 형태소는 실질 형태소에 딸려 붙는(종속되는) 요소인 것이다.
   예 • 솥이[소치]: 솥(실질 형태소, 체언)+이(형식 형태소, 조사)
   • 묻히다[무치다]: 묻-(실질 형태소, 용언의 어간)+-히-(형식 형태소, 접미사)+-다(형식 형태소, 어미)

【연계학습】
• 음운론 > 음운의 변동 > 동화 > 구개음화

단권화 MEMO

단권화 MEMO

2. 표준어에서 구개음화는 형태소와 형태소가 결합할 때 일어나는 현상이며, 한 형태소 내에서는 일어나지 않는다. 또한 구개음화는 반드시 후행하는 형태소가 형식 형태소이어야 한다.

3 'ㄷ' 소리 받침

【연계학습】
• 음운론 > 음운의 변동 > 기타 > 호전 작용

제7항 'ㄷ' 소리로 나는 받침 중에서 'ㄷ'으로 적을 근거가 없는 것은 'ㅅ'으로 적는다.

덧저고리　돗자리　엇셈　웃어른　핫옷　무릇　사뭇　얼핏　자칫하면
뭇[衆]　옛　첫　헛

1. 'ㄷ' 소리로 나는 받침이란 음절 종성에서 [ㄷ]으로 소리 나는 'ㄷ, ㅅ, ㅆ, ㅈ, ㅊ, ㅌ, ㅎ' 등을 말한다.

2. 'ㄷ' 외에 다른 자음으로 적을 근거가 없는 경우에는 'ㅅ'으로 적는다.

예 • 다른 자음으로 적을 뚜렷한 이유가 있는 단어: 밭, 빚, 꽃
• 다른 자음으로 적을 뚜렷한 이유가 없는 단어: 낫, 빗

3. 'ㄷ'으로 적을 뚜렷한 근거가 있는 경우에는 'ㄷ'으로 적는다.

① 원래부터 'ㄷ' 받침을 가지고 있는 경우: 맏이[마지], 맏아들[마다들]의 '맏-'
② 본말에서 준말이 만들어지면서 'ㄷ' 받침을 갖게 된 경우: 돋보다(← 도두보다), 딛다(← 디디다), 얻다가(← 어디에다가)
③ 'ㄹ' 소리와 연관되어 'ㄷ'으로 소리 나는 경우: 반짇고리(바느질~), 사흗날(사흘~), 삼짇날(삼질~), 숟가락(술~), 이튿날(이틀~)

【연계학습】
• 〈한글 맞춤법〉 제29항

4. 'ㄷ'으로 적을 근거가 있는 경우가 아니어서 관습대로 'ㅅ'으로 적는 예로는 다음과 같은 것들이 있다.

예 걸핏하면　그까짓　기껏　놋그릇　덧셈　빗장　삿대　숫접다　자칫　짓밟다　풋고추　햇곡식

4 모음

【연계학습】
• 음운론 > 모음 > 이중 모음

제8항 '계, 례, 몌, 폐, 혜'의 'ㅖ'는 'ㅔ'로 소리 나는 경우가 있더라도 'ㅖ'로 적는다. (ㄱ을 취하고, ㄴ을 버림)

ㄱ	ㄴ	ㄱ	ㄴ
계수(桂樹)	게수	혜택(惠澤)	헤택
사례(謝禮)	사레	계집	게집
연몌(連袂)	연메	핑계	핑게
폐품(廢品)	페품	계시다	게시다

다만, 다음 말은 본음대로 적는다.

게송(偈頌)　게시판(揭示板)　휴게실(休憩室)

【연계학습】
• 〈표준 발음법〉 제5항

1. '계, 례, 몌, 폐, 혜'는 현실적으로 [게, 레, 메, 페, 헤]로 발음되는 경우가 있다. 그래서 〈표준 발음법〉 제5항에서는 '예, 례' 이외의 음절에 쓰이는 이중 모음 'ㅖ'는 단모음화하여 [ㅔ]로 발음하는 것을 허용하고 있다. 다만, 표기는 여전히 'ㅖ'로 굳어져 있으므로 'ㅖ'로 적는다.

【연계학습】
• 〈표준어 사정 원칙〉 제10항

2. '으레, 케케묵다'는 〈표준어 사정 원칙〉 제10항에서 단모음화한 형태를 표준어로 취하였으므로, '으레, 케케묵다'로 적어야 한다.

3. [다만] 한자 '偈, 揭, 憩'는 본음이 [게]이므로 'ㅔ'로 적는다.

예 게구(偈句)　게제(偈諦)　게기(揭記)　게방(揭榜)　게양(揭揚)　게재(揭載)　게판(揭板)　게류(憩流)　게식(憩息)　게휴(憩休)

제9항 '의'나, 자음을 첫소리로 가지고 있는 음절의 'ㅢ'는 'ㅣ'로 소리 나는 경우가 있더라도 'ㅢ'로 적는다. (ㄱ을 취하고, ㄴ을 버림)

ㄱ	ㄴ	ㄱ	ㄴ
의의(意義)	의이	닁큼	닝큼
본의(本義)	본이	띄어쓰기	띠어쓰기
무늬[紋]	무니	씌어	씨어
보늬	보니	틔어	티어
오늬	오니	희망(希望)	히망
하늬바람	하니바람	희다	히다
늴리리	닐리리	유희(遊戲)	유히

1. 〈표준 발음법〉 제5항에서는 자음을 첫소리로 가지고 있는 음절의 'ㅢ'는 [ㅣ]로 발음한다고 규정하고 있다. 또한 단어의 첫음절 이외의 '의'는 [이]로, 조사 '의'는 [에]로 발음할 수 있다고 규정하고 있다.

   예 늴리리[닐리리]　씌어[씨어]　유희[유히]　주의[주의/주이]　우리의[우리의/우리에]

2. 하지만 표기에 있어서는 이미 익숙해진 표기를 발음에 따라 새로이 적는 것에 공감하기 어렵고, 발음의 변화를 모두 반영할 수도 없으므로 'ㅣ'로 소리가 나더라도 'ㅢ'로 적는다.

3. 'ㅢ'로 적는 세 가지 유형은 다음과 같다.

   ① 모음 'ㅡ, ㅣ'가 줄어든 형태이므로 'ㅢ'로 적는 경우: 씌어(←쓰이어), 틔어(←트이어) 등
   ② 한자어이므로 'ㅢ'로 적는 경우: 의의(意義), 희망(希望), 유희(遊戲) 등
   ③ 발음과 표기의 전통에 따라 'ㅢ'로 적는 경우: 무늬, 하늬바람, 늴리리, 닁큼 등

5 두음 법칙

제10항 한자음 '녀, 뇨, 뉴, 니'가 단어 첫머리에 올 적에는, 두음 법칙에 따라 '여, 요, 유, 이'로 적는다. (ㄱ을 취하고, ㄴ을 버림)

ㄱ	ㄴ	ㄱ	ㄴ
여자(女子)	녀자	유대(紐帶)	뉴대
연세(年歲)	년세	이토(泥土)*	니토
요소(尿素)	뇨소	익명(匿名)	닉명

다만, 다음과 같은 의존 명사에서는 '냐, 녀' 음을 인정한다.

냥(兩)　냥쭝(兩-)　년(年)(몇 년)

[붙임 1] 단어의 첫머리 이외의 경우에는 본음대로 적는다.

남녀(男女)　당뇨(糖尿)　결뉴(結紐)　은닉(隱匿)

[붙임 2] 접두사처럼 쓰이는 한자*가 붙어서 된 말이나 합성어에서, 뒷말의 첫소리가 'ㄴ' 소리로 나더라도 두음 법칙에 따라 적는다.

신여성(新女性)　공염불(空念佛)　남존여비(男尊女卑)

[붙임 3] 둘 이상의 단어로 이루어진 고유 명사를 붙여 쓰는 경우에도 [붙임 2]에 준하여 적는다.

한국여자대학　대한요소비료회사

1. 단어 첫머리에 위치하는 한자의 음이 두음 법칙에 따라 달라지는 것은 달라지는 대로 적는다.

   예 연도(年度)　열반(涅槃)　요도(尿道)　육혈(衄血)*　이승(尼僧)　이공(泥工)　익사(溺死)

단권화 MEMO

【연계학습】
• 〈표준 발음법〉 제5항

* 이토(泥土)
빛깔이 붉고 차진 흙 = 진흙

* 접두사처럼 쓰이는 한자
'신(新)', '구(舊)'와 같은 한자를 접두사로만 단정 짓기 어렵기 때문에 '접두사처럼 쓰이는 한자'라고 한 것이다.
예 구(舊) ┌ 구 시민 회관 (관형사)
　　　　　└ 구제도 (접두사)

* 육혈(衄血)
코피가 나는 일. 또는 그 코피

단권화 MEMO

＊남부여대(男負女戴)
남자는 지고 여자는 인다는 뜻으로, 가난한 사람들이 살 곳을 찾아 이리저리 떠돌아다님을 비유적으로 이르는 말

＊쌍룡(雙龍)
'쌍룡(雙龍)'은 명사 '쌍(쌍가락지, 쌍가마)'과 '용'이 결합한 말로 보아 '쌍용'으로 적을 가능성이 있지만 '와룡(臥龍), 수룡(水龍), 잠룡(潛龍)'처럼 하나의 단어로 굳어졌다고 보아 '쌍룡'으로 적는다.

2. [다만] 의존 명사는 독립적으로 쓰이기보다는 앞말과 연결되어 하나의 단위를 구성하기 때문에 두음 법칙이 적용되지 않는다. 따라서 '年, 年度'처럼 의존 명사로 쓰이기도 하고 명사로 쓰이기도 하는 한자어의 경우에는 두음 법칙의 적용에서 차이가 난다.

① 명사일 경우: 연 강수량, 생산 연도
② 의존 명사일 경우: 일 년, 2022 년도

3. [붙임 2] 이미 두음 법칙이 적용된 자립 명사에 접두사가 결합한 경우에도 두음 법칙을 적용한다는 말이다.

예 녀성 → 여성 → 신 + 여성 → 신여성

또한 마치 단어와 같이 인식되어 두음 법칙이 적용된 형태로 굳어져 쓰이는 경우도 있다.

예 남존+여비 → 남존여비　　남부+여대 → 남부여대*

4. '신년도, 구년도' 등은 그 발음 형태가 [신년도], [구:년도]이며, '신년-도, 구년-도'로 분석되는 구조이므로, 두음 법칙이 적용되지 않는다.

제11항 한자음 '랴, 려, 례, 료, 류, 리'가 단어의 첫머리에 올 적에는, 두음 법칙에 따라 '야, 여, 예, 요, 유, 이'로 적는다. (ㄱ을 취하고, ㄴ을 버림)

ㄱ	ㄴ	ㄱ	ㄴ
양심(良心)	량심	용궁(龍宮)	룡궁
역사(歷史)	력사	유행(流行)	류행
예의(禮儀)	례의	이발(理髮)	리발

다만, 다음과 같은 의존 명사는 본음대로 적는다.

리(里): 몇 리냐?
리(理): 그럴 리가 없다.

[붙임 1] 단어의 첫머리 이외의 경우에는 본음대로 적는다.

개량(改良)　선량(善良)　수력(水力)　협력(協力)　사례(謝禮)　혼례(婚禮)
와룡(臥龍)　쌍룡(雙龍)*　하류(下流)　급류(急流)　도리(道理)　진리(眞理)

다만, 모음이나 'ㄴ' 받침 뒤에 이어지는 '렬, 률'은 '열, 율'로 적는다. (ㄱ을 취하고, ㄴ을 버림)

ㄱ	ㄴ	ㄱ	ㄴ
나열(羅列)	나렬	분열(分裂)	분렬
치열(齒列)	치렬	선열(先烈)	선렬
비열(卑劣)	비렬	진열(陳列)	진렬
규율(規律)	규률	선율(旋律)	선률
비율(比率)	비률	전율(戰慄)	전률
실패율(失敗率)	실패률	백분율(百分率)	백분률

[붙임 2] 외자로 된 이름을 성에 붙여 쓸 경우에도 본음대로 적을 수 있다.

신립(申砬)　최린(崔麟)　채륜(蔡倫)　하륜(河崙)

[붙임 3] 준말에서 본음으로 소리 나는 것은 본음대로 적는다.

국련(국제 연합)　한시련(한국 시각 장애인 연합회)

[붙임 4] 접두사처럼 쓰이는 한자가 붙어서 된 말이나 합성어에서, 뒷말의 첫소리가 'ㄴ' 또는 'ㄹ' 소리로 나더라도 두음 법칙에 따라 적는다.

역이용(逆利用)　연이율(年利率)　열역학(熱力學)　해외여행(海外旅行)

[붙임 5] 둘 이상의 단어로 이루어진 고유 명사를 붙여 쓰는 경우나 십진법에 따라 쓰는 수(數)도 [붙임 4]에 준하여 적는다.

서울여관　신흥이발관　육천육백육십육(六千六百六十六)

1. [다만] 의존 명사 '량(輛), 리(理, 里, 厘)' 등은 앞말과 연결되어 하나의 단위를 구성하므로 두음 법칙의 적용을 받지 않는다.

2. [붙임 1 다만] 단어의 첫머리가 아닌 경우에는 두음 법칙이 적용되지 않는 것이 원칙이다. 다만, 모음이나 'ㄴ' 받침 뒤에 결합되는 '렬(列, 烈, 裂, 劣), 률(律, 率, 栗, 慄)'은 '나열[나열], 비율[비:율], 선열[서녈], 운율[우:뉼]' 등에서와 같이 [열], [율]로 소리 나므로 소리대로 '열, 율'로 적는다. 외래어에서도 동일하게 적용된다.

예 서비스-율(service率)　　시엔-율(CN率)　　슛-률(shoot率)　　영-률(Young率)

3. [붙임 2] 역사적인 인물의 성명에 있어서, 사람들의 발음 형태가 '申砬[실립]*, '崔麟[최린]*처럼 굳어져 있는 경우에는 '신립, 최린'과 같이 적을 수 있다. 이는 표기 형태인 '신입, 최인'과 동떨어지기 때문에 본음대로 적는 것을 허용한 내용이다.

4. [붙임 3] 둘 이상의 단어로 이루어진 말이 줄어들어 하나의 단위로 인식될 때에는 두음 법칙이 적용되지 않아서 소리 나는 대로 적는다. 예를 들어, '국제 연합'은 '국련'으로 줄여서 쓸 수 있다. '국제'의 '국'과 '연합'의 '연'을 따서 만든 말인데, '연' 자체는 하나의 단어가 아니기 때문에 두음 법칙이 적용되지 않아서 '국련'으로 쓰는 것이다.

5. [붙임 4] 독립성이 있는 단어에 접두사처럼 쓰이는 한자가 결합하여 된 단어와, 두 단어가 결합하여 된 합성어는 두음 법칙을 적용한다. 고유어나 외래어 뒤에 한자어가 결합한 경우 또한 뒤의 한자어 형태소가 하나의 단어로 인식되므로, 두음 법칙을 적용하여 적는다. 그러나 한자와 한자가 결합하면 두음 법칙을 적용하지 않는다. 그리고 사람들의 발음 습관이 본음의 형태로 굳어져 있는 것은 예외 형식을 인정한다.

예
- 몰-이해(沒理解)　　등-용문(登龍門)　　불-이행(不履行)
- 가시-연(蓮)　　에너지(energy)-양(量)
- 구름-양(量)[雲量(운량)]　　허파숨-양(量)[肺活量(폐활량)]
- 미립-자(微粒子)　　소립-자(素粒子)　　수-류탄(手榴彈)　　총-유탄(銃榴彈)

6. [붙임 5] 수를 나타내는 '육'은 '육육삼십육(6×6=36)'처럼 독립적으로 쓰이는 경우에는 두음 법칙에 따라 적는다. 그렇지만 '오륙도(五六島), 사륙판(四六判)' 등은 '오'와 '육', '사'와 '육'이 독립적인 단어로 나누어지는 구조가 아니므로 본음대로 적는다.

제12항　한자음 '라, 래, 로, 뢰, 루, 르'가 단어의 첫머리에 올 적에는, 두음 법칙에 따라 '나, 내, 노, 뇌, 누, 느'로 적는다. (ㄱ을 취하고, ㄴ을 버림)

ㄱ	ㄴ	ㄱ	ㄴ
낙원(樂園)	락원	뇌성(雷聲)	뢰성
내일(來日)	래일	누각(樓閣)	루각
노인(老人)	로인	능묘(陵墓)	릉묘

[붙임 1] 단어의 첫머리 이외의 경우에는 본음대로 적는다.

쾌락(快樂)　극락(極樂)　거래(去來)　왕래(往來)　부로(父老)*
연로(年老)　지뢰(地雷)　낙뢰(落雷)　고루(高樓)　광한루(廣寒樓)
동구릉(東九陵)　가정란(家庭欄)

[붙임 2] 접두사처럼 쓰이는 한자가 붙어서 된 단어는 뒷말을 두음 법칙에 따라 적는다.

내내월(來來月)*　상노인(上老人)　중노동(重勞動)　비논리적(非論理的)

1. [붙임 1] 단어의 첫머리 이외의 경우에는 두음 법칙이 적용되지 않으므로 본음대로 적는 것이다. 다만, '어린이-난, 어머니-난, 가십(gossip)-난'과 같이 고유어나 외래어 뒤에 결합하는 경우에는 한자어 형태소가 하나의 단어로 인식되므로, 〈한글 맞춤법〉 제11항 [붙임 4]에서 보인 '가시-연(蓮), 구름-양(量)'과 마찬가지로 두음 법칙이 적용된 형태로 적는다.

단권화 MEMO

＊신립(申砬), 최린(崔麟)
『표준국어대사전』에서는 '신입'과 '신립', '최인'과 '최린'을 동의어로 처리하였다.

＊부로(父老)
한 동네에서 나이가 많은 남자 어른을 높여 이르는 말

＊내내월(來來月)
내달의 다음 달

단권화 MEMO

*고랭지(高冷地)
표고(標高)가 높고 한랭한 곳

*놀놀하다
털이나 풀 따위의 빛깔이 노르스름하다.

*연연불망(戀戀不忘)
그리워서 잊지 못함

2. [붙임 2] 다만, '강원도 고랭지 배추'의 '고랭지(高冷地)*'는 '고냉지'로 표기할 수 없다. 발음이 [고랭지]이고 형태소 분석도 '고랭－지'로 되기 때문이다.

6 겹쳐 나는 소리

제13항 한 단어 안에서 같은 음절이나 비슷한 음절이 겹쳐 나는 부분은 같은 글자로 적는다. (ㄱ을 취하고, ㄴ을 버림)

ㄱ	ㄴ	ㄱ	ㄴ
딱딱	딱닥	꼿꼿하다	꼿곳하다
쌕쌕	쌕색	놀놀하다*	놀롤하다
씩씩	씩식	눅눅하다	눙눅하다
똑딱똑딱	똑닥똑닥	밋밋하다	민밋하다
쓱싹쓱싹	쓱삭쓱삭	싹싹하다	싹삭하다
연연불망(戀戀不忘)*	연련불망	쌉쌀하다	쌉살하다
유유상종(類類相從)	유류상종	씁쓸하다	씁슬하다
누누이(屢屢－)	누루이	짭짤하다	짭잘하다

1. '딱딱, 쌕쌕' 등은 '딱, 쌕'의 음절이 반복되는 의성어이므로 반복되는 음절을 동일하게 표기한다.

2. 한자어는 고유어와 달리 두음 법칙의 적용 여부에 따라 표기가 달라진다. 동일한 한자가 반복될 때 앞 글자는 두음 법칙을 적용하고 뒤의 글자는 원래 발음대로 표기한다.

예 낭랑(朗朗)하다　　녹록(碌碌)하다　　연년생(年年生)

3. '연연불망, 유유상종, 누누이'도 두음 법칙을 적용하면 '연련불망, 유류상종, 누루이'로 적어야 한다고 생각할 수 있다. 그러나 사람들의 발음 형태가 [여:년불망], [유:유상종], [누:누이]이고, 같은 음절이 반복되는 구조라는 인식이 굳어져 있는 것이므로 관용 형식을 취하여 '연연불망, 유유상종, 누누이'로 적는다. 이러한 예로는 다음과 같은 것들이 있다.

예 연연(戀戀)하다　　요요무문(寥寥無聞)　　요요(寥寥)하다

04 형태에 관한 것

【연계학습】
• 형태론 > 체언
• 형태론 > 관계언 > 조사

1 체언과 조사

제14항 체언은 조사와 구별하여 적는다.

떡이	떡을	떡에	떡도	떡만	손이	손을	손에	손도	손만
팔이	팔을	팔에	팔도	팔만	밤이	밤을	밤에	밤도	밤만
집이	집을	집에	집도	집만	옷이	옷을	옷에	옷도	옷만
밖이	밖을	밖에	밖도	밖만	넋이	넋을	넋에	넋도	넋만
흙이	흙을	흙에	흙도	흙만	삶이	삶을	삶에	삶도	삶만
여덟이	여덟을	여덟에	여덟도	여덟만	곬이	곬을	곬에	곬도	곬만
값이	값을	값에	값도	값만					

〈한글 맞춤법〉 제1항의 '소리대로 적되 어법에 맞도록 한다.'라는 원칙의 '어법'에 해당하는 원칙이다. 체언(실질 형태소)과 조사(형식 형태소)를 구별하여 적는다는 것은, 결국 체언의 끝 받침을 조사의 첫소리 자리로 이어 적지 않는 것을 말한다. 왜냐하면 이어 적을 경우 하나의 형태가 여러 가지로 표기되어 체언과 조사의 본모양을 알아보기 어렵기 때문이다.

2 어간과 어미

단권화 MEMO

제15항 용언의 어간과 어미는 구별하여 적는다.

먹다 먹고 먹어 먹으니 신다 신고 신어 신으니
믿다 믿고 믿어 믿으니 울다 울고 울어 (우니)
깎다 깎고 깎아 깎으니 앉다 앉고 앉아 앉으니
많다 많고 많아 많으니 늙다 늙고 늙어 늙으니

[붙임 1] 두 개의 용언이 어울려 한 개의 용언이 될 적에, 앞말의 본뜻이 유지되고 있는 것은 그 원형을 밝히어 적고, 그 본뜻에서 멀어진 것은 밝히어 적지 아니한다.

(1) 앞말의 본뜻이 유지되고 있는 것

넘어지다 늘어나다 늘어지다 돌아가다 되짚어가다 들어가다
떨어지다 벌어지다 엎어지다 접어들다 틀어지다 흩어지다

(2) 본뜻에서 멀어진 것

드러나다 사라지다 쓰러지다

[붙임 2] 종결형에서 사용되는 어미 '-오'는 '요'로 소리 나는 경우가 있더라도 그 원형을 밝혀 '오'로 적는다. (ㄱ을 취하고, ㄴ을 버림)

ㄱ	ㄴ
이것은 책이오.	이것은 책이요.
이리로 오시오.	이리로 오시요.
이것은 책이 아니오.	이것은 책이 아니요.

[붙임 3] 연결형에서 사용되는 '이요'는 '이요'로 적는다. (ㄱ을 취하고, ㄴ을 버림)

ㄱ	ㄴ
이것은 책이요, 저것은 붓이요, 또 저것은 먹이다.	이것은 책이오, 저것은 붓이오, 또 저것은 먹이다.

1. 〈한글 맞춤법〉 제14항과 마찬가지로, 실질 형태소와 형식 형태소의 형태를 고정하여 적는 것이다. 이렇게 적으면 뜻을 파악하기 용이하고 독서의 능률도 향상된다.

2. [붙임 2, 3] '이오'와 '이요'는 모두 [이요]로 소리 나더라도 종결 어미로 쓰일 때는 '오', 연결 어미로 쓰일 때는 '요'로 적는다. "이것은 책이오."는 "같이 가오.", "꽃이 예쁘오."처럼 어간에 종결 어미 '-오'가 결합한 것이므로 [이요]로 소리 나더라도 종결형에는 '오'로 적는 것이다. 그러나 "이것은 책이요, 저것은 붓이다."의 '이요'는 서술격 조사 '이다'의 어간 '이-'에 연결 어미 '-요'*가 붙은 것이다. 그러므로 연결형에는 '요'로 적는 것이다.

제16항 어간의 끝음절 모음이 'ㅏ, ㅗ'일 때에는 어미를 '-아'로 적고, 그 밖의 모음일 때에는 '-어'로 적는다.

1. '-아'로 적는 경우

나아 나아도 나아서 막아 막아도 막아서 얇아 얇아도 얇아서
돌아 돌아도 돌아서 보아 보아도 보아서

2. '-어'로 적는 경우

개어 개어도 개어서 되어 되어도 되어서 베어 베어도 베어서
쉬어 쉬어도 쉬어서 저어 저어도 저어서 희어 희어도 희어서

어간의 끝음절 모음이 'ㅏ, ㅑ, ㅗ'일 때에는 '-아' 계열의 어미가 결합하고, 'ㅐ, ㅓ, ㅔ, ㅕ, ㅚ, ㅜ, ㅟ, ㅡ, ㅢ, ㅣ' 등일 때에는 '-어' 계열의 어미가 결합한다.

【연계학습】
- 형태론 > 용언 > 어간, 어미

■ 아니요
물음에 대한 대답인 '예'의 반대말은 '아니요'가 맞는 표기이다.

*연결 어미 '-요'
연결 어미 '-요'는 '이다, '아니다'의 어간에만 결합하는 특성이 있다.

【연계학습】
- 음운론 > 음운의 변동 > 모음 조화

단권화 MEMO

【연계학습】
• 형태론 > 관계언 > 조사

제17항 어미 뒤에 덧붙는 조사 '요'는 '요'로 적는다.

읽어 읽어요 참으리 참으리요 좋지 좋지요

'요'는 주로 문장을 종결하는 어미 뒤에 붙어서 청자에게 '높임'의 뜻을 나타내는 보조사로 쓰이거나 종결 어미로 쓰인다. 보조사 '요'는 의문형 어미 뒤에도 결합한다.

예 가는가-요 가지-요 갈까-요

【연계학습】
• 형태론 > 용언 > 규칙 활용, 불규칙 활용
• 형태론 > 용언 > 규칙 활용 > 'ㄹ' 탈락

제18항 다음과 같은 용언들은 어미가 바뀔 경우, 그 어간이나 어미가 원칙에 벗어나면 벗어나는 대로 적는다.

1. 어간의 끝 'ㄹ'이 줄어질 적

갈다: 가니 간 갑니다 가시다 가오
놀다: 노니 논 놉니다 노시다 노오
불다: 부니 분 붑니다 부시다 부오
둥글다: 둥그니 둥근 둥급니다 둥그시다 둥그오
어질다: 어지니 어진 어집니다 어지시다 어지오

[붙임] 다음과 같은 말에서도 'ㄹ'이 준 대로 적는다.

마지못하다 마지않다 (하)다마다 (하)자마자 (하)지 마라 (하)지 마(아)

【연계학습】
• 형태론 > 용언 > 불규칙 활용 > 'ㅅ' 불규칙 활용

2. 어간의 끝 'ㅅ'이 줄어질 적

긋다: 그어 그으니 그었다 낫다: 나아 나으니 나았다
잇다: 이어 이으니 이었다 짓다: 지어 지으니 지었다

【연계학습】
• 형태론 > 용언 > 불규칙 활용 > 'ㅎ' 불규칙 활용

3. 어간의 끝 'ㅎ'이 줄어질 적

그렇다: 그러니 그럴 그러면 그러오
까맣다: 까마니 까말 까마면 까마오
동그랗다: 동그라니 동그랄 동그라면 동그라오
퍼렇다: 퍼러니 퍼럴 퍼러면 퍼러오
하얗다: 하야니 하얄 하야면 하야오

【연계학습】
• 형태론 > 용언 > 불규칙 활용 > '우' 불규칙 활용
• 형태론 > 용언 > 규칙 활용 > 'ㅡ' 탈락

4. 어간의 끝 'ㅜ, ㅡ'가 줄어질 적

푸다: 퍼 펐다 뜨다: 떠 떴다
끄다: 꺼 껐다 크다: 커 컸다
담그다: 담가 담갔다 고프다: 고파 고팠다
따르다: 따라 따랐다 바쁘다: 바빠 바빴다

【연계학습】
• 형태론 > 용언 > 불규칙 활용 > 'ㄷ' 불규칙 활용

5. 어간의 끝 'ㄷ'이 'ㄹ'로 바뀔 적

걷다[步]: 걸어 걸으니 걸었다 듣다[聽]: 들어 들으니 들었다
묻다[問]: 물어 물으니 물었다 싣다[載]: 실어 실으니 실었다

【연계학습】
• 형태론 > 용언 > 불규칙 활용 > 'ㅂ' 불규칙 활용

6. 어간의 끝 'ㅂ'이 'ㅜ'로 바뀔 적

깁다: 기워 기우니 기웠다 굽다[炙]: 구워 구우니 구웠다
가깝다: 가까워 가까우니 가까웠다 괴롭다: 괴로워 괴로우니 괴로웠다
맵다: 매워 매우니 매웠다 무겁다: 무거워 무거우니 무거웠다
밉다: 미워 미우니 미웠다 쉽다: 쉬워 쉬우니 쉬웠다

다만, '돕-, 곱-'과 같은 단음절 어간에 어미 '-아'가 결합되어 '와'로 소리 나는 것은 '-와'로 적는다.

돕다[助]: 도와 도와서 도와도 도왔다
곱다[麗]: 고와 고와서 고와도 고왔다

【연계학습】
• 형태론 > 용언 > 불규칙 활용 > '여' 불규칙 활용

7. '하다'의 활용에서 어미 '-아'가 '-여'로 바뀔 적

하다: 하여 하여서 하여도 하여라 하였다

8. 어간의 끝음절 '르' 뒤에 오는 어미 '-어'가 '-러'로 바뀔 적

이르다[至]:	이르러	이르렀다
노르다:	노르러	노르렀다
누르다:	누르러	누르렀다
푸르다:	푸르러	푸르렀다

9. 어간의 끝음절 '르'의 'ㅡ'가 줄고, 그 뒤에 오는 어미 '-아/-어'가 '-라/-러'로 바뀔 적

가르다: 갈라	갈랐다		거르다: 걸러	걸렀다
구르다: 굴러	굴렀다		벼르다: 별러	별렀다
부르다: 불러	불렀다		오르다: 올라	올랐다
이르다: 일러	일렀다		지르다: 질러	질렀다

1. [붙임] 어간 끝 받침 'ㄹ'은 'ㄷ, ㅈ' 앞에서 줄지 않는 게 원칙인데, 관용상 'ㄹ'이 줄어진 형태가 굳어져 쓰이는 것은 준 대로 적는다. 다만, 2015년 발표된 〈표준어 추가 결과〉에 따라 '말아라, 말아, 마라, 마'는 모두 표준형으로 인정되었다.

예 (말지 못하다) 마지못하다　(말지 않다) 마지않다　(-다 말다) -다마다
(-자 말자) -자마자　(-지 말아라) -지 마라　(-지 말아) -지 마(아)

2. 형용사의 어간 끝 받침 'ㅎ'이 모음으로 시작하는 어미 앞에서 나타나지 않으면 나타나지 않는 대로 적는다. 이에 따라 '노랗-'에 '-아'가 붙으면 '노래'로, '누렇-'에 '-어'가 붙으면 '누레'로 활용한다. 그런데 '그렇다, 이렇다, 저렇다'는 어미 '-아/-어'와 결합할 때 '노랗다, 누렇다'와 차이가 있다. '노랗다, 누렇다'는 어간의 끝음절 모음이 양성이냐 음성이냐에 따라 '노래, 누레' 등으로 활용하지만 '그렇다, 이렇다, 저렇다'는 '그래, 이래, 저래'로 일관되게 활용한다.

예 • 노랗다: 노란, 노라니, 노래, 노래지다
누렇다: 누런, 누러니, 누레, 누레지다
• 그렇다: 그래, 그래지다
저렇다: 저래, 저래지다

더 알아보기 주의해야 할 규정과 변동된 규정

1. '-거라/-너라 불규칙'의 소멸
'가다'와 '오다'에는 일반적인 명령형 어미 '-아라/-어라' 대신에 '-거라'와 '-너라'가 결합한다고 본 적이 있다. 하지만 현재는 '-아라/-어라'와 '-거라', '-너라'가 의미와 어감이 다르다고 보아 '가라(← 가-+-아라), 가거라'와 '와라(← 오-+-아라), 오너라'를 모두 표준형으로 인정한다. 따라서 이전에 '-거라/-너라 불규칙'이라고 하였던 현상은 더 이상 존재하지 않는다. '-거라', '-너라'는 '-아라/-어라'에 비해 예스러운 느낌을 준다는 차이가 있을 뿐이다.

2. '말다'의 활용형
'말다'의 어간 '말-'에 명령형 어미 '-아라'가 결합하면 '마라'와 '말아라' 두 가지로 활용하고, '-아'가 결합할 때에도 '마'와 '말아' 두 가지로 활용한다. 또한 '말-'에 명령형 어미 '-라'가 결합한 '말라'는 구체적으로 청자가 정해지지 않은 명령문이나 간접 인용문에서 사용된다.
예 • 너무 걱정하지 마라/말아라.
• 너무 걱정하지 마/말아.
• 너무 걱정하지 마요/말아요.
• 나의 일을 남에게 미루지 말라.
• 실내에서는 떠들지 말라고 하셨다.

3. 노랗네, 동그랗네, 조그맣네 등
그동안 '노랗다, 동그랗다, 조그맣다' 같은 'ㅎ' 불규칙 용언이 종결 어미 '-네'와 결합하는 경우 'ㅎ'이 탈락하여 '노라네, 동그라네, 조그마네'와 같이 사용되었다. 하지만 현실의 쓰임을 고려하여 2015년 발표된 〈표준어 추가 결과〉에서 '노랗네, 동그랗네, 조그맣네'와 같이 'ㅎ'을 탈락시키지 않은 형태도 표준어로 인정하였다. 이는 '좋다'를 제외한 모든 'ㅎ' 불규칙 용언의 활용에 적용된다.
예 노라네(○), 동그라네(○), 조그마네(○) / 노랗네(○), 동그랗네(○), 조그맣네(○)

단권화 MEMO

【연계학습】
• 형태론 > 용언 > 불규칙 활용 > '러' 불규칙 활용

【연계학습】
• 형태론 > 용언 > 불규칙 활용 > '르' 불규칙 활용

■ '좋다'의 활용
'좋다'는 어간 끝 받침이 'ㅎ'인 형용사이지만, 활용할 때 'ㅎ'이 탈락하지 않으므로 이 조항에 해당하지 않는다.

단권화 MEMO

4. 피·사동 접미사 결합형
어간 끝 음절 '르' 뒤에 모음으로 시작하는 어미가 결합할 때 어간 모음 'ㅡ'가 탈락하면서 'ㄹ'이 덧붙는 현상이 있다. 이 현상은 '르'로 끝나는 어간에 피·사동 접미사 '-이-'가 결합하는 경우에도 나타난다.
예 • 가르다: 가르-+-이-+-다 → 갈리다
• 부르다: 부르-+-이-+-다 → 불리다
• 구르다: 구르-+-이-+-다 → 굴리다
• 오르다: 오르-+-이-+-다 → 올리다

3 접미사가 붙어서 된 말

【연계학습】
• 형태론 > 단어의 형성 > 파생어

제19항 어간에 '-이'나 '-음/-ㅁ'이 붙어서 명사로 된 것과 '-이'나 '-히'가 붙어서 부사로 된 것은 그 어간의 원형을 밝히어 적는다.

1. '-이'가 붙어서 명사로 된 것
길이 깊이 높이 다듬이 땀받이 달맞이
먹이 미닫이 벌이 벼훑이 살림살이 쇠붙이

2. '-음/-ㅁ'이 붙어서 명사로 된 것
걸음 묶음 믿음 얼음 엮음 울음 웃음 졸음 죽음 앎

3. '-이'가 붙어서 부사로 된 것
같이 굳이 길이 높이 많이 실없이 좋이 짓궂이

4. '-히'가 붙어서 부사로 된 것
밝히 익히 작히

다만, 어간에 '-이'나 '-음'이 붙어서 명사로 바뀐 것이라도 그 어간의 뜻과 멀어진 것은 원형을 밝히어 적지 아니한다.
굽도리* 다리[髢] 목거리(목병) 무녀리
코끼리 거름(비료) 고름[膿] 노름(도박)

[붙임] 어간에 '-이'나 '-음' 이외의 모음으로 시작된 접미사가 붙어서 다른 품사로 바뀐 것은 그 어간의 원형을 밝히어 적지 아니한다.

(1) 명사로 바뀐 것
귀머거리 까마귀 너머* 뜨더귀 마감 마개
마중 무덤 비렁뱅이 쓰레기 올가미 주검

(2) 부사로 바뀐 것
거뭇거뭇 너무 도로 뜨덤뜨덤* 바투
불긋불긋 비로소 오긋오긋 자주 차마*

(3) 조사로 바뀌어 뜻이 달라진 것
나마 부터 조차

*굽도리
방 안 벽의 밑부분

*'너머'와 '넘어'
• 너머: '넘다'에서 온 말이지만 명사로 굳어진 것이다.
예 저 산 너머 고향이 있다.
• 넘어: '넘다'의 활용형인 '넘어'는 원형을 밝혀 적는다.
예 산을 넘어 고향에 간다.

*뜨덤뜨덤
글을 서투르게 자꾸 읽는 모양

*'차마'와 '참아'
• 차마: '부끄럽거나 안타까워서 감히'라는 뜻으로, '참다'에서 온 말이지만 부사로 굳어진 말로서 원형을 밝혀 적지 않는다.
예 차마 거절할 수가 없었다.
• 참아: '참다'의 활용형인 '참아'는 원형을 밝혀 적는다.
예 괴로움을 참아 냈다.

1. 명사 파생 접미사 '-이, -음/-ㅁ'과 부사 파생 접미사 '-이, -히'는 어간의 본뜻을 유지하면서 비교적 여러 어간에 결합할 수 있으므로 어간 형태소의 원형을 밝혀서 쓴다. 즉, 본뜻이 유지가 되면 원형을 밝혀 적고, 본뜻에서 멀어졌을 경우에는 소리대로 적는다.

① 본뜻이 유지되어 원형을 밝혀 적는 경우

예 명사 파생 접미사
(굽다) 굽이 (걸다) 귀걸이 (밝다) 귀밝이 (넓다) 넓이 (놀다) 놀음놀이 (더듬다) 더듬이
(잡다) 손잡이 (막다) 액막이 (닫다) 여닫이 (뚫다) 대뚫이 (받다) 물받이 (뿜다) 물뿜이
(걸다) 옷걸이 (박다) 점박이 (살다) 하루살이 (앓다) 배앓이 (놓다) 뱃놓이 (맞다) 손님맞이
(돋다) 해돋이 (씻다) 호미씻이 (묻다) 휘묻이

예 부사 파생 접미사
(곧다) 곧이 (없다) 끝없이 (옳다) 옳이 (적다) 적이 (밝다) 밝히 (익다) 익히 (작다) 작히

② 본뜻에서 멀어져 소리대로 적는 경우

예 너비 도리깨 빈털터리

2. [다만] 불규칙 활용을 하는 어간에 '-이, -음'이 결합해 소리가 변한 경우에는 변한 대로 적는다.

예 쉽- + -이 ┌ 발음: [쉬이] └ 표기: 쉬이　　서럽- + -음 ┌ 발음: [서:러움] └ 표기: 서러움

제20항 명사 뒤에 '-이'가 붙어서 된 말은 그 명사의 원형을 밝히어 적는다.

1. 부사로 된 것

곳곳이 낱낱이 몫몫이 샅샅이 앞앞이 집집이

2. 명사로 된 것

곰배팔이* 바둑이 삼발이 애꾸눈이 육손이 절뚝발이/절름발이

[붙임] '-이' 이외의 모음으로 시작된 접미사가 붙어서 된 말은 그 명사의 원형을 밝히어 적지 아니한다.

꼬락서니 끄트머리 모가치 바가지 바깥 사타구니 싸라기 이파리 지붕 지푸라기 짜개

1. 명사에 접미사 '-이'가 결합하여 다른 품사로 바뀌거나 뜻만 달라지는 경우에도 명사의 본모양을 밝히어 적는다. 왜냐하면 '-이'가 결합해 품사나 의미가 바뀌더라도 명사의 원래 의미와 '-이'의 의미는 유지가 되며, '-이'는 다양한 명사와 결합할 수 있기 때문이다.

예 간간이 겹겹이 길길이 눈눈이 땀땀이 번번이 사람사람이 옆옆이 줄줄이 참참이 철철이 첩첩이 틈틈이 나날이 다달이 골골샅샅이 구구절절이 사사건건이

2. 명사에 '-이'가 결합하여 다시 명사가 되는 경우에도 원형을 밝혀 적는다.

예 고리눈이 맹문이 안달이 얌전이 억척이 점잔이 퉁방울이 우걱뿔이

3. [붙임] 명사 뒤에 '-이' 이외의 모음으로 시작된 접미사가 결합하여 된 단어의 경우는, 그것이 규칙적으로 널리 결합하는 형식이 아니므로 명사의 형태를 밝혀 적지 않는다.

예 고랑(← 골 + -앙) 터럭(← 털 + -억) 끄트러기(← 끝 + -으러기) 모가지(← 목 + -아지) 소가지(← 속 + -아지) 오라기(← 올 + -아기)

제21항 명사나 혹은 용언의 어간 뒤에 자음으로 시작된 접미사가 붙어서 된 말은 그 명사나 어간의 원형을 밝히어 적는다.

1. 명사 뒤에 자음으로 시작된 접미사가 붙어서 된 것

값지다 홑지다* 넋두리 빛깔 옆댕이 잎사귀

2. 어간 뒤에 자음으로 시작된 접미사가 붙어서 된 것

낚시 늙정이 덮개 뜯게질 갉작갉작하다 갉작거리다 뜯적거리다* 뜯적뜯적하다* 굵다랗다 굵직하다 깊숙하다 넓적하다 높다랗다 늙수그레하다 얽죽얽죽하다*

다만, 다음과 같은 말은 소리대로 적는다.

(1) 겹받침의 끝소리가 드러나지 아니하는 것

할짝거리다 널따랗다 널찍하다 말끔하다 말쑥하다 말짱하다 실쭉하다 실큼하다 얄따랗다 얄팍하다 짤따랗다 짤막하다 실컷

(2) 어원이 분명하지 아니하거나 본뜻에서 멀어진 것

넙치 올무 골막하다 납작하다

단권화 MEMO

【연계학습】
• 형태론 > 단어의 형성 > 파생어

*곰배팔이
팔이 꼬부라져 붙어 펴지 못하거나 팔뚝이 없는 사람을 낮잡아 이르는 말

■ '명사+ -아치/-어치'의 표기

명사의 원형을 밝혀 적지 않는 경우	모가치: '몫+아치'로 분석하여 '목사치'로 적을 수도 있지만, '몫'의 옛말인 '목'에 '-아치'가 결합된 말일 가능성이 높으므로 실제 발음 [모가치]에 따라 표기도 '모가치'로 적는다.
명사의 원형을 밝혀 적는 경우	값어치: 명사 '값'이 독립적으로 쓰이고 '-어치'도 '백 원어치', '천 원어치' 등의 형태로 널리 쓰인다는 점에서 '값어치'로 원형을 밝혀 적는다.

【연계학습】
• 형태론 > 단어의 형성 > 파생어

*홑지다
복잡하지 아니하고 단순하다.

*뜯적거리다, 뜯적뜯적하다
손톱이나 칼끝 따위로 자꾸 뜯거나 진집을 내다.

*얽죽얽죽하다
얼굴에 잘고 굵은 것이 섞이어 깊게 얽은 자국이 많다.

단권화 MEMO

*골막하다
담긴 것이 가득 차지 아니하고 조금 모자란 듯하다.
*곯다
담긴 것이 그릇에 가득 차지 아니하고 조금 비다.

【연계학습】
• 통사론 > 사동 표현 > 사동 접미사

【연계학습】
• 〈표준어 사정 원칙〉 제26항

*부딪다/부딪치다/부딪히다/부딪치이다
• 부딪다: 힘 있게 마주 닿다. 또는 그리 되게 하다.
• 부딪치다: '부딪다'의 강세어
• 부딪히다: '부딪다'의 피동사. '부딪음을 당하다.'의 뜻
• 부딪치이다: '부딪치다'의 피동사. '부딪히다'를 강조하여 이르는 말

1. [다만 (1)] 겹받침의 끝소리가 드러나지 않는 경우란, 겹받침에서 앞에 있는 받침만 소리가 나는 경우를 말한다.

원형을 밝혀 적는 경우	굵다 → 굵다랗다[국:따라타]	'굵'에서 뒤의 받침인 'ㄱ'이 발음됨
원형을 밝혀 적지 않는 경우	핥다 → 할짝거리다[할짝꺼리다]	'핥'에서 앞의 받침인 'ㄹ'이 발음됨

2. [다만 (2)] 어원이 분명하지 않거나 본뜻에서 멀어져 소리 나는 대로 적는 단어들을 분석하면 다음과 같다.

넙치	의미상으로 '넓다'와 관련이 있어 보이지만 어원적 형태가 분명히 인식되지 않으므로 소리 나는 대로 적음
올무	의미상으로 '옭다'와 관련이 있어 보이지만 어원적 형태가 인식되지 않으므로 소리 나는 대로 적음
골막하다*	'곯다*'와 어원적으로 직접 연결이 되지 않으므로 소리 나는 대로 적음
납작하다	어원적으로 연관되는 말이 없으므로 소리 나는 대로 적음

제22항 용언의 어간에 다음과 같은 접미사들이 붙어서 이루어진 말들은 그 어간을 밝히어 적는다.

1. '-기-, -리-, -이-, -히-, -구-, -우-, -추-, -으키-, -이키-, -애-'가 붙는 것

맡기다 옮기다 웃기다 쫓기다 뚫리다 울리다 낚이다 쌓이다
핥이다 굳히다 굽히다 넓히다 앉히다 얽히다 잡히다 돋구다
솟구다 돋우다 갖추다 곧추다 맞추다 일으키다 돌이키다 없애다

다만, '-이-, -히-, -우-'가 붙어서 된 말이라도 본뜻에서 멀어진 것은 소리대로 적는다.

도리다(칼로 ~) 드리다(용돈을 ~) 고치다 바치다(세금을 ~)
부치다(편지를 ~) 거두다 미루다 이루다

2. '-치-, -뜨리-, -트리-'가 붙는 것

놓치다 덮치다 떠받치다 받치다
밭치다 부딪치다 뻗치다 엎치다
부딪뜨리다/부딪트리다 쏟뜨리다/쏟트리다 젖뜨리다/젖트리다
찢뜨리다/찢트리다 흩뜨리다/흩트리다

[붙임] '-업-, -읍-, -브-'가 붙어서 된 말은 소리대로 적는다.

미덥다 우습다 미쁘다

1. 용언의 어간(실질 형태소)과 접미사(형식 형태소)가 결합할 경우, 실질 형태소와 형식 형태소의 형태를 고정하여 적는다. 이는 의미 파악을 용이하게 하기 위함이다.

2. [다만] 어원적인 형태는 어간에 접미사 '-이-, -히-, -우-'가 결합한 것으로 해석되더라도, 본뜻에서 멀어졌기 때문에 피동이나 사동의 형태로 인식되지 않는 것은 소리 나는 대로 적는다.

3. '-치-, -뜨리-, -트리-'처럼 자음으로 시작하는 접미사가 결합하는 경우에는 〈한글 맞춤법〉 제21항에서 규정한 것처럼 어간 형태소의 원형을 밝혀서 적는다.

-치-	'부딪치다'는 '부딪다'를 강조하는 말로 기술할 수 있지만, 언어 현실에서 '부딪다'는 잘 쓰이지 않고 '부딪치다*'가 주로 쓰임
-뜨리-, -트리-	의미가 동일한 복수 표준어로, 둘 다 다양한 어간에 결합하여 쓰이므로 어간의 원형을 밝혀 적음 예 깨뜨리다/깨트리다, 떨어뜨리다/떨어트리다

4. [붙임] '-업-, -읍-, -브-'가 붙어서 된 말은 통시적으로 형태소 분석은 가능하나, 지금은 완전히 하나의 단어로 굳어져 분석이 되지 않으므로 소리 나는 대로 적는다. '기쁘다, 슬프다'도 '미쁘다'와 마찬가지로 접미사 '-브-'가 결합한 말이지만 현재는 하나의 단어로 굳어져 쓰인다.

예 • 미덥다: 믿(다) + -업- + -다
• 우습다: 웃(다) + -읍- + -다
• 미쁘다: 믿(다) + -브- + -다

제23항 '-하다'나 '-거리다'가 붙는 어근에 '-이'가 붙어서 명사가 된 것은 그 원형을 밝히어 적는다. (ㄱ을 취하고, ㄴ을 버림)

ㄱ	ㄴ	ㄱ	ㄴ
깔쭉이*	깔쭈기	살살이	살사리
꿀꿀이	꿀꾸리	쌕쌕이*	쌕쌔기
눈깜짝이	눈깜짜기	오뚝이	오뚜기
더펄이	더퍼리	코납작이	코납자기
배불뚝이	배불뚜기	푸석이	푸서기
삐죽이	삐주기	홀쭉이	홀쭈기

[붙임] '-하다'나 '-거리다'가 붙을 수 없는 어근에 '-이'나 또는 다른 모음으로 시작되는 접미사가 붙어서 명사가 된 것은 그 원형을 밝히어 적지 아니한다.

개구리 귀뚜라미 기러기 깍두기 꽹과리
날라리 누더기 동그라미 두드러기 딱따구리
매미 부스러기 뻐꾸기 얼루기 칼싹두기*

'-하다'나 '-거리다'가 붙는 어근은 대체로 어근의 원래 의미를 유지하고, 어근에 결합하는 말도 비교적 다양하다. 따라서 '-하다'나 '-거리다'가 붙을 수 있는 어근에 '-이'가 붙은 경우에도 원형을 밝혀 적는 것이다.

제24항 '-거리다'가 붙을 수 있는 시늉말 어근에 '-이다'가 붙어서 된 용언은 그 어근을 밝히어 적는다. (ㄱ을 취하고, ㄴ을 버림)

ㄱ	ㄴ	ㄱ	ㄴ
깜짝이다	깜짜기다	속삭이다	속사기다
꾸벅이다	꾸버기다	숙덕이다	숙더기다
끄덕이다	끄더기다	울먹이다	울머기다
뒤척이다	뒤처기다	움직이다	움지기다
들먹이다	들머기다	지껄이다	지꺼리다
망설이다	망서리다	퍼덕이다	퍼더기다
번득이다	번드기다	허덕이다	허더기다
번쩍이다	번쩌기다	헐떡이다	헐떠기다

'-거리다'가 붙는 어근은 대체로 다양한 접사와 결합할 수 있고, 그 후에도 어근의 원래 의미, 즉 본뜻이 유지된다. 이럴 경우 원형을 밝혀 적는 것이 합리적이다. 따라서 '-거리다'가 결합하는 어근은 '-이다'가 결합할 때도 원형을 밝혀 적는다.

예 (간질거리다) 간질이다 (깐족거리다) 깐족이다 (꿈적거리다) 꿈적이다 (끈적거리다) 끈적이다
(끔적거리다*) 끔적이다 (덜렁거리다) 덜렁이다 (덥적거리다*) 덥적이다 (뒤적거리다) 뒤적이다
(들썩거리다) 들썩이다 (펄럭거리다) 펄럭이다 (출썩거리다) 출썩이다

단권화 MEMO

【연계학습】
• 형태론 > 단어의 형성 > 파생어

*깔쭉이
가장자리를 톱니처럼 파 깔쭉깔쭉하게 만든 주화(鑄貨)를 속되게 이르는 말

*쌕쌕이
'제트기'를 속되게 이르는 말

*칼싹두기
메밀가루나 밀가루 반죽 따위를 방망이로 밀어서 굵직굵직하게 썰어 끓인 음식

【연계학습】
• 형태론 > 단어의 형성 > 파생어

*끔적거리다
큰 눈이 자꾸 슬쩍 감겼다 뜨였다 하다. ≒ 끔적대다

*덥적거리다
무슨 일에나 가리지 않고 자꾸 참견하다. 또는 자꾸 남에게 붙임성 있게 굴다. ≒ 덥적대다

단권화 MEMO

【연계학습】
• 형태론 > 단어의 형성 > 파생어

제25항 '-하다'가 붙는 어근에 '-히'나 '-이'가 붙어서 부사가 되거나, 부사에 '-이'가 붙어서 뜻을 더하는 경우에는 그 어근이나 부사의 원형을 밝히어 적는다.

1. '-하다'가 붙는 어근에 '-히'나 '-이'가 붙는 경우

급히 꾸준히 도저히 딱히 어렴풋이 깨끗이

[붙임] '-하다'가 붙지 않는 경우에는 소리대로 적는다.

갑자기 반드시(꼭) 슬며시

2. 부사에 '-이'가 붙어서 역시 부사가 되는 경우

곰곰이 더욱이 생긋이 오뚝이 일찍이 해죽이

1. '-히'나 '-이'는 여러 어근에 결합하는 부사 파생 접미사이다. 그리고 부사 형성 후에도 어근의 본뜻이 유지된다. 따라서 명사 파생 접미사 '-이'나 동사, 형용사 파생 접미사 '-하다', '-이다' 등의 경우와 마찬가지로, 그것이 결합하는 어근의 형태를 밝혀 적는다.

예 (나란하다) 나란히 (넉넉하다) 넉넉히 (무던하다) 무던히 (속하다) 속히
(꾸준하다) 꾸준히 (버젓하다) 버젓이 (뚜렷하다) 뚜렷이

2. [붙임] '반드시'는 '반듯하다'의 어근 '반듯'의 본뜻이 유지될 때와 아닐 때를 구별할 수 있다.

① 어근의 본뜻이 유지되는 경우: 반듯이(생김새가 아담하고 말끔히)
② 어근의 본뜻이 유지되지 않는 경우: 반드시(틀림없이 꼭)

【연계학습】
• 형태론 > 단어의 형성 > 파생어

제26항 '-하다'나 '-없다'가 붙어서 된 용언은 그 '-하다'나 '-없다'를 밝히어 적는다.

1. '-하다'가 붙어서 용언이 된 것

딱하다 숱하다 착하다 텁텁하다 푹하다

2. '-없다'가 붙어서 용언이 된 것

부질없다 상없다 시름없다 열없다 하염없다

'-하다'와 '-없다'는 여러 어근과 다양하게 결합하는 접미사이므로 비자립적인 어근과 결합하더라도 어근의 독립성과 뜻이 분명하게 드러난다. 따라서 자립적 어근과 결합할 때와 마찬가지로 원형을 밝혀 적는다. 비자립적 어근임에도 형태를 밝혀 적는 예는 다음과 같다.

예 꽁하다 눅눅하다 단단하다 멍하다 뻔하다 성하다 찜찜하다 칠칠하다 털털하다
거북하다 깨끗하다 답답하다 섭섭하다 솔깃하다 상없다

【연계학습】
• 형태론 > 단어의 형성 > 복합어

4 합성어 및 접두사가 붙은 말

제27항 둘 이상의 단어가 어울리거나 접두사가 붙어서 이루어진 말은 각각 그 원형을 밝히어 적는다.

국말이* 꺾꽂이* 꽃잎 끝장 물난리 밑천 부엌일
싫증 옷안 웃옷 젖몸살 첫아들 칼날 팥알
헛웃음 홀아비 홑몸 흙내 값없다 겉늙다 굶주리다
낮잡다 맞먹다 받내다 벋놓다 빗나가다 빛나다 새파랗다
샛노랗다 시꺼멓다 싯누렇다 엇나가다 엎누르다 엿듣다 옻오르다
짓이기다 헛되다

[붙임 1] 어원은 분명하나 소리만 특이하게 변한 것은 변한 대로 적는다.

할아버지 할아범

*국말이
국에 만 밥이나 국수

*꺾꽂이
식물의 가지, 줄기, 잎 따위를 자르거나 꺾어 흙 속에 꽂아 뿌리 내리게 하는 일

[붙임 2] 어원이 분명하지 아니한 것은 원형을 밝히어 적지 아니한다.

골병 골탕 끌탕* 며칠 아재비* 오라비 업신여기다 부리나케

[붙임 3] '이[齒, 虱]'가 합성어나 이에 준하는 말에서 '니' 또는 '리'로 소리 날 때에는 '니'로 적는다.

간니* 덧니 사랑니 송곳니 앞니 어금니 윗니 젖니 톱니
틀니 가랑니 머릿니

1. 이 조항은 합성어와 파생어를 구성하는 요소들은 원형을 밝혀 적어야 함을 규정하는 것이다. 제시된 단어들을 합성어와 파생어로 구분하면 다음과 같다.

① 두 개의 실질 형태소가 결합한 것(합성어)

예 꽃잎 끝장 물난리 밑천 싫증 부엌일 옷안 젖몸살 첫아들
팥알 칼날 흙내 값없다 겉늙다 국말이 빛나다 옻오르다 굶주리다
꺾꽂이 낮잡다 받내다 벋놓다 엎누르다

② 접두사가 결합한 것(파생어)

예 웃옷 헛웃음 홑몸 홀아비 맞먹다 빗나가다 새파랗다 샛노랗다
시꺼멓다 싯누렇다 엇나가다 엿듣다 짓이기다 헛되다

2. [붙임 1] '할아버지, 할아범'은 '한아버지, 한아범'이 바뀐 형태이다. 곧, 옛말에서 '큰'이란 뜻을 표시하는 '한'이 '아버지, 아범'에 결합한 것인데, 점차 [하라버지], [하라범]으로 소리가 바뀌어서 바뀐 '한' 부분을 바뀐 대로 적은 것이다. 이 규정은 어원은 분명하나 소리만 특이하게 변한 것은 변한 대로 적되, 실질 형태소는 그 기본 형태를 밝히어 적는 것이다.

3. [붙임 2] '골병'과 '골탕'은 어원적 형태가 '골(골수)－병(病), 골(골수)－탕(湯)'인지, '곯－병(病), 곯－탕(湯)'인지, 혹은 '골병(骨病), 골탕(骨湯)'인지 분명하지 않다. 그리고 '끌탕(속을 끓이는 걱정)'의 앞부분은 '끓－'로 분석되지만, 뒷부분은 '탕(湯)'인지 '당'인지 단정하기 어렵다. 또, '며칠'은 실질 형태소인 '몇'과 '일(日)'이 결합한 형태라면 [며딜]로 발음되어야 하는데, 형식 형태소인 접미사나 어미, 조사가 결합하는 형식에서와 마찬가지로 'ㅊ' 받침이 내리 이어져 [며칠]로 발음된다. 이와 같이 어원이 불분명한 단어들은 그 원형을 밝히지 않고 소리 나는 대로 적는다.

더 알아보기 접두사 '새－/시－, 샛－/싯－'의 구별

1. 된소리나 거센소리, 'ㅎ' 앞에는 '새－/시－'를 붙이되, 어간 첫음절이 양성 계열 모음일 때는 '새－'로, 음성 계열 모음일 때는 '시－'로 적는다.
   예 새까맣다/시꺼멓다 새빨갛다/시뻘겋다 새파랗다/시퍼렇다 새하얗다/시허옇다
2. 울림소리 앞에는 '샛－/싯－'을 붙이되, 어간 첫음절이 양성 계열 모음일 때는 '샛－'으로, 음성 계열 모음일 때는 '싯－'으로 적는다.
   예 샛노랗다/싯누렇다

제28항 끝소리가 'ㄹ'인 말과 딴 말이 어울릴 적에 'ㄹ' 소리가 나지 아니하는 것은 아니 나는 대로 적는다.

다달이(달－달－이) 따님(딸－님) 마되(말－되) 마소(말－소)
무자위(물－자위) 바느질(바늘－질) 부삽(불－삽) 부손(불－손)
싸전(쌀－전) 여닫이(열－닫이) 우짖다(울－짖다) 화살(활－살)

1. 합성어나 파생어에서 앞 단어의 'ㄹ' 받침이 발음되지 않는 것은 발음되지 않는 형태로 적는다. 'ㄹ'은 'ㄴ, ㄷ, ㅅ, ㅈ' 앞에서 탈락하는 경우가 많다.

예 (날날이) 나날이 (물논) 무논 (물수리) 무수리 (밀닫이) 미닫이 (불넘기) 부넘기
(아들님) 아드님 (물쇠) 무쇠 (찰돌) 차돌[石英] (찰조) 차조 (하늘님) 하느님

단권화 MEMO

*끌탕
속을 태우는 걱정

*아재비
'아저씨'의 낮춤말

*간니
젖니가 빠진 뒤에 나는 이

■ '일'과 결합한 말의 발음
'몇 일'로 적으면 [면닐]로 소리 난다고 설명하는 경우도 있다. 그러나 '일(日)'이 결합하는 경우 [닐]로 소리 나지 않는 것이 보통이다. [닐]로 소리 나는 것은 '일[事]'이 결합하는 경우이다.
예 칠일(七日) [치릴]
칠일(칠을 바르는 일)
[칠닐] → [칠릴]

【연계학습】
• 음운론 > 음운의 변동 > 'ㄹ' 탈락

■ 예외('차지다'와 '찰지다')
예전에는 '차지다'만 표준어로 보았으나, 2015년 발표된 표준어 추가 결과에 따라 '차지다/찰지다' 두 단어 모두 표준형으로 인정되었다.

2. 한자 '불(不)'이 첫소리 'ㄷ, ㅈ' 앞에서 '부'로 읽히는 단어의 경우도 'ㄹ'이 떨어진 대로 적는다.

예 부단(不斷) 부당(不當) 부동(不同, 不凍, 不動) 부득이(不得已) 부등(不等) 부적(不適) 부정(不正, 不貞, 不定) 부조리(不條理) 부주의(不注意)

제29항 끝소리가 'ㄹ'인 말과 딴 말이 어울릴 적에 'ㄹ' 소리가 'ㄷ' 소리로 나는 것은 'ㄷ'으로 적는다.

반짇고리(바느질~) 사흗날(사흘~) 삼짇날(삼질~) 섣달(설~)
숟가락(술~) 이튿날(이틀~) 잗주름(잘~) 풀소(풀~)
섣부르다(설~) 잗다듬다(잘~) 잗다랗다(잘~)

역사적인 변화를 반영한 조항으로, 'ㄹ' 받침을 가진 단어(또는 어간)가 다른 단어(또는 접미사)와 결합할 때, 'ㄹ'이 [ㄷ]으로 바뀌어 발음되는 것은 'ㄷ'으로 적는다.

예 (나흘날) 나흗날 (잘갈다) 잗갈다 (잘갈리다) 잗갈리다*
(잘널다) 잗널다* (잘달다) 잗달다 (잘타다) 잗타다*

제30항 사이시옷은 다음과 같은 경우에 받치어 적는다.

1. 순우리말로 된 합성어로서 앞말이 모음으로 끝난 경우

(1) 뒷말의 첫소리가 된소리로 나는 것

고랫재* 귓밥 나룻배 나뭇가지 냇가 댓가지 뒷갈망*
맷돌 머릿기름 모깃불 못자리* 바닷가 뱃길 볏가리*
부싯돌 선짓국 쇳조각 아랫집 우렁잇속 잇자국 잿더미
조갯살 찻집 쳇바퀴 킷값* 핏대 햇볕 혓바늘

(2) 뒷말의 첫소리 'ㄴ, ㅁ' 앞에서 'ㄴ' 소리가 덧나는 것

멧나물* 아랫니 텃마당 아랫마을 뒷머리 잇몸 깻묵
냇물 빗물

(3) 뒷말의 첫소리 모음 앞에서 'ㄴㄴ' 소리가 덧나는 것

도리깻열* 뒷윷 두렛일 뒷일 뒷입맛 베갯잇 욧잇
깻잎 나뭇잎 댓잎

2. 순우리말과 한자어로 된 합성어로서 앞말이 모음으로 끝난 경우

(1) 뒷말의 첫소리가 된소리로 나는 것

귓병 머릿방 뱃병 봇둑* 사잣밥 샛강 아랫방
자릿세 전셋집 찻잔 찻종 촛국* 콧병 탯줄
텃세 핏기 햇수 횟가루* 횟배*

(2) 뒷말의 첫소리 'ㄴ, ㅁ' 앞에서 'ㄴ' 소리가 덧나는 것

곗날 제삿날 훗날 툇마루 양칫물

(3) 뒷말의 첫소리 모음 앞에서 'ㄴㄴ' 소리가 덧나는 것

가욋일 사삿일 예삿일 훗일*

3. 두 음절로 된 다음 한자어

곳간(庫間) 셋방(貰房) 숫자(數字) 찻간(車間) 툇간(退間) 횟수(回數)

1. 사이시옷은 반드시 합성어에서 나타난다.

2. 고유어끼리 결합한 합성어(및 이에 준하는 구조) 또는 고유어와 한자어가 결합한 합성어 중 아래 3가지 조건에 해당하는 경우에 사이시옷을 붙인다.

① 뒷말의 첫소리인 'ㄱ, ㄷ, ㅂ, ㅅ, ㅈ'이 된소리로 나는 것: 바다+가 → [바다까] → 바닷가
② 뒷말의 첫소리 'ㄴ, ㅁ' 앞에서 'ㄴ' 소리가 첨가되는 것: 코+날 → [콘날] → 콧날
③ 뒷말의 첫소리 모음 앞에서 'ㄴㄴ' 소리가 첨가되는 것: 예사+일 → [예:산닐] → 예삿일

단권화 MEMO

【연계학습】
• 음운론 > 음운의 변동 > 호전 작용

*잗갈리다
잘고 곱게 갈리다. '잗갈다'의 피동사
*잗널다
음식을 이로 깨물어 잘게 만들다.
*잗타다
팥이나 녹두 따위를 잘게 부서뜨리다.

【연계학습】
• 음운론 > 음운의 변동 > 사잇소리 현상

*고랫재
방고래에 모여 쌓인 재
*뒷갈망
일의 뒤끝을 맡아서 처리함
*못자리
볍씨를 뿌리어 모를 기르는 곳
*볏가리
벼를 베어서 가려 놓거나 볏단을 차곡차곡 쌓은 더미
*킷값
키에 알맞게 하는 행동을 낮잡아 이르는 말
*멧나물
산에서 나는 나물
*도리깻열
도리깨의 한 부분. 곧고 가느다란 나뭇가지 두세 개로 만들며, 이 부분을 위아래로 돌리어 곡식을 두드려 낟알을 떤다.
*봇둑
보를 둘러쌓은 둑
*촛국
초를 친 냉국
*횟가루
'산화 칼슘'을 일상적으로 이르는 말
*횟배
회충으로 인한 배앓이
*훗일
어떤 일이 있은 뒤에 생기거나 일어날 일

3. 사이시옷이 나타나기 위해서는 합성어를 이루는 요소 중 적어도 하나는 고유어이어야 하고, 구성 요소 중 외래어가 없어야 한다.

4. 두 글자(한자어 형태소)로 된 한자어 중 뒤 글자의 첫소리가 된소리로 나는, 제시된 6개 단어에만 사이시옷을 적는다. 따라서 그 외의 한자어에는 사이시옷을 적지 않는다.

더 알아보기 '차'의 사이시옷 표기

현재는 '차'를 고유어로 보고 있다. 따라서 '찻잔, 찻종, 찻주전자'는 '고유어+한자어' 구성이므로 사이시옷을 넣는다.

제31항 **두 말이 어울릴 적에 'ㅂ' 소리나 'ㅎ' 소리가 덧나는 것은 소리대로 적는다.**

1. 'ㅂ' 소리가 덧나는 것
   댑싸리*(대ㅂ싸리) 멥쌀(메ㅂ쌀) 볍씨(벼ㅂ씨) 입때*(이ㅂ때) 입쌀(이ㅂ쌀)
   접때(저ㅂ때) 좁쌀(조ㅂ쌀) 햅쌀(해ㅂ쌀)
2. 'ㅎ' 소리가 덧나는 것
   머리카락(머리ㅎ가락) 살코기(살ㅎ고기) 수캐(수ㅎ개) 수컷(수ㅎ것) 수탉(수ㅎ닭)
   안팎(안ㅎ밖) 암캐(암ㅎ개) 암컷(암ㅎ것) 암탉(암ㅎ닭)

1. '싸리, 쌀, 씨, 때' 등은 옛말에서 'ᄡᅡ리, ᄡᆞᆯ, ᄡᅵ, ᄣᅢ'와 같이 단어 첫머리에 'ㅂ'을 가지고 있었던 단어이다. 즉, 단일어에서는 모두 'ㅂ'이 탈락되었는데 합성어에서는 'ㅂ'계 합용 병서의 흔적이 남은 것이다.

2. '머리, 살, 수, 안, 암' 등은 옛말에서 '살ㅎ', '수ㅎ'와 같이 'ㅎ' 종성 체언이었다. 따라서 이 말에 다른 단어가 결합하여 이루어진 복합어 중에서 'ㅎ' 음이 첨가되어 발음되는 단어는 소리 나는 대로 뒤 단어의 첫소리를 거센소리로 적는다.

3. '암-, 수-'가 결합하는 단어에 모두 'ㅎ' 소리가 덧나는 것은 아니다. 자세한 내용은 〈표준어 사정 원칙〉 제7항에 제시하였다. 다음은 반드시 'ㅎ' 소리가 덧나는 경우이다.
   예 수캉아지 수캐 수컷 수키와 수탉 수탕나귀 수톨쩌귀 수퇘지 수평아리
   암캉아지 암캐 암컷 암키와 암탉 암탕나귀 암톨쩌귀 암퇘지 암평아리

5 준말

준말은 대체로 본말과 준말을 모두 맞는 맞춤법으로 허용한다. 다만, 일부 준말에 있어 준말만을 인정하는 단어들이 있으므로 주의해야 한다.

제32항 **단어의 끝모음이 줄어지고 자음만 남은 것은 그 앞의 음절에 받침으로 적는다.**

(본말)	(준말)	(본말)	(준말)
기러기야	기럭아	가지고, 가지지	갖고, 갖지
어제그저께	엊그저께	디디고, 디디지	딛고, 딛지
어제저녁	엊저녁		

1. 어근이나 어간의 끝음절 모음이 줄어지고 자음만 남는 경우, 그 자음을 앞 음절의 받침으로 올려붙여 적는다. 이렇게 적으면 본말과 형태적 연관성이 드러나 의미 파악이 쉽다.

2. 줄어드는 음절의 첫소리 자음이 받침으로 남지 않고 줄어드는 음절의 받침소리가 받침으로 남는 경우도 있다.
   예 바둑-장기 → 박장기 어긋-매끼다 → 엇매끼다 바깥-벽 → 밭벽 바깥-사돈 → 밭사돈

단권화 MEMO

*댑싸리
명아줏과의 한해살이풀
*입때
지금까지. 또는 아직까지

【연계학습】
• 고전 문법 > 훈민정음 > 합용 병서
• 고전 문법 > 명사 > 'ㅎ' 종성 체언

【연계학습】
• 〈표준어 사정 원칙〉 제7항

단권화 MEMO

제33항 체언과 조사가 어울려 줄어지는 경우에는 준 대로 적는다.

(본말)	(준말)	(본말)	(준말)
그것은	그건	너는	넌
그것이	그게	너를	널
그것으로	그걸로	무엇을	뭣을/무얼/뭘
나는	난	무엇이	뭣이/무에
나를	날		

1. 체언과 조사가 결합할 때 어떤 음이 줄거나 음절의 수가 줄어들면 그 본 모양을 밝히지 않고 준 대로 적는다.

예 • (그 애 → 걔) 그 애는 → 걔는 → 걘, 그 애를 → 걔를 → 걜
• (이 애 → 얘) 이 애는 → 얘는 → 얜, 이 애를 → 얘를 → 얠
• (저 애 → 쟤) 저 애는 → 쟤는 → 쟨, 저 애를 → 쟤를 → 쟬
• 그것으로 → 그걸로, 이것으로 → 이걸로, 저것으로 → 저걸로

2. 부사에 조사가 결합할 때에도 줄어들면 준 대로 적는다.

예 그리로 → 글로, 이리로 → 일로, 저리로 → 절로, 조리로 → 졸로

【연계학습】
• 음운론 > 음운의 변동 > 동음 탈락

제34항 모음 'ㅏ, ㅓ'로 끝난 어간에 '-아/-어, -았-/-었-'이 어울릴 적에는 준 대로 적는다. (준말만 인정)

(본말)	(준말)	(본말)	(준말)
가아	가	가았다	갔다
나아	나	나았다	났다
타아	타	타았다	탔다
서어	서	서었다	섰다
켜어	켜	켜었다	켰다
펴어	펴	펴었다	폈다

[붙임 1] 'ㅐ, ㅔ' 뒤에 '-어, -었-'이 어울려 줄 적에는 준 대로 적는다. (본말, 준말 모두 허용)

(본말)	(준말)	(본말)	(준말)
개어	개	개었다	갰다
내어	내	내었다	냈다
베어	베	베었다	벴다
세어	세	세었다	셌다

[붙임 2] '하여'가 한 음절로 줄어서 '해'로 될 적에는 준 대로 적는다. (본말, 준말 모두 허용)

(본말)	(준말)	(본말)	(준말)
하여	해	하였다	했다
더하여	더해	더하였다	더했다
흔하여	흔해	흔하였다	흔했다

1. 동일한 모음이 연속될 때 한 모음으로 줄어드는 일은 필수적인 경우와 그렇지 않은 경우가 있다. 조항에서 "어울릴 적에는 준 대로 적는다."라고 한 것은 항상 줄어든 형태로 적어야 하는 필수적 경우에 해당한다. 그러나 'ㅅ' 불규칙 용언의 어간에서 'ㅅ'이 줄어든 경우에는 원래 자음이 있었으므로 다음의 예처럼 'ㅏ/ㅓ'가 줄지 않는다.

예 • 낫다: 나아, 나아서, 나아도, 나아야, 나았다
• 젓다: 저어, 저어서, 저어도, 저어야, 저었다

2. [붙임 1] 이 조항에서 "어울려 줄 적에는 준 대로 적는다."라고 한 것은 줄지 않는 경우도 있다는 뜻이다. 예를 들어, '가아 → 가'에서는 '가'만 인정하지만, '매어 → 매'는 '매어'와 '매'를 모두 쓸 수 있다. 주의해야 할 것은 '짜이어 → 째어'와 같이 이미 모음이 줄어 'ㅐ'가 된 경우에는 '-어'가 결합하더라도 더 줄어들지 않는다는 점이다.

3. [붙임 2] '하다'는 '여' 불규칙 용언이므로, '하아'가 되지 않고 '하여'가 된다. 이 '하여'가 한 음절로 줄어진 형태는 '해'로 적는다. 이때도 '하여'와 '해' 모두 쓸 수 있다.

예 하여 → 해　　하여라 → 해라　　하여서 → 해서　　하였다 → 했다

단권화 MEMO

제35항　모음 'ㅗ, ㅜ'로 끝난 어간에 '-아/-어, -았-/-었-'이 어울려 'ㅘ/ㅝ, ㅘㅆ/ㅝㅆ'으로 될 적에는 준 대로 적는다.

(본말)	(준말)	(본말)	(준말)
꼬아	꽈	꼬았다	꽜다
보아	봐	보았다	봤다
쏘아	쏴	쏘았다	쐈다
두어	둬	두었다	뒀다
쑤어	쒀	쑤었다	쒔다
주어	줘	주었다	줬다

[붙임 1] '놓아'가 '놔'로 줄 적에는 준 대로 적는다.

[붙임 2] 'ㅚ' 뒤에 '-어, -었-'이 어울려 'ㅙ, ㅙㅆ'으로 될 적에도 준 대로 적는다.

(본말)	(준말)	(본말)	(준말)
괴어	괘	괴었다	괬다
되어	돼	되었다	됐다
뵈어	봬	뵈었다	뵀다
쇠어	쇄	쇠었다	쇘다
쐬어	쐐	쐬었다	쐤다

【연계학습】
• 음운론 > 음운의 변동 > 모음 축약

1. 이 조항은 줄어든 형태와 줄어들지 않은 형태를 모두 쓸 수 있다는 것이다. 그러나 〈한글 맞춤법〉 제18항 4.에서 다룬 '푸다'의 경우는 '푸어 → 퍼'처럼 어간 모음 'ㅜ'가 탈락하므로, '풔'로 적지 않는다. 또한 '오다'는 '-아' 계열 어미가 결합했을 때 '와', '와라' 등의 줄어든 형태만 인정한다.

2. [붙임 1] 예컨대 '좋다'의 어간 '좋-'에 어미 '-아'가 결합하면 '좋아'가 되는데, 이 '좋아'가 줄어들어 '좌'가 되지는 않는다. 그러나 '놓다'의 경우는 어간 받침 'ㅎ'이 줄면서 두 음절이 하나로 줄어든다. 즉, '놓다'의 경우는 예외적인 형태를 인정한 것이다.

예 놓아 → (노아 →) 놔　　놓아라 → (노아라 →) 놔라　　놓았다 → (노았다 →) 놨다

3. [붙임 2] 어간 모음 'ㅚ' 뒤에 '-어'가 붙어서 'ㅙ'로 줄어지는 것은 'ㅙ'로 적는다.

예 • 되다: 일이 뜻대로 (되어 →) 돼 간다.
　　만나게 (되어서 →) 돼서 기쁘다.
　　일이 잘 (되어야 →) 돼야 한다.
　　나도 가게 (되었다 →) 됐다.
• 죄다: 나사를 (죄어 →) 좨 본다.
　　나사를 (죄어야 →) 좨야 한다.
　　나사를 (죄었다 →) 좼다.
• 쬐다: 볕을 (쬐어 →) 쫴 본다.
　　볕을 (쬐어야 →) 쫴야 한다.
　　볕을 (쬐었다 →) 쬈다.

■ [붙임 2]에 해당하는 단어들
뵈다, 꾀다, 외다, 되뇌다, 사뢰다, 선뵈다, 아뢰다, 앳되다, 참되다 등

단권화 MEMO

【연계학습】
• 음운론 > 음운의 변동 > 모음 축약

제36항 'ㅣ' 뒤에 '-어'가 와서 'ㅕ'로 줄 적에는 준 대로 적는다.

(본말)	(준말)	(본말)	(준말)
가지어	가져	가지었다	가졌다
견디어	견뎌	견디었다	견뎠다
다니어	다녀	다니었다	다녔다
막히어	막혀	막히었다	막혔다
버티어	버텨	버티었다	버텼다
치이어	치여	치이었다	치였다

1. '가지어 → 가져'의 '져'는 [저]로 소리 나지만 '가지-어'와의 연관성을 드러내기 위해 '가져'로 적는다. '다치어 → 다쳐[다처]'도 마찬가지이다.

2. 접미사 '-이-, -히-, -기-, -리-, -으키-, -이키-' 뒤에 '-어'가 붙은 경우도 이에 포함된다.

예 녹이어 → 녹여　먹이어서 → 먹여서　숙이었다 → 숙였다
업히어 → 업혀　입히어서 → 입혀서　잡히었다 → 잡혔다
굶기어 → 굶겨　남기어야 → 남겨야　옮기었다 → 옮겼다
굴리어 → 굴려　날리어야 → 날려야　돌리었다 → 돌렸다
일으키어 → 일으켜　돌이키어 → 돌이켜

【연계학습】
• 음운론 > 음운의 변동 > 모음 축약

제37항 'ㅏ, ㅕ, ㅗ, ㅜ, ㅡ'로 끝난 어간에 '-이-'가 와서 각각 'ㅐ, ㅖ, ㅚ, ㅟ, ㅢ'로 줄 적에는 준 대로 적는다. (본말, 준말 모두 허용)

(본말)	(준말)	(본말)	(준말)
싸이다	쌔다	누이다	뉘다
펴이다	폐다	뜨이다	띄다
보이다	뵈다	쓰이다	씌다

'놓이다'가 '뇌다'로 줄어지는 경우도 '뇌다'로 적는다. 한편, 형용사 파생 접미사 '-스럽(다)'에 '-이'가 결합하는 경우에는 준 대로 '-스레'라고 적는다.

예 새삼스러이(×) → 새삼스레(○)　천연스러이(×) → 천연스레(○)

【연계학습】
• 음운론 > 음운의 변동 > 모음 축약

제38항 'ㅏ, ㅗ, ㅜ, ㅡ' 뒤에 '-이어'가 어울려 줄어질 적에는 준 대로 적는다.

(본말)	(준말)	(본말)	(준말)
싸이어	쌔어, 싸여	뜨이어	띄어
보이어	뵈어, 보여	쓰이어	씌어, 쓰여
쏘이어	쐬어, 쏘여	트이어	틔어, 트여
누이어	뉘어, 누여		

1. 어간 끝 모음 'ㅏ, ㅗ, ㅜ, ㅡ' 뒤에 '-이어'가 결합하여 줄어질 때는 두 가지 형식으로 나타난다. 곧, '-이어'의 '이'가 앞(어간) 음절에 올라붙으면서 'ㅐ, ㅚ, ㅟ, ㅢ'로 줄기도 하고, '-이어' 자체가 '-여'로 줄기도 한다. 예를 더 들어 보면 다음과 같다.

예 까이어 → 깨어/까여　꼬이어 → 꾀어/꼬여　(눈이) 뜨이어 → 띄어/뜨여

2. '놓이다'의 준말 '뇌다'는 '뇌어'로 적지만, '놓이어'가 줄어진 형태는 '놓여'로 적는다. 다만, '띄어쓰기, 띄어 쓰다, 띄어 놓다' 따위는 '뜨여쓰기, 뜨여 쓰다, 뜨여 놓다' 같은 형태가 사용되지 않는다. 왜냐하면 '띄어쓰기' 등의 '띄어'는 '띄우다'의 준말인 '띄다'의 활용형이기 때문이다.

'띄우다'는 공간이 생기게 한다는 뜻으로, '뜨다'의 피동형인 '뜨이다'와는 기본적으로 갖고 있는 의미가 다르다.

단권화 MEMO

제39항 어미 '-지' 뒤에 '않-'이 어울려 '-잖-'이 될 적과 '-하지' 뒤에 '않-'이 어울려 '-찮-'이 될 적에는 준 대로 적는다.

(본말)	(준말)	(본말)	(준말)
그렇지 않은	그렇잖은	만만하지 않다	만만찮다
적지 않은	적잖은	변변하지 않다	변변찮다

〈한글 맞춤법〉 제36항에 따르면 '-쟎-, -챦-'으로 줄어야 할 것 같지만, 이미 한 단어로 굳어져 원형을 밝힐 필요가 없는 경우에는 소리 나는 대로 '-잖-, -찮-'으로 적는다. 그리고 한 단어가 아닌 경우에도 표기의 효율성과 일관성을 위해 '-잖-, -찮-'으로 적는다.

① 한 단어인 경우

예 달갑지 않다 → 달갑잖다　　마뜩하지 않다 → 마뜩잖다　　시답지 않다 → 시답잖다

② 한 단어가 아닌 경우

예 두렵지 않다 → 두렵잖다　　많지 않다 → 많잖다　　예사롭지 않다 → 예사롭잖다
의롭지 않다 → 의롭잖다　　성실하지 않다 → 성실찮다　　허술하지 않다 → 허술찮다

제40항 어간의 끝음절 '하'의 'ㅏ'가 줄고 'ㅎ'이 다음 음절의 첫소리와 어울려 거센소리로 될 적에는 거센소리로 적는다.

(본말)	(준말)	(본말)	(준말)
간편하게	간편케	다정하다	다정타
연구하도록	연구토록	정결하다	정결타
가하다	가타	흔하다	흔타

[붙임 1] 'ㅎ'이 어간의 끝소리로 굳어진 것은 받침으로 적는다.

않다	않고	않지	않든지
그렇다	그렇고	그렇지	그렇든지
아무렇다	아무렇고	아무렇지	아무렇든지
어떻다	어떻고	어떻지	어떻든지
이렇다	이렇고	이렇지	이렇든지
저렇다	저렇고	저렇지	저렇든지

[붙임 2] 어간의 끝음절 '하'가 아주 줄 적에는 준 대로 적는다.

(본말)	(준말)	(본말)	(준말)
거북하지	거북지	넉넉하지 않다	넉넉지 않다
생각하건대	생각건대	못하지 않다	못지않다
생각하다 못해	생각다 못해	섭섭하지 않다	섭섭지 않다
깨끗하지 않다	깨끗지 않다	익숙하지 않다	익숙지 않다

[붙임 3] 다음과 같은 부사는 소리대로 적는다.

결단코　결코　기필코　무심코　아무튼　요컨대
정녕코　필연코　하마터면　하여튼　한사코

1. 어간의 끝음절 '하' 앞에 울림소리가 오면 '하'의 'ㅏ'가 줄고, '하' 앞에 안울림소리가 오면 '하'가 완전히 탈락한다.

예 • '하' 앞에 울림소리: 간편하게 → 간편ㅎ게 → 간편케
• '하' 앞에 안울림소리: 거북하지 → 거북지

단권화 MEMO

2. [붙임 3] 용언의 활용형에서 나온 것이라도 현재 부사로 굳어진 것은 원형을 밝혀 적지 않는다는 규정이다. 가령 '아무튼'을 '아뭏든'으로 적지 않는다.

05 띄어쓰기

【연계학습】
• 형태론 > 관계언 > 조사

1 조사

제41항 조사는 그 앞말에 붙여 쓴다.

꽃이 꽃마저 꽃밖에 꽃에서부터 꽃으로만
꽃이나마 꽃이다 꽃입니다 꽃처럼 어디까지나
거기도 멀리는 웃고만

조사는 그것이 결합되는 체언이 지니는 문법적 기능을 표시하므로, 그 앞의 단어에 붙여 쓴다. 조사가 둘 이상 겹치거나 조사가 어미 뒤에 붙는 경우에도 앞말에 붙여 쓴다.

예 집에서처럼 나에게만이라도 여기서부터입니다
어디까지입니까 나가면서까지도 들어가기는커녕
먹을게요 옵니다그려 "알았다."라고

더 알아보기 특이한 조사와 어미

1. 특이한 조사

조사	용례	조사	용례
는커녕	고마워하기는커녕	마다	날마다
이나마	조금이나마	(이)야말로	철수야말로
치고	여름 날씨치고	(이)ㄴ들	짐승인들
마따나	그의 말마따나	서껀*	가정서껀

2. 특이한 어미

어미	용례	어미	용례
-ㄹ수록	국어는 하면 할수록 더 어렵다.	-ㄹ지언정	무모한 행동일지언정
-을망정	돈은 없을망정	-ㄹ지라도	힘은 약할지라도
-ㄹ뿐더러	그 꽃은 예쁠뿐더러	-자마자	도착하자마자
-고말고	좋고말고.	-다시피	알다시피
-다마다	네 말이 맞다마다.		

* 서껀
'~이랑 함께'의 뜻을 나타내는 보조사

2 의존 명사, 단위를 나타내는 명사 및 열거하는 말 등

【연계학습】
• 형태론 > 체언 > 의존 명사

제42항 의존 명사는 띄어 쓴다.

아는 것이 힘이다. 나도 할 수 있다.
먹을 만큼 먹어라. 아는 이를 만났다.
네가 뜻한 바를 알겠다. 그가 떠난 지가 오래다.

의존 명사는 그 앞에 반드시 꾸며 주는 말이 있어야 한다. 즉, 의존 명사는 독립성이 없어 다른 단어 뒤에 의존하여 쓰인다. 그러나 자립 명사와 같은 명사적 기능을 담당하므로 단어로 취급한다.

따라서 앞말과 띄어 쓰는 것이 원칙이다. 그런데 의존 명사가 조사, 어미의 일부, 접미사 등과 형태가 같아 띄어쓰기를 판단하기 어려운 경우가 있으므로 상황별로 다른 띄어쓰기를 알아 두어야 한다.

단권화 MEMO

더 알아보기 동일한 형태가 경우에 따라 다르게 쓰이는 예

① '들'이 '남자들, 학생들'처럼 하나의 단어에 결합하여 복수를 나타내는 경우에는 접미사이므로 앞말에 붙여 쓰지만, 두 개 이상의 사물을 열거하는 구조에서 '그런 따위'라는 뜻을 나타내는 경우에는 의존 명사이므로 앞말과 띄어 쓴다. 이때의 '들'은 의존 명사 '등(等)'으로 바꾸어 쓸 수 있다. 또한 그 문장의 주어가 복수임을 나타내는 경우에는 보조사로 취급하여 붙여 쓴다.

예 • 이 방에는 학생들이 많다. (접미사)
• 쌀, 보리, 콩, 조, 기장 들을 오곡(五穀)이라 한다. (의존 명사)
• 안녕들 하세요? (보조사)

② '뿐'이 '남자뿐이다, 셋뿐이다'처럼 체언 뒤에 붙어서 한정의 뜻을 나타내는 경우는 조사로 다루어 붙여 쓰지만, 용언의 관형사형 '-을' 뒤에서 '다만 어떠하거나 어찌할 따름'이라는 뜻을 나타내는 경우에는 의존 명사이므로 띄어 쓴다.

예 • 너뿐이다. (조사)
• 웃을 뿐이다. / 만졌을 뿐이다. (의존 명사)

③ '대로'가 '약속대로'처럼 체언 뒤에 붙어서 '그와 같이'라는 뜻을 나타내는 경우에는 조사이므로 붙여 쓰지만, 용언의 관형사형 뒤에 나타날 경우에는 의존 명사이므로 띄어 쓴다.

예 • 나는 나대로 계획이 있다. (조사)
• 아는 대로 말한다. / 약속한 대로 이행한다. (의존 명사)

④ '만큼'이 '키가 전봇대만큼 크다.'처럼 체언 뒤에 붙어서 '앞말과 비슷한 정도로'라는 뜻을 나타내는 경우에는 조사이므로 붙여 쓰지만, 용언의 관형사형 뒤에 나타날 경우에는 의존 명사이므로 띄어 쓴다.

예 • 나도 너만큼 꽃을 좋아한다. (조사)
• 볼 만큼 보았다. / 애쓴 만큼 얻는다. (의존 명사)

⑤ '만'이 '이것은 그것만 못하다.'처럼 체언에 붙어서 한정 또는 비교의 뜻을 나타내는 경우에는 조사이므로 붙여 쓰지만, 시간의 경과나 횟수를 나타내는 경우에는 의존 명사이므로 띄어 쓴다.

예 • 하나만 알고 둘은 모른다. (조사)
• 떠난 지 사흘 만에 돌아왔다. / 온 지 1년 만에 떠나갔다. (의존 명사)

⑥ '지'가 '집이 큰지 작은지 모르겠다.'처럼 쓰일 때에는 어미 '-(으)ㄴ지/-ㄹ지'의 일부로 보아 붙여 쓰지만, 용언의 관형사형 뒤에서 시간의 경과를 나타내는 경우에는 의존 명사이므로 띄어 쓴다.

예 • 내가 널 좋아하는지 모르겠다. (어미의 일부)
• 그가 떠난 지 보름이 지났다. / 그를 만난 지 한 달이 지났다. (의존 명사)

⑦ '차(次)'가 '인사차 들렀다.'처럼 명사 뒤에 붙어서 '목적'의 뜻을 더하는 경우에는 접미사이므로 붙여 쓰지만, 용언의 관형사형 뒤에 나타나 '어떤 기회에 겸해서', '번, 차례', '주기나 해당 시기'의 뜻을 나타내는 경우에는 의존 명사이므로 띄어 쓴다.

예 • 사업차 외국에 나갔다. (접미사)
• 고향에 갔던 차에 선을 보았다. (의존 명사 – 어떤 기회에 겸해서)
• 제일 차 세계 대전 (의존 명사 – 번, 차례)
• 결혼 3년 차 (의존 명사 – 주기)

⑧ '판'이 '노름판, 씨름판, 웃음판'처럼 쓰일 때는 합성어를 이루는 명사이므로 붙여 쓰지만, 수 관형사 뒤에서 승부를 겨루는 일을 세는 단위를 나타내는 경우에는 의존 명사이므로 띄어 쓴다.

예 • 바둑판, 장기판 (명사)
• 바둑 한 판 두자. / 장기를 세 판이나 두었다. (의존 명사)

⑨ '간'이 기간을 나타내는 명사 뒤에서 '동안'의 뜻으로 쓰이는 경우에는 접미사이므로 붙여 쓰고, 한 단어로 굳어진 경우에도 붙여 쓴다. 하지만 '간'이 '사이'나 두 문장 간에 '관계'의 뜻으로 쓰이는 경우와 앞에 나열된 말 가운데 어느 쪽인지를 가리지 않는다는 뜻을 나타내는 경우에는 의존 명사이므로 띄어 쓴다.

예 • 며칠간, 한 달간 (접미사)
• 동기간, 부부간, 고부간, 부녀간, 내외간, 천지간, 좌우간, 피차간 (한 단어로 굳어짐)
• 서울과 미국 간, 가족 간의 화목, 국가 간의 관계 (의존 명사 – 사이)
• 공부를 하든지 운동을 하든지 간에 열심히만 해라. (의존 명사 – 어느 쪽인지 가리지 않음)

⑩ '중'은 의존 명사로 쓰일 때가 많다. 단, 한 단어로 굳어진 예들은 주의해야 한다.

예 • 너희 중에 누가 밥을 먹었니? / 공부하던 중에 그 소리를 들었다. (의존 명사)
• 그중, 무심중, 무언중, 무의식중, 부재중, 부지불식중, 부지중, 은연중, 한밤중, 허공중 등 (한 단어로 굳어짐)

단권화 MEMO

⑪ '시'는 '그렇게 여김' 또는 '그렇게 봄'의 의미일 때에는 접미사이므로 붙여 쓰고, 시각을 이르는 말이나 어떤 일이나 현상이 일어날 때를 가리키는 경우에는 의존 명사이므로 띄어 쓴다.

예 • 백안시, 적대시, 등한시 (접미사)
• 열두 시에 약속이 있다. / 법을 어겼을 시에 벌을 받게 된다. (의존 명사)

⑫ '내'는 '그 기간의 처음부터 끝까지, 그때까지', '안'의 의미일 때에는 접사이므로 붙여 쓰고, 일정한 범위의 안을 나타내는 경우에는 의존 명사이므로 띄어 쓴다.

예 • 저녁내, 마침내 (접미사) / 내출혈 (접두사)
• 건물 내, 그 기간 내 (의존 명사)

⑬ '외'는 '밖이나 바깥', '모계 혈족 관계', '혼자 또는 하나, 홀로'의 뜻인 경우에는 접사이므로 붙여 쓰고, 일정한 범위나 한계를 벗어남을 의미할 때에는 의존 명사이므로 띄어 쓴다.

예 • 외분비, 외삼촌, 외골수, 외따로 (접사)
• 전공 과목 외에도 (의존 명사)

⑭ '초'는 '처음, 초기', '어떤 범위를 넘어선'의 뜻인 경우에는 접두사이므로 붙여 쓰고, '어떤 기간의 처음이나 초기'를 의미할 때에는 의존 명사이므로 띄어 쓴다.

예 • 초봄, 초겨울, 초강대국 (접두사)
• 조선 초, 학기 초 (의존 명사)

⑮ '대'는 '그것을 상대로 한, 그것에 대항하는'의 의미일 때에는 접두사이므로 붙여 쓰고, 대비나 대립을 나타내는 의미일 때에는 의존 명사이므로 띄어 쓴다.

예 • 대국민 담화문 (접두사) • 청군 대 백군 (의존 명사)

⑯ '식'은 '방식', '의식'의 의미일 때에는 접미사이므로 붙여 쓰고, 관형사형 다음에 쓰여 '일정한 방식, 투'의 의미일 때에는 의존 명사이므로 띄어 쓴다.

예 • 서양식 (접미사) • 장난하는 식으로 말하다. (의존 명사)

⑰ 어떤 기간의 끝이나 말기를 뜻하는 '말'은 항상 의존 명사로 쓰인다.

예 신라 말, 학기 말

⑱ 기타: 다음에 제시된 표현은 의존 명사처럼 보이지만 의존 명사가 아닌 접사와 관형사의 예이다.

예 • 당: 시간당 얼마, 마리당 얼마 (접사) / 당 열차는 1시에 출발합니다. (관형사)
• 본: 본계약, 본회의, 본고장, 본뜻 (접사) / 본 사건, 본 법정, 본 연맹 (관형사)
• 온: 온종일 (접사) / 온 국민, 온 집안 (관형사)
• 귀: 귀공자, 귀부인 (접사) / 귀 회사 (관형사)
• 각: 각국, 각처 (접사) / 각 학교, 각 가정 (관형사)

【연계학습】
• 형태론 > 체언 > 의존 명사

제43항 **단위를 나타내는 명사는 띄어 쓴다.**

한 개 차 한 대 금 서 돈 소 한 마리 옷 한 벌 열 살
조기 한 손 연필 한 자루 버선 한 죽 집 한 채 신 두 켤레 북어 한 쾌

다만, 순서를 나타내는 경우나 숫자와 어울리어 쓰이는 경우에는 붙여 쓸 수 있다.

두시 삼십분 오초 제일과 삼학년 육층 1446년 10월 9일 2대대
16동 502호 제1실습실 80원 10개 7미터

1. 수 관형사 뒤에 단위성 의존 명사가 붙어서 차례를 나타내는 경우나, 단위성 의존 명사가 아라비아 숫자 뒤에 붙는 경우는 붙여 쓸 수 있도록 하였다. 이는 붙여 쓰는 경우가 많으므로 이를 반영한 것이다.

예 • 제일 편 / 제일편 제삼 장 / 제삼장 제칠 항 / 제칠항
• 제1 편 / 제1편 제3 장 / 제3장 제7 항 / 제7항

2. '제-'가 생략된 경우라도 차례를 나타내는 말일 때는 앞말과 붙여 쓸 수 있다.

예 (제)이십칠 대 / 이십칠대 (제)오십팔 회 / 오십팔회 (제)육십칠 번 / 육십칠번 (제)구십삼 차 / 구십삼차

3. 다음과 같은 경우에도 붙여 쓸 수 있다.

예 (제)일 학년 / 일학년 (제)구 사단 / 구사단 (제)칠 연대 / 칠연대 (제)삼 층 / 삼층
(제)팔 단 / 팔단 (제)육 급 / 육급 (제)16 통 / 16통 (제)274 번지 / 274번지
(제)1 연구실 / 1연구실

4. 연월일, 시각 등도 붙여 쓸 수 있다.

예 일천구백팔십팔 년 오 월 이십 일 / 일천구백팔십팔년 오월 이십일
여덟 시 오십구 분 / 여덟시 오십구분

5. 다만, 수효를 나타내는 '개년, 개월, 일(간), 시간' 등은 붙여 쓰지 않는다.

예 삼 (개)년 육 개월 이십 일(간) 체류하였다.

6. 아라비아 숫자 뒤에 붙는 의존 명사는 모두 붙여 쓸 수 있다.

예 35원 70관 42마일 26그램 3년 6개월 20일간

제44항 수를 적을 적에는 '만(萬)' 단위로 띄어 쓴다.

십이억 삼천사백오십육만 칠천팔백구십팔
12억 3456만 7898

다만, 금액을 적을 때는 변조(變造) 등의 사고를 방지하려는 뜻에서 붙여 쓰는 게 관례로 되어 있다.

예 • 일금: 삼십일만오천육백칠십팔원정
• 돈: 일백칠십육만오천원

제45항 두 말을 이어 주거나 열거할 적에 쓰이는 다음의 말들은 띄어 쓴다.

국장 겸 과장 열 내지 스물 청군 대 백군 이사장 및 이사들
책상, 걸상 등이 있다 사과, 배, 귤 등등 사과, 배 등속 부산, 광주 등지

1. '겸(兼)'은 한 가지 일 밖에 또 다른 일을 아울러 함을 뜻하는 의존 명사이다.

예 장관 겸 부총리 친구도 만날 겸 구경도 할 겸

2. '내지(乃至)'는 수량을 나타내는 말 사이에 쓰일 때에는 '얼마에서 얼마까지'의 뜻을 나타내는 부사이다. 그 외에는 '또는'을 뜻하는 접속 부사로도 쓰인다.

예 하나 내지 넷 열흘 내지 보름 경주 내지 포항

3. '대(對)'는 사물과 사물의 대비나 대립을 나타내는 의존 명사이다.

예 한국 대 일본 남자 대 여자 5 대 3

4. '및'은 문장에서 같은 종류의 성분을 열거할 때 쓰는 접속 부사이다.

예 위원장 및 위원들 사과 및 배, 복숭아

5. '등(等), 등등(等等), 등속(等屬), 등지(等地)'는 사물을 열거할 때 쓰는 의존 명사이고, '따위'도 이와 비슷한 뜻을 가진 의존 명사로서 앞말과 띄어 쓴다.

예 ㄴ, ㄹ, ㅁ, ㅇ 등은 울림소리다. 과자, 과일, 식혜 등등 먹을 것이 많다.
사과, 배, 복숭아 등속을 사 왔다. 충주, 청주, 대전 등지로 돌아다녔다. 배추, 무 따위

제46항 단음절로 된 단어가 연이어 나타날 적에는 붙여 쓸 수 있다.

좀더 큰것 이말 저말 한잎 두잎

1. '좀 더 큰 이 새 집'처럼 띄어 쓰면 기록하기에도 불편할 뿐 아니라 시각적인 부담을 가중시켜 독서 능률이 감퇴될 염려가 있다. 따라서 '좀더 큰 이 새집'처럼 붙여 쓸 수 있도록 한 것이다.

예 내 것 네 것 / 내것 네것 이 집 저 집 / 이집 저집 물 한 병 / 물 한병

단권화 MEMO

단권화 MEMO

2. 다만, 과도하게 붙여 쓸 수는 없다. 3개 이상의 음절을 붙이는 것은 적절하지 않다.

예 • 좀 더 큰 이 새 집(원칙)
• 좀더 큰 이 새집(허용)
• 좀더큰 이새집(×)

【연계학습】
• 형태론 > 용언 > 보조 용언

3 보조 용언

제47항 **보조 용언은 띄어 씀을 원칙으로 하되, 경우에 따라 붙여 씀도 허용한다. (ㄱ을 원칙으로 하고, ㄴ을 허용함)**

ㄱ	ㄴ
불이 꺼져 간다.	불이 꺼져간다.
내 힘으로 막아 낸다.	내 힘으로 막아낸다.
어머니를 도와 드린다.	어머니를 도와드린다.*
비가 올 듯하다.	비가 올듯하다.
그 일은 할 만하다.	그 일은 할만하다.
일이 될 법하다.	일이 될법하다.
비가 올 성싶다.	비가 올성싶다.
잘 아는 척한다.	잘 아는척한다.

다만, 앞말에 조사가 붙거나 앞말이 합성 용언인 경우, 그리고 중간에 조사가 들어갈 적에는 그 뒤에 오는 보조 용언은 띄어 쓴다.

잘도 놀아만 나는구나! 책을 읽어도 보고…….
네가 덤벼들어 보아라. 이런 기회는 다시없을 듯하다.
그가 올 듯도 하다. 잘난 체를 한다.

***도와드리다**
「표준국어대사전」에 따르면 '도와드리다'로 붙여 써야 한다. 이는 '도와주다'를 한 단어로 처리한 것에 맞추어 동일하게 처리하고자 함이다. 또한 「표준국어대사전」에서는 '주다'와 결합한 단어가 사전에 등재되어 있는 경우 이에 대응하는 '드리다'와 결합한 단어가 합성어로 등재되지 않았더라도 앞말에 붙여 쓴다고 나와 있다.

1. 보조적 연결 어미 '-아/-어' 뒤에 다른 단어가 연결되는 형식에 있어서, 어떤 경우에 하나의 단어로 다루어 붙여 쓰고 어떤 경우에 두 단어로 다루어 띄어 써야 하는지 명확하게 분별하기 어려운 경우가 많다. 그래서 각 단어는 띄어 쓴다는 표기 체계를 일관성 있게 유지할 필요가 있으므로 띄어 쓰는 것을 원칙으로 하되, 붙여 쓰는 것도 허용한 것이다.

보조 용언	원칙	허용
가다(진행)	늙어 간다, 되어 간다	늙어간다, 되어간다
가지다(보유)	알아 가지고 간다	알아가지고 간다
나다(종결)	겪어 났다, 견뎌 났다	겪어났다, 견뎌났다
내다(종결)	이겨 낸다, 참아 냈다	이겨낸다, 참아냈다
놓다(보유)	열어 놓다, 적어 놓다	열어놓다, 적어놓다
대다(강세)	떠들어 댄다	떠들어댄다
두다(보유)	알아 둔다	알아둔다
드리다(봉사)	읽어 드린다	읽어드린다
버리다(종결)	입어 버렸다	입어버렸다
보다(시행)	뛰어 본다, 써 본다	뛰어본다, 써본다
쌓다(강세)	울어 쌓는다	울어쌓는다
오다(진행)	참아 온다, 견뎌 온다	참아온다, 견뎌온다
지다(피동)	이루어진다, 써진다, 예뻐진다('-어지다'는 항상 붙여 씀)	
하다(느낌)	예뻐하다, 행복해하다('-어하다'는 항상 붙여 씀)	

■ **보조 용언을 붙여 쓰는 것이 허용되는 경우**
① 본용언+'-아/-어'+보조 용언의 구성
예 먹어 보다/먹어보다
② 관형사형+보조 용언(의존 명사+-하다/-싶다) 구성
예 아는 체하다/아는체하다
③ 명사형+보조 용언 '직하다' 구성
예 먹음 직하다/먹음직하다

■ **'지다'와 '하다'의 띄어쓰기**
'-어지다'와 '-어하다'는 원칙적으로 앞말에 붙여 쓴다. 단, '-어 하다'가 구에 결합될 때는 띄어 쓴다.
예 마음에 들어 하다.(○)
마음에 들어하다.(×)

2. '−아/−어' 뒤에 '서'가 줄어진 형식에서는 뒤의 단어가 보조 용언이 아니므로 붙여 쓰는 게 허용되지 않는다.

예 • (시험 삼아) 고기를 잡아 본다. → 잡아본다 〈허용〉 고기를 잡아(서) 본다. (잡아본다×)
• (그분의) 사과를 깎아 드린다. → 깎아드린다 〈허용〉 사과를 깎아(서) 드린다. (깎아드린다×)

3. 의존 명사 '양, 척, 체, 만, 법, 듯' 등에 '−하다'나 '−싶다'가 결합하여 된 보조 용언(으로 다루어지는 것)의 경우도 앞말에 붙여 쓸 수 있다.

보조 용언	원칙	허용
양하다	학자인 양한다.	학자인양한다.
체하다	모르는 체한다.	모르는체한다.
듯싶다	올 듯싶다.	올듯싶다.
뻔하다	잊을 뻔하였다.	잊을뻔하였다.

4. 의존 명사 뒤에 조사가 붙거나, 앞 단어가 복합어인 경우에는 보조 용언을 붙여 쓰지 않는다.

예 • 아는 체를 한다. (○) / 아는체를한다. (×)
• 비가 올 듯도 하다. (○) / 올듯도하다. (×)
• 밀어내 버렸다. (○) / 밀어내버렸다. (×)
• 잡아매 둔다. (○) / 잡아매둔다. (×)
• 값을 물어만 보고 (○) / 물어만보고 (×)
• 믿을 만은 하다. (○) / 믿을만은하다. (×)
• 매달아 놓는다. (○) / 매달아놓는다. (×)
• 집어넣어 둔다. (○) / 집어넣어둔다. (×)

더 알아보기 보조 용언의 띄어쓰기

① 합성어, 파생어 뒤에 연결되는 보조 용언을 붙여 쓰지 않도록 한 것은 그 표기 단위가 길어짐을 피하려는 것이므로, 단음절로 된 어휘 형태소가 결합한 2음절 합성어, 파생어 뒤에 연결되는 보조 용언은 붙여 쓸 수 있다.

예 나−가 버렸다 / 나가버렸다 손−대 본다 / 손대본다
구−해 본다 / 구해본다 더−해 줬다 / 더해줬다

② 보조 용언이 거듭되는 경우, 즉 '적어 둘 만하다, 읽어 볼 만하다, 되어 가는 듯하다'와 같은 경우는 '적어둘 만하다, 읽어볼 만하다, 되어가는 듯하다'와 같이, 앞에 오는 보조 용언만 붙여 쓸 수 있다.

4 고유 명사 및 전문 용어

제48항 **성과 이름, 성과 호 등은 붙여 쓰고, 이에 덧붙는 호칭어, 관직명 등은 띄어 쓴다.**

김양수(金良洙) 서화담(徐花潭) 채영신 씨
최치원 선생 박동식 박사 충무공 이순신 장군

다만, 성과 이름, 성과 호를 분명히 구분할 필요가 있을 경우에는 띄어 쓸 수 있다.

남궁억/남궁 억 독고준/독고 준 황보지봉(皇甫芝峰)/황보 지봉

우리 한자음으로 적는 중국 인명의 경우에도 본 항 규정이 적용된다.

예 소정방(蘇定方) 이세민(李世民) 장개석(蔣介石)

제49항 **성명 이외의 고유 명사는 단어별로 띄어 씀을 원칙으로 하되, 단위별로 띄어 쓸 수 있다. (ㄱ을 원칙으로 하고, ㄴ을 허용함)**

ㄱ	ㄴ
대한 중학교	대한중학교
한국 대학교 사범 대학	한국대학교 사범대학

단권화 MEMO

【연계학습】
• 형태론 > 체언 > 고유 명사

단권화 MEMO

1. 여기서 말하는 '단위'는 고유 명사를 이루고 있는 구성 요소의 구조적 묶음을 의미한다. 단위별로 띄어 쓰는 것이 단어별로 띄어 쓰는 것보다 직관적으로 자연스럽기 때문에 허용하는 것이다. 따라서 국어의 의미 해석에 어긋나는 띄어쓰기는 허용되지 않는다.

2. '부속 학교, 부속 초등학교, 부속 중학교, 부속 고등학교' 등은 교육학 연구나 교원 양성을 위하여 교육 대학이나 사범 대학에 부속시켜 설치한 학교를 이르므로, 하나의 단위로 다루어 붙여 쓸 수 있다.

예 • (원칙) 서울 대학교 사범 대학 부속 고등학교
• (허용) 서울대학교 사범대학 부속고등학교

3. 의학 연구나 의사 양성을 위하여 의과 대학에 부속시켜 설치한 병원의 경우도 이에 준한다.

예 • (원칙) 한국 대학교 의과 대학 부속 병원
• (허용) 한국대학교 의과대학 부속병원

4. 다만 산, 강, 산맥, 평야, 고원 등의 이름은 굳어진 지명이므로 띄어 쓰지 않는다.

예 북한산 미시시피강 알프스산맥 나주평야 개마고원

제50항 **전문 용어는 단어별로 띄어 씀을 원칙으로 하되, 붙여 쓸 수 있다. (ㄱ을 원칙으로 하고, ㄴ을 허용함)**

ㄱ	ㄴ
만성 골수성 백혈병	만성골수성백혈병
중거리 탄도 유도탄	중거리탄도유도탄

1. 전문 용어는 해당 분야의 전문적 내용을 담고 있어 그 의미를 파악하기가 쉽지 않은데, 이런 점을 고려해 의미 파악이 쉽도록 띄어 쓰는 것을 원칙으로 하고, 편의상 붙여 쓰는 것도 허용한 것이다.

2. 전문 용어 중 한자어로 된 고전 책명은 둘 이상의 단어로 이루어진 경우라도 합성어로서 하나의 단어로 굳어진 것이거나 띄어 쓰는 것이 별다른 의미가 없으므로 반드시 붙여 써야 한다. 다만, 서양 고전이나 현대의 책명과 작품명이 구와 문장 형식일 때에는 단어별로 띄어 쓴다.

예 • 동국신속삼강행실도, 번역소학 (한자어 고전 책명)
• 베니스의 상인 (서양 고전 작품명)
• 고용, 이자 및 화폐의 일반 이론 (현대 책명)
• 바람과 함께 사라지다 (서양 현대 작품명)

3. 명사가 용언의 관형사형으로 된 관형어의 수식을 받거나, 두 개 이상의 체언이 조사로 연결되는 구조일 때의 전문 용어도 붙여 쓸 수 있다.

예 따뜻한 구름 / 따뜻한구름 강조의 허위 / 강조의허위

4. 두 개 이상의 전문 용어가 접속 조사로 이어지는 경우는 전문 용어 단위로 붙여 쓸 수 있다.

예 자음 동화와 모음 동화 / 자음동화와 모음동화

더 알아보기 '안 되다, 안되다 / 못 되다, 못되다 / 못 하다, 못하다' 구분

1. 공통

의미	용례
부정문의 경우는 띄어 쓴다.	• 시험에 합격이 안 되었다. • 학교에서 집까지는 3km가 못 된다. • 오늘은 아파서 공부를 못 했다.

2. 안되다

의미	용례
일, 현상, 물건 따위가 좋게 이루어지지 않다.	• 과일 농사가 안돼 큰일이다. • 공부가 안돼서 잠깐 쉬고 있다.
사람이 훌륭하게 되지 못하다.	자식이 안되기를 바라는 부모는 없다.
일정한 수준이나 정도에 이르지 못하다.	이번 시험에서 우리 중 안되어도 세 명은 합격할 것 같다.
섭섭하거나 가엾어 마음이 언짢다.	그것참, 안됐군.
근심이나 병 따위로 얼굴이 많이 상하다.	몸살을 앓더니 얼굴이 많이 안됐구나.

3. 못되다

의미	용례
성질이나 품행 따위가 좋지 않거나 고약하다.	못된 장난 / 못되게 굴다. / 못된 버릇을 고치다.
일이 뜻대로 되지 않은 상태에 있다.	그 일이 못된 게 남의 탓이겠어?

4. 못하다

의미	용례
어떤 일을 일정한 수준에 못 미치게 하거나, 그 일을 할 능력이 없다.	노래를 못하다.
비교 대상에 미치지 아니하다.	음식 맛이 예전보다 못하다.
아무리 적게 잡아도	잡은 고기가 못해도 열 마리는 되겠지.

단권화 MEMO

06 그 밖의 것

제51항 부사의 끝음절이 분명히 '이'로만 나는 것은 '-이'로 적고, '히'로만 나거나 '이'나 '히'로 나는 것은 '-히'로 적는다.

1. '이'로만 나는 것

가붓이* 깨끗이 나붓이* 느긋이 둥긋이
따뜻이 반듯이 버젓이 산뜻이 의젓이
가까이 고이 날카로이 대수로이 번거로이
많이 적이 헛되이
겹겹이 번번이 일일이 집집이 틈틈이

2. '히'로만 나는 것

극히 급히 딱히 속히 작히 족히 특히 엄격히 정확히

3. '이, 히'로 나는 것

솔직히 가만히 간편히 나른히 무단히 각별히 소홀히
쓸쓸히 정결히 과감히 꼼꼼히 심히 열심히 급급히
답답히 섭섭히 공평히 능히 당당히 분명히 상당히
조용히 간소히 고요히 도저히

이 조항의 해석에는 다음과 같은 규칙성이 제시될 수 있다.

1. '이'로 적는 것

① 겹쳐 쓰인(첩어 또는 준첩어인) 명사 뒤

예 겹겹이 골골샅샅이* 곳곳이 길길이 나날이 낱낱이 다달이 땀땀이
몫몫이 번번이 샅샅이 알알이 앞앞이 줄줄이 짬짬이 철철이*

【연계학습】
• 형태론 > 단어의 형성 > 파생어

*가붓이
조금 가벼운 듯하게

*나붓이
조금 나부죽하게
참 나부죽하다: 작은 것이 좀 넓고 평평한 듯하다.

■ 규칙의 유의점
나열된 규칙성들이 모든 경우에 반드시 적용된다고 단정할 수 없다.

*골골샅샅이
한 군데도 빠놓지 아니하고 갈 수 있는 곳은 모조리

*철철이
돌아오는 철마다

단권화 MEMO

【연계학습】
• 〈한글 맞춤법〉 제25항 2

■ '도저히'와 '무단히'
'도저히, 무단히' 등은 '-하다'가 결합한 형태가 널리 사용되지는 않지만, '도저(到底)하다, 무단(無斷)하다' 등이 사전에서 다루어지고 있다.

② 'ㅅ' 받침 뒤

예 기웃이 나긋나긋이 남짓이 뜨뜻이 버젓이 번듯이 빠듯이 지긋이

③ 'ㅂ' 불규칙 용언의 어간 뒤

예 가벼이 괴로이 기꺼이 너그러이 부드러이 새로이 쉬이 외로이 즐거이

④ '-하다'가 붙지 않는 용언의 어간 뒤

예 같이 굳이 길이 깊이 높이 많이 실없이 헛되이

⑤ 부사 뒤

예 곰곰이 더욱이 생긋이 오뚝이 일찍이 히죽이

2. '히'로 적는 것

① '-하다'가 붙는 어근 뒤 (단, 'ㅅ' 받침 제외)

예 간편히 고요히 공평히 과감히 극히 급히 급급히 꼼꼼히
나른히 능히 답답히 딱히 속히 엄격히 정확히 족히

② '-하다'가 붙는 어근에 '-히'가 결합하여 된 부사에서 온 말

예 (익숙히 →) 익히 (특별히 →) 특히

③ 어원적으로는 '-하다'가 붙지 않는 어근에 부사화 접미사가 결합한 형태로 분석되더라도, 그 어근 형태소의 본뜻이 유지되고 있지 않은 단어의 경우는 익어진 발음 형태대로 '히'로 적는다.

예 작히

제52항 한자어에서 본음으로도 나고 속음으로도 나는 것은 각각 그 소리에 따라 적는다.

본음으로 나는 것	속음으로 나는 것
승낙(承諾)	수락(受諾), 쾌락(快諾), 허락(許諾)
만난(萬難)	곤란(困難), 논란(論難)
안녕(安寧)	의령(宜寧), 회령(會寧)
분노(忿怒)	대로(大怒), 희로애락(喜怒哀樂)
토론(討論)	의논(議論)
오륙십(五六十)	오뉴월, 유월(六月)
목재(木材)	모과(木瓜)
십일(十日)	시방정토(十方淨土), 시왕(十王), 시월(十月)
팔일(八日)	초파일(初八日)

1. '속음'은 본음(원래의 음)이 변하여 널리 퍼진 음을 말하는데, 본음보다 속음이 널리 쓰이는 경우 소리 나는 대로 적는다.

2. 표의 문자인 한자는 하나하나가 어휘 형태소의 성격을 띠고 있다는 점에서 본음 형태와 속음 형태는 동일 형태소의 이형태(異形態)이다. 다음 예도 마찬가지이다.

예
• 보리(菩提)* / 제공(提供)
• 도량(道場)* / 도장(道場)*
• 보시(布施) / 공포(公布)
• 본댁(本宅), 시댁(媤宅), 댁내(宅內) / 자택(自宅)
• 모란(牧丹) / 단심(丹心)
• 통찰(洞察) / 동굴(洞窟)
• 사탕(砂糖), 설탕(雪糖) / 당분(糖分)

*보리(菩提)
불교 최고의 이상인 불타 정각의 지혜
*도량(道場)
도를 얻으려고 수행하는 곳
*도장(道場)
무예를 닦는 곳

【연계학습】
• 형태론 > 용언 > 종결 어미

제53항 다음과 같은 어미는 예사소리로 적는다. (ㄱ을 취하고, ㄴ을 버림)

ㄱ	ㄴ	ㄱ	ㄴ
-(으)ㄹ거나	-(으)ㄹ꺼나	-(으)ㄹ지니라	-(으)ㄹ찌니라
-(으)ㄹ걸	-(으)ㄹ껄	-(으)ㄹ지라도	-(으)ㄹ찌라도
-(으)ㄹ게	-(으)ㄹ께	-(으)ㄹ지어다	-(으)ㄹ찌어다

-(으)ㄹ세	-(으)ㄹ쎄	-(으)ㄹ지언정	-(으)ㄹ찌언정
-(으)ㄹ세라	-(으)ㄹ쎄라	-(으)ㄹ진대	-(으)ㄹ찐대
-(으)ㄹ수록	-(으)ㄹ쑤록	-(으)ㄹ진저	-(으)ㄹ찐저
-(으)ㄹ시	-(으)ㄹ씨	-올시다	-올씨다
-(으)ㄹ지	-(으)ㄹ찌		

다만, 의문을 나타내는 다음 어미들은 된소리로 적는다.

-(으)ㄹ까?　　-(으)ㄹ꼬?　　-(스)ㅂ니까?　　-(으)리까?　　-(으)ㄹ쏘냐?

1. 'ㄹ'로 시작하는 어미는 된소리로 발음되더라도 된소리로 적지 않기로 한 규정이다.

2. [다만] 의문을 나타내는 어미 중 된소리로 적는 경우도 있다.

예 -ㄹ깝쇼　　-ㄹ쏜가

제54항　다음과 같은 접미사는 된소리로 적는다. (ㄱ을 취하고, ㄴ을 버림)

ㄱ	ㄴ	ㄱ	ㄴ
심부름꾼	심부름군	귀때기	귓대기
익살꾼	익살군	볼때기	볼대기
일꾼	일군	판자때기	판잣대기
장꾼	장군	뒤꿈치	뒷굼치
장난꾼	장난군	팔꿈치	팔굼치
지게꾼	지겟군	이마빼기	이맛배기
때깔	땟갈	코빼기	콧배기
빛깔	빛갈	객쩍다	객적다
성깔	성갈	겸연쩍다	겸연적다

1. '-군/-꾼'은 '꾼'으로 통일하여 적는다.

예 구경꾼　나무꾼　낚시꾼　난봉꾼　노름꾼　농사꾼　누리꾼　도굴꾼　도망꾼
도박꾼　막노동꾼　말썽꾼　머슴꾼　밀렵꾼　밀수꾼　방해꾼　배달꾼　사기꾼
사냥꾼　살림꾼　소리꾼　술꾼　이야기꾼　잔소리꾼　장사꾼　재주꾼　짐꾼
춤꾼　투기꾼　파수꾼　훼방꾼　힘꾼

2. '-갈/-깔'은 '깔'로 통일하여 적는다.

예 맛깔　태깔(態-)

3. '-대기/-때기'는 '때기'로 적는다.

예 거적때기　나무때기　널판때기　등때기　배때기　송판때기(松板-)　판때기　팔때기

4. '-굼치/-꿈치'는 '꿈치'로 적는다.

예 발꿈치　발뒤꿈치

5. '-배기/-빼기'가 혼동될 수 있는 단어의 경우는 아래와 같은 원칙이 있다.

① [배기]로 발음되는 경우는 '배기'로 적는다.

예 귀퉁배기　나이배기　대짜배기*　육자배기(六字-)　주정배기(酒酊-)
진짜배기　포배기*

② 한 형태소 안에서, 'ㄱ, ㅂ' 받침 뒤에서 [빼기]로 발음되는 경우는 '배기'로 적는다.

예 뚝배기　학배기*[蜻幼蟲]

단권화 MEMO

【연계학습】
• 형태론 > 단어의 형성 > 파생어

* 대짜배기
대짜인 물건

* 포배기
한 것을 자꾸 되풀이하는 일

【연계학습】
• 〈한글 맞춤법〉 제5항 다만

* 학배기
잠자리의 애벌레를 이르는 말

단권화 MEMO

*과녁빼기
외곬으로 똑바로 건너다보이는 곳
*앍둑빼기
얼굴에 잘고 깊게 얽은 자국이 성기게 있는 사람을 낮잡아 이르는 말
*앍작빼기
얼굴에 잘고 굵은 것이 섞이어 얕게 얽은 자국이 촘촘하게 있는 사람을 낮잡아 이르는 말
*괘다리적다
사람됨이 멋없고 거칠다.
*괘달머리적다
'괘다리적다'를 속되게 이르는 말
*딴기적다
기력이 약하여 힘차게 앞질러 나서는 기운이 없다.
*열퉁적다
말이나 행동이 조심성이 없고 거칠며 미련스럽다.
*맛적다
재미나 흥미가 거의 없어 싱겁다.
*맥쩍다
심심하고 재미가 없다.
*해망쩍다
영리하지 못하고 아둔하다.
*행망쩍다
주의력이 없고 아둔하다.

【연계학습】
• 통사론 > 시제 > 과거 시제
• 형태론 > 용언의 활용 > 어미

③ 다른 형태소 뒤에서 [빼기]로 발음되는 것은 모두 '빼기'로 적는다. 단, '언덕배기'는 [빼기]로 발음되지만 '배기'로 적는다.

예 고들빼기 곱빼기 과녁빼기* 그루빼기 대갈빼기 머리빼기 밥빼기 악착빼기 앍둑빼기* 앍작빼기* 억척빼기 얽둑빼기 얽빼기 얽적빼기 재빼기[嶺頂]

6. '-적다/-쩍다'가 혼동될 수 있는 단어의 경우는 아래와 같은 원칙이 있다.

① [적따]로 발음되는 경우는 '적다'로 표기한다.

예 괘다리적다* 괘달머리적다* 딴기적다* 열퉁적다*

② '적다[少]'의 뜻이 유지되고 있는 합성어의 경우는 '적다'로 표기한다.

예 맛적다*

③ '적다[少]'의 뜻이 없이, [쩍따]로 발음되는 경우는 '쩍다'로 표기한다.

예 맥쩍다* 멋쩍다 해망쩍다* 행망쩍다*

제55항 두 가지로 구별하여 적던 다음 말들은 한 가지로 적는다. (ㄱ을 취하고, ㄴ을 버림)

ㄱ	ㄴ	용례
맞추다	마추다	입을 맞춘다. 양복을 맞춘다.
뻗치다	뻐치다	다리를 뻗친다. 멀리 뻗친다.

1. '똑바르게 하다, 제자리에 맞게 붙이다, 비교하다, 주문(注文)하다' 등의 뜻이 있는 말은 '맞추다'로 적는다.

예 양복을 맞춘다. 구두를 맞춘다. 맞춤 와이셔츠
입을 맞춘다. 시간을 맞춘다. 답안지를 정답과 맞춘다.

2. '어떤 방향으로 길게 이어져 가다, 어떤 것에 미치게 길게 내밀다'의 뜻이 있는 말은 '뻐치다'가 아닌 '뻗치다'로 적는다.

예 세력이 남극까지 뻗친다. 사지를 뻗치고 누웠다.

제56항 '-더라, -던'과 '-든지'는 다음과 같이 적는다.

1. 지난 일을 나타내는 어미는 '-더라, -던'으로 적는다. (ㄱ을 취하고, ㄴ을 버림)

ㄱ	ㄴ
지난겨울은 몹시 춥더라.	지난겨울은 몹시 춥드라.
깊던 물이 얕아졌다.	깊든 물이 얕아졌다.
그렇게 좋던가?	그렇게 좋든가?
그 사람 말 잘하던데!	그 사람 말 잘하든데!
얼마나 놀랐던지 몰라.	얼마나 놀랐든지 몰라.

2. 물건이나 일의 내용을 가리지 아니하는 뜻을 나타내는 조사와 어미는 '(-)든지'로 적는다. (ㄱ을 취하고, ㄴ을 버림)

ㄱ	ㄴ
배든지 사과든지 마음대로 먹어라.	배던지 사과던지 마음대로 먹어라.
가든지 오든지 마음대로 해라.	가던지 오던지 마음대로 해라.

1. 지난 일을 말하는 형식에는 '-더'가 결합한 형태를 쓴다.

예 -더구나 -더구려 -더구먼 -더군(← 더구나, 더구먼)
-더냐 -더니 -더니라 -더니만(← 더니마는)
-더라 -더라면 -던 -던가
-던걸 -던고 -던데 -던들 -던지

2. '-던'은 지난 일을 나타내는 '더'에 관형사형 어미 '-ㄴ'이 붙어서 된 형태이며, '-든'은 선택의 의미를 표시하는 연결 어미 '-든지'가 줄어진 형태이다.

예 • 어렸을 때 놀던 곳　　　　아침에 먹던 밥
• 가든(지) 말든(지) 마음대로 하렴.　　　　많든(지) 적든(지) 관계없다.

제57항　다음 말들은 각각 구별하여 적는다.

가름　둘로 가름.
갈음　새 책상으로 갈음하였다.

〈한글 맞춤법〉 제57항은 제55항과는 반대로, 발음 형태는 같거나 비슷한데 뜻이 다른 단어를 확실하게 구별하여 적음으로써, 달리 적는 동음이의어로 다루는 것이다.

① '가름'은 나누는 것을, '갈음'은 대신하는 것 또는 대체하는 것을 뜻한다.

예 • 가름: 둘로 가름. / 편을 가름. / 판가름
• 갈음: 연하장으로 세배를 갈음한다. / 가족 인사로 약혼식을 갈음한다.

거름　풀을 썩힌 거름.
걸음　빠른 걸음.

② '거름'은 '(땅이) 걸다'의 어간 '걸-'에 '-음'이 붙은 형태였지만 본뜻에서 멀어져 '비료'를 뜻하므로 소리 나는 대로 '거름'으로 적고, '걸음'은 '걷다'의 어간 '걷-'에 '-음'이 붙은 형태이다.

예 • 거름: 밭에 거름을 준다. / 밑거름 / 거름기
• 걸음: 걸음이 빠르다. / 걸음걸이 / 걸음마

거치다　영월을 거쳐 왔다.
걷히다　외상값이 잘 걷힌다.

③ '거치다'는 '무엇에 걸리거나 막히다, 경유하다'라는 뜻이고, '걷히다'는 '걷다'의 피동사이다.

예 • 거치다: 대전을 거쳐서 논산으로 간다. / 더 이상 마음에 거칠 것이 없다.
• 걷히다: 안개가 걷힌다. / 세금이 잘 걷힌다.

걷잡다　걷잡을 수 없는 상태.
겉잡다　겉잡아서 이틀 걸릴 일.

④ '걷잡다'는 '한 방향으로 치우치는 것을 거두어 붙잡다.'라는 뜻이고, '겉잡다'는 '겉으로 보고 대강 짐작하여 헤아리다.'라는 뜻이다.

예 • 걷잡다: 걷잡을 수 없게 악화되었다. / 걷잡지 못할 사태가 발생하였다. / 걷잡을 수 없이 흐르는 눈물
• 겉잡다: 겉잡아서 50만 명 정도는 되겠다.

그러므로(그러니까)　그는 부지런하다. 그러므로 잘 산다.
그럼으로(써)(그렇게 하는 것으로)　그는 열심히 공부한다. 그럼으로(써) 은혜에 보답한다.

⑤ '그러므로'는 '그러하기 때문에, 그렇게 하기 때문에'라는 뜻으로 '이유, 원인'을 나타내며, '그럼으로(써)'는 대개 '그렇게 하는 것으로(써)'라는 뜻으로 '수단, 방법'을 나타낸다.

예 • 그러므로: (그러하기 때문에) 규정이 그러므로, 이를 어길 수 없다.
(그렇게 하기 때문에) 그는 봉사하는 삶을 산다. 그러므로 존경을 받는다.
• 그럼으로(써): (그렇게 하는 것으로써) 그는 열심히 일한다. 그럼으로써 삶의 보람을 느낀다.

단권화 MEMO

【연계학습】
• 〈한글 맞춤법〉 제19항 다만

단권화 MEMO

【연계학습】
- 〈한글 맞춤법〉 제19항 다만
- 〈한글 맞춤법〉 제19항 2

노름	노름판이 벌어졌다.
놀음(놀이)	즐거운 놀음.

⑥ '노름'도 어원적인 형태는 '놀-'에 '-음'이 붙어서 된 것으로 보이지만, 그 어간의 본뜻에서 멀어진 것이므로 소리 나는 대로 적는다. 그리고 '놀음'은 '놀다'의 '놀-'에 '-음'이 붙은 형태인데, 어간의 본뜻이 유지되므로 그 형태를 밝혀 적는다.

예 • 노름: 노름꾼 / 노름빚 / 노름판(도박판)
• 놀음: 놀음놀이 / 놀음판(놀음놀이판)

느리다	진도가 너무 느리다.
늘이다	고무줄을 늘인다.
늘리다	수출량을 더 늘린다.

⑦ '느리다'는 '속도가 빠르지 못하다.'라는 뜻을, '늘이다'는 '본디보다 길게 하다, 아래로 처지게 하다.'라는 뜻을, '늘리다'는 '크게 하거나 많게 하다.'라는 뜻을 나타낸다.

예 • 느리다: 걸음이 느리다.
• 늘이다: 바지 길이를 늘인다. / (지붕 위에서 아래로) 밧줄을 늘여 놓는다.
• 늘리다: 마당을 늘린다. / 수효를 늘린다.

다리다	옷을 다린다.
달이다	약을 달인다.

⑧ '다리다'는 '다리미로 문지르다.'라는 뜻을, '달이다'는 '액체를 끓여서 진하게 하다, 약재에 물을 부어 끓게 하다.'라는 뜻을 나타낸다.

예 • 다리다: 양복을 다린다.
• 달이다: 간장을 달인다. / 한약을 달인다.

다치다	부주의로 손을 다쳤다.
닫히다	문이 저절로 닫혔다.
닫치다	문을 힘껏 닫쳤다.

⑨ '다치다'는 '부딪쳐서 상하다, 부상을 입다.'라는 뜻을 나타내며, '닫히다'는 '닫다(문짝 따위를 제자리로 가게 하여 막다)'의 피동사로 '닫아지다'와 대응하는 말이다. '닫치다'는 '닫다'의 강세어이므로, '문을 닫치다(힘차게 닫다).'처럼 쓰인다.

예 • 다치다: 발을 다쳤다. / 허리를 다쳤다.
• 닫히다: 병뚜껑이 꼭 닫혀서 열 수 없다.
• 닫치다: 문을 힘차게 닫치고 나갔다.

마치다	벌써 일을 마쳤다.
맞히다	여러 문제를 더 맞혔다.

⑩ '마치다'는 '끝내다'라는 뜻을 나타내며, '맞히다'는 '표적에 적중하다, 맞는 답을 내놓다, 침이나 매 따위를 맞게 하다.'라는 뜻을 나타낸다.

예 • 마치다: 일과를 마친다. / 끝마치다.
• 맞히다: 화살을 과녁에 맞힌다. / 답을 (알아)맞힌다. / 침을 맞힌다.

목거리	목거리가 덧났다.
목걸이	금목걸이, 은목걸이.

⑪ '목거리'는 '목이 붓고 아픈 병'을, '목걸이'는 '목에 거는 장신구'를 이른다.

예 • 목거리: 목거리(병)가 잘 낫지 않는다.
• 목걸이: 그 여인은 늘 목걸이를 걸고 다닌다.

바치다	나라를 위해 목숨을 바쳤다.
받치다	우산을 받치고 간다. / 책받침을 받친다.
받히다	쇠뿔에 받혔다.
밭치다	술을 체에 밭친다.

⑫ '바치다'는 '신이나 웃어른께 드리다, 마음과 몸을 내놓다, 세금 따위를 내다.'라는 뜻을, '받치다'는 '밑을 괴다, 모음 글자 밑에 자음 글자를 붙여 적다, 어떤 일을 잘할 수 있도록 뒷받침해 주다.' 등의 뜻을 나타낸다. '받히다'는 '받다(머리나 뿔 따위로 세차게 부딪치다)'의 피동사이고, '밭치다'는 '밭다(체 따위로 쳐서 액체만 받아 내다)'의 강세어이다.

예 • 바치다: 제물을 바친다. / 정성을 바친다. / 목숨을 바친다. / 세금을 바친다.
• 받치다: 기둥 밑을 돌로 받친다. / '소' 아래 'ㄴ'을 받쳐 '손'이라 쓴다. / 배경 음악이 장면을 잘 받쳐 주어서 영화가 감동적이었다.
• 받히다: 소에게 받히었다.
• 밭치다: 국수를 찬물에 헹군 후 체에 밭쳐 놓았다.

반드시	약속은 반드시 지켜라.
반듯이	고개를 반듯이 들어라.

⑬ '반드시'는 '꼭, 틀림없이'라는 뜻을, '반듯이'는 '비뚤어지거나 기울거나 굽지 않고 바르게'라는 뜻을 나타낸다.

예 • 반드시: 그는 반드시 온다. / 악한 자는 반드시 벌을 받을 것이다.
• 반듯이: 반듯이 서라. / 선을 반듯이 그어라.

부딪치다	차와 차가 마주 부딪쳤다.
부딪히다	마차가 화물차에 부딪혔다.

⑭ '부딪치다'는 '부딪다(무엇과 무엇이 서로 힘 있게 마주 닿다, 또는 닿게 하다)'의 강세어이고, '부딪히다'는 '부딪다'의 피동사이다. '부딪치다'가 주체의 능동적 행위, 즉 주체만 움직이거나 주체와 객체가 같이 움직이다가 생기는 상황 등으로 해석된다면, '부딪히다'는 주체는 가만히 있는데 객체로 인해 맞닥뜨리는 행위나 상황, 즉 주체의 행위가 피동적 · 비의도적일 때 쓰인다는 점에서 차이가 있다.

예 • 부딪다: 바위에 도끼날이 부딪는다. / 지나가는 사람과 부딪는 바람에 다쳤다.
• 부딪치다: 자전거가 자동차와 부딪친다. / 모퉁이를 돌다가 팔이 다른 사람에게 부딪쳤다.
• 부딪히다(부딪음을 당하다): 친구가 질주하는 자전거에 부딪혔다.
• 부딪치이다(부딪침을 당하다): 자동차가 고장 난 화물차에 부딪치이었다.

단권화 MEMO

부치다	힘이 부치는 일이다.	편지를 부친다.
	논밭을 부친다.	빈대떡을 부친다.
	식목일에 부치는 글.	회의에 부치는 안건.
	인쇄에 부치는 원고.	삼촌 집에 숙식을 부친다.
붙이다	우표를 붙인다.	책상을 벽에 붙였다.
	흥정을 붙인다.	불을 붙인다.
	감시원을 붙인다.	조건을 붙인다.
	취미를 붙인다.	별명을 붙인다.

⑮ '붙이다'에는 '붙게 하다'의 의미가 있는 반면에, '부치다'에는 그런 의미가 없다.

시키다 일을 시킨다.
식히다 끓인 물을 식힌다.

⑯ '시키다'는 '하게 하다'라는 뜻을 나타내고, '식히다'는 '식다'의 사동사(식게 하다)이다. '공부－시키다'처럼 쓰일 경우에는 '시키다'를 사동 접미사로 다루어 앞말에 붙여 쓴다.

예 • 시키다: 공부를 시킨다. / 청소를 시킨다.
• 식히다: 뜨거운 물을 식힌다.

아름 세 아름 되는 둘레.
알음 전부터 알음이 있는 사이.
앎 앎이 힘이다.

⑰ '아름'은 '두 팔을 둥글게 모아서 만든 둘레, 또는 그 둘레의 길이'를 뜻하며, '알음'은 '알다'의 어간 '알－'에 '－음'이 붙은 형태인데, 그것이 한 음절로 줄어지면 '앎'이 된다. '알음'은 '사람끼리 서로 아는 일, 지식이나 지혜가 있음, 어떤 사정이나 수고를 알아주는 것'으로 쓰이고, '앎'은 '아는 일'이라는 뜻이다.

예 • 아름: 둘레가 한 아름 되는 나무
• 알음: 서로 알음이 있는 사이 / 진정한 봉사는 타인의 알음을 바라지 않는다. / 알음알음, 알음알이
• 앎: 바로 앎이 중요하다. / 앎의 힘으로 문화를 창조한다.

안치다 밥을 안친다.
앉히다 윗자리에 앉힌다.

⑱ '안치다'는 '끓이거나 찔 음식 재료를 솥이나 냄비 등에 넣고 불 위에 올리다.'라는 뜻을 나타내며, '앉히다'는 '앉다'의 사동사(앉게 하다)이다. 또한 '앉히다'는 '버릇을 가르치다, 문서에 줄거리를 따로 적어 놓다.'라는 뜻으로 쓰이기도 한다.

예 • 안치다: 밥을 안치다. / 떡을 안치다.
• 앉히다: 아이를 무릎에 앉힌다. / 버릇을 앉히다. / 책에 따로 앉힌 내용을 보다.

어름 두 물건의 어름에서 일어난 현상.
얼음 얼음이 얼었다.

【연계학습】
• 〈한글 맞춤법〉 제19항 2

⑲ '어름'은 '두 물건의 끝이 맞닿는 데'를 뜻하며, '얼음'은 '물이 얼어서 굳어진 것'을 뜻한다. '얼음'은 '얼다'의 어간 '얼－'에 '－음'이 붙은 형태이므로, 어간의 본 모양을 밝혀 적는다.

예 • 어름: 바다와 하늘이 닿은 어름이 수평선이다. / 왼쪽 산과 오른쪽 산 어름에 숯막들이 있었다.
• 얼음: 얼음이 얼다. / 얼음과자, 얼음물, 얼음장, 얼음주머니, 얼음지치기

이따가	이따가 오너라.
있다가	돈은 있다가도 없다.

⑳ '이따가'는 '조금 지난 뒤에'라는 뜻을 나타내는 부사이고, '있다가'는 '있다'의 어간 '있-'에 어떤 동작이나 상태가 끝나고 다른 동작이나 상태로 옮겨지는 뜻을 나타내는 어미 '-다가'가 붙은 형태이다.

예 • 이따가: 이따가 가겠다. / 이따가 만나세.
• 있다가: 여기에 있다가 갔다. / 며칠 더 있다가 가마.

저리다	다친 다리가 저린다.
절이다	김장 배추를 절인다.

㉑ '저리다'는 '뼈마디나 몸의 일부가 쑤시듯이 아프다, 몸의 일부가 오래 눌려서 피가 잘 통하지 못하여 감각이 둔하고 아리다.'의 뜻이고, '절이다'는 '절다'의 사동사로 '소금기, 식초, 설탕 등의 간이 배어들게 하다.'라는 뜻이다.

예 • 저리다: 발이 저리다. / 손이 저리다.
• 절이다: 배추를 소금물에 절인다. / 오이를 식초에 절인다.

조리다	생선을 조린다. 통조림, 병조림.
졸이다	마음을 졸인다.

㉒ '조리다'는 '양념을 한 고기나 생선, 채소 따위를 국물에 넣고 바짝 끓여서 양념이 배어들게 하다.'라는 뜻을 나타내고, '졸이다'는 '속을 태우다시피 초조해하다.'라는 뜻을 나타낸다.

예 • 조리다: 생선을 조린다. / 멸치와 고추를 간장에 조렸다.
• 졸이다: 가슴 졸이지 말고 기다려 보자.

주리다	여러 날을 주렸다.
줄이다	비용을 줄인다.

㉓ '주리다'는 '먹을 만큼 먹지 못하여 배곯다.'라는 뜻을 나타내고, '줄이다'는 '줄다'의 사동사(줄게 하다)이다.

예 • 주리다: 오래 주리며 살았다. / 주리어 죽을지언정, 고사리를 캐 먹는단 말인가?
• 줄이다: 양을 줄인다. / 수효를 줄인다. / 줄임표(생략부)

하노라고	하노라고 한 것이 이 모양이다.
하느라고	공부하느라고 밤을 새웠다.

㉔ '-노라고'는 '자기 나름대로는 꽤 노력했음'을 뜻하고, '-느라고'는 '하는 일로 인하여'라는 뜻으로, 앞 내용이 뒤 내용의 목적이나 원인임을 나타낸다.

예 • -노라고: 하노라고 하였다. / 쓰노라고 쓴 게 이 모양이다.
• -느라고: 소설을 읽느라고 밤을 새웠다. / 자느라고 못 갔다.

단권화 MEMO

단권화 MEMO

■ 단어의 개수
- -는 이보다: 용언의 관형사형+의존 명사+조사 (단어 3개)
- -(으)ㄹ 이만큼: 용언의 관형사형+의존 명사+조사 (단어 3개)

-느니보다(어미)	나를 찾아오느니보다 집에 있거라.
-는 이보다(의존 명사)	오는 이가 가는 이보다 많다.

㉕ 현행 문법에서는 어미 '-느니보다'를 다루지 않기 때문에 '-는 이보다'로 적어야 하지만 현대 국어에서는 의존 명사 '이'가 사람을 뜻할 뿐 사물을 뜻하지는 않으므로, 이것을 어미로 처리하여 '-느니보다'로 적기로 하였다.

예 • -느니보다(-는 것보다): 마지못해 하느니보다 안 하는 게 낫다.
당치 않게 떠드느니보다 잠자코 있어라.
• -는 이보다(-는 사람보다): 아는 이보다 모르는 이가 더 많다.
바른말 하는 이보다 아첨하는 이를 멀리해야 한다.

-(으)리만큼(어미)	나를 미워하리만큼 그에게 잘못한 일이 없다.
-(으)ㄹ 이만큼(의존 명사)	찬성할 이도 반대할 이만큼이나 많을 것이다.

㉖ '-(으)리만큼'은 '-(으)ㄹ 정도로'라는 뜻을 표시하는 어미로 다루어지며, '-(으)ㄹ 이만큼'은 '-(으)ㄹ 사람만큼'이라는 뜻을 표시한다.

예 • -(으)리만큼: 싫증이 나리만큼 잔소리를 들었다. / 배가 터지리만큼 많이 먹었다.
• -(으)ㄹ 이만큼: 반대할 이는 찬성할 이만큼 많지 않을 것이다.

-(으)러(목적)	공부하러 간다.
-(으)려(의도)	서울 가려 한다.

㉗ '-(으)러'는 동작의 직접적인 목적을 표시하는 어미이고, '-(으)려(고)'는 그 동작을 하려고 하는 의도나 욕망이 있음을 표시하는 어미이다.

예 • -(으)러: 무엇을 사러 가니? / 책을 사러 간다.
• -(으)려: 무엇을 하려(고) 하느냐? / 친구를 만나려(고) 한다.

(으)로서(자격)	사람으로서 그럴 수는 없다.
(으)로써(수단)	닭으로써 꿩을 대신했다.

㉘ '(으)로서'는 '어떤 지위나 신분 또는 자격'을 나타내는 격 조사이며, '(으)로써'는 '재료, 수단, 방법'을 나타내는 격 조사이다. '(으)로써'는 '어떤 일의 기준이 되는 시간'의 의미로 쓰이기도 한다.

예 • (으)로서: ㉠ (…가 되어서) 교육자로서, 그런 짓을 할 수 있나? / 사람의 자식으로서, 인륜을 어길 수는 없다.
㉡ (…의 입장에서) 사장으로서 하는 말이다. / 친구로서, 가만히 있을 수가 없다. / 피해자로서 항의한다.
㉢ (…의 자격으로) 주민 대표로서 참석하였다. / 위원의 한 사람으로서 발언한다.
㉣ (…로 인정하고) 그를 친구로서 대하였다. / 그분을 선배로서 예우(禮遇)하였다.
• (으)로써: ㉠ (…를 가지고) 톱으로(써) 나무를 자른다. / 동지애로(써) 결속(結束)한다.
㉡ (어떤 일의 기준이 되는 시간) 고향을 떠난 지 올해로써 10년이 되었다.

단권화 MEMO

-(으)므로(어미)	그가 나를 믿으므로 나도 그를 믿는다.
(-ㅁ, -음)으로(써)(조사)	그는 믿음으로(써) 산 보람을 느꼈다.

㉙ '-(으)므로'는 까닭을 나타내는 어미이고, '-(으)ㅁ으로(써)'는 명사형 어미 또는 명사 파생 접미사 '-(으)ㅁ'에 조사 '으로(써)'가 붙은 형태이다.

예 • -(으)므로: 날씨가 차므로, 나다니는 사람이 적다. / 비가 오므로, 외출하지 않았다.
책이 없으므로, 공부를 못 한다.
• -(으)ㅁ으로(써): 그는 늘 웃음으로(써) 대한다. / 책을 읽음으로(써) 시름을 잊는다.
담배를 끊음으로(써) 지출을 줄인다.

더 알아보기 주의해야 할 필수 어휘

가량 수량을 어림쳐서 나타내는 말, 쯤
가령 가정하여 말하여, 예를 들면, 이를테면, 만약

가죽 동물의 몸을 감싸고 있는 껍질
거죽 물체의 겉 부분

갑절 어떤 수량의 두 배
곱절 같은 물건의 수량을 제시된 수만큼 합친 셈 (갑절의 의미 포함)

값 사고파는 물건에 일정하게 매겨진 액수, 가격
삯 일한 데 대한 품값으로 주는 돈이나 물건, 요금

거름 땅이나 식물에 주는 영양 물질
걸음 두 발을 번갈아 옮겨 놓는 동작

건넌방 대청을 건너 안방의 맞은편에 있는 방
건넛방 건너편에 있는 방

결단 결정적인 판단이나 단정
결딴 어떤 일이나 물건 따위가 완전히 망가져 손쓸 수 없는 상태

고삿 초가지붕을 일 때 쓰는 새끼
고샅 시골 마을의 좁은 골목길

깍쟁이 얄밉게 약빠른 사람, 인색하고 이기적인 사람
깍정이 밤나무, 떡갈나무 따위의 열매를 싸고 있는 술잔 모양의 받침

껍데기 달걀, 조개 같은 것의 겉을 싸고 있는 단단한 물질, 알맹이를 빼내고 겉에 남은 것
껍질 물체의 겉을 싸고 있는 단단하지 않은 물질

꼼수 쩨쩨한 수단이나 방법
꽁수 연의 가운데 구멍 밑의 부분

가늠하다 기준에 맞는지 안 맞는지 헤아려 보다, 짐작하다.
가름하다 쪼개거나 나누어 따로따로 되게 하다, 구분하다, 서로 가르다
갈음하다 다른 것으로 대신하다.

가르치다 지식 따위를 알도록 하다.
가리키다 손가락 등으로 어떤 방향이나 대상을 집어서 말하거나 알리다.

가없다 끝이 없다, 그지없다, 헤아릴 수 없다.
가엾다 불쌍하고 딱하다.

거치다 어떤 과정이나 단계 또는 장소를 지나다.
걷히다 구름이나 안개 따위가 흩어져 없어지다.

걷잡다 쓰러질 것을 붙잡다, 마음을 가라앉히다.
겉잡다 겉으로 보고 대강 셈하거나 짐작하다.

겨누다 목표물이 있는 곳으로 방향을 잡다.
겨루다 승부를 다투다.

골다 잘 때 콧소리를 내다.
곯다 상하다, 은근히 해를 입어 골병이 들다.
곯다 아주 모자라게 먹거나 굶다.

굳다 무른 물질이 단단하게 되다.
궂다 언짢고 나쁘다, 비나 눈이 내려 날씨가 나쁘다.

그슬리다 불에 겉만 조금 타게 하다.
그을리다 햇볕이나 연기에 쬐어 검게 되다.

긷다 우물 따위에서 물을 떠내다.
깁다 해진 데에 조각을 대고 꿰매다.

가진 동사 '가지다'의 활용형
갖은 (관형사) 골고루 갖춘, 여러 가지의

각 (관형사) 각각의, 낱낱의, (접두사) 각각의, 낱낱의
각각 (부사) 제각기, 따로따로, 몫몫이

거저 공짜로, 대가 없이
그저 특별한 목적이나 까닭 없이

그러고 '그리하고'의 준말
그리고 접속 부사

그러므로 까닭을 나타내는 접속 부사
그럼으로 그렇게 함으로써(수단, 방법)

깍듯이 예의범절을 갖추는 태도가 극진하게
깎듯이 동사 '깎다'의 활용형

깜작 눈을 잠깐 감았다가 뜨는 모양
깜짝 갑자기 놀라는 모양

단권화 MEMO

강수량(降水量) 비나 눈·우박 등으로 지상에 내린 물의 총량
강우량(降雨量) 일정 기간 동안 일정한 곳에 내린 비의 양

갱신(更新) 법률관계의 존속 기간이 끝났을 때 그 기간을 연장하는 일. 이미 있던 것을 고쳐 새롭게 함
경신(更新) (추상적인 사실의) 이미 있던 것을 고쳐 새롭게 함. 종전의 기록을 깨뜨림

결재(決裁) 아랫사람이 올린 안건을 상관이 헤아려 승인함
결제(決濟) 결정하여 끝냄. 증권 또는 대금의 수불에 의하여 대차를 청산하는 일

계발(啓發) 슬기와 재능 등을 일깨워 줌
개발(開發) 개척하여 발전시킴. 물적·인적 자원에 작용하여 그 경제적 가치를 높여 산업을 일으킴. 제품·장치를 창조하여 실용화함

괴멸(壞滅) 파괴되어 멸망함
궤멸(潰滅) 무너지거나 흩어져 없어짐

구별(區別) 어떤 것과 다른 것 사이에서 나타나는 차이. 또는 그 차이에 따라서 나눔
구분(區分) 구별하여 나눔

금슬(琴瑟) 거문고와 비파. '금실'의 원말
금실(琴瑟) 부부간의 사랑

꺼리다 해가 될까 피하거나 싫어하다.
꺼려지다 해가 될까 피하거나 싫어하게 되다.
꺼려하다 '꺼리다'의 비표준어

나비 천, 종이 따위의 너비
너비 넓은 물체의 가로로 건너지른 거리. 폭
넓이 일정한 평면에 걸쳐 있는 공간이나 범위의 크기

낟 곡식의 알
낫 풀, 나무 등을 베는 농기구
낮 해가 떠 있는 동안
낯 눈, 코, 입 따위가 있는 얼굴의 바닥
낱 물건의 하나하나

내 시내보다는 크고 강보다는 작은 물줄기
시내 골짜기나 평지에서 흐르는 자그마한 내

노름 돈 따위를 걸고 마작, 화투 등을 써서 내기를 하는 일. 도박
놀음 '놀다'에서 전성한 명사로, 여럿이 즐겁게 노는 일

나가다 안에서 밖으로 가다.
나아가다 앞으로 향하여 가다. 일이 점점 되어 가다.

나르다 물건을 다른 데로 옮기다.
날다 공중에 떠서 움직이다.
낫다 병이 없어지다. 더 좋다. 더 앞서 있다.
났다 '나다'의 과거형
낮다 높이나 수준 등이 보통 정도에 미치지 못하는 상태에 있다.
낳다 밴 새끼를 몸 밖으로 내어놓다.

넘겨다보다 가려진 물건 위로 건너 쪽을 보다. 어떤 것을 욕심내다.
넘보다 남을 얕잡아 보다. 어떤 것을 욕심내다.

놀라다 뜻밖의 일로 가슴이 두근거리다.
놀래다 동사 '놀라다'의 사동형
놀래키다 '놀래다'의 방언
놀래켜 주다 비표준어

늘이다 아래로 길게 처지게 하다. 본디보다 길게 하다.
늘리다 본디보다 커지게 하다.

너더분하다 여럿이 뒤섞여 널려 있어 어지럽다.
너저분하다 질서 없이 널려 있어 지저분하다.

너머 산이나 고개 등으로 가린 물체의 저쪽
넘어 동사 '넘다'의 활용형

-노라고 자기 나름대로 꽤 노력했음을 나타내는 연결 어미
-느라고 까닭을 나타내는 연결 어미

느리다 움직임이나 속도가 빠르지 못하고 더디다.
늦다 (동사) 정해진 때보다 지나다.
(형용사) 기준이 되는 때보다 뒤져 있다.

덩어리 크게 뭉쳐서 이루어진 것
덩이 작게 뭉쳐서 이루어진 것

도랑 폭이 좁은 작은 개울
두렁 논이나 밭의 가장자리로 작게 쌓은 둑이나 언덕

등살 등에 있는 근육
등쌀 몹시 귀찮게 굴고 야단을 부리는 것

다리다 옷이나 천의 주름을 다리미로 펴다.
달이다 끓여서 진하게 하다.

닫치다 '닫다'의 힘줌말. 뚜껑이나 열린 문짝 따위를 세게 닫다.
닫히다 '닫다'의 피동형. 뚜껑이나 열린 문짝 따위가 도로 제자리로 가 막히다.

달리다 붙어 있다. 의존하다. 좌우되다. 모자라다
딸리다 어떤 것에 매이거나 붙어 있다.

담그다 액체 속에 넣다. 장이나 김치 따위를 만들다.
담다 그릇 안에 넣다.

당기다 물건 등을 힘을 주어 가까이 오게 하다.
댕기다 불을 옮아 붙게 하다.

대다 서로 닿게 하다. 정해진 시간에 닿거나 맞추다.
데다 불이나 뜨거운 기운으로 말미암아 살이 상하다. 몹시 놀라거나 심한 괴로움을 겪어 진저리가 나다.

돋구다 안경의 도수 따위를 더 높게 하다.
돋우다 위로 끌어 올리다. 밑을 괴어 높아지게 하다. 감정이나 입맛 따위를 자극하다.

되- 동사 '되다'의 어간
-되 어간에 붙는 어미
돼 '되어'의 준말

되돌아보다 다시 돌아보다.
뒤돌아보다 뒤쪽을 돌아보다.

두드리다 여러 번 치거나 때리다. 마구, 함부로, 대충
두들기다 여러 번 세게 치거나 때리다. 마구, 함부로

드러나다 감추어져 있던 것이 겉으로 보이게 되다.
들어내다 물건을 들어서 밖으로 내놓다.
드러내다 동사 '드러나다'의 사동형(드러나게 하다)

드리다 윗사람에게 물건을 주거나 말씀을 여쭈다. 방·마루 따위를 만들다.
들이다 재물이나 힘을 쏟다. 안으로 들어오게 하다.

드새다 길을 가다가 집이나 쉴 만한 곳에 들어가 밤을 지내다.
드세다 몹시 세다.

들르다 지나는 길에 잠깐 거치다.
들리다 감각 기관을 통해 소리를 알아차리다.

뜨이다 눈에 보이다.
띄다 '뜨이다', '띄우다'의 준말
띄우다 편지 따위를 부치다. 물이나 공중에 뜨게 하다. 사이를 멀게 하다.
띠다 띠 따위를 두르다. 용무 따위를 가지다. 빛깔을 가지다.

덥다 기온이 높다.
덮다 뚜껑을 씌우다.

두껍다 두께가 보통의 정도보다 크다.
두텁다 인정이나 사랑 따위가 깊다.

뒤처지다 어떤 수준에 들지 못하고 남게 되다.
뒤쳐지다 물건이 뒤집혀서 젖혀지다.

-라야 꼭 그러해야 함(조건)을 나타내는 연결 어미
-래야 '-라고 하여야'의 준말

매무새 옷이나 머리 따위를 손질한 모양새
매무시 옷을 입을 때 매만지는 뒷단속

모롱이 산모퉁이의 휘어 둘린 곳
모퉁이 구부러지거나 꺾어져 돌아간 자리

목 머리와 몸통을 잇는 신체의 한 부분
몫 여럿으로 나누어 가지는 각 부분

목거리 목이 붓고 아픈 병
목걸이 목에 거는 장신구

마는 종결 어미에 붙어 불가능이나 불만을 나타내는 보조사(예 배고프다마는 돈이 없다.)
만은 체언 뒤에 붙는 보조사 '만'에 또 다른 보조사 '은'이 붙은 꼴 (예 너만은 그러지 마라.)

맞추다 서로 꼭 맞도록 하다. 서로 마주 대다. 정도에 알맞게 하다.
맞히다 물음에 옳은 답을 하다.
마치다 어떤 일이나 과정 따위가 끝나다.

매기다 사물의 가치나 차례를 정하다.
먹이다 '먹다'의 사동형
메기다 화살을 시위에 물리다.

머지않다 (시간적 개념) 시간적으로 멀지 않다.
멀지 않다 (공간적 개념) 떨어져 있지 않다.

매다 풀리지 않게 묶다. 논이나 밭 등지의 잡풀을 뽑다.
메다 물건을 어깨에 지다. 구멍이 막히다.

무치다 나물에 갖은양념을 넣어 버무리다.
묻히다 '묻다'의 피동형

묵다 오래되다. 머무르거나 밤을 보내다. 논이나 밭이 사용되지 않고 남아 있다.
묶다 움직이지 못하게 얽어매다.

먹먹하다 소리가 귀에 잘 들리지 아니하다.
멍멍하다 정신이 빠진 것같이 어리둥절하다.

모지다 모양이나 성격이 둥글지 아니하고 모가 나다.
모질다 마음씨가 몹시 독하다. 기세가 매섭고 사납다.

몹쓸 악독하고 고약한
못 쓸 쓸모없는

미쁘다 믿음직하다.
이쁘다 예쁘다.

막역(莫逆)하다 허물없이 매우 친하다. 절친하다.
막연(漠然)하다 아득하다. 뚜렷하지 못하고 어렴풋하다.

-박이 무엇이 박혀 있는 사람이나 짐승 또는 물건
-배기 '그 나이를 먹은 아이'의 뜻을 더하는 접미사

반딧불이 반딧불을 내는 곤충(=개똥벌레)
반딧불 반딧불이에서 나는 빛

발자국 발로 밟은 곳에 남아 있는 자국
발자취 발로 밟은 흔적

밭고랑 밭이랑 사이의 홈이 진 곳
밭도랑 물이 빠지게 하려고 밭두렁 안쪽을 따라 고랑보다 깊게 판 도랑
밭두둑 밭의 가장자리를 흙으로 둘러막은 두둑
밭이랑 밭의 고랑 사이에 흙을 높게 올려서 만든 두둑한 곳

단권화 MEMO

단권화 MEMO

밭뙈기 얼마 안 되는 자그마한 밭
밭떼기 밭에서 나는 작물을 밭에 나 있는 채로 몽땅 사는 일

봉오리 아직 피지 않은 꽃. 꽃봉오리
봉우리 산에서 뾰족하게 높이 솟은 부분. 산봉우리

부리 새나 짐승의 주둥이. 물건의 끝이 뾰족한 부분
뿌리 식물의 밑동으로서 땅속에 묻힌 부분. 사물이나 현상의 근본

빗 머리털을 빗는 데 쓰는 물건
빚 남에게 갚아야 할 돈
빛 빛깔

바라다 생각대로 되기를 원하다.
바래다 색이 변하다.

바치다 웃어른께 드리다. 무엇을 위하여 모든 것을 아낌없이 내놓거나 쓰다. 세금 등을 내다.
받치다 우산 따위를 펴서 들다. 밑에서 다른 물건으로 괴다.
받히다 머리나 뿔 따위에 세차게 부딪히다.

받다 다른 사람이 주는 것을 가지다. 머리나 뿔 따위로 세차게 부딪치다.
밭다 체 따위를 이용해 국물만 받아 내다.

배다 배 속에 새끼나 알을 가지다. 간격이 촘촘하다.
베다 베개로 고개를 받치다. 끊거나 자르다.

벌리다 둘 사이를 넓히다. 우므러진 것을 펴지거나 열리게 하다. 돈벌이가 되다.
벌이다 일을 시작하거나 펼쳐 놓다. 물건을 늘어놓다. 가게를 차리다.

벗겨지다 덮이거나 씌워진 물건이 외부의 힘에 의하여 떼어지거나 떨어지다.
예 모자가 벗겨지다.
머리털이 빠져 맨살이 드러나게 되다.
예 머리가 벗겨지다.
벗어지다 머리카락이나 몸의 털 따위가 빠지다.
예 머리가 벗어지다.

부닥치다 세게 부딪치다.
부딪다 물건과 물건이 힘차게 마주 닿거나 마주 대다.
부딪치다 '부딪다'의 힘줌말. 맞닥뜨리다. 대립하다.
부딪히다 '부딪다'의 피동형

부수다 여러 조각이 나게 두드려 깨뜨리다.
부시다 그릇을 깨끗이 씻다. 빛이나 색이 강렬하여 마주 보기 어려운 상태에 있다.

부치다 힘이 모자라다. 편지나 물건 따위를 보내다. 회부하다. 어떤 취급을 하기로 하다. 논밭을 이용하여 농사를 짓다. 음식을 익혀 만들다. 물건을 흔들어 바람을 일으키다.
붙이다 '붙다'의 사동형

비끼다 비스듬히 비치다. 비스듬하게 놓이거나 늘어지다.
비키다 있던 곳에서 약간 자리를 옮기다. 장애물을 피하기 위해 방향을 좀 바꾸다.(주로 의도가 있음)
비껴가다 비스듬히 스쳐 지나다.(주로 의도가 없음)

비추다 빛을 보내어 밝게 하다. 거울 따위에 모습이 나타나게 하다. 견주어 보다.
비치다 빛이 나서 환하게 되다. 가려진 것을 통해 물체가 드러나다. 넌지시 깨우쳐 주다.

삐지다 칼로 얇게 잘라내다. 토라지다.
삐치다 마음이 토라지다.

빌다 바라며 기도하다. 호소하다. 구걸하다
빌리다 나중에 갚거나 돌려주기로 하고 얼마 동안 쓰다. 남의 말이나 글 따위를 취하여 쓰다. 이용하다.

빗다 빗으로 머리털을 가지런히 고르다.
빚다 술을 담그다. 가루를 반죽해 만두나 송편 따위를 만들다.

반드시 꼭. 틀림없이
반듯이 비뚤거나 기울어지지 않고 바르게

붇다 물에 젖어 부피가 커지다. 양이 많아지다.
붓다 살가죽이 부풀어 오르다. 액체나 가루 등을 담다. 돈 따위를 일정한 기간마다 내다.
붙다 떨어지지 않게 되다.

불거지다 둥글게 솟아오르다. 숨겼던 것이 튀어 오르다.
붉어지다 붉은색으로 되다.

비스듬하다 한쪽으로 기울어져 있다.
비스름하다 거의 비슷하다.

뺐다 '빼앗다'의 준말
뺐다 '빼다'의 과거형

반증(反證) 사실과는 반대되는 증거
방증(傍證) 증거가 될 방계의 자료. 간접적인 증거

방적(紡績) 동식물의 섬유를 가공하여 실을 뽑는 일
방직(紡織) 실로 피륙을 짜는 일

변조(變造) (이미 만들어진 것을) 손질하여 다시 만듦. 내용을 권한 없이 다르게 고침
위조(僞造) (물건이나 문서 따위의) 가짜를 만듦

보전(保全) 온전하도록 보호하여 유지함
보존(保存) 잘 보호하고 간수하여 남김

삭정이 산 나무에 붙은 채 말라 죽은 가지
썩정이 썩은 물건

숯 나무를 태운 검은 덩어리
숱 머리털 따위의 부피나 분량

삭이다 먹은 음식물을 소화시키다. 긴장이나 화를 풀어 마음을 가라앉히다.
삭히다 음식물을 발효시켜 맛이 들게 하다
새기다 글씨나 그림을 파다. 마음속에 간직하다. 소가 먹었던 것을 되내어서 다시 씹다.

살지다 몸에 살이 많다. 튼실하다. 땅이 기름지다. (형용사로서 상태를 나타낸다.)
살찌다 몸에 살이 많아지다. (동사로서 상태의 변화를 나타낸다.)

새다 날이 밝아 오다. 구멍이나 틈으로 조금씩 흘러나오다.
세다 힘이 많다. 사물의 감촉이 딱딱하고 뻣뻣하다.

새우다 한숨도 자지 않고 밤을 지내다.
세우다 물건을 일으키다. 제도나 조직을 만들다.

스러지다 형체나 현상이 희미해지면서 없어지다.
쓰러지다 한쪽으로 쏠려 넘어지다.

승강이 서로 옥신각신함
실랑이 남을 못살게 굴어 시달리게 하는 짓

싸이다 물건을 보자기나 종이 따위의 안에 넣는다는 뜻인 '싸다'의 피동형
쌓이다 여럿을 포개 놓는다는 뜻인 '쌓다'의 피동형

쏠리다 한쪽으로 치우치거나 몰리다.
쓸리다 한쪽으로 비스듬히 기울어지다.

사뭇 거리낌 없이 마구. 아주 딴판으로
자못 생각보다 매우. 퍽

쉬다 음식이 오래되거나 상해 맛이 시금하게 되다. 목청에 탈이 생겨 목소리가 흐려지다.
시다 맛이 식초와 같다. 뼈마디가 삐어서 시근시근하다.

아름 두 팔을 둥글게 모아서 만든 둘레의 길이
알음 사람끼리 서로 아는 일. 또는 알고 있음
알음알음 서로 아는 관계
아름아름 말이나 행동을 똑똑히 하지 않고 우물거리는 모양. 일을 대충 적당히 하고 눈을 속여 넘기는 모양
앎 아는 일. 또는 지식

알갱이 열매나 곡식 따위의 낱개나 낱알
알맹이 껍질을 벗기고 남은 속. 사물의 중심이나 중요한 부분

애먼 (관형사) 억울한
앰한 애매한. '앰하다'의 활용형
엄한 규칙이 철저한. '엄하다'의 활용형

어름 두 물건의 끝이 닿은 자리
얼음 물이 얼어서 굳어진 물질

예 '아주 먼 과거'라는 뜻의 명사
옛 '지나간 때의'라는 뜻의 관형사

옷거리 옷을 입은 모양새
옷걸이 옷을 걸어 두는 도구

요지 정치, 문화, 교통, 군사 등의 요긴한 핵심이 되는 곳
요충지 지세가 군사적으로 아주 중요한 지역

용트림 거드름을 피우며 일부러 크게 힘을 들여 하는 트림
용틀임 장식으로 만든 용 그림이나 새김

음료 차, 커피, 과즙 따위의 액체를 통틀어 이르는 말
음료수 샘물이나 끓인 물 따위의 마실 수 있는 물

안다 두 팔을 벌려 품 안에 있게 하다. 새가 알을 품다. 생각이나 감정을 마음속에 가지다.
앉다 엉덩이를 바닥에 붙이고 몸을 세우다. 자리를 잡다.

안치다 찌개나 끓일 물건을 솥에 두고 불 위에 올리다.
앉히다 '앉다'의 사동형으로 앉게 하다.

애끊다 창자가 끊어질 듯이 마음이 슬프다.
애끓다 너무 걱정이 되어 속이 끓다.

어르다 귀엽게 다루어 기쁘게 하여 주다. 구슬리다.
으르다 상대자를 위협하다.

얽매어 '얽매다'의 활용형. 얽어매어
얽매여 '얽매어'의 피동형. 얽어매여

얽히다 이리저리 걸리다. 여러 가지가 관련되다.
엉기다 액체 따위가 한데 뭉치어 굳어지다.
엉키다 일이나 물건이 서로 얽혀 풀어지지 않게 되다.

잃어버리다 지녔던 물건이 자기도 모르게 없어지다.
잊어버리다 알았던 것을 기억하지 못하게 되다.

아둔하다 영리하지 못하고 머리가 둔하다.
어둔하다 대답이 억지스럽다. 말이 둔하다.

안 '아니'의 준말
않 '아니하'의 준말

어느 여럿 가운데 어떤. 막연한 어떤
여느 그 밖의 예사로운. 다른 보통의

어득하다 보이는 것과 들리는 것이 매우 희미하고 멀다. 멀어서 정신이 까무러질 듯하다.
어둑하다 제법 어둡다. 되바라지지 않고 어수룩하다.

여위다 몸에 살이 빠지고 수척하게 되다.
여의다 죽어서 이별하다. 시집보내다. 멀리 떠나보내다.

오돌오돌 깨물기에 좀 단단한 상태. 잘 삶아지지 않은 모양
오들오들 춥거나 무서워서 몸을 떠는 모양

오죽 여간. 얼마나
오직 다만. 오로지

옹기옹기 크기가 같은 물건 여럿이 귀엽게 모인 모양
옹기종기 크기가 다른 물건 여럿이 귀엽게 모인 모양

단권화 MEMO

단권화 MEMO

-(으)러 목적을 나타내는 연결 어미
-(으)려 '~(으)려고'의 준말로, 의도나 상태를 나타내는 연결 어미

(으)로서 자격을 나타내는 조사
(으)로써 도구를 나타내는 조사

-(으)매 원인이나 근거를 나타내는 연결 어미
-(으)ㅁ에 명사형 어미에 조사 '에'가 붙은 형태

-(으)므로 까닭을 나타내는 연결 어미
-(으)ㅁ으로 명사형 어미 '-(으)ㅁ'에 조사 '으로'가 붙은 형태

으슥하다 무서운 느낌이 들 만큼 깊숙하고 후미지다. 매우 조용하다.
이슥하다 밤이 한창 깊다.

이따가 조금 지난 뒤에
있다가 '있다'의 어간에 연결 어미 '-다가'가 붙은 활용형

잇따르다 움직이는 물체가 다른 물체의 뒤를 이어 따르다.
잇달다 움직이는 물체가 다른 물체의 뒤를 이어 따르다. 일정한 모양이 있는 사물을 다른 사물에 이어서 달다.

이때 이제의 때, 바로 이 시간
입때 지금까지, 이때껏

이제 바로 지금
인제 이제에 이르러, 바로 이때

일절 (부사) 아주, 도무지, 전혀 (부정이 따른다.)
일체 (명사) 모든 것, (부사) 모두, 통틀어서 (긍정이 따른다.)

장사 물건을 파는 일, 힘이 아주 센 사람
장수 장사하는 사람, 군사를 거느리는 우두머리

젓 해산물을 소금에 짜게 절인 반찬
젖 분만 후에 포유류의 유방에서 분비하는 유백색의 불투명한 액체

조가비 조개의 껍데기
조개 두족류를 제외한 대부분의 연체동물의 총칭

주검 죽은 사람의 몸, 시체
죽음 '죽다'의 명사형, 죽는 일

집 사람이 살거나 일하는 건물
짚 벼, 밀 등의 이삭을 떨어낸 줄기와 잎

저리다 살이나 뼈가 오래 눌리어 피가 통하지 않고 둔하다.
절이다 염분 등을 먹여 간이 배어들게 하다.

젖히다 몸의 윗부분을 뒤로 기울게 하다. 안쪽이 겉면으로 드러나게 하다.
제치다 거치적거리지 않게 처리하다.
제키다 살갗이 조금 다쳐 벗겨지다.

조리다 양념하여 국물이 거의 없게 바짝 끓이다.
졸이다 속을 태우다시피 초조해하다.

좇다 목표 따위를 추구하다. 남의 뜻을 따르다.
쫓다 있는 자리에서 몰아내다. 어떤 대상을 잡거나 만나기 위하여 뒤를 급히 따르다.

주리다 배를 곯다.
줄이다 '줄다'의 사동형, 줄게 하다.

주어 '주다'의 활용형
주워 '줍다'의 활용형

지나다 어떤 곳을 통과하다. 시간이 흐르다.
지내다 사람이 생활을 하면서 시간이 지나가는 상태가 되게 하다. 관혼상제를 치르다.

지새다 (자동사) 달이 사라지며 밤이 새다.
지새우다 밤을 고스란히 새우다.

지어 '짓다'의 활용형
지워 '지우다'의 활용형

집다 물건을 잡거나 줍다.
짚다 신체나 지팡이로 받치다. 맥 위에 손가락을 대다. 상황을 헤아려 짐작하다.

짓다 재료를 들여 만들다. 모양이 나타나도록 만들다. 확정된 상태로 만들다.
짖다 개나 까치가 큰 소리를 내다.
짙다 빛깔, 화장 등이 진하다.

찢다 잡아당겨 가르다.
찧다 무거운 물건으로 내리치다.

작다 크지 않다. 길이나 넓이 따위가 비교 대상이나 보통보다 덜하다.
적다 많지 않다. 수효나 분량, 정도가 일정한 기준에 미치지 못하다.

조그만 '조그마하다'의 관형형 '조그마한'의 준말
조금만 적은 분량을 뜻하는 명사 '조금'에 보조사 '만'이 붙은 형태

~지 무성음 다음에 붙는 '~하지'의 준말
~치 유성음 다음에 붙는 '~하지'의 준말

지그시 슬그머니 누르거나 당기는 모양. 어려움을 견디는 모양
지긋이 나이가 비교적 많이

질퍽하다 진흙이나 반죽 따위가 물기가 많아 부드럽게 질다.
질펀하다 땅이 넓고 평평하다. 하는 일 없이 늘어져 있다. 질거나 젖어 있다.

작렬(炸裂) 터져서 산산이 흩어짐
작열(灼熱) 열을 받아서 뜨거워짐. 불 따위가 이글이글 뜨겁게 타오름

전장(戰場) 전쟁이 일어난 곳. 싸움터
전쟁(戰爭) 국가와 국가, 또는 교전(交戰) 단체 사이에 무력을 사용하여 싸움. 극심한 경쟁이나 혼란을 비유적으로 이르는 말

주요(主要) 주되고 중요함
중요(重要) 없어서는 아니 될 정도로 소중하고 요긴함

지양(止揚) 더 높은 단계로 오르기 위하여 어떠한 것을 하지 아니함
지향(指向) 일정한 목적을 향하여 나아감. 목표로 함

특색(特色) 보통 것과 다른 점
특징(特徵) 다른 것과 비교하여 특별히 눈에 띄는 점

-째 (접미사) 그대로, 전부
채 (의존 명사) 이미 있는 상태 그대로 있음
(부사) 일정한 정도에 아직 이르지 못한 상태
체 그럴듯하게 꾸미는 거짓 태도

추기다 다른 사람을 꾀어서 선동하다.
추키다 위로 가뜬하게 치올리다.
축이다 물 따위에 적시어 축축하게 하다.
치키다 위로 향하여 끌어 올리다.

추켜세우다 옷깃이나 신체 일부 따위를 위로 가뜬하게 올려 세우다. 정도 이상으로 크게 칭찬하다.
치켜세우다 옷깃이나 신체 일부 따위를 위로 가뜬하게 올려 세우다. 정도 이상으로 크게 칭찬하다.
추켜올리다 옷이나 물건, 신체 일부 따위를 위로 가뜬하게 올리다. 실제보다 과장되게 칭찬하다.
추어주다 실제보다 과장되게 칭찬하다.
추어올리다 옷이나 물건, 신체 일부 따위를 위로 가뜬하게 올리다. 실제보다 과장되게 칭찬하다.
치켜올리다 위로 올리다. 실제보다 과장되게 칭찬하다.

텃새 철 따라 이동하지 않고 거의 한 지역에서만 사는 새
텃세 먼저 자리 잡은 사람이 나중 사람을 업신여기는 짓

푸네기 가까운 제살붙이를 낮잡아 이르는 말
푼내기 푼돈으로 하는 노름
풋내기 경험이 없어 서투른 사람

푸드덕 큰 새가 힘 있게 날개를 치는 소리나 모양
푸드득 무른 똥을 힘들여 눌 때 나는 소리

푼푼이 한 푼씩 한 푼씩
푼푼히 모자람 없이 넉넉하게

폐해(弊害) 폐단으로 생기는 해
피해(被害) 손해를 입음

포격(砲擊) 대포를 쏨
폭격(爆擊) 군용 비행기가 폭탄 등을 떨어뜨려 적의 전력이나 국토를 파괴함

한목 한꺼번에 몰아서 함을 나타내는 말
한몫 한 사람 앞에 돌아가는 분량이나 역할

햇발 사방으로 뻗친 햇살
햇볕 해가 내리쬐는 뜨거운 기운
햇빛 해의 빛
햇살 해에서 나오는 빛의 줄기

홀몸 형제나 배우자가 없는 사람
홑몸 딸린 사람이 없는 혼자의 몸. 아이를 배지 않은 몸

희나리 덜 마른 장작
희아리 약간 상해서 희끗희끗하게 얼룩진 고추

해어지다 닳아서 떨어지다.
헤어지다 흩어지다. 이별하다.

해치다 해를 입히다.
헤치다 속에 든 물건을 드러내려고 덮인 것을 잡아 젖히다. 방해되는 것을 이겨 나가다.

한갓 다른 것 없이 겨우
한낱 단지 하나뿐인. 기껏해야 대단한 것 없이 다만

한참 시간이 상당히 흐르는 동안
한창 어떤 일이 가장 활기 있고 왕성하게 일어나는 때

혼돈(混沌) 마구 뒤섞여 있어 갈피를 잡을 수 없음
혼동(混同) 구별하지 못하고 뒤섞어서 생각함

단권화 MEMO

더 알아보기 필수 어휘 ○/×

○	×	○	×
케케묵다	켸켸묵다	우려먹다	울궈먹다
내로라하는	내노라하는	비비다	부비다
넌지시	넌즈시	앳되다	애띠다
눈살	눈쌀	콧방울	콧망울

단권화 MEMO

*우뢰
'의뢰받은 사람이 또 다른 사람에게 의뢰함'의 의미로 사용하는 경우의 '우뢰'는 표준어이다.

○	×	○	×
눈곱	눈꼽	바람	바램
단출하게	단촐하게	바라	바래
어쭙잖다	어줍잖다	풍비박산	풍지박산
예부터	옛부터	절체절명	절대절명
덤터기	덤테기	야반도주	야밤도주
사돈	사둔	성대모사	성대묘사
억지	어거지	혈혈단신	홀홀단신
욱신거리다	욱씬거리다	삼수갑산	산수갑산
움큼	웅큼	아연실색	아연질색
육개장	육계장	숙맥	쑥맥
으름장	으름짱	우레	우뢰*
으스대다	으시대다	초승달	초생달
으스스(하다)	으시시(하다)	산지사방	천지사방
하마터면	하마트면	주야장천	주구장창
이파리	잎파리	발자국	발자욱
안절부절못하다	안절부절하다	밭사돈	밧사돈
하릴없다	할일없다	밭다리 걸기	밧다리 걸기
털어먹다	떨어먹다	베개	벼개
넘겨짚다	넘겨집다	부스러기	부스럭지
송골송골	송글송글	소곤거리다	소근거리다
먼지떨이	먼지털이	수군거리다	수근거리다
재떨이	재털이	소꿉장난	소꼽장난
통째	통채	(속이) 보깨다	볶이다
송두리째	송두리채	스라소니	시라소니
부리나케	불이나게/부리나게	악머구리	악마구리
찌푸린	찌뿌린	악바리	악발이
허구한 날	허구헌 날	알쏭달쏭	알송달송
내팽개치다	내팽겨치다	애먼	엄한
날름	낼름	에계계	에게게
흉측하다	흉칙하다	애개개	애개개
괴나리봇짐	개나리봇짐	에구머니	에그머니
거추장스럽다	거치장스럽다	연거푸	연거퍼
거무튀튀하다	거무틱틱하다	열어젖히다	열어제치다
결벽증	결백증	오랫동안	오랜동안
괄시하다	괄세하다	오랜만	오랫만
괜스레	괜시리	옴짝달싹	옴짝달짝
귀먹어서	귀멀어서	움쩍달싹	움짝달짝
구레나룻	구렛나루	엉큼하다	응큼하다
나지막하다	나즈막하다	임연수어	이면수
날갯죽지	날개쭉지	있소	있오
널빤지	널판지	장롱	장농
멀리뛰기	넓이뛰기	정화수	장한수
뇌졸중	뇌졸증	짜깁기	짜집기

○	×	○	×
늘	늘상	족집게	쪽집게
늑수그레	늙수구레	청둥오리	청동오리
늘그막	늙으막	초주검	초죽음
닦달하다	닥달하다	치고받다	치고박다
넝쿨/덩굴	덩쿨	칠흑	칠흙
마늘종	마늘쫑	티격태격	티각태각
뭇국	무국	통틀어	통털어
동탯국	동태국	해코지	해꼬지
미주알고주알	메주알고주알	핼쑥하다	핼쓱하다
메스껍다	메시껍다	해쓱하다	해쑥하다
반말지거리	반말짓거리	화병	홧병
반지르르하다	반지르하다	끄나풀	끄나불
살코기	살고기	살쾡이	삵괭이
거시기	거시키	-구려	-구료
착잡하다	착찹하다	여느	여늬
흐리멍덩하다	흐리멍텅하다	으레	으례
굴젓	구젓	허우대	허위대
물수란	물수랄	허우적허우적	허위적허위적
밀뜨리다	미뜨리다	상추	상치
강낭콩	강남콩	주책	주착
사글세	삭월세	튀기	트기
울력성당	위력성당	허드레	허드래
둘째	두째	호루라기	호루루기
셋째	세째	나무라다	나무래다
넷째	네째	미루나무	미류나무
깡충깡충	깡총깡총	온달	왼달
쌍둥이	쌍동이	김매다	기음매다
귀둥이	귀동이	똬리	또아리*
발가숭이	발가송이	무	무우
보퉁이	보통이	뱀	배암
벋정다리	벋장다리	설빔	설비음
오뚝이	오똑이	샘이 많다	새암이 많다
아등바등	아둥바둥	생쥐	새앙쥐
부조	부주	솔개	소리개
삼촌	삼춘	장사치	장사아치
풋내기	풋나기	온갖	온가지
서울내기	서울나기	애벌레	어린벌레
시골내기	시골나기	궁상떨다	궁떨다
신출내기	신출나기	귀이개	귀개
냄비	남비	낌새	낌
동댕이치다	동당이치다	뒤웅박	뒹박
미장이	미쟁이	맵자하다	맵자다
유기장이	유기쟁이	퇴박맞다	퇴맞다

단권화 MEMO

*또아리
'갈퀴발의 다른 끝을 모아 휘감아 잡아 맨 부분'의 의미로 쓰인 경우의 '또아리'는 표준어이다.

단권화 MEMO

○	×	○	×
고리장이	고리쟁이	모이	모
땜장이	땜쟁이	벽돌	벽
도배장이	도배쟁이	부스럼	부럼/부시럼
멋쟁이	멋장이	머물러	머물어
소금쟁이	소금장이	서둘러	서둘어
깍쟁이	깍장이	서툴러	서툴어
점쟁이	점장이	가져	갖어
요술쟁이	요술장이	디뎌	딛어
괴팍하다	괴퍅하다	짓무르다	짓물다
-구먼	-구면	생인손	생안손
빈대떡	빈자떡	역겹다	역스럽다
귀밑머리	귓머리	코주부	코보
까뭉개다	까무느다	꼭두각시	꼭둑각시
낭떠러지	낭떨어지	광주리	광우리
설거지	설겆이	국물	멀국
애달프다	애닯다	길잡이/길라잡이	길앞잡이
오동나무	머귓나무	나룻배	나루배
자두	오얏	담배꽁초	담배꽁치/담배꽁추
가루약	말약	댑싸리	대싸리
구들장	방돌	떡보	떡충이
까막눈	맹눈	멸치	며루치/메리치
늙다리	노닥다리	며느리발톱	뒷발톱
떡암죽	병암죽	밀짚모자	보릿짚모자
마른갈이	건갈이	봉숭아/봉선화	봉숭화
마른빨래	건빨래	부각	다시마자반
메찰떡	반찰떡	부지깽이	부지팽이
박달나무	배달나무	빙충이	빙충맞이
밥소라	식소라	사자탈	사지탈
사래논	사래답	살풀이	살막이
사래밭	사래전	상판대기	쌍판대기
성냥	화곽	새앙손이	생강손이
솟을무늬	솟을문	샛별	새벽별
외지다	벽지다	손목시계	팔목시계/팔뚝시계
잎담배	잎초	손수레	손구루마
잔돈	잔전	술고래	술보
짐꾼	부지꾼	아궁이	아궁지
푼돈	푼전	아내	안해
흰말	백말	앉은뱅이저울	앉은저울
흰죽	백죽	알사탕	구슬사탕
개다리소반	개다리밥상	오금팽이	오금탱이
겸상	맞상	입담	말담
고봉밥	높은밥	전봇대	전선대
단벌	홑벌*	천장	천정

***홑벌**

'한 겹으로만 된 물건'의 의미로 쓰인 경우의 '홑벌'은 표준어이다.

○	×	○	×
민망스럽다/면구스럽다	민주스럽다	청대콩/푸르대콩	푸른콩
방고래	구들고래	칡범	갈범
부항단지	뜸단지	쌍동밤	쪽밤
수삼	무삼	거든그리다	거둥그리다
양파	둥근파	-게끔	-게시리
윤달	군달	고치다	낫우다
총각무	알타리무	구어박다	구워박다
고구마	참감자	내숭스럽다	내흉스럽다
귀고리/귀걸이	귀엣고리	냠냠거리다	얌냠거리다
뒤통수치다	뒤꼭지치다	다다르다	다닫다
망가뜨리다	망그뜨리다	더부룩하다	더뿌룩하다
부끄러워하다	부끄리다	일쑤	일수
빠뜨리다/빠트리다	빠치다	도매금	도매급
뽐내다	느물다	객쩍다	객적다
-습니다	-읍니다	겸연쩍다	겸연적다
-올시다	-올습니다	멋쩍다	멋적다
신기롭다	신기스럽다	괴란쩍다	괴란적다
안쓰럽다	안슬프다	널찍하다	넓직하다
앞지르다	따라먹다	수꿩	숫꿩
옹골차다	공골차다	수나사	숫나사
-지만	-지만서도	수놈	숫놈
겸사겸사	겸지겸지	수사돈	숫사돈
까딱하면	까땍하면	수소	숫소
냠냠이	얌냠이	수은행나무	숫은행나무
붉으락푸르락	푸르락붉으락	수탉	숫닭
버젓이	뉘연히	수평아리	숫병아리
설령	서령	수캐	숫개
시름시름	시늠시늠	수캉아지	숫강아지
아주	영판	수컷	숫것
어중간	어지중간	수키와	숫기와
언제나	노다지	수톨쩌귀	숫돌쩌귀
언뜻	펀뜻	수퇘지	숫돼지
열심히	열심으로	수탕나귀	숫당나귀
우두커니	우두머니	숫양	수양
쥐락펴락	펴락쥐락	숫염소	수염소
십상	쉽상	숫쥐	수쥐
정나미	정내미	암고양이	암코양이
어쨌든	어쨌던	수고양이	숫고양이
멋쩍게	멋적게	암벌	암펄
얼루기	얼룩이	수벌	숫벌
한가락	한가닥	윗니	웃니
곰곰이	곰곰히	윗도리	웃도리
평안감사	평양감사	윗목	웃목

단권화 MEMO

단권화 MEMO

○	×	○	×
강소주	깡소주	윗몸	웃몸
강된장	깡된장	윗배	웃배
강굴	깡굴	윗변	웃변
강술	깡술	윗잇몸	웃잇몸
강참숯	깡참숯	윗입술	웃입술
강풀	깡풀	위쪽	윗쪽
강밥	깡밥	위채	윗채
웃어른	윗어른	위층	윗층
웃통	윗통	위턱	윗턱
웃기	윗기	웃돈	윗돈
웃국	윗국	웃자라다	윗자라다

더 알아보기 둘 다 맞는 어휘

○	○	○	○
삐친	삐진	교기	갸기
잎사귀	잎새	구들재	구재
푸르다	푸르르다	구린내	쿠린내
거짓부리	거짓불	귀퉁머리	귀퉁배기
이기죽거리다	이죽거리다	극성떨다	극성부리다
막대기	막대	기세부리다	기세피우다
시누이	시누/시뉘	기승떨다	기승부리다
오누이	오누/오뉘	깃저고리	배내옷/배냇저고리
외우다	외다	꼬리별	살별
노을	놀	꽃도미	붉돔
석새삼베	석새베	나귀	당나귀
망태기	망태	나부랭이	너부렁이
찌꺼기	찌끼	날걸	세뿔
꼬이다	꾀다	네	예
고이다	괴다	눈대중	눈어림/눈짐작
쪼이다	쬐다	느리광이	느림보/늘보
조이다	죄다	늦모	마냥모
이리로	일로	늦장	늑장
그리로	글로	다기지다	다기차다
멍게	우렁쉥이	다달이	매달
물방개	선두리	–다마다	–고말고
애순	어린순	다박나룻	다박수염
귓속말	귀엣말	댓돌	툇돌
벌레	버러지	덥수룩하다	텁수룩하다
눈두덩이	눈두덩	덧창	겉창
가는허리	잔허리	독장치다	독판치다
가락엿	가래엿	동자기둥	쪼구미

○	○	○	○
가뭄	가물	돼지감자	뚱딴지
가엾다	가엽다	되우	된통/되게
가위표	가새표	뒷갈망	뒷감당
감감무소식	감감소식	들락날락	들랑날랑
개수통	설거지통	딴전	딴청
갱엿	검은엿	땅콩	호콩
–거리다	–대다	땔감	땔거리
게슴츠레하다	거슴츠레하다	–뜨리다	–트리다
거위배	횟배	뜬것	뜬귀신
게을러빠지다	게을러터지다	마파람	앞바람
마룻줄	용총줄	–스레하다	–스름하다
만장판	만장중	시늉말	흉내말
매갈이	매조미	시새	세사
매통	목매	실지로	실제로
먹새	먹음새	심술꾸러기	심술쟁이
멀찌감치	멀찌가니/멀찍이	씁쓰레하다	씁쓰름하다
멱통	산멱/산멱통	아귀세다	아귀차다
면치레	외면치레	아무튼/어떻든	어쨌든/하여튼/여하튼
모내다	모심다	앉음새	앉음앉음
모쪼록	아무쪼록	알은척	알은체
목판되	모되	애꾸눈이	외눈박이
목화씨	면화씨	양념감	양념거리
무심결	무심중	어금버금하다	어금지금하다
물봉숭아	물봉선화	어림잡다	어림치다
물심부름	물시중	어이없다	어처구니없다
물타작	진타작	언덕바지	언덕배기
물추리나무	물추리막대	얼렁뚱땅	엄벙뗑
민둥산	벌거숭이산	여왕벌	장수벌
바깥벽	밭벽	여쭈다	여쭙다
발모가지	발목쟁이	여태껏	이제껏/입때껏
버들강아지	버들개지	여태	입때
변덕스럽다	변덕맞다	역성들다	역성하다
보조개	볼우물	연달아	잇달아
보통내기	여간내기	엿가락	엿가래
볼따구니	볼퉁이/볼때기	옥수수	강냉이
부침개질	부침질/지짐질	외겹실	외올실/홑실
불사르다	사르다	욕심꾸러기	욕심쟁이
뾰두라지	뾰루지	우레	천둥
살쾡이	삵	을러대다	을러메다
삽살개	삽사리	의심스럽다	의심쩍다
상씨름	소걸이	–이에요	–이어요
상두꾼	상여꾼	이제	인제
생철	양철	일찌감치	일찌거니

단권화 MEMO

단권화 MEMO

○	○	○	○
생	새앙/생강	자물쇠	자물통
서럽다	섧다	장가가다	장가들다
서방질	화냥질	재롱떨다	재롱부리다
-(으)세요	-(으)셔요	제가끔	제각기
성글다	성기다	좀처럼	좀체
송이	송이버섯	줄꾼	줄잡이
쇠-	소-	중신	중매
쇠고기/쇠가죽	소고기/소가죽	진작/진작에	진즉/진즉에
수수깡	수숫대	짚단	짚뭇
쪽	편	괴발개발	개발새발
책씻이	책거리	날개	나래
척	체	내음	냄새
철따구니	철딱서니/철딱지	눈초리	눈꼬리
추어올리다	추어주다	떨어뜨리다	떨구다
축가다	축나다	뜰	뜨락
침놓다	침주다	먹을거리	먹거리
편지투	편지틀	메우다	메꾸다
한턱내다	한턱하다	손주(손자+손녀)	손자
헷갈리다	헛갈리다	어수룩하다	어리숙하다
혼자되다	홀로되다	연방	연신
흠가다	흠나다/흠지다	휭허케	휭하니
간두다	관두다	거치적거리다	걸리적거리다
구부리다	꾸부리다	끼적거리다	끄적거리다/끄적이다
후덥지근하다	후텁지근하다	두루뭉술하다	두리뭉실하다
간질이다	간지럽히다	맨송맨송	맨숭맨숭/맹숭맹숭
남(우)세스럽다	우세스럽다/남사스럽다	바동바동	바둥바둥
목물	등물	새치름하다	새초롬하다
만날	맨날	아옹다옹	아웅다웅
묏자리	묫자리	야멸치다	야멸차다
복사뼈	복숭아뼈	오순도순	오손도손
세간	세간살이	찌뿌듯하다	찌뿌둥하다
쌉싸래하다	쌉싸름하다	치근거리다	추근거리다
고운대	토란대	태껸	택견
허섭스레기	허접쓰레기	자장면	짜장면
토담	흙담	품세	품새
-기에	-길래	곰곰	곰곰이
굽신	굽실	관계없다	상관없다
구안와사	구안괘사	고깃간	푸줏간
로브스터	랍스터	고까	꼬까/때때
찰지다	차지다	고린내	코린내
개기다	개개다		

더 알아보기 표기가 헷갈리기 쉬운 어휘

○	○	○	○
고들빼기	코빼기	곱빼기	억척빼기
이마빼기	악착빼기	대갈빼기	언덕배기
육자배기	뚝배기	공짜배기	덧니박이
오이소박이	세 살배기	차돌박이	설거지물
나이배기	동아줄	시냇가	전세방
냇물	초점	뱃사공	뒤편
전셋집	뒤통수	사글셋방	나무꾼
촛불	나루터	귓밥	마구간
찻잔	제사상	뱃길	차례상
장맛비	예사소리	방앗간	예사말
아랫니	우유병	두렛일	화병
댓잎	기차간	뒷일	개수
예삿일	대가	곳간	시가
셋방/셋집	고래기름	찻간	머리빗
숫자	머리소리	툇간	머리기사
횟수	머리글자	머릿기름	머리말
머릿결	인사말	머릿내	겨레말
머릿방	반대말	머릿속	머릿장
머릿돌	우렁잇속	머릿수건	머릿골

단권화 MEMO

01 한글 맞춤법

01 〈한글 맞춤법〉 제1항: 한글 맞춤법은 표준어를 (   )대로 적되, (   )에 맞도록 함을 원칙으로 한다.

02 〈한글 맞춤법〉 제4항: 사전에 올릴 적의 자모 순서는 다음과 같이 정한다.

- 자음: ㄱ ㄲ ㄴ ㄷ ㄸ ㄹ ㅁ ㅂ ㅃ ㅅ ㅆ ㅇ ㅈ ㅉ ㅊ ㅋ ㅌ ㅍ ㅎ
- 모음: (   )

03 〈한글 맞춤법〉 제5항: '(   )', '(   )' 받침 뒤에서 나는 된소리는, 같은 음절이나 비슷한 음절이 겹쳐 나는 경우가 아니면 된소리로 적지 아니한다.

04 〈한글 맞춤법〉 제12항: '어린이－난, 어머니－난, 가십(gossip)－난'과 같이 (   )이/나 (   ) 뒤에 결합하는 경우에는 한자어 형태소가 하나의 단어로 인식되므로, 〈한글 맞춤법〉 제11항 [붙임 4]에서 보인 '가시－연(蓮), 구름－양(量)'과 마찬가지로 두음 법칙이 적용된 형태로 적는다.

05 '말다'의 활용형: '말다'의 어간 '말－'에 명령형 어미 '－아라'가 결합하면 '(   )'와/과 '(   )' 두 가지로 활용하고, '－아'가 결합할 때에도 '(   )'와/과 '(   )' 두 가지로 활용한다. 또한 '말－'에 명령형 어미 '－라'가 결합한 '말라'는 구체적으로 청자가 정해지지 않은 명령문이나 간접 인용문에서 사용된다.

06 〈한글 맞춤법〉 제19항: 어간에 '－이'나 '(   )'이/가 붙어서 명사로 된 것과 '－이'나 '－히'가 붙어서 부사로 된 것은 그 어간의 원형을 밝히어 적는다.

07 〈한글 맞춤법〉 제40항: 어간의 끝음절 '하' 앞에 (   )이/가 오면 '하'의 'ㅏ'가 줄고, '하' 앞에 (   )이/가 오면 '하'가 완전히 탈락한다.

08 '간'이 기간을 나타내는 명사 뒤에서 '동안'의 뜻으로 쓰이는 경우는 (   )이므로 (   ) 쓴다.

09 〈한글 맞춤법〉 제51항: '이'로 적는 것

겹쳐 쓰인(첩어 또는 준첩어인) 명사 뒤 / (   ) / 'ㅂ' 불규칙 용언의 어간 뒤 / '－하다'가 붙지 않는 용언의 어간 뒤 / 부사 뒤

10 〈한글 맞춤법〉 제57항: '바치다'는 '신이나 웃어른께 드리다, 마음과 몸을 내놓다, 세금 따위를 내다.'라는 뜻을, '받치다'는 '밑을 괴다, 모음 글자 밑에 자음 글자를 붙여 적다, 어떤 일을 잘할 수 있도록 뒷받침해 주다.' 등의 뜻을 나타낸다. '(   )'은/는 '받다(머리나 뿔 따위로 세차게 부딪치다)'의 피동사이고, '(   )'은/는 '밭다(체 따위로 쳐서 액체만 받아 내다)'의 강세어이다.

| 정답 | 01 소리, 어법 02 ㅏ ㅐ ㅑ ㅒ ㅓ ㅔ ㅕ ㅖ ㅗ ㅘ ㅙ ㅚ ㅛ ㅜ ㅝ ㅞ ㅟ ㅠ ㅡ ㅢ ㅣ 03 ㄱ, ㅂ 04 고유어, 외래어
05 마라, 말아라, 마, 말아 06 －음/－ㅁ 07 울림소리, 안울림소리 08 접미사, 붙여 09 'ㅅ' 받침 뒤 10 받히다, 밭치다

01 한글 맞춤법

교수님 코멘트▶ 이 영역에서는 맞춤법에 맞는 단어 찾기, 두음 법칙, 헷갈리는 단어 구분, 띄어쓰기 등이 자주 출제된다. 특히 띄어쓰기와 〈한글 맞춤법〉 제57항은 빈출 개념이다. 따라서 기본서 회독을 통해 다시 한번 확인해 두자. 또한 기출문제를 통해서 유형을 파악하고, 앞서 학습한 개념이 어떻게 문제화되는지 알아 두자.

01

2022 국가직 9급

밑줄 친 말의 쓰임이 옳지 않은 것은?

① 그는 아까운 능력을 썩히고 있다.
② 음식물 쓰레기를 썩혀서 거름으로 만들었다.
③ 나는 이제까지 부모님 속을 썩혀 본 적이 없다.
④ 그들은 새로 구입한 기계를 창고에서 썩히고 있다.

02

2022 국가직 9급

㉠~㉢에 들어갈 말로 가장 적절한 것은?

> ○ 그들의 끈기가 이 경기의 승패를 [㉠]했다.
> ○ 올해 영화제 시상식은 11개 [㉡]으로 나뉜다.
> ○ 그 형제는 너무 닮아서 누가 동생이고 누가 형인지 [㉢]할 수 없다.

	㉠	㉡	㉢
①	가름	부문	구별
②	가름	부분	구분
③	갈음	부문	구별
④	갈음	부분	구분

정답&해설

01 ③ 한글 맞춤법

③ 문맥상 '걱정이나 근심 따위로 마음이 몹시 괴로운 상태가 되게 만들다.'라는 뜻으로 쓰였으므로, '썩다'의 사동사인 '썩이다'를 써야 한다.

|오답해설| ①, ④ '물건이나 사람 또는 사람의 재능 따위가 쓰여야 할 곳에 제대로 쓰이지 못하고 내버려진 상태로 있게 하다.'라는 뜻의 '썩히다'를 써야 한다. 따라서 쓰임이 옳다.

② '유기물이 부패 세균에 의하여 분해됨으로써 원래의 성질을 잃어 나쁜 냄새가 나고 형체가 뭉개지는 상태가 되게 하다.'라는 뜻의 '썩히다'를 써야 한다. 따라서 쓰임이 옳다.

02 ① 한글 맞춤법

㉠ '승부나 등수 따위를 정하는 일'을 뜻하는 '가름'이 들어가야 적절하다.

㉡ '일정한 기준에 따라 분류하거나 나누어 놓은 낱낱의 범위나 부분'을 뜻하는 '부문'이 들어가야 적절하다.

㉢ '성질이나 종류에 따라 차이가 남. 또는 성질이나 종류에 따라 갈라놓음.'을 뜻하는 '구별'이 들어가야 적절하다.

|오답해설| ㉠ 갈음: 다른 것으로 바꾸어 대신함.

㉡ 부분: 전체를 이루는 작은 범위. 또는 전체를 몇 개로 나눈 것의 하나.

㉢ 구분: 일정한 기준에 따라 전체를 몇 개로 갈라 나눔.

|정답| 01 ③ 02 ①

03
2021 지방직 7급

밑줄 친 부분이 어법상 맞는 것은?

① 어머니는 밥을 하려고 솥에 쌀을 앉혔다.
② 요리사는 마른 멸치와 고추를 간장에 조렸다.
③ 다른 사람에 비해 실력이 딸리니 더 열심히 노력해야겠다.
④ 오랫동안 나를 기다리던 친구는 화가 나서 잔뜩 불어 있었다.

04
2018 기상직 9급

밑줄 친 말 중 맞춤법에 따라 올바르게 쓰인 것은?

① 그는 돈이 없어서 막걸리도 푼푼이 못 마셨다.
② 그 서점은 내가 오면가면 들르는 곳이다.
③ 그는 숨바꼭질을 하면서 갈잎 낫가리 속에 숨었다.
④ 나는 가방을 엇다가 두었는지 기억이 나지 않는다.

05
2018 교육행정직 9급

다음의 ㉠~㉣을 고쳐 쓰기 위한 방안으로 적절하지 않은 것은?

> 청소년의 과도한 스마트폰 ㉠사용이 유발되는 악영향이 사회적 문제가 되고 있다. 최근 들어 안구 건조증과 신체적 무기력증을 호소하는 청소년이 급증하고 있다. 스마트폰 화면을 장시간 집중해서 들여다보면 눈 깜박임 ㉡회수가 줄어들어 안구가 건조해진다. ㉢그런데 스마트폰 화면에서 나오는 짧은 파장의 청색 빛은 숙면을 방해하기 때문에 무기력증에 ㉣시달릴 수 밖에 없다.

① ㉠은 바로 뒤의 말과 어울리지 않으므로 '사용으로'로 수정한다.
② ㉡은 맞춤법에 어긋나므로 '횟수'로 수정한다.
③ ㉢은 앞뒤 문장의 연결 관계를 고려하여 '그러나'로 수정한다.
④ ㉣은 띄어쓰기가 잘못되었으므로 '시달릴 수밖에'로 수정한다.

06
2020 국가직 9급

㉠~㉣을 사전에 올릴 때 '한글 맞춤법 규정'에 따른 순서로 적절한 것은?

㉠ 곬	㉡ 규탄
㉢ 곳간	㉣ 광명

① ㉠ → ㉢ → ㉡ → ㉣
② ㉠ → ㉢ → ㉣ → ㉡
③ ㉢ → ㉠ → ㉡ → ㉣
④ ㉢ → ㉠ → ㉣ → ㉡

07

2016 사회복지직 9급

띄어쓰기가 옳지 않은 것은?

① 나는 거기에 어떻게 갈지 결정하지 못했다.
② 이미 설명한바 그 자세한 내용은 생략하겠습니다.
③ 은연 중에 자신의 속뜻을 내비치고 있었다.
④ 그 빨간 캡슐이 머리 아픈 데 먹는 약입니다.

08

2021 지방직(=서울시) 9급

밑줄 친 조사의 쓰임이 옳은 것은?

① 언니는 아버지의 딸로써 부족함이 없다.
② 대화로서 서로의 갈등을 풀 수 있을까?
③ 드디어 오늘로써 그 일을 끝내고야 말았다.
④ 시험을 치는 것이 이로서 세 번째가 됩니다.

정답&해설

03 ② 한글 맞춤법

② '조리다'는 '양념을 한 고기나 생선, 채소 따위를 국물에 넣고 바짝 끓여서 양념이 배어들게 하다.'라는 의미로 맥락에 맞게 사용되었다.

| 오답해설 | ① '앉히다'는 '사람이나 동물이 윗몸을 바로 한 상태에서 엉덩이에 몸무게를 실어 다른 물건이나 바닥에 몸을 올려놓게 하다.'라는 의미로 '앉다'의 사동사이다. '밥, 떡, 찌개 따위를 만들기 위하여 그 재료를 솥이나 냄비 따위에 넣고 불 위에 올리다.'를 의미하는 단어는 '안치다'이다.
③ '딸리다'는 '달리다'의 잘못된 표현이다. '달리다'는 '재물이나 기술, 힘 따위가 모자라다.'의 의미이다.
④ '성이 나서 뾰로통해지다.'라는 의미의 단어는 '붓다'이다. '붓다'는 'ㅅ' 불규칙 활용을 하는 단어이므로 '부어 있었다'와 같이 활용한다.

04 ② 한글 맞춤법

'오면가면'은 '오면서 가면서'를 의미하는 부사로 적절한 표현이다.

| 오답해설 | ① 푼푼이 → 푼푼히: '푼푼이'는 '한 푼씩 한 푼씩'이라는 뜻이고, '푼푼히'는 '모자람이 없이 넉넉하게'라는 뜻이다. 문맥상 '푼푼히'를 쓰는 것이 적절하다.
③ 낫가리 → 낟가리: '낟알이 붙은 곡식을 그대로 쌓은 더미', '나무, 풀, 짚 따위를 쌓은 더미'를 뜻하는 '낟가리'를 쓰는 것이 적절하다.
④ 엇다가 → 얻다가: '어디에다가'의 준말인 '얻다가'를 쓰는 것이 적절하다.

05 ③ 한글 맞춤법

③ ㉢의 앞뒤에서 서로 대등한 수준의 내용이 병렬되고 있으므로 '또한' 정도의 연결어를 사용하는 것이 적절하다.

| 오답해설 | ① '사용으로'로 수정하는 것이 자연스럽다.
② '횟수'로 고쳐야 한다. 한자어는 기본적으로 사이시옷 표기를 하지 않지만 예외적으로 '곳간, 셋방, 숫자, 찻간, 툇간, 횟수'는 사이시옷을 받치어 쓴다.
④ '밖에'는 조사이므로 앞말에 붙여 쓴다.

06 ② 한글 맞춤법

② 첫 자음이 모두 'ㄱ'이므로 모음부터 따져 봐야 한다. 사전에 올릴 때 모음 'ㅗ, ㅠ, ㅘ' 중에서 'ㅗ'가 가장 앞에 오는 모음이고 받침 'ㄺ'이 'ㅅ'보다 앞에 오는 자음이므로 '㉠ → ㉢'의 순서가 된다. 그다음 'ㅠ'와 'ㅘ' 중에서 'ㅘ'가 앞에 오는 모음이므로 최종 순서는 '㉠ → ㉢ → ㉣ → ㉡'이다.

07 ③ 한글 맞춤법

③ '은연중(隱然中)'은 '남이 모르는 가운데'라는 뜻을 지닌 한 단어이므로 붙여 써야 한다.

| 오답해설 | ① ~ㄹ지: 연결 어미이므로 앞말에 붙여 쓴다.
② ~ㄴ바: 연결 어미이므로 앞말에 붙여 쓴다.
④ 데: 의존 명사이므로 앞말과 띄어 쓴다.

08 ③ 한글 맞춤법

③ '로써'는 시간을 셈할 때 셈에 넣는 한계를 나타내거나 어떤 일의 기준이 되는 시간임을 나타내는 격 조사로 쓰이기도 한다. 따라서 '오늘로써'는 알맞은 표현이다.

| 오답해설 | ① '자격'을 나타내는 표현은 '로서'이다. 따라서 '딸로써'가 아니라 '딸로서'로 써야 한다.
② '수단, 방법'의 의미를 나타내는 표현은 '로써'이다. 따라서 '대화로서'가 아니라 '대화로써'로 써야 한다.
④ 시간을 셈할 때 셈에 넣는 한계를 나타내거나 어떤 일의 기준이 되는 시간임을 나타낼 때 쓰는 표현은 '로써'이다. 따라서 '이로써'로 써야 한다.

| 정답 | 03 ② 04 ② 05 ③ 06 ② 07 ③ 08 ③

09

2021 지방직(=서울시) 9급

밑줄 친 부분이 바르게 쓰이지 않은 것은?

① 바쁘다더니 여긴 웬일이야?
② 결혼식이 몇 월 몇 일이야?
③ 굳은살이 박인 오빠 손을 보니 안쓰럽다.
④ 그는 주말이면 으레 친구들과 야구를 한다.

10

2021 국가직 9급

맞춤법에 맞는 것만으로 묶은 것은?

① 돌나물, 꼭지점, 페트병, 낚시꾼
② 흡입량, 구름양, 정답란, 칼럼난
③ 오뚝이, 싸라기, 법석, 딱다구리
④ 찻간(車間), 홧병(火病), 셋방(貰房), 곳간(庫間)

11

2022 국가직 9급

다음 규정에 근거할 때 옳지 않은 것은?

> 한글 맞춤법 제30항
>
> 사이시옷은 다음과 같은 경우에 받치어 적는다.
> (가) 순우리말로 된 합성어로서 앞말이 모음으로 끝나면서 뒷말의 첫소리가 된소리로 나는 것
> (나) 순우리말과 한자어로 된 합성어로서 앞말이 모음으로 끝나면서 뒷말의 첫소리가 된소리로 나는 것

① (가)에 따라 '아래 + 집'은 '아랫집'으로 적는다.
② (가)에 따라 '쇠 + 조각'은 '쇳조각'으로 적는다.
③ (나)에 따라 '전세 + 방'은 '전셋방'으로 적는다.
④ (나)에 따라 '자리 + 세'는 '자릿세'로 적는다.

12

2014 서울시 9급

다음은 사이시옷을 받치어 적는 예들 중 일부이다. 아래 〈보기〉의 설명 가운데 이 예들을 통해서 알기 어려운 것은?

> 보기
>
> 잇몸, 바닷가, 뒷일, 전셋집

① 순우리말로 된 합성어로서 앞말이 모음으로 끝난 경우, 뒷말의 첫소리가 된소리로 날 때 사이시옷을 받치어 적는다.
② 순우리말로 된 합성어로서 앞말이 모음으로 끝난 경우, 뒷말의 첫소리 'ㄴ', 'ㅁ' 앞에서 'ㄴ' 소리가 덧날 때 사이시옷을 받치어 적는다.
③ 순우리말로 된 합성어로서 앞말이 모음으로 끝난 경우, 뒷말의 첫소리 모음 앞에서 'ㄴㄴ' 소리가 덧날 때 사이시옷을 받치어 적는다.
④ 순우리말과 한자어로 된 합성어로서 앞말이 모음으로 끝난 경우, 뒷말의 첫소리가 된소리로 날 때 사이시옷을 받치어 적는다.
⑤ 순우리말과 한자어로 된 합성어로서 앞말이 모음으로 끝난 경우, 뒷말의 첫소리 모음 앞에서 'ㄴㄴ' 소리가 덧날 때 사이시옷을 받치어 적는다.

13

2018 지방직 9급

다음 〈한글 맞춤법〉 규정의 예로 옳지 않은 것은?

> (가) 제19항　어간에 '-이'나 '-음/ㅁ'이 붙어서 명사로 된 것과 '-이'나 '-히'가 붙어서 부사로 된 것은 어간의 원형을 밝히어 적는다.
> (나) 제19항 [붙임]　어간에 '-이'나 '-음' 이외의 모음으로 시작된 접미사가 붙어서 다른 품사로 바뀐 것은 그 어간의 원형을 밝히어 적지 아니한다.
> (다) 제20항　명사 뒤에 '-이'가 붙어서 된 말은 그 명사의 원형을 밝히어 적는다.
> (라) 제20항 [붙임]　'-이' 이외의 모음으로 시작된 접미사가 붙어서 된 말은 그 명사의 원형을 밝히어 적지 아니한다.

① (가): 미닫이, 졸음, 익히
② (나): 마개, 마감, 지붕
③ (다): 육손이, 집집이, 곰배팔이
④ (라): 끄트머리, 바가지, 이파리

정답&해설

09　② 한글 맞춤법

② '그달의 몇째 되는 날'이라는 의미의 '며칠'이 바른 표기이다. '몇 일'로 표기할 경우 뒤에 오는 말과 관련된 수를 묻는 말이 된다. 또한 '일'이 모음으로 시작하는 실질 형태소이므로 '몇'의 'ㅊ'이 음절의 끝소리 규칙에 따라 [ㄷ]이 된 후 연음되어 [며딜]로 발음된다. 그러나 이는 현실 발음과 맞지 않다. 따라서 '며칠'로 표기한다.

|오답해설| ① '웬일'은 맞는 표기이다. '왠일'로 잘못 쓰는 일이 없어야 한다.
③ '손바닥, 발바닥 따위에 굳은살이 생기다.'라는 의미의 단어는 '박이다'이다. '박히다'로 잘못 쓰는 일이 없어야 한다.
④ '두말할 것 없이 당연히'라는 의미의 단어는 '으레'이다. '으례'로 잘못 쓰는 일이 없어야 한다.

10　② 한글 맞춤법

② 3글자 한자어의 경우 '2글자+1글자'의 의미 단위를 보일 때 처음 글자에만 두음 법칙을 적용한다. 따라서 '흡입+량', '정답+란'의 경우 '량'과 '란'에 두음 법칙을 적용하지 않는다. 그리고 고유어나 외래어가 함께 쓰인 경우 그 부분은 빼고 나머지 한자 중에 맨 처음에 있는 글자에 두음 법칙을 적용한다. 따라서 고유어인 '구름'과 외래어인 '칼럼'을 제외한 '량, 란'에 두음 법칙을 적용하여 '구름양, 칼럼난'으로 표기한다.

|오답해설| ① '꼭짓점'이 맞는 표기이다.
③ '딱따구리'가 맞는 표기이다.
④ '화병(火病)'이 맞는 표기이다.

11　③ 한글 맞춤법

③ (나)에서 알 수 있는 사이시옷 표기 조건은 '순우리말과 한자어'의 결합으로 이루어진 합성어이다. 하지만 '전세방(傳貰房)'은 '한자어+한자어'의 구성이므로 사이시옷을 붙이지 않는다.

|오답해설| ① '아랫집'은 순우리말 '아래'와 순우리말 '집'이 결합한 합성어로, (가)에 해당한다.
② '쇳조각'은 순우리말 '쇠'와 순우리말 '조각'이 결합한 합성어로, (가)에 해당한다.
④ '자릿세(자릿貰)'는 순우리말 '자리'와 한자어 '세(貰)'가 결합한 합성어로, (나)에 해당한다.

12　⑤ 한글 맞춤법

⑤에 해당하는 예가 〈보기〉에 없다. '예삿일' 정도가 적합한 예이다.

|오답해설| ①은 '바닷가' ②는 '잇몸' ③은 '뒷일' ④는 '전셋집'이 예로 적합하다.

13　② 한글 맞춤법

② '지붕'은 '집+웅'으로 분석할 수 있다. 이는 '-이'나 '-음' 이외의 모음으로 시작된 접미사가 붙은 것은 맞지만, 다른 품사로 바뀐 것은 아니다. 따라서 '지붕'은 (나)의 예로 옳지 않고, (라)에 해당하는 예이다.

|오답해설| ③ 명사인 '육손, 집집, 곰배팔'에 접미사 '-이'가 결합된 것이므로 명사의 원형을 밝혀 적는다.

|정답| 09 ②　10 ②　11 ③　12 ⑤　13 ②

14

2018 지방직 9급

띄어쓰기가 옳지 않은 것은?

① 졸지에 부도를 맞았다니 참 안됐어.
그렇게 독선적으로 일을 처리하면 안 돼.

② 그건 사실 아무것도 아니니 걱정하지 말게.
지금 네가 본 것은 실상의 절반에도 못 미쳐.

③ 저 집은 부부 간에 금실이 좋아.
집을 살 때 부모님이 얼마간을 보내 주셨어.

④ 저 사람은 아무래도 믿을 만한 인물이 아니야.
지난번 해일이 밀어닥칠 때 집채만 한 파도가 해변을 덮쳤다.

15

2019 서울시 9급

다음 중 띄어쓰기가 옳지 않은 것은?

① 불이 꺼져 간다.
② 그 사람은 잘 아는척한다.
③ 강물에 떠내려 가 버렸다.
④ 그가 올 듯도 하다.

16

2019 서울시 9급

〈보기〉의 설명에 따라 올바르게 표기된 경우가 아닌 것은?

보기

- 어간의 끝음절 '하'의 'ㅏ'가 줄고 'ㅎ'이 다음 음절의 첫소리와 어울려 거센소리로 될 적에는 거센소리로 적는다.
- 어간의 끝음절 '하'가 아주 줄 적에는 준 대로 적는다.

① 섭섭지 ② 흔타
③ 익숙치 ④ 정결타

17

2020 지방직(= 서울시) 9급

밑줄 친 단어의 쓰임이 옳은 것은?

① 하노라고 한 것이 이 모양이다.
② 물품 대금은 나중에 예치금에서 자동으로 결재된다.
③ 예산을 대충 걷잡아서 말하지 말고 잘 뽑아 보세요.
④ 행운이 가득하기를 기원하는 것으로 치사를 가름합니다.

18

2020 지방직(= 서울시) 9급

밑줄 친 부분의 활용형이 옳지 않은 것은?

① 집에 오면 그는 항상 사랑채에 머물었다.
② 나는 고향 집에 한 사나흘 머무르면서 쉴 생각이다.
③ 일에 서툰 것은 연습이 부족한 까닭이다.
④ 그는 외국어가 서투르므로 해외 출장을 꺼린다.

정답&해설

14 ③ 한글 맞춤법

③ 부부 간(×) → 부부간(○): 의존 명사 '간'은 원래 앞말과 띄어 쓰지만 '관계'를 나타내는 의존 명사 '간'이 붙어 합성어로 인정된 단어는 붙여 쓴다. '부부간', '동기간', '자매간'은 합성어로 인정되어 「표준국어대사전」에도 실려 있으므로 붙여 쓰지만, 합성어가 아닌 경우에는 '친구 간', '사제 간', '동료 간'과 같이 띄어 쓴다.

| 오답해설 | ① 첫째 문장은 '섭섭하거나 가엾어 마음이 언짢다.'를 의미하는 단어인 '안되다'이고, 둘째 문장은 '되다'의 부정 표현으로 이때의 '안'은 부정 부사이다.

15 ③ 한글 맞춤법

③ 떠내려 가 버렸다(×) → 떠내려가 버렸다(○): 합성 동사 '떠내려가'에 앞말이 나타내는 행동이 이미 끝났음을 나타내는 보조 동사 '버리다'가 이어진 말이다. 원래 보조 용언은 띄어 씀을 원칙으로 하되, 경우에 따라 붙여 씀도 허용한다. 하지만 앞말이 합성 용언인 경우에는 그 뒤에 오는 보조 용언은 띄어 써야 한다. 따라서 '떠내려가 버렸다'로 고쳐야 한다.

| 오답해설 | ① 여기서 '가다'는 보조 동사로 쓰였기 때문에 '꺼져 간다'로 띄어 쓴다. 다만, 보조 용언은 경우에 따라 붙여 씀을 허용하므로 '꺼져간다'도 옳은 표기이다.
② '척하다'는 보조 동사이므로 '아는 척하다'로 띄어 쓰는 것이 원칙이나 '아는척하다'도 허용한다.
④ '듯하다'는 보조 형용사이지만, 의존 명사 뒤에 조사가 붙을 때는 붙여 쓰지 않는다. 따라서 '올 듯도 하다'는 옳은 표기이다.

16 ③ 한글 맞춤법

어간의 끝음절 '하'는 그 앞에 울림소리가 오는 경우 'ㅏ'가 줄고, 안울림소리가 오는 경우는 '하'가 아주 준다. 따라서 ③ '익숙하지'의 경우 '하'가 아주 줄어 '익숙지'가 된다.

| 오답해설 | ① 어간의 끝음절 '하'가 안울림소리(ㄱ, ㅂ, ㅅ) 받침 뒤에서 나타나는 경우 '하'가 탈락한다. 따라서 '섭섭하지'의 준말은 '섭섭지'이다.
② '흔하다'의 경우 'ㅏ'만 줄고, 남은 'ㅎ'이 다음 음절의 첫소리와 어울려 거센소리가 되기 때문에 '흔하다'를 줄이면 '흔타'가 된다.
④ '정결하다'의 경우 'ㅏ'만 줄고, 남은 'ㅎ'이 다음 음절의 첫소리와 어울려 거센소리가 되기 때문에 '정결하다'를 줄이면 '정결타'가 된다.

17 ① 한글 맞춤법

① 동사 '하다'에 어미 '-노라고'가 결합한 '하노라고'는 '자기 나름대로 꽤 노력했음'을 나타내는 옳은 표현이다. '하느라고'와 헷갈리지 않아야 한다.

| 오답해설 | ② '증권 또는 대금을 주고받아 매매 당사자 사이의 거래 관계를 끝맺는 일'은 '결제(決濟)'이다. '결재(決裁)'는 '결정할 권한이 있는 상관이 부하가 제출한 안건을 검토하여 허가하거나 승인함'의 의미이다.
③ '걷잡다'는 '한 방향으로 치우쳐 흘러가는 형세 따위를 붙들어 잡다.'의 의미이다. 따라서 여기서는 '겉으로 보고 대강 짐작하여 헤아리다.'의 의미인 '겉잡다'를 써야 한다.
④ '가름하다'는 '쪼개거나 나누어 따로따로 되게 하다.'의 의미이다. 따라서 여기서는 '다른 것으로 바꾸어 대신하다.'의 의미인 '갈음하다'를 써야 한다.

18 ① 한글 맞춤법

① '머물다'는 '머무르다'의 준말로, 둘 다 표준어이다. 다만, 준말은 모음 어미가 붙어 활용하지 않으므로, '머무르다'의 어간 '머무르-'에 종결 어미 '-어'가 붙어 활용한다. 따라서 '머무르었다 → 머물렀다('르' 불규칙 활용)'가 맞는 표현이다.

| 오답해설 | ③ '서툴다'는 '서투르다'의 준말로, 둘 다 표준어이다. '서툴다'의 어간 '서툴-'에 관형사형 전성 어미 '-ㄴ'이 결합하여 '서툴-'의 어간 받침 'ㄹ'을 탈락시켜 '서툰'이 된다.

| 정답 | 14 ③ 15 ③ 16 ③ 17 ① 18 ①

02 문장 부호

단권화 MEMO

| 2014년 문장 부호 개정안 주요 내용

주요 변경 사항	이전 규정	설명
가로쓰기로 통합	세로쓰기용 부호 별도 규정	• 그동안 세로쓰기용 부호로 규정된 ‘고리점(。)’과 ‘모점(、)’은 개정안에서 제외 • ‘낫표(「 」, 『 』)’는 가로쓰기용 부호로 용법을 수정하여 유지 • ‘화살괄호(〈 〉, 《 》)’ 추가
문장 부호 명칭 정리	‘.’는 ‘온점’ ‘,’는 ‘반점’	부호 ‘.’와 ‘,’를 각각 ‘마침표’와 ‘쉼표’라 하고, 기존의 ‘온점’과 ‘반점’이라는 용어도 쓸 수 있도록 함
	‘〈 〉, 《 》’ 명칭 및 용법 불분명	부호 ‘〈 〉, 《 》’를 각각 ‘홑화살괄호, 겹화살괄호’로 명명하고 각각의 용법 규정
부호 선택의 폭 확대	줄임표는 ‘……’만	컴퓨터 입력을 고려하여 아래에 여섯 점(......)을 찍거나 세 점(…, ...)만 찍는 것도 가능하도록 함
	가운뎃점, 낫표, 화살괄호 사용 불편	• 가운뎃점 대신 마침표(.)나 쉼표(,)도 쓸 수 있는 경우를 확대 • 낫표(「 」, 『 』)나 화살괄호(〈 〉, 《 》) 대신 따옴표(‘ ’, “ ”)도 쓸 수 있도록 함
조항 수 증가 (66개 → 94개)	조항 수 66개	소괄호 관련 조항은 3개에서 6개로, 줄임표 관련 조항은 2개에서 7개로 늘어나는 등 전체적으로 이전 규정에 비해 조항이 28개가 늘어남 ※ (조항 수): [붙임], ‘다만’ 조항을 포함함

1 마침표(.)

(1) **서술, 명령, 청유 등을 나타내는 문장의 끝에 쓴다.**

예 젊은이는 나라의 기둥입니다.　　제 손을 꼭 잡으세요.
집으로 돌아갑시다.　　가는 말이 고와야 오는 말이 곱다.

[붙임 1] 직접 인용한 문장의 끝에는 쓰는 것을 원칙으로 하되, 쓰지 않는 것을 허용한다. (ㄱ을 원칙으로 하고, ㄴ을 허용함)

예 ㄱ. 그는 “지금 바로 떠나자.”라고 말하며 서둘러 짐을 챙겼다.
ㄴ. 그는 “지금 바로 떠나자”라고 말하며 서둘러 짐을 챙겼다.

[붙임 2] 용언의 명사형이나 명사로 끝나는 문장에는 쓰는 것을 원칙으로 하되, 쓰지 않는 것을 허용한다. (ㄱ을 원칙으로 하고, ㄴ을 허용함)

예 ㄱ. 목적을 이루기 위하여 몸과 마음을 다하여 애를 씀.
ㄴ. 목적을 이루기 위하여 몸과 마음을 다하여 애를 씀

ㄱ. 결과에 연연하지 않고 끝까지 최선을 다하기.
ㄴ. 결과에 연연하지 않고 끝까지 최선을 다하기

ㄱ. 신입 사원 모집을 위한 기업 설명회 개최.
ㄴ. 신입 사원 모집을 위한 기업 설명회 개최

단권화 MEMO

ㄱ. 내일 오전까지 보고서를 제출할 것.
ㄴ. 내일 오전까지 보고서를 제출할 것

다만, 제목이나 표어에는 쓰시 않음을 원칙으로 한다.

예 압록강은 흐른다　　꺼진 불도 다시 보자　　건강한 몸 만들기

(2) 아라비아 숫자만으로 연월일을 표시할 때 쓴다.

예 1919. 3. 1.　　10. 1.~10. 12.

(3) 특정한 의미가 있는 날을 표시할 때 월과 일을 나타내는 아라비아 숫자 사이에 쓴다.

예 3.1 운동　　8.15 광복

[붙임] 이때는 마침표 대신 가운뎃점을 쓸 수 있다.

예 3·1 운동　　8·15 광복

(4) 장, 절, 항 등을 표시하는 문자나 숫자 다음에 쓴다.

예 가. 인명　　ㄱ. 머리말　　I. 서론　　1. 연구 목적

[붙임] '마침표' 대신 '온점'이라는 용어를 쓸 수 있다.

2 물음표(?)

(1) 의문문이나 의문을 나타내는 어구의 끝에 쓴다.

예
- 점심 먹었어?
- 이번에 가시면 언제 돌아오세요?
- 제가 부모님 말씀을 따르지 않을 리가 있겠습니까?
- 남북이 통일되면 얼마나 좋을까?
- 다섯 살짜리 꼬마가 이 멀고 험한 곳까지 혼자 왔다?
- 지금?　　뭐라고?　　네?

[붙임 1] 한 문장 안에 몇 개의 선택적인 물음이 이어질 때는 맨 끝의 물음에만 쓰고, 각 물음이 독립적일 때는 각 물음의 뒤에 쓴다.

예
- 너는 중학생이냐, 고등학생이냐?
- 너는 여기에 언제 왔니? 어디서 왔니? 무엇하러* 왔니?

[붙임 2] 의문의 정도가 약할 때는 물음표 대신 마침표를 쓸 수 있다.

예
- 도대체 이 일을 어쩐단 말이냐.
- 이것이 과연 내가 찾던 행복일까.

다만, 제목이나 표어에는 쓰지 않음을 원칙으로 한다.

예
- 역사란 무엇인가
- 아직도 담배를 피우십니까

(2) 특정한 어구의 내용에 대하여 의심, 빈정거림 등을 표시할 때, 또는 적절한 말을 쓰기 어려울 때 소괄호 안에 쓴다.

예
- 우리와 의견을 같이할 사람은 최 선생(?) 정도인 것 같다.
- 30점이라, 거참 훌륭한(?) 성적이군.
- 우리 집 강아지가 가출(?)을 했어요.

(3) 모르거나 불확실한 내용임을 나타낼 때 쓴다.

예
- 최치원(857~?)은 통일 신라 말기에 이름을 떨쳤던 학자이자 문장가이다.
- 조선 시대의 시인 강백(1690?~1777?)의 자는 자청이고, 호는 우곡이다.

*무엇하러
'무엇하러'는 「표준국어대사전」에 따르면 '무엇 하러'로 띄어 써야 한다.

단권화 MEMO

3 느낌표(!)

(1) 감탄문이나 감탄사의 끝에 쓴다.

예 이거 정말 큰일이 났구나!　　어머!

[붙임] 감탄의 정도가 약할 때는 느낌표 대신 쉼표나 마침표를 쓸 수 있다.

예 어, 벌써 끝났네.　　날씨가 참 좋군.

(2) 특별히 강한 느낌을 나타내는 어구, 평서문, 명령문, 청유문에 쓴다.

예
- 청춘! 이는 듣기만 하여도 가슴이 설레는 말이다.
- 이야, 정말 재밌다!　　지금 즉시 대답해!　　앞만 보고 달리자!

(3) 물음의 말로 놀람이나 항의의 뜻을 나타내는 경우에 쓴다.

예 이게 누구야!　　내가 왜 나빠!

(4) 감정을 넣어 대답하거나 다른 사람을 부를 때 쓴다.

예 네!　　네, 선생님!　　흥부야!　　언니!

4 쉼표(,)

(1) 같은 자격의 어구를 열거할 때 그 사이에 쓴다.

예
- 근면, 검소, 협동은 우리 겨레의 미덕이다.
- 충청도의 계룡산, 전라도의 내장산, 강원도의 설악산은 모두 국립 공원이다.
- 집을 보러 가면 그 집이 내가 원하는 조건에 맞는지, 살기에 편한지, 망가진 곳은 없는지 확인해야 한다.
- 5보다 작은 자연수는 1, 2, 3, 4이다.

다만,

(가) 쉼표 없이도 열거되는 사항임이 쉽게 드러날 때는 쓰지 않을 수 있다.

예
- 아버지 어머니께서 함께 오셨어요.
- 네 돈 내 돈 다 합쳐 보아야 만 원도 안 되겠다.

(나) 열거할 어구들을 생략할 때 사용하는 줄임표 앞에는 쉼표를 쓰지 않는다.

예 광역시: 광주, 대구, 대전……

(2) 짝을 지어 구별할 때 쓴다.

예 닭과 지네, 개와 고양이는 상극이다.

(3) 이웃하는 수를 개략적으로 나타낼 때 쓴다.

예 5, 6세기　　6, 7, 8개

(4) 열거의 순서를 나타내는 어구 다음에 쓴다.

예
- 첫째, 몸이 튼튼해야 한다.
- 마지막으로, 무엇보다 마음이 편해야 한다.

(5) 문장의 연결 관계를 분명히 하고자 할 때 절과 절 사이에 쓴다.

예
- 콩 심은 데 콩 나고, 팥 심은 데 팥 난다.
- 저는 신뢰와 정직을 생명과 같이 여기고 살아온바, 이번 비리 사건과는 무관하다는 점을 분명히 밝힙니다.
- 떡국은 설날의 대표적인 음식인데, 이걸 먹어야 비로소 나이도 한 살 더 먹는다고 한다.

(6) 같은 말이 되풀이되는 것을 피하기 위하여 일정한 부분을 줄여서 열거할 때 쓴다.

예 여름에는 바다에서, 겨울에는 산에서 휴가를 즐겼다.

(7) 부르거나 대답하는 말 뒤에 쓴다.

예 지은아, 이리 좀 와 봐. 네, 지금 가겠습니다.

(8) 한 문장 안에서 앞말을 '곧', '다시 말해' 등과 같은 어구로 다시 설명할 때 앞말 다음에 쓴다.

예
- 책의 서문, 곧 머리말에는 책을 지은 목적이 드러나 있다.
- 원만한 인간관계는 말과 관련한 예의, 즉 언어 예절을 갖추는 것에서 시작된다.
- 호준이 어머니, 다시 말해 나의 누님은 올해로 결혼한 지 20년이 된다.
- 나에게도 작은 소망, 이를테면 나만의 정원을 가졌으면 하는 소망이 있어.

(9) 문장 앞부분에서 조사 없이 쓰인 제시어나 주제어의 뒤에 쓴다.

예
- 돈, 돈이 인생의 전부이더냐?
- 열정, 이것이야말로 젊은이의 가장 소중한 자산이다.
- 지금 네가 여기 있다는 것, 그것만으로도 나는 충분히 행복해.
- 저 친구, 저러다가 큰일 한번 내겠어.
- 그 사실, 넌 알고 있었지?

(10) 한 문장에 같은 의미의 어구가 반복될 때 앞에 오는 어구 다음에 쓴다.

예 그의 애국심, 몸을 사리지 않고 국가를 위해 헌신한 정신을 우리는 본받아야 한다.

(11) 도치문에서 도치된 어구들 사이에 쓴다.

예 이리 오세요, 어머님. 다시 보자, 한강수야.

(12) 바로 다음 말과 직접적인 관계에 있지 않음을 나타낼 때 쓴다.

예
- 갑돌이는, 울면서 떠나는 갑순이를 배웅했다.
- 철원과, 대관령을 중심으로 한 강원도 산간 지대에 예년보다 일찍 첫눈이 내렸습니다.

(13) 문장 중간에 끼어든 어구의 앞뒤에 쓴다.

예
- 나는, 솔직히 말하면, 그 말이 별로 탐탁지 않아.
- 영호는 미소를 띠고, 속으로는 화가 치밀어 올라 잠시라도 견딜 수 없을 만큼 괴로웠지만, 그들을 맞았다.

[붙임 1] 이때는 쉼표 대신 줄표를 쓸 수 있다.

예
- 나는 — 솔직히 말하면 — 그 말이 별로 탐탁지 않아.
- 영호는 미소를 띠고 — 속으로는 화가 치밀어 올라 잠시라도 견딜 수 없을 만큼 괴로웠지만 — 그들을 맞았다.

[붙임 2] 끼어든 어구 안에 다른 쉼표가 들어 있을 때는 쉼표 대신 줄표를 쓴다.

예 이건 내 것이니까 — 아니, 내가 처음 발견한 것이니까 — 절대로 양보할 수 없다.

(14) 특별한 효과를 위해 끊어 읽는 곳을 나타낼 때 쓴다.

예
- 내가, 정말 그 일을 오늘 안에 해낼 수 있을까?
- 이 전투는 바로 우리가, 우리만이, 승리로 이끌 수 있다.

(15) 짧게 더듬는 말을 표시할 때 쓴다.

예 선생님, 부, 부정행위라니요? 그런 건 새, 생각조차 하지 않았습니다.

[붙임] '쉼표' 대신 '반점'이라는 용어를 쓸 수 있다.

단권화 MEMO

5 가운뎃점(·)

(1) 열거할 어구들을 일정한 기준으로 묶어서 나타낼 때 쓴다.

예 • 민수 · 영희, 선미 · 준호가 서로 짝이 되어 윷놀이를 하였다.
• 지금의 경상남도 · 경상북도, 전라남도 · 전라북도, 충청남도 · 충청북도 지역을 예부터 삼남이라 일러 왔다.

(2) 짝을 이루는 어구들 사이에 쓴다.

예 • 한(韓) · 이(伊) 양국 간의 무역량이 늘고 있다.
• 우리는 그 일의 참 · 거짓을 따질 겨를도 없었다.
• 하천 수질의 조사 · 분석
• 빨강 · 초록 · 파랑이 빛의 삼원색이다.

다만, 이때는 가운뎃점을 쓰지 않거나 쉼표를 쓸 수도 있다.

예 • 한(韓) 이(伊) 양국 간의 무역량이 늘고 있다.
• 우리는 그 일의 참 거짓을 따질 겨를도 없었다.
• 하천 수질의 조사, 분석
• 빨강, 초록, 파랑이 빛의 삼원색이다.

(3) 공통 성분을 줄여서 하나의 어구로 묶을 때 쓴다.

예 상 · 중 · 하위권　　금 · 은 · 동메달　　통권 제54 · 55 · 56호

[붙임] 이때는 가운뎃점 대신 쉼표를 쓸 수 있다.

예 상, 중, 하위권　　금, 은, 동메달　　통권 제54, 55, 56호

6 쌍점(:)

(1) 표제 다음에 해당 항목을 들거나 설명을 붙일 때 쓴다.

예 • 문방사우: 종이, 붓, 먹, 벼루
• 일시: 2014년 10월 9일 10시
• 흔하진 않지만 두 자로 된 성씨도 있다.(예: 남궁, 선우, 황보)
• 올림표(#): 음의 높이를 반음 올릴 것을 지시한다.

(2) 희곡 등에서 대화 내용을 제시할 때 말하는 이와 말한 내용 사이에 쓴다.

예 • 김 과장: 난 못 참겠다.
• 아들: 아버지, 제발 제 말씀 좀 들어 보세요.

(3) 시와 분, 장과 절 등을 구별할 때 쓴다.

예 • 오전 10:20(오전 10시 20분)
• 두시언해 6:15(두시언해 제6권 제15장)

(4) 의존 명사 '대'가 쓰일 자리에 쓴다.

예 65:60(65 대 60)　　청군:백군(청군 대 백군)

[붙임] 쌍점의 앞은 붙여 쓰고 뒤는 띄어 쓴다. 다만, (3)과 (4)에서는 쌍점의 앞뒤를 붙여 쓴다.

단권화 MEMO

7 빗금(/)

(1) 대비되는 두 개 이상의 어구를 묶어 나타낼 때 그 사이에 쓴다.

예 • 먹이다/먹히다　　남반구/북반구　　금메달/은메달/동메달
• (　)이/가 우리나라의 보물 제1호이다.

(2) 기준 단위당 수량을 표시할 때 해당 수량과 기준 단위 사이에 쓴다.

예 100미터/초　　1,000원/개

(3) 시의 행이 바뀌는 부분임을 나타낼 때 쓴다.

예 산에 / 산에 / 피는 꽃은 / 저만치 혼자서 피어 있네

다만, 연이 바뀜을 나타낼 때는 두 번 겹쳐 쓴다.

예 산에는 꽃 피네 / 꽃이 피네 / 갈 봄 여름 없이 / 꽃이 피네 // 산에 / 산에 / 피는 꽃은 / 저만치 혼자서 피어 있네

[붙임] 빗금의 앞뒤는 (1)과 (2)에서는 붙여 쓰며, (3)에서는 띄어 쓰는 것을 원칙으로 하되 붙여 쓰는 것을 허용한다. 단, (1)에서 대비되는 어구가 두 어절 이상인 경우에는 빗금의 앞뒤를 띄어 쓸 수 있다.

8 큰따옴표(“ ”)

(1) 글 가운데에서 직접 대화를 표시할 때 쓴다.

예 “어머니, 제가 가겠어요.”　　“아니다. 내가 다녀오마.”

(2) 말이나 글을 직접 인용할 때 쓴다.

예 • 나는 “어, 광훈이 아니냐?” 하는 소리에 깜짝 놀랐다.
• 밤하늘에 반짝이는 별들을 보면서 “나는 아무 걱정도 없이 가을 속의 별들을 다 헬 듯합니다.”라는 시구를 떠올렸다.
• 편지의 끝머리에는 이렇게 적혀 있었다.
“할머니, 편지에 사진을 동봉했다고 하셨지만 봉투 안에는 아무것도 없었어요.”

9 작은따옴표(‘ ’)

(1) 인용한 말 안에 있는 인용한 말을 나타낼 때 쓴다.

예 그는 “여러분! ‘시작이 반이다.’라는 말 들어 보셨죠?”라고 말하며 강연을 시작했다.

(2) 마음속으로 한 말을 적을 때 쓴다.

예 • 나는 ‘일이 다 틀렸나 보군.’ 하고 생각하였다.
• ‘이번에는 꼭 이기고야 말겠어.’ 호연이는 마음속으로 몇 번이나 그렇게 다짐하며 주먹을 불끈 쥐었다.

단권화 MEMO

10 소괄호(( ))

(1) **주석이나 보충적인 내용을 덧붙일 때 쓴다.**

예 • 니체(독일의 철학자)의 말을 빌리면 다음과 같다.
• 2014. 12. 19.(금)
• 문인화의 대표적인 소재인 사군자(매화, 난초, 국화, 대나무)는 고결한 선비 정신을 상징한다.

(2) **우리말 표기와 원어 표기를 아울러 보일 때 쓴다.**

예 기호(嗜好)　자세(姿勢)　커피(coffee)　에티켓(étiquette)

(3) **생략할 수 있는 요소임을 나타낼 때 쓴다.**

예 • 학교에서 동료 교사를 부를 때는 이름 뒤에 '선생(님)'이라는 말을 덧붙인다.
• 광개토(대)왕은 고구려의 전성기를 이끌었던 임금이다.

(4) **희곡 등 대화를 적은 글에서 동작이나 분위기, 상태를 드러낼 때 쓴다.**

예 • 현우: (가쁜 숨을 내쉬며) 왜 이렇게 빨리 뛰어?
• "관찰한 것을 쓰는 것이 습관이 되었죠. 그러다 보니, 상상력이 생겼나 봐요." (웃음)

(5) **내용이 들어갈 자리임을 나타낼 때 쓴다.**

예 • 우리나라의 수도는 (　　)이다.
• 다음 빈칸에 알맞은 조사를 쓰시오. 민수가 할아버지(　) 꽃을 드렸다.

(6) **항목의 순서나 종류를 나타내는 숫자나 문자 등에 쓴다.**

예 • 사람의 인격은 (1) 용모, (2) 언어, (3) 행동, (4) 덕성 등으로 표현된다.
• (가) 동해, (나) 서해, (다) 남해

11 중괄호({ })

(1) **같은 범주에 속하는 여러 요소를 세로로 묶어서 보일 때 쓴다.**

예 주격 조사 {이 / 가}

국가의 성립 요소 {영토 / 국민 / 주권}

(2) **열거된 항목 중 어느 하나가 자유롭게 선택될 수 있음을 보일 때 쓴다.**

예 아이들이 모두 학교{에, 로, 까지} 갔어요.

12 대괄호([ ])

(1) **괄호 안에 또 괄호를 쓸 필요가 있을 때 바깥쪽의 괄호로 쓴다.**

예 • 어린이날이 새로 제정되었을 당시에는 어린이들에게 경어를 쓰라고 하였다.[윤석중 전집(1988), 70쪽 참조]
• 이번 회의에는 두 명[이혜정(실장), 박철용(과장)]만 빼고 모두 참석했습니다.

(2) **고유어에 대응하는 한자어를 함께 보일 때 쓴다.**

예 나이[年歲]　낱말[單語]　손발[手足]

(3) 원문에 대한 이해를 돕기 위해 설명이나 논평 등을 덧붙일 때 쓴다.

예 • 그것[한글]은 이처럼 정보화 시대에 알맞은 과학적인 문자이다.
• 신경준의 《여암전서》에 "삼각산은 산이 모두 돌 봉우리인데, 그 으뜸 봉우리를 구름 위에 솟아 있다고 백운(白雲)이라 하며 [이하 생략]"
• 그런 일은 결코 있을 수 없다.[원문에는 '업다'임.]

13 겹낫표(『 』)와 겹화살괄호(《 》)

책의 제목이나 신문 이름 등을 나타낼 때 쓴다.

예 • 우리나라 최초의 민간 신문은 1896년에 창간된 『독립신문』이다.
• 『훈민정음』은 1997년에 유네스코 세계 기록 유산으로 지정되었다.
• 《한성순보》는 우리나라 최초의 근대 신문이다.
• 윤동주의 유고 시집인 《하늘과 바람과 별과 시》에는 31편의 시가 실려 있다.

[붙임] 겹낫표나 겹화살괄호 대신 큰따옴표를 쓸 수 있다.

예 • 우리나라 최초의 민간 신문은 1896년에 창간된 "독립신문"이다.
• 윤동주의 유고 시집인 "하늘과 바람과 별과 시"에는 31편의 시가 실려 있다.

14 홑낫표(「 」)와 홑화살괄호(〈 〉)

소제목, 그림이나 노래와 같은 예술 작품의 제목, 상호, 법률, 규정 등을 나타낼 때 쓴다.

예 • 「국어 기본법 시행령」은 「국어 기본법」에서 위임된 사항과 그 시행에 필요한 사항을 규정함을 목적으로 한다.
• 이 곡은 베르디가 작곡한 「축배의 노래」이다.
• 사무실 밖에 「해와 달」이라고 쓴 간판을 달았다.
• 〈한강〉은 사진집 《아름다운 땅》에 실린 작품이다.
• 백남준은 2005년에 〈엄마〉라는 작품을 선보였다.

[붙임] 홑낫표나 홑화살괄호 대신 작은따옴표를 쓸 수 있다.

예 • 사무실 밖에 '해와 달'이라고 쓴 간판을 달았다.
• '한강'은 사진집 "아름다운 땅"에 실린 작품이다.

15 줄표(—)

제목 다음에 표시하는 부제의 앞뒤에 쓴다.

예 • 이번 토론회의 제목은 '역사 바로잡기 — 근대의 설정 —'이다.
• '환경 보호 — 숲 가꾸기 —'라는 제목으로 글짓기를 했다.

다만, 뒤에 오는 줄표는 생략할 수 있다.

예 • 이번 토론회의 제목은 '역사 바로잡기 — 근대의 설정'이다.
• '환경 보호 — 숲 가꾸기'라는 제목으로 글짓기를 했다.

[붙임] 줄표의 앞뒤는 띄어 쓰는 것을 원칙으로 하되, 붙여 쓰는 것을 허용한다.

단권화 MEMO

단권화 MEMO

16 붙임표(-)

(1) 차례대로 이어지는 내용을 하나로 묶어 열거할 때 각 어구 사이에 쓴다.

예 • 멀리뛰기는 도움닫기-도약-공중 자세-착지의 순서로 이루어진다.
• 김 과장은 기획-실무-홍보까지 직접 발로 뛰었다.

(2) 두 개 이상의 어구가 밀접한 관련이 있음을 나타내고자 할 때 쓴다.

예 드디어 서울-북경의 항로가 열렸다. 원-달러 환율 남한-북한-일본 삼자 관계

17 물결표(~)

기간이나 거리 또는 범위를 나타낼 때 쓴다.

예 • 9월 15일~9월 25일
• 김정희(1786~1856)
• 서울~천안 정도는 출퇴근이 가능하다.
• 이번 시험의 범위는 3~78쪽입니다.

[붙임] 물결표 대신 붙임표를 쓸 수 있다.

예 • 9월 15일-9월 25일
• 김정희(1786-1856)
• 서울-천안 정도는 출퇴근이 가능하다.
• 이번 시험의 범위는 3-78쪽입니다.

18 드러냄표(˙)와 밑줄(_)

문장 내용 중에서 주의가 미쳐야 할 곳이나 중요한 부분을 특별히 드러내 보일 때 쓴다.

예 • 한글의 본디 이름은 훈민정음이다.
• 중요한 것은 왜 사느냐가 아니라 어떻게 사느냐이다.
• 지금 필요한 것은 지식이 아니라 실천입니다.
• 다음 보기에서 명사가 아닌 것은?

[붙임] 드러냄표나 밑줄 대신 작은따옴표를 쓸 수 있다.

예 • 한글의 본디 이름은 '훈민정음'이다.
• 중요한 것은 '왜 사느냐'가 아니라 '어떻게 사느냐'이다.
• 지금 필요한 것은 '지식'이 아니라 '실천'입니다.
• 다음 보기에서 명사가 '아닌' 것은?

19 숨김표(○, ×)

■ **'○, ×'의 명칭**
'○'는 동그라미표, '×'는 가새표 또는 가위표라고 한다.

(1) 금기어나 공공연히 쓰기 어려운 비속어임을 나타낼 때, 그 글자의 수효만큼 쓴다.

예 • 배운 사람 입에서 어찌 ○○○란 말이 나올 수 있느냐?
• 그 말을 듣는 순간 ×××란 말이 목구멍까지 치밀었다.

(2) 비밀을 유지해야 하거나 밝힐 수 없는 사항임을 나타낼 때 쓴다.

예 • 1차 시험 합격자는 김○영, 이○준, 박○순 등 모두 3명이다.
• 육군 ○○ 부대 ○○○ 명이 작전에 참가하였다.
• 그 모임의 참석자는 김×× 씨, 정×× 씨 등 5명이었다.

20 빠짐표(□)

단권화 MEMO

(1) 옛 비문이나 문헌 등에서 글자가 분명하지 않을 때 그 글자의 수효만큼 쓴다.

예 大師爲法主□□賴之大□薦

(2) 글자가 들어가야 할 자리를 나타낼 때 쓴다.

예 훈민정음의 초성 중에서 아음(牙音)은 □□□의 석 자다.

21 줄임표(……)

(1) 할 말을 줄였을 때 쓴다.

예 "어디 나하고 한번……." 하고 민수가 나섰다.

(2) 말이 없음을 나타낼 때 쓴다.

예 "빨리 말해!"
"……."

(3) 문장이나 글의 일부를 생략할 때 쓴다.

예 '고유'라는 말은 문자 그대로 본디부터 있었다는 뜻은 아닙니다. …… 같은 역사적 환경에서 공동의 집단생활을 영위해 오는 동안 공동으로 발견된, 사물에 대한 공동의 사고방식을 우리는 한국의 고유 사상이라 부를 수 있다는 것입니다.

(4) 머뭇거림을 보일 때 쓴다.

예 "우리는 모두…… 그러니까…… 예외 없이 눈물만…… 흘렸다."

[붙임 1] 점은 가운데에 찍는 대신 아래쪽에 찍을 수도 있다.

예 • "어디 나하고 한번......" 하고 민수가 나섰다.
• "실은...... 저 사람...... 우리 아저씨일지 몰라."

[붙임 2] 점은 여섯 점을 찍는 대신 세 점을 찍을 수도 있다.

예 • "어디 나하고 한번…." 하고 민수가 나섰다.
• "실은... 저 사람... 우리 아저씨일지 몰라."

[붙임 3] 줄임표는 앞말에 붙여 쓴다. 다만, (3)에서는 줄임표의 앞뒤를 띄어 쓴다.

02 문장 부호

01 (　　　): 서술, 명령, 청유 등을 나타내는 문장의 끝에 쓴다.

02 (　　　): 의문문이나 의문을 나타내는 어구의 끝에 쓴다.

03 (　　　): 같은 자격의 어구를 열거할 때 그 사이에 쓴다.

04 (　　　): 열거할 어구들을 일정한 기준으로 묶어서 나타낼 때 쓴다.

05 (　　　): 표제 다음에 해당 항목을 들거나 설명을 붙일 때 쓴다.

06 (　　　): 주석이나 보충적인 내용을 덧붙일 때 쓴다.

07 (　　　): 같은 범주에 속하는 여러 요소를 세로로 묶어서 보일 때 쓴다.

08 (　　　): 괄호 안에 또 괄호를 쓸 필요가 있을 때 바깥쪽의 괄호로 쓴다.

09 (　　　): 소제목, 그림이나 노래와 같은 예술 작품의 제목, 상호, 법률, 규정 등을 나타낼 때 쓴다.

10 (　　　): 금기어나 공공연히 쓰기 어려운 비속어임을 나타낼 때, 그 글자의 수효만큼 쓴다.

| 정답 | 01 마침표(.) 02 물음표(?) 03 쉼표(,) 04 가운뎃점(·) 05 쌍점(:) 06 소괄호(( )) 07 중괄호({ }) 08 대괄호([ ]) 09 홑낫표(「 」)와 홑화살괄호(〈 〉) 10 숨김표(○, ×)

02 문장 부호

교수님 코멘트▶ 이 영역에서는 소괄호, 대괄호, 붙임표, 쉼표, 가운뎃점 등이 출제되는 편이다. 특히 소괄호의 쓰임과 소괄호와 대괄호의 쓰임 구분이 종종 출제된다. 기본서를 가볍게 회독하자. 또한 기출문제를 통해서 유형을 파악하고, 앞서 학습한 개념이 어떻게 문제화되는지 알아 두자.

01

2018 기상직 9급

문장 부호 규정과 사용법이 잘못된 것은?

	규정	사용법
①	글자가 들어가야 할 자리를 나타낼 때, 숨김표(○)를 쓴다.	훈민정음의 초성 중에서 아음(牙音)은 ○○○의 석 자다.
②	의존 명사 '대'가 쓰일 자리에 쌍점(:)을 쓴다.	청군:백군(청군 대 백군)
③	책의 제목이나 신문 이름 등을 나타낼 때, 겹화살괄호(《 》)를 쓴다.	《한성순보》는 우리나라 최초의 근대 신문이다.
④	짝을 이루는 어구들 사이에는 가운뎃점(·)을 쓴다.	하천 수질의 조사·분석

02

2017 서울시 사회복지직 9급

〈보기〉의 ㉠~㉣에 대한 이해로 가장 옳지 않은 것은?

보기

㉠ 낯익은, 철수의 동생이 우리 집에 찾아왔다.
㉡ 꺼진 불도 다시 보자
㉢ 휴가를 낸 김에 며칠 푹 쉬고 온다?
㉣ 나는 '일이 다 틀렸나 보군.' 하고 생각하였다.

① ㉠: 쉼표를 보니 관형어 '낯익은'은 '철수'와 '동생'을 동시에 수식함을 알 수 있다.
② ㉡: 마침표가 없는 것을 보니 '꺼진 불도 다시 보자'는 제목이나 표어임을 알 수 있다.
③ ㉢: 물음표를 보니 의문형 종결 어미로 끝나지 않았더라도 의문을 나타낼 수 있음을 알 수 있다.
④ ㉣: 작은따옴표를 보니 '일이 다 틀렸나 보군.'은 마음속으로 한 말이 인용되었음을 알 수 있다.

정답&해설

01 ① 문장 부호

① 숨김표(○, ×)는 금기어나 공공연히 쓰기 어려운 비속어임을 나타낼 때나 비밀을 유지해야 하거나 밝힐 수 없는 사항임을 나타낼 때 사용한다. 글자가 들어가야 할 자리를 나타낼 때 사용하는 것은 빠짐표(□)이다.

02 ① 문장 부호

① 만약 쉼표가 없다면 '낯익은'이 수식하는 것이 '철수'일 수도 있고 '철수의 동생'일 수도 있는 중의성을 갖게 된다. 반면, 쉼표가 쓰인다면 분명히 '낯익은'은 '철수의 동생'을 수식하게 되어 중의성이 사라진다.

| 정답 | 01 ① 02 ①

03

2017 국가직 7급 추가 채용

문장 부호 사용법에 대한 설명으로 옳지 않은 것은?

① 의문문의 끝에 마침표나 느낌표를 쓰는 경우도 있다.
② 열거할 어구들을 일정한 기준으로 묶어서 나타낼 때 가운뎃점을 쓴다.
③ 바로 다음 말과 직접적인 관계에 있지 않음을 나타낼 때 쉼표를 쓴다.
④ 한 문장 안에 몇 개의 선택적인 물음이 이어질 때 각 물음의 뒤에 물음표를 쓴다.

04

2015 지방직 9급

묶음표의 쓰임이 잘못된 것은?

① 나는 3·1 운동(1919) 당시 중학생이었다.
② 그녀의 나이(年歲)가 60세일 때 그 일이 터졌다.
③ 젊음[희망(希望)의 다른 이름]은 가장 아름다운 꽃이다.
④ 국가의 성립 요소 {국토 / 국민 / 주권}

05

2014 국가직 7급

문장 부호의 사용이 옳지 않은 것은?

① 콩 심으면 콩 나고, 팥 심으면 팥 난다.
② 지금 필요한 것은 '지식'이 아니라 '실천'이다.
③ 춘원[6·25 때 납북]은 우리나라의 소설가이다.
④ 어머님께 말했다가 — 아니, 말씀드렸다가 — 꾸중만 들었다.

정답&해설

03 ④ 문장 부호

④ 각 물음의 뒤에 물음표를 쓰는 것은 독립된 물음인 경우이다. 한 문장 안에 몇 개의 선택적인 물음이 이어질 경우에는 맨 뒤의 물음에만 물음표를 쓴다.

04 ② 문장 부호

② '나이[年歲]'로 수정해야 한다. 고유어에 대응하는 한자어의 음이 다를 경우에는 대괄호를 써야 한다. 반면, 음이 같은 경우에는 소괄호를 쓴다.

| 오답해설 | ① 주석이나 보충적인 내용을 덧붙일 때 소괄호를 사용한다.
③ 대괄호는 괄호 안에 또 괄호를 쓸 필요가 있을 때 바깥쪽에 사용한다.
④ 중괄호는 같은 범주에 속하는 여러 요소를 세로로 묶어서 보일 때 쓴다.

05 ③ 문장 부호

③ 주석이나 보충할 말을 넣을 때에는 소괄호(( ))를 사용한다.

| 오답해설 | ① 문장의 연결 관계를 보여 줄 때에는 쉼표(,)를 사용한다.
② 중요한 부분을 특별히 강조할 때 작은따옴표(' ') 또는 드러냄표(˙), 밑줄(_)을 사용한다.
④ 어구를 문장 중간에 끼워 넣으려면 어구가 들어갈 자리 앞뒤에 쉼표(,) 또는 줄표(—)를 사용한다.

| 정답 | 03 ④ 04 ② 05 ③

10분 뒤와
10년 후의
자신의 모습을
동시에 생각하라.

– 피터 드러커(Peter Ferdinand Drucker)

CHAPTER

03 표준어 사정 원칙

☐ 1회독 월 일
☐ 2회독 월 일
☐ 3회독 월 일
☐ 4회독 월 일
☐ 5회독 월 일

단권화 MEMO

■ 표준어의 지역적 기준
표준어의 공용적 성격을 가장 크게 드러내는 기준이다. 그러나 이 기준이 어떤 지역어를 쓰지 말라거나 사적인 자리에서까지 반드시 표준어를 써야만 한다는 의미는 아니다.

■ 제2항의 '외래어'의 의미
이 조항의 '외래어'는 우리말에 편입된 말만을 이르는 좁은 개념이다.

01 총칙

제1항 표준어는 교양 있는 사람들이 두루 쓰는 현대 서울말로 정함을 원칙으로 한다.

〈표준어 사정 원칙〉 제1항에는 표준어를 정하는 사회적, 시대적, 지역적 기준이 제시되어 있다.

1. 사회적 기준으로서, 표준어는 '교양 있는 사람들이 쓰는 언어'이어야 한다. '교양 있는 사람'이란 사회적 품위를 갖춘 사람을 말한다. 비어, 속어, 은어 등은 표준어이기는 하나, 언어 예절에 어긋난 말이므로 교양 있는 사람이라면 사용을 자제해야 한다.

2. 시대적 기준으로서, 표준어는 '현대의 언어'이어야 한다. 여기서 '현대'는 단순히 시간적인 현재를 말하는 것이 아니라 역사의 흐름에서 현재와 같은 구획에 있는 시대를 말한다. 따라서 여기에서의 '현대'는 객관적 기준이 없으며, 국어 언중들이 직관적으로 이해해야 한다.

3. 지역적 기준으로서, 표준어는 '서울말'이어야 한다. 서울말은 서울 지역의 말을 바탕으로 하되, 언중들의 교양을 반영한 말로, 이는 공식적인 담화에 적합하기에 표준어로 정한 것이다.

제2항 외래어는 따로 사정한다.

이 조항은 외국어를 국어의 일부인 외래어로 인정할 수 있는지 결정하는 데 있어 〈표준어 사정 원칙〉과는 별도로 규정한다는 뜻이다. 왜냐하면 외래어를 사정하는 데 '사회적, 시대적, 지역적 기준'을 적용하기 어렵기 때문이다.

02 발음 변화에 따른 표준어 규정

1 자음

제3항 다음 단어들은 거센소리를 가진 형태를 표준어로 삼는다. (ㄱ을 표준어로 삼고, ㄴ을 버림)

ㄱ	ㄴ	비고
끄나풀	끄나불	
나팔-꽃	나발-꽃	
녘	녁	동~, 들~, 새벽~, 동틀 ~.
부엌	부억	
살-쾡이	삵-괭이	

칸	간	1. ~막이, 빈~, 방 한 ~. 2. '초가삼간, 윗간'의 경우에는 '간'임.
털어-먹다	떨어-먹다	재물을 다 없애다.

1. 제3항은 예사소리나 된소리가 거센소리로 변한 경우의 예이다. 여기에 제시한 어휘는 이미 일반화된 형태를 인정하는 성격이 크다.

2. '칸'과 '간'의 구분에서 '칸'은 공간의 구획을 나타내며, '간(間)'은 '초가삼간, 뒷간, 마구간, 헛간' 등 이미 굳어진 한자어 속에서 쓰이거나 장소를 가리키는 접미사로 쓰인다. 따라서 '위 칸, 한 칸 벌린다' 등 일반적인 용법에서는 '칸'을 쓴다.

제4항 **다음 단어들은 거센소리로 나지 않는 형태를 표준어로 삼는다. (ㄱ을 표준어로 삼고, ㄴ을 버림)**

ㄱ	ㄴ	비고
가을-갈이	가을-카리	
거시기*	거시키	
분침	푼침	

제4항은 제3항과 같은 취지로 규정한 말들이나, 제3항과는 달리 거센소리가 예사소리로 변화한 말들을 표준어로 삼은 경우이다.

제5항 **어원에서 멀어진 형태로 굳어져서 널리 쓰이는 것은, 그것을 표준어로 삼는다. (ㄱ을 표준어로 삼고, ㄴ을 버림)**

ㄱ	ㄴ	비고
강낭-콩	강남-콩	
고삿*	고샅	겉~, 속~.
사글-세	삭월-세	'월세'는 표준어임.
울력-성당	위력-성당	떼를 지어서 으르고 협박하는 일.

다만, 어원적으로 원형에 더 가까운 형태가 아직 쓰이고 있는 경우에는, 그것을 표준어로 삼는다. (ㄱ을 표준어로 삼고, ㄴ을 버림)

ㄱ	ㄴ	비고
갈비	가리	~구이, ~찜, 갈빗-대.
갓모	갈모	1. 사기 만드는 물레 밑 고리. 2. '갈모'*는 갓 위에 쓰는, 유지로 만든 우비.
굴-젓	구-젓	
말-곁*	말-겻	
물-수란*	물-수랄	
밀-뜨리다	미-뜨리다	
적-이	저으기	적이-나, 적이나-하면.
휴지	수지	

1. 학문적으로는 어원이 밝혀져 있더라도 언중의 어원 의식이 약해져서 어원으로부터 멀어진 형태가 널리 쓰이면 그 말을 표준어로 삼고, 어원에 충실한 형태이더라도 현실적으로 쓰이지 않는 말은 표준어로 삼지 않겠다는 것을 다룬 조항이다.
   ① 예전에는 '지붕을 일 때에 쓰는 새끼'와 '좁은 골목이나 길'을 모두 '고샅'으로 써 왔는데, 이를 분화시켜 앞의 것을 '고삿'으로 바꾼 것이다.

단권화 MEMO

＊거시기
'거시기'는 이름이 얼른 생각나지 않거나 바로 말하기 곤란한 사람 또는 사물을 가리키는 대명사 또는 군소리인 감탄사로, 표준어이다.

＊고삿
초가지붕을 일 때 쓰는 새끼

＊갈모(-帽)
'갓모'와 별개로, 비가 올 때 갓 위에 덮어 쓰던 고깔과 비슷하게 생긴 물건을 뜻하는 '갈모'는 표준어이다.

＊말곁
남이 말하는 옆에서 덩달아 참견하는 말

＊물수란
달걀을 깨뜨려 그대로 끓는 물에 넣어 반쯤 익힌 음식

■ 밀뜨리다/밀트리다
'-뜨리다'와 '-트리다' 모두 표준어이므로 '밀트리다'도 표준어로 인정한다.

단권화 MEMO

② '월세(月貰)'와 뜻이 같은 말로 쓰이던 '삭월세'와 '사글세' 중에 '삭월세(朔月貰)'는 단순히 한자로 음을 흉내 낸 것으로 보아 취할 바가 못 된다 하여 '사글세'만을 표준으로 삼은 것이다.

2. [다만] 어원 의식이 남아 있어 어원을 의식한 형태가 쓰이는 것들은, 그 짝이 되는 비어원적인 형태보다 더 우선적으로 표준어 자격을 주도록 규정하였다.

① '적이'는 의미적으로 '적다'와는 멀어지고 오히려 반대의 의미를 가지게 되었다. 그 때문에 한동안 '저으기'가 널리 보급되기도 하였다. 그러나 반대의 뜻이 되었더라도 원래의 어원 '적다'와의 관계는 부정할 수 없기 때문에 '저으기'가 아닌 '적이'를 표준어로 삼았다.

【연계학습】
• 형태론 > 체언 > 수사

제6항 다음 단어들은 의미를 구별함이 없이, 한 가지 형태만을 표준어로 삼는다. (ㄱ을 표준어로 삼고, ㄴ을 버림)

ㄱ	ㄴ	비고
돌	돐	생일, 주기.
둘-째	두-째	'제2, 두 개째'의 뜻.
셋-째	세-째	'제3, 세 개째'의 뜻.
넷-째	네-째	'제4, 네 개째'의 뜻.
빌리다	빌다	1. 빌려주다, 빌려 오다. 2. '용서를 빌다'는 '빌다'임.

다만, '둘째'는 십 단위 이상의 서수사에 쓰일 때에 '두째'로 한다.

ㄱ	ㄴ	비고
열두-째		열두 개째의 뜻은 '열둘째'로.
스물두-째		스물두 개째의 뜻은 '스물둘째'로.

1. 이 조항은 그동안 용법의 차이가 있는 것으로 규정해 온 것 중 현재에는 그 구별의 의의가 거의 사라진 항목들을 정리한 것이다.

① 과거에 '돌'은 '생일', '돐'은 '한글 반포 500돐'처럼 '주년'의 의미로 세분해 써 왔으나 이를 '돌'로 통합하였다. 이는 그러한 구별이 인위적이고 불필요할 뿐만 아니라 '돐이, 돐을' 등의 발음인 [돌씨], [돌쓸]이 현실에 없기 때문이다.
② 과거에 '두째, 세째'는 '첫째'와 함께 '차례'를, '둘째, 셋째'는 '하나째'와 함께 '사과를 벌써 셋째 먹는다.'에서와 같이 '수량'을 나타내는 것으로 구별하여 써 왔다. 그러나 언어 현실에서 이와 같은 구별은 인위적인 것으로 판단되어 '둘째, 셋째'로 통합한 것이다.

2. [다만] 차례를 나타내는 말로 '열두째, 스물두째, 서른두째' 등 '두째' 앞에 다른 수가 올 때에는 받침 'ㄹ'이 분명히 탈락하는 언어 현실을 살려 부득이 종래의 구분을 살렸다.

【연계학습】
• 고전 문법 > 명사 > 'ㅎ' 종성 체언

*수나사
두 물체를 죄거나 붙이는 데 쓰는, 육각이나 사각의 머리를 가진 나사

제7항 수컷을 이르는 접두사는 '수-'로 통일한다. (ㄱ을 표준어로 삼고, ㄴ을 버림)

ㄱ	ㄴ	비고
수-꿩	수-퀑/숫-꿩	'장끼'도 표준어임.
수-나사*	숫-나사	
수-놈	숫-놈	
수-사돈	숫-사돈	
수-소	숫-소	'황소'도 표준어임.
수-은행나무	숫-은행나무	

다만 1. 다음 단어에서는 접두사 다음에서 나는 거센소리를 인정한다. 접두사 '암-'이 결합되는 경우에도 이에 준한다. (ㄱ을 표준어로 삼고, ㄴ을 버림)

ㄱ	ㄴ	비고
수-캉아지	숫-강아지	
수-캐	숫-개	
수-컷	숫-것	
수-키와*	숫-기와	
수-탉	숫-닭	
수-탕나귀	숫-당나귀	
수-톨쩌귀*	숫-돌쩌귀	
수-퇘지	숫-돼지	
수-평아리	숫-병아리	

다만 2. 다음 단어의 접두사는 '숫-'으로 한다. (ㄱ을 표준어로 삼고, ㄴ을 버림)

ㄱ	ㄴ	비고
숫-양	수-양	
숫-염소	수-염소	
숫-쥐	수-쥐	

[다만 2]에 제시된 단어 이외에는 '수-'로 통일하였다. 즉, 수컷을 이르는 접두사의 기본형을 '수-'로 잡은 것이다. 또한 이 조항에서는 암컷을 이르는 접두사가 '암-'임을 분명히 밝혔다.

2 모음

제8항 양성 모음이 음성 모음으로 바뀌어 굳어진 다음 단어는 음성 모음 형태를 표준어로 삼는다. (ㄱ을 표준어로 삼고, ㄴ을 버림)

ㄱ	ㄴ	비고
깡충-깡충	깡총-깡총	큰말은 '껑충껑충'임.
-둥이	-동이	← 童-이. 귀-, 막-, 선-, 쌍-, 검-, 바람-, 흰-.
발가-숭이	발가-송이	센말은 '빨가숭이', 큰말은 '벌거숭이, 뻘거숭이'임.
보퉁이	보통이	
봉죽*	봉족	← 奉足. ~꾼, ~들다.
뻗정-다리*	뻗장-다리	
아서, 아서라	앗아, 앗아라	하지 말라고 금지하는 말.
오뚝-이	오똑-이	부사도 '오뚝-이'임.
주추*	주초	← 柱礎. 주춧-돌.

다만, 어원 의식이 강하게 작용하는 다음 단어에서는 양성 모음 형태를 그대로 표준어로 삼는다. (ㄱ을 표준어로 삼고, ㄴ을 버림)

ㄱ	ㄴ	비고
부조(扶助)	부주	~금, 부좃-술.
사돈(査頓)	사둔	밭~, 안~.
삼촌(三寸)	삼춘	시~, 외~, 처~.

1. 국어는 모음 조화가 특징적으로 나타나는 언어이다. 그러나 모음 조화 규칙은 근대를 거치면서 많이 무너졌고, 현재에도 더 약해지고 있는 편이다. 이 규칙의 붕괴는 대체로 한쪽 양성 모음이 음성 모음으로 바뀌면서 나타난다.

단권화 MEMO

*수키와
두 암키와 사이를 엎어 잇는 기와. 속이 빈 원기둥을 세로로 반을 쪼갠 모양이다.

*수톨쩌귀
문짝에 박아서 문설주에 있는 암톨쩌귀에 꽂게 되어 있는, 뾰족한 촉이 달린 돌쩌귀

【연계학습】
• 음운론 > 음운의 변동 > 모음 조화

*봉죽
일을 꾸려 나가는 사람을 곁에서 거들어 도와줌

*뻗정다리
'벋정다리'의 센말. 구부렸다 폈다 하지 못하고 늘 벋어 있는 다리. 또는 그런 다리를 가진 사람

*주추
기둥 밑에 괴는 돌 따위의 물건

단권화 MEMO

① 부사인 '깡충깡충, 껑충껑충'은 이 형태가 표준어이다. 그러나 용언인 '껑충하다'와 짝을 이루는 말은 '깡총하다'로, '깡충하다'가 오히려 비표준어이다.
② '쌍둥이'와는 별개로 '쌍동밤'과 같은 단어는 한자어 '쌍동(雙童)'의 발음이 살아 있는 것으로 판단하여 '쌍둥밤'으로 쓰지 않는다. 또 살이 올라 보드랍고 통통한 아이를 뜻하는 '옴포동이'는 '옴포동하다'의 어근에 접미사 '-이'가 결합된 말로서 '-둥이'와 관련이 없으므로 '옴포둥이'와 같이 쓰지 않는다.
③ '애송이'는 '애숭이'로 쓰지 않는다.
④ '고집통이, 골통이'에서는 '통이'를 쓰는데, 이는 '고집통이, 골통이'가 각각 '고집통', '골통'에 접미사 '-이'가 붙은 말이기 때문이다.

2. [다만] 현실적으로 '부주, 사둔, 삼춘'이 널리 쓰이는 형태이나, 이들은 어원을 의식하는 경향이 커서 음성 모음화를 인정하지 않았다. '査頓(사돈)'은 우리나라에서만 쓰이는 단순한 한자 취음어(漢字取音語)*이므로 '사둔' 형태를 취하자는 의견도 있었으나, 한자 표기 의식이 아직 강하게 남아 있으므로 그대로 '사돈'으로 하기로 하였다.

*한자 취음어(漢字取音語)
한자음을 빌려 옮긴 말

【연계학습】
• 음운론 > 음운의 변동 > 'ㅣ' 모음 역행 동화

제9항 'ㅣ' 역행 동화 현상에 의한 발음은 원칙적으로 표준 발음으로 인정하지 아니하되, 다만 다음 단어들은 그러한 동화가 적용된 형태를 표준어로 삼는다. (ㄱ을 표준어로 삼고, ㄴ을 버림)

ㄱ	ㄴ	비고
-내기	-나기	서울-, 시골-, 신출-, 풋-.
냄비	남비	
동댕이-치다	동당이-치다	

[붙임 1] 다음 단어는 'ㅣ' 역행 동화가 일어나지 아니한 형태를 표준어로 삼는다. (ㄱ을 표준어로 삼고, ㄴ을 버림)

ㄱ	ㄴ	비고
아지랑이	아지랭이	

[붙임 2] 기술자에게는 '-장이', 그 외에는 '-쟁이'가 붙는 형태를 표준어로 삼는다. (ㄱ을 표준어로 삼고, ㄴ을 버림)

ㄱ	ㄴ	비고
미장이*	미쟁이	
유기장이*	유기쟁이	
멋쟁이	멋장이	
소금쟁이	소금장이	
담쟁이-덩굴	담장이-덩굴	
골목쟁이*	골목장이	
발목쟁이*	발목장이	

*미장이
건축 공사에서 벽이나 천장, 바닥 따위에 흙, 회, 시멘트 따위를 바르는 일을 직업으로 하는 사람
*유기장이
키버들로 고리짝이나 키 따위를 만들어 파는 일을 직업으로 하는 사람
*골목쟁이
골목에서 좀 더 깊숙이 들어간 좁은 곳
*발목쟁이
'발'을 속되게 이르는 말

1. 한 단어 안에서는 'ㅣ' 역행 동화가 자주 일어난다. 하지만 대부분 주의해서 발음하면 피할 수 있는 현상이며, 이 동화 현상은 매우 광범위하여 그 동화형을 다 표준어로 인정하면 오히려 혼란을 일으킬 우려가 있다. 따라서 'ㅣ' 역행 동화 현상을 인정하는 표준어는 최소화하였으며, 이에 대한 규정이 제9항이다.

2. [붙임 1] '아지랑이'는 사전에서 '아지랭이'로 고쳐진 것이 교과서에 반영되어 그동안 '아지랭이'가 표준어로 행세해 왔다. 그러나 현실 언어를 반영하여 '아지랑이'로 되돌린 것이다.

3. [붙임 2] '-장이'는 기술자에 붙는 접미사이고, '-쟁이'는 기타 어휘에 붙는 접미사이다. 여기서의 '기술자'는 '수공업적인 기술자'로 한정한다. 따라서 '점쟁이, 환쟁이*'는 접미사 '-장이'가 아니라 '-쟁이'가 붙는다.

*환쟁이
'화가'를 낮잡아 이르는 말

제10항 다음 단어는 모음이 단순화한 형태를 표준어로 삼는다. (ㄱ을 표준어로 삼고, ㄴ을 버림)

ㄱ	ㄴ	비고
괴팍-하다	괴퍅-하다/ 괴팩-하다	
-구먼	-구면	
미루-나무	미류-나무	← 美柳~.
미륵	미력	← 彌勒. ~보살, ~불, 돌~.
여느	여늬	
온-달	왼-달	만 한 달.
으레	으례	
케케-묵다	켸켸-묵다	
허우대	허위대	
허우적-허우적	허위적-허위적	허우적-거리다.

일부 방언에서는 이중 모음을 단모음으로 발음하며, 원순 모음을 평순 모음으로 발음하는 것이 더 흔하게 보인다. 이 조항에서는 표준어에서 모음이 단순화된 단어를 다루며, 변화를 수용하여 새 형태를 표준어로 삼는 것을 다룬다.

① '괴팍하다'는 '괴퍅하다'가 표준어였으나, '괴팍하다'로 발음이 바뀌었으므로 바뀐 발음을 인정하여 '괴팍하다'를 표준어로 삼았다. 그러나 사용 빈도가 낮은 '강퍅하다, 퍅하다, 퍅성' 등에서의 '퍅'은 '팍'으로 발음되지 않으므로 '퍅'이 여전히 표준어형이다.
② '늬나노'의 '늬'도 언어 현실에서 [니]로 소리 나므로 '늬나노'를 표준어로 삼는다.
③ 부사 '으레'에 다시 '-이/-히'가 붙은 '으레이, 으레히'는 표준어로 인정하지 않는다.

제11항 다음 단어에서는 모음의 발음 변화를 인정하여, 발음이 바뀌어 굳어진 형태를 표준어로 삼는다. (ㄱ을 표준어로 삼고, ㄴ을 버림)

ㄱ	ㄴ	비고
-구려	-구료	
깍쟁이	깍정이	1. 서울~, 알~, 찰~. 2. 도토리, 상수리 등의 받침은 '깍정이'임.
나무라다	나무래다	
미수*	미시	미숫-가루.
바라다	바래다	'바램[所望]'은 비표준어임.
상추	상치	~쌈.
시러베-아들*	실업의-아들	
주책	주착	← 主着. ~망나니, ~없다.
지루-하다	지리-하다	← 支離.
튀기*	트기	
허드레	허드래	허드렛-물, 허드렛-일.
호루라기	호루루기	

이 조항은 제8항~제10항에서 제시한 모음 변화에 속하지 않는 예들을 설명하고 있다. 변화된 발음이 굳어진 경우 그것을 표준으로 삼는다는 원칙은 동일하게 적용된다.

① 밤나무, 떡갈나무 따위의 열매를 싸고 있는 술잔 모양의 받침을 뜻하는 '깍정이'는 표준어이다.
② '바램'이 비표준어이듯이, '바라다'의 활용형 '바랬다, 바래다'도 비표준형이다.
③ '주책(← 주착, 主着), 지루하다(← 지리하다, 支離하다)'는 한자어 어원의 형태를 버리고 변한 형태를 취한 것이다. 그러나 '지리멸렬(支離滅裂)'에서는 '지리'가 유지되고 있다.

단권화 MEMO

*미수
설탕물이나 꿀물에 미숫가루를 탄 여름철 음료

*시러베아들
실없는 사람을 낮잡아 이르는 말

*튀기
종(種)이 다른 두 동물 사이에서 난 새끼

■ 주책없다/주책이다
'주책없다'가 표준어이고 '주책이다'는 비표준형이었으나, '주책'의 의미로서 '일정한 줏대가 없이 되는대로 하는 짓'을 인정함에 따라 2016년에 '주책없다'와 같은 의미로 쓰이는 '주책이다'를 표준형으로 인정하였다.

④ '시러베아들(← 실업의아들), 허드레(← 허드래), 호루라기(← 호루루기)'는 현실 발음을 받아들인 것이다.

제12항 '웃-' 및 '윗-'은 명사 '위'에 맞추어 '윗-'으로 통일한다. (ㄱ을 표준어로 삼고, ㄴ을 버림)

ㄱ	ㄴ	비고
윗-넓이	웃-넓이	
윗-눈썹	웃-눈썹	
윗-니	웃-니	
윗-당줄*	웃-당줄	
윗-덧줄*	웃-덧줄	
윗-도리	웃-도리	
윗-동아리*	웃-동아리	준말은 '윗동'임.
윗-막이	웃-막이	
윗-머리	웃-머리	
윗-목	웃-목	
윗-몸	웃-몸	~ 운동.
윗-바람	웃-바람	
윗-배	웃-배	
윗-벌	웃-벌	
윗-변	웃-변	수학 용어.
윗-사랑	웃-사랑	
윗-세장*	웃-세장	
윗-수염	웃-수염	
윗-입술	웃-입술	
윗-잇몸	웃-잇몸	
윗-자리	웃-자리	
윗-중방*	웃-중방	

다만 1. 된소리나 거센소리 앞에서는 '위-'로 한다. (ㄱ을 표준어로 삼고, ㄴ을 버림)

ㄱ	ㄴ	비고
위-짝*	웃-짝	
위-쪽	웃-쪽	
위-채*	웃-채	
위-층	웃-층	
위-치마*	웃-치마	
위-턱	웃-턱	~구름[上層雲].
위-팔	웃-팔	

다만 2. '아래, 위'의 대립이 없는 단어는 '웃-'으로 발음되는 형태를 표준어로 삼는다. (ㄱ을 표준어로 삼고, ㄴ을 버림)

ㄱ	ㄴ	비고
웃-국	윗-국	
웃-기	윗-기	
웃-돈	윗-돈	
웃-비	윗-비	~걷다.
웃-어른	윗-어른	
웃-옷	윗-옷	

단권화 MEMO

【연계학습】
- 음운론 > 음운의 변동 > 사잇소리 현상

＊윗당줄
망건당에 꿴 당줄
참 망건당: 망건의 윗부분. 말총을 촘촘히 세워 곱쳐 구멍을 내어 윗당줄을 꿰게 되어 있다.
참 당줄: 망건에 달아 상투에 동여매는 줄

＊윗덧줄
악보의 오선(五線) 위에 덧붙여 그 이상의 음높이를 나타내기 위하여 짧게 긋는 줄

＊윗동아리
긴 물체의 위쪽 부분

＊윗세장
지게나 걸채 따위에서 윗부분에 가로질러 박은 나무

＊윗중방
창문 위 또는 벽의 위쪽 사이에 가로지르는 인방. 창이나 문틀 윗부분 벽의 하중을 받쳐 준다.

＊위짝
위아래가 한 벌을 이루는 물건의 위쪽 짝

＊위채
여러 채로 된 집에서 위쪽에 있는 채

＊위치마
갈퀴의 앞초리 쪽으로 대나무를 가로 대고 철사나 끈 따위로 묶은 코

1. 일반적으로 '위－아래'로 개념이 대립하지 않는 경우에는 '웃－'을, 그 외에는 '윗－'을 표준어로 삼는다. 예를 들어, '웃돈'과 '윗돈'은 개념상 '아랫돈'이 없으므로 '웃돈'을 표준어로 삼고, '윗목'은 이에 대립하는 '아랫목'이 있으므로 '윗목'을 표준어로 삼는다.

2. '윗넓이'처럼 '아랫－'이 붙은 말이 없더라도 '윗－'이 의미상 '아랫－'과 반대되는 의미를 나타내는 경우에는 '윗－'으로 쓸 수 있다.

3. '윗－/아랫－'에는 사이시옷이 있는데, 〈한글 맞춤법〉 제30항에 사이시옷은 합성어에서만 쓰이는 것으로 규정되어 있다. 따라서 합성어가 아닐 경우에는 '위, 아래'라고 써야 한다. 예를 들어, 벽에 사진을 위아래로 나란히 붙여 놓았을 때, 각각 '위 사진[위사진], 아래 사진[아래사진]'이라고 해야 한다.

4. [다만 1] 된소리나 거센소리 앞에서는 사이시옷을 쓰지 않기로 한 〈한글 맞춤법〉 제30항의 규정에 맞춘 것이다.

5. [다만 2] '윗목－아랫목, 윗자리－아랫자리'처럼 '위－아래'의 대립이 있을 때에는 '윗'을 취하고 그렇지 않을 때에만 '웃'을 인정하였다. 그래서 맨 겉에 입는 옷을 가리키는 '웃옷'은 '아랫옷'이 없으므로 '웃옷'이 표준어이다. 그러나 위에 입는 옷(상의)을 가리키는 '윗옷'은 '하의'가 있으므로 '윗옷'이 표준어이다.

단권화 MEMO

【연계학습】
• 〈한글 맞춤법〉 제30항

제13항 한자 '구(句)'가 붙어서 이루어진 단어는 '귀'로 읽는 것을 인정하지 아니하고, '구'로 통일한다. (ㄱ을 표준어로 삼고, ㄴ을 버림)

ㄱ	ㄴ	비고
구법(句法)*	귀법	
구절(句節)	귀절	
구점(句點)*	귀점	
결구(結句)*	결귀	
경구(警句)*	경귀	
경인구(警人句)*	경인귀	
난구(難句)*	난귀	
단구(短句)	단귀	
단명구(短命句)*	단명귀	
대구(對句)	대귀	～법(對句法).
문구(文句)	문귀	
성구(成句)*	성귀	～어(成句語).
시구(詩句)	시귀	
어구(語句)	어귀	
연구(聯句)	연귀	
인용구(引用句)	인용귀	
절구(絕句)	절귀	

다만, 다음 단어는 '귀'로 발음되는 형태를 표준어로 삼는다. (ㄱ을 표준어로 삼고, ㄴ을 버림)

ㄱ	ㄴ	비고
귀－글*	구－글	
글－귀*	글－구	

종래 '구'와 '귀'로 혼동이 심했던 '句'의 음을 '구'로 통일한 것이다. 다만, '句'의 훈과 음은 '글귀 구'이므로 '글귀, 귀글'의 경우는 예외로 한다.

*구법(句法)
시문(詩文) 따위의 구절을 만들거나 배열하는 방법

*구점(句點)
구절 끝에 찍는 점

*결구(結句)
문장, 편지 따위의 끝을 맺는 글귀

*경구(警句)
진리나 삶에 대한 느낌이나 사상을 간결하고 날카롭게 표현한 말

*경인구(驚人句)
사람을 놀라게 할 만큼 잘 지은 시구

*난구(難句)
이해하기 어려운 문장이나 구절

*단명구(短命句)
글쓴이의 목숨이 짧으리라는 징조가 드러나 보이는 글귀

*성구(成句)
글귀를 이룸

*귀글
한시 따위에서 두 마디가 한 덩이씩 되게 지은 글. 그 한 덩이를 '구(句)'라 하고 각 마디를 '짝'이라 하는데, 앞마디를 안짝, 뒷마디를 바깥짝이라고 한다.

*글귀
글의 구나 절

단권화 MEMO

3 준말

제14항 준말이 널리 쓰이고 본말이 잘 쓰이지 않는 경우에는, 준말만을 표준어로 삼는다. (ㄱ을 표준어로 삼고, ㄴ을 버림)

ㄱ	ㄴ	비고
귀찮다	귀치 않다	
김	기음	~매다.
똬리	또아리	
무	무우	~강즙, ~말랭이, ~생채, 가랑~, 갓~, 왜~, 총각~.
미다	무이다	1. 털이 빠져 살이 드러나다. 2. 찢어지다.
뱀	배암	
뱀-장어	배암-장어	
빔	비음	설~, 생일~.
샘	새암	~바르다, ~바리.
생-쥐	새앙-쥐	
솔개	소리개	
온-갖	온-가지	
장사-치	장사-아치	

이론적으로만 존재하거나 사전에만 밝혀져 있을 뿐 현실 언어에서는 전혀 또는 거의 쓰이지 않게 된 본말을 표준어에서 제거하고, 준말만을 표준어로 삼은 조항이다.

① '생쥐'의 본말인 '새앙쥐'는 비표준어이지만, 땃쥣과 동물인 '사향뒤쥐'를 달리 이르는 말인 '새앙쥐'는 표준어이다. 이 말은 '생쥐'로 줄여 발음하지 않기 때문이다.

② 준말 형태를 취한 말들 중 2음절이 1음절로 된 음절은 대개 긴소리로 발음된다. 예를 들어, '무(← 무우)', '김(← 기음)', '뱀(← 배암)', '샘(← 새암)'이나 '생쥐(← 새앙쥐)'의 '생'은 긴소리이다. 그러나 '솔개(← 소리개)'의 '솔'은 짧은소리로 난다.

제15항 준말이 쓰이고 있더라도, 본말이 널리 쓰이고 있으면 본말을 표준어로 삼는다. (ㄱ을 표준어로 삼고, ㄴ을 버림)

ㄱ	ㄴ	비고
경황-없다	경-없다	
궁상-떨다	궁-떨다	
귀이-개	귀-개	
낌새	낌	
낙인-찍다	낙-하다/낙-치다	
내왕-꾼*	냉-꾼	
돗-자리	돗	
뒤웅-박	뒝-박	
뒷물-대야	뒷-대야	
마구-잡이	막-잡이	
맵자-하다	맵자다	모양이 제격에 어울리다.
모이	모	
벽-돌	벽	
부스럼	부럼	정월 보름에 쓰는 '부럼'은 표준어임.
살얼음-판	살-판	

*내왕꾼
절에서 심부름하는 일반 사람

수두룩-하다	수둑-하다	
암-죽*	암	
어음	엄	
일구다	일다	
죽-살이	죽-살	
퇴박-맞다	퇴-맞다	
한통-치다	통-치다	

[붙임] 다음과 같이 명사에 조사가 붙은 경우에도 이 원칙을 적용한다. (ㄱ을 표준어로 삼고, ㄴ을 버림)

ㄱ	ㄴ	비고
아래-로	알-로	

1. 본말이 훨씬 널리 쓰이고 있고 그에 대응되는 준말이 쓰인다 하여도 그 세력이 극히 미미한 경우, 본말만을 표준어로 삼은 조항이다.
   ① '경없다, 궁떨다'는 비표준어이지만, 명사인 '경황'과 '궁상'만을 줄인 '경, 궁'은 표준어이다.
   ② '귀지개, 귀후비개, 귀쑤시개, 귀파개' 등은 모두 '귀이개'의 비표준어이며, '귓밥, 귀에지, 귀창' 등은 모두 '귀지'의 비표준어이다.
   ③ '낙인찍다'의 뜻으로는 '낙하다'가 거의 쓰이지 않으므로 표준어로 인정하지 않는다. 다만, '대 따위의 표면을 불에 달군 쇠로 지져서 글자를 쓰거나 그림을 그리다.'의 뜻으로는 '낙하다'를 표준어로 인정한다.
   ④ 합성어 '돗바늘, 돗틀'과 같은 말에서는 '돗'을 쓴다. 이때에는 '돗자리바늘, 돗자리틀'과 같이 쓰지 않는다.
   ⑤ 준말인 '맘(← 마음), 담(← 다음)'은 표준어로 인정하지만, '어음'은 사무적인 용어인 만큼 정확을 기할 필요가 있어서 '엄'을 취하지 않는다.

2. [붙임] '알로'와는 달리 '이리로, 그리로, 저리로, 요리로, 고리로, 조리로' 등은 모두 '일로, 글로, 절로, 욜로, 골로, 졸로'와 같은 준말 형태가 표준어로 인정된다.

제16항 **준말과 본말이 다 같이 널리 쓰이면서 준말의 효용이 뚜렷이 인정되는 것은, 두 가지를 다 표준어로 삼는다. (ㄱ은 본말이며, ㄴ은 준말임)**

ㄱ	ㄴ	비고
거짓-부리	거짓-불	작은말은 '가짓부리, 가짓불'임.
노을	놀	저녁~.
막대기	막대	
망태기	망태	
머무르다	머물다	모음 어미가 연결될 때에는 준말의 활용형을 인정하지 않음.
서두르다	서둘다	
서투르다	서툴다	
석새-삼베*	석새-베	
시-누이	시-뉘/시-누	
오-누이	오-뉘/오-누	
외우다	외다	외우며, 외워: 외며, 외어.
이기죽-거리다	이죽-거리다	
찌꺼기	찌끼	'찌꺽지'는 비표준어임.

앞의 제14항, 제15항과는 달리, 본말과 준말을 함께 표준어로 삼은 단어들이다.

단권화 MEMO

*암죽
곡식이나 밤의 가루로 묽게 쑨 죽

【연계학습】
• 〈표준어 사정 원칙〉 제17항

*석새삼베
'240올의 날실로 짠 베'라는 뜻으로, 성글고 굵은 베를 이르는 말

단권화 MEMO

① '머무르다, 서두르다, 서투르다'의 비고에 있는 '모음 어미가 연결될 때에는 준말의 활용형을 인정하지 않음.'이라는 말은 준말의 활용형을 제한한다는 것이다. 따라서 이들 단어는 본말의 활용형인 '머물러, 서둘러서, 서툴렀다' 등으로 활용하는 것이 옳다. 다만, '외우다'의 준말인 '외다', '거두다'의 준말인 '걷다'는 각각 '외어', '걷어'와 같이 활용할 수 있으므로 주의해야 한다.
② '외다－외우다'는 과거에는 '외다'만을 표준어로 삼았는데, 준말에서 본말이 다시 살아난 특이한 경우이다.

4 단수 표준어

제17항 비슷한 발음의 몇 형태가 쓰일 경우, 그 의미에 아무런 차이가 없고, 그중 하나가 더 널리 쓰이면, 그 한 형태만을 표준어로 삼는다. (ㄱ을 표준어로 삼고, ㄴ을 버림)

ㄱ	ㄴ	비고
거든－그리다	거둥－그리다	1. 거든하게 거두어 싸다. 2. 작은말은 '가든－그리다'임.
구어－박다	구워－박다	사람이 한 군데에서만 지내다.
귀－고리	귀엣－고리	
귀－띔	귀－틤	
귀－지	귀에－지	
까딱－하면	까땍－하면	
꼭두－각시	꼭둑－각시	
내색	나색	감정이 나타나는 얼굴빛.
내숭－스럽다	내흉－스럽다	
냠냠－거리다	얌냠－거리다	냠냠－하다.
냠냠－이	얌냠－이	
너[四]	네	～ 돈, ～ 말, ～ 발, ～ 푼.
넉[四]	너/네	～ 냥, ～ 되, ～ 섬, ～ 자.
다다르다	다닫다	
댑－싸리*	대－싸리	
더부룩－하다	더뿌룩－하다/ 듬뿌룩－하다	
－던	－든	선택, 무관의 뜻을 나타내는 어미는 '－든'임. 가－든(지) 말－든(지), 보－든(가) 말－든(가).
－던가	－든가	
－던걸	－든걸	
－던고	－든고	
－던데	－든데	
－던지	－든지	
－(으)려고	－(으)ㄹ려고/ －(으)ㄹ라고	
－(으)려야	－(으)ㄹ려야/ －(으)ㄹ래야	
망가－뜨리다	망그－뜨리다	
멸치	며루치/메리치	
반빗－아치	반비－아치	'반빗' 노릇을 하는 사람, 찬비(饌婢). '반비'는 밥 짓는 일을 맡은 계집종.
보습	보십/보섭	
본새	뽄새	
봉숭아	봉숭화	'봉선화'도 표준어임.

*댑싸리
명아줏과의 한해살이풀. 높이는 1미터 정도이며, 잎은 어긋나고 피침 모양이다.

뺨-따귀	뺌-따귀/ 뺨-따구니	'뺨'의 비속어임.
뻐개다[斫]	뻐기다	두 조각으로 가르다.
뻐기다[誇]	뻐개다	뽐내다.
사자-탈*	사지-탈	
상-판대기	쌍-판대기	
서[三]	세/석	~ 돈, ~ 말, ~ 발, ~ 푼.
석[三]	세	~ 냥, ~ 되, ~ 섬, ~ 자.
설령(設令)	서령	
-습니다	-읍니다	먹습니다, 갔습니다, 없습니다, 있습니다, 좋습니다. 모음 뒤에는 '-ㅂ니다'임.
시름-시름	시늠-시늠	
씀벅-씀벅*	썸벅-썸벅	
아궁이	아궁지	
아내	안해	
어-중간	어지-중간	
오금-팽이	오금-탱이	
오래-오래	도래-도래	돼지 부르는 소리.
-올시다	-올습니다	
옹골-차다	공골-차다	
우두커니	우두머니	작은말은 '오도카니'임.
잠-투정	잠-투세/잠-주정	
재봉-틀	자봉-틀	발~, 손~.
짓-무르다	짓-물다	
짚-북데기*	짚-북세기	'짚북더기'도 비표준어임.
쪽	짝	편(便). 이~, 그~, 저~. 다만, '아무-짝'은 '짝'임.
천장(天障)	천정	'천정부지(天井不知)'는 '천정'임.
코-맹맹이	코-맹녕이	
흉-업다*	흉-헙다	

약간의 발음 차이로 두 형태, 또는 그 이상의 형태가 쓰이는 말 중 더 일반적으로 쓰이는 형태 하나만을 표준어로 삼은 것이다.

① '귀엣고리'는 현대에는 거의 쓰이지 않아 표준어에서 제외하였다. 그러나 '귀엣고리'와 유사한 형태인 '눈엣가시, 귀엣말, 앞엣것, 뒤엣것' 등은 현대에 널리 쓰이므로 표준어로 인정한다.
② '댑싸리'는 '대'와 '싸리'가 합쳐진 말이지만 '대싸리'는 표준어로 인정하지 않는다. '댑싸리'의 'ㅂ'은 옛말의 '대ᄡᅡ리'에 있던 'ㅂ'이 앞말의 받침으로 나타난 것이다.
③ 과거의 어떤 상태를 나타내는 '-던'을 '-든'으로 쓰거나, '-던가, -던지'를 '-든가, -든지'로 쓰는 것은 잘못이다. 그러나 선택, 무관의 뜻을 나타낼 때에는 '-든, -든가, -든지'를 쓴다. 예를 들어, '먹든(가) 말든(가) 나는 상관하지 않는다.', '가든(지) 말든(지)' 등은 옳은 표현이다.
④ '서, 석', '너, 넉'이 반드시 '돈, 말, 발, 푼' 등의 단위에만 붙는 것은 아니다. '보리 서/너 홉, 종이 석/넉 장'도 표준어로 인정되기 때문이다. 다만, '서, 너'가 쓰이는 곳에는 '석, 넉'이 쓰일 수 없고 '석, 넉'이 쓰이는 곳에는 '서, 너'가 쓰일 수 없다.
⑤ '썸벅썸벅'은 '씀벅씀벅'의 뜻으로는 표준어로 인정하지 않으나 '잘 드는 칼에 쉽게 자꾸 베어지는 모양이나 그 소리'의 뜻으로는 표준어로 인정한다.
⑥ 지붕의 안쪽을 뜻할 때에는 '천정'이 아닌 '천장'이 표준어이나, 위의 한계가 없음을 뜻하는 '천정부지(天井不知)'는 널리 사용하므로 표준어로 인정되는 말이다.

단권화 MEMO

*** 사자탈**
사자의 형상을 본떠 만들어 연희에서 쓰는 탈

*** 씀벅씀벅**
눈꺼풀을 움직이며 눈을 자꾸 감았다 떴다 하는 모양

*** 짚북데기**
짚이 아무렇게나 엉킨 북데기
참 북데기: 짚이나 풀 따위가 함부로 뒤섞여서 엉클어진 뭉텅이

*** 흉업다**
말이나 행동 따위가 불쾌할 정도로 흉하다.

단권화 MEMO

5 복수 표준어

제18항 다음 단어는 ㄱ을 원칙으로 하고, ㄴ도 허용한다.

ㄱ	ㄴ	비고
네	예	
쇠-	소-	-가죽, -고기, -기름, -머리, -뼈.
괴다	고이다	물이 ~, 밑을 ~.
꾀다	꼬이다	어린애를 ~, 벌레가 ~.
쐬다	쏘이다	바람을 ~.
죄다	조이다	나사를 ~.
쬐다	쪼이다	볕을 ~.

【연계학습】
• 〈표준어 사정 원칙〉 제26항

이 조항은 비슷한 발음을 가진 두 형태가 모두 널리 쓰이거나 국어의 일반적인 음운 현상에 따라 한쪽이 다른 한쪽의 발음을 설명할 수 있는 경우, 두 형태 모두를 표준어로 삼은 것이다.

① '쇠-'는 단순히 '소'를 대치할 수 있는 말이 아니라 '소의'라는 뜻의 옛말 형태가 그대로 남아 있는 것이다. 따라서 '시장에 가서 쇠를 팔았다.'라고 표현할 수는 없다.
② '고이다, 꼬이다, 쏘이다, 조이다, 쪼이다'에서 'ㅗ'와 'ㅣ'는 단모음 'ㅚ'로 축약할 수 있다. 하지만 '괴이다, 꾀이다, 쐬이다, 죄이다, 쬐이다'와 같은 말은 자주 쓰이기는 하나, 국어의 일반적인 음운 현상으로 설명하기 어려우므로 표준어로 인정하지 않는다.

제19항 어감의 차이를 나타내는 단어 또는 발음이 비슷한 단어들이 다 같이 널리 쓰이는 경우에는, 그 모두를 표준어로 삼는다. (ㄱ, ㄴ을 모두 표준어로 삼음)

ㄱ	ㄴ	비고
거슴츠레-하다	게슴츠레-하다	
고까	꼬까	~신, ~옷.
고린-내	코린-내	
교기(驕氣)	갸기	교만한 태도.
구린-내	쿠린-내	
꺼림-하다	께름-하다	
나부랭이	너부렁이	

이 조항에서는 어감의 차이를 나타내는 것으로 판단되어 복수 표준어로 인정된 단어들을 제시하고 있다. 어감의 차이가 있다는 것은 엄밀히 별개의 단어라고 할 수 있으나, 기원을 같이하면서 어감의 차이가 미미한 것이어서 복수 표준어로 처리한 것이다.

① 〈표준어 사정 원칙〉 제9항에서 'ㅣ' 역행 동화를 인정하지 않았지만, '나부랭이'의 경우에는 언어 현실에서 압도적으로 'ㅣ' 역행 동화가 된 '나부랭이'를 원말이었던 '나부랑이'보다 많이 쓰므로 '나부랭이'가 표준어이다. 이와 비슷한 예로 '냄비, 새내기, 풋내기' 등이 있다.

03 어휘 선택의 변화에 따른 표준어 규정

〈표준어 사정 원칙〉 제3장에서는 발음상 변화를 겪은 어휘가 아니라 어휘적으로 형태를 달리한 어휘를 다루고 있다. 언어의 발음, 형태, 의미는 시간에 따라 변화하고, 과거에 쓰이던 단어가 현재에는 쓰이지 않을 경우 언어 현실에 따라 표준어 어휘를 갱신한다. 다만, 언어 현실에 비해 어문 규범은 다소 보수적이어서 과거의 어휘가 덜 쓰이는 정도가 아니라 실제 쓰이는 용례를 거의 볼 수 없을 정도가 되어야 표준어에서 제외한다.

1 고어

제20항 사어(死語)가 되어 쓰이지 않게 된 단어는 고어로 처리하고, 현재 널리 사용되는 단어를 표준어로 삼는다. (ㄱ을 표준어로 삼고, ㄴ을 버림)

ㄱ	ㄴ	비고
난봉	봉	
낭떠러지	낭	
설거지-하다	설겆다	
애달프다	애닯다	
오동-나무	머귀-나무	
자두	오얏	

제20항은 현대에 쓰이지 않거나 매우 의고(擬古)적인 글에서만 제한적으로 쓰여 표준어에서 제외된 사어들을 규정하고 있다.

① '설겆다'가 아닌 '설거지하다'를 표준어로 삼은 이유는, 명사 '설거지'를 '설겆-'에서 파생된 것이 아니라 원래부터의 명사로 처리하고, '설거지하다'를 명사 '설거지'에 '-하다'가 결합된 것으로 해석하기 때문이다.

② '애닯다'는 노래 등에서 '애닯다 어이하리'와 같이 쓰이기도 하나 이는 옛말의 흔적이 남아 있는 것일 뿐이므로 비표준어로 보고, 활용에 제약이 없는 '애달프다'를 표준어로 삼는다. 다만, '섧다/서럽다'는 복수 표준어로 인정한다.

③ '머귀나무'는 '오동나무'의 뜻으로는 비표준어이나, '운향과의 낙엽 활엽 소교목'의 뜻으로는 표준어로 인정한다.

2 한자어

제21항 고유어 계열의 단어가 널리 쓰이고 그에 대응되는 한자어 계열의 단어가 용도를 잃게 된 것은, 고유어 계열의 단어만을 표준어로 삼는다. (ㄱ을 표준어로 삼고, ㄴ을 버림)

ㄱ	ㄴ	비고
가루-약	말-약	
구들-장	방-돌	
길품-삯	보행-삯	
까막-눈	맹-눈	
꼭지-미역	총각-미역	
나뭇-갓	시장-갓	
늙-다리	노-닥다리	
두껍-닫이*	두껍-창	
떡-암죽*	병-암죽	
마른-갈이*	건-갈이	
마른-빨래	건-빨래	
메-찰떡*	반-찰떡	
박달-나무	배달-나무	
밥-소라	식-소라	큰 놋그릇.
사래-논	사래-답	묘지기나 마름이 부쳐 먹는 땅.
사래-밭	사래-전	
삯-말	삯-마	
성냥	화곽	
솟을-무늬	솟을-문(~紋)	

단권화 MEMO

*두껍닫이
미닫이를 열 때, 문짝이 옆벽에 들어가 보이지 아니하도록 만든 것

*떡암죽
말린 흰무리를 빻아 묽게 쑨 죽

*마른갈이
마른논에 물을 넣지 않고 논을 가는 일

*메찰떡
찹쌀과 멥쌀을 섞어서 만든 시루떡

단권화 MEMO

*움파
겨울에 움 속에서 자란, 빛이 누런 파

*조당수
좁쌀을 물에 불린 다음 갈아서 묽게 쑨 음식

*죽데기
통나무의 표면에서 잘라 낸 널조각. 주로 땔감으로 쓴다.

*방고래
방의 구들장 밑으로 나 있는, 불길과 연기가 통하여 나가는 길

*장력세다
씩씩하고 굳세어 무서움을 타지 아니하다.

*제석
제사를 지낼 때 까는 돗자리

외-지다	벽-지다	
움-파*	동-파	
잎-담배	잎-초	
잔-돈	잔-전	
조-당수*	조-당죽	
죽데기*	피-죽	'죽더기'도 비표준어임.
지겟-다리	목-발	지게 동발의 양쪽 다리.
짐-꾼	부지-군(負持-)	
푼-돈	분-전/푼-전	
흰-말	백-말/부루-말	'백마'는 표준어임.
흰-죽	백-죽	

제21항의 한자어들은 단순히 한자어라는 이유로 표준어에서 제외된 것은 아니고, 우리 국어 생활에서 그 쓰임을 보기 어렵게 되었으며 대응되는 고유어 계열이 더 많이 쓰이기 때문에 표준어에서 제외된 것이다.

① '말약'은 거의 쓰이지 않으므로 비표준어로 삼고 널리 쓰이는 '가루약'을 표준어로 삼았지만, '가루차/말차', '계핏가루/계피말' 등에서는 '말(末)'이 쓰인 말도 표준어이다.
② '잎초'는 거의 쓰이지 않으므로 비표준어로 삼고 널리 쓰이는 '잎담배'를 표준어로 삼았지만, '엽초(葉草)', '초담배(草--)' 등에서는 '초(草)'가 쓰인 말도 표준어이다.
③ '흰말'과 '백말', '흰죽'과 '백죽' 중에서 '백말, 백죽'은 거의 쓰이지 않는 말이므로 표준어에서 제외하였으나, '백마(白馬), 백나비(白--), 백모래(白--)' 등에서는 '백(白)'이 쓰인 말도 표준어이다.

제22항 고유어 계열의 단어가 생명력을 잃고 그에 대응되는 한자어 계열의 단어가 널리 쓰이면, 한자어 계열의 단어를 표준어로 삼는다. (ㄱ을 표준어로 삼고, ㄴ을 버림)

ㄱ	ㄴ	비고
개다리-소반	개다리-밥상	
겸-상	맞-상	
고봉-밥	높은-밥	
단-벌	홑-벌	
마방-집	마바리-집	馬房~.
민망-스럽다/ 면구-스럽다	민주-스럽다	
방-고래*	구들-고래	
부항-단지	뜸-단지	
산-누에	멧-누에	
산-줄기	멧-줄기/멧-발	
수-삼	무-삼	
심-돋우개	불-돋우개	
양-파	둥근-파	
어질-병	어질-머리	
윤-달	군-달	
장력-세다*	장성-세다	
제석*	젓-돗	
총각-무	알-무/알타리-무	
칫-솔	잇-솔	
포수	총-댕이	

앞의 제21항과는 대립적인 규정으로, 고유어라도 일상 언어 생활에서 쓰이는 일이 없어 생명력을 잃은 것들은 버리고 그에 짝이 되는 한자어만을 표준어로 삼은 것이다.

① '홑벌'은 비표준어이지만, '홑벌'이 '한 겹으로만 된 물건'의 의미로 쓰일 때에는 표준어이다. '홑벌'이 비표준어인 것과는 달리 '단자음/홑자음', '단탁자/홑탁자', '단비례/홑비례', '단수(單數)/홑수(－數)'에서는 '홑'이 쓰인 말도 표준어이다.

② '알타리무'도 간혹 쓰이나 그 쓰임이 '총각무(總角－)'에 비해서는 훨씬 적으므로 표준어에서 제외한다. 이와 마찬가지로 '알타리김치'는 표준어에서 제외하고, '총각김치'만을 표준어로 삼는다.

단권화 MEMO

3 방언

제23항 방언이던 단어가 표준어보다 더 널리 쓰이게 된 것은, 그것을 표준어로 삼는다. 이 경우, 원래의 표준어는 그대로 표준어로 남겨 두는 것을 원칙으로 한다. (ㄱ을 표준어로 삼고, ㄴ도 표준어로 남겨 둠)

ㄱ	ㄴ	비고
멍게	우렁쉥이	
물－방개	선두리	
애－순	어린－순	

【연계학습】
• 언어와 국어 > 국어의 갈래 > 방언

방언 중에서 세력을 얻어 표준어보다 더 널리 쓰이게 된 것을 표준어로 추인(追認)*해 주는 성격의 조항이다. 일례로 '멍게/우렁쉥이'에서 '우렁쉥이'가 전통적 표준어였으나, '멍게'가 더 널리 쓰이게 됨에 따라 추가로 표준어로 삼았다. 이때 전통적 표준어인 '우렁쉥이'도 학술 용어 등에 쓰이는 점을 감안하여 표준어로 남겨 두었다.

*추인(追認)
지나간 사실을 소급하여 추후에 인정함

제24항 방언이던 단어가 널리 쓰이게 됨에 따라 표준어이던 단어가 안 쓰이게 된 것은, 방언이던 단어를 표준어로 삼는다. (ㄱ을 표준어로 삼고, ㄴ을 버림)

ㄱ	ㄴ	비고
귀밑－머리*	귓－머리	
까－뭉개다	까－무느다	
막상	마기	
빈대－떡	빈자－떡	
생인－손	생안－손	준말은 '생－손'임.
역－겹다	역－스럽다	
코－주부	코－보	

【연계학습】
• 언어와 국어 > 국어의 갈래 > 방언

*귀밑머리
이마 한가운데를 중심으로 좌우로 갈라 귀 뒤로 넘겨 땋은 머리

기존의 표준어보다 방언이 널리 쓰여 기존의 표준어를 방언이 대체하게 된 예들이다. 다만, 표준어는 개별적으로 쓰임을 판단하여 정하는 것이므로 제23항과 제24항에 제시된 어휘들과 유사한 형태를 일괄적으로 구분하여 표준어와 비표준어로 나눌 수는 없다.

① 기존의 표준어인 '역스럽다'보다 방언이었던 '역겹다'가 널리 쓰여 '역겹다'만이 표준어로 인정된다. 반면, '고난겹다, 자랑겹다, 원망겹다' 등은 '겹다'가 결합한 형태가 잘 쓰이지 않기 때문에 비표준어로 처리하였고, '－스럽다'가 결합한 '고난스럽다, 자랑스럽다, 원망스럽다'를 표준어로 삼았다.

② '생으로 앓게 된 손(가락)'이라는 뜻의 '생안손'의 방언인 '생인손'이 더 보편적으로 쓰이게 된 것을 현실화하여 '생인손'을 표준어로 삼았다. '손가락의 모양이 새앙(생강)처럼 생긴 사람'이라는 뜻의 '새앙손이'와는 구별해서 써야 한다.

단권화 MEMO

4 단수 표준어

제25항 의미가 똑같은 형태가 몇 가지 있을 경우, 그중 어느 하나가 압도적으로 널리 쓰이면, 그 단어만을 표준어로 삼는다. (ㄱ을 표준어로 삼고, ㄴ을 버림)

ㄱ	ㄴ	비고
-게끔	-게시리	
겸사-겸사	겸지-겸지/ 겸두-겸두	
고구마	참-감자	
고치다	낫우다	병을 ~.
골목-쟁이	골목-자기	
광주리	광우리	
괴통	호구	자루를 박는 부분.
국-물	멀-국/말-국	
군-표*	군용-어음	
길-잡이	길-앞잡이	'길라잡이'도 표준어임.
까치-발	까치-다리	선반 따위를 받치는 물건.
꼬창-모	말뚝-모	꼬챙이로 구멍을 뚫으면서 심는 모.
나룻-배	나루	'나루[津]'는 표준어임.
납-도리*	민-도리	
농-지거리	기롱-지거리	다른 의미의 '기롱지거리'는 표준어임.
다사-스럽다	다사-하다	간섭을 잘하다.
다오	다구	이리 ~.
담배-꽁초	담배-꼬투리/ 담배-꽁치/ 담배-꽁추	
담배-설대*	대-설대	
대장-일	성냥-일	
뒤져-내다	뒤어-내다	
뒤통수-치다	뒤꼭지-치다	
등-나무	등-칡	
등-때기	등-떠리	'등'의 낮은 말.
등잔-걸이*	등경-걸이	
떡-보*	떡-충이	
똑딱-단추	딸꼭-단추	
매-만지다	우미다	
먼-발치	먼-발치기	
며느리-발톱	뒷-발톱	
명주-붙이*	주-사니	
목-메다	목-맺히다	
밀짚-모자	보릿짚-모자	
바가지	열-바가지/열-박	
바람-꼭지	바람-고다리	튜브의 바람을 넣는 구멍에 붙은, 쇠로 만든 꼭지.
반-나절	나절-가웃	
반두	독대	그물의 한 가지.
버젓-이	뉘연-히	
본-받다	법-받다	
부각	다시마-자반	
부끄러워-하다	부끄리다	

＊군표
전지(戰地)나 점령지에서 군대에 필요한 물품을 구입할 때 사용하는 긴급 통화(通貨)

＊납도리
모가 나게 만든 도리
㊟ 도리: 서까래를 받치기 위하여 기둥 위에 건너지르는 나무

＊담배설대
담배통과 물부리 사이에 끼워 맞추는 가느다란 대

＊등잔걸이
등잔을 걸어 놓는 기구

＊떡보
떡을 매우 좋아하여 즐겨 먹는 사람을 놀림조로 이르는 말

＊명주붙이
명주실로 짠 여러 가지 피륙

부스러기	부스럭지	
부지깽이	부지팽이	
부항-단지	부항-항아리	부스럼에서 피고름을 빨아내기 위하여 부항을 붙이는 데 쓰는 자그마한 단지.
붉으락-푸르락	푸르락-붉으락	
비켜-덩이	옆-사리미	김맬 때에 흙덩이를 옆으로 빼내는 일. 또는 그 흙덩이.
빙충-이	빙충-맞이	작은말은 '뱅충이'.
빠-뜨리다	빠-치다	'빠트리다'도 표준어임.
뻣뻣-하다	왜긋다	
뽐-내다	느물다	
사로-잠그다	사로-채우다	자물쇠나 빗장 따위를 반 정도만 걸어 놓다.
살-풀이	살-막이	
상투-쟁이	상투-꼬부랑이	상투 튼 이를 놀리는 말.
새앙-손이	생강-손이	
샛-별	새벽-별	
선-머슴	풋-머슴	
섭섭-하다	애운-하다	
속-말	속-소리	국악 용어 '속소리'는 표준어임.
손목-시계	팔목-시계/ 팔뚝-시계	
손-수레	손-구루마	'구루마'는 일본어임.
쇠-고랑	고랑-쇠	
수도-꼭지	수도-고동	
숙성-하다	숙-지다	
순대	골-집	
술-고래	술-꾸러기/술-부대/ 술-보/술-푸대	
식은-땀	찬-땀	
신기-롭다	신기-스럽다	'신기-하다'도 표준어임.
쌍동-밤	쪽-밤	
쏜살-같이	쏜살-로	
아주	영판	
안-걸이	안-낚시	씨름 용어.
안다미-씌우다	안다미-시키다	제가 담당할 책임을 남에게 넘기다.
안쓰럽다	안-슬프다	
안절부절-못하다	안절부절-하다	
앉은뱅이-저울	앉은-저울	
알-사탕	구슬-사탕	
암-내	곁땀-내	
앞-지르다	따라-먹다	
애-벌레	어린-벌레	
얕은-꾀	물탄-꾀	
언뜻	편뜻	
언제나	노다지	
얼룩-말	워라-말	
열심-히	열심-으로	
입-담	말-담	
자배기*	너벅지	

단권화 MEMO

*자배기
둥글넓적하고 아가리가 넓게 벌어진 질그릇

단권화 MEMO

*짧은작
길이가 짧은 화살. 주로 단궁(短弓)에 쓴다.

*청대콩
콩의 한 품종. 열매의 껍질과 속살이 다 푸르다.

*칡범
몸에 칡덩굴 같은 어룽어룽한 줄무늬가 있는 범

전봇-대	전선-대	
쥐락-펴락	펴락-쥐락	
-지만	-지만서도	←-지마는.
짓고-땡	지어-땡/짓고-땡이	
짧은-작*	짜른-작	
찹-쌀	이-찹쌀	
청대-콩*	푸른-콩	
칡-범*	갈-범	

〈표준어 사정 원칙〉 제17항과 같은 취지의 조항이다. 즉, 복수 표준어로 인정하는 것이 국어를 풍부하게 하기보다는 혼란을 야기한다는 판단에서 어느 한 형태만을 표준어로 삼은 것이다. 다만, 제17항이 발음 변화에 초점을 맞춘 데 비해, 제25항은 어휘의 기원형이 서로 다른 경우에 초점을 맞추었다는 점에서 차이가 있다.

① '부각'과 '다시마자반' 중 더 일반적으로 쓰이는 '부각'을 표준어로 삼는다. 그런데 '김'을 사용한 음식인 '김부각'과 '김자반'은 서로 다른 음식으로, 두 단어를 모두 표준어로 인정한다.
② '붉으락푸르락/푸르락붉으락'은 두 개가 다 인정될 법도 하다. 그러나 '오락가락'이나 '들락날락'이 '가락오락'이나 '날락들락'이 되지 못하듯이 이 종류의 합성어에는 일정한 어순이 있기 때문에, 더 널리 쓰이는 '붉으락푸르락'만 표준어로 삼은 것이다. '쥐락펴락/펴락쥐락'에서 '쥐락펴락'만을 표준어로 삼은 것도 마찬가지이다.
③ '빠뜨리다'와 '빠치다' 중에서는 '빠뜨리다'를 표준어로 인정한다. 다만, 〈표준어 사정 원칙〉 제26항에 따라 '-뜨리다'와 함께 '-트리다'도 복수 표준어로 인정하므로 '빠트리다'도 표준어이다.
④ '신기롭다'와 '신기스럽다' 중에서는 '신기롭다'만 표준어로 인정한다. '지혜롭다'와 '지혜스럽다' 중에서도 '지혜롭다'만이 표준어이다. 이와는 반대로 '바보롭다/바보스럽다', '간사롭다/간사스럽다' 중에서는 '-스럽다' 형태가 표준어이다. 한편, '명예롭다/명예스럽다', '자유롭다/자유스럽다', '평화롭다/평화스럽다'는 모두 복수 표준어이고, '신기롭다'와 '신기하다'도 복수 표준어이다.

5 복수 표준어

제26항 한 가지 의미를 나타내는 형태 몇 가지가 널리 쓰이며 표준어 규정에 맞으면, 그 모두를 표준어로 삼는다.

복수 표준어	비고
가는-허리/잔-허리	
가락-엿/가래-엿	
가뭄/가물	
가엾다/가엽다	가엾어/가여워, 가엾은/가여운.
감감-무소식/감감-소식	
개수-통/설거지-통	'설겆다'는 '설거지하다'로.
개숫-물/설거지-물	
갱-엿/검은-엿	
-거리다/-대다	가물-, 출렁-.
거위-배/횟-배	
것/해	내 ~, 네 ~, 뉘 ~.
게을러-빠지다/게을러-터지다	
고깃-간/푸줏-간	'고깃-관, 푸줏-관, 다림-방'은 비표준어임.
곰곰/곰곰-이	

관계-없다/상관-없다	
교정-보다/준-보다	
구들-재/구재*	
귀퉁-머리/귀퉁-배기	'귀퉁이'의 비어임.
극성-떨다/극성-부리다	
기세-부리다/기세-피우다	
기승-떨다/기승-부리다	
깃-저고리/배내-옷/배냇-저고리	
꼬까/때때/고까	~신, ~옷.
꼬리-별/살-별	
꽃-도미/붉-돔	
나귀/당-나귀	
날-걸/세-뿔*	윷판의 쨀밭 다음의 셋째 밭.
내리-글씨/세로-글씨	
넝쿨/덩굴	'덩쿨'은 비표준어임.
녘/쪽	동~, 서~.
눈-대중/눈-어림/눈-짐작	
느리-광이/느림-보/늘-보	
늦-모/마냥-모	← 만이앙-모.
다기-지다/다기-차다	
다달-이/매-달	
-다마다/-고말고	
다박-나룻/다박-수염	
닭의-장/닭-장	
댓-돌/툇-돌	
덧-창/겉-창	
독장-치다/독판-치다*	
동자-기둥/쪼구미*	
돼지-감자/뚱딴지	
되우/된통/되게	
두동-무니/두동-사니	윷놀이에서, 두 동이 한데 어울려 가는 말.
뒷-갈망/뒷-감당	
뒷-말/뒷-소리	
들락-거리다/들랑-거리다	
들락-날락/들랑-날랑	
딴-전/딴-청	
땅-콩/호-콩	
땔-감/땔-거리	
-뜨리다/-트리다	깨-, 떨어-, 쏟-.
뜬-것/뜬-귀신	
마룻-줄/용총-줄	돛대에 매어 놓은 줄. '이어줄'은 비표준어임.
마-파람/앞-바람	
만장-판/만장-중(滿場中)	
만큼/만치	
말-동무/말-벗	
매-갈이/매-조미	
매-통/목-매	
먹-새/먹음-새	'먹음-먹이'는 비표준어임.

단권화 MEMO

*** 구들재/구재**
방고래에 앉은 그을음과 재

*** 날걸/세뿔**
윷판에서 날밭의 세 번째 자리

*** 독장치다/독판치다**
어떠한 판을 혼자서 휩쓸다.

*** 동자기둥/쪼구미**
들보 위에 세우는 짧은 기둥

단권화 MEMO

멀찌감치/멀찌가니/멀찍-이	
멱-통/산-멱/산-멱통	
면-치레/외면-치레	
모-내다/모-심다	모-내기/모-심기.
모쪼록/아무쪼록	
목판-되/모-되	
목화-씨/면화-씨	
무심-결/무심-중	
물-봉숭아/물-봉선화	
물-부리/빨-부리	
물-심부름/물-시중	
물추리-나무/물추리-막대	
물-타작/진-타작	
민둥-산/벌거숭이-산	
밑-층/아래-층	
바깥-벽/밭-벽	
바른/오른[右]	~손, ~쪽, ~편.
발-모가지/발-목쟁이	'발목'의 비속어임.
버들-강아지/버들-개지	
벌레/버러지	'벌거지, 벌러지'는 비표준어임.
변덕-스럽다/변덕-맞다	
보-조개/볼-우물	
보통-내기/여간-내기/예사-내기	'행-내기'는 비표준어임.
볼-따구니/볼-퉁이/볼-때기	'볼'의 비속어임.
부침개-질/부침-질/지짐-질	'부치개-질'은 비표준어임.
불똥-앉다/등화-지다/등화-앉다*	
불-사르다/사르다	
비발/비용(費用)	
뾰두라지/뾰루지	
살-쾡이/삵	삵-피.
삽살-개/삽사리	
상두-꾼/상여-꾼	'상도-꾼, 향도-꾼'은 비표준어임.
상-씨름/소-걸이*	
생/새앙/생강	
생-뿔/새앙-뿔/생강-뿔	'쇠뿔'의 형용.
생-철/양-철	1. '서양-철'은 비표준어임. 2. '生鐵'은 '무쇠'임.
서럽다/섧다	'설다'는 비표준어임.
서방-질/화냥-질	
성글다/성기다	
-(으)세요/-(으)셔요	
송이/송이-버섯	
수수-깡/수숫-대	
술-안주/안주	
-스레하다/-스름하다	거무-, 발그-.
시늉-말/흉내-말*	
시새/세사(細沙)*	
신/신발	

***불똥앉다/등화지다/등화앉다**
심지 끝에 등화가 생기다.

***상씨름/소걸이**
씨름판에서 결승을 다투는 씨름

***시늉말/흉내말**
소리나 모양, 동작 따위를 흉내 내는 말. 의성어와 의태어로 나뉜다.

***시새/세사(細沙)**
가늘고 고운 모래

신주-보/독보(櫝褓)*	
심술-꾸러기/심술-쟁이	
씁쓰레-하다/씁쓰름-하다	
아귀-세다/아귀-차다*	
아래-위/위-아래	
아무튼/어떻든/어쨌든/하여튼/여하튼	
앉음-새/앉음-앉음	
알은-척/알은-체	
애-갈이/애벌-갈이	
애꾸눈-이/외눈-박이	'외대-박이, 외눈-퉁이'는 비표준어임.
양념-감/양념-거리	
어금버금-하다/어금지금-하다	
어기여차/어여차	
어림-잡다/어림-치다	
어이-없다/어처구니-없다	
어저께/어제	
언덕-바지/언덕-배기	
얼렁-뚱땅/엄벙-뗑	
여왕-벌/장수-벌	
여쭈다/여쭙다	
여태/입때	'여직'은 비표준어임.
여태-껏/이제-껏/입때-껏	'여직-껏'은 비표준어임.
역성-들다/역성-하다	'편역-들다'는 비표준어임.
연-달다/잇-달다	
엿-가락/엿-가래	
엿-기름/엿-길금	
엿-반대기/엿-자박	
오사리-잡놈/오색-잡놈	'오합-잡놈'은 비표준어임.
옥수수/강냉이	~떡, ~묵, ~밥, ~튀김.
왕골-기직/왕골-자리	
외겹-실/외올-실/홑-실	'홑겹-실, 올-실'은 비표준어임.
외손-잡이/한손-잡이	
욕심-꾸러기/욕심-쟁이	
우레/천둥	우렛-소리/천둥-소리.
우지/울-보	
을러-대다/을러-메다	
의심-스럽다/의심-쩍다	
-이에요/-이어요	
이틀-거리/당-고금	학질의 일종임.
일일-이/하나-하나	
일찌감치/일찌거니	
입찬-말/입찬-소리*	
자리-옷/잠-옷	
자물-쇠/자물-통	
장가-가다/장가-들다	'서방-가다'는 비표준어임.
재롱-떨다/재롱-부리다	
제-가끔/제-각기	
좀-처럼/좀-체	'좀-체로, 좀-해선, 좀-해'는 비표준어임.

단권화 MEMO

＊신주보/독보(櫝褓)
예전에, 신주를 모셔 두는 나무 궤를 덮던 보

＊아귀세다/아귀차다
마음이 굳세어 남에게 잘 꺾이지 아니하다.

＊입찬말/입찬소리
자기의 지위나 능력을 믿고 지나치게 장담하는 말

단권화 MEMO

*줄꾼/줄잡이
가래질을 할 때, 줄을 잡아당기는 사람
참 가래질: 가래로 흙을 파헤치거나 퍼 옮기는 일

*파자쟁이/해자쟁이
한자의 자획을 나누거나 합하여 길흉을 점치는 사람

줄-꾼/줄-잡이*	
중신/중매	
짚-단/짚-뭇	
쪽/편	오른~, 왼~.
차차/차츰	
책-씻이/책-거리	
척/체	모르는 ~, 잘난 ~.
천연덕-스럽다/천연-스럽다	
철-따구니/철-딱서니/철-딱지	'철-때기'는 비표준어임.
추어-올리다/추어-주다	
축-가다/축-나다	
침-놓다/침-주다	
통-꼭지/통-젖	통에 붙은 손잡이.
파자-쟁이/해자-쟁이*	점치는 이.
편지-투/편지-틀	
한턱-내다/한턱-하다	
해웃-값/해웃-돈	'해우-차'는 비표준어임.
혼자-되다/홀로-되다	
흠-가다/흠-나다/흠-지다	

1. 〈표준어 사정 원칙〉 제18항과 같은 취지로 복수 표준어를 규정하고 있다.

2. 복수 표준어는 원칙적으로 둘 이상의 어휘를 서로 바꾸어 쓸 수 있다. 또한 복수 표준어는 언어 현실을 반영하기 때문에 현재에도 추가 사정을 거쳐 확대되고 있다.

① '가엾다/가엽다'는 활용형에서 "아이, 가엾어라."와 "아이, 가여워."가 모두 쓰이므로 복수 표준어로 삼은 것이다. '서럽다/섧다'와 '여쭙다/여쭈다'가 복수 표준어로 인정된 것도 같은 근거에 의해서인데, '서럽게 운다'와 '섧게 운다', '여쭈워라'와 '여쭈어라(여쭤라)'가 모두 쓰이는 현실을 반영한 것이다.

② '-뜨리다/-트리다'는 '-거리다/-대다'와 마찬가지로 둘 다 널리 쓰이므로 복수 표준어로 처리하였다. 이들 사이에 어감의 차이가 있는 듯도 하나 그리 뚜렷하지 않다.

③ '이에요'와 '이어요'는 '이다'의 어간 뒤에 '-에요', '-어요'가 붙은 말이다. '이에요'와 '이어요'는 체언 뒤에 붙는데, 받침이 없는 체언에 붙을 때는 '예요', '여요'로 줄어든다. '아니다'에는 '-에요', '-어요'가 연결되므로 '아니에요(아녜요)', '아니어요(아녀요)'가 되며 '이어요'와 '이에요'가 붙어 줄어든 '아니여요', '아니예요'는 틀린 표기이다.

예

받침이 있는 인명	• 영숙이+이에요 → 영숙이이에요 → 영숙이예요 • 영숙이+이어요 → 영숙이이어요 → 영숙이여요 • 김영숙+이에요 → 김영숙이에요
받침이 없는 인명	• 철수+이에요 → 철수이에요 → 철수예요 • 철수+이어요 → 철수이어요 → 철수여요
받침이 있는 명사	• 장남+이에요 → 장남이에요 • 장남+이어요 → 장남이어요
받침이 없는 명사	• 손자+이에요 → 손자이에요 → 손자예요 • 손자+이어요 → 손자이어요 → 손자여요
아니다	• 아니-+-에요 → 아니에요(→ 아녜요) • 아니-+-어요 → 아니어요(→ 아녀요) * '아니여요/아니예요'는 틀린 표기이다.

더 알아보기 새로 추가된 표준어 목록

단권화 MEMO

1. 2011년 새로 추가된 표준어 목록

① 기존 표준어와 같은 뜻으로 추가로 표준어로 인정한 것(11개)

추가 표준어	기존 표준어	추가 표준어	기존 표준어
간지럽히다	간질이다	세간살이	세간
남사스럽다	남우세스럽다	쌉싸름하다	쌉싸래하다
등물	목물	토란대	고운대
맨날	만날	허접쓰레기	허섭스레기
묫자리	묏자리	흙담	토담
복숭아뼈	복사뼈		

② 기존 표준어와 별도의 표준어로 추가로 인정한 것(25개)

추가 표준어	기존 표준어	뜻 차이
~길래	~기에	• ~길래: '~기에'의 구어적 표현
개발새발	괴발개발	• 개발새발: '개의 발과 새의 발'이라는 뜻 • 괴발개발: '고양이의 발과 개의 발'이라는 뜻
나래	날개	• 나래: '날개'의 문학적 표현
내음	냄새	• 내음: 향기롭거나 나쁘지 않은 냄새로 제한됨
눈꼬리	눈초리	• 눈꼬리: 귀 쪽으로 가늘게 좁혀진 눈의 가장자리 • 눈초리: 어떤 대상을 바라볼 때 눈에 나타나는 표정 예 매서운 눈초리
떨구다	떨어뜨리다	• 떨구다: '시선을 아래로 향하다'라는 뜻이 있음
뜨락	뜰	• 뜨락: '뜰'의 뜻 외에도 추상적 공간을 비유하는 뜻이 있음
먹거리	먹을거리	• 먹거리: 사람이 살아가기 위하여 먹는 음식을 통틀어 이름
메꾸다	메우다	• 메꾸다: '무료한 시간을 적당히 또는 그럭저럭 흘러가게 하다'라는 뜻이 있음
손주	손자(孫子)	• 손주: 손자와 손녀를 아울러 이르는 말 • 손자: 아들의 아들. 또는 딸의 아들
어리숙하다	어수룩하다	• 어리숙하다: '어리석음'의 뜻이 강함 • 어수룩하다: '순박함/순진함'의 뜻이 강함
연신	연방	• 연신: 반복성을 강조 • 연방: 연속성을 강조
휭하니	힁허케	• 힁허케: '휭하니'의 예스러운 표현
걸리적거리다	거치적거리다	자음 또는 모음의 차이로 인한 어감 및 뜻 차이 존재
끄적거리다	끼적거리다	
두리뭉실하다	두루뭉술하다	
맨숭맨숭/맹숭맹숭	맨송맨송	
바둥바둥	바동바동	
새초롬하다	새치름하다	
아웅다웅	아옹다옹	
야멸차다	야멸치다	
오손도손	오순도순	
찌뿌둥하다	찌뿌듯하다	
추근거리다	치근거리다	

단권화 MEMO

■ '굽신'이 표준어로 인정됨에 따라, '굽신거리다, 굽신대다, 굽신하다, 굽신굽신, 굽신굽신하다' 등도 표준어로 함께 인정되었다.

■ '섬찟'이 표준어로 인정됨에 따라, '섬찟하다, 섬찟섬찟, 섬찟섬찟하다' 등도 표준어로 함께 인정되었다.

③ 두 가지 표기를 모두 표준어로 인정한 것(3개)

추가 표준어	기존 표준어
택견	태껸
품새	품세
짜장면	자장면

2. 2014년 새로 추가된 표준어 목록

① 기존 표준어와 같은 뜻을 가진 표준어로 인정한 것(5개)

추가 표준어	기존 표준어
구안와사	구안괘사
굽신	굽실
눈두덩이	눈두덩
삐지다	삐치다
초장초	작장초

② 기존 표준어와 뜻이나 어감이 차이가 나는 별도의 표준어로 인정한 것(8개)

추가 표준어	기존 표준어	뜻 차이
개기다	개개다	• 개기다: (속되게) 명령이나 지시를 따르지 않고 버티거나 반항하다. • 개개다: 성가시게 달라붙어 손해를 끼치다.
꼬시다	꾀다	• 꼬시다: '꾀다'를 속되게 이르는 말 • 꾀다: 그럴듯한 말이나 행동으로 남을 속이거나 부추겨서 자기 생각대로 끌다.
놀잇감	장난감	• 놀잇감: 놀이 또는 아동 교육 현장 따위에서 활용되는 물건이나 재료 • 장난감: 아이들이 가지고 노는 여러 가지 물건
딴지	딴죽	• 딴지: (주로 '걸다, 놓다'와 함께 쓰여) 일이 순순히 진행되지 못하도록 훼방을 놓거나 어기대는 것 • 딴죽: 이미 동의하거나 약속한 일에 대하여 딴전을 부림을 비유적으로 이르는 말
사그라들다	사그라지다	• 사그라들다: 삭아서 없어져 가다. • 사그라지다: 삭아서 없어지다.
섬찟	섬뜩	• 섬찟: 갑자기 소름이 끼치도록 무시무시하고 끔찍한 느낌이 드는 모양 • 섬뜩: 갑자기 소름이 끼치도록 무섭고 끔찍한 느낌이 드는 모양
속앓이	속병	• 속앓이 ① 속이 아픈 병. 또는 속에 병이 생겨 아파하는 일. ② 겉으로 드러내지 못하고 속으로 걱정하거나 괴로워하는 일 • 속병 ① 몸속의 병을 통틀어 이르는 말 ② '위장병'을 일상적으로 이르는 말 ③ 화가 나거나 속이 상하여 생긴 마음의 심한 아픔
허접하다	허접스럽다	• 허접하다: 허름하고 잡스럽다. • 허접스럽다: 허름하고 잡스러운 느낌이 있다.

3. 2015년 새로 추가된 표준어 목록

① 복수 표준어: 기존 표준어와 같은 뜻을 가진 표준어로 인정한 것(4개)

추가 표준어	기존 표준어	비고
마실	마을	• '마실'은 '이웃에 놀러 다니는 일'의 의미에 한하여 표준어로 인정함. '여러 집이 모여 사는 곳'의 의미로 쓰인 '마실'은 비표준어임 예 나는 아들의 방문을 열고 이모네 마실 갔다 오마고 말했다. • '마실꾼, 마실방, 마실돌이, 밤마실'도 표준어로 인정함

이쁘다	예쁘다	'이쁘장스럽다, 이쁘장스레, 이쁘장하다, 이쁘디이쁘다'도 표준어로 인정함 예 어이구, 내 새끼 이쁘기도 하지.
찰지다	차지다	사전에서 〈'차지다'의 원말〉로 풀이함 예 화단의 찰진 흙에 하얀 꽃잎이 화사하게 떨어져 날리곤 했다.
-고프다	-고 싶다	사전에서 〈'-고 싶다'가 줄어든 말〉로 풀이함 예 그 아이는 엄마가 보고파 앙앙 울었다.

② 별도 표준어: 기존 표준어와 뜻이 다른 표준어로 인정한 것(5개)

추가 표준어	기존 표준어	뜻 차이
꼬리연	가오리연	• 꼬리연: 긴 꼬리를 단 연 예 행사가 끝날 때까지 하늘을 수놓았던 대형 꼬리연도 비상을 꿈꾸듯 끊임없이 창공을 향해 날아올랐다. • 가오리연: 가오리 모양으로 만들어 꼬리를 길게 단 연. 띄우면 오르면서 머리가 아래위로 흔들린다.
의론	의논	• 의론(議論): 어떤 사안에 대하여 각자의 의견을 제기함. 또는 그런 의견 예 이러니저러니 의론이 분분하다. • 의논(議論): 어떤 일에 대하여 서로 의견을 주고받음 • '의론되다, 의론하다'도 표준어로 인정함
이크	이키	• 이크: 당황하거나 놀랐을 때 내는 소리. '이키'보다 큰 느낌을 준다. 예 이크, 이거 큰일 났구나 싶어 허겁지겁 뛰어갔다. • 이키: 당황하거나 놀랐을 때 내는 소리. '이끼'보다 거센 느낌을 준다.
잎새	잎사귀	• 잎새: 나무의 잎사귀. 주로 문학적 표현에 쓰인다. 예 잎새가 몇 개 남지 않은 나무들이 창문 위로 뻗어 올라 있었다. • 잎사귀: 낱낱의 잎. 주로 넓적한 잎을 이른다.
푸르르다	푸르다	• 푸르르다: '푸르다'를 강조할 때 이르는 말 예 겨우내 찌푸리고 있던 잿빛 하늘이 푸르르게 맑아 오고 어디선지도 모르게 흙냄새가 뭉클하니 풍겨 오는 듯한 순간 벌써 봄이 온 것을 느낀다. • 푸르다: 맑은 가을 하늘이나 깊은 바다, 풀의 빛깔과 같이 밝고 선명하다. ※ '푸르르다'는 '으' 불규칙 용언으로 분류함

③ 복수 표준형: 기존 표준적인 활용형과 용법이 같은 활용형으로 인정한 것(2개)

추가 표준형	기존 표준형	비고
말아 말아라 말아요	마 마라 마요	'말다'에 명령형 어미 '-아, -아라, -아요' 등이 결합할 때는 어간 끝의 'ㄹ'이 탈락하기도 하고 탈락하지 않기도 함 예 • 내가 하는 말 농담으로 듣지 마/말아. • 얘야, 아무리 바빠도 제사는 잊지 마라/말아라. • 아유, 말도 마요/말아요.
노랗네 동그랗네 조그맣네 …	노라네 동그라네 조그마네 …	• 'ㅎ' 불규칙 용언이 어미 '-네'와 결합할 때는 어간 끝의 'ㅎ'이 탈락하기도 하고 탈락하지 않기도 함 • '그렇다, 노랗다, 동그랗다, 뿌옇다, 어떻다, 조그맣다, 커다랗다' 등 모든 'ㅎ' 불규칙 용언의 활용형에 적용됨 예 • 생각보다 훨씬 노랗네/노라네. • 이 빵은 동그랗네/동그라네. • 건물이 아주 조그맣네/조그마네.

단권화 MEMO

■ '으'가 탈락하는 용언
학교 문법에서는 'ㅡ'가 규칙적으로 탈락하는 것으로 본다.

단권화 MEMO

4. 2016년 새로 추가된 표준어 목록

추가 표준어	기존 표준어	뜻 차이
걸판지다	거방지다	• **걸판지다** [형용사] ① 매우 푸지다. 예 • 술상이 걸판지다. • 마침 눈먼 돈이 생긴 것도 있으니 오늘 저녁은 내가 걸판지게 사지. ② 동작이나 모양이 크고 어수선하다. 예 • 싸움판은 자못 걸판져서 구경거리였다. • 소리판은 옛날이 걸판지고 소리할 맛이 났었지. • **거방지다** [형용사] ① 몸집이 크다. ② 하는 짓이 점잖고 무게가 있다. ③ = 걸판지다①
겉울음	건울음	• **겉울음** [명사] ① 드러내 놓고 우는 울음 예 꼭꼭 참고만 있다 보면 간혹 속울음이 겉울음으로 터질 때가 있다. ② 마음에도 없이 겉으로만 우는 울음 예 눈물도 안 나면서 슬픈 척 겉울음 울지 마. • **건울음** [명사] = 강울음 • **강울음** [명사] 눈물 없이 우는 울음. 또는 억지로 우는 울음
까탈스럽다	까다롭다	• **까탈스럽다** [형용사] ① 조건, 규정 따위가 복잡하고 엄격하여 적응하거나 적용하기에 어려운 데가 있다. '가탈스럽다①'보다 센 느낌을 준다. 예 까탈스러운 공정을 거치다. / 규정을 까탈스럽게 정하다. ② 성미나 취향 따위가 원만하지 않고 별스러워 맞춰 주기에 어려운 데가 있다. '가탈스럽다②'보다 센 느낌을 준다. 예 까탈스러운 입맛 / 성격이 까탈스럽다. ※ 같은 계열의 '가탈스럽다'도 표준어로 인정함 • **까다롭다** [형용사] ① 조건 따위가 복잡하거나 엄격하여 다루기에 순탄하지 않다. ② 성미나 취향 따위가 원만하지 않고 별스럽게 까탈이 많다.
실뭉치	실몽당이	• **실뭉치** [명사] 실을 한데 뭉치거나 감은 덩이 예 • 실뭉치를 풀다. • 그의 머릿속은 엉클어진 실뭉치같이 갈피를 못 잡고 있었다. • **실몽당이** [명사] 실을 풀기 좋게 공 모양으로 감은 뭉치
엘랑	에는	• 〈표준어 사정 원칙〉 제25항에 따라 '에는'의 비표준형으로 규정해 온 '엘랑'을 표준형으로 인정함 • '엘랑' 외에도 'ㄹ랑'에 조사 또는 어미가 결합한 '에설랑, 설랑, -고설랑, -어설랑, -질랑'도 표준형으로 인정함 • '엘랑, -고설랑' 등은 단순한 조사/어미 결합형이므로 사전 표제어로는 다루지 않음 예 • 서울엘랑 가지를 마오. • 교실에설랑 떠들지 마라. • 나를 앞에 앉혀 놓고설랑 자기 아들 자랑만 하더라.
주책이다	주책없다	• 〈표준어 사정 원칙〉 제25항에 따라 '주책없다'의 비표준형으로 규정해 온 '주책이다'를 표준형으로 인정함 • '주책이다'는 '일정한 줏대가 없이 되는대로 하는 짓'을 뜻하는 '주책'에 서술격 조사 '이다'가 붙은 말로 봄 • '주책이다'는 단순한 명사+조사 결합형이므로 사전 표제어로는 다루지 않음 예 이제 와서 오래전에 헤어진 그녀를 떠올리는 나 자신을 보며 '나도 참 주책이군.' 하는 생각이 들었다.

5. 2017년 새로 추가된 표준어 목록

추가 표준어	기존 표준어	비고
꺼림직하다	꺼림칙하다	마음에 걸려서 언짢고 싫은 느낌이 있다.
께름직하다	께름칙하다	마음에 걸려서 언짢고 싫은 느낌이 꽤 있다.
추켜올리다	추어올리다	'실제보다 과장되게 칭찬하다'의 의미로 쓰이는 '추켜올리다'를 표준어로 인정함
추켜세우다	치켜세우다	'정도 이상으로 크게 칭찬하다'의 의미로 쓰이는 '추켜세우다'를 표준어로 인정함
치켜올리다	추어올리다/ 추켜올리다	① 옷이나 물건, 신체 일부 따위를 위로 가뜬하게 올리다. ② 실제보다 과장되게 칭찬하다.

더 알아보기 2017~2018년 표준어 수정 사항

표제어	수정 전	수정 후	비고
잘생기다	「형용사」	「동사」	품사 수정
잘나다	「형용사」	「동사」	품사 수정
못나다	「형용사」	「동사」	품사 수정
낡다01	「형용사」	「동사」	품사 수정
못생기다	「형용사」	「동사」	품사 수정
꺼림직이	『북한어』 '꺼림칙이'의 북한어	= 꺼림칙이	• 뜻풀이 수정 • 북한어 정보 삭제
꺼림직하다	① → 꺼림칙하다 ② 『북한어』 '꺼림칙하다'의 북한어	= 꺼림칙하다	• 뜻풀이 수정 • 북한어 정보 삭제
꺼림칙스럽다	보기에 거리끼어 언짢은 데가 있다.	보기에 꺼림칙한 데가 있다.	뜻풀이 수정
꺼림칙이	매우 꺼림하게	마음에 걸려서 언짢고 싫은 느낌이 있게. ≒ 꺼림직이	뜻풀이 수정
꺼림칙하다	매우 꺼림하다. ≒ 께름칙하다	마음에 걸려서 언짢고 싫은 느낌이 있다. ≒ 꺼림직하다	뜻풀이 수정
꺼림하다	마음에 걸려 언짢은 느낌이 있다. ≒ 께름하다.	마음에 걸려서 언짢은 느낌이 있다.	뜻풀이 수정
께름직하다	① → 꺼림칙하다 ② 『북한어』 조금 께름하다.	= 께름칙하다	• 뜻풀이 수정 • 북한어 정보 삭제
께름칙하다	= 꺼림칙하다	마음에 걸려서 언짢고 싫은 느낌이 꽤 있다. ≒ 께름직하다	뜻풀이 수정
께름하다	= 꺼림하다	마음에 걸려서 언짢은 느낌이 꽤 있다.	뜻풀이 수정
추어올리다	【…을】 ① 위로 끌어 올리다. ② 실제보다 높여 칭찬하다. ≒ 추어주다	【…을】 ① 옷이나 물건, 신체 일부 따위를 위로 가뜬하게 올리다. ≒ 추켜올리다① · 치켜올리다① ② 실제보다 과장되게 칭찬하다. ≒ 추어주다 · 추켜올리다② · 치켜올리다②	뜻풀이 수정

단권화 MEMO

단권화 MEMO

표제어	수정 전	수정 후	비고
추켜세우다	[1]【…을】 ① 위로 치올리어 세우다. ② → 치켜세우다② [2] ① 『북한어』 잘 안되고 있는 일을 잘되는 상태로 올려세우다. ② 『북한어』 '추어올리다②'의 북한어	①【…을】= 치켜세우다① ②【…을 …으로】【…을 -고】 = 치켜세우다②	• 뜻풀이 수정 • 북한어 정보 삭제
추켜올리다	[1]【…을】 ① 위로 치올리어 세우다. ② → 치켜세우다② [2] ① 『북한어』 잘 안되고 있는 일을 잘되는 상태로 올려세우다. ② 『북한어』 '추어올리다②'의 북한어	【…을】 ① = 추어올리다① ② = 추어올리다②	• 뜻풀이 수정 • 북한어 정보 삭제
치켜세우다	①【…을】 옷깃이나 눈썹 따위를 위쪽으로 올리다. ②【…을 …으로】【…을 -고】 정도 이상으로 크게 칭찬하다.	①【…을】 옷깃이나 신체 일부 따위를 위로 가뜬하게 올려 세우다. ≒ 추켜세우다① ②【…을 …으로】【…을 -고】 정도 이상으로 크게 칭찬하다. ≒ 추켜세우다②	뜻풀이 수정
치켜올리다	『북한어』 ① '추켜올리다①'의 북한어 ② '추어올리다'의 북한어	【…을】 ① = 추어올리다① ② = 추어올리다②	• 뜻풀이 수정 • 북한어 정보 삭제
성숙하다	「동사」 ① 생물의 발육이 완전히 이루어지다. ② 몸과 마음이 자라서 어른스럽게 되다. ③ 경험이나 습관을 쌓아 익숙해지다. ④ 어떤 사회 현상이 새로운 발전 단계로 들어설 수 있도록 조건이나 상태가 충분히 마련되다.	[Ⅰ]「동사」 ① 생물의 발육이 완전히 이루어지다. ② 몸과 마음이 자라서 어른스럽게 되다. ③ 경험이나 습관을 쌓아 익숙해지다. ④ 어떤 사회 현상이 새로운 발전 단계로 들어설 수 있도록 조건이나 상태가 충분히 마련되다. [Ⅱ]「형용사」 몸과 마음이 자라서 어른 같은 데가 있다. 예 그는 또래보다 {성숙하다}.	품사 추가

더 알아보기 **2019년 표준어 수정 사항**

표제어	수정 전	수정 후	비고
가입	「1」 조직이나 단체 따위에 들어감	「1」 조직이나 단체 따위에 들어가거나, 서비스를 제공하는 상품 따위를 신청함	뜻풀이 수정
까다롭다	까다-롭다	까다롭다	표제어 수정
꿈같다	「1」 세월이 덧없이 빠르다. 「2」【…이】 덧없고 허무하다.	「1」 세월이 덧없이 빠르다. 「2」【…이】 덧없고 허무하다. 「3」 매우 좋아서 현실이 아닌 것 같다.	뜻풀이 추가
그러다	「1」 '그리하다'의 준말 「2」【-고】 그렇게 말하다.	「1」 '그리하다[1]'의 준말 「2」 '그리하다[2]'의 준말 「3」【-고】 그렇게 말하다.	뜻풀이 추가
그리하다	그렇게 하다.	[1] 그렇게 하다. [2]【…을】(('ㄹ 것을 그리하다' 구성으로 쓰여)) 앞말과 반대되게 행동하다.	뜻풀이 추가
-ㄴ답니다	[Ⅰ]「어미」 합쇼할 자리에 쓰여, 화자가 이미 알고 있는 것을 객관화하여 청자에게 일러 줌을 나타내는 종결 어미. 친근하게 가르쳐 주거나 자랑하는 따위의 뜻이 섞여 있다.	[Ⅰ]「어미」 하십시오할 자리에 쓰여, 화자가 이미 알고 있는 것을 객관화하여 청자에게 일러 줌을 나타내는 종결 어미. 친근하게 가르쳐 주거나 자랑하는 따위의 뜻이 섞여 있다.	뜻풀이 수정
됨됨이	사람으로서 지니고 있는 품성이나 인격 ≒ 됨됨	「1」 사람으로서 지니고 있는 품성이나 인격 ≒ 됨됨 「2」 사물 따위의 드러난 모양새나 특성	뜻풀이 추가
-디07	((일부 형용사 어간 뒤에 붙어))	((일부 용언의 어간 뒤에 붙어))	문법 정보 수정
막07	「3」 ((일부 동사 앞에 붙어)) '주저없이', '함부로'의 뜻을 더하는 접두사 ¶ 막가다/막거르다/막보다/막살다		뜻풀이 삭제
막냇동생	= 막내아우	맨 끝의 동생	뜻풀이 수정
문신		문신(免身)「명사」 아이를 낳음 = 해산	표제어 추가 ※'免'은 '아이를 낳다, 해산하다'의 의미일 때는 '문'으로 읽음에 따라 표제어를 추가함
문신하다		문신하다(免身)「동사」 아이를 낳다. = 해산하다	표제어 추가 ※'免'은 '아이를 낳다, 해산하다'의 의미일 때는 '문'으로 읽음에 따라 표제어를 추가함
복어		복漁	원어 수정
사운드트랙	사운드^트랙	사운드트랙	표제어 수정

단권화 MEMO

단권화 MEMO

표제어	수정 전	수정 후	비고
신뢰도	『수학』 통계에서 어떠한 값이 알맞은 모평균이라고 믿을 수 있는 정도	「1」 굳게 믿고 의지할 수 있는 정도 「2」 『수학』 통계에서 어떠한 값이 알맞은 모평균이라고 믿을 수 있는 정도	뜻풀이 추가
아09	((사람이나 동물 따위를 나타내는 받침 있는 체언 뒤에 붙어))	((받침 있는 체언 뒤에 붙어))	문법 정보 수정
애태우다	「3」 → 애타다.		뜻풀이 삭제
유유범범하다		(悠悠泛泛하다)	원어 추가
이시여	((사람이나 동물 따위를 나타내는 받침 있는 체언 뒤에 붙어))	((받침 있는 체언 뒤에 붙어))	문법 정보 수정

더 알아보기 2020년 표준어 수정 사항

표제어	수정 전	수정 후	비고
공친왕	공친-왕	공-친왕	표제어 수정
밤새는 줄(을) 모르다/밤새다		밤새는 줄(을) 모르다 「관용구」 어떤 일에 몰두하거나 빠져 시간이 가는 것을 모르다.	관용구 표제어 추가
강21	「3」 ((몇몇 명사 앞에 붙어)) '억지스러운'의 뜻을 더하는 접두사	「3」 ((몇몇 명사 앞에 붙어)) '억지스러운'의 뜻을 더하는 접두사 「4」 ((몇몇 동사 또는 형용사 앞에 붙어)) '몹시'의 뜻을 더하는 접두사 ¶ {강마르다}/{강밭다}/{강파리하다}	• 뜻풀이 추가 • 용례 수정
신춘	겨울을 보내고 맞이하는 첫봄 = 새봄「1」	「1」 겨울을 보내고 맞이하는 첫봄 = 새봄「1」 「2」 새로 시작되는 해 = 새해	뜻풀이 추가
연도01	사무나 회계 결산 따위의 처리를 위하여 편의상 구분한 일 년 동안의 기간. 또는 앞의 말에 해당하는 그해	「1」 사무나 회계 결산 따위의 처리를 위하여 편의상 구분한 일 년 동안의 기간. 또는 앞의 말에 해당하는 그해 「2」 ((흔히 일부 명사 뒤에 쓰여)) 앞말이 이루어진 특정한 해의 뜻을 나타내는 말	뜻풀이 추가
줄이다	「5」 말이나 글의 끝에서, 할 말은 많으나 그만하고 마친다는 뜻으로 하는 말	「5」 시간이나 기간을 짧아지게 하다. '줄다「6」'의 사동사 「6」 말이나 글의 끝에서, 할 말은 많으나 그만하고 마친다는 뜻으로 하는 말	뜻풀이 추가
특정하다	「형용사」 ((주로 '특정한' 꼴로 쓰여)) 특별히 정하여져 있다.	[Ⅰ] 「형용사」 ((주로 '특정한' 꼴로 쓰여)) 특별히 정하여져 있다. [Ⅱ] 「동사」 【…을】 구체적으로 명확히 지정하다.	뜻풀이 추가
해롱거리다	버릇없이 경솔하게 자꾸 까불다. ≒ 해롱대다	「1」 버릇없이 경솔하게 자꾸 까불다 ≒ 해롱대다「1」 「2」 술 따위를 마시고 취하여 정신이 자꾸 혼미해지고 몸을 제대로 가누지 못하다. ≒ 해롱대다「2」	뜻풀이 추가

표제어	수정 전	수정 후	비고
해롱대다	버릇없이 경솔하게 사뿌 까불다. = 해롱거리다	「1」 버릇없이 경솔하게 자꾸 까불다. = 해롱거리다「1」 「2」 술 따위를 마시고 취하여 정신이 자꾸 혼미해지고 몸을 제대로 가누지 못하다. = 해롱거리다「2」	뜻풀이 추가
해롱해롱	자꾸 버릇없이 경솔하게 까부는 모양	「1」 자꾸 버릇없이 경솔하게 까부는 모양 「2」 술 따위를 마시고 취하여 정신이 자꾸 혼미해지고 몸을 제대로 가누지 못하는 모양	뜻풀이 추가
해롱해롱하다	자꾸 버릇없이 경솔하게 까불다.	「1」 자꾸 버릇없이 경솔하게 까불다. 「2」 술 따위를 마시고 취하여 자꾸 정신이 혼미해지고 몸을 제대로 가누지 못하다.	뜻풀이 추가
갈기다	[1]【…을】「1」 힘차게 때리거나 치다.	[1]【…을】「1」【…을 …에】【…을 …으로】 사람이나 동물의 몸 등을 주먹이나 채찍 따위를 휘둘러 때리거나 치다.	• 뜻풀이 수정 • 문형 정보 수정
내갈기다	[1]【…을】「1」 힘껏 마구 때리거나 치다.	[1]【…을】「1」【…을 …에】【…을 …으로】 사람이나 동물의 몸 등을 주먹이나 채찍 따위를 휘둘러 매우 심하게 때리거나 치다.	• 뜻풀이 수정 • 문형 정보 수정
늘리다	「2」 수나 분량, 시간 따위를 본디보다 많아지게 하다. '늘다「2」'의 사동사	「2」 수나 분량 따위를 본디보다 많아지게 하거나 무게를 더 나가게 하다. '늘다「2」'의 사동사	뜻풀이 수정
뒤묻다	뒤따라 가거나 오다.	뒤따라가거나 뒤따라오다.	뜻풀이 수정
속죄양	「2」 남의 죄를 대신 지는 사람을 비유적으로 이르는 말	「2」 남의 죄를 대신 짊어지는 사람을 비유적으로 이르는 말	뜻풀이 수정
응01	「1」 상대편의 물음에 긍정적으로 대답하거나 부름에 응할 때 쓰는 말. 하게할, 또는 해라 할 자리에 쓴다.	「1」 아랫사람이나 대등한 관계에 있는 사람의 묻는 말에 대답하거나 부름에 응할 때 쓰는 말	뜻풀이 수정
전문어	학술이나 기타 전문 분야에서 특별한 의미로 쓰는 말 ≒ 전용어「2」	『언어』 특정한 전문 분야에서 주로 사용하는 용어 = 전문 용어	• 뜻풀이 수정 • 전문 분야 추가
전문 용어	특정한 전문 분야에서 주로 사용하는 용어	특정한 전문 분야에서 주로 사용하는 용어 ≒ 전문어	뜻풀이 수정
전용어	「2」 학술이나 기타 전문 분야에서 특별한 의미로 쓰는 말 ≒ 전문어	「2」 학술이나 기타 전문 분야에서 제한된 의미로 쓰는 말	뜻풀이 수정
철렁하다01	[I] 「2」 어떤 일에 놀라 가슴이 설레다.	[I] 「2」 뜻밖의 일에 놀라서 걱정되거나 마음이 무거워지다.	뜻풀이 수정
초래01	「1」 어떤 결과를 가져오게 함.	「1」 일의 결과로서 어떤 현상을 생겨나게 함.	뜻풀이 수정
초래되다	「1」【…에서】【…으로】 어떤 결과가 가져오게 되다.	「1」【…에서】【…으로】 일의 결과로서 어떤 현상이 생겨나게 되다.	뜻풀이 수정
초래하다01	「1」【…을】 어떤 결과를 가져오게 하다.	「1」【…을】 일의 결과로서 어떤 현상을 생겨나게 하다.	뜻풀이 수정

단권화 MEMO

단권화 MEMO

표제어	수정 전	수정 후	비고
후려갈기다	【…을】 채찍이나 주먹을 휘둘러 힘껏 치거나 때리다.	【…을】【…을 …에】【…을 …으로】 사람이나 동물의 몸 등을 주먹이나 채찍 따위를 휘둘러 아주 세차게 때리거나 치다.	• 뜻풀이 수정 • 문형 정보 수정
휘갈기다	【…을】 「1」 마구 때리다. 「4」 총이나 포를 마구 쏘다. 「5」 똥이나 오줌 따위를 함부로 마구 싸다.	[1]【…을】 「1」【…을 …에】【…을 …으로】 사람이나 동물의 몸 등을 주먹이나 채찍 따위를 휘둘러 세차게 때리거나 치다. [2]【…에/에게 …을】 「1」 총이나 포를 마구 쏘다. 「2」 똥이나 오줌 따위를 함부로 마구 싸다.	• 뜻풀이 수정 • 문형 정보 수정
순환02	(順煥)	(順換)	원어 수정
빼앗다	빼앗다	빼-앗다	표제어 수정
잘겁하다		(잘怯하다)	원어 추가
넘어오다	[1]【…으로】 「1」 바로 있던 것이 이쪽으로 기울어지거나 쓰러지다. 「2」【…에/에게】 사람, 물건, 권리, 책임, 일 따위가 이쪽으로 옮아오다. 「3」 순서, 시기 따위가 현재 쪽으로 가까이 옮아오다. [2]【…으로】【 …을】 속에서 음식이나 말, 감정 따위가 목구멍을 거슬러 올라오다.	[1]【…으로】 「1」 바로 있던 것이 이쪽으로 기울어지거나 쓰러지다. 「2」【…에/에게】 사람, 물건, 권리, 책임, 일 따위가 이쪽으로 옮아오다. 「3」 순서, 시기 따위가 현재 쪽으로 가까이 옮아오다. [2]【…에/에게】 꾀나 유혹 따위에 빠져 마음이 옮겨 오다. ¶ 감언이설에 {넘어오다}. / 이런 얕은꾀에도 {넘어오다니}. [3]【…으로】【 …을】 속에서 음식이나 말, 감정 따위가 목구멍을 거슬러 올라오다.	• 뜻풀이 추가 • 용례 수정
대신03	「1」 ((명사, 대명사 뒤에 쓰여)) 어떤 대상의 자리나 구실을 바꾸어서 새로 맡음. 또는 그렇게 새로 맡은 대상 「2」 ((어미 '-은', '-는' 뒤에 쓰여)) 앞말이 나타내는 행동이나 상태와 다르거나 그와 반대임을 나타내는 말	「1」 ((명사, 대명사 뒤에 쓰여)) 어떤 대상의 자리나 구실을 바꾸어서 새로 맡음. 또는 그렇게 새로 맡은 대상 「2」 ((어미 '-은', '-는' 뒤에 쓰여)) 앞말이 나타내는 행동이나 상태와 다르거나 그와 반대임을 나타내는 말 「3」 ((어미 '-은', '-는' 뒤에 쓰여)) 앞말이 나타내는 행동이나 일 따위에 상응하는 대가임을 나타내는 말 ¶ 밥 사주는 {대신} 이것 좀 도와줘. / 7만 원은 받을 수도 있는 걸 6만 8천 원에 파는 {대신} 계약금 7천 원에, 중도금을 6만 원으로 하고, 잔금은 천 원만 남기기로 했던 것이다. ≪황순원, 움직이는 성≫	• 뜻풀이 추가 • 용례 수정

표제어	수정 전	수정 후	비고
변하다	【…으로】【-게】((‘…으로’나 ‘-게’ 대신에 ‘…처럼’, ‘…같이’ 따위의 부사어가 쓰이기도 한다)) 무엇이 다른 것이 되거나 혹은 다른 성질로 달라지다.	「1」【…으로】【-게】((‘…으로’나 ‘-게’ 대신에 ‘…처럼’, ‘…같이’ 따위의 부사어가 쓰이기도 한다)) 무엇이 다른 것이 되거나 혹은 다른 성질로 달라지다. 「2」 사람의 속성이나 사물의 상태 따위가 이전과 다르게 되다. ¶ 사람은 누구나 {변한다}. / 십 년이면 강산도 {변한다더니} 동네가 몰라보게 바뀌었다. / 시대가 아무리 {변했다고} 해도 바뀌지 않는 것도 있다.	• 뜻풀이 추가 • 용례 수정
점액질	『심리』 자극에 대한 반응이 둔하고 보수적이며 의지가 굳고 인내력이 있는 기질 유형. ≒ 림프질, 점질「2」	「1」 차지고 끈적끈적한 성질. 또는 그런 물질 ≒ 점질「1」. ¶{점액질을} 분비하다. / 어머니는 문어를 밀가루로 벅벅 문질러 {점액질을} 제거하셨다. / 아기의 변에 붉은 {점액질이} 묻어 나오면 장겹침증일 수 있다. 「2」『심리』 자극에 대한 반응이 둔하고 보수적이며 의지가 굳고 인내력이 있는 기질 유형 ≒ 림프질, 점질「2」	• 뜻풀이 추가 • 용례 수정
고지서	국가나 공공 기관 따위가 일정한 금액을 부과하는 문서	법적 권한을 가진 행정 기관 따위에서 세금이나 부담금을 매기어 납부하도록 알리는 문서	뜻풀이 수정
굼벵이	「1」 매미, 풍뎅이, 하늘소와 같은 딱정벌레목의 애벌레. 누에와 비슷하게 생겼으나 몸의 길이가 짧고 뚱뚱하다.	「1」 매미의 애벌레나 꽃무지, 풍뎅이와 같은 딱정벌레목의 애벌레. 주로 땅속에 살며, 몸통이 굵고 다리가 짧아 동작이 느리다.	뜻풀이 수정
꼬장꼬장하다	「3」 성미가 곧고 결백하여 남의 말을 좀처럼 듣지 않는 경향이 있다.	「3」 성미가 곧고 발라 고분고분하지 않고 따지는 경향이 있다.	뜻풀이 수정
낙하산	「2」 채용이나 승진 따위의 인사에서, 배후의 높은 사람의 은밀한 지원이나 힘을 비유적으로 이르는 말 ¶{낙하산} 인사 / {낙하산을} 타고 부장이 되다.	「2」 채용이나 승진 따위의 인사에서, 배후의 높은 사람의 은밀한 지원이나 힘. 또는 그 힘으로 어떤 자리에 앉은 사람을 비유적으로 이르는 말 ¶{낙하산} 인사 / {낙하산을} 타고 부장이 되다. / 저 사람은 사장님과 친해서 {낙하산으로} 오해를 받았다.	• 뜻풀이 수정 • 용례 수정
넘어가다	[3] 속임수에 빠지거나 마음을 뺏기다. ¶제 꾀에 {넘어가다}. / 사기꾼에게 {넘어가다}. / 그런 얼토당토않은 말에 {넘어갈} 사람이 있겠느냐? / 그까짓 속임수에 {넘어갈} 내가 아니다.	[3] 꾀나 유혹 따위에 빠져서 속거나 마음을 주다. ¶제 꾀에 {넘어가다}. / 감언이설에 {넘어가다}. / 사기꾼에게 {넘어가다}. / 그까짓 속임수에 {넘어갈} 내가 아니다. / 청중들은 그의 논리정연한 말솜씨에 하나둘씩 {넘어가기} 시작했다.	• 뜻풀이 수정 • 용례 수정

단권화 MEMO

단권화 MEMO

표제어	수정 전	수정 후	비고
뒷배	겉으로 나서지 않고 뒤에서 보살펴 주는 일 ¶ ~/ 구가가 {뒷배} 봐 주고 무대에 서고 할 땐 장사 참 잘됐다. ≪박완서, 도시의 흉년≫	겉으로 나서지 않고 뒤에서 보살펴 주는 일. 또는 그런 사람 ¶ ~/ 구가가 {뒷배} 봐 주고 무대에 서고 할 땐 장사 참 잘됐다. ≪박완서, 도시의 흉년≫ / 전라도 천지를 다 돌아보아야 조정에 조병갑이만큼 {뒷배가} 든든한 사람도 찾기가 드물었다. ≪송기숙, 녹두 장군≫	• 뜻풀이 수정 • 용례 수정
등각사다리꼴	평행하지 아니한 두 변의 길이가 같은 사다리꼴 = 등변 사다리꼴	평행한 두 변 중 어느 하나의 양 끝 각의 크기가 같은 사다리꼴 = 등변 사다리꼴	뜻풀이 수정
부가가치세	국세의 하나. 거래 단계별로 상품이나 용역에 새로 부가하는 가치이다. 곧, 이익에 대해서만 부과하는 일반 소비세로 우리나라에서는 1977년부터 실시하였다.	국세의 하나. 거래 단계별로 상품이나 용역에 새로 부가하는 가치에 대하여 매기는 세금이다. 곧, 이익에 대해서만 부과하는 일반 소비세로 우리나라에서는 1977년부터 실시하였다.	뜻풀이 수정
사단06	「1」『민속』 임금이 백성을 위하여 토신(土神)인 사(社)와 곡신(穀神)인 직(稷)에게 제사 지내던 제단 = 사직단 「2」『민속』 토신(土神)에 제사를 지내는 제단	『민속』 임금이 토신(土神)인 사(社)에게 제사 지내던 제단	뜻풀이 수정
사직단	「1」『민속』 임금이 토신(土神)인 사(社)에게 제사 지내던 제단 ≒ 사단06「1」 · 직단01	「1」『민속』 임금이 토신(土神)인 사(社)와 곡신(穀神)인 직(稷)에게 제사 지내던 제단	뜻풀이 수정
직단01	『민속』 임금이 백성을 위하여 토신(土神)인 사(社)와 곡신(穀神)인 직(稷)에게 제사 지내던 제단 = 사직단	『민속』 임금이 곡신(穀神)인 직(稷)에게 제사 지내던 제단	뜻풀이 수정
일관성	하나의 방법이나 태도로써 처음부터 끝까지 한결같은 성질	방법이나 태도 따위가 한결같은 성질	뜻풀이 수정
-당하다02	((행위를 나타내는 일부 명사 뒤에 붙어)) '피동'의 뜻을 더하고 동사를 만드는 접미사	((주로 행위를 나타내는 일부 명사 뒤에 붙어)) '피동'의 뜻을 더하고 동사를 만드는 접미사	문법 정보 수정
겸보덕	(兼補德)	(兼輔德)	원어 수정
이요03		「조사」 ((받침 있는 체언이나 부사어 따위의 뒤에 붙어)) 주로 발화 끝에 쓰여 청자에게 존대의 뜻을 나타내는 보조사 ¶ 그는 식당 의자에 앉자마자 "여기 {냉면이요}."라고 주문하였다. / 여기 {거스름돈이요}. / 기름은 얼마나 넣을까요? {가득이요}. 「참고 어휘」 요14	• 표제어 추가 • 참고 어휘 추가
골목01	골목	골-목	표제어 수정
작약실	(灼藥室)	(炸藥室)	원어 수정

표제어	수정 전	수정 후	비고
아주01	「1」((형용사 또는 상태의 뜻을 나타내는 일부 동사나 명사, 부사 앞에 쓰여)) 보통 정도보다 훨씬 더 넘어선 상태로 ≒ 만만02[Ⅳ]「1」. 「2」((동사 또는 일부의 명사적인 성분 앞에 쓰여)) 어떤 행동이나 작용 또는 상태가 이미 완전히 이루어져 달리 변경하거나 더 이상 어찌할 수 없는 상태에 있음을 나타내는 말	「1」((형용사 또는 상태의 뜻을 나타내는 일부 동사나 명사, 부사 앞에 쓰여)) 보통 정도보다 훨씬 더 넘어선 상태로 ≒ 만만02[Ⅳ]「1」 「2」((동사 또는 일부의 명사적인 성분 앞에 쓰여)) 어떤 행동이나 작용 또는 상태가 이미 완전히 이루어져 달리 변경하거나 더 이상 어찌할 수 없는 상태에 있음을 나타내는 말 「3」((주로 부정을 나타내는 말과 함께 쓰여)) '조금도', '완전히'의 뜻을 나타낸다. ¶ 술은 {아주} 안 드세요? / 외식을 {아주} 안 하고 살 수 없다. / 열흘만큼씩 입원료를 회계하여야 하는데, 인제는 {아주} 가망이 없다. ≪염상섭, 올수≫ 「비슷한 말」 전혀01	• 뜻풀이 추가 • 용례 수정 • 관련 어휘 추가
그넷줄	두 가닥으로 늘어뜨린 그네의 밧줄	나뭇가지나 가로대 따위에 그네를 매는, 두 가닥의 밧줄	뜻풀이 수정
만만02	[Ⅳ]「부사」 「2」((주로 부정하는 뜻을 나타내는 낱말과 함께 쓰여)) '도무지', '아주', '완전히'의 뜻을 나타낸다. = 전혀01	[Ⅳ]「부사」 「2」((주로 부정을 나타내는 말과 함께 쓰여)) '도무지', '완전히'의 뜻을 나타낸다. = 전혀01	• 뜻풀이 수정 • 문법 정보 수정
매다01	[2]「3」 끈이나 줄 따위로 어떤 물체를 가로 걸거나 드리우다.	[2]「3」 끈이나 줄 따위를 어떤 물체에 단단히 묶어서 걸다.	뜻풀이 수정
방화벽	「1」 불이 번지는 것을 막기 위하여 불에 타지 아니하는 재료로 만들어 세운 벽. 건물의 경계 지점이나 내부에 철근 콘크리트나 벽돌 따위로 설치한다. ≒ 화방벽, 화방장	「1」 불이 번지는 것을 막기 위하여 불에 타지 아니하는 재료로 만들어 세운 벽. 건물의 경계 지점이나 내부에 철근 콘크리트나 벽돌 따위로 설치한다. 「참고 어휘」 화방벽	• 뜻풀이 수정 • 참고 어휘 추가
쉬쉬하다	【…을】 드러내지 아니하고 뒤에서 은밀하게 말하다.	【…을】 드러내어 말하지 아니하고 뒤에서 은밀히 감추다.	뜻풀이 수정
전연01	((주로 부정하는 뜻을 나타내는 낱말과 함께 쓰여)) '도무지', '아주', '완전히'의 뜻을 나타낸다. = 전혀01	((주로 부정을 나타내는 말과 함께 쓰여)) '도무지', '완전히'의 뜻을 나타낸다. = 전혀01	• 뜻풀이 수정 • 문법 정보 수정
전혀01	((주로 부정하는 뜻을 나타내는 낱말과 함께 쓰여)) '도무지', '아주', '완전히'의 뜻을 나타낸다. ≒ 만만02[Ⅳ]「2」, 전연01	((주로 부정을 나타내는 말과 함께 쓰여)) '도무지', '완전히'의 뜻을 나타낸다. ≒ 만만02[Ⅳ]「2」, 전연01 「비슷한 말」 아주01「3」	• 뜻풀이 수정 • 문법 정보 수정 • 관련 어휘 추가
중립01	「1」 어느 편에도 치우치지 아니하고 공정하게 처신함	「1」 어느 편에도 치우치지 않고 중간적인 입장에 섬. 또는 그런 입장	뜻풀이 수정

단권화 MEMO

단권화 MEMO

표제어	수정 전	수정 후	비고
화방벽	불이 번지는 것을 막기 위하여 불에 타지 아니하는 재료로 만들어 세운 벽. 건물의 경계 지점이나 내부에 철근 콘크리트나 벽돌 따위로 설치한다. = 방화벽「1」	화재 따위의 재해를 막기 위하여 불에 타지 아니하는 재료로 만들어 세운 벽. 주로 전통 건축에서 쓰인다. ≒ 화방장 「참고 어휘」 방화벽	• 뜻풀이 수정 • 참고 어휘 추가
화방장	불이 번지는 것을 막기 위하여 불에 타지 아니하는 재료로 만들어 세운 벽. 건물의 경계 지점이나 내부에 철근 콘크리트나 벽돌 따위로 설치한다. = 방화벽「1」	화재 따위의 재해를 막기 위하여 불에 타지 아니하는 재료로 만들어 세운 벽. 주로 전통 건축에서 쓰인다. = 화방벽	뜻풀이 수정
요14	「2」 ¶ {마음은요} 더없이 좋아요. / {어서요} 읽어 보세요. / 그렇게 해 주시기만 {하면요} 정말 감사하겠어요.	「2」 ¶ {방금요} 그 말 아주 멋졌어요. / {마음은요} 더없이 좋아요. / {어서요} 읽어 보세요. / 그렇게 해 주시기만 {하면요} 정말 감사하겠어요. 「참고 어휘」 이요03	• 용례 추가 • 참고 어휘 추가
천착하다02	「2」 ¶ 아버지는 그 이야기를 누구에게서 들은 것인지 이신은 가끔 의아를 느낀 적도 있었지만, 깊이 {천착할} 것은 없었다. ≪선우휘, 사도행전≫	「2」【…에】((‘…을’ 대신에 ‘…에 대하여’가 쓰이기도 한다)) ¶ 철학적인 문제에 {천착하다}. / 문장의 의미를 깊이 {천착하다}. / 우리는 그 문제를 극복할 방법에 대해 {천착하였다}. / 내 의식의 밑바닥을 좀 더 {천착해} 보면 일종의 도박 심리가 깔려 있었다고 할 수 있다. ≪김성동, 만다라≫	• 용례 수정 • 문형 정보 추가 • 문법 정보 추가

더 알아보기 2021년 표준어 수정 사항

표제어	수정 전	수정 후	비고
병역판정검사(兵役判定檢査)		『군사』 징집 대상자를 소집하여, 군대에서 복무할 자격이 되는지 신체나 신상 따위를 검사하는 일	표제어 추가
꽃송이버섯	꽃-송이버섯	꽃송이-버섯	표제어 수정
단년도	단-년도	단년-도	표제어 수정
사라지다	사라지다	사라-지다	표제어 수정
상평형	(相平衡)	(狀平衡)	원어 수정
화피단장	(樺皮短杖)	(樺皮丹粧)	원어 수정
내후년	후년의 바로 다음 해 ≒ 명후년, 후후년	「1」 내년의 다음다음 해 ≒ 명후년, 후후년 「2」 올해의 다음다음 해 = 후년「1」. ¶ 내년이나 {내후년쯤에는} 상황이 좋아질 것이다. / 금년 아니면 내년, 내년 아니면 {내후년}. 그런데 나는 무엇을 바라고 이곳에 있는 걸까? ≪박경리, 토지≫	• 뜻풀이 추가 • 뜻풀이 수정 • 용례 추가
삐치다03	글씨를 쓸 때 글자의 획을 비스듬히 내려쓰다.	글씨를 쓸 때 글자의 획을 비스듬히 아래에서 위로, 또는 위에서 아래로 긋다.	뜻풀이 수정
사그라지다	삭아서 없어지다.	기운이나 현상 따위가 가라앉거나 없어지다.	뜻풀이 수정

표제어	수정 전	수정 후	비고
연달다	「1」 움직이는 물체가 다른 물체의 뒤를 이어 따르다. = 잇따르다「1」. ¶ 갑자기 트럭이 멈추자 뒤를 따르던 차들이 {연달아} 부딪쳤다.	「1」 어떤 물체가 다른 물체의 뒤를 이어 따르다. 또는 다른 물체에 이어지다. = 잇따르다「1」. ¶ 차가 {연달아} 온다. / 동리는 십여 집이 {연달아} 이웃해 붙었는데, 집집마다 사람들이 뛰어나온다. ≪박종화, 임진왜란≫ / 그 덧저고리가 깃과 동정도 없는 대신 목에 흰 단추가 달려 있고 그 단추가 어깨까지 {연달아} 있었다. ≪안수길, 북간도≫	• 뜻풀이 수정 • 용례 수정
유작02	죽은 사람이 생전에 남긴 작품	죽은 사람이 생전에 남긴 작품. 주로 사후에 발표되거나 알려진 작품을 이른다.	뜻풀이 수정
제고02	쳐들어 높임	수준이나 정도 따위를 끌어올림	뜻풀이 수정
징병검사	징집 대상자를 소집하여, 군대에서 복무할 자격이 되는지 신체나 신상 따위를 검사하는 일	'병역 판정 검사'의 전 용어	뜻풀이 수정
요14	「2」¶ ~/ 그렇게만 해 주기만 {하면요} 정말 감사하겠어요.	「2」¶ ~/ 그렇게만 해 주기만 {하면요} 정말 감사하겠어요. / "주문하실래요?" "여기 {볶음밥요}."	용례 추가
양부모	¶ 아무리 {양부모가} 극진하다 해도 친부모 하나와 양부모 다섯을 바꿀 수 없었다. ≪한설야, 탑≫/~	¶ 경천점 {양부모들이} 하도 나를 잘 키워 줘서 나는 고생을 모르고 자랐다. 참 고마운 분들이다. ≪송기숙, 녹두 장군≫/~	용례 수정
감염병		『법률』 인간 및 동물의 신체에 감염 물질이 유입되거나 발육·증식하여, 공중 보건에 위험이 될 수 있는 병. 제일 급에서 제사급까지의 감염병 및 기생충 감염병, 세계 보건 기구 감시 대상 감염병, 생물 테러 감염병 따위가 있다.	표제어 추가
감염병의예방및관리에관한법률		『법률』 감염병의 발생과 유행을 방지하고 국민 건강을 증진·유지할 목적으로 제정한 법률	표제어 추가
길고양이		주택가 따위에서 주인 없이 자생적으로 살아가는 고양이. ¶ {길고양이를} 돌보다. / {길고양이에게} 밥을 주다. / {길고양이가} 열악한 환경 속에서 살고 있다.	표제어 추가
남북쪽		「1」 남쪽과 북쪽을 아울러 이르는 말. ≒남북「1」. ¶ {남북쪽} 지역. 「2」 남쪽에서 북쪽으로 향하는 방향. ≒남북「2」. ¶ {남북쪽으로} 뚫린 길. / 다리가 {남북쪽으로} 길게 뻗어 있다.	표제어 추가
대체역		『법률』 병역법에서, 병역 의무자 중 대한민국 헌법이 보장하는 양심의 자유를 이유로 현역, 보충역 또는 예비역의 복무를 대신하여 병역을 이행하고 있거나 이행할 의무가 있는 사람. 또는 그런 병역.	표제어 추가

단권화 MEMO

단권화 MEMO

표제어	수정 전	수정 후	비고
질입구주름		『의학』 여성의 질 구멍을 부분적으로 닫고 있는, 막으로 된 주름 또는 구멍이 난 막.	표제어 추가
헛딛다		【…을】 ((‘발을’을 목적어로 하여)) ‘헛디디다’의 준말. ¶ 그는 김지숙을 업은 채 벼랑을 올라가다 말고 발을 {헛딛고} 굴러떨어지고 말았다. ≪문순태, 피아골≫ / 술 취한 사람같이 발을 {헛딛는} 바람에 그는 하마터면 넘어질 뻔했다. ≪윤흥길, 완장≫	표제어 추가
개견01	개견	개－견	표제어 수정
고려태조십훈요	고려^태조^십훈요	고려태조－십훈요	표제어 수정
능불능	능불능	능－불능	표제어 수정
당부당	당부당	당－부당	표제어 수정
동티모르	동티모르	동－티모르	표제어 수정
등글월문	등글월－문	등－글월문	표제어 수정
몰트위스키	몰트위스키	몰트－위스키	표제어 수정
복불복	복불복	복－불복	표제어 수정
부사관	부사－관	부－사관	표제어 수정
삼귀의작법	삼귀의^작법	삼귀의－작법	표제어 수정
삼육	삼육	삼륙	표제어 수정
선불선	선불선	선－불선	표제어 수정
성불성	성불성	성－불성	표제어 수정
소마젤란성운	소마젤란－성운	소－마젤란성운	표제어 수정
소마젤란운	소마젤란－운	소－마젤란운	표제어 수정
소마젤란은하	소마젤란－은하	소－마젤란은하	표제어 수정
옥스퍼드영어사전	옥스퍼드 영어사전	옥스퍼드 영어 사전	표제어 수정
용불용	용불용	용－불용	표제어 수정
위튼입구몸	위튼입구－몸	위－튼입구몸	표제어 수정
혼돌림	혼돌림	혼－돌림(魂돌림)	• 표제어 수정 • 원어 수정
혼쭐	혼쭐	혼－쭐	표제어 수정
간극률	(間隙律)	(間隙率)	원어 수정
내설악	(內雪岳)	(內雪嶽)	원어 수정
내평01	(內평)		원어 수정
달마01	(達磨)	(達磨/達摩)	원어 수정
동살02		(東살)	원어 수정
동트다		(東트다)	원어 수정
먼동		(먼東)	원어 수정
소한지우	(宵旰▽之友) 소의한식하는 벗.	(宵旰▽之憂) 나랏일로 바빠 겨를이 없는 임금의 근심.	• 원어 수정 • 뜻풀이 수정
이초02	(李嵒)	(李岹)	원어 수정

표제어	수정 전	수정 후	비고
잠실음형	(蠶室陰刑)	(蠶室淫刑)	원어 수정
저번	(這番)	(저番)	원어 수정
한어병음자모	(漢語併音字母)	(漢語拼音字母)	원어 수정
혼바람나다		(魂바람나다)	원어 수정
-더라	해라할 자리에 쓰여, 화자가 과거에 직접 경험하여 새로이 알게 된 사실을 그대로 옮겨 와 전달한다는 뜻을 나타내는 종결 어미. 어미 '-더-'와 어미 '-라'가 결합한 말이다.	「1」 해라할 자리에 쓰여, 화자가 과거에 직접 경험하여 새로이 알게 된 사실을 그대로 옮겨 와 전달한다는 뜻을 나타내는 종결 어미. 어미 '-더-'와 어미 '-라'가 결합한 말이다. 「2」 해라할 자리에 쓰여, 화자가 과거에 경험한 일을 회상하며 자문하거나, 공유했던 과거 경험에 대해 상대편에게 물어보는 뜻을 나타내는 종결 어미. ¶ 그걸 어디다 {뒀더라}? / 내가 어제 뭘 {먹었더라}? / 우리 언제 {만났더라}? / 자네 이름이 {무엇이더라}?	• 뜻풀이 추가 • 용례 추가
마조장	『역사』 조선 시대에, 선공감(繕工監) 및 지방 관아에 속하여 연자매를 만드는 일을 맡아 하던 사람.	「1」 『역사』 조선 시대에, 선공감(繕工監) 및 지방 관아에 속하여 연자매를 만드는 일을 맡아 하던 사람. 「2」 『역사』 조선 시대에, 군기감(軍器監)에 속하여 화살촉을 끼울 구멍을 만드는 일을 맡아 하던 사람. 「3」 『공예』 예전에, 도자기를 굽기 전에 이리저리 매만지어 맵시를 내던 사람. =마조장이.	뜻풀이 추가
만큼	[Ⅱ]「조사」 ((체언의 바로 뒤에 붙어)) 앞말과 비슷한 정도나 한도임을 나타내는 격 조사. ≒만치[Ⅱ].	[Ⅱ]「조사」 「1」 ((체언의 뒤에 붙어)) 앞말과 비슷한 정도나 한도임을 나타내는 격 조사. ≒만치[Ⅱ]「1」. 「2」 ((체언의 뒤, 어미 '-어서' 따위에 붙어)) 앞말에 한정됨을 나타내는 보조사. ≒만치[Ⅱ]「2」. ¶ 배 아픈 {데만큼은} 이 약이 잘 듣는다. / 이것은 보잘것없어 보이지만 {나에게만큼은} 소중한 보물이다. / 그는 자신이 맡은 {일에서만큼은} 최고의 전문가다. / 어느 누구도 바느질에 {있어서만큼은} 할머니의 솜씨를 따라갈 수 없었다. / {건강만큼이라도} 확실히 지키도록 노력하세요. / 박 {선생만큼은} 어쩌면 그냥 곱게 봐줄지도 모릅니다. ≪윤흥길, 묵시의 바다≫	• 뜻풀이 추가 • 용례 추가

단권화 MEMO

단권화 MEMO

표제어	수정 전	수정 후	비고
무선02	「3」『정보·통신』 전선을 사용하지 않고 전파를 이용한 전화. 국제 전화나 항공기, 자동차, 선박 따위의 연락에 쓴다. =무선 전화.	「3」『정보·통신』 전선을 사용하지 않고 전파를 이용한 전화. 국제 전화나 항공기, 자동차, 선박 따위의 연락에 쓴다. =무선 전화. 「4」 전자 기기에 전선이나 코드 따위가 없음. ¶ {무선} 선풍기. / {무선} 주전자. / {무선} 청소기. / {무선의} 편리성 때문에 {무선} 전자 제품에 대한 수요가 꾸준히 늘고 있다.	• 뜻풀이 추가 • 용례 추가
보다01	[Ⅱ] 「보조 동사」 「3」 ((동사 뒤에서 '-고 보니', '-고 보면' 구성으로 쓰여)) 앞말이 뜻하는 행동을 하고 난 후에 뒷말이 뜻하는 사실을 새로 깨닫게 되거나, 뒷말이 뜻하는 상태로 됨을 나타내는 말. 「4」 ((동사 뒤에서 '-다(가) 보니', '-다(가) 보면' 구성으로 쓰여)) 앞말이 뜻하는 행동을 하는 과정에서 뒷말이 뜻하는 사실을 새로 깨닫게 되거나, 뒷말이 뜻하는 상태로 됨을 나타내는 말.	[Ⅱ] 「보조 동사」 「3」 ((동사 뒤에서 '-고 보다' 구성으로 쓰여)) 앞말이 뜻하는 행동을 먼저 하고서 그 뒷일은 나중에 생각함을 나타내는 말. ¶ 배고픈데 밥부터 먹고 {봅시다}. / 걱정만 하지 말고 일단 공부를 시작하고 {보자}. / 그러나저러나 우선 병이 낫고 {봐야지}. / 머리가 아플 때에는 잠부터 푹 자고 {볼} 일이다. 「4」 ((동사 뒤에서 '-고 보니', '-고 보면' 구성으로 쓰여)) 앞말이 뜻하는 행동을 하고 난 후에 뒷말이 뜻하는 사실을 새로 깨닫게 되거나, 뒷말이 뜻하는 상태로 됨을 나타내는 말. 「5」 ((동사 뒤에서 '-다(가) 보니', '-다(가) 보면' 구성으로 쓰여)) 앞말이 뜻하는 행동을 하는 과정에서 뒷말이 뜻하는 사실을 새로 깨닫게 되거나, 뒷말이 뜻하는 상태로 됨을 나타내는 말.	• 뜻풀이 추가 • 용례 추가
빌빌거리다	「1」 느릿느릿하게 자꾸 움직이다. ≒빌빌대다「1」. 「2」 기운 없이 자꾸 행동하다. ≒빌빌대다「2」.	「1」 느릿느릿하게 자꾸 움직이다. ≒빌빌대다「1」. 「2」 기운 없이 자꾸 행동하다. ≒빌빌대다「2」. 「3」 일정한 직업이 없거나 하는 일 없이 계속 지내다. ≒빌빌대다「3」. ¶ 제대는 했지만 온전히 성한 놈도 직장이 없어 {빌빌거리는} 판인데 나 같은 놈이야 배운 건 없지, 팔도 시원찮지, 빤하죠. ≪김인배, 방울뱀≫	• 뜻풀이 추가 • 용례 추가

표제어	수정 전	수정 후	비고
스피커	소리를 크게 하여 멀리까지 들리게 하는 기구. =확성기.	「1」 전기 신호를 음향 신호로 변환하여 소리를 밖으로 내보내는 장치. ¶{ 스피커의} 볼륨을 낮추다. / 전화를 {스피커로} 받다. / 컴퓨터에 {스피커를} 연결하여 음악을 들었다. / 선의 접촉이 제대로 안 된 {스피커에서} 지글지글 끓어오르는 소리가 나면서 크리스마스 캐럴이 흘러나오기 시작했다. ≪최인호, 지구인≫ 「2」 소리를 크게 하여 멀리까지 들리게 하는 기구. =확성기.	• 뜻풀이 추가 • 용례 추가
우선	전선에 의한 통신 방식.	「1」 전선에 의한 통신 방식. 「2」 전자 기기에 전선이나 코드 따위가 있음. ¶{유선} 제품. / {유선} 청소기는 방을 옮길 때마다 코드를 뽑아야 하는 번거로움이 있다.	• 뜻풀이 추가 • 용례 추가
육화	『가톨릭』 하느님의 아들이 사람으로 태어남.	「1」 『가톨릭』 하느님의 아들이 사람으로 태어남. 「2」 추상적인 것을 구체적인 모습으로 드러냄. 또는 그런 일. ¶그 작가는 정신의 {육화를} 강조하였다.	• 뜻풀이 추가 • 용례 추가
음03	「1」 글자의 음. 흔히 한자의 음을 이른다. =자음02. 「2」 물체의 진동에 의하여 생긴 음파가 귀청을 울리어 귀에 들리는 것. =소리01「1」. 「3」 『음악』 귀로 느낄 수 있는 소리. 특히 음악을 구성하는 소재로서의 소리.	「1」 글자의 음. 흔히 한자의 음을 이른다. =자음02. 「2」 물체의 진동에 의하여 생긴 음파가 귀청을 울리어 귀에 들리는 것. =소리01「1」. 「3」 『음악』 귀로 느낄 수 있는 소리. 특히 음악을 구성하는 소재로서의 소리. 「4」 ((일부 명사 뒤에 붙어)) '소리'의 뜻을 나타내는 말. ¶{가동음}. / {꾸밈음}. / {마찰음}	• 뜻풀이 추가 • 용례 추가
음정02	『음악』 높이가 다른 두 음 사이의 간격. 서양 음악의 장음계를 기준으로 '도(度)'를 단위로 표시하며, 같은 수치의 도로 표시되는 음정도 완전·장·단·증·감에 의하여 크기를 구별한다.	「1」 『음악』 높이가 다른 두 음 사이의 간격. 서양 음악의 장음계를 기준으로 '도(度)'를 단위로 표시하며, 같은 수치의 도로 표시되는 음정도 완전·장·단·증·감에 의하여 크기를 구별한다. 「2」 『음악』 음 하나하나의 높고 낮은 정도. =음높이. ¶{음정을} 맞추다. / 그는 {음정을} 잡기 위해 여러 번 헛기침을 했다. / 아이는 정확한 {음정으로} 노래를 불렀다.	• 뜻풀이 추가 • 용례 추가

단권화 MEMO

단권화 MEMO

표제어	수정 전	수정 후	비고
치음02	『언어』 혀끝과 윗니 또는 윗잇몸이 닿아서 나는 소리. 현대 국어에서 'ㅅ', 'ㅆ', 'ㄴ', 'ㄹ' 따위를 이른다. ≒잇소리, 치리음, 치성04.	「1」 『언어』 혀끝과 윗니 부근이 닿아서 나는 소리. ≒잇소리「1」, 치리음, 치성04. 「2」 『언어』 혀끝을 윗잇몸에 대거나 접근하여 내는 소리. 현대 국어에서 'ㄷ', 'ㄸ', 'ㅌ', 'ㅅ', 'ㅆ', 'ㄴ', 'ㄹ'을 이른다. =치조음. 「3」 『언어』 훈민정음에서 'ㅅ', 'ㅆ', 'ㅈ', 'ㅉ', 'ㅊ'을 이르는 말. ≒잇소리「2」.	뜻풀이 추가/수정
후음01	『언어』 성대를 막거나 마찰시켜서 내는 소리. =목구멍소리.	「1」 『언어』 성대를 막거나 마찰하여서 내는 소리. 현대 국어에서 'ㅎ'을 이른다. ≒목구멍소리「1」, 목소리「3」, 목청소리, 성대음, 성문음, 후두음. 「2」 『언어』 훈민정음에서 'ㅇ', 'ㆆ', 'ㅎ', 'ㆅ'을 이르는 말. ≒목구멍소리 「2」.	뜻풀이 추가/수정
기름종이	「2」 얼굴 따위의 기름기를 제거하기 위해 만든 종이. 주로 여자들이 화장을 고칠 때 쓴다.	「2」 얼굴 따위의 기름기를 제거하는 데에 쓰는 종이.	뜻풀이 수정
도둑고양이	사람이 기르거나 돌보지 않는 고양이.	몰래 음식을 훔쳐 먹는 고양이라는 뜻으로, '길고양이'를 낮잡아 이르는 말.	뜻풀이 수정
미용실	파마, 커트, 화장, 그 밖의 미용술을 실시하여 주로 여성의 용모, 두발, 외모 따위를 단정하고 아름답게 해 주는 것을 전문으로 하는 집.	파마, 커트, 화장, 그 밖의 미용술을 실시하여 용모, 두발, 외모 따위를 단정하고 아름답게 해 주는 것을 전문으로 하는 곳.	뜻풀이 수정
스카프	주로 여성이 방한용·장식용 따위로 사용하는 얇은 천. 목에 감거나 머리에 쓰기도 하고, 옷깃 언저리에 약간 내놓거나 허리에 매기도 한다.	방한용·장식용 따위로 사용하는 얇은 천. 목에 감거나 머리에 쓰기도 하고, 옷깃 언저리에 약간 내놓거나 허리에 매기도 한다.	뜻풀이 수정
시해02	부모나 임금을 죽임. =시살01. ¶ 백성들은 명성 황후의 {시해로} 울분에 싸여 있었다	부모나 임금 등을 죽임. =시살01. ¶ 백성들은 명성 황후의 {시해로} 울분에 싸여 있었다. / 종직은 세조의 원수 역적이요, 그 악이 {시해와} 반역보다도 더한 자로서 세조에게 원수일 뿐만 아니라…. ≪번역 중종실록≫	• 뜻풀이 수정 • 용례 추가
양산05	주로, 여자들이 볕을 가리기 위하여 쓰는 우산 모양의 큰 물건.	볕을 가리기 위하여 쓰는 우산 모양의 물건.	뜻풀이 수정
얼큰하다	「1」 매워서 입 안이 조금 얼얼하다. '얼근하다'보다 거센 느낌을 준다.	「1」 입 안이 조금 얼얼할 정도로 맵다. '얼근하다'보다 거센 느낌을 준다.	뜻풀이 수정

표제어	수정 전	수정 후	비고
작전01	「1」 어떤 일을 이루기 위하여 필요한 조치나 방법을 강구함. 「2」 『군사』 군사적 목적을 이루기 위하여 행하는 전투, 수색, 행군, 보급 따위의 조치나 방법. 또는 그것을 짜는 일.	「1」 어떤 일을 이루기 위하여 필요한 조치나 방법을 강구하거나 실행함. 또는 그런 조치나 방법. 「2」 『군사』 군사적 목적을 이루기 위하여 행하는 전투, 수색, 행군, 보급 따위의 조치나 방법. 또는 그것을 강구하거나 실행함.	뜻풀이 수정
장애아	병이나 사고, 선천적 기형으로 말미암아 신체를 제대로 움직일 수 없는 아이.	신체의 일부에 장애가 있거나 정신 능력이 원활하지 못해 일상생활이나 사회생활에 어려움이 있는 아이.	뜻풀이 수정
처녀막	처녀의 질 구멍을 부분적으로 닫고 있는, 막으로 된 주름 또는 구멍이 난 막. 파열되면 재생이 되지 않는다.	'질 입구 주름'의 전 용어.	뜻풀이 수정
터02	※ 서술격 조사 '이다'가 붙을 때에는 '터이다'가 되는데, '터이다'가 '테다'로 줄기도 한다.	※ 서술격 조사 '이다'가 붙을 때에는 '터이다'가 되는데, '터이다' 는 '테다'로 줄기도 한다. '이다' 가 '이오'로 활용할 때에는 '터이오'가 되는데, '터이오'는 '테오'나 '터요'로 줄어들고 관용적으로 '테요'로 쓰이기도 한다.	뜻풀이 수정 (부가 정보 수정)
학부형	학생의 아버지나 형이라는 뜻으로, 학생의 보호자를 이르는 말.	예전에, 학생의 아버지나 형이라는 뜻으로, 학생의 보호자를 이르던 말	뜻풀이 수정

단권화 MEMO

더 알아보기 2022년 1분기 표준어 수정 사항

표제어	수정 전	수정 후	비고
난12		'나는'이 줄어든 말. ¶ {난} 네가 좋아. / {난} 아침에 6시에 일어나. / 동생과 {난} 다섯 살 차이가 난다.	표제어 추가
바윗굴 (바위굴)	바윗굴 「명사」 [바위꿀/바윋꿀]	바위굴 「명사」 [바위굴]	• 표제어 수정 • 발음 수정
구들장	구들장(구들장)	구들장(구들張)	원어 수정
보다01		[Ⅲ] 「보조 형용사」 「4」 ((형용사나 '이다' 뒤에서 '-고 보다' 구성으로 쓰여)) 앞말이 뜻하는 상황이나 상태가 다른 것보다 우선임을 나타내는 말. ¶ 무엇보다 건강하고 {볼} 일이다. / 무조건 부자이고 {봐야} 한다는 생각은 잘못이다. / 더 생각할 것 없다. 사람이 무사하고 {봐야지}……. ≪최인훈, 회색인≫	• 뜻풀이 추가 • 용례 추가
도태하다	「2」 【…에서】 여럿 중에서 불필요하거나 부적당한 것을 줄여 없애다.	「2」 【…을】 여럿 중에서 불필요하거나 무능한 것을 줄여 없애다. 「3」 【…에서】 여럿 중에서 불필요하거나 무능한 것이 없어지거나 밀려나다. ¶ 생존 경쟁에서 {도태하지} 않으려면 힘을 길러야 한다.	• 뜻풀이 추가 • 용례 추가 • 문형 정보 수정 • 뜻풀이 수정

단권화 MEMO

표제어	수정 전	수정 후	비고
변주02	『음악』 어떤 주제를 바탕으로, 선율·리듬·화성 따위를 여러 가지로 변형하여 연주함. 또는 그런 연주.	「1」『음악』 어떤 주제를 바탕으로, 선율·리듬·화성 따위를 여러 가지로 변형하여 연주함. 또는 그런 연주. 「2」『예체능 일반』 어떤 주제를 바탕으로, 소재·형태·방식 따위를 변형하여 표현함. 또는 그런 표현. ¶ 그 시인은 비슷한 시어로 시적 자아의 {변주를} 반복한다.	• 뜻풀이 추가 • 용례 추가
부러	실없이 거짓으로.	「1」 실없이 거짓으로. 「2」 특별한 의도로. 또는 마음을 내어 굳이. ¶ 선생님은 학생들의 기를 살려 주려고 {부러} 쉬운 문제를 냈다. / 신철이는 옥점이의 이러한 대답을 듣기 위하여 {부러} 물었던 것이다. ≪강경애, 인간 문제≫	• 뜻풀이 추가 • 용례 추가
낙낙하다	크기, 수효, 부피 따위가 조금 크거나 남음이 있다.	「1」 크기, 수효, 부피 따위가 조금 크거나 남음이 있다. 「2」 살림살이가 모자라지 않고 조금 여유가 있다. ¶ {낙낙한} 삶을 누리다. / 더도 덜도 없이 {낙낙하게} 살며…. ≪한수산, 유민≫ 「3」 마음이 넓고 조금 여유가 있다. ¶ {낙낙한} 마음. / 마음이 {낙낙한} 사람을 만났다.	• 뜻풀이 추가 • 용례 추가
소면02	고기붙이를 넣지 않은 국수.	「1」 고기붙이를 넣지 않은 국수. 「2」 밀가루로 만든 가늘고 긴 국수. 또는 그것을 삶은 음식. ¶ {소면} 한 봉지. / 매콤한 낙지볶음에 {소면을} 곁들였다.	• 뜻풀이 추가 • 용례 추가
막국수	겉껍질만 벗겨 낸 거친 메밀가루로 굵게 뽑아 만든 거무스름한 빛깔의 국수.	겉껍질만 벗겨 낸 거친 메밀가루로 굵게 뽑은 거무스름한 국수. 또는 그것을 삶아 만든 음식.	뜻풀이 수정
달다05	[Ⅰ] 「동사」 (('달라', '다오' 꼴로 쓰여)) 말하는 이가 듣는 이에게 어떤 것을 주도록 요구하다. [Ⅱ] 「보조 동사」 ((동사 뒤에서 '-어 달라', '-어 다오' 구성으로 쓰여)) 말하는 이가 듣는 이에게 앞말이 뜻하는 행동을 해 줄 것을 요구하는 말.	[Ⅰ] 「동사」 (('달라', '다오' 꼴로 쓰여)) 듣는 이가 말하는 이에게 어떤 것을 가지게 하거나 누리게 하다. [Ⅱ] 「보조 동사」 ((동사 뒤에서 '-어 달라', '-어 다오' 구성으로 쓰여)) 듣는 이가 말하는 이를 위해 앞말이 뜻하는 행동을 베풂을 나타내는 말. ※ 문장 끝의 '다오'가 쓰일 자리에 '주어라(줘라)', '주라'가 오기도 한다.	• 뜻풀이 수정 • 부가 정보 추가
촌지02	「3」 정성을 드러내기 위하여 주는 돈. 흔히 선생이나 기자에게 주는 것을 이른다.	「3」 어떤 사람에게 잘 보아 달라는 뜻으로 건네는, 약간의 돈.	뜻풀이 수정
혼주01	혼사를 주재하는 사람. 보통 신랑 신부의 아버지이다.	혼사를 주재하는 사람. 보통 신랑 신부의 부모가 맡는다.	뜻풀이 수정

표제어	수정 전	수정 후	비고
그믐달	음력 매달 26~27일경 새벽에 떠서 해 뜨기 직전까지 동쪽 하늘에서 관찰이 가능한 달.	그믐 전 며칠 동안 보이는 달. 새벽부터 해 뜨기 직전까지 동쪽 하늘에서 볼 수 있다.	뜻풀이 수정
초승달	초승에 뜨는 달.	음력 초하루부터 며칠 동안 보이는 달. 초저녁에 잠깐 서쪽 지평선 부근에서 볼 수 있다.	뜻풀이 수정
등산길	등산하는 길. =등산로.	등산하는 길. 또는 그런 도중. 「비슷한말」 등산로.	뜻풀이 수정
등산로	등산하는 길. =등산길.	등산할 수 있도록 나 있는 길. 「비슷한말」 등산길.	뜻풀이 수정
심모원려	깊은 꾀와 먼 장래를 내다보는 생각.	깊이 생각하여 낸 꾀와 먼 장래를 내다보는 생각.	뜻풀이 수정
허수04	『수학』 제곱하여 음수가 되는 수. 실수로는 나타낼 수 없는 이차 방정식의 근을 나타내기 위하여 수의 개념을 확장하여 도입한 것으로, 이들의 사칙 연산은 실수의 경우와 같이 정의한다.	『수학』 복소수 가운데 실수가 아닌 수. a, b를 실수, i를 허수 단위($i^2=-1$)라고 할 때, b≠0인 a+bi 꼴의 복소수를 이른다.	뜻풀이 수정
순허수	『수학』 실수부가 0인 복소수.	『수학』 복소수 가운데 제곱하여 음수가 되는 수. a, b를 실수, i를 허수 단위($i^2=-1$)라고 할 때, a=0, b≠0인 bi 꼴의 복소수를 이른다.	뜻풀이 수정
복소수	『수학』 실수와 허수의 합의 꼴로써 나타내는 수. a, b를 실수, i를 허수 단위($i^2=-1$)라고 할 때, a+bi로 나타내는 것으로, a를 실수부, b를 허수부라고 한다.	『수학』 실수와 허수로 나타내는 수. a, b를 실수, i를 허수 단위($i^2=-1$)라고 할 때, a+bi로 나타내는 것으로, a를 실수부, b를 허수부라고 한다.	뜻풀이 수정
공검지	지금의 경상북도 상주시 공검면 양정리에 있던 못. 1964년에 매립하기 전에는 연꽃으로 유명하였고 현재는 경지와 촌락으로 이용되고 있으며, 서쪽의 공검장(恭儉場)은 시장을 이루고 있다.	경상북도 상주시 공검면 양정리에 있는 못. 원삼국 시대에 만들어진 것으로 추정되는 저수지를 1964년에 매립하여 논으로 만들었으나, 1993년에 확장 공사를 벌여 연못으로 복원하였다.	뜻풀이 수정
가새모춤	『농업』 네 움큼을 가위다리 모양으로 서로 어긋나게 묶는 볏모의 단.	『농업』 모춤 서너 개를 가위다리 모양으로 서로 어긋나게 묶은 단.	뜻풀이 수정
우상04	「1」 나무, 돌, 쇠붙이, 흙 따위로 만든 신불(神佛)이나 사람의 형상.	「1」 특정한 믿음이나 의미를 부여하여 나무, 돌, 쇠붙이, 흙 따위로 만든 형상.	뜻풀이 수정

단권화 MEMO

03 표준어 사정 원칙

01 표준어는 교양 있는 사람들이 두루 쓰는 (　　)(으)로 정함을 원칙으로 한다.

02 (ㄱ을 표준어로 삼고, ㄴ을 버림)

ㄱ	ㄴ
(　　)	삭월-세

03 (ㄱ을 표준어로 삼고, ㄴ을 버림)

ㄱ	ㄴ
(　　)	숫-당나귀

04 (ㄱ을 표준어로 삼고, ㄴ을 버림)

ㄱ	ㄴ
(　　)	계계-묵다

05 (ㄱ을 표준어로 삼고, ㄴ을 버림)

ㄱ	ㄴ
(　　)	실업의-아들

06 (ㄱ을 표준어로 삼고, ㄴ을 버림)

ㄱ	ㄴ
(　　)	또아리

07 (ㄱ을 표준어로 삼고, ㄴ을 버림)

ㄱ	ㄴ
(　　)	봉숭화

08 (ㄱ을 표준어로 삼고, ㄴ을 버림)

ㄱ	ㄴ
(　　)	애닯다

09 (ㄱ을 표준어로 삼고, ㄴ을 버림)

ㄱ	ㄴ
(　　)	광우리

10 (ㄱ을 표준어로 삼고, ㄴ을 버림)

ㄱ	ㄴ
(　　)	쪽-밤

| 정답 | 01 현대 서울말　02 사글-세　03 수-탕나귀　04 케케-묵다　05 시러베-아들　06 똬리　07 봉숭아, 봉선화　08 애달프다　09 광주리　10 쌍동-밤

03 표준어 사정 원칙

교수님 코멘트▶ 이 영역에서는 어문 규정에서 '예'로 제시된 표준어들 위주로 출제되는 경향이 강하다. 따라서 기본서 회독을 통해 다시 한번 꼭 확인해 두자. 또한 기출문제를 통해서 유형을 파악하고, 앞서 학습한 개념이 어떻게 문제화되는지 알아 두자.

01

2018 교육행정직 9급

밑줄 친 단어가 표준어가 아닌 것은?

① 맑은 시냇물에 발을 담갔다.
② 친구의 사연이 너무 애닯구나.
③ 가여운 강아지에게 밥을 주렴.
④ 이 문제는 무척 까다로워 보인다.

02

2018 경찰직 1차

다음 중 표준어끼리 올바르게 연결된 것은? (정답 2개)

① 수캉아지 – 수탕나귀 – 수평아리
② 황소 – 장끼 – 돐(생일)
③ 삵괭이 – 사글세 – 끄나불
④ 깡충깡충 – 오뚝이 – 아지랑이

03

2016 국가직 9급

밑줄 친 어휘 중 표준어가 아닌 것은?

① 그는 얼금얼금한 얼굴에 콧망울을 벌름거리면서 웃음을 터뜨렸다.
② 그 사람 눈초리가 아래로 축 처진 것이 순하게 생겼어.
③ 무슨 일인지 귓밥이 훅 달아오르면서 목덜미가 저린다.
④ 등산을 하고 났더니 장딴지가 땅긴다.

정답&해설

01 ② 표준어

② 애닯구나(×) → 애달프구나(○)

| 오답해설 | ① 담갔다: '담그+았+다'의 구성으로 어간의 'ㅡ'가 탈락하여 '담갔다'가 된다.
③④ 'ㅂ' 불규칙 활용으로 어간의 'ㅂ'이 '오'나 '우'로 변한다.

02 ①④ 표준어

| 오답해설 | ② 돐(×) → 돌(○)
③ 삵괭이(×) → 살쾡이/삵(○), 끄나불(×) → 끄나풀(○)

03 ① 표준어

① 콧망울(×) → 콧방울(○): 코끝 양쪽이 '방울'처럼 생겼다는 의미의 우리말이다.

| 오답해설 | ② '눈초리, 눈꼬리'는 '눈의 가장자리'를 가리키는 말이다.
③ '귓밥'은 '귓바퀴의 아래쪽에 붙어 있는 살'을 가리키는 말로, 같은 말로는 '귓불'이 있다.
④ '장딴지'는 '종아리의 살이 불룩한 부분'을 가리키는 말이다.

| 정답 | 01 ② 02 ①④ 03 ①

04

2016 서울시 9급

다음 중 표준어로만 묶인 것은?

① 끄나풀 – 새벽녘 – 삵쾡이 – 떨어먹다
② 뜬게질 – 세째 – 수평아리 – 애닯다
③ 치켜세우다 – 사글세 – 설거지 – 수캉아지
④ 보조개 – 숫양 – 광우리 – 강남콩

05

2014 국가직 9급

다음 중 표준어가 아닌 것은?

① 윗목　② 윗돈
③ 위층　④ 웃옷

06

2014 국회직 8급

한글 맞춤법 규정에 맞게 표기된 낱말들로 이루어진 것은?

① 몹시, 색시, 법썩, 깍뚜기, 갑자기
② 깨끗이, 일일이, 간간히, 틈틈히, 소홀히
③ 선짓국, 자릿세, 전셋집, 장맛비, 베갯잇
④ 오뚝이, 뻐꾸기, 깔쭈기, 홀쭉이, 배불뚝이
⑤ 다정타, 어떻든, 익숙치, 섭섭치, 생각건대

07

2013 서울시 9급

다음 중 복수 표준어가 아닌 것은?

① 자장면 – 짜장면
② 메우다 – 메꾸다
③ 날개 – 나래
④ 먹을거리 – 먹거리
⑤ 허섭쓰레기 – 허접쓰레기

08

2013 국회직 9급

다음 중 밑줄 친 부분이 옳게 쓰인 것은?

① 어떻게 사람이 인두껍을 쓰고 그런 행동을 할 수가 있어요?
② 눈병에 걸렸는지 눈꼽이 많이 끼어요.
③ 그 사람을 만날 때는 늘 설레여요.
④ 그들은 애정 표현이 서투른 연인들이라고 할 만하다.
⑤ 잠이 와서 눈커풀이 떨어지질 않아요.

09

2013 기상직 9급

밑줄 친 것 중 어법에 맞게 수정하지 않은 것은?

① 친구가 윗층으로 이사를 왔다. (윗층 → 위층)
② 그는 동틀 녁에 그곳을 떠났다. (동틀 녁 → 동틀 녘)
③ 내일은 동생의 스무두째 생일이다. (스무두째 → 스물두째)
④ 숫쥐들이 들판을 떼를 지어 달리고 있었다. (숫쥐 → 수쥐)

정답&해설

04 ③ 표준어

|오답해설| ① • 삵괭이(×) → 삵/살쾡이(○)
• 떨어먹다(×) → 털어먹다(○): '재산이나 돈을 함부로 써서 몽땅 없애다.'의 의미이다.
② • 세째(×) → 셋째(○)
• 애닯다(×) → 애달프다(○): '마음이 안타깝거나 쓰라리다.'의 의미이다.
④ • 광우리(×) → 광주리(○)
• 강남콩(×) → 강낭콩(○)

05 ② 표준어

② 윗돈(×) → 웃돈(○): 위와 아래의 대립이 있는 경우는 '윗'으로, 대립이 없는 경우는 '웃'으로 표기한다. 따라서 '웃돈'은 '아랫돈'이 없으므로 '웃돈'이 맞는 표기이다.

|오답해설| ③ 위층: 'ㅊ'이 거센소리이므로 사이시옷을 표기하지 않는다.
④ 웃옷: '아래옷'에 대비되는 단어가 아니라 겉에 입는 옷의 의미이므로 '웃'으로 표기한다.

06 ③ 표준어

|오답해설| ① 법썩(×) → 법석(○), 깍뚜기(×) → 깍두기(○): 한 단어 안에서 'ㄱ, ㅂ' 받침 뒤에서 나는 된소리는 같은 음절이나 비슷한 음절이 겹쳐 나는 경우가 아니면 된소리로 적지 않는다.
② 간간히(×) → 간간이(○), 틈틈히(×) → 틈틈이(○): '명사+명사'가 결합된 형태에서는 부사 파생 접미사 '-이'가 온다.
④ 깔쭈기(×) → 깔쭉이(○): 용언의 어간에 '-하다, -거리다'가 붙어 이루어지는 말들은 어간을 밝혀 적는다.
⑤ 익숙치(×) → 익숙지(○), 섭섭치(×) → 섭섭지(○): 어간 끝음절의 '하'가 아주 줄 적에는 준 대로 적는다.

07 ⑤ 복수 표준어

⑤ '좋은 것이 빠지고 난 뒤에 남은 허름한 물건'을 의미하는 표준어는 '허섭스레기, 허접쓰레기'이다. '허섭쓰레기'는 비표준어이다.

08 ④ 표준어

④ '준말과 본말이 다 같이 널리 쓰이면서 준말의 효용이 뚜렷이 인정되는 것은 두 가지를 모두 표준어로 삼는다.'라는 표준어 규정에 따라 '서투른, 서툰'이 모두 인정된다. 여기서 주의할 점은 준말은 뒤에 자음 어미와는 결합이 가능하지만 모음 어미와는 결합이 불가능하다는 점이다. 즉, '서투르+고 = 서투르고, 서투르+어서 = 서툴러서, 서툴+고 = 서툴고'는 가능하지만 '서툴+어서 = 서툴어서'는 불가능하다. '서투른'의 'ㄴ'은 자음 어미이므로 준말과 본말 둘 다 결합 가능하다.

|오답해설| ① 인두껍(×) → 인두겁(○), ② 눈꼽(×) → 눈곱(○), ③ 설레여요(×) → 설레어요(○), ⑤ 눈커풀(×) → 눈꺼풀(○)

09 ④ 표준어

④ 수쥐(×) → 숫쥐(○)

|오답해설| ① 위층(○): 된소리나 거센소리 앞에서는 사이시옷을 쓰지 않는다.
② 동틀 녘(○): 방향을 가리키거나 어떤 때의 무렵을 나타내는 의존 명사는 '녘'이 맞다.
③ 스물두째(○): 순서가 스물두 번째가 되는 차례를 의미하는 말은 '스물두째'가 맞다.

|정답| 04 ③ 05 ② 06 ③ 07 ⑤ 08 ④ 09 ④

CHAPTER

04 표준 발음법

□ 1회독	월	일
□ 2회독	월	일
□ 3회독	월	일
□ 4회독	월	일
□ 5회독	월	일

단권화 MEMO

01 총칙

제1항 표준 발음법은 표준어의 실제 발음을 따르되, 국어의 전통성과 합리성을 고려하여 정함을 원칙으로 한다.

현대 서울말의 발음을 표준어의 실제 발음으로 여기고서 이를 따르도록 원칙을 정한 것이다. 다만, 실제 발음이라고 하더라도 전통성과 합리성을 고려해야 한다.

02 자음과 모음

【연계학습】
• 음운론 > 음운 체계 > 자음

제2항 표준어의 자음은 다음 19개로 한다.

ㄱ ㄲ ㄴ ㄷ ㄸ ㄹ ㅁ ㅂ ㅃ ㅅ ㅆ ㅇ ㅈ ㅉ ㅊ ㅋ ㅌ ㅍ ㅎ

19개의 자음을 위와 같이 배열한 것은 일반적인 한글 자모의 순서에다가 국어사전에서의 자모 순서를 고려한 것이다.

■ 'ㅎ'의 지위
• 거센소리로 보는 견해: 'ㅎ'은 평음 'ㄱ, ㄷ, ㅂ, ㅈ'과 합쳐져 'ㅋ, ㅌ, ㅍ, ㅊ'으로 축약되는데, 'ㅎ'이 거센소리이기 때문에 축약된 소리가 거센소리가 되었다고 설명할 수 있으므로 'ㅎ'을 거센소리로 보는 견해이다.
• 예사소리로 보는 견해: 'ㅎ'은 음성학적으로 유기성이 약하여 다른 격음과는 달리 쉽게 탈락하므로 'ㅎ'을 예사소리로 보는 견해이다.

구분	양순음 (입술소리)	치조음 (혀끝소리)	경구개음 (센입천장소리)	연구개음 (여린입천장소리)	후음 (목청소리)
예사소리(평음)	ㅂ	ㄷ, ㅅ	ㅈ	ㄱ	ㅎ
된소리(경음)	ㅃ	ㄸ, ㅆ	ㅉ	ㄲ	
거센소리(격음)	ㅍ	ㅌ	ㅊ	ㅋ	
비음	ㅁ	ㄴ		ㅇ	
유음		ㄹ			

【연계학습】
• 음운론 > 음운 체계 > 모음

제3항 표준어의 모음은 다음 21개로 한다.

ㅏ ㅐ ㅑ ㅒ ㅓ ㅔ ㅕ ㅖ ㅗ ㅘ ㅙ ㅚ ㅛ ㅜ ㅝ ㅞ ㅟ ㅠ ㅡ ㅢ ㅣ

표준어의 단모음과 이중 모음을 전부 보인 것이다. 모음의 배열 순서도 자음의 경우와 마찬가지로 일반적인 한글 자모의 순서와 국어사전에서의 자모 순서를 고려한 것이다.

① 단모음: ㅏ, ㅐ, ㅓ, ㅔ, ㅗ, ㅚ, ㅜ, ㅟ, ㅡ, ㅣ
② 이중 모음: ㅑ, ㅒ, ㅕ, ㅖ, ㅘ, ㅙ, ㅛ, ㅝ, ㅞ, ㅠ, ㅢ

제4항 'ㅏ ㅐ ㅓ ㅔ ㅗ ㅚ ㅜ ㅟ ㅡ ㅣ'는 단모음(單母音)으로 발음한다.

[붙임] 'ㅚ, ㅟ'는 이중 모음으로 발음할 수 있다.

제3항에서 제시된 표준어의 모음들 중에서 단모음을 발음상의 특징에 따라 분류하면 다음과 같다.

혀의 위치에 따라	전설 모음		후설 모음	
입술의 모양에 따라 / 혀의 높이에 따라	평순 모음	원순 모음	평순 모음	원순 모음
고모음	ㅣ	ㅟ	ㅡ	ㅜ
중모음	ㅔ	ㅚ	ㅓ	ㅗ
저모음	ㅐ		ㅏ	

1. 'ㅐ'와 'ㅔ'는 현재 대부분의 세대에서 별개의 모음으로 구분되지 않으나, 아직 구별하는 세대가 있고, 전통적으로 구별해 왔으므로 구별하도록 규정한다.

2. 'ㅟ'와 'ㅚ'는 이중 모음으로 발음하는 것도 허용한다.

제5항 'ㅑ ㅒ ㅕ ㅖ ㅘ ㅙ ㅛ ㅝ ㅞ ㅠ ㅢ'는 이중 모음으로 발음한다.

다만 1. 용언의 활용형에 나타나는 '져, 쪄, 쳐'는 [저, 쩌, 처]로 발음한다.

가지어 → 가져[가저]　　찌어 → 쪄[쩌]　　다치어 → 다쳐[다처]

다만 2. '예, 례' 이외의 'ㅖ'는 [ㅔ]로도 발음한다.

계집[계:집/게:집]　　계시다[계:시다/게:시다]　　시계[시계/시게](時計)
연계[연계/연게](連繫)　　메별[몌별/메별](袂別)*　　개폐[개폐/개페](開閉)
혜택[혜:택/헤:택](惠澤)　　지혜[지혜/지헤](知慧)

다만 3. 자음을 첫소리로 가지고 있는 음절의 'ㅢ'는 [ㅣ]로 발음한다.

늴리리　　닁큼　　무늬　　띄어쓰기　　씌어
틔어　　희어　　희떱다　　희망　　유희

다만 4. 단어의 첫음절 이외의 '의'는 [ㅣ]로, 조사 '의'는 [ㅔ]로 발음함도 허용한다.

주의[주의/주이]　　협의[혀븨/혀비]
우리의[우리의/우리에]　　강의의[강:의의/강:이에]

1. 이 조항은 이중 모음의 수를 규정하고 있다. 국어에는 총 11개의 이중 모음이 있다.

반모음 'ㅣ[j]'로 시작하는 이중 모음	ㅑ, ㅒ, ㅕ, ㅖ, ㅛ, ㅠ
반모음 'ㅣ[j]'로 끝나는 이중 모음	ㅢ
반모음 'ㅗ/ㅜ[w]'로 시작하는 이중 모음	ㅘ, ㅙ, ㅝ, ㅞ

① **단모음 'ㅚ'**: 'ㅚ'는 원칙상 단모음으로 발음해야 하나, 이중 모음으로도 발음할 수 있다. 이중 모음으로 발음할 때에는 기존의 이중 모음인 'ㅞ'로 발음되어 이중 모음의 개수에 영향을 주지 않는다.

② **단모음 'ㅟ'**: 'ㅟ'는 원칙상 단모음으로 발음해야 하나, 이중 모음으로도 발음할 수 있다. 그러나 단모음 'ㅟ'는 이중 모음으로 발음하면 반모음 'ㅜ[w]'로 시작하여 단모음 'ㅣ'로 끝나게 되며, 이러한 이중 모음은 기존 목록에 없기 때문에 결과적으로 이중 모음의 개수가 1개 늘게 된다.

2. 이중 모음은 경우에 따라서는 이중 모음이 아닌 단모음으로 발음되는 경우도 있다. 이를 [다만 1 ~다만 4]까지 별도의 단서 조항으로 제시하였다.

단권화 MEMO

【연계학습】
• 음운론 > 음운 체계 > 모음

【연계학습】
• 음운론 > 음운 체계 > 모음
• 〈한글 맞춤법〉 제8항, 제9항

＊메별(袂別)
소매를 잡고 헤어진다는 뜻으로, 섭섭히 헤어짐을 이르는 말

단권화 MEMO

3. [다만 1] '져, 쪄, 쳐'는 '지어, 찌어, 치어'를 줄여 쓴 것인데, 이때에 각각 [저, 쩌, 처]로 발음한다. 말하자면, '져, 쪄, 쳐'와 같이 'ㅈ, ㅉ, ㅊ' 뒤에 오는 'ㅕ'는 이중 모음으로 발음하지 않고 단모음 'ㅓ'로 발음한다. 이는 'ㅈ, ㅉ, ㅊ'과 같은 경구개음 뒤에 반모음 'ㅣ[j]'가 연이어 발음될 수 없다는 국어의 제약 때문이다.

   예 지 + 어 → 져[저]　　찌 + 어 → 쪄[쩌]　　치 + 어 → 쳐[처]
   다지 + 어 → 다져[다저]　　살찌 + 어 → 살쪄[살쩌]　　바치 + 어 → 바쳐[바처]

4. [다만 2] 'ㅖ'의 발음과 관련된 조항이다. 이중 모음 'ㅖ'는 표기대로 발음하는 것이 원칙이지만 '예, 례'를 제외한 나머지 환경에서는 이중 모음 대신 단모음 [ㅔ]로 발음되는 경우가 매우 빈번하다. 그래서 이러한 발음 현실을 감안하여 '예, 례'와 같이 초성이 없거나 'ㄹ'이 초성에 있는 경우가 아닌 'ㅖ'는 이중 모음으로 발음하는 것을 원칙으로 하되 단모음 [ㅔ]로 발음하는 것도 허용하게 되었다.

   예 계산[계:산/게:산]　　통계[통계/통게]　　폐단[폐:단/페:단]　　밀폐[밀폐/밀페]
   혜성[혜:성/헤:성]　　은혜[은혜/은헤]

5. [다만 3] 이중 모음 'ㅢ'를 반드시 단모음 [ㅣ]로만 발음해야 하는 경우를 규정하고 있다.

6. [다만 4] 'ㅢ'는 표기와 동일하게 이중 모음으로 발음하는 것이 원칙이지만 [다만 3]에서 다루지 않은 환경에서 'ㅢ'가 다른 단모음으로 발음되는 경우를 규정하고 있다.

   ① 단어의 둘째 음절 이하에 표기된 '의'는 [ㅢ] 이외에 [ㅣ]로 발음하는 것도 허용한다. 그렇지만 '의'가 단어의 첫음절로 쓰였을 때에는 오직 [ㅢ]로만 발음해야 한다.

   예 • 명의[명의/명이]
   • 의사[의사]

   ② 관형격 조사 '의'는 [ㅢ]로 발음하는 것이 원칙이되, 현실 발음에 따라 [ㅔ]로 발음하는 것도 허용한다.

   예 우리의[우리의/우리에]

03 음의 길이

【연계학습】
• 음운론 > 음운 체계 > 소리의 길이

제6항　모음의 장단을 구별하여 발음하되, 단어의 첫음절에서만 긴소리가 나타나는 것을 원칙으로 한다.

(1) 눈보라[눈:보라]　　말씨[말:씨]　　밤나무[밤:나무]
많다[만:타]　　멀리[멀:리]　　벌리다[벌:리다]

(2) 첫눈[천눈]　　참말[참말]　　쌍동밤[쌍동밤]
수많이[수:마니]　　눈멀다[눈멀다]　　떠벌리다[떠벌리다]

다만, 합성어의 경우에는 둘째 음절 이하에서도 분명한 긴소리를 인정한다.

반신반의[반:신바:늬/반:신바:니]　　재삼재사[재:삼재:사]

[붙임] 용언의 단음절 어간에 어미 '-아/-어'가 결합되어 한 음절로 축약되는 경우에도 긴소리로 발음한다.

보아 → 봐[봐:]　　기어 → 겨[겨:]　　되어 → 돼[돼:]　　두어 → 둬[둬:]　　하여 → 해[해:]

다만, '오아 → 와, 지어 → 져, 찌어 → 쪄, 치어 → 쳐' 등은 긴소리로 발음하지 않는다.

1. 장단을 구별해서 발음해야 하는 이유는 장단에 따라 그 뜻이 구별되는 단어 쌍이 국어에 있기 때문이다.

   예 눈[眼][눈]-눈[雪][눈:]　　말[馬][말]-말[言][말:]

2. 장모음은 실현되는 위치에 제약이 있다. 원칙상 단어의 첫음절에서만 온전히 발음하도록 한다. 그래서 동일한 단어라고 하더라도 (1)에서와 같이 단어의 첫음절에서 장모음을 지니는 것이 (2)와 같이 단어의 둘째 음절 이하의 위치에 놓이면 그 길이가 짧아진다.

3. [다만] '반신반의, 재삼재사, 선남선녀' 등과 같이 비슷한 요소가 반복되는 구조의 한자어에서는 첫음절이 아니라도 장모음이 실현되도록 하였다. 이러한 단어들은 첫음절과 셋째 음절이 동일한 한자로서 서로 대응하는 구조이기 때문에 모음의 길이도 첫음절의 장모음을 셋째 음절에서 동일하게 유지하도록 한 것이다.

4. [붙임] 국어에는 장모음이 단모음으로 바뀌거나 단모음이 장모음으로 바뀌는 것과 같은 장단의 변동 현상이 있다. [붙임]에서는 1음절로 된 어간에 어미 '-아/-어'가 결합하면서 음절이 줄어들 때 일어나는 장단의 변동에 대해 규정하고 있다. 즉, 제시된 예들을 보면 음절의 수가 주는 대신 남은 음절은 그 길이가 길어지는 변동을 거치는 것이다.

5. 1음절 용언 어간에서는 장모음화가 잘 나타나지만 '오-+-아, 지-+-어, 찌-+-어, 치-+-어'가 각각 '와, 져, 쪄, 쳐'로 실현될 경우에는 예외적으로 장모음화가 나타나지 않는다.

단권화 MEMO

제7항 긴소리를 가진 음절이라도, 다음과 같은 경우에는 짧게 발음한다.

1. 단음절인 용언 어간에 모음으로 시작된 어미가 결합되는 경우

감다[감ː따] — 감으니[가므니]　　밟다[밥ː따] — 밟으면[발브면]
신다[신ː따] — 신어[시너]　　알다[알ː다] — 알아[아라]

다만, 다음과 같은 경우에는 예외적이다.

끌다[끌ː다] — 끌어[끄ː러]　　떫다[떨ː따] — 떫은[떨ː븐]
벌다[벌ː다] — 벌어[버ː러]　　썰다[썰ː다] — 썰어[써ː러]
없다[업ː따] — 없으니[업ː쓰니]

2. 용언 어간에 피동, 사동의 접미사가 결합되는 경우

감다[감ː따] — 감기다[감기다]　　꼬다[꼬ː다] — 꼬이다[꼬이다]
밟다[밥ː따] — 밟히다[발피다]

다만, 다음과 같은 경우에는 예외적이다.

끌리다[끌ː리다]　　벌리다[벌ː리다]　　없애다[업ː쌔다]

[붙임] 다음과 같은 복합어에서는 본디의 길이에 관계없이 짧게 발음한다.

밀-물　　썰-물　　쏜-살-같이　　작은-아버지

【연계학습】
• 음운론 > 음운 체계 > 소리의 길이

1. 이 조항에서는 용언 어간 뒤에 어미나 접미사가 결합할 때 일어나는 현상을 다루고 있다. 즉, 긴소리를 가진 용언 어간이 짧게 발음되는 경우들을 규정한 것인데, 우리말에서 가장 규칙적으로 나타나는 현상 중 하나이다.

2. 1음절로 된 용언 어간 뒤에 모음으로 시작하는 어미가 결합하는 경우, 즉 '아, 어, 으'로 시작하는 어미가 용언 어간에 결합할 때 어간의 장모음이 짧아진다. 어간의 장모음이 짧아지는 현상은 자음으로 끝나는 어간뿐만 아니라 모음으로 끝나는 어간에서도 나타난다.

예 괴다[괴ː다] — 괴어[괴어]　　뉘다[뉘ː다] — 뉘어[뉘어]

3. [다만] 모음으로 시작하는 어미 앞에서 어간의 장모음이 짧아지는 현상은 일부 예외가 있다.

예 작은[자ː근] — 작아[자ː가]　　적은[저ː근] — 적어[저ː거]　　먼[먼ː] — 멀어[머ː러]
얻은[어ː든] — 얻어[어ː더]　　웃은[우ː슨] — 웃어[우ː서]　　엷은[열ː븐] — 엷어[열ː버]
끈[끈ː] — 끌어[끄ː러]　　썬[썬ː] — 썰어[써ː러]　　번[번ː] — 벌어[버ː러]

4. 1음절로 된 용언 어간 뒤에 피동, 사동의 접미사가 결합하는 경우, 어간의 장모음이 짧아진다. 그러나 이 현상에도 예외가 있는데, '끌다, 썰다, 벌다, 없다'는 어간 뒤에 모음으로 시작하는 어미가 오든 피동이나 사동 접미사가 오든 어간의 장모음이 짧아지지 않는다.

단권화 MEMO

【연계학습】
• 음운론 > 음운의 변동 > 음절의 끝소리 규칙

【연계학습】
• 음운론 > 음운의 변동 > 음절의 끝소리 규칙

【연계학습】
• 음운론 > 음운의 변동 > 자음군 단순화

【연계학습】
• 음운론 > 음운의 변동 > 자음군 단순화

04 받침의 발음

제8항 받침소리로는 'ㄱ, ㄴ, ㄷ, ㄹ, ㅁ, ㅂ, ㅇ'의 7개 자음만 발음한다.

음절 말 위치에서 실현되는 자음으로는 'ㄱ, ㄴ, ㄷ, ㄹ, ㅁ, ㅂ, ㅇ'의 7개가 있음을 규정한 것이다.

제9항 받침 'ㄲ, ㅋ', 'ㅅ, ㅆ, ㅈ, ㅊ, ㅌ', 'ㅍ'은 어말 또는 자음 앞에서 각각 대표음 [ㄱ, ㄷ, ㅂ]으로 발음한다.

닦다[닥따] 키읔[키윽] 키읔과[키윽꽈] 옷[옫]
웃다[욷:따] 있다[읻따] 젖[젇] 빚다[빋따]
꽃[꼳] 쫓다[쫃따] 솥[솓] 뱉다[밷:따]
앞[압] 덮다[덥따]

어말 위치에서 또는 자음으로 시작된 조사나 어미 앞에서 'ㄲ, ㅋ', 'ㅅ, ㅆ, ㅈ, ㅊ, ㅌ', 'ㅍ'이 각각 [ㄱ], [ㄷ], [ㅂ]으로 발음되는 것을 규정한 것이다.

제10항 겹받침 'ㄳ', 'ㄵ', 'ㄼ, ㄽ, ㄾ', 'ㅄ'은 어말 또는 자음 앞에서 각각 [ㄱ, ㄴ, ㄹ, ㅂ]으로 발음한다.

넋[넉] 넋과[넉꽈] 앉다[안따] 여덟[여덜] 넓다[널따]
외곬[외골] 핥다[할따] 값[갑] 없다[업:따]

다만, '밟-'은 자음 앞에서 [밥]으로 발음하고, '넓-'은 다음과 같은 경우에 [넙]으로 발음한다.

(1) 밟다[밥:따] 밟소[밥:쏘] 밟지[밥:찌] 밟는[밥:는 → 밤:는]
밟게[밥:께] 밟고[밥:꼬]

(2) 넓-죽하다[넙쭈카다] 넓-둥글다[넙뚱글다]

1. 겹받침도 음절 종성에서는 제8항에서 규정된 7개 자음 중 하나로 실현된다. 겹받침은 두 자음 중 앞선 자음이 탈락하는 경우도 있고, 뒤의 자음이 탈락하는 경우도 있다. 이 중 이 조항에서는 겹받침에서 뒤의 자음이 탈락하는 경우를 규정하고 있다.

예 몫[목] 몫도[목또] 몫까지[목까지] 얹다[언따] 얹지[언찌] 얹고[언꼬]
얇다[얄:따] 얇지[얄:찌] 얇고[얄:꼬] 훑다[훌따] 훑지[훌찌] 훑고[훌꼬]

2. [다만] 'ㄼ'은 다소 복잡한 모습을 보인다. 'ㄼ'은 원칙적으로는 'ㅂ'을 탈락시켜 [ㄹ]로 발음해야 한다. 하지만 '밟-' 뒤에 자음으로 시작하는 어미가 붙을 때에는 [ㅂ]으로 발음하고, '넓-'이 포함된 복합어 중 '넓죽하다'와 '넓둥글다', '넓적하다' 등에서도 'ㄹ'을 탈락시켜 [ㅂ]으로 발음한다.

제11항 겹받침 'ㄺ, ㄻ, ㄿ'은 어말 또는 자음 앞에서 각각 [ㄱ, ㅁ, ㅂ]으로 발음한다.

닭[닥] 흙과[흑꽈] 맑다[막따] 늙지[늑찌]
삶[삼:] 젊다[점:따] 읊고[읍꼬] 읊다[읍따]

다만, 용언의 어간 말음 'ㄺ'은 'ㄱ' 앞에서 [ㄹ]로 발음한다.

맑게[말께] 묽고[물꼬] 얽거나[얼꺼나]

1. 이 조항은 제10항과 반대로 겹받침을 이루는 두 개의 자음 중 앞선 자음이 탈락하는 경우를 규정하고 있다.

예 칡[칙] 칡도[칙또] 칡까지[칙까지] 앎[암:] 앎도[암:도] 앎과[암:과]
닮다[담:따] 닮지[담:찌] 닮고[담:꼬] 읊다[읍따] 읊지[읍찌] 읊고[읍꼬]

2. [다만] 겹받침 'ㄺ'은 위에 예시한 용언 어간인 경우에는 뒤에 오는 자음의 종류에 따라 두 가지로 발음한다. 즉, 'ㄷ, ㅈ, ㅅ' 앞에서는 [ㄱ]으로 발음하고, 'ㄱ' 앞에서는 동일 음운인 'ㄱ'을 탈락시키고 [ㄹ]로 발음한다.

예 • [ㄱ]으로 발음하는 경우
맑다[막따] 맑지[막찌] 맑습니다[막씀니다] 늙다[늑따] 늙지[늑찌] 늙습니다[늑씀니다]
• [ㄹ]로 발음하는 경우
맑게[말께] 맑고[말꼬] 맑거나[말꺼나] 늙게[늘께] 늙고[늘꼬] 늙거나[늘꺼나]

단권화 MEMO

제12항 받침 'ㅎ'의 발음은 다음과 같다.

1. 'ㅎ(ㄶ, ㅀ)' 뒤에 'ㄱ, ㄷ, ㅈ'이 결합되는 경우에는, 뒤 음절 첫소리와 합쳐서 [ㅋ, ㅌ, ㅊ]으로 발음한다.
놓고[노코] 좋던[조:턴] 쌓지[싸치] 많고[만:코] 않던[안턴] 닳지[달치]

[붙임 1] 받침 'ㄱ(ㄺ), ㄷ, ㅂ(ㄼ), ㅈ(ㄵ)'이 뒤 음절 첫소리 'ㅎ'과 결합되는 경우에도, 역시 두 음을 합쳐서 [ㅋ, ㅌ, ㅍ, ㅊ]으로 발음한다.
각하[가카] 먹히다[머키다] 밝히다[발키다] 맏형[마텽] 좁히다[조피다]
넓히다[널피다] 꽂히다[꼬치다] 앉히다[안치다]

[붙임 2] 규정에 따라 'ㄷ'으로 발음되는 'ㅅ, ㅈ, ㅊ, ㅌ'의 경우에도 이에 준한다.
옷 한 벌[오탄벌] 낮 한때[나탄때] 꽃 한 송이[꼬탄송이] 숱하다[수타다]

2. 'ㅎ(ㄶ, ㅀ)' 뒤에 'ㅅ'이 결합되는 경우에는, 'ㅅ'을 [ㅆ]으로 발음한다.
닿소[다:쏘] 많소[만:쏘] 싫소[실쏘]

3. 'ㅎ' 뒤에 'ㄴ'이 결합되는 경우에는, [ㄴ]으로 발음한다.
놓는[논는] 쌓네[싼네]

[붙임] 'ㄶ, ㅀ' 뒤에 'ㄴ'이 결합되는 경우에는, 'ㅎ'을 발음하지 않는다.
않네[안네] 않는[안는] 뚫네[뚤네 → 뚤레] 뚫는[뚤는 → 뚤른]
※ '뚫네[뚤네 → 뚤레], 뚫는[뚤는 → 뚤른]'에 대해서는 제20항 참조.

4. 'ㅎ(ㄶ, ㅀ)' 뒤에 모음으로 시작된 어미나 접미사가 결합되는 경우에는, 'ㅎ'을 발음하지 않는다.
낳은[나은] 놓아[노아] 쌓이다[싸이다]
많아[마:나] 않은[아는] 닳아[다라] 싫어도[시러도]

【연계학습】
• 음운론 > 음운의 변동 > 자음 축약

【연계학습】
• 〈표준 발음법〉 제20항

이 조항은 'ㅎ'의 축약, 동화, 탈락에 관한 규정이다.

더 알아보기 'ㅎ'의 발음 변화

'닿소[다:쏘]'와 같이 'ㅎ(ㄶ, ㅀ)' 뒤에 'ㅅ'이 결합할 때 'ㅎ'과 'ㅅ'이 [ㅆ]으로 실현되는 것을 설명하는 방식에는 다음의 두 가지가 있다.

① 〈표준 발음법〉 제12항에서 설명한 것처럼 'ㅎ'과 'ㅅ'이 곧바로 축약되어 [ㅆ]이 되었다고 설명하는 방식이다.

② 'ㅎ'이 먼저 대표음 'ㄷ'으로 바뀌고(ㅎㅅ → ㄷㅅ), 'ㄷ' 뒤에서 'ㅅ'이 경음으로 바뀐 후(ㄷㅅ → ㄷㅆ), 'ㅆ' 앞에서 'ㄷ'이 탈락했다고 설명하는 방식이다. 이러한 설명은 비록 여러 단계를 거쳐야 하지만 실제로 각 단계를 현실 발음에서 모두 확인할 수 있다는 점에서 큰 부담은 되지 않는다. 단, 〈표준 발음법〉에서는 '젖살[젿쌀]'과 같이 'ㅆ' 앞의 'ㄷ'을 온전히 발음하도록 규정하고 있다는 사실과 충돌이 일어난다는 점이 문제이다.

제13항 홑받침이나 쌍받침이 모음으로 시작된 조사나 어미, 접미사와 결합되는 경우에는, 제 음가대로 뒤 음절 첫소리로 옮겨 발음한다.
깎아[까까] 옷이[오시] 있어[이써] 낮이[나지] 꽂아[꼬자]
꽃을[꼬츨] 쫓아[쪼차] 밭에[바테] 앞으로[아프로] 덮이다[더피다]

【연계학습】
• 음운론 > 음운의 변동 > 음절의 끝소리 규칙

단권화 MEMO

이 조항은 홑받침이나 쌍받침 다음에 모음으로 시작하는 형식 형태소가 올 경우, 그 받침을 다음 음절의 첫소리로 옮겨서 발음하는 연음에 대해 규정하고 있다.

예 부엌이[부어키]　낮을[나즐]　밭의[바티/바테]　무릎에[무르페]　꺾어[꺼꺼]　쫓을[쪼츨]
　같은[가튼]　짚으면[지프면]　섞여[서껴]　높여[노펴]

【연계학습】
• 음운론 > 음운의 변동 > 음절의 끝소리 규칙

제14항　겹받침이 모음으로 시작된 조사나 어미, 접미사와 결합되는 경우에는, 뒤엣것만을 뒤 음절 첫소리로 옮겨 발음한다. (이 경우, 'ㅅ'은 된소리로 발음함)

넋이[넉씨]　앉아[안자]　닭을[달글]　젊어[절머]　곬이[골씨]　핥아[할타]
읊어[을퍼]　값을[갑쓸]　없어[업:써]

1. 이 조항은 겹받침의 연음에 대해 규정하고 있다.

예 닭이[달기]　여덟을[여덜블]　삶에[살:메]　읽어[일거]　밟을[발블]　옮은[올믄]

2. 다만, 겹받침 'ㄳ, ㄽ, ㅄ'의 경우에는 연음될 때 'ㅅ'을 된소리 [ㅆ]으로 발음한다.

예 몫이[목씨]　넋을[넉쓸]　곬이[골씨]　외곬으로[외골쓰로/웨골쓰로]
　값이[갑씨]　값에[갑쎄]　없이[업:씨]　없으면[업:쓰면]

【연계학습】
• 음운론 > 음운의 변동 > 음절의 끝소리 규칙

제15항　받침 뒤에 모음 'ㅏ, ㅓ, ㅗ, ㅜ, ㅟ' 들로 시작되는 실질 형태소가 연결되는 경우에는, 대표음으로 바꾸어서 뒤 음절 첫소리로 옮겨 발음한다.

밭 아래[바다래]　늪 앞[느밥]　젖어미[저더미]　맛없다[마덥따]　겉옷[거돋]
헛웃음[허두슴]　꽃 위[꼬뒤]

다만, '맛있다, 멋있다'는 [마싣따], [머싣따]로도 발음할 수 있다.

[붙임]　겹받침의 경우에는, 그중 하나만을 옮겨 발음한다.

넋 없다[너겁따]　닭 앞에[다가페]　값어치[가버치]　값있는[가빈는]

1. 이 조항은 받침을 가진 말 뒤에 모음으로 시작하는 실질 형태소가 올 때 해당 받침을 어떻게 발음해야 하는지를 규정하고 있다. 제13항, 제14항과 비교할 때, 받침을 가진 말 뒤에 오는 형태소가 형식 형태소가 아닌 실질 형태소라는 차이점이 있다. 그런데 이러한 차이로 받침의 발음 양상도 달라진다. 가장 큰 차이점은 연음이 되지 않는 대신 받침이 대표음인 [ㄱ, ㄷ, ㅂ] 중 하나로 바뀐 후 뒤 음절의 초성으로 이동한다는 점이다. 이러한 현상을 '절음'이라고 한다.

2. 이 조항에서는 받침으로 끝나는 말 뒤에 오는 모음의 종류에 단모음 'ㅣ' 또는 반모음 'ㅣ[j]'로 시작하는 'ㅑ, ㅕ, ㅛ, ㅠ'와 같은 이중 모음을 제외한 나머지 모음들을 모두 포함한다. 단모음 'ㅣ'나 반모음 'ㅣ[j]'로 시작하는 이중 모음들을 제외한 것은, 받침으로 끝나는 말 뒤에 'ㅣ, ㅑ, ㅕ, ㅛ, ㅠ'로 시작하는 실질 형태소가 오면 'ㄴ'이 첨가되어 이 조항에서 규정하는 발음 양상과 달라지기 때문이다.

3. [다만] '맛있다, 멋있다'는 원래 규정대로라면 '[마딛따], [머딛따]'가 올바른 발음이지만 현실 발음에서 '[마싣따], [머싣따]'가 많이 나타나므로 이것도 표준 발음으로 인정한 것이다.

4. [붙임] '값어치'는 '-어치'가 접미사로 다루어지고 있음에도 불구하고 연음이 되는 대신 겹받침 중 하나가 탈락한다는 점에서 예외적이다. 현재 「표준국어대사전」에서는 '-어치'를 접미사로 다루고 있지만, 이 말은 역사적으로 실질 형태소로 쓰였을 가능성이 크기 때문에 '값어치'에서는 연음이 일어나지 않는 것으로 보인다.

제16항 한글 자모의 이름은 그 받침소리를 연음하되, 'ㄷ, ㅈ, ㅊ, ㅋ, ㅌ, ㅍ, ㅎ'의 경우에는 특별히 다음과 같이 발음한다.

디귿이[디그시] 디귿을[디그슬] 디귿에[디그세]
지읒이[지으시] 지읒을[지으슬] 지읒에[지으세]
치읓이[치으시] 치읓을[치으슬] 치읓에[치으세]
키읔이[키으기] 키읔을[키으글] 키읔에[키으게]
티읕이[티으시] 티읕을[티으슬] 티읕에[티으세]
피읖이[피으비] 피읖을[피으블] 피읖에[피으베]
히읗이[히으시] 히읗을[히으슬] 히읗에[히으세]

이 조항은 자음의 명칭 뒤에 모음으로 시작하는 형식 형태소가 결합할 때의 발음에 대해 규정하고 있다. 받침을 가진 말 뒤에 모음으로 시작하는 형식 형태소가 오면 연음이 되는 것이 원칙이므로 '디귿이[디그디], 디귿을[디그들]'과 같이 발음해야 한다. 그러나 자음의 명칭이 정해진 당시의 현실 발음을 고려하여 '[디그시], [디그슬]'과 같이 발음한다.

05 음의 동화

제17항 받침 'ㄷ, ㅌ(ㄾ)'이 조사나 접미사의 모음 'ㅣ'와 결합되는 경우에는, [ㅈ, ㅊ]으로 바꾸어서 뒤 음절 첫소리로 옮겨 발음한다.

곧이듣다[고지듣따] 굳이[구지] 미닫이[미:다지]
땀받이[땀바지] 밭이[바치] 벼훑이[벼훌치]

[붙임] 'ㄷ' 뒤에 접미사 '히'가 결합되어 '티'를 이루는 것은 [치]로 발음한다.

굳히다[구치다] 닫히다[다치다] 묻히다[무치다]

1. 이 조항은 구개음화에 대한 규정이다.

2. 구개음화는 조사나 접미사 등의 형식 형태소가 결합한 때에만 실현되고, 합성어에서는 동일한 조건이라도 일어날 수 없다. 예컨대, 합성어 '밭이랑, 홑이불'은 [바치랑], [호치불]이 아닌 [반니랑], [혼니불]로 발음된다.

제18항 받침 'ㄱ(ㄲ, ㅋ, ㄳ, ㄺ), ㄷ(ㅅ, ㅆ, ㅈ, ㅊ, ㅌ, ㅎ), ㅂ(ㅍ, ㄼ, ㄿ, ㅄ)'은 'ㄴ, ㅁ' 앞에서 [ㅇ, ㄴ, ㅁ]으로 발음한다.

먹는[멍는] 국물[궁물] 깎는[깡는] 키읔만[키응만] 몫몫이[몽목씨]
긁는[긍는] 흙만[흥만] 닫는[단는] 짓는[진:는] 옷맵시[온맵씨]
있는[인는] 맞는[만는] 젖멍울[전멍울] 쫓는[쫀는] 꽃망울[꼰망울]
붙는[분는] 놓는[논는] 잡는[잠는] 밥물[밤물] 앞마당[암마당]
밟는[밤:는] 읊는[음는] 없는[엄:는]

[붙임] 두 단어를 이어서 한 마디로 발음하는 경우에도 이와 같다.

책 넣는다[챙넌는다] 흙 말리다[흥말리다] 옷 맞추다[온맏추다]
밥 먹는다[밤멍는다] 값 매기다[감매기다]

1. 이 조항은 자음 동화 중 비음화 현상에 대한 규정이다.

2. [붙임] 동일한 조건에서라면 단어와 단어 사이에서도 비음화가 적용되는 것을 규정한 것이다.

예 국 마시다[궁마시다] 옷 마르다[온마르다] 입 놀리다[임놀리다]

단권화 MEMO

【연계학습】
• 음운론 > 음운의 변동 > 음절의 끝소리 규칙

【연계학습】
• 음운론 > 음운의 변동 > 구개음화

【연계학습】
• 음운론 > 음운의 변동 > 비음화

단권화 MEMO

【연계학습】
• 음운론 > 음운의 변동 > 비음화

제19항 받침 'ㅁ, ㅇ' 뒤에 연결되는 'ㄹ'은 [ㄴ]으로 발음한다.

담력[담:녁] 침략[침:냑] 강릉[강능] 항로[항:노] 대통령[대:통녕]

[붙임] 받침 'ㄱ, ㅂ' 뒤에 연결되는 'ㄹ'도 [ㄴ]으로 발음한다.

막론[막논 → 망논] 석류[석뉴 → 성뉴] 협력[협녁 → 혐녁] 법리[법니 → 범니]

1. 이 조항은 'ㄹ'이 특정 자음 뒤에서 [ㄴ]으로 발음되는 현상을 규정하고 있다.

2. [붙임] 'ㄱ, ㅂ' 뒤의 'ㄹ'이 [ㄴ]으로 발음될 경우 제18항에서 규정한 비음화가 추가로 적용된다. 즉, 'ㅁ, ㅇ' 뒤에서는 'ㄹ'이 'ㄴ'으로 바뀌지만 'ㄱ, ㅂ' 뒤에서는 'ㄹ'이 'ㄴ'으로 바뀐 후 다시 'ㄴ'에 의해 선행하는 'ㄱ, ㅂ'이 'ㅇ, ㅁ'으로 바뀐다. 이때 두 음운 변동 사이의 순서 관계는 매우 중요하다. 가령 '막론'의 경우 'ㄱ' 뒤에서 'ㄹ'이 'ㄴ'으로 바뀐 후 'ㄴ'에 의해 'ㄱ'이 'ㅇ'으로 바뀐다. 'ㄱ'이 'ㄹ' 앞에서 'ㅇ'으로 바뀔 수는 없으므로 'ㄱ' 뒤에서 'ㄹ'이 먼저 'ㄴ'으로 바뀌는 것이다. 따라서 [붙임]은 상호 동화에 대한 규정이다.

【연계학습】
• 음운론 > 음운의 변동 > 유음화

제20항 'ㄴ'은 'ㄹ'의 앞이나 뒤에서 [ㄹ]로 발음한다.

(1) 난로[날:로] 신라[실라] 천리[철리] 광한루[광:할루] 대관령[대:괄령]
(2) 칼날[칼랄] 물난리[물랄리] 줄넘기[줄럼끼] 할는지[할른지]

[붙임] 첫소리 'ㄴ'이 'ㅀ', 'ㄾ' 뒤에 연결되는 경우에도 이에 준한다.

닳는[달른] 뚫는[뚤른] 핥네[할레]

다만, 다음과 같은 단어들은 'ㄹ'을 [ㄴ]으로 발음한다.

의견란[의:견난] 임진란[임:진난] 생산량[생산냥] 결단력[결딴녁]
공권력[공꿘녁] 동원령[동:원녕] 상견례[상견녜] 횡단로[횡단노]
이원론[이:원논] 입원료[이붠뇨] 구근류[구근뉴]

1. 이 조항은 자음 동화 중 유음화 현상에 대한 규정이다. (1)은 'ㄴ'이 'ㄹ'에 앞설 때 'ㄹ'로 동화되는 예이고, (2)는 'ㄴ'이 'ㄹ' 뒤에 올 때 'ㄹ'로 동화되는 예이다.

2. [다만] 유음화 예외 현상을 규정하고 있다.

【연계학습】
• 음운론 > 음운의 변동 > 연구개음화, 양순음화

제21항 위에서 지적한 이외의 자음 동화는 인정하지 않는다.

감기[감:기](×[강:기]) 옷감[옫깜](×[옥깜]) 있고[읻꼬](×[익꼬])
꽃길[꼳낄](×[꼭낄]) 젖먹이[전머기](×[점머기]) 문법[문뻡](×[뭄뻡])
꽃밭[꼳빧](×[꼽빧])

연구개음화와 양순음화는 표준 발음으로 인정하지 않는다는 규정이다.

【연계학습】
• 음운론 > 음운의 변동 > 'ㅣ' 모음 순행 동화

제22항 다음과 같은 용언의 어미는 [어]로 발음함을 원칙으로 하되, [여]로 발음함도 허용한다.

되어[되어/되여] 피어[피어/피여]

[붙임] '이오, 아니오'도 이에 준하여 [이요, 아니요]로 발음함을 허용한다.

기본적으로 'ㅣ' 모음 순행 동화로 불리던 예이다. 그러나 최근에는 두 개의 모음이 인접할 때 일어나는 모음 충돌을 피하기 위한 반모음 'ㅣ[j]' 첨가가 일어났다고 보는 것이 일반적이다. 그러나 규정에서는 실제의 모든 반모음 'ㅣ[j]' 첨가는 인정하지 않고 'ㅣ, ㅚ, ㅟ'로 끝나는 용언 어간 뒤에서 일어나는 현상에 대해서만 표준 발음을 인정하고 있다.

06 경음화

단권화 MEMO

제23항 받침 'ㄱ(ㄲ, ㅋ, ㄳ, ㄺ), ㄷ(ㅅ, ㅆ, ㅈ, ㅊ, ㅌ), ㅂ(ㅍ, ㄼ, ㄿ, ㅄ)' 뒤에 연결되는 'ㄱ, ㄷ, ㅂ, ㅅ, ㅈ'은 된소리로 발음한다.

국밥[국빱] 깎다[깍따] 넋받이[넉빠지] 삯돈[삭똔]
닭장[닥짱] 칡범[칙뻠] 뻗대다[뻗때다] 옷고름[옫꼬름]
있던[읻떤] 꽂고[꼳꼬] 꽃다발[꼳따발] 낯설다[낟썰다]
밭갈이[받까리] 솥전[솓쩐] 곱돌[곱똘] 덮개[덥깨]
옆집[엽찝] 넓죽하다[넙쭈카다] 읊조리다[읍쪼리다] 값지다[갑찌다]

【연계학습】
• 음운론 > 음운의 변동 > 경음화

이 조항은 'ㄱ, ㄷ, ㅂ'과 같이 종성으로 발음되는 파열음 뒤에서의 경음화를 규정하고 있다. 이때에 종성에서 대표음 [ㄱ, ㄷ, ㅂ]으로 발음되는 경우도 동일하게 적용된다.

제24항 어간 받침 'ㄴ(ㄵ), ㅁ(ㄻ)' 뒤에 결합되는 어미의 첫소리 'ㄱ, ㄷ, ㅅ, ㅈ'은 된소리로 발음한다.

신고[신:꼬] 껴안다[껴안따] 앉고[안꼬] 얹다[언따]
삼고[삼:꼬] 더듬지[더듬찌] 닮고[담:꼬] 젊지[점:찌]

다만, 피동, 사동의 접미사 '-기-'는 된소리로 발음하지 않는다.

안기다 감기다 굶기다 옮기다

【연계학습】
• 음운론 > 음운의 변동 > 경음화

1. 이 조항은 비음으로 끝나는 용언의 어간 뒤에 어미가 결합할 때 일어나는 경음화에 대해 규정하고 있다. 비음 중 'ㄴ, ㅁ'만 제시된 것은 'ㅇ'으로 끝나는 용언 어간이 없기 때문이다.
2. [다만] 'ㄴ, ㅁ' 받침을 가진 용언의 어간 뒤에 피동·사동 접미사가 결합할 때에는 이 규정에 따르지 않으므로 '안기다[안기다], 남기다[남기다], 굶기다[굼기다]'와 같이 발음한다.

제25항 어간 받침 'ㄼ, ㄾ' 뒤에 결합되는 어미의 첫소리 'ㄱ, ㄷ, ㅅ, ㅈ'은 된소리로 발음한다.

넓게[널께] 핥다[할따] 훑소[훌쏘] 떫지[떨:찌]

【연계학습】
• 음운론 > 음운의 변동 > 경음화

자음 앞에서 [ㄹ]로 발음되는 겹받침 'ㄼ, ㄾ' 다음에서 뒤에 연결되는 자음을 된소리로 발음한다는 규정이다. 이는 용언의 어간에 한정되는 규정인데, 체언의 경우에는 '여덟도[여덜도], 여덟과[여덜과], 여덟보다[여덜보다]'처럼 된소리로 발음하지 않기 때문이다. 한편, 이 조항에는 나오지 않지만 'ㄺ'으로 끝나는 용언 어간의 활용형 중 '읽고[일꼬], 읽기[일끼]'와 같이 'ㄱ'으로 시작하는 형식 형태소에 적용되는 경음화도 여기에 속한다고 할 수 있다.

제26항 한자어에서, 'ㄹ' 받침 뒤에 연결되는 'ㄷ, ㅅ, ㅈ'은 된소리로 발음한다.

갈등[갈뜽] 발동[발똥] 절도[절또] 말살[말쌀]
불소[불쏘](弗素) 일시[일씨] 갈증[갈쯩] 물질[물찔]
발전[발쩐] 몰상식[몰쌍식] 불세출[불쎄출]

다만, 같은 한자가 겹쳐진 단어의 경우에는 된소리로 발음하지 않는다.

허허실실[허허실실](虛虛實實) 절절-하다[절절하다](切切-)

【연계학습】
• 음운론 > 음운의 변동 > 경음화

이 조항은 한자어에서 일어나는 특수한 경음화에 대해 규정하고 있다. 'ㄹ'로 끝나는 한자와 'ㄷ, ㅅ, ㅈ'으로 시작하는 한자가 결합하면 'ㄷ, ㅅ, ㅈ'이 [ㄸ, ㅆ, ㅉ]과 같은 경음으로 발음된다.

단권화 MEMO

【연계학습】
- 음운론 > 음운의 변동 > 경음화

제27항 **관형사형 '-(으)ㄹ' 뒤에 연결되는 'ㄱ, ㄷ, ㅂ, ㅅ, ㅈ'은 된소리로 발음한다.**

할 것을[할꺼슬] 갈 데가[갈떼가] 할 바를[할빠를] 할 수는[할쑤는]
할 적에[할쩌게] 갈 곳[갈꼳] 할 도리[할또리] 만날 사람[만날싸람]

다만, 끊어서 말할 적에는 예사소리로 발음한다.

[붙임] '-(으)ㄹ'로 시작되는 어미의 경우에도 이에 준한다.

할걸[할껄] 할밖에[할빠께] 할세라[할쎄라] 할수록[할쑤록]
할지라도[할찌라도] 할지언정[할찌언정] 할진대[할찐대]

1. 관형사형 어미 '-(으)ㄹ' 뒤에서는 'ㄱ, ㄷ, ㅂ, ㅅ, ㅈ'을 각각 예외 없이 된소리로 발음한다. '-(으)ㄹ' 다음에 오는 것이 명사가 아니라 보조 용언일 경우에도 'ㄱ, ㄷ, ㅂ, ㅅ, ㅈ'을 된소리로 발음한다.

   예 할 듯하다[할뜨타다] 할 법하다[할뻐파다] 할 성싶다[할썽십따]

2. [붙임] 한 어미 안에서도 'ㄹ' 뒤에 오는 자음 'ㄱ, ㄷ, ㅂ, ㅅ, ㅈ'을 된소리로 발음한다. 이들도 역사적으로는 관형사형 어미 '-(으)ㄹ' 뒤에 명사가 결합된 구조이므로 다를 바가 없다.

【연계학습】
- 음운론 > 음운의 변동 > 사잇소리 현상

제28항 **표기상으로는 사이시옷이 없더라도, 관형격 기능을 지니는 사이시옷이 있어야 할(휴지가 성립되는) 합성어의 경우에는, 뒤 단어의 첫소리 'ㄱ, ㄷ, ㅂ, ㅅ, ㅈ'을 된소리로 발음한다.**

문-고리[문꼬리] 눈-동자[눈똥자] 신-바람[신빠람] 산-새[산쌔]
손-재주[손째주] 길-가[길까] 물-동이[물똥이] 발-바닥[발빠닥]
굴-속[굴:쏙] 술-잔[술짠] 바람-결[바람껼] 그믐-달[그믐딸]
아침-밥[아침빱] 잠-자리[잠짜리] 강-가[강까] 초승-달[초승딸]
등-불[등뿔] 창-살[창쌀] 강-줄기[강쭐기]

1. 이 조항은 사잇소리 현상으로서의 경음화 중 앞말이 자음으로 끝나는 경우에 대해 규정하고 있다. 자음으로 끝나는 명사와 자음으로 시작하는 명사가 결합하여 합성 명사를 이룰 때에는 경음화가 적용되는 경우가 있다. 이 조항에서 다루는 경음화는 모두 이러한 부류에 속한다.

2. 합성 명사에서 보이는 경음화는 항상 예외 없이 일어나는 것은 아니다. 이 조항에서는 '관형격 기능'을 지니는 사이시옷이 있을 때 경음화가 적용된다고 규정했다. 즉, 두 명사가 결합하여 합성 명사를 이룰 때, 앞의 명사가 뒤의 명사의 시간, 장소, 용도, 기원(또는 소유)과 같은 의미를 나타낼 때 '관형격 기능'을 지닌다고 할 수 있으며, 이런 경우 경음화가 잘 일어난다.

   예
   - 그믐달[그믐딸] - 시간의 의미 관계
   - 길가[길까] - 장소의 의미 관계
   - 술잔[술짠] - 용도의 의미 관계
   - 강줄기[강쭐기] - 기원의 의미 관계

3. 다만, 합성 명사에서 나타나는 경음화가 의미 관계에 따라 항상 예외 없이 일어나는 것은 아니다.

   예
   - 가을고치[가을고치] - 시간의 의미 관계
   - 민물송어[민물송어] - 장소의 의미 관계
   - 운동자금[운:동자금] - 용도의 의미 관계
   - 콩기름[콩기름] - 기원의 의미 관계

07 음의 첨가

단권화 MEMO

【연계학습】
• 음운론 > 음운의 변동 > 사잇소리 현상

제29항 **합성어 및 파생어에서, 앞 단어나 접두사의 끝이 자음이고 뒤 단어나 접미사의 첫음절이 '이, 야, 여, 요, 유'인 경우에는, 'ㄴ' 음을 첨가하여 [니, 냐, 녀, 뇨, 뉴]로 발음한다.**

솜-이불[솜:니불] 홑-이불[혼니불] 막-일[망닐] 삯-일[상닐]
맨-입[맨닙] 꽃-잎[꼰닙] 내복-약[내:봉냑] 한-여름[한녀름]
남존-여비[남존녀비] 신-여성[신녀성] 색-연필[생년필] 직행-열차[지캥녈차]
늑막-염[능망념] 콩-엿[콩녇] 담-요[담:뇨] 눈-요기[눈뇨기]
영업-용[영엄뇽] 식용-유[시공뉴] 백분-율[백뿐뉼] 밤-윷[밤:뉻]

다만, 다음과 같은 말들은 'ㄴ' 음을 첨가하여 발음하되, 표기대로 발음할 수 있다.

이죽-이죽[이중니죽/이주기죽] 야금-야금[야금냐금/야그먀금]
검열[검:녈/거:멸] 욜랑-욜랑[욜랑뇰랑/욜랑욜랑]
금융[금늉/그뮹]

[붙임 1] 'ㄹ' 받침 뒤에 첨가되는 'ㄴ' 음은 [ㄹ]로 발음한다.

들-일[들:릴] 솔-잎[솔립] 설-익다[설릭따]
물-약[물략] 불-여우[불려우] 서울-역[서울력]
물-엿[물렫] 휘발-유[휘발류] 유들-유들[유들류들]

[붙임 2] 두 단어를 이어서 한 마디로 발음하는 경우에도 이에 준한다.

한 일[한닐] 옷 입다[온닙따] 서른여섯[서른녀섣] 3 연대[삼년대]
먹은 엿[머근녇] 할 일[할릴] 잘 입다[잘립따] 스물여섯[스물려섣]
1 연대[일련대] 먹을 엿[머글렫]

다만, 다음과 같은 단어에서는 'ㄴ(ㄹ)' 음을 첨가하여 발음하지 않는다.

6·25[유기오] 3·1절[사밀쩔] 송별-연[송:벼련] 등-용문[등용문]

1. 이 조항은 'ㄴ'이 첨가되는 현상에 대해 규정하고 있다. 'ㄴ'이 첨가되는 조건은 크게 문법적 측면과 소리의 측면으로 나누어 볼 수 있다.
   ① 문법적 측면
      ㉠ 뒷말이 어휘적인 의미를 나타내는 경우가 대부분이다.
         예 영업용[영엄뇽]: 접미사 '-용'이 어휘적 의미를 강하게 가짐
      ㉡ 복합어뿐만 아니라 단어와 단어 사이에서도 'ㄴ'이 첨가된다.
   ② 소리의 측면
      ㉠ 앞말은 자음으로 끝나고 뒷말은 단모음 '이' 또는 이중 모음 '야, 여, 요, 유'로 시작해야 한다. 이때 첨가되는 'ㄴ'은 뒷말의 첫소리에 놓인다.
      ㉡ 이중 모음의 종류가 '야, 여, 요, 유'로 국한되지 않고 '얘, 예'와 같이 반모음 'ㅣ[j]'로 시작하는 모든 이중 모음 앞에서 'ㄴ'이 첨가된다. 국어에서는 구개음화, 'ㅣ' 모음 역행 동화 등 여러 현상에서 단모음 'ㅣ'와 반모음 'ㅣ[j]'가 발음 조건으로 함께 제시되므로 이는 자연스러운 현상이다.

2. [붙임 1] 앞말의 마지막 자음이 'ㄹ'일 경우에는 첨가된 'ㄴ'이 실제로는 [ㄹ]로 발음된다. 이것은 'ㄴ'이 첨가된 후 앞선 'ㄹ'에 동화가 일어난 결과이다. 예컨대, '수원역'은 'ㄴ'을 첨가하여 [수원녁]으로 발음하지만, '서울역'은 [ㄹ]로 동화되어 [서울력]으로 발음한다. 만일, 이러한 소리의 첨가가 없을 경우에는 자연히 앞의 자음을 연음하여 발음한다.
   예 절약[저략] 월요일[워료일] 목요일[모교일] 금요일[그묘일]

3. [다만] 'ㄴ'의 첨가는 항상 적용되지는 않는다.
   ① 접두사가 결합한 경우: 몰-인정, 불-일치 등
   ② 합성어의 경우: 독-약, 그림-일기 등

단권화 MEMO

【연계학습】
• 음운론 > 음운의 변동 > 사잇소리 현상

③ 구 구성의 경우: 작품 이름, 아침 인사 등
④ 한자 계열의 접미사가 결합한 경우: 한국－인, 경축－일 등

제30항 사이시옷이 붙은 단어는 다음과 같이 발음한다.

1. 'ㄱ, ㄷ, ㅂ, ㅅ, ㅈ'으로 시작하는 단어 앞에 사이시옷이 올 때는 이들 자음만을 된소리로 발음하는 것을 원칙으로 하되, 사이시옷을 [ㄷ]으로 발음하는 것도 허용한다.
냇가[내:까/낻:까] 샛길[새:낄/샏:낄] 빨랫돌[빨래똘/빨랟똘]
콧등[코뜽/콛뜽] 깃발[기빨/긷빨] 대팻밥[대:패빱/대:팯빱]
햇살[해쌀/핻쌀] 뱃속[배쏙/밷쏙] 뱃전[배쩐/밷쩐]
고갯짓[고개찓/고갣찓]

2. 사이시옷 뒤에 'ㄴ, ㅁ'이 결합되는 경우에는 [ㄴ]으로 발음한다.
콧날[콛날 → 콘날] 아랫니[아랟니 → 아랜니]
툇마루[퉫:마루 → 퉨:마루] 뱃머리[밷머리 → 밴머리]

3. 사이시옷 뒤에 '이' 음이 결합되는 경우에는 [ㄴㄴ]으로 발음한다.
베갯잇[베갣닏 → 베갠닏] 깻잎[깯닙 → 깬닙] 나뭇잎[나묻닙 → 나문닙]
도리깻열[도리깯녈 → 도리깬녈] 뒷윷[뒫:뉻 → 뒨:뉻]

이 조항은 사이시옷이 표기된 단어의 발음에 대한 규정이다. 첨가되는 자음의 종류에 따라 3개의 조항으로 나누어 제시하고 있다.

1. 'ㄷ'이 첨가되는 경우로 사이시옷이 [ㄷ]으로 발음된 것이다. 사이시옷은 [ㄷ]으로 발음하는 경우와 사이시옷을 발음하지 않는 경우 모두 표준 발음으로 인정하되, 발음하지 않는 쪽을 원칙으로 삼고 [ㄷ]으로 발음하는 것도 허용하고 있다.
예 깃발[기빨/긷빨]

2. 'ㄴ'이 첨가되는 경우로 사이시옷이 음절 종성에서 [ㄷ]으로 바뀐 후 뒤에 오는 비음에 동화된 결과이다. 표면적으로는 'ㄴ'이 첨가되었지만 실제로는 사이시옷이 [ㄷ]으로 발음되는 것과 관련이 있다.

3. 'ㄴㄴ'이 첨가되는 경우로 뒷말이 '이' 또는 반모음 'ㅣ[j]'로 시작해야 한다는 조건이 있다. 'ㄴㄴ'은 여러 단계를 거쳐 나오게 되는데, '베갯잇[베갣닏 → 베갠닏]'에서 보듯이 사이시옷이 먼저 첨가된 후 'ㄴ'이 첨가되고(「표준 발음법」 제29항 참조) 다시 자음 동화를 거쳐 'ㄴㄴ'으로 발음되는 것이다.
예 훗일[훈:닐] 뒷일[뒨:닐]

더 알아보기 2017년 표준 발음 수정 사항

단어	표준 발음	단어	표준 발음
관건	[관건/관껀]	(수학의)함수	[함:쑤/함:수]
불법	[불법/불뻡]	(결과의)효과	[효:과/효:꽈]
강약	[강약/강냑]	감언이설	[가먼니설/가머니설]
(학교의)교과	[교:과/교:꽈]	괴담이설	[괴:다미설/궤:다미설/괴:담니설/궤:담니설]
반값	[반:갑/반:깝]	밤이슬	[밤니슬/바미슬]
(수학의)분수	[분쑤/분수]	연이율	[연니율/여니율]
안간힘	[안깐힘/안간힘]	(영원히의)영영	[영:영/영:녕]
인기척	[인끼척/인기척]	의기양양	[의:기양양/의:기양냥]
(성적의)점수	[점쑤/점수]	순이익	[순니익/수니익]

04 표준 발음법

01 표준 발음법은 표준어의 실제 발음을 따르되, 국어의 (   )와/과 (   )을/를 고려하여 정함을 원칙으로 한다.

02 표준어의 자음은 (   )개, 모음은 (   )개로 한다.

03 단어의 첫음절 이외의 '의'는 (   )(으)로, 조사 '의'는 (   )(으)로 발음함도 허용한다.

04 모음의 장단을 구별하여 발음하되, 단어의 첫음절에서만 (   )이/가 나타나는 것을 원칙으로 한다.

05 겹받침이 모음으로 시작된 (   )(이)나 (   ), (   )와/과 결합되는 경우에는, 뒤엣것만을 뒤 음절 첫소리로 옮겨 발음한다. (이 경우, 'ㅅ'은 된소리로 발음함)

06 받침 뒤에 모음 'ㅏ, ㅓ, ㅗ, ㅜ, ㅟ' 들로 시작되는 (   )이/가 연결되는 경우에는, 대표음으로 바꾸어서 뒤 음절 첫소리로 옮겨 발음한다.

07 한글 자모의 이름은 그 받침소리를 연음하되, '(   )'의 경우에는 특별히 다음과 같이 발음한다.

디귿이[디그시]   디귿을[디그슬]   디귿에[디그세]   ……

08 다음과 같은 용언의 어미는 [어]로 발음함을 원칙으로 하되, [여]로 발음함도 허용한다.

되어[되어/되여]   피어(   )

[붙임] '(   ), 아니오'도 이에 준하여 발음함을 허용한다.

09 한자어에서, 'ㄹ' 받침 뒤에 연결되는 '(   )'은/는 된소리로 발음한다.

10 'ㄱ, ㄷ, ㅂ, ㅅ, ㅈ'으로 시작하는 단어 앞에 사이시옷이 올 때는 이들 자음만을 된소리로 발음하는 것을 원칙으로 하되, 사이시옷을 (   )(으)로 발음하는 것도 허용한다.

| 정답 | 01 전통성, 합리성 02 19, 21 03 [ㅣ], [ㅔ] 04 긴소리 05 조사, 어미, 접미사 06 실질 형태소 07 ㄷ, ㅈ, ㅊ, ㅋ, ㅌ, ㅍ, ㅎ 08 [피어/피여], 이오 09 ㄷ, ㅅ, ㅈ 10 [ㄷ]

04 표준 발음법

교수님 코멘트▶ 이 영역에서는 표준 발음과 허용 발음, 소리의 길이, 음운 변동 등이 자주 출제된다. 음운론 영역과 관련이 깊으므로 기본서의 음운론 영역을 함께 회독하자. 또한 기출문제를 통해서 유형을 파악하고, 앞서 학습한 개념이 어떻게 문제화되는지 알아 두자.

01

2018 서울시 9급 제2회

〈보기〉에서 밑줄 친 부분의 발음으로 가장 옳지 않은 것은?

보기

손자: 할아버지, 여기 있는 ㉠밭을 우리가 다 매야 해요?
할아버지: 응, 이 ㉡밭만 매면 돼.
손자: 이 ㉢밭 모두요?
할아버지: ㉣밭이 너무 넓으니?

① ㉠: [바슬]　② ㉡: [반만]
③ ㉢: [받]　④ ㉣: [바치]

02

2016 교육행정직 9급

㉠~㉣의 발음 중 표준 발음이 아닌 것은?

- ㉠마음의 소리를 듣다.
- 바람이 ㉡스쳐 지나간다.
- 건강을 잃으면 모든 걸 ㉢잃는다.
- 첨성대의 몸체는 27단으로 ㉣되어 있다.

① ㉠ [마으메]　② ㉡ [스처]
③ ㉢ [일는다]　④ ㉣ [되여]

03

2017 국회직 8급

다음 중 단어의 표기나 발음이 옳지 않은 것은?

① 나는 커서 선생님이 되고[퉤고] 싶다.
② 한글 자모 'ㅌ'의 이름에 조사가 붙을 때의 발음은 '티귿+이[티그시]', '티귿+을[티그슬]'이다.
③ 내 발을 밟지[밥:찌] 마라.
④ 웬일[웬:닐]로 학교에 왔니?
⑤ 운동장이 생각보다 넓지[널찌] 않다.

04

2013 국회직 9급

다음 중 그 발음이 틀린 것은?

① 되어 → 원칙[되어], 허용[되여]
② 피어 → 원칙[피어], 허용[피여]
③ 맛없다 → 원칙[마덥따], 허용[마섭따]
④ 아니오 → 원칙[아니오], 허용[아니요]
⑤ 멋있다 → 원칙[머딛따], 허용[머싣따]

05

2018 국가직 7급

밑줄 친 발음이 표준 발음이 아닌 것은?

① 연계[연게] 교육
② 차례[차레] 지내기
③ 충의의[충이의] 자세
④ 논의[노늬]에 따른 방안

정답&해설

01 ① 표준 발음법

① ㉠ 밭을[바슬](×) → [바틀](○): '밭을'은 자음으로 끝난 말 뒤에 모음으로 시작하는 형식 형태소가 오는 환경이므로 연음해야 한다. 즉, [바틀]로 발음해야 한다.

| 오답해설 | ㉡은 비음화, ㉢은 음절의 끝소리 규칙, ㉣은 구개음화가 일어난다.

02 ③ 표준 발음법

③ ㉢ 읽는다[일는다](×) → [일른다](○): 겹받침 중 'ㅎ'이 탈락한 후, 뒤 음절의 'ㄴ'이 'ㄹ'로 변하는 유음화가 일어나야 올바른 표준 발음이다.

| 오답해설 | ① ㉠ 조사 '의'는 [ㅔ]로도 발음할 수 있다. 〈표준 발음법〉 제5항에 규정되어 있다.
② ㉡ 경구개음 'ㅈ, ㅊ' 뒤에 오는 반모음 'ㅣ[j]'는 탈락한다. 〈표준 발음법〉 제5항에 규정되어 있다.
④ ㉣ '되어'는 [되여]로 발음할 수 있다. 〈표준 발음법〉 제22항에 규정되어 있다.

03 ② 표준 발음법

② 한글 자모의 이름은 기본적으로 연음하는 것이 원칙이지만 예외도 있다. 'ㅌ'은 '티읕'으로 표기하고 조사가 결합하는 경우 '티읕이[티으시]', '티읕을[티으슬]'로 발음해야 한다.

| 오답해설 | ① 'ㅚ'는 이중 모음으로 발음하는 것도 허용하므로 '되고[뒈고]'로 발음할 수 있다.
③ '밟-'은 자음으로 시작하는 말 앞에서 [밥:]으로 발음한다.
⑤ '넓-'은 자음으로 시작하는 말이 결합할 때, 겹받침 중에서 'ㅂ'이 탈락하는 것이 원칙이다. 그래서 [널찌]가 올바른 발음이다. 다만, 예외적으로 '넓죽하다, 넓적하다, 넓둥글다' 등에서는 겹받침 중 'ㄹ'이 탈락하여 [넙]으로 발음된다.

04 ③ 표준 발음법

③ '맛없다'는 [마덥따]만 허용한다.

| 오답해설 | ①②④ '되어, 피어, 아니오'는 [되어, 피어, 아니오]를 원칙으로 하되, [되여, 피여, 아니요]로 발음하는 것도 허용한다.
⑤ '멋있다'는 [머딛따]를 원칙으로 하되, [머싣따]로 발음하는 것도 허용한다.

05 ② 표준 발음법

② 〈표준 발음법〉 제5항에 따라 '예, 례'의 'ㅖ'는 [ㅖ]로 발음해야 하므로 [차례]로 발음해야 한다.

| 오답해설 | ③ 〈표준 발음법〉 제5항에 따라 단어의 첫음절 이외의 '의'는 [ㅣ]로 발음할 수 있고 조사 '의'는 [ㅔ]로 발음하는 것을 허용하고 있다. 그러므로 '충의의'는 [충의의, 충이의, 충의에, 충이에]로 발음할 수 있다.

| 정답 | 01 ① 02 ③ 03 ② 04 ③ 05 ②

06

2017 서울시 사회복지직 9급

밑줄 친 ㉠을 고려할 때 표준 발음으로 옳지 않은 것은?

> 〈표준어 규정〉 제2부 표준 발음법
>
> 제12항 받침 'ㅎ'의 발음은 다음과 같다.
>
> 4. ㉠'ㅎ(ㄶ, ㅀ)' 뒤에 모음으로 시작된 어미나 접미사가 결합되는 경우에는, 'ㅎ'을 발음하지 않는다.
>
> 낳은[나은], 쌓이다[싸이다], 많아[마:나], 싫어도[시러도]……

① 바지가 다 닳아서[다라서] 못 입게 되었다.
② 저녁 반찬으로 찌개를 끓이고[끄리고] 있다.
③ 가지고 온 책은 책상 위에 놓아[노아] 두렴.
④ 기회를 놓치지 않은[안는] 사람이 결국에는 성공하더라.

07

2016 서울시 9급

다음 중 음운 변동의 성격이 나머지 셋과 가장 다른 것은?

① '옳다'는 [올타]로, '옳지'는 [올치]로 발음된다.
② '주다'와 어미 '-어라'가 만나 '줘라'가 되었다.
③ '막혀'는 [마켜]로, '맞힌'은 [마친]으로 발음된다.
④ '가다'와 어미 '-아서'가 만나 '가서'가 되었다.

08

2016 국가직 7급

표준 발음법에 맞지 않는 것은?

① 솜이불[솜:니불]
② 직행열차[지캥열차]
③ 내복약[내:봉냑]
④ 막일[망닐]

09

2016 서울시 9급

다음 중 단어의 발음이 옳은 것끼리 묶인 것은?

① 디귿이[디그시], 홑이불[혼니불]
② 뚫는[뚤는], 밝히다[발키다]
③ 핥다[할따], 넓죽하다[넙쭈카다]
④ 흙만[흑만], 동원령[동:원녕]

10

2013 서울시 7급

다음의 밑줄 친 부분에 대한 표준 발음으로 옳은 것은?

① 그녀의 얼굴에는 더 이상 애써 짓는 헛웃음[허수슴]은 보이지 않았다.
② 그 소년의 미소가 밝고[발꼬] 귀여웠다.
③ 밭을[바츨] 가는 황소의 몸이 무거워 보였다.
④ 30분 동안 앉아 있었더니 무릎이[무르비] 저리다.
⑤ 연변에 살던 분들은 한글 자모 '지읒을'[지으즐] 서울 사람과는 달리 발음한다.

정답&해설

06 ④ 표준 발음법

④ 밑줄 친 ㉠을 고려할 때 'ㄶ' 뒤에 모음으로 시작하는 어미가 오는 환경이므로 'ㅎ'은 탈락하고 'ㄴ'이 뒤 음절로 연음되어 [아는]으로 발음된다.

07 ④ 표준 발음법

④ '가서'는 '가다'의 어간 '가-'에 어미 '-아서'가 붙은 경우로, 어간과 어미 모두 동일한 모음 'ㅏ'를 갖고 있으므로 두 'ㅏ' 중 하나가 탈락한 것이다. (동음 탈락) 반면, 나머지는 모두 음운 변동의 유형 중 '축약'에 해당한다.

08 ② 표준 발음법

② 직행열차[지캥열차](×) → [지캥녈차](○): 앞말이 자음으로 끝나고 뒷말이 '이' 또는 반모음 'ㅣ[j]'로 시작하므로 'ㄴ' 첨가가 일어난다. 따라서 'ㄴ' 음을 첨가한 [지캥녈차]가 표준 발음이다.

| 오답해설 | ①③④ 공통적으로 앞말이 자음으로 끝나고, 뒷말이 '이' 또는 반모음 'ㅣ[j]'로 시작하므로 'ㄴ' 첨가가 일어난다.
① 솜이불: 'ㄴ' 음이 첨가된 [솜:니불]이 표준 발음이다.
③ 내복약: 'ㄴ' 음이 첨가되어 [내:복냑]이 되고, 여기에 다시 비음화가 일어나면서 [내:봉냑]으로 발음된다.
④ 막일: 'ㄴ' 음이 첨가되어 [막닐]이 되고, 여기에 다시 비음화가 일어나면서 [망닐]로 발음된다.

09 ① 표준 발음법

① • 디귿이[디그시]: 연음 법칙에 따르면 [디그디]로 발음되는 것이 맞으나 현실 발음을 고려하여 [디그시]를 표준 발음으로 인정한다.
• 홑이불[혼니불]: '[홑이불](음절의 끝소리 규칙) → [홑니불]('ㄴ' 첨가) → [혼니불](비음화)'의 과정을 거친다.

| 오답해설 | ② 뚫는[뚤는](×) → [뚤른](○): '[뚤는](자음군 단순화) → [뚤른](유음화)'의 과정을 거친다.
③ 넓죽하다[넙쭉카다](×) → [넙쭈카다](○): '죽'의 'ㄱ'과 '하'의 'ㅎ'이 'ㅋ'으로 축약되기 때문에 'ㄱ'이 받침으로 남지 않는다. 따라서 [넙쭈카다]가 표준 발음이다.
④ 흙만[흑만](×) → [흥만](○): '[흑만](자음군 단순화) → [흥만](비음화)'의 과정을 거친다.

10 ② 표준 발음법

② 용언의 어간 말음 'ㄺ'은 'ㄱ'으로 시작하는 어미를 만나면 예외적으로 'ㄹ'이 남는다. 따라서 [발꼬]가 옳은 발음이다.

| 오답해설 | ①③④ 받침 뒤에 모음으로 시작하는 실질 형태소가 결합하면 받침에 음절의 끝소리 규칙을 먼저 적용한 후에 연음하고, 받침 뒤에 모음으로 시작하는 형식 형태소가 결합하면 받침을 그냥 연음한다. 따라서 '헛웃음', '밭을', '무릎이'는 [허두슴], [바틀], [무르피]로 발음해야 한다.
⑤ 한글 자모도 받침소리를 연음하되 'ㄷ, ㅈ, ㅊ, ㅋ, ㅌ, ㅍ, ㅎ'은 예외로 발음한다.
예 디귿을[디그슬], 지읒을[지으슬], 치읓을[치으슬], 키읔을[키으글], 티읕을[티으슬], 피읖을[피으블], 히읗을[히으슬]

| 정답 | 06 ④ 07 ④ 08 ② 09 ① 10 ②

CHAPTER

05 국어의 로마자 표기법과 외래어 표기법

1회독	월	일
2회독	월	일
3회독	월	일
4회독	월	일
5회독	월	일

단권화 MEMO

01 국어의 로마자 표기법

2014년～현재 로마자 표기법 관련 주요 사항

① 도로 위계 명칭인 '대로, 로, 길'의 로마자 표기를 'daero, ro, gil'로 통일하였다. 단, 같은 단어라도 도로명일 때와 도로명이 아닐 때를 구분한다.
예 • 도로명일 때: 세종로 Sejong-ro　　• 도로명이 아닐 때: 세종로 Sejongno
② 자연 지명과 문화재명은 우리말 명칭 전체를 로마자로 표기하되 속성의 번역을 함께 적는다.
예 남산 Namsan Mountain
③ 인공 지명의 경우 명칭의 앞부분만 로마자로 표기하고 뒤에 속성을 번역하여 적는다.
예 광장시장 Gwangjang Market
④ 로마자와 속성 번역 첫 글자는 각각 대문자로 적는다.
⑤ 한식명의 로마자 표기의 경우 국립국어원 〈한식명 로마자 표기 표준안〉에서 음식명의 첫 글자를 대문자로 표기할 것을 명시하고 있다. 하지만 〈로마자 표기법〉에 따르면 음식명은 고유 명사가 아니므로 첫 글자를 소문자로 적는다.

1 표기의 기본 원칙

제1항　국어의 로마자 표기는 국어의 표준 발음법에 따라 적는 것을 원칙으로 한다.

제2항　로마자 이외의 부호는 되도록 사용하지 않는다.

2 표기 일람

제1항　모음은 다음 각호와 같이 적는다.

1. 단모음

ㅏ	ㅓ	ㅗ	ㅜ	ㅡ	ㅣ	ㅐ	ㅔ	ㅚ	ㅟ
a	eo	o	u	eu	i	ae	e	oe	wi

2. 이중 모음

ㅑ	ㅕ	ㅛ	ㅠ	ㅒ	ㅖ	ㅘ	ㅙ	ㅝ	ㅞ	ㅢ
ya	yeo	yo	yu	yae	ye	wa	wae	wo	we	ui

[붙임 1]　'ㅢ'는 'ㅣ'로 소리 나더라도 ui로 적는다.
광희문 Gwanghuimun

[붙임 2]　장모음의 표기는 따로 하지 않는다.

단권화 MEMO

제2항 자음은 다음 각호와 같이 적는다.

1. 파열음

ㄱ	ㄲ	ㅋ	ㄷ	ㄸ	ㅌ	ㅂ	ㅃ	ㅍ
g, k	kk	k	d, t	tt	t	b, p	pp	p

2. 파찰음

ㅈ	ㅉ	ㅊ
j	jj	ch

3. 마찰음

ㅅ	ㅆ	ㅎ
s	ss	h

4. 비음

ㄴ	ㅁ	ㅇ
n	m	ng

5. 유음

ㄹ
r, l

[붙임 1] 'ㄱ, ㄷ, ㅂ'은 모음 앞에서는 'g, d, b'로, 자음 앞이나 어말에서는 'k, t, p'로 적는다. ([ ] 안의 발음에 따라 표기함)

구미 Gumi 영동 Yeongdong 백암 Baegam 옥천 Okcheon
합덕 Hapdeok 호법 Hobeop 월곶[월곧] Wolgot 벚꽃[벋꼳] beotkkot
한밭[한받] Hanbat

[붙임 2] 'ㄹ'은 모음 앞에서는 'r'로, 자음 앞이나 어말에서는 'l'로 적는다. 단, 'ㄹㄹ'은 'll'로 적는다.

구리 Guri 설악 Seorak 칠곡 Chilgok 임실 Imsil
울릉 Ulleung 대관령[대괄령] Daegwallyeong

3 표기상의 유의점

제1항 음운 변화가 일어날 때에는 변화의 결과에 따라 다음 각호와 같이 적는다.

【연계학습】
• 음운론 > 음운의 변동 > 자음 동화, 사잇소리 현상, 자음 축약, 경음화

1. 자음 사이에서 동화 작용이 일어나는 경우

백마[뱅마] Baengma 신문로[신문노] Sinmunno 종로[종노] Jongno
왕십리[왕심니] Wangsimni 별내[별래] Byeollae 신라[실라] Silla

2. 'ㄴ, ㄹ'이 덧나는 경우

학여울[항녀울] Hangnyeoul 알약[알략] allyak

3. 구개음화가 되는 경우

해돋이[해도지] haedoji 같이[가치] gachi 굳히다[구치다] guchida

4. 'ㄱ, ㄷ, ㅂ, ㅈ'이 'ㅎ'과 합하여 거센소리로 소리 나는 경우

좋고[조코] joko 놓다[노타] nota 잡혀[자펴] japyeo 낳지[나치] nachi

다만, 체언에서 'ㄱ, ㄷ, ㅂ' 뒤에 'ㅎ'이 따를 때에는 'ㅎ'을 밝혀 적는다.

묵호 Mukho 집현전 Jiphyeonjeon

단권화 MEMO

[붙임] 된소리되기는 표기에 반영하지 않는다.

압구정 Apgujeong　낙동강 Nakdonggang　죽변 Jukbyeon　낙성대 Nakseongdae
합정 Hapjeong　팔당 Paldang　샛별 saetbyeol　울산 Ulsan

제2항 발음상 혼동의 우려가 있을 때에는 음절 사이에 붙임표(-)를 쓸 수 있다.

중앙 Jung-ang　반구대 Ban-gudae　세운 Se-un　해운대 Hae-undae

제3항 고유 명사는 첫 글자를 대문자로 적는다.

부산 Busan　세종 Sejong

제4항 인명은 성과 이름의 순서로 띄어 쓴다. 이름은 붙여 쓰는 것을 원칙으로 하되 음절 사이에 붙임표(-)를 쓰는 것을 허용한다. [( ) 안의 표기를 허용함]

민용하 Min Yongha (Min Yong-ha)　송나리 Song Nari (Song Na-ri)

(1) 이름에서 일어나는 음운 변화는 표기에 반영하지 않는다.

한복남 Han Boknam (Han Bok-nam)　홍빛나 Hong Bitna (Hong Bit-na)

(2) 성의 표기는 따로 정한다.

제5항 '도, 시, 군, 구, 읍, 면, 리, 동'의 행정 구역 단위와 '가'는 각각 'do, si, gun, gu, eup, myeon, ri, dong, ga'로 적고, 그 앞에는 붙임표(-)를 넣는다. 붙임표(-) 앞뒤에서 일어나는 음운 변화는 표기에 반영하지 않는다.

충청북도 Chungcheongbuk-do　제주도 Jeju-do　의정부시 Uijeongbu-si
양주군 Yangju-gun　도봉구 Dobong-gu　신창읍 Sinchang-eup
삼죽면 Samjuk-myeon　인왕리 Inwang-ri　당산동 Dangsan-dong
봉천 1동 Bongcheon 1(il)-dong　종로 2가 Jongno 2(i)-ga
퇴계로 3가 Toegyero 3(sam)-ga

[붙임] '시, 군, 읍'의 행정 구역 단위는 생략할 수 있다.

청주시 Cheongju　함평군 Hampyeong　순창읍 Sunchang

■ '-ro'의 표기

도로명의 경우 '퇴계로 77번 길/Toegye-ro 77beon-gil'과 같이 '-ro'로 표기하지만, '퇴계로'가 도로명이 아닐 경우, '퇴계로 3가/Toegyero 3(sam)-ga'처럼 발음에 근거하여 'Toegyero'로 표기한다.

제6항 자연 지물명, 문화재명, 인공 축조물명은 붙임표(-) 없이 붙여 쓴다.

남산 Namsan　속리산 Songnisan　금강 Geumgang
독도 Dokdo　경복궁 Gyeongbokgung　무량수전 Muryangsujeon
연화교 Yeonhwagyo　극락전 Geungnakjeon　안압지 Anapji
남한산성 Namhansanseong　화랑대 Hwarangdae　불국사 Bulguksa
현충사 Hyeonchungsa　독립문 Dongnimmun　오죽헌 Ojukheon
촉석루 Chokseongnu　종묘 Jongmyo　다보탑 Dabotap

제7항 인명, 회사명, 단체명 등은 그동안 써 온 표기를 쓸 수 있다.

제8항 학술 연구 논문 등 특수 분야에서 한글 복원을 전제로 표기할 경우에는 한글 표기를 대상으로 적는다. 이때 글자 대응은 제2장을 따르되 'ㄱ, ㄷ, ㅂ, ㄹ'은 'g, d, b, l'로만 적는다. 음가 없는 'ㅇ'은 붙임표(-)로 표기하되 어두에서는 생략하는 것을 원칙으로 한다. 기타 분절의 필요가 있을 때에도 붙임표(-)를 쓴다.

집 jib　짚 jip　밖 bakk　값 gabs　붓꽃 buskkoch
먹는 meogneun　독립 doglib　문리 munli　물엿 mul-yeos　굳이 gud-i
좋다 johda　가곡 gagog　조랑말 jolangmal　없었습니다 eobs-eoss-seubnida

02 외래어 표기법

1 표기의 기본 원칙

제1항 외래어는 국어의 현용 24 자모만으로 적는다.

제2항 외래어의 1 음운은 원칙적으로 1 기호로 적는다.

제3항 받침에는 'ㄱ, ㄴ, ㄹ, ㅁ, ㅂ, ㅅ, ㅇ'만을 쓴다.

제4항 파열음 표기에는 된소리를 쓰지 않는 것을 원칙으로 한다.

제5항 이미 굳어진 외래어는 관용을 존중하되, 그 범위와 용례는 따로 정한다.

2 표기 일람표

| 국제 음성 기호와 한글 대조표

자음			반모음		모음	
국제 음성 기호	한글		국제 음성 기호	한글	국제 음성 기호	한글
	모음 앞	자음 앞 또는 어말				
p	ㅍ	ㅂ, 프	j	이*	i	이
b	ㅂ	브	ɥ	위	y	위
t	ㅌ	ㅅ, 트	w	오, 우*	e	에
d	ㄷ	드			ø	외
k	ㅋ	ㄱ, 크			ɛ	에
g	ㄱ	그			ɛ̃	앵
f	ㅍ	프			œ	외
v	ㅂ	브			œ̃	욍
θ	ㅅ	스			æ	애
ð	ㄷ	드			a	아
s	ㅅ	스			ɑ	아
z	ㅈ	즈			ɑ̃	앙
ʃ	시	슈, 시			ʌ	어
ʒ	ㅈ	지			ɔ	오
ts	ㅊ	츠			ɔ̃	옹
dz	ㅈ	즈			o	오
tʃ	ㅊ	치			u	우
dʒ	ㅈ	지			ə**	어
m	ㅁ	ㅁ			ɚ	어
n	ㄴ	ㄴ				
ɲ	니*	뉴				
ŋ	ㅇ	ㅇ				
l	ㄹ, ㄹㄹ	ㄹ				
r	ㄹ	르				
h	ㅎ	흐				
ç	ㅎ	히				
x	ㅎ	흐				

* [j], [w]의 '이'와 '오, 우', 그리고 [ɲ]의 '니'는 모음과 결합할 때 제3장 표기 세칙에 따른다.

** 독일어의 경우에는 '에', 프랑스어의 경우에는 '으'로 적는다.

단권화 MEMO

단권화 MEMO

3 표기 세칙: 영어의 표기

〈국제 음성 기호와 한글 대조표〉에 따라 적되, 다음 사항에 유의하여 적는다.

제1항 무성 파열음([p], [t], [k])

1. 짧은 모음 다음의 어말 무성 파열음([p], [t], [k])은 받침으로 적는다.

gap[gæp] 갭 cat[kæt] 캣 book[buk] 북

2. 짧은 모음과 유음·비음([l], [r], [m], [n]) 이외의 자음 사이에 오는 무성 파열음([p], [t], [k])은 받침으로 적는다.

apt[æpt] 앱트 setback[setbæk] 셋백 act[ækt] 액트

3. 위 경우 이외의 어말과 자음 앞의 [p], [t], [k]는 '으'를 붙여 적는다.

stamp[stæmp] 스탬프 cape[keip] 케이프
nest[nest] 네스트 part[pɑ:t] 파트
desk[desk] 데스크 make[meik] 메이크
apple[æpl] 애플 mattress[mætris] 매트리스
chipmunk[tʃipmʌŋk] 치프멍크 sickness[siknis] 시크니스

제2항 유성 파열음([b], [d], [g])

어말과 모든 자음 앞에 오는 유성 파열음은 '으'를 붙여 적는다.

bulb[bʌlb] 벌브 land[lænd] 랜드 zigzag[zigzæg] 지그재그
lobster[lɔbstə] 로브스터* kidnap[kidnæp] 키드냅 signal[signəl] 시그널

* 'lobster'의 표기
'로브스터/랍스터' 두 가지 모두 인정한다.

제3항 마찰음([s], [z], [f], [v], [θ], [ð], [ʃ], [ʒ])

1. 어말 또는 자음 앞의 [s], [z], [f], [v], [θ], [ð]는 '으'를 붙여 적는다.

mask[mɑ:sk] 마스크 jazz[dʒæz] 재즈 graph[græf] 그래프
olive[ɔliv] 올리브 thrill[θril] 스릴 bathe[beið] 베이드

2. 어말의 [ʃ]는 '시'로 적고, 자음 앞의 [ʃ]는 '슈'로, 모음 앞의 [ʃ]는 뒤따르는 모음에 따라 '샤', '섀', '셔', '셰', '쇼', '슈', '시'로 적는다.

flash[flæʃ] 플래시 shrub[ʃrʌb] 슈러브 shark[ʃɑ:k] 샤크
shank[ʃæŋk] 섕크 fashion[fæʃən] 패션 sheriff[ʃerif] 셰리프
shopping[ʃɔpiŋ] 쇼핑 shoe[ʃu:] 슈 shim[ʃim] 심

3. 어말 또는 자음 앞의 [ʒ]는 '지'로 적고, 모음 앞의 [ʒ]는 'ㅈ'으로 적는다.

mirage[mirɑ:ʒ] 미라지 vision[viʒən] 비전

제4항 파찰음([ts], [dz], [tʃ], [dʒ])

1. 어말 또는 자음 앞의 [ts], [dz]는 '츠', '즈'로 적고, [tʃ], [dʒ]는 '치', '지'로 적는다.

Keats[ki:ts] 키츠 odds[ɔdz] 오즈 switch[switʃ] 스위치
bridge[bridʒ] 브리지 Pittsburgh[pitsbə:g] 피츠버그 hitchhike[hitʃhaik] 히치하이크

2. 모음 앞의 [tʃ], [dʒ]는 'ㅊ', 'ㅈ'으로 적는다.

chart[tʃɑ:t] 차트 virgin[və:dʒin] 버진

제5항 비음([m], [n], [ŋ])

1. 어말 또는 자음 앞의 비음은 모두 받침으로 적는다.

steam[sti:m] 스팀 corn[kɔ:n] 콘 ring[riŋ] 링 lamp[læmp] 램프
hint[hint] 힌트 ink[iŋk] 잉크

단권화 MEMO

2. 모음과 모음 사이의 [ŋ]은 앞 음절의 받침 'ㅇ'으로 적는다.

hanging[hæŋiŋ] 행잉　longing[lɔŋiŋ] 롱잉

제6항　유음([l])

1. 어말 또는 자음 앞의 [l]은 받침으로 적는다.

hotel[houtel] 호텔　pulp[pʌlp] 펄프

2. 어중의 [l]이 모음 앞에 오거나, 모음이 따르지 않는 비음([m], [n]) 앞에 올 때에는 'ㄹㄹ'로 적는다. 다만, 비음([m], [n]) 뒤의 [l]은 모음 앞에 오더라도 'ㄹ'로 적는다.

slide[slaid] 슬라이드　film[film] 필름　helm[helm] 헬름　swoln[swouln] 스월른
Hamlet[hæmlit] 햄릿　Henley[henli] 헨리

제7항　장모음

장모음의 장음은 따로 표기하지 않는다.

team[tiːm] 팀　route[ruːt] 루트

제8항　중모음([ai], [au], [ei], [ɔi], [ou], [auə])

중모음은 각 단모음의 음가를 살려서 적되, [ou]는 '오'로, [auə]는 '아워'로 적는다.

time[taim] 타임　house[haus] 하우스　skate[skeit] 스케이트
oil[ɔil] 오일　boat[bout] 보트　tower[tauə] 타워

제9항　반모음([w], [j])

1. [w]는 뒤따르는 모음에 따라 [wə], [wɔ], [wou]는 '워', [wɑ]는 '와', [wæ]는 '왜', [we]는 '웨', [wi]는 '위', [wu]는 '우'로 적는다.

word[wəːd] 워드　want[wɔnt] 원트　woe[wou] 워　wander[wɑndə] 완더
wag[wæg] 왜그　west[west] 웨스트　witch[witʃ] 위치　wool[wul] 울

2. 자음 뒤에 [w]가 올 때에는 두 음절로 갈라 적되, [gw], [hw], [kw]는 한 음절로 붙여 적는다.

swing[swiŋ] 스윙　twist[twist] 트위스트　penguin[peŋgwin] 펭귄
whistle[hwisl] 휘슬　quarter[kwɔːtə] 쿼터

3. 반모음 [j]는 뒤따르는 모음과 합쳐 '야', '얘', '여', '예', '요', '유', '이'로 적는다. 다만, [d], [l], [n] 다음에 [jə]가 올 때에는 각각 '디어', '리어', '니어'로 적는다.

yard[jɑːd] 야드　yank[jæŋk] 얭크　yearn[jəːn] 연
yellow[jelou] 옐로　yawn[jɔːn] 욘　you[juː] 유
year[jiə] 이어　Indian[indjən] 인디언　battalion[bətæljən] 버탤리언
union[juːnjən] 유니언

제10항　복합어

1. 따로 설 수 있는 말의 합성으로 이루어진 복합어는 그것을 구성하고 있는 말이 단독으로 쓰일 때의 표기대로 적는다.

cuplike[kʌplaik] 컵라이크　bookend[bukend] 북엔드
headlight[hedlait] 헤드라이트　touchwood[tʌtʃwud] 터치우드
sit-in[sitin] 싯인　bookmaker[bukmeikə] 북메이커
flashgun[flæʃgʌn] 플래시건　topknot[tɔpnɔt] 톱놋

2. 원어에서 띄어 쓴 말은 띄어 쓴 대로 한글 표기를 하되, 붙여 쓸 수도 있다.

Los Alamos[lɔsæləmous] 로스 앨러모스/로스앨러모스
top class[tɔpklæs] 톱 클래스/톱클래스

단권화 MEMO

4 인명, 지명 표기의 원칙

(1) 표기 원칙

제1항 외국의 인명, 지명의 표기는 제1장, 제2장, 제3장의 규정을 따르는 것을 원칙으로 한다.

제2항 제3장에 포함되어 있지 않은 언어권의 인명, 지명은 원지음을 따르는 것을 원칙으로 한다.
Ankara 앙카라　Gandhi 간디

제3항 원지음이 아닌 제3국의 발음으로 통용되고 있는 것은 관용을 따른다.
Hague 헤이그　Caesar 시저

제4항 고유 명사의 번역명이 통용되는 경우 관용을 따른다.
Pacific Ocean 태평양　Black Sea 흑해

(2) 동양의 인명, 지명 표기

제1항 중국 인명은 과거인과 현대인을 구분하여 과거인은 종전의 한자음대로 표기하고, 현대인은 원칙적으로 중국어 표기법에 따라 표기하되, 필요한 경우 한자를 병기한다.

제2항 중국의 역사 지명으로서 현재 쓰이지 않는 것은 우리 한자음대로 하고, 현재 지명과 동일한 것은 중국어 표기법에 따라 표기하되, 필요한 경우 한자를 병기한다.

제3항 일본의 인명과 지명은 과거와 현대의 구분 없이 일본어 표기법에 따라 표기하는 것을 원칙으로 하되, 필요한 경우 한자를 병기한다.

제4항 중국 및 일본의 지명 가운데 한국 한자음으로 읽는 관용이 있는 것은 이를 허용한다.
東京 도쿄, 동경　京都 교토, 경도　上海 상하이, 상해　臺灣 타이완, 대만
黃河 황허, 황하

(3) 바다, 섬, 강, 산 등의 표기 세칙

제1항 바다는 '해(海)'로 통일한다.
홍해　발트해　아라비아해

제2항 우리나라를 제외하고 섬은 모두 '섬'으로 통일한다.
타이완섬　코르시카섬　(우리나라: 제주도, 울릉도)

제3항 한자 사용 지역(일본, 중국)의 지명이 하나의 한자로 되어 있을 경우, '강', '산', '호', '섬' 등은 겹쳐 적는다.
온타케산(御岳)　주장강(珠江)　도시마섬(利島)　하야카와강(早川)　위산산(玉山)

■ **'해, 섬, 강, 산' 등의 띄어쓰기**
2017년 〈외래어 표기법〉 일부 개정안에 따라 그동안 띄어 쓰던 '해, 섬, 강, 산' 등을 모두 붙여 쓴다.

제4항 지명이 산맥, 산, 강 등의 뜻이 들어 있는 것은 '산맥', '산', '강' 등을 겹쳐 적는다.
Rio Grande 리오그란데강　Monte Rosa 몬테로사산
Mont Blanc 몽블랑산　Sierra Madre 시에라마드레산맥

더 알아보기 주요 외래어 표기

단권화 MEMO

플랫폼(platform)	워크숍(workshop)	마르크스(Marx)	링거(Ringer)
디스켓(diskette)	쥐라기(Jurassic Period)	아틀리에(프. atelier)	데스크톱(desktop)
초콜릿(chocolate)	캘린더(calendar)	악센트(accent)	랑데부(프. rendez-vous)
커피숍(coffee shop)	캐럴(carol)	탤런트(talent)	녹다운(knockdown)
슈퍼마켓(supermarket)	콩쿠르(프. concours)	마네킹(mannequin)	할리우드(Hollywood)
카센터(car center)	터미널(terminal)	마라톤(marathon)	모라토리엄(moratorium)
주스(juice)	판다(panda)	퓨즈(fuse)	심포지엄(symposium)
비전(vision)	내레이션(narration)	코냑(프. cognac)	도큐먼트(document)
로켓(rocket)	뉴턴(newton)	모차르트(Mozart)	다큐멘터리 (documentary)
로봇(robot)	불도그(bulldog)	마니아(mania)	렌털(rental)
랍스터/로브스터(lobster)	슈퍼맨(superman)	라켓(racket)	맨해튼(Manhattan)
콘텐츠(contents)	스테인리스(stainless)	보이콧(boycott)	버저(buzzer)
루스벨트(Roosevelt)	아마추어(amateur)	카펫(carpet)	블리치(bleach)
셰이크(shake)	알코올(alcohol)	깁스(독. Gips)	사디즘(sadism)
아이섀도(eye shadow)	레벨(level)	캐치(catch)	소파(sofa)
알칼리(alkali)	케첩(ketchup)	티베트(Thibet)	스프링클러(sprinkler)
포클레인(Poclain)	텔레비전(television)	플루트(flute)	액셀러레이터 (accelerator)
스케이트(skate)	파마(permanent)	매트리스(mattress)	스위치(switch)
보트(boat)	매스컴 (mass communication)	벤치(bench)	아이오딘(iodine)
타워(tower)	컴퍼스(compass)	슈림프(shrimp)	콤비네이션(combination)
오일(oil)	컨트롤(control)	슈러브(shrub)	포털 사이트(portal site)
옐로(yellow)	에어컨(air conditioner)	알루미늄(aluminium)	나르시시즘(narcissism)
스노(snow)	컨테이너(container)	심벌(symbol)	밀크셰이크(milk shake)
윈도(window)	콤플렉스(complex)	셰퍼드(shepherd)	산타클로스(Santa Claus)
레인보(rainbow)	콘셉트(concept)	몽타주(프. montage)	하이라이트(highlight)
톱클래스(top class)	플래시(flash)	태그(tag)	말레이시아(Malaysia)
모택동(毛澤東)	쇼크(shock)	플라자(plaza)	페스탈로치(Pestalozzi)
마오쩌둥 (중. Mao Zedong[毛澤東])	섕크(shank)	글라스(glass)	앰뷸런스(ambulance)
베이징(Beijing[北京])	리더십(leadership)	오셀로(Othello)	내비게이션(navigation)
아웃렛(outlet)	매머드(mammoth)	스릴(thrill)	아나키스트(anarchist)
스카우트(scout)	미스터리(mystery)	콩코드(영. concord)	보디랭귀지 (body language)
코미디(comedy)	부르주아(프. bourgeois)	컨디션(condition)	프롤레타리아 (독. Proletarier)
쿠데타(프. coup d'État)	엔도르핀(endorphin)	가톨릭(Catholic)	로터리(rotary)
팸플릿(pamphlet)	모르핀(morphine)	침팬지(chimpanzee)	캐러멜(caramel)
난센스(nonsense)	루주(프. rouge)	카디건(cardigan)	셔벗(샤베트 ×)(sherbet)
리모컨(remote control)	러닝셔츠(running shirts)	쿵후(중. gongfu[功夫])	카스텔라(포. castella)
배터리(battery)	메시지(message)	텀블링(tumbling)	메들리(medley)
소시지(sausage)	고흐(Gogh)	논스톱(nonstop)	라이터(lighter)

단권화 MEMO

스티로폼(styrofoam)	데뷔(프, début)	논타이틀(nontitle)	카운슬러(counselor)
앙케트(프, enquête)	도넛(doughnut)	논픽션(nonfiction)	카운슬링(counseling)
요구르트(yog(h)urt)	칭기즈칸(Chingiz Khan)	러키(lucky)	선글라스(sunglass)
콜럼버스(Columbus)	마스크(mask)	커닝(cunning)	캐비닛(cabinet)
팡파르(프, fanfare)	플래카드(placard)	리포트(report)	스탠더드(standard)
호르몬(hormone)	네덜란드(Netherlands)	보닛(bonnet)	로열티(royalty)
콩트(프, conte)	몽블랑산(Mont Blanc)	비스킷(biscuit)	보이스카우트 (Boy Scouts)
보디로션(body lotion)	레크리에이션(recreation)	재킷(jacket)	짬뽕(일, champon)
배지(badge)	매니큐어(manicure)	타깃(target)	라디오(radio)
뷔페(프, buffet)	파라다이스(paradise)	다이내믹(dynamic)	카메라(camera)
스태미나(stamina)	트레이닝(training)	바스켓(basket)	바이올린(violin)
러시아워(rush hour)	북메이커(bookmaker)	싱가포르(Singapore)	클라이맥스(climax)
잉글리시(English)	북엔드(bookend)	액세서리(accessory)	뉘앙스(프, nuance)
쇼맨십(showmanship)	플래시건(flash gun)	새시(sash)	핫라인(hot line)
슈크림(프, choucream)	메이크업(makeup)	에메랄드(emerald)	갭(gap)
게슈타포(독, Gestapo)	킥오프(kickoff)	튜브(tube)	스냅(snap)
타슈켄트(Tashkent)	글로브(globe)	블라우스(blouse)	쉬르레알리슴 (surréalisme)
모션(motion)	바비큐(barbecue)	리얼리즘(realism)	소켓(socket)
픽션(fiction)	라이온스(Lions)	모더니즘(modernism)	스피릿(spirit)
셰리프(Sherriff)	챔피언(champion)	졸라이슴(프, zolaïsme)	알파벳(alphabet)
패션(fashion)	에스파냐(España)	렌터카(rent-a-car)	트럼펫(trumpet)
쇼핑(shopping)	점퍼/잠바(jumper)	테크놀로지(technology)	파일럿(pilot)
샤워(shower)	쓰촨성/사천성 (중, Sichuan[四川]省)	장르(프, genre)	피켓(picket)
부슈(Busch)	그래프(graph)	저널(journal)	헬멧(helmet)
칼라(collar)	타일(tile)	시추에이션(situation)	슬래브(slab)
사보타주(프, sabotage)	버터(butter)	레저(leisure)	액트(act)
앙가주망 (프, engagement)	밸런스(balance)	차트(chart)	셋백(set back)
슬라이드(slide)	도쿄/동경(일, Tokyo[東京])	레이저(laser)	립스틱(lipstick)
필름(film)	머플러(muffler)	스케줄(schedule)	백핸드(backhand)
햄릿(Hamlet)	황허/황하(黃河)	줄리엣(Juliet)	배트(bat)
클럽(club)	호찌민(Ho Chi Minh)	찬스(chance)	체크(check)
클러치(clutch)	푸껫(Phuket)	글러브(glove)	히트(hit)
클리닉(clinic)	자카르타(Jakarta)	바겐세일(bargain sale)	노크(knock)
블라인드(blind)	가라테(일, karate[唐手])	시네마(Cinema)	메리트(merit)
멜론(melon)	기타(guitar)	아나운서(announcer)	네트(net)
플라스틱(plastic)	헬리콥터(helicopter)	오렌지(orange)	세트(set)
곤돌라(이, gondola)	데생(프, dessin)	토마토(tomato)	배턴/바통(baton)
나일론(nylon)	컨트리(country)	콘덴서(condenser)	케이크(cake)
알리바이(alibi)	레슨(lesson)	모델(model)	테이프(tape)
방갈로(bungalow)	마사지(massage)	패밀리(family)	다이어트(diet)
카탈로그(catalogue)	콘테스트(contest)	파이팅(fighting)	네트워크(network)

킬로미터(kilometer)	콘솔(console)	프리킥(free kick)	팀워크(teamwork)
핸들링(handling)	시너(thinner)	프라이(fry)	맨션(mansion)
글래머(glamour)	제스처(gesture)	판타지(fantasy)	데스크(desk)
샐러드(salad)	엔진(engine)	필터(filter)	스탬프(stamp)
멤버(member)	카뷰레터(carburetor)	피날레(finale)	테스트(test)
서킷(circuit)	카세트(cassette)	갤럽(Gallup)	레퍼리(referee)
스로인(throw-in)	패키지(package)	마켓(market)	허브(herb)
브리지(bridge)	레인지(range)	밸런타인데이(Valentine Day)	메탄올(methanal)
쓰시마(Tsushima[對馬])	에어리어(area)	가스(gas)	피라미드(pyramid)
루트(route)	니코틴(nicotine)	가솔린(gasoline)	개그(gag)
야드(yard)	센티미터(centimeter)	데탕트(프, détente)	지그재그(zigzag)
마가린(margarine)	콘사이스(concise)	버스(bus)	시그널(signal)
유머(humor)	쯔진청/자금성(중, zijincheng[紫禁城])	파리(Paris)	플래그(flag)
마케팅(marketing)	애니메이션(animation)	취리히(Zürich)	핫도그(hot dog)
튤립(tulip)	인터체인지(interchange)	센터(center)	커넥션(connection)
하우스(house)	클레오파트라(Cleopatra)	테제베(프, Train à Grande Vitesse)	커넥터(connecter)
볼링(bowling)	드라이클리닝(dry cleaning)	크레용(프, crayon)	컨설팅(consulting)
어댑터(adapter)	인플레이션(inflation)	재즈(jazz)	컨소시엄(consortium)
타이태닉(Titanic)	디플레이션(deflation)	지프(jeep)	콤마(comma)
패널(panel)	콘도미니엄(condominium)	서비스(service)	콤팩트(compact)
패러독스(paradox)	헤드라이트(headlight)	브러시(brush)	커뮤니티(community)
딜레마(dilemma)	오프사이드(offside)	대시(dash)	컴포넌트(component)
레미콘(remicon)	쿠션(cushion)	미네랄(mineral)	카이사르/시저(Caesar, Julius)
색소폰(saxophone)	타이완/대만(Taiwan[臺灣])	샌들(sandal)	노틀(중, laotour[老頭兒])
스카프(scarf)	라디에이터(radiator)	에이펙(APEC)	수프(soup)
시가(cigar)	스튜어디스(stewardess)	히로뽕/필로폰(Philopon)	상하이/상해(Shanghai[上海])
아메리칸(American)	노스탤지어(nostalgia)	옵서버(observer)	비타민(vitamin)
아코디언(accordion)	다이아몬드(diamond)	카바레(프, cabaret)	라이선스(license)
칼럼(column)	돈가스(일, ton[豚] kasu)	라벨(label)	마시멜로(marshmallow)
펜타곤(Pentagon)	노트르담(Notre Dame)	펜치(pincers)	샤프(sharp)
프로듀서(producer)	선탠(suntan)	커튼(curtain)	스낵(snack)
하모니(harmony)	르포(프, reportage)	코뮈니케(프, communiqué)	코즈모폴리턴(cosmopolitan)
드리블(dribble)	카페(프, café)	크렘린(Kremlin)	비즈니스(business)
버튼(button)	게놈(독, Genom)	클랙슨(klaxon)	에인절(angel)
스펀지(sponge)	빵(포, pão)	펑크(puncture)	그러데이션(gradation)
슬리퍼(slipper)	껌(gum)	가십(gossip)	빨치산/파르티잔(프, partisan)
타월(towel)	삐라(일, bira)	샹들리에(프, chandelier)	

단권화 MEMO

05 국어의 로마자 표기법과 외래어 표기법

| 국어의 로마자 표기법

01 국어의 로마자 표기는 국어의 (　　　)에 따라 적는 것을 원칙으로 한다.

02 'ㅢ'는 'ㅣ'로 소리 나더라도 '(　　　)'(으)로 적는다.

03 'ㄱ, ㄷ, ㅂ'은 모음 앞에서는 'g, d, b'로, 자음 앞이나 어말에서는 '(　　　)'(으)로 적는다.

04 발음상 혼동의 우려가 있을 때에는 음절 사이에 (　　　)을/를 쓸 수 있다.

05 '도, 시, 군, 구, 읍, 면, 리, 동'의 행정 구역 단위와 '가'는 각각 'do, si, gun, gu, eup, myeon, ri, dong, ga'로 적고, 그 앞에는 붙임표(-)를 넣는다. 붙임표(-) 앞뒤에서 일어나는 음운 변화는 표기에 (　　　).

| 외래어 표기법

06 외래어는 국어의 현용 (　　　) 자모만으로 적는다.

07 파열음 표기에는 (　　　)을/를 쓰지 않는 것을 원칙으로 한다.

08 다음 중 옳은 것을 모두 고르시오.

① 홍해	② 발트해	③ 아라비아해	④ 타이완 섬
⑤ 코르시카 섬	⑥ 온타케산(御岳)	⑦ 주장 강(珠江)	⑧ 도시마 섬(利島)
⑨ 하야카와강(早川)	⑩ 위산산(玉山)	⑪ 리오그란데강	⑫ 몬테로사산
⑬ 몽블랑 산	⑭ 시에라마드레 산맥		

| 정답 | 01 표준 발음법 02 ui 03 k, t, p 04 붙임표(-) 05 반영하지 않는다 06 24 07 된소리 08 ①, ②, ③, ⑥, ⑨, ⑩, ⑪, ⑫

05 국어의 로마자 표기법과 외래어 표기법

교수님 코멘트▶ 이 영역에서는 국어의 로마자 표기법과 외래어 표기법 규정의 일반적 원칙, 예외 현상, 올바른 로마자나 외래어 표기 등을 찾는 문제가 자주 출제된다. 특히나 외래어 표기법은 암기와 관련이 깊은 영역이므로 외래어를 꼭 외워 두자. 또한 기출문제를 통해서 유형을 파악하고, 앞서 학습한 개념이 어떻게 문제화되는지 알아 두자.

국어의 로마자 표기법

01

2018 국가직 9급

〈로마자 표기법〉에 관한 다음 규정이 적용된 것은?

> 발음상 혼동의 우려가 있을 때에는 음절 사이에 붙임표(-)를 쓸 수 있다.

① 독도: Dok-do
② 반구대: Ban-gudae
③ 독립문: Dok-rip-mun
④ 인왕리: Inwang-ri

02

2017 서울시 9급

다음 중 제시된 단어의 표준 발음과 로마자 표기가 모두 옳은 것은?

① 선릉[선능] - Seonneung
② 학여울[항녀울] - Hangnyeoul
③ 낙동강[낙똥강] - Nakddonggang
④ 집현전[지편전] - Jipyeonjeon

정답&해설

01 ② 국어의 로마자 표기법

② '반구대'의 경우 음절 사이에 붙임표(-)를 쓰지 않으면 'Bangudae'와 같이 표기하므로 '방우대'로 읽힐 가능성이 있다. 따라서 붙임표를 사용한다.

| 오답해설 | ① 자연 지물명은 붙임표(-) 없이 붙여 쓴다.
③ '독립문'은 [동님문]으로 발음되므로, 발음대로 적는 로마자 표기법의 원칙에 따라 'Dongnimmun'으로 적어야 한다.

02 ② 국어의 로마자 표기법

② 학여울[항녀울] - Hangnyeoul: 'ㄴ' 첨가는 표기에 반영한다.

| 오답해설 | ① 선릉[설릉] - Seolleung: 자음 동화는 표기에 반영한다.
③ 낙동강[낙똥강] - Nakdonggang: 된소리되기는 표기에 반영하지 않는다.
④ 집현전[지편전] - Jiphyeonjeon: 체언의 경우 'ㄱ, ㄷ, ㅂ' 뒤에 'ㅎ'이 올 때에는 'ㅎ'을 밝혀 적는다.

| 정답 | 01 ② 02 ②

03

2021 법원직 9급

〈보기〉를 참고하여 로마자 표기법을 적용할 때 가장 옳지 않은 것은?

보기

(1) 로마자 표기법의 주요 내용

㉮ 'ㄱ, ㄷ, ㅂ'은 모음 앞에서는 'g, d, b'로, 자음 앞이나 어말에서는 'k, t, p'로 적는다.

㉯ 'ㄹ'은 모음 앞에서는 'r'로, 자음 앞이나 어말에서는 'l'로 적는다. 단, 'ㄹㄹ'은 'll'로 적는다.

예 알약[알략] allyak

㉰ 자음 동화, 구개음화, 거센소리되기는 변화가 일어난 대로 표기함.

예 왕십리[왕심니] Wangsimni
놓다[노타] nota

– 다만, 체언에서 'ㄱ, ㄷ, ㅂ' 뒤에 'ㅎ'이 따를 때에는 'ㅎ'을 밝혀 적는다.

예 묵호 Mukho

㉱ 된소리되기는 표기에 반영하지 않는다.

㉲ 고유 명사는 첫글자를 대문자로 적는다.

(2) 표기 일람

ㅏ	ㅓ	ㅗ	ㅜ	ㅡ	ㅣ	ㅐ	ㅔ	ㅚ	ㅟ	ㅑ	ㅕ	ㅛ
a	eo	o	u	eu	i	ae	e	oe	wi	ya	yeo	yo

ㅠ	ㅒ	ㅖ	ㅘ	ㅙ	ㅝ	ㅞ	ㅢ
yu	yae	ye	wa	wae	wo	we	ui

ㄱ	ㄲ	ㅋ	ㄷ	ㄸ	ㅌ	ㅂ	ㅃ	ㅍ	ㅈ	ㅉ	ㅊ	ㅅ
g,k	kk	k	d,t	tt	t	b,p	pp	p	j	jj	ch	s

ㅆ	ㅎ	ㄴ	ㅁ	ㅇ	ㄹ
ss	h	n	m	ng	r,l

① '해돋이'는 [해도지]로 구개음화가 되므로 그 발음대로 haedoji로 적어야 해.
② '속리산'은 [송니산]으로 발음되지만 고유 명사이므로 Sokrisan으로 적어야 해.
③ '울산'은 [울싼]으로 된소리로 발음되지만 표기에는 반영하지 않고 Ulsan으로 적어야 해.
④ '집현전'은 [지편전]으로 거센소리로 발음되지만 체언이므로 'ㅂ'과 'ㅎ'을 구분하여 Jiphyeonjeon으로 적어야 해.

04

2014 국가직 9급

국어의 로마자 표기가 옳지 않은 것은?

① 왕십리 – Wangsimri
② 울릉 – Ulleung
③ 백마 – Baengma
④ 학여울 – Hangnyeoul

05

2019 서울시 9급

〈보기〉의 ㉠~㉣을 현행 로마자 표기법에 따라 표기한 것으로 가장 적절한 것은?

보기

㉠ 다락골　　㉡ 국망봉
㉢ 낭림산　　㉣ 한라산

① ㉠ – Dalakgol
② ㉡ – Gukmangbong
③ ㉢ – Nangrimsan
④ ㉣ – Hallasan

외래어 표기법

06

2016 국가직 9급

외래어 표기가 옳지 않은 것은?

① flash – 플래시
② shrimp – 쉬림프
③ presentation – 프레젠테이션
④ Newton – 뉴턴

07

2014 지방직 7급

다음 외래어 표기의 근거만을 바르게 제시한 것은?

【표기】 leadership – 리더십
【근거】
㉠ 모음 앞의 [ʃ]는 뒤따르는 모음에 따라 '샤', '섀', '셔', '셰', '쇼', '슈', '시'로 적는다.
㉡ 받침에는 'ㄱ, ㄴ, ㄹ, ㅁ, ㅂ, ㅅ, ㅇ'만을 적는다.
㉢ 이미 굳어진 외래어는 관용을 존중한다.
㉣ [l]이 어말 또는 자음 앞에 올 때는 'ㄹ'로 적는다.

① ㉠
② ㉠, ㉡
③ ㉠, ㉡, ㉢
④ ㉠, ㉡, ㉢, ㉣

정답&해설

03 ② 국어의 로마자 표기법

② 로마자 표기는 〈표준 발음법〉을 기준으로 한다. 따라서 동화 현상 역시 〈표준 발음법〉에 따라 표기에 반영해야 한다. 이는 고유 명사인 경우에도 마찬가지이다. '속리산'은 [송니산]으로 발음되고, 고유 명사는 첫 글자를 대문자로 적으므로 'Songnisan'으로 표기한다.

| 오답해설 | ① 구개음화는 표기에 반영하여 적는다. 따라서 'haedoji'로 적는다.
③ 된소리되기는 표기에 반영하지 않는다. 따라서 '울산'은 [울싼]으로 발음되지만 'Ulsan'으로 적는다.
④ 체언에서 'ㄱ, ㄷ, ㅂ' 뒤에 오는 'ㅎ'은 'ㅎ'을 밝혀 적는다. 따라서 'Jiphyeonjeon'으로 적는다.

04 ① 국어의 로마자 표기법

① '왕십리'의 '리'는 행정 구역 단위가 아니라 지명의 일부일 뿐이므로 붙임표를 쓰지 않으며, 자음 동화가 일어날 경우 표기에 반영한다. 따라서 'ri'가 아닌 'ni'를 써서 'Wangsimni'로 표기해야 한다.

| 오답해설 | ② 'ㄹㄹ'은 'll'로 표기한다.
③ 자음 동화는 표기에 반영하므로 '백마[뱅마]'는 'Baengma'로 표기한다.
④ 자음 동화는 표기에 반영하므로 '학여울[항녀울]'은 'Hangnyeoul'로 표기한다.

05 ④ 국어의 로마자 표기법

④ '한라산'은 [할:라산]으로 발음된다. 'ㄹㄹ'은 'll'로 표기하므로 'Hallasan'은 옳은 표기이다.

| 오답해설 | ① '다락골'은 [다락꼴]로 발음되지만 된소리되기는 로마자 표기에 반영하지 않으며, 'ㄹ'은 모음 앞에서 'r'로 표기해야 한다. 따라서 'Darakgol'로 고쳐야 한다.
② '국망봉'은 [궁망봉]으로 발음되며, 자음 동화는 로마자 표기에 반영한다. 따라서 'Gungmangbong'으로 고쳐야 한다.
③ '낭림산'은 [낭:님산]으로 발음되며, 자음 동화는 로마자 표기에 반영한다. 따라서 'Nangnimsan'으로 고쳐야 한다.

06 ② 외래어 표기법

② 쉬림프(×) → 슈림프(○): 자음 앞의 [ʃ]는 '슈'로 표기한다. 따라서 '슈림프'가 맞는 표기이다.

| 오답해설 | ① 어말의 [ʃ]는 '시'로 적는다.
③ 발음을 기준으로 하여 '프레젠테이션'으로 표기한다.
④ 발음을 기준으로 하여 '뉴턴'으로 표기한다.

07 ② 외래어 표기법

㉠ 어말의 [ʃ]는 '시'로, 자음 앞의 [ʃ]는 '슈'로, 모음 앞의 [ʃ]는 뒤따르는 모음에 따라 '샤', '섀', '셔', '셰', '쇼', '슈', '시'로 적는다. 따라서 'sh' 뒤에 모음 'i'가 뒤따르므로 '시'로 표기해야 맞다.
㉡ 'p'는 'ㅍ'으로 표기하므로 '싶'으로 표기하는 것이 합리적일 수 있으나 받침에는 'ㄱ, ㄴ, ㄹ, ㅁ, ㅂ, ㅅ, ㅇ'만 적는 것을 원칙으로 하므로 '십'으로 표기한다.

| 오답해설 | ㉢ '리더십'은 관용과는 관련 없다.
㉣ '리더십'의 경우 [l]이 어두 그리고 모음 앞에 오므로 관련 없다.

| 정답 | 03 ② 04 ① 05 ④ 06 ② 07 ②

08

2014 서울시 9급

다음 단어들 모두에 공통적으로 적용되는 외래어 표기의 원칙은?

콩트, 더블, 게임, 피에로

① 파열음 표기에는 된소리를 쓰지 않는 것을 원칙으로 한다.
② 외래어를 표기할 때는 받침으로 'ㄱ, ㄴ, ㄷ, ㄹ, ㅁ, ㅂ, ㅅ, ㅇ'만을 쓴다.
③ 외래어의 1 음운은 원음에 가깝도록 둘 이상의 기호로 적는 것을 원칙으로 한다.
④ 이미 굳어진 외래어도 발음에 가깝도록 바꾸는 것을 원칙으로 한다.
⑤ 원음에 더욱 가깝게 적기 위해 새로 문자나 기호를 만들 수 있다.

09

2016 서울시 9급

다음 중 외래어 표기가 모두 옳은 것은?

① 벌브(bulb), 옐로우(yellow), 플래시(flash), 워크숍(workshop)
② 알콜(alcohol), 로봇(robot), 보트(boat), 써클(circle)
③ 밸런스(balance), 도너츠(doughnut), 스위치(switch), 리더십(leadership)
④ 배지(badge), 앙코르(encore), 콘테스트(contest), 난센스(nonsense)

정답&해설

08 ① 외래어 표기법

① 외래어 표기에서는 파열음의 된소리를 표기하지 않으므로, '꽁트, 떠블, 께임, 삐에로'가 아닌 '콩트, 더블, 게임, 피에로'로 표기한다.

09 ④ 외래어 표기법

| 오답해설 | ① 옐로우(×) → 옐로(○)
② 알콜(×) → 알코올(○), 써클(×) → 서클(○)
③ 도너츠(×) → 도넛(○)

| 정답 | 08 ① 09 ④

ENERGY

인생은 자전거를 타는 것과 같습니다.
균형을 잡으려면 계속해서 움직여야만 합니다.

– 알버트 아인슈타인(Albert Einstein)

PART

III 고전 문법

5개년 챕터별 출제비중 & 출제개념

챕터	출제비중	출제개념
CHAPTER 01 국어사	0%	-
CHAPTER 02 훈민정음과 고전 문법	100%	조사, 어미, 접사, 훈민정음의 28 자모, 초성 17자
CHAPTER 03 주요 고전문 분석	0%	-

1%

※최근 5개년(국, 지, 서)
출제비중

학습목표

CHAPTER 01 국어사	❶ 전반적인 국어의 역사 공부하기 ❷ 차자 표기 공부하기
CHAPTER 02 훈민정음과 고전 문법	❶ 현대 문법과의 연계성 파악하기 ❷ 훈민정음 창제 원리 공부하기 ❸ 고전 문법만의 특성 공부하기
CHAPTER 03 주요 고전문 분석	❶ 주요 고전문 해석 공부하기 ❷ 주요 고전문 속 문법 개념 공부하기

CHAPTER

01 국어사

단권화 MEMO

■ **국어와 알타이 어족의 문법상 공통점**
- 모음 조화가 있다.
- 두음 법칙이 있어 어두의 자음 조직이 제한을 받는다. 중세 국어의 어두 자음군은 일시적인 것이었다.
- 형태상 교착어의 특질을 지닌다.
- 주어－목적어－동사의 어순을 가진다.

■ **『삼국지』「위지 동이전」**
3세기 후반 중국에서 편찬한 문헌으로, 이 문헌에 부여어가 고구려어, 옥저어 등과 유사했다는 기록이 나온다.

01 국어의 계통

1 국어와 알타이 어족

국어는 계통상 알타이 어족에 속한다고 알려져 있다. 알타이 어족에는 몽골어, 만주－퉁그스어, 투르크어가 있으며, 일본어와 한국어도 알타이 어족에 포함시키는 견해가 있다. 그러나 국어의 계통과 관련된 내용은 아직 충분히 증명되지 않아서 학계에서는 여전히 논의가 이어지고 있다.

2 국어의 계통 파악이 어려운 이유

① 각 어군의 고대 자료들이 적다.
② 각 어군에 속하는 언어들 간에 차이가 적다.
③ 많은 언어가 아무런 자취도 남기지 않고 소멸하였다.

02 고대 국어

1 부여(扶餘)계 언어와 한(韓)계 언어

고대 국어는 고려 시대 이전 국어, 즉 원시 시대부터 통일 신라 시대(10세기)까지의 국어를 말한다. 이 중 삼국 시대 이전의 언어는 북방계의 '원시 부여어'와 남방계의 '원시 한어'로 나눌 수 있다. 부여계 언어는 부여, 옥저, 고구려 등의 언어를 지칭하며, 한계 언어는 마한, 진한, 변한의 삼한어를 지칭한다. 이들 언어는 삼국 시대에 이르러서는 고구려, 백제, 신라 각 나라의 언어로 발전하면서 영향을 미쳤을 것으로 보인다.

2 고구려어

① 고구려어는 오늘날까지 자료가 전하는 유일한 부여계 언어이다.
② 고구려어의 흔적은『삼국사기』「지리지」의 지명 표기에 나타나 있다.

> 買忽一云 水城 (권37)
> ⇨ 매홀(음독 표기) 일운 수성(석독 표기) (권37)
>
> 水城郡 本高句麗 買忽郡 景德王改名 今水州 (권35)
> ⇨ 수성(한자명)군 본고구려 매홀군 경덕왕개명 금수주 (권35)

3 백제어

① 백제는 삼한 중 마한어(피지배족의 언어)와 부여계 언어(지배족의 언어)가 공존하는 복수(이중)의 언어 사회였을 것으로 추정된다.

② 백제어의 흔적은『삼국사기』「지리지(권37)」의 지명 표기에 나타나 있다.

4 신라어

① 신라가 삼국을 통일함으로써 신라어를 중심으로 한 한반도의 언어적 통일이 이루어졌을 것으로 추정된다.

② 신라는 향가의 표기 등을 위해 향찰을 사용했다. '향찰'은 한자의 음과 뜻을 빌려 우리말의 어순대로 우리말의 형태와 의미를 기록한 것으로, 우리말의 실질 형태소 부분은 '훈차'로 표기하고 조사나 어미 같은 형식 형태소 부분은 '음차'로 표기한 것이 특징이다.

더 알아보기 차자(借字)* 표기

1. 고대 국어의 차자 표기

素那(或云金川) 白城郡蛇山人也 — 『삼국사기』 권47 —

[해석] 소나[또는 금천이라고 한다.]는 백성군 사산 사람이다.

⇨ '素那(흴 소, 어찌 나)'는 한자의 음으로 표기한 경우이며, '金川(쇠 금, 내 천)'은 한자의 뜻으로 표기한 경우이다. 이를 통해 당시에 한자의 음과 뜻을 빌려 고유 명사를 표기했으며, 당시에는 두 한자가 같은 음으로 읽혔음을 알 수 있다.

永同郡 本吉同郡 景德王改名 今因之 — 『삼국사기』 권34 —

[해석] 영동군(永同郡)은 본래 길동군(吉同郡)인데 경덕왕이 이름을 고쳤으며, 지금 이를 그대로 쓰고 있다.

⇨ '길동군'의 '吉(길할 길)'은 한자의 음으로 읽는 경우이며, 이는 당시에 '길(吉)' 자를 고유어로 인식하고 있었다는 의미이다. 그리고 '영동군'의 '永(길 영)'은 한자의 뜻, 즉 '길'로 읽고 있는 경우인데 '길동군'에서 '영동군'으로 바뀌었다는 것은 고유어와 한자어가 경쟁하다 한자어의 세력이 확대되었다는 것을 알려 준다.

2. 차자 표기법의 종류

① 서기체: 신라 진흥왕대(540~576) 또는 진평왕대(579~632)의 것으로 추정되고 있는 문자로, 1934년 경상북도 경주에서 발견된 '임신서기석'의 문체를 말한다. 이 서기체는 한자를 국어의 어순대로 나열한 것으로 조사·어미 등의 표기는 없고, 그 문장 구조는 이두와 비슷하다. 서기체는 뒤에 이두로의 발전 과정을 보여 주는 동시에 국어의 구문법이 중국어와는 달랐다는 국어 의식을 보여 주는 한 예이다.

壬申年六月十六日 二人并誓記
天前誓 今自三年以後 忠道執持 過失无誓
若此事失 天大罪得誓
若國不安大亂世 可容行誓之
又別先辛未年 七月卄二日大誓
詩尙書禮傳倫得誓三年 — 임신서기석 —

[해석]
임신년 6월 16일에 두 사람이 함께 맹세하며 기록한다.
하늘 앞에 맹세한다. 지금부터 3년 이후에 충도를 집지하고 허물이 없기를 맹세한다.
만일 이 서약을 어기면 하늘에 큰 죄를 짓는 것이라 맹세한다.
만일 나라가 불안하고 세상이 크게 어지러워지면 모름지기 충도를 행할 것을 맹세한다.
또 따로 앞서 신미년 7월 22일에 크게 맹세하였다.
즉, 시·상서·예기·전을 차례로 습득하기를 맹세하되 3년으로써 하였다.

단권화 MEMO

* 차자(借字)
자기 나라의 말을 적는 데 남의 나라 글자를 빌려 씀. 또는 그 글자

단권화 MEMO

② 향찰

선화공주니믄	善化公主主隱
놈 그ᅀᅳ지 얼어 두고,	他密只嫁良置古
맛둥바올	薯童房乙
바미 몰 안고 가다.	夜矣卯乙抱遣去如

-「서동요」-

- 문법적 요소: 한자의 '음'을 빌려 표기하였다.
  善(착할 선), 化(될 화), 公(귀인 공), 첫 번째 主(임 주), 隱(숨을 은: 보조사 '은'), 只(다만 지), 良(좋을 량), 古(옛 고: 연결 어미 '-고'), 童(아이 동), 房(방 방), 乙(새 을: 목적격 조사 '을'), 矣(어조사 의), 卯(토끼 묘), 乙(새 을), 遣(보낼 견), 如(같을 여: 종결 어미 '-다')
- 실질적 의미를 가진 부분: 한자의 '훈'을 빌려 표기하였다. (밑줄 친 부분)
  두 번째 主(임 주), 他(남 타), 密(몰래 밀), 嫁(시집갈 가), 置(둘 치), 薯(마 서), 夜(밤 야), 抱(안을 포), 去(갈 거)

③ 구결: 한문을 우리말로 읽을 때 이해를 돕기 위해 한문의 단어 또는 구절 사이에 들어가는 한자 또는 한자의 일부로서, '토(吐)'라고도 한다. 한문에 구결을 다는 일을 '구결을 달다, 토를 달다, 현토(懸吐)하다, 현결(懸訣)하다'라고 한다. 구결은 한문 어순대로 쓰되, 구절 사이에 조사나 어미를 표기하는 방식이었다. 구결의 표기 방법은 훗날 한자를 차용하는 방법 외에도 한글로도 표기하는 방법이 생겼다.

④ 이두: '이서(吏書)·이두(吏頭)·이토(吏吐)·이투(吏套)·이도(吏道)·이도(吏刀)·이찰(吏札)·이문(吏文)' 등의 이칭(異稱)이 있다. 이 같은 호칭 가운데 문헌에 가장 먼저 보이는 것은 '이서(吏書)'로, 고려 때 이승휴가 지은 『제왕운기』에 처음 언급된다. 이로 미루어 이러한 계통의 명칭이 고려 시대에 서리 계층이 형성되어 점차 공문서나 관용문에 쓰이면서 생긴 것으로, 신라 시대에는 쓰이지 않은 것으로 보는 견해도 있다. 이두는 넓은 의미로는 한자 차용 표기법 전체를 가리키며 향찰·구결 및 삼국 시대의 고유 명사 표기 등을 총칭하여 향찰식 이두 또는 구결식 이두 등으로 지칭하기도 하나, 좁은 의미로는 한자를 한국어의 문장 구성법에 따라 고치고 이에 토를 붙인 것에 한정하는 것이 보통이다. 자료상으로 보면 이두는 신라 초기부터 발달한 것으로 보는 게 보편적인 의견이다. 표기 방식은 서기체 표기가 발전한 형식으로, 대체로 의미부는 한자의 '훈'을 취하고 형태부는 한자의 '음'을 취하여 특히 곡용이나 활용에 나타나는 조사나 어미를 표기하였다.

03 중세 국어

중세 국어는 고려 건국부터 임진왜란까지의 국어를 가리킨다. 그리고 훈민정음이 창제된 시기를 기준으로 그 이전의 국어를 전기 중세 국어, 그 이후를 후기 중세 국어로 나눈다.

1 전기 중세 국어

전기 중세 국어는 통일 신라어를 계승한 것으로 보인다. 동시에 10세기 초에 고려 왕조가 들어서고 개성이 중심지가 되면서 그 방언을 중심으로 중앙어가 성립되었을 것으로 보인다.

| 전기 중세 국어 자료

자료명	특징
『계림유사』	• 12세기 初(1103)에 송나라의 손목이 편찬한 책으로, 고려어 약 356어휘를 채록함 • 원본은 전하지 않고 『대동운부군옥』(1558)에 30여 어항이 인용된 것이 전함
『향약구급방』	• 13세기 중엽 대장도감에서 간행한 책으로, 우리나라에서 가장 오래된 의학서 • 초간본은 전하지 않고 태종 17년(1417)에 최자하가 간행한 것이 남아 있음
『대명률직해』	• 중국 명나라의 형률서인 『대명률』을 이두로 번역한 책 • 1395년에 발간된 것으로 추정되나 원간본은 전하지 않음
『이중력』	12세기 초 자료로, 전기 중세 국어의 수사를 기록한 일본 자료
고려 가요	『악학궤범』과 『악장가사』에 실린 고려 가요들은 15세기 후반에 와서야 문자로 정착됨

몽골어 차용어	『고려사』(1451), 『번역박통사』(16세기), 『훈몽자회』(1527) 등을 통해 알 수 있음
석독구결 불경	10~13세기 국어의 모습을 보여 주는 자료

단권화 MEMO

2 후기 중세 국어

후기 중세 국어는 훈민정음의 창제로 인해 국어를 보다 정확하게 표기할 수 있는 문자 체계가 확립되었다는 중요한 의미를 갖는 시기이다.

| 후기 중세 국어 자료: 훈민정음 창제 이전 자료

자료명	특징
『조선관역어』	• 명나라 때, 외국 사신을 접대하는 관청인 회동관에서 편찬한 『화이역어』의 13 관역어 중 하나로, 일종의 조선어 교재로 볼 수 있음 • 15세기 초엽에 편찬된 것으로 추정됨 • 상단은 한자의 뜻, 중단은 국어의 발음, 하단은 한자의 중국음으로 3단 표기(총 590여 어항) • 발간된 시기는 훈민정음 창제 이전이나, 문헌에 나타난 언어의 특징은 훈민정음 문헌의 특징과 유사해 후기 중세 국어의 자료로 여김

| 후기 중세 국어 자료: 훈민정음 창제 이후 자료

시기	종류
세종~단종	『훈민정음』, 『용비어천가』, 『석보상절』, 『월인천강지곡』, 『동국정운』, 『홍무정운역훈』, 『사성통고』
세조	『월인석보』, 불경 언해류(법화경, 금강경, 선종영가집, 아미타경, 반야심경, 원각경, 목우자수심결), 『구급방언해』, 『오대산 상원사 중창권선문』
성종	『몽산화상법어약록언해』, 『금강경삼가해』, 『영가대사증도가남명천선사계송언해』, 『불정심경언해』, 『영험약초』, 『내훈』, 『삼강행실도』, 『분류두공부시언해』(초간), 『구급간이방』, 『금양잡록』, 『이로파』
연산군	『육조법보단경언해』, 『시식권공언해』
중종	『속삼강행실도』, 『이륜행실도』, 『번역소학』, 『여씨향약언해』, 『정속언해』, 『간이벽온방』, 『우마양저염역병치료방』, 『분문온역이해방』, 『번역노걸대』, 『번역박통사』, 『노박집람』, 『사성통해』, 『훈몽자회』
선조	『칠대만법』, 『선가귀감언해』, 『광주천자문』, 『석봉천자문』, 『신증유합』, 『야운자경』, 『발심수행장언해』, 『계초심학인문언해』, 『소학언해』, 『대학언해』, 『중용언해』, 『논어언해』, 『맹자언해』, 『효경언해』

3 중세 국어의 특징

① 된소리가 등장하기 시작했다.
② 중국어, 몽골어, 여진어 등의 외래어가 유입되었다.
③ 모음 조화 현상이 잘 지켜졌으나, 예외가 있었다.
④ 성조가 있었고, 방점으로 성조를 표기했다.
⑤ 중세 특유의 주체 높임법, 객체 높임법, 상대 높임법 등이 있었다.
⑥ 고유어와 한자어의 경쟁이 계속되었고, 한자어의 쓰임이 증가했다.
⑦ 말할 때는 우리말을 사용하고, 쓸 때는 한자로 쓰는 언문 불일치가 계속되었고, 한글 문체는 아직 일반화되지 못했다.
⑧ 음절 말에서 'ㄱ, ㄴ, ㄷ, ㄹ, ㅁ, ㅂ, ㅅ, ㆁ'이 사용되는 8종성법이 있었다.

04 근대 국어

일반적으로 17세기부터 19세기까지를 근대 국어 시기로 본다. 이는 임진왜란과 병자호란을 거치면서 사회뿐만 아니라 언어에도 큰 변화가 생겼기 때문이다. 이 시기에 현대 국어의 여러 특징이 형성되었다는 관점에서 볼 때, 근대 국어는 중세 국어에서 현대 국어에 이르는 과도기였다고 할 수 있다.

1 근대 국어 자료

17세기 초반 문헌 자료	•『용비어천가』: 광해군 4년(1612), 효종 10년(1659), 영조 41년(1765)에 중간됨 •『훈몽자회』: 광해군 5년(1613)에 중간됨 •『언해두창집요』, 『언해태산집요』: 선조 말년(1608)에 간행 • 기타 문헌: 『동의보감』(광해군, 1613), 『가례언해』(인조, 1632), 『화포식언해』(인조, 1635)
17세기 후반 문헌 자료	『벽온신방』(효종, 1653), 『경민편언해』(효종, 1658), 『노걸대언해』(1675), 『박통사언해』(1677) 등
18세기 문헌 자료	『오륜행실도』(1797), 『소아론』(1777), 『청어노걸대』(1765) 등
19세기 초반 문헌 자료	『신간증보삼략직해』(1805), 『규합총서』(1809), 『태상감응편도설언해』(1852), 『관성제군명성경』(1855) 등
19세기 후반 문헌 자료	『경신록언해』(1880), 『과화존신』(1880), 『조군영적지』(1881), 《독립신문》(1896)* 등
한자음과 문자 체계 및 국어의 음운, 어휘에 관한 자료	박성원의 『화동정음통석운고』(1747), 홍계희의 『삼운성휘』(1751), 이덕무 외 『규장전운』(1796), 이규경의 『오주연문장전산고』(현종 연간) 등
이두에 관한 문헌	이의봉의 『고금석림』 중의 「나려이두」, 구윤명의 『전율통보』(정조 연간)

*《독립신문》
1896년에 창간된 우리나라 최초의 민간 신문이다. 국문판과 영문판으로 격일간으로 펴내다가 일간지로 발전하였다. 1899년에 폐간되었다.

2 근대 국어의 특징

① 방점이 완전히 사라졌다.
② 'ㆁ' 자가 완전히 자취를 감추었다.
③ 'ㅿ' 자가 완전히 자취를 감추었다. 표기상으로는 'ㅿ' 자가 16세기 말까지 유지되었지만 17세기에 들어서는 쓰이지 않았다.
④ 어두 합용 병서의 혼란이 일어났다. 중세 문헌에는 'ㅅ'계(ㅺ, ㅼ, ㅽ), 'ㅂ'계(ㅳ, ㅄ, ㅶ, ㅷ), 'ㅄ'계(ㅴ ㅵ)의 세 가지 합용 병서가 존재했는데, 17세기에 들어 'ㅄ'계(ㅴ, ㅵ) 합용 병서 등이 소멸하였다.
⑤ 19세기에 들어 된소리 표기는 모두 'ㅅ'계 합용 병서나 각자 병서자로 적게 되었다.
⑥ 종성의 'ㅅ'과 'ㄷ'에서 혼란이 발견된다. 18세기부터 'ㄷ'은 점차 없어지고 'ㅅ'만으로 통일되는 경향이 나타난다.
⑦ 모음 'ㆍ(아래 아)'는 16세기에 1단계의 소실을 경험했으며 18세기 후반에 와서 2단계의 소실이 일어났다. 그러나 소리는 사라졌지만 글자만은 20세기 초까지 쓰였다.
⑧ 순음 'ㅁ, ㅂ, ㅍ, ㅃ' 아래에서 모음 'ㅡ'의 원순화가 일어났다.
⑨ 성조에서 상성은 그 모음이 길게 발음되었는데, 성조가 없어진 뒤에도 이 장음만은 자연히 남게 되었다.
⑩ 이중 모음이던 'ㅐ, ㅔ, ㅚ, ㅟ'가 단모음으로 음가가 변하였다.
⑪ 어두 자음군이 된소리가 되었다.
⑫ 주격 조사 '가', 서수사 '첫재(첫째)'가 출현했다.

더 알아보기 국어사 주요 인물

최세진	• 조선 중종 때의 학자(1468～1542). 자는 공서(公瑞) • 국어에 정통하였으며, 중국어와 운서 연구의 내가 • 중국어 회화 교재인 『노걸대』와 『박통사』를 번역함 • 저서: 『사성통해』, 『훈몽자회』, 『운회옥편』 등
주시경	• 국어학자(1876～1914). 호는 한힌샘. 초명은 상호(相鎬) • 조선문 동식회(朝鮮文同式會)를 조직하여 한글 기사체의 통일과 연구에 힘씀 • 국문 연구소의 연구 위원이 되어 국어학을 중흥하는 데 선구적 역할을 함 • 표의주의 틀을 기반으로 한 국문 전용을 주장한 어문 민족주의자 • 임경재, 최두선 등 여러 제자를 육성하여 조선어 연구회 창설에 간접적 기여함 • 저서: 『국어문법』*, 『국어문전음학』, 『말의 소리』 등
최현배	• 국어학자·국어 운동가·교육자(1894～1970). 호는 외솔 • 일본 교토 대학을 졸업하였으며 1942년에 조선어 학회 사건으로 옥고를 겪음 • 한글 학회 이사장, 연세 대학교 교수·학장·부총장을 지냈으며 국어 연구에 크게 이바지함 • 저서: 『우리말본』, 『한글갈』, 『나라 사랑의 길』, 『글자의 혁명』 등
지석영	• 의학자·국어학자(1855～1935). 자는 공윤(公胤). 호는 송촌(松村) • 1899년에 경성의학교 초대 교장이 됨 • 일본에서 종두 제조법을 배워서 우리나라에서 처음으로 종두를 시행(施行), 국민 보건에 이바지함 • 국어학도 깊이 연구하여 1905년에 〈신정국문(新訂國文)〉 6개조를 상소하였고, 국문 연구소를 설치함 • 저서: 『우두신설』, 『자전석요』
이봉운	• 1897년에 순우리말로 된 우리나라 최초의 문법책인 『국문정리』를 편찬 • 서울에 살았다는 것 이외에는 알려진 것이 없음 • 『국문정리』: 띄어쓰기, 장단음(長短音), 된소리, 시제 등의 내용이 담겨 있음

단권화 MEMO

*『국어문법』

1910년에 주시경이 지은 국어 문법서로, 품사를 9개로 나누고 순우리말을 사용한 것이 특징이다. 〈한글 맞춤법 통일안〉의 기본 이론이 되었고, 후에 내용을 고쳐서 『조선어 문법』으로 간행되었다.

CHAPTER

02 훈민정음과 고전 문법

□ 1회독	월	일
□ 2회독	월	일
□ 3회독	월	일
□ 4회독	월	일
□ 5회독	월	일

단권화 MEMO

■ 『훈민정음』의 판본

해례본(解例本)	• 연대: 세종 28년(1446) • 표기: 한문 • 체제: 예의, 해례, 정인지 서
언해본(諺解本)	• 연대: 세조 5년(1459) • 표기: 훈민정음 • 체제: '예의'만 번역

■ 『훈민정음 해례본』의 체제

- 예의: 어지, 자모의 음가, 자모의 운용, 성음법, 사성점 등의 본문
- 해례: 제자해, 초성해, 중성해, 종성해, 합자해, 용자례
- 정인지 서: 훈민정음의 제작 경위

■ 가획의 원리

기본자에 획을 더해서 새로운 글자를 만드는 원리를 말한다.
'ㄱ → ㅋ', 'ㄴ → ㄷ → ㅌ', 'ㅁ → ㅂ → ㅍ', 'ㅅ → ㅈ → ㅊ', 'ㅇ → ㆆ → ㅎ'

＊이체자

가획에 따라 소리가 거세지는 가획자와 달리 소리의 특성을 고려하여 모양을 다르게 만든 글자를 말한다.

01 훈민정음

1 명칭

① **문자 체계의 명칭:** 훈민정음(백성을 가르치는 바른 소리) ⇨ 한글
② **책 이름『訓民正音』= 해례본(한문본):** 훈민정음에 대한 해설서

2 연대

① 세종 25년(1443년) 음력 12월에 훈민정음이 창제되었다.
② 세종 28년(1446년) 음력 9월 상한(양력 10월 9일)에 훈민정음을 반포하였고『훈민정음 해례본』을 간행하였다.

3 창제자: 세종

4 창제의 배경

이두, 구결 등 그동안 써 오던 차자 표기법으로는 국어 음운 구조의 복잡성 때문에 국어를 충실히 적을 수 없었다.

5 창제의 목적

자주, 애민, 실용 정신을 기본 바탕으로 국어의 전면적 표기를 위해 창제하였다.

6 훈민정음의 제자 원리

(1) 초성(자음)

발음 기관의 모양을 본떠 만든 'ㄱ, ㄴ, ㅁ, ㅅ, ㅇ' 다섯 자를 기본으로 한 후, 각각 획을 더하여 총 17자를 만들었다.

구분	기본자	상형	가획자	이체자*
아음	ㄱ	혀뿌리가 목구멍을 막는 모양[象舌根閉喉之形]	ㅋ	ㆁ
설음	ㄴ	혀끝이 윗잇몸에 붙는 모양[象舌附上腭之形]	ㄷ, ㅌ	ㄹ(반설음)
순음	ㅁ	입의 모양[象口形]	ㅂ, ㅍ	
치음	ㅅ	이의 모양[象齒形]	ㅈ, ㅊ	ㅿ(반치음)
후음	ㅇ	목구멍 모양[象喉形]	ㆆ, ㅎ	

(2) 중성(모음)

① 기본자: 하늘, 땅, 사람의 삼재(三才)를 본떠 만들었다.

구분	상형	혀(舌)	소리(聲)
·	하늘(天)을 본뜸(象乎天)	혀를 오므림(舌縮)	소리가 깊음(聲深)
ㅡ	땅(地)을 본뜸(象乎地)	혀를 조금 오므림(舌小縮)	소리가 깊지도 얕지도 않음(聲不深不淺)
ㅣ	사람(人)을 본뜸(象乎人)	혀를 안 오므림(舌不縮)	소리가 얕음(聲淺)

② 합성자: '·, ㅡ, ㅣ'를 기본자로 하여 초출자, 재출자를 만들었다.

구분	특징	해당 모음
기본자	하늘, 땅, 사람의 삼재(三才)를 본떠서 만듦	·, ㅡ, ㅣ
초출자	'·'가 하나만 쓰임	ㅏ, ㅓ, ㅗ, ㅜ
재출자	'·' 가 둘이 쓰임	ㅑ, ㅕ, ㅛ, ㅠ

더 알아보기 초성과 중성

1. 초성의 순서 변화

『훈민정음』	ㄱㅋㆁ/ ㄷㅌㄴ/ㅂㅍㅁ/ㅈㅊㅅ/ㆆㅎㅇ/ㄹ/ㅿ								
최세진의 『훈몽자회』*	초성종성통용8자	ㄱ	ㄴ	ㄷ	ㄹ	ㅁ	ㅂ	ㅅ	ㆁ
	자명	其役 (기역)	尼隱 (니은)	池末 (디귿)	梨乙 (리을)	眉音 (미음)	非邑 (비읍)	時衣 (시옷)	異凝 (이응)
	초성독용8자	ㅋ	ㅌ	ㅍ	ㅈ	ㅊ	ㅿ	ㅇ	ㅎ
	자명	箕 (키)	治 (티)	皮 (피)	之 (지)	齒 (치)	而 (ㅿㅣ)	伊 (이)	屎 (히)
1933년 한글 맞춤법 통일안 이후	ㄱ, ㄴ, ㄷ, ㄹ, ㅁ, ㅂ, ㅅ, ㅇ, ㅈ, ㅊ, ㅋ, ㅌ, ㅍ, ㅎ								

2. 『훈민정음』의 자음과 모음

『훈민정음 해례본』의 '초성해'를 보면 초성의 체계를 23글자로 제시하고 있다. 이는 '제자해'에서 언급한 17자와 각자 병서자인 6글자(ㄲ, ㄸ, ㅃ, ㅆ, ㅉ, ㆅ)를 아울러 제시한 것이다. 그리고 초성을 전청(예사소리), 차청(거센소리), 전탁(된소리), 불청불탁(울림소리)으로 분류하기도 하였다. 이렇게 실제 쓸 수 있는 글자는 '제자해'에서 언급한 것 외에도 더 많았다는 의미이다. 이는 모음도 마찬가지이다. 다음은 '제자해'에서 언급한 11자 외에도 쓸 수 있었던 중성의 합용자이다.

동출(同出)합용자	초출자끼리, 재출자끼리 합한 것	ㅘ, ㆇ, ㅝ, ㆊ
'ㅣ'합용 일자 중성	중성자 하나가 'ㅣ'와 합한 것	ㆎ, ㅢ, ㅚ, ㅐ, ㅟ, ㅔ, ㆉ, ㅒ, ㆌ, ㅖ
'ㅣ'합용 이자 중성	중성자 둘이 'ㅣ'와 합한 것	ㅙ, ㆈ, ㅞ, ㆋ

7 운용 규정

(1) 이어쓰기[연서(連書), 니ㅿ쓰기]

초성자 두 개를 밑으로 이어 쓰는 규정으로, 순경음(脣輕音, 입시울 가ᄇᆡ야ᄫᆞᆫ 소리)을 만드는 방법이다. 순음(ㅁ, ㅂ, ㅍ, ㅃ) 아래에 'ㅇ'을 이어 쓴다. 예 ㅱ, ㅸ, ㆄ, ㅹ

① 'ㅸ'은 고유어 표기에 쓰이고, 'ㅱ, ㆄ, ㅹ'은 동국정운식 한자음 표기에만 쓰였다.

② 세조 때(15세기 중엽)부터 소멸하였다.

단권화 MEMO

■ 훈민정음의 28자
- 자음: 기본자, 가획자, 이체자 → 17자
- 모음: 기본자, 초출자, 재출자 → 11자

*『훈몽자회(訓蒙字會)』
중종 22년(1527)에 최세진이 엮은 어린이용 한자 교습서이다. 이 책은 훈민정음을 '반절(反切)'로 칭했으며, 자음과 모음의 명칭을 최초로 사용하였다. 이 책에 수록된 자음과 모음의 명칭과 배열 순서가 오늘날과 유사해 어학사적 의의를 지닌다.

단권화 MEMO

(2) 나란히 쓰기[병서(竝書), ᄀᆞᆯᄫᅡ쓰기]

초성이나 종성을 합하여 쓸 때 옆으로 나란히 쓰라는 규정으로, 각자 병서와 합용 병서가 있다.

① **각자 병서(各自竝書)**: 같은 초성 두 개를 나란히 쓰는 것을 말한다.

예 ㄲ, ㄸ, ㅃ, ㅆ, ㅉ, ㆅ, ᅇ

② **합용 병서(合用竝書)**: 서로 다른 초성 두 개, 세 개를 나란히 쓰는 것을 말한다.

예 ᄭ, ᄣ, ᄢ 등

더 알아보기 합용 병서의 종류

유형	병서 글자	용례
'ㅅ'계	ᄭ, ᄯ, ᄲ	ᄭᅮᆷ, ᄯᅩ, ᄲᅳ리다
'ㅂ'계	ᄠ, ᄡ, ᄧ, ᄩ	ᄠᅳ다, ᄡᆞᆯ, ᄧᅡᆨ, ᄩᅥ다
'ㅄ'계	ᄢ, ᄣ	ᄢᅳᆷ, ᄣᅢ(時)
특이한 예	ᄮ, ᄘ, ᆪ	ᄮᅡᄒᆡ, ᄒᆞᆰ(土), 낛(釣)

'ㅅ'계는 1933년 한글 맞춤법 통일안에서 폐지되었고, 'ㅂ'계와 'ㅄ'계는 17세기 선조 때 소실되었다.

(3) 붙여쓰기[부서(附書), ᄇᆞ텨쓰기]

자음과 모음을 합하여 한 글자를 만들 때 붙여 쓰라는 것으로, 하서법과 우서법이 있다.

① **아래 붙여쓰기(하서법)**: 초성은 위에, 중성(ㆍ, ㅡ, ㅗ, ㅜ, ㅛ, ㅠ)은 밑에 쓴다.

② **오른쪽에 붙여쓰기(우서법)**: 초성은 왼쪽에, 중성(ㅣ, ㅏ, ㅓ, ㅑ, ㅕ)은 오른쪽에 쓴다.

(4) 점찍기[방점(傍點)]

소리의 높낮이를 나타내기 위해 음절의 왼쪽에 점을 찍어 표시하는 것을 말한다.

사성	방점	훈민정음(해례본)	언해본	성격	용례
평성(平聲)	없음	안이화 安而和	ᄆᆞᆺ ᄂᆞᆺ가ᄫᆞᆫ 소리 (가장 낮은 소리)	낮고 짧은 소리(低調)	활(弓) ᄇᆡ(梨)
거성(去聲)	1점	거이장 擧而壯	ᄆᆞᆺ노ᄑᆞᆫ 소리 (가장 높은 소리)	높고 짧은 소리(高調)	·갈(刀) ·말(斗)
상성(上聲)	2점	화이거 和而擧	처ᅀᅥᆷ미 ᄂᆞᆺ갑고 냉즁이 노ᄑᆞᆫ 소리 (처음이 낮고, 나중이 높은 소리)	낮은음에서 높은음으로 올라가는 긴 소리	:돌(石) :말ᄊᆞ미
입성(入聲)	무점 1점 2점	촉이색 促而塞	ᄲᆞᆯ리 긋돋ᄂᆞᆫ 소리 (빨리 끝닫는 소리)	'ㄱ, ㄷ, ㅂ, ㅅ' 등 무성 자음이 종성에 사용될 때 빨리 끝을 맺는 소리	긷(柱) ·입(口) :낟(穀)

더 알아보기 성조의 특징

① 점은 음절의 발음상 높낮이와 장단(소리의 길고 짧음)을 나타낸다.
② 방점은 16세기 초기 문헌에서부터 혼란을 보였는데, 『동국신속삼강행실도』(1617)와 같은 17세기 초반 문헌부터는 방점이 표시되지 않았다. 즉, 16세기 말에 소멸되었다고 볼 수 있다.
③ 중세 국어의 상성은 원래 장음이었는데, 상성에서 발음상 높낮이가 사라지고 길이만 남아 현대 국어에서 장음으로 발음된다.
④ 입성은 발음상 높낮이와는 아무 관련이 없다. 종성이 'ㄱ, ㄷ, ㅂ, ㅅ' 등으로 끝나는 음절은 모두 입성이며 동시에 평성, 거성, 상성 중 한 성조를 취한다.

8 표기법

(1) 종성의 표기법

① 종성부용초성(終聲復用初聲)

㉠『훈민정음』「예의」에 있는 내용으로, 초성과 종성이 음운론적으로 동일성을 갖는다는 사실에 근거하여 종성을 따로 만들지 않는다는 제자상의 원칙이다.

㉡ 어원 또는 형태소의 기본형을 밝혀 적는 표의주의 표기법에 해당한다.

예 곶(꽃), 닢(잎), 빛

② 8종성가족용(八終聲可足用)

㉠『훈민정음』「해례」에 있는 규정으로 'ㄱ, ㄴ, ㄷ, ㄹ, ㅁ, ㅂ, ㅅ, ㆁ'의 8자만 종성으로 사용해도 좋다는 편의주의적 규정이다. 즉, 종성의 대표음화를 반영한 것이다.

예 ㄱ, ㅋ → ㄱ / ㄷ, ㅌ → ㄷ / ㅂ, ㅍ → ㅂ / ㅅ, ㅈ, ㅊ → ㅅ

㉡ 소리 나는 대로 적는 표음주의 표기법에 해당한다.

③ 종성 표기법의 변천

시기	종성법	실제 사용된 자음	용례
15세기	종성부용초성	'ㅋ, ㅎ'을 제외한 글자	곶[花], 겿[傍], ᄉᆞᆾ다
15세기~ 16세기	8종성가족용 (8종성법)	ㄱ, ㄴ, ㄷ, ㄹ, ㅁ, ㅂ, ㅅ, ㆁ	곳, 겻, ᄉᆞᆺ다
17세기	7종성법	ㄱ, ㄴ, ㄹ, ㅁ, ㅂ, ㅅ, ㅇ • ㄷ → ㅅ으로 표기 • ㆁ → ㅇ으로 대체	곳, 겻, ᄉᆞᆺ다
1933년 이후	소리 나는 대로 적되 어법에 맞게 적음	표기: ㄱ~ㅎ(14자 모두)	꽃, 곁, 통하다

(2) 이어적기, 거듭적기, 끊어적기

구분	정의	용례	특징	시기
이어적기 [연철(連綴)]	앞말의 종성을 뒷말의 초성에 내려 적는 것	사ᄅᆞᆷ+이 → 사ᄅᆞ미	표음주의	15~16세기
거듭적기 [중철(重綴)]	앞말에도 종성을 적고 뒷말의 초성에도 내려 적는 것	사ᄅᆞᆷ+이 → 사ᄅᆞᆷ미	과도기	17~19세기
끊어적기 [분철(分綴)]	앞말에 종성을 적고 뒷말의 초성에는 'ㅇ'을 적는 것	사ᄅᆞᆷ+이 → 사ᄅᆞᆷ이	표의주의	20세기

(3) 사잇소리

① 명사와 명사가 연결될 때 사이에 들어가는 소리로, 관형격 조사('의')와 같은 구실을 했다.

예 가온ᄃᆡᆺ소리(가운뎃소리)

② 국어사의 모든 시기에 있어서 사잇소리는 'ㅅ'으로 적는 것이 원칙이었다. 이두, 향찰에서도 '叱'(= ㅅ)이었으며, 성종 때 이후에 'ㅅ'으로 통일되었다. 예외적인 것은 세종, 세조 때의 문헌인『훈민정음』과『용비어천가』의 표기이다.

단권화 MEMO

■ 'ㄷ'과 'ㅅ'의 구별

• 중세 국어에서 'ㄷ'과 'ㅅ'은 엄격히 구별되었다.
예 몯(不能), 못(池) 등

• 16세기 이후에는 종성의 'ㄷ'과 'ㅅ'이 뒤바뀌어 쓰이다가 점차 'ㅅ'으로 통일되었다. 그러나 발음상으로는 'ㅅ'이 아니라 'ㄷ'이었다.

■ 15세기에도 있었던 분철 표기

1448년에 발간된『월인천강지곡』을 보면 분철 표기가 나타난다. 체언이 주로 'ㄴ, ㄹ, ㅁ, ㆁ, ㅿ'의 종성으로 끝날 때 분철 표기를 하여 체언과 조사의 경계를 구분하였고, 용언은 용언의 어간이 주로 'ㄴ, ㅁ'으로 끝날 때 어간과 어미의 경계를 구분하였다. 즉, 각 시기에 예외적 표기도 있었다는 의미이다.

단권화 MEMO

■ **보이중종성(補以中終聲)**
한글과 한자음을 섞어 쓸 경우 중성 'ㅣ'나 종성 'ㅅ'을 보충해서 사용한다는 규정이다.
예 孔子ㅣ魯ㅅ사ᄅᆞ미니라. (공자가 노나라의 사람이니라.)

③ 사잇소리가 쓰이는 위치

구분	용례
앞말의 받침으로 표기	가온ᄃᆡᆺ소리(가운뎃소리), 바ᄅᆞᇗ우회(바다의 위에)
뒷말의 초성으로 병서	엄쏘리(어금닛소리), 혀쏘리(혓소리)
한자어 아래는 가운데 독립 표기	兄ㄱᄠᅳᆮ(형의 뜻)

더 알아보기 사잇소리 표기법

위치	선행음	사잇소리	후행음	용례	주의
한자어 아래	ㆁ	ㄱ	안울림소리	乃냉終즁ㄱ소리, 兄형ㄱᄠᅳᆮ	
	ㄴ	ㄷ	안울림소리	君군ㄷ字ᄍᆞᆼ	
	ㅁ	ㅂ	안울림소리	侵침ㅂ字ᄍᆞᆼ	
	ㅱ	ㅸ	안울림소리	斗ᄃᆞᇢㅸ字ᄍᆞᆼ	
	ㅇ	ㆆ	안울림소리	快쾡ㆆ字ᄍᆞᆼ	모음 뒤
	울림소리	ㅿ	울림소리	世子ㅿ位, 天子ㅿᄆᆞᅀᆞᆷ(마음)	
고유어 아래	울림소리	ㅅ	안울림소리	가온ᄃᆡᆺ소리, ᄀᆞᄅᆞᇝᄀᆞᅀᅢ	
	울림소리	ㄷ	안울림소리	누ᇆᄌᆞᅀᆞ(눈동자) 누ᇆ시울(눈꺼풀)	
	ㄹ	ㆆ	ㅲ	하ᄂᆞᇙᄠᅳᆮ(하늘 뜻)	
	울림소리	ㅿ	울림소리	누ᇈ믈, 바ᄅᆞᇗ우희	
	ㅁ	ㅂ	안울림소리	사ᄅᆞᇜ서리(사람 사이)	

(4) 기타 표기법의 원칙

① 띄어쓰기가 없었다.

② 한자에는 작은 크기의 동국정운식 한자음을 붙이는 것이 원칙이었으나(예 中듕國귁) 예외도 있었다.

예외 사항	용례	출처
큰 한자음+작은 한자	짭雜 ᄎᆞᆷ草	『월인천강지곡』
한자만 표기	海東六龍이 ᄂᆞᄅᆞ샤	『용비어천가』, 『두시언해』

더 알아보기 『동국정운』과 동국정운식 한자음

1. 『동국정운(東國正韻)』
『동국정운』은 1448년에 신숙주를 포함한 집현전 학자들이 세종의 명으로 만들어 발간한 우리나라 최초의 음운서로, 중국의 음운서인 『홍무정운』에 대비되는 책이라고 할 수 있다. '동국정운'은 '우리나라의 바른 음'이라는 뜻을 갖고 있는데, 이는 당시 우리나라에서 사용하고 있는 한자음이 혼란한 상태에 있어 이를 바로잡고 통일된 표준음을 갖고자 했던 세종의 바람이 담겨 있는 이름이고 『동국정운』을 발간한 목적이라고 할 수 있다.

2. 동국정운식 한자음
'동국정운식 한자음'은 『동국정운』에서 사용한 한자음으로, 훈민정음을 사용해 당시의 한자음을 중국의 원음에 가깝게 표기하려 한 노력의 일환이다. 그러나 이는 최초로 한자음을 우리의 글과 소리로 표기하였다는 점에서 의의를 가지지만, 당시로서는 인위적이고 이상적인 한자음이었다. 당시 조정에서는 동국정운식 한자음을 사회적으로 장려하고 규범화하려고 하였으나, 우리나라 한자음을 충분히 고려하지 않은 주관적이고, 사대주의적, 복고주의적인 성격의 것이어서 실현될 수 없었다. 이러한 이유로 동국정운식 한자음은 15세기 세종과 세조 때의 문헌과 불경 언해 등에서만 주로 사용되다가 16세기 초에 이르러서는 사용하지 않게 되었다.

3. 동국정운식 한자음의 표기
① 초성, 중성, 종성을 모두 갖추기 위해 종성에 음가가 없는 'ㅇ, ㅱ' 등을 사용하였다.
② 중국 원음을 닮기 위해 초성에 'ㆆ, ㅿ, ㆁ' 등을 사용하였다.
③ 'ㅭ' 반친에 'ㆆ'을 더해 쓰는 '이영보래(以影補來)'를 사용하였다.

02 고전 문법

1 음운의 변화

(1) 음가의 변화

구분	내용	용례
ㆁ : /ŋ/ > ㅇ	'ㆁ'은 현대 국어의 받침 'ㅇ'의 소리와 같음	즁ᄉᆡᇰ > 즁ᄉᆡᆼ > 중생(衆生, 짐승)
	현대 국어와 달리 초성에 표기되기도 함	바ᅌᅩᆯ > 바ᇰᅌᅩᆯ > 방올 > 방울
	16세기 말(임진왜란 이후) 소멸됨	
ㆆ : /ʔ/ > 소멸	고유어 표기에 쓰인 된소리 부호일 뿐, 음소가 아니며 용언의 관형사형 'ㄹ' 뒤에 'ㆆ'이 쓰임	호ᇙ배(홀빼), 가ᇙ길(갈낄), 도라오시ᇙ제(도라오실 쩨)
	사잇소리 표시로 쓰였고, 그 조건은 고유어 표기에는 'ㄹ'과 'ㅂㄷ'의 사이임	하ᄂᆶᄠᅳᆮ
	동국정운식 한자음의 초성에 사용됨	音ᅙᅳᆷ, 安ᅙᅡᆫ, 於ᅙᅥᆼ
	이영보래(以影補來) 표시로 쓰였음. 'ㄹ' 종성을 가진 모든 한자의 중국음은 'ㄷ'이었기 때문에 'ㄹ' 뒤에 'ㆆ'을 더하여 'ㄷ' 발음을 표시한 것임(입성을 표시함)	日ᅀᅵᇙ, 成ᄻᅧᇰ, 八바ᇙ
	15세기 중엽(세조 이후) 소멸됨	
ㅇ	소릿값이 없는 'ㅇ': 음절 이루기 규정(成音法)에 따라 중성으로 음절이 시작됨을 표시하는 기능과 한자어에서 중성으로 음절이 끝남을 표시하는 기능으로 사용됨	아ᅀᆞ(아우), 욕(欲), ᄎᆞᆼ(此)
	소릿값([ɦ], /g/의 약한 음)이 있는 'ㅇ': 목구멍소리(후음)의 유성 마찰음으로 쓰이기도 함	달아, 그ᇫ어
	소릿값이 있는 'ㅇ'[ɦ]은 16세기 말에 소멸됨	
ㅿ : /z/ > 소멸	명사에서 사용됨	아ᅀᆞ(아우), ᄆᆞᅀᆞᆷ(마음)
	'ㅅ' 불규칙 용언	짓+어 → 지ᅀᅥ, 닛+어 → 니ᅀᅥ
	울림소리 사이의 사잇소리에 쓰임(주로 앞뒤 음운 환경이 울림소리일 때 잘 나타남)	누ᇇ믈, 님그ᇝ말ᄊᆞᆷ
	16세기 말에 소멸됨	
ㅸ : /β/ > /w/ (=오/우)	'ㅂ' 불규칙 용언	더ᄫᅥ > 더워
	울림소리 사이에서 쓰이던 소리	알ᄫᅡᆷ, 표ᄫᅥᆷ
	한자어에서 'ㅱ' 아래의 사잇소리	솨둘ㅸ字쫑
	15세기 중엽에 /w/로 변화됨	
ㆍ(아래아): /ʌ/ > 소멸	음가: 'ㅏ'와 'ㅗ'의 중간음 [/ʌ/(후설 저모음)]	
	1단계 소실: 16세기 말엽, 2음절 이하에서 'ㆍ' > ㅡ	ᄆᆞᅀᆞᆷ > ᄆᆞ음
	2단계 소실: 18세기 중엽, 1음절에서 'ㆍ' > ㅏ	ᄆᆞ음 > 마음
	표기: 1933년 한글 맞춤법 통일안에서 폐지됨	

단권화 MEMO

■ 소실 문자의 소실 순서
'ㅸ, ㆆ'은 15세기 중엽 이후, 'ㅿ, ㆁ'은 16세기 말 이후 소실되었다. 'ㆍ'는 1933년 이후 완전히 소실되었다.

단권화 MEMO

■ 모음 조화표

양성 모음	ᆞ ㅏ ㅗ(ㅛ ㅑ ㆎ ㅚ ㅐ)
중성 모음	ㅣ
음성 모음	ㅡ ㅓ ㅜ(ㅠ ㅕ ㅢ ㅟ ㅔ)

(2) 이중 모음의 단모음화

'ㆎ[ʌy], ㅐ[ay], ㅔ[əy]' 등은 중세 국어에서는 이중 모음이었으나 18세기에 소실되면서 [æ], [e] 등의 단모음으로 변하였다.

(3) 모음 체계표

① 15~16세기 단모음 체계표

구분	전설	중설	후설
고	ㅣ	ㅡ	ㅜ
중		ㅓ	ㅗ
저		ㅏ	ᆞ

② 18세기 말 단모음 체계표

구분	전설		후설	
	평순	원순	평순	원순
고	ㅣ		ㅡ	ㅜ
중	ㅔ		ㅓ	ㅗ
저	ㅐ		ㅏ	

(4) 모음 조화

양성 모음은 양성 모음끼리, 음성 모음은 음성 모음끼리 어울리는 현상으로, 중성 모음은 두 계열 모두와 어울릴 수 있었으나 주로 음성 모음과 어울렸다.

구분	내용	용례
환경	체언이나 용언의 어간 내부에서 나타남	나모(木), 구무(穴), 다ᄅᆞ다(異), 흐르다
	체언과 조사의 결합, 용언의 활용에서 나타남	소ᄂᆞᆫ(손은), 브른(불은), 자ᄇᆞᆫ(잡은), 머근(먹은)
변화	15세기 모음 조화 현상은 현대 국어보다는 규칙적이지만 예외가 있었음	ᄒᆞ고져, 젼ᄎᆞ로
	• 16~18세기 'ᆞ'의 소실로 'ㅡ'가 중성 모음이 되어 예외가 더 많이 생기면서 모음 조화 현상이 문란하게 됨 • 현대 국어에는 상징어에 모음 조화의 흔적이 남아 있음	

(5) 종성 'ㅅ'의 음가

현대어의 받침 'ㅅ'은 [t]로서 'ㄷ'과 발음이 동일하지만 중세어에서는 치음 [s]로 발음되었다. 15세기에는 종성에서 'ㅅ'과 'ㄷ'이 철저히 구별되었고(예 몯[能], 못[澤]), 중세어 표기법은 표음주의적 원칙을 따랐으므로 이 구별은 발음상의 차이를 의미한다. 16세기부터 이 구별이 사라지고 주로 'ㅅ'으로 적혀 현대어의 상태에 이르게 되었다.

2 명사

명사는 현대 국어의 명사와 마찬가지로 격 조사와 결합하여 문장 내에서 여러 성분으로 쓰일 수 있었으며, 관형어의 수식을 받을 수 있었다. 분류 기준에 따라 고유 명사와 보통 명사, 자립 명사와 의존 명사로 나눌 수 있는데, 이 중 자립성이 없어 반드시 관형어와 함께 쓰이는 의존 명사는 문장 속에서 쓰이는 기능에 따라 다음과 같이 나뉜다.

구분	내용
보편성 의존 명사	것, ᄃᆞ, 바, ᄉᆞ, 분, 이, 적
주어성 의존 명사	디(> 지), 숯(사이)
서술어성 의존 명사	ᄯᆞ롬(> 따름)
부사어성 의존 명사	ᄀᆞ장(> 까지), 거긔(께), 그에(거기에), 동(줄), ᄃᆞᆺ(듯)
단위성 의존 명사	디위(번), 셤(섬), 말, 설(살)

| 명사의 형태 바꿈

1. 8종성(ㄱ, ㄴ, ㄷ, ㄹ, ㅁ, ㅂ, ㅅ, ㆁ)이 아닌 자음이 종성일 때 끝소리 규칙대로 적는다. (대표음화)
   예 곶[花]: 고지라(곶+이라), 곳과(곶 · 곳)
2. 겹받침을 가진 체언도 발음대로 적는다.
   예 밨[外]: 밧긔(밖에), 城 밧(밨 → 밧)
   앒[前]: 알ᄑᆡ(앞에), 앏과(앒 → 앏)
3. ‘ㅎ’ 종성 체언*의 형태 바꿈: 단독형으로 쓰일 때에는 ‘ㅎ’ 없이 쓰이고, 모음과 일부 자음으로 시작하는 조사와 결합할 때에는 ‘ㅎ’이 나타난다.
   예 돌ㅎ(石): 돌(단독형), 돌히(돌이), 돌콰(돌과)
4. ‘ㄱ’ 곡용 체언의 형태 바꿈: ‘모/무’, ‘느’로 끝나는 체언이 모음으로 시작하는 조사와 결합하면 체언의 끝음절 모음이 탈락하고 ‘ㄱ’이 덧생기는 현상이다. 공동의 부사격 조사 ‘와’와 자음으로 시작하는 조사와 결합 시에는 발생하지 않는다.

단독형	주격	목적격	부사격 (처소)	부사격 (도구, 방향)	부사격 (공동)	서술격	보조사 (대조)	보조사 (역시)
나모(나무)	남기	남ᄀᆞᆯ	남ᄀᆡ	남ᄀᆞ로	나모와	남기라	남ᄀᆞᆫ	나모도
구무(구멍)	굼기	굼글	굼긔	(굼그로)	구무와	굼기라	(굼근)	구무도
불무(풀무)	붊기	붊글	붊긔	(붊그로)	불무와	붊기라	(붊근)	(불무도)
녀느(다른 것)	녇기	녇글	(녇긔)	(녇그로)	녀느와	(녇기라)	(녇근)	(녀느도)

3 대명사

(1) 종류

① 인칭 대명사

구분	1인칭	2인칭	3인칭	3인칭 재귀대명사	미지칭	부정칭
단수	나	너, 그듸(높임말)	뎌*	저, ᄌᆞ갸(높임말)	누	아모
복수	우리(ᄃᆞᆯ)	너희(ᄃᆞᆯ)	없음	저희(ᄃᆞᆯ)	없음	없음

② 지시 대명사

구분	근칭	중칭	원칭	미지칭	부정칭
사물	이	그	뎌(> 저)	므슥, 므섯, 므스, 므슴, 어ᄂᆞ/어느, 현마, 엇뎨	아모것
처소	이어긔	그어긔	뎌어긔	어듸, 어드러, 어듸메	아모ᄃᆡ

(2) 특징

① ‘나’의 낮춤말 ‘저’가 없다.
② ‘그듸’는 현대어의 ‘자네, 당신, 여러분’의 의미로, 현대어 ‘그대’는 시적 언어로 변화한 것이다.
③ ‘ᄌᆞ갸’는 현대어의 ‘자기’가 아니고 3인칭 ‘당신’의 의미를 갖는 재귀 대명사이다.
④ 미지칭 ‘어ᄂᆞ/어느’는 관형사, 대명사, 부사의 세 기능이 있었다.

예

관형사	어느 뉘(= 어느 누가)
대명사	어ᄂᆞ야 놉돗던고(= 어느 것이 높았던고?)
부사	성인 신력을 어ᄂᆞ 다 ᄉᆞᆯᄫᆞ리(= 어찌 다 말하리?)

⑤ ‘므슥, 므섯, 므스, 므슴’은 모두 ‘무엇, 무슨’, ‘현마’는 ‘얼마’, ‘엇뎨’는 ‘어찌’, ‘이어긔, 그어긔, 뎌어긔’는 ‘여기, 거기, 저기’, ‘어듸, 어드러, 어듸메’는 ‘어디’의 뜻이다.

단권화 MEMO

*‘ㅎ’ 종성 체언
중세 국어의 ‘ㅎ’ 종성 체언은 ‘살코기, 암탉, 수탉’ 등 현대 국어에도 그 흔적이 남아 있다.

*3인칭 대명사 ‘뎌’
‘뎌’가 인칭 대명사로 쓰이는 경우는 드물고, 보통은 지시 대명사로 쓰인다.

단권화 MEMO

4 수사

구분	용례
고유어계 양수사*	ᄒᆞ나ㅎ, 둘ㅎ, 세ㅎ, 네ㅎ, 다ᄉᆞᆺ, 여슷, 닐굽, 여듧, 아홉, 열ㅎ, 스믈ㅎ, 셜흔, 마ᅀᆞᆫ, 쉰, 여쉰, 닐흔, 여든, 아ᄒᆞᆫ, 온, ᄌᆞ믄, 몇, 여러ㅎ 등
한자어계 양수사	현대어와 동일(一, 二, 三, 四, 五 등)
서수사*	차례를 나타내는 접미사 '차히, 재(째)'가 양수사에 붙으면 서수사가 됨 예 ᄒᆞ나ㅎ+차히 → ᄒᆞ나차히(첫째)

*양수사
어떠한 대상의 수량을 셀 때 쓰는 수사

*서수사
어떠한 대상의 순서를 나타내는 수사

5 조사

(1) 주격 조사: ㅣ, 이, ∅

형태	환경	용례
ㅣ	'ㅣ' 모음 이외의 모음으로 끝난 체언 뒤에 쓰임	• 부텨+ㅣ → 부톄 • 孔子ㅣ
이	자음으로 끝난 체언 뒤에 쓰임	사ᄅᆞᆷ+이 → 사ᄅᆞ미
ø	'ㅣ' 모음으로 끝난 체언 뒤에는 나타나지 않음('ㅣ+ㅣ' → 'ㅣ')	불휘+ㅣ → 불휘(뿌리)

① 'ㅣ'는 한글로 표기할 때는 체언에 합쳐 쓰고, 한자에는 따로 쓴다. ('딴이'라는 명칭)
예 대장뷔 세상에 나매, 믈읫 字ㅣ 모로매(모든 글자가 모름지기)

② ø(영 주격 조사)는 표기상으로는 쓰이지 않았으나 발음은 되었다.
예 ᄃᆞ리[橋]+ㅣ → ᄃᆞ:리(평성+평성)+거성 → (평성+상성) → [다리이]로 발음되었다.

③ 보격 조사, 서술격 조사는 주격 조사와 형태나 출현 환경이 동일하다.

■ 목적격 조사와 모음 조화
'ᄋᆞᆯ/을, ᄅᆞᆯ/를'의 교체는 앞 음절과의 모음 조화에 따라 결정된다. 이것은 현대 국어와 다른 중세 국어의 큰 특징이다.

(2) 목적격 조사: ᄋᆞᆯ/을, ᄅᆞᆯ/를

형태	환경	용례
ᄋᆞᆯ/을	자음 뒤	ᄆᆞᅀᆞᄆᆞᆯ(마음을), 나라ᄒᆞᆯ(나라를), 이ᄠᅳ들(이뜻을)
ᄅᆞᆯ/를	모음 뒤	놀애ᄅᆞᆯ(노래를), 天下ᄅᆞᆯ(천하를), ᄲᅧ를(뼈를)

■ 관형격 조사의 특징
'ㅣ'로 끝난 명사에 관형격 조사가 붙으면 'ㅣ' 모음이 탈락된다.
예 어미+의 → 어믜(어미의)
아비+ᄋᆡ → 아ᄇᆡ(아비의)
아기+ᄋᆡ → 아ᄀᆡ(아기의)

(3) 관형격 조사: ㅅ, ᄋᆡ, 의

형태	환경	특징	용례
ㅅ	울림소리 뒤	무정 명사, 높임 명사 뒤에 쓰임	• 岐王ㅅ집(기왕의 집) • 나랏 말ᄊᆞᆷ(나라의 말)
ᄋᆡ	양성 모음 뒤	유정 명사 뒤에 쓰임	ᄆᆞᄅᆡ 香(말의 향기)
의	음성 모음 뒤		崔九의 집(최구의 집)

(4) 호격 조사: 하, 아/야, 여

높임 명사에 붙는 '하'가 따로 있는 점이 특이하다.

형태	환경	용례
하	높임 명사 뒤	님금하(임금이시여), 世尊하(세존이여)
아, 야	일반 명사 뒤	阿難아(아난아), 長者야(장자야)
(이)여	감탄의 의미	觀世音이여(관세음이여)

■ '하'의 용례
조선 초 이전에는 자연물에도 쓰였으나, 조선 초 이후에는 임금이나 석가세존에게만 쓰였다.

(5) 부사격 조사: 애/에/예

현대 국어의 '에'와 같은 의미이다.

형태	환경	용례
애	양성 모음 뒤	바ᄅᆞ래 가ᄂᆞ니(바다에 가니)
에	음성 모음 뒤	굴허에(구렁에, 구덩이에)
예	'ㅣ' 모음 뒤	ᄇᆡ예(배에)

더 알아보기 문헌에 자주 쓰이는 비교 부사격 조사

형태	현대어와 비교	용례
에/애	현대어 '와/과'에 해당	나랏 말ᄊᆞ미 中國에 달아 –『훈민정음』–
도곤/두곤	현대어 '보다'에 해당	호박도곤 더 곱더라 –『동명일기』–
이	현대어 '와/과'에 해당	古聖이 同符ᄒᆞ시니(고성과 일치하시니) –『용비어천가』–
라와	현대어 '보다'에 해당	널라와 시름 한 나도(너보다 걱정이 많은 나도) –『청산별곡』–
에게	현대어 '보다'에 해당	자식(子息)에게 지나고(자식보다 낫고) –『조침문』–

(6) 서술격 조사: ㅣ라, 이라, ø라

현대 국어 '이다'와 쓰임이 같고, 형태와 환경은 중세 국어 주격 조사와 동일하다.

(7) 접속 조사

접속 조사는 맨 뒤에 오는 체언에도 연결된 것이 현대 국어와 다른 점이다.

예 하ᄂᆞᆯ과 ᄯᅡ콰는 日夜에 ᄠᅥᆺ도다(하늘과 땅은 주야로 물 위에 떠 있다.) –『두시언해 14.13』–

(8) 보조사

형태	현대어와 비교	용례
ᅀᅡ	현대어의 '야, 야말로'와 유사함. 체언이나 부사에 붙어 국한·강조의 뜻을 나타냄	이 각시ᅀᅡ 내 얻니논 ᄆᆞᅀᆞ매 맛도다(이 각시야말로 내가 얻으러 다니는 마음에 맞도다.) –『석보상절 6.14』–
곳/옷	현대어의 '만'과 비슷함. 자음 뒤에서 '곳'이, 모음과 'ㄹ' 뒤에서 '옷'이 쓰임	외ᄅᆞ왼 ᄇᆡ옷 잇도다(외로운 배만 있도다.) –『두시언해』–
가/아	의문 보조사로, 자음 뒤에서 '가', 모음과 'ㄹ' 뒤에서 '아'가 쓰임	賞가 罰아(상이냐 벌이냐?) –『몽산 송광사 42』–

6 용언

(1) 자동사와 타동사

현대 국어의 자동사·타동사 구별 방법(목적어의 유무)과 동일하다. 특이한 것은 자동사, 타동사 구별 표지인 '–거–/–아–/–어–'가 활용에 나타나는 일이 있다는 것이다.

형태	구분	용례
–거–	자동사	석 ᄃᆞᆯ 사ᄅᆞ시고 나아가거시ᄂᆞᆯ(석달 사시고 나아가시거늘) –『월인석보 10.17』–
	형용사	시르미 더욱 깁거다(시름이 더욱 깊것다) –『월인석보 8.101』–
	서술격 조사	바미 ᄒᆞ마 반이어다(밤이 벌써 반이다: 반쯤 지나갔다) –『석보상절 23.13』– ⇨ '서술격 조사+–거–'에서 'ㄱ'이 탈락하여 '–어–'로 나타난다.
–아–/–어–	타동사	艱難ᄒᆞᆫ 사ᄅᆞᆷ 보아ᄃᆞᆫ(가난한 사람을 본다면) –『석보상절 6.15』–

단권화 MEMO

단권화 MEMO

(2) 본용언과 보조 용언

본용언과 보조 용언을 구분하는 방법은 현대 국어와 같다.

구분	용례
'완료' 보조 동사	地獄ᄋᆞᆯ ᄇᆞᅀᅡ ᄇᆞ려(지옥을 부수어 버려) -『월인석보 21.181』-
'상태' 보조 형용사	赤眞珠ㅣ ᄃᆞ외야 잇ᄂᆞ니라(붉은 진주가 되어 있느니라) -『월인석보 1.23』-

(3) 어미

① 선어말 어미

㉠ 높임 선어말 어미

객체 높임 선어말 어미

형태	조건: 어간의 끝소리	조건: 다음 어미의 첫소리	용례
ᄉᆞᆸ	ㄱ, ㅂ, ㅅ, ㅎ	자음	막ᄉᆞᆸ거늘(막다)
ᄉᆞᇦ		모음	돕ᄉᆞᄫᆞ니(돕다)
ᄌᆞᆸ	ㄷ, ㅌ, ㅈ, ㅊ	자음	듣ᄌᆞᆸ게(듣다)
ᄌᆞᇦ		모음	얻ᄌᆞᄫᅡ(얻다)
ᅀᆞᆸ	유성음 (모음, ㄴ, ㅁ, ㄹ)	자음	보ᅀᆞᆸ게(보다)
ᅀᆞᇦ		모음	ᄀᆞ초ᅀᆞᄫᅡ(갖추다)

주체 높임 선어말 어미

형태	조건	용례
-시-	자음 어미 앞	가시고, 가시니
-샤-	모음 어미 앞	가샤, 가샴, 가샤ᄃᆡ, 미드샷다, 定ᄒᆞ샨, 펴샤ᄂᆞᆯ

상대 높임 선어말 어미

- 중세 국어의 상대 높임법은 매우 단순한 체계임
- 하오체, 하게체는 17세기에, 해체나 해요체는 1930년대에 형성됨

구분	등급	형태소	용례
ᄒᆞ쇼셔체	아주 높임	-이-/ -잇-	ᄒᆞᄂᆞ이다, ᄒᆞ니이다, ᄒᆞ리이다(평서형) / ᄒᆞᄂᆞ니잇가(의문형) / ᄒᆞ쇼셔(명령형)
ᄒᆞ야쎠체	예사 높임	-ᅌ-/ -ᆺ-	ᄒᆞ뎅다(평서형) / 잇ᄂᆞᆫ닛가(의문형) / ᄒᆞ야쎠(명령형)
ᄒᆞ라체	아주 낮춤	없음	ᄒᆞᄂᆞ다(평서형) / ᄒᆞᆫ다, ᄒᆞᄂᆞᆫ다(의문형) / ᄒᆞ라(명령형)
반말	-	없음	ᄒᆞᄂᆞ니, ᄒᆞ리(평서형/의문형)

㉡ 시제 선어말 어미

구분	내용	용례
현재 시제	• -ᄂᆞ- • '-ᄂᆞ-'에 선어말 어미 '-오-'*가 결합되면 '-노-'가 됨	ᄒᆞᄂᆞ다(한다), ᄒᆞ노라(←ᄒᆞᄂᆞ+오+라: 하노라)
과거(회상) 시제	• -더- • '-더-'에 선어말 어미 '-오-'가 결합되면 '-다-'가 됨	ᄒᆞ더라(하더라), ᄒᆞ더녀(하더냐), ᄒᆞ더니(하더니)

*선어말 어미 '-오-'
주로 종결형이나 연결형에 쓰이는데, 문장의 주어가 말하는 사람(화자, 1인칭 '나')임을 나타내는 역할을 한다.

미래 시제	• -리- • 관형사형 어미는 '-ㄹ'임	ᄒᆞ리라(하리라), ᄒᆞ려(하려), ᄒᆞ리니(하리니), ᄒᆞᆯ(할)

② 어말 어미

㉠ 종결 어미

상대 높임 등급	평서형	의문형	명령형	청유형
ᄒᆞ쇼셔체	ᄒᆞᄂᆞ이다	ᄒᆞᄂᆞ니잇가	ᄒᆞ쇼셔	ᄒᆞ사이다
ᄒᆞ야쎠체	ᄒᆞ댕다	잇ᄂᆞ닛가	ᄒᆞ야쎠	-
ᄒᆞ라체	ᄒᆞᄂᆞ다	ᄒᆞᄂᆞ녀(1·3인칭) ᄒᆞᆫ다, ᄒᆞᇙ다(2인칭) ᄒᆞᆫ가, ᄒᆞᇙ가(간접)	ᄒᆞ라	ᄒᆞ져
반말	ᄒᆞᄂᆞ니, ᄒᆞ리	ᄒᆞᄂᆞ니, ᄒᆞ리	ᄒᆞ고라	-

㉡ 연결 어미: 대등적 연결 어미, 종속적 연결 어미, 보조적 연결 어미가 있었으며, 현대 국어와 큰 차이는 없다.

㉢ 전성 어미: 명사형 전성 어미와 관형사형 전성 어미가 있었으며, 현대 국어와 큰 차이는 없다.

더 알아보기 의문형 종결 어미와 전성 어미

1. 중세 국어 의문문과 종결 어미
   ① 판정 의문문: '가', '니여' 등 주로 '아/어' 형을 사용하여 묻는다.
   예 • 이 ᄯᆞ리 너희 죵가(이 딸이 너희 종이냐?) -『월인석보 8.94』-
   • 앗가ᄫᆞᆫ ᄠᅳ디 잇ᄂᆞ니여(아까운 뜻이 있느냐?) -『석보상절 6.25』-
   ② 설명 의문문: '고', '뇨' 등 주로 '오' 형을 사용하여 묻는다.
   예 • 얻논 藥이 므스것고(얻는 약이 무엇이냐?) -『월인석보 6.25』-
   • 究羅帝 이제 어듸 잇ᄂᆞ뇨(구라제가 지금 어디 있느냐?)
   ③ 주어가 2인칭인 경우의 의문문: 주로 '-ㄴ다' 형을 사용하여 묻는다. 'ㅭ다' 형도 있었다.
   예 • 네 모ᄅᆞ던다(네가 몰랐더냐?) → 판정 의문문 -『월인석보 21.195』-
   • 네 엇뎨 안다(네가 어찌 알았느냐?) → 설명 의문문 -『월인석보 23.74』-
   • 네 엇던 혜ᄆᆞ로 나ᄅᆞᆯ 免케 ᄒᆞᇙ다(네가 어떤 생각으로 나를 면하게 하겠느냐?) → 설명 의문문
2. 명사형 전성 어미와 명사 파생 접미사의 구별
   ① 명사형 전성 어미: '-옴/-움', '-디'(> '-기': 17세기의 변화)
   예 됴ᄒᆞᆫ 여름 여르미(열+움+이)(좋은 열매 여는 것이)
   ② 명사 파생 접미사: '-오/-우' 없이 '-ㅁ/-음'이 용언에 결합하면 파생 명사가 됨
   예 거름(걷+음), 그림(그리+ㅁ)

7 사동 표현

구분	형성 방법	용례
파생적 사동문	사동 접미사 '-이-, -히-, -기-, -오-/-우-, -호-/-후-' 결합에 의한 사동문	• 한비ᄅᆞᆯ 아니 그치샤(큰 비를 그치게 아니하시어) -『용비어천가 68장』- • 太子ㅣ 道理 일우샤(태자가 도리를 이루시어) -『석보상절 6.5』-
통사적 사동문	보조적 연결 어미와 보조 동사의 결합에 의한 사동문(-게/긔 ᄒᆞ다)	하ᄂᆞᆯ히 당다이 이 피ᄅᆞᆯ 사ᄅᆞᆷ ᄃᆞ외에 ᄒᆞ시리라(하늘이 당당히 이 피를 사람이 되게 하시겠다) -『월인석보 1.8』-

단권화 MEMO

■ 감탄형 종결 어미

감탄형 종결 어미로는 '-은뎌, -을쎠/-을셔'가 있는데 이들은 모두 청자를 낮추어 표현하는 ᄒᆞ라체에 해당한다.

예 큰뎌, 몯ᄒᆞ논뎌, 도ᄒᆞᆯ쎠

■ 중세 국어의 의문문

질문하는 방식에 따라 판정 의문문과 설명 의문문으로 나눌 수 있다.

• 판정 의문문: 청자에게 긍정 또는 부정의 답을 요구하는 의문문. 의문사가 쓰이지 않는다.
• 설명 의문문: 청자에게 구체적인 설명을 요구하는 의문문. 따라서 의문사(어느, 어듸, 엇뎨 등)가 반드시 쓰인다.

단권화 MEMO

8 피동 표현

구분	형성 방법	용례
파생적 피동문	타동사 어간+피동 접미사 '-이-, -히-, -기-'	東門이 도로 다티고(동문이 도로 닫히고) -『월인석보 23.80』-
통사적 피동문	'-아/-어 디다'의 형태로 나타남	ᄇᆞᄅᆞ매 竹筍이 것거뎻고(바람에 죽순이 꺾어져 있고) -『두시언해 15.8』-

9 부정 표현

구분		형성 방법	용례
체언의 부정		체언+아니+이(서술격 조사)+'-며, -ㄹ씨'	妙法이 둘 아니며 세 아닐씨[묘법(진리)이 둘이 아니며 셋이 아니므로] -『석보상절 13.48』-
용언의 '아니' 부정문	긴 부정문	용언+'-디 아니ᄒᆞ다'	耶輸ㅣ ᄉᆞᆫ직 듣디 아니ᄒᆞ시고(야수가 오히려 듣지 아니하시고) -『석보상절 6.7』-
	짧은 부정문	'아니'+용언	불휘 기픈 남ᄀᆞᆫ ᄇᆞᄅᆞ매 아니 뮐씨(뿌리 깊은 나무는 바람에 안 흔들리므로) -『용비어천가 2장』-
용언의 '몯' 부정문	긴 부정문	용언+'-디 몯ᄒᆞ다'	부텨 맛나디 몯ᄒᆞ며(부처 만나지 못하며) -『월인석보 17.91』-
	짧은 부정문	'몯'+용언	부텨를 몯 맛나며(부처를 못 만나며) -『석보상절 19.34』-
'말다' 부정문	긴 부정문	동사+'-디 말다'	허디 말라 -『월인석보』-

10 음운 변동의 변천

(1) 구개음화

시기	18~19세기에 활발히 일어남
내용	구개음 아닌 'ㄷ, ㅌ' 등이 모음 'ㅣ, ㅑ, ㅕ, ㅛ, ㅠ' 등과 결합될 때 구개음 'ㅈ, ㅊ'으로 변하는 현상 예 디다 > 지다
	'ㅎ → ㅅ, ㆅ → ㅎ, ㄱ·ㅋ → ㅈ·ㅊ'의 경우도 구개음화로 볼 수 있음 예 힘 > 심, 길 > 질

(2) 원순 모음화

시기	임진왜란 이후(17세기) 발생하여 18세기 중엽에 일반화됨
내용	순음 'ㅁ, ㅂ, ㅍ'에 결합된 모음 'ㅡ'가 순음에 동화되어 'ㅜ'로 변하는 현상

순음과 설음 사이	믈(水) > 물, 블(火) > 불, 플(草) > 풀
순음과 치음 사이	므지게(虹) > 무지개

(3) 전설 모음화

시기	18세기 말~19세기 초
내용	• 'ㅅ, ㅈ, ㅊ'과 결합된 후설 모음 'ㅡ'가 전설 모음 'ㅣ'로 변하는 현상 • 18세기에 일어난 간이화 현상으로, 일종의 순행 동화 현상 예 ᄆᆞᄎᆞᆷ내 > 마침내, 즘승 > 짐승, 즛 > 짓, 슳다 > 싫다, 아츰 > 아침

단권화 MEMO

(4) 단모음화

시기	음운 변천 중 가장 늦게 일어났고, 갑오개혁 이후에 굳어짐
내용	체언이나 용언의 어간 내부 또는 굳이진 어미에 있는 'ㅅ, ㅅ, ㅊ' 등과 결합된 이중 모음 'ㅑ, ㅕ, ㅛ, ㅠ'가 단모음 'ㅏ, ㅓ, ㅗ, ㅜ'로 변하는 현상 예 셤(島) > 섬, 뎨ᄌᆞ(弟子) > 제자
	다음과 같은 경우들도 단모음화한 것으로 간주함 예 • 불휘(根) > 불위 > 뿌릐 > 뿌리 • 가히(犬) > 가이 > 개

(5) 'ㅣ' 모음 동화

시기	'ㅔ, ㅐ, ㅢ'가 단모음으로 바뀐 18세기 중엽 무렵부터 활발히 일어남
내용	앞에 있는 'ㅣ' 모음을 닮아 'ㅏ, ㅓ, ㅗ, ㅜ'가 'ㅑ, ㅕ, ㅛ, ㅠ'로 바뀜. 순행 동화이며 불완전 동화 예 ᄃᆞ외 + 아 → ᄃᆞ외야 / 퓌 + 어 → 퓌여 / 사괴 + 옴 → 사괴욤 / 서리 + 에 → 서리예
	뒤에 있는 'ㅣ' 모음을 닮아 'ㅏ, ㅓ, ㅗ, ㅜ'가 'ㅐ, ㅔ, ㅚ, ㅟ'로 바뀜. 역행 동화이며 불완전 동화 예 져비 > 제비, 올창이 > 올챙이, 자미 > 재미, 겨집 > 계집

(6) 축약

한 음운이 인접 음운과 합해져 하나로 발음되는 현상이다.

구분	용례
자음 축약	하ᄂᆞᆯㅎ + 과 → 하ᄂᆞᆯ콰
모음 축약	입시울 > 입슐(축약) > 입술(단보음화), 가히 > 가이 > 개

(7) 탈락

구분	개념	실현 조건	용례
'ㅎ' 탈락	자음 탈락의 한 가지로, 어간이나 명사 내부에서 음절 간의 'ㅎ'은 'ㄹ, ㄴ'과 모음 사이에서 탈락	모음 간	버히다 > 버이다 > 베다
		'ㄹ'과 모음 간	불휘 > 불위 일훔 > 일음 > 이름(名)
		'ㄴ'과 모음 간	ᄂᆞᆫ호다 > ᄂᆞᆫ오다
'ㄱ' 탈락	'ㅣ, ㄹ' 뒤에 있는 'ㄱ'이 탈락	'ㅣ' 모음 아래	비취거든 > 비취어든
		'ㄹ' 아래	플과 > 플와 몰개 > 몰애 멀귀 > 멀위
'ㄹ' 탈락	주로 용언의 활용에 있어서 어간 말음 'ㄹ'이 'ㄴ, ㄷ, ㅅ'으로 시작되는 어미를 만나면 탈락됨. 단, 주체 높임 선어말 어미 '-시-' 앞에서는 탈락하지 않고 매개 모음이 쓰임	'ㄴ' 앞	일ᄂᆞ니 > 이ᄂᆞ니 밍ᄀᆞᆯ노니 > 밍ᄀᆞ노니
		'ㄷ' 앞	길돗던고 > 기돗던고 굴돗던고 > 구돗던고
		'ㅅ' 앞	믌결 > 믓결

단권화 MEMO

(8) 동음 생략

어절 안에 같은 음이 이웃하여 있거나 또는 같은 음이 다른 음을 사이하여 있을 때 한 음을 생략해 버리는 현상을 말한다.

예 간난(艱難) > 가난, 드르(野) > 들

(9) 이화(異化)

동화의 일종인 모음 조화 현상과는 대립되는 작용으로, 동일하거나 성격이 비슷한 두 음이 이웃하여 있을 때, 그중의 한 음이 변하거나 탈락하는 현상을 말한다.

구분	용례
모음의 이화	처섬 > 처엄 > 처음, 펴어 > 펴아, 나모 > 나무, 소곰 > 소금, 서르 > 서로
자음의 이화	붚[붑(鼓)] > 북, 거붑(龜) > 거북, 브업 > 부엌

(10) 강화(强化)

청각 인상을 분명히 하고자 하는 현상이다. 이화 현상도 강화에 해당한다.

구분	내용	용례
된소리되기(경음화)	예사소리(ㄱ, ㄷ, ㅂ, ㅅ, ㅈ)였던 말이 후세에 된소리(ㄲ, ㄸ, ㅃ, ㅆ, ㅉ)로 변하는 현상	불휘 > 뿌리, 곶 > 꽃
거센소리되기(격음화)	예사소리였던 말이 후세에 거센소리로 변하는 현상	고 > 코(鼻), 갈 > 칼(刀), 시기다 > 시키다
모음 강화	청각 인상을 분명히 하고자 모음 조화를 파괴하는 현상	펴어 > 펴아, 서르 > 서로

(11) 첨가

청각 인상을 명료하게 하기 위해 음이 첨가되는 현상이다.

구분	실현 방법	용례
어두음 첨가	낱말 앞에 음이 첨가되는 경우	앗다 > 빼앗다, 보(梁) > 들보, 마 > 장마
어중음 첨가	낱말 가운데 음이 첨가되는 경우	더디다(投) > 던디다, 호자 > 혼자
어말음 첨가	낱말 끝에 음이 첨가되는 경우	긷(기둥) > 기둥, 싸(地) > 땅

(12) 두음 법칙

현대 국어에는 단어의 첫음절에 'ㄹ'과 '니, 뇨, 뉴' 등이 오는 것을 피하려는 현상이 있으나, 고어에서는 그대로 쓰였다. 하지만 이때도 'ㆁ, ㅸ, ㅿ'은 두음에 사용하지 않았다.

(13) 모음 충돌 회피

고어에서나 현대어에서나 말은 자음과 모음이 하나씩 엇갈려야 자연스러우므로 모음이 거듭나는 것을 피하려는 경향이 있다. 모음이 거듭나게 되어 충돌하는 것을 피하는 방법으로 다음과 같은 방법이 있다.

실현 방법	용례
모음 하나를 탈락시킴	쓰 + 어 → 써
반모음화 → 축약	이시+어 > 이셔, 너기+어 > 너겨, 니기+어 > 니겨
매개 자음(ㆁ) 삽입	쇼아지 > 숑아지 > 송아지

⒁ 자음 충돌 회피

받침으로 끝나는 체언이나 용언 어간에 자음으로 시작되는 조사나 어미를 붙일 때, 자음끼리의 충돌을 피하기 위하여 자음 중 하나를 탈락시키거나 그 사이에 모음 'ᄋᆞ, 으'를 끼워 넣는다. 이때 'ᄋᆞ, 으'를 '매개 모음' 또는 '조음소'라고 한다. 이 매개 모음은 형태부(조사, 어미, 선어말 어미)의 일부가 되어 따로 분석하지 않음이 보통이다.

실현 방법	용례
자음 하나를 탈락시킴	울디 > 우디(울지)
매개 모음(ᄋᆞ, 으) 삽입	고ᄫᆞᆫ → 곱+ᄋᆞ+ㄴ, 열ᄫᅳᆫ → 엷+으+ㄴ

⒂ 설측음화

설전음 'ㄹ[r]'이 설측음 'ㄹ[l]'로 바뀌는 현상을 '설측음화'라고 한다. 설측음화는 'ᄅᆞ/르' 불규칙 용언의 부사형 활용(–아/–어)에서 나타난다.

① ㄹ+ㅇ 형태(분철 형태): 15세기의 일반적인 모습

기본형	용례
다ᄅᆞ다(異)	다ᄅᆞ + –아 → 달아
오ᄅᆞ다(登)	오ᄅᆞ + –아 → 올아
ᄆᆞᄅᆞ다(裁)	ᄆᆞᄅᆞ + –아 → ᄆᆞᆯ아
니르다(謂)	니르 + –어 → 닐어

② ㄹ+ㄹ 형태: 특수한 경우

기본형	용례
ᄲᆞᄅᆞ다(速)	ᄲᆞᄅᆞ + 아 → ᄲᆞᆯ라

⒃ 유추 작용

기억을 편하게 하기 위하여 혼란된 어형을 하나의 기준형으로 통일시키는 현상이다.

예 • 불휘 > 뿌리(ㅟ > ㅣ): 명사 파생 접사 'ㅣ'로 통일
• 사ᄋᆞᆯ(三日) > 사ᄒᆞᆯ > 사흘(ᄋᆞᆯ > 흘: '열흘'의 '–흘')

⒄ 음운 도치

앞뒤의 음이 서로 뒤바뀌는 현상이다.

실현 방법	용례
음운 도치	빗복 > 빗곱(ㅂ ↔ ㄱ) > 배꼽
음절 도치	시혹 > 혹시, ᄒᆞ더시니 > ᄒᆞ시더니

⒅ 활음조(滑音調)

듣기에 쉽거나 발음하기 좋은 소리로 변화되는 현상이다.

실현 방법	용례
'ㄴ'이 'ㄹ'로 바뀜	희노 > 희로(喜怒)
'ㄴ'이나 'ㄹ'이 첨가됨	그양 > 그냥, 지이산 > 지리산(智異山)

단권화 MEMO

단권화 MEMO

⒆ 부정회귀(不正回歸)

말을 고상하게 또는 바르게 고치려다 오히려 잘못 돌이킨 구개음화의 역작용이다(ㅅ, ㅈ, ㅊ → ㅎ, ㄱ, ㅋ). 예를 들어, '방적(紡績)'의 옛말은 '질삼'인데, '기름 > 지름, 김 > 짐' 등의 '지'가 사투리임을 인정하고, 사투리가 아닌 '기'로 발음하여 고상한 멋을 내려고 '길쌈'이라고 하였다.

⒇ 민간 어원설

어떤 말의 원래 형태나 어원이 불분명할 때 언중들이 근거가 부족한 어원을 의식함으로써 말의 어형까지 바꾸어 버리게 되는 현상을 말한다.

| 민간 어원설의 용례

님금 → 님군	'금'의 어원을 한자인 '군(君)'으로 생각함
닛므윰 → 잇몸	'므윰'의 어원을 '몸'으로 생각함
우레 → 우뢰	'레'의 어원을 '뢰(雷)'로 생각함
한소 → 황소	'한소'의 어원을 '누렁이소(黃牛)'로 생각함
가을 → 가월	'가을'의 어원을 '가월(嘉月)'로 생각함
상치 → 상추	'상치'가 배추의 영향을 받아서 '상추'로 바뀜
문둥이	경상도 사람들이 '문동(文童)'에서 왔다고 생각함
소쩍새	밥을 먹지 못하고 죽은 며느리가 죽어서 새가 되었다는 설화에서 유래함
가시내 → 가승아	'가시내'의 어원을 중에게 시집보낼 아이라는 뜻의 '가승아(家僧兒)'에서 왔다고 생각함
으악새	억새의 경기도 방언인 '으악새'를 새의 일종으로 생각하여 생긴 말
마누라	'마누라'의 어원을 '마주 누어라'에서 왔다고 생각함
양치질	양지(버드나무 가지)로 이를 닦던 '양지질'의 어원을 한자 '치(齒)'에 유추하여 양치질로 생각함

더 알아보기 주격 조사 '가'와 시간 표현 선어말 어미 '-었-, -겠-'의 발생 시기

1. 주격 조사 '가'의 발생
   - 중세 국어에서 주격 조사는 '이'만 사용되었다.
   - '가'는 17세기 자료에서부터 발견된다. 그래서 주격 조사 '가'는 중세 국어와 근대 국어를 구분하는 표지가 된다.
2. 시간 표현의 선어말 어미 발생
   - '-었-': 중세 국어의 보조적 연결 어미 '-어'와 보조 용언 '잇다'가 이어진 '-어잇-'이 축약되어 발생하였다. (-어잇- > -엣- > -엇- > -었-)
   - '-겠-': 구체적인 발생 과정이 명확하지 않다.

02 훈민정음과 고전 문법

01 향가의 표기 등을 위해 사용한 향찰이 있다. 이는 한자의 음과 뜻을 빌려 우리말의 형태와 의미를 전면적으로 기록한 것으로, 우리말의 실질 형태소 부분은 (   )(으)로, 조사나 어미 같은 형식 형태소 부분은 (   )(으)로 표기하였다.

02 모음의 기본자: (,   ,   )의 삼재(三才)를 본떠 만들었다.

03 (   ): 초성이나 종성을 합하여 쓸 때 옆으로 나란히 쓰라는 규정으로, 각자 병서와 합용 병서가 있다.

04 (   ): 초성과 종성이 음운론적으로 동일성을 갖는다는 사실에 근거하여 종성을 따로 만들지 않는다는 제자상의 원칙이다.

05 (   ): 『훈민정음』「해례」에 있는 규정으로 'ㄱ, ㄴ, ㄷ, ㄹ, ㅁ, ㅂ, ㅅ, ㆁ'의 8자만 종성으로 사용해도 좋다는 편의주의적 규정이다. 즉, 종성의 대표음화를 반영한 것이다.

06 소실 문자 중, (   )와/과 (   )은/는 15세기 중엽 이후, (   )와/과 (   )은/는 16세기 말 이후 소실되었다.

07 ㆍ(아래아): /ʌ/
- 1단계 소실: (   )세기 말엽, 2음절 이하에서 ㆍ > ㅡ
- 2단계 소실: (   )세기 중엽, 1음절에서 ㆍ > ㅏ

08 관형격 조사

형태	환경	특징
( )	울림소리 뒤	무정 명사, 높임 명사 뒤에 쓰임
ᄋᆡ	양성 모음 뒤	유정 명사 뒤에 쓰임
의	음성 모음 뒤	

09 주어가 2인칭인 경우의 의문문: 주로 '(   )' 형을 사용하여 묻는다.

10 (   ): 음운 변천 중 가장 늦게 일어났고 갑오개혁 이후 굳어진 현상으로, 체언이나 용언의 어간 내부 또는 굳어진 어미에 있는 'ㅅ, ㅈ, ㅊ' 등과 결합된 이중 모음 'ㅑ, ㅕ, ㅛ, ㅠ'가 단모음 'ㅏ, ㅓ, ㅗ, ㅜ'로 변하는 현상

| 정답 | 01 훈차, 음차 02 하늘, 땅, 사람 03 나란히 쓰기(병서, 골바쓰기) 04 종성부용초성 05 8종성가족용 06 ㅸ, ㆆ, ㅿ, ㆁ 07 16, 18 08 ㅅ 09 -ㄴ다 10 단모음화

02 훈민정음과 고전 문법

교수님 코멘트▶ 이 영역에서는 훈민정음의 특징, 한글의 창제 원리, 고전 문법 이론 등이 출제된다. 특히 한글의 창제 원리와 관련한 문제가 종종 출제된다. 기본서를 가볍게 회독하자. 또한 기출문제를 통해서 유형을 파악하고, 앞서 학습한 개념이 어떻게 문제화되는지 알아 두자.

01

2021 지방직 7급

㉠~㉣ 중 문장 성분이 다른 하나는?

> 나랏 말ᄊᆞ미 中國에 달아 文字와로 서르 ᄉᆞᄆᆞᆺ디 아니ᄒᆞᆯᄊᆡ 이런 젼ᄎᆞ로 어린 ㉠ 百姓이 니르고져 홇㉡ 배이셔도 ᄆᆞᄎᆞᆷ내 ㉢ 제 ᄠᅳ들 시러 펴디 몯홇 노미 하니라 ㉣ 내 이ᄅᆞᆯ 爲ᄒᆞ야 어엿비 너겨 새로 스믈여듧 字ᄅᆞᆯ ᄆᆡᇰᄀᆞ노니 사ᄅᆞᆷ마다 ᄒᆡᅇᅧ 수ᄫᅵ 니겨 날로 ᄡᅮ메 便安킈 ᄒᆞ고져 홇 ᄯᆞᄅᆞ미니라
>
> – 『훈민정음언해』 –

① ㉠ ② ㉡
③ ㉢ ④ ㉣

02

2017 국가직 9급

훈민정음의 28 자모(字母) 체계에 들지 않는 것은?

① ㆆ ② ㅿ
③ ㅠ ④ ㅸ

03

2018 서울시 7급 제1회

중세 국어 표기법에 대한 설명 중 옳은 것을 모두 고른 것은?

> ㉠ 종성 표기에는 원칙적으로 'ㄱ, ㆁ, ㄷ, ㄴ, ㅂ, ㅁ, ㅅ, ㄹ'의 8자만 쓰였다.
> ㉡ 사잇소리에는 'ㅅ'과 'ㅿ' 외의 자음이 쓰이지 않았다.
> ㉢ 한자를 적을 때는 동국정운식 한자음을 한자 아래 병기했다.
> ㉣ 음절을 초성, 중성, 종성의 3분법으로 분석하였으나 종성 글자는 따로 만들지 않고 초성 글자를 그대로 다시 썼다.
> ㉤ 'ㅇ'을 순음 아래 이어 쓰면 순경음이 된다.

① ㉠, ㉡, ㉢ ② ㉠, ㉢, ㉣
③ ㉡, ㉣, ㉤ ④ ㉠, ㉣, ㉤

04

2014 서울시 7급

다음 중 훈민정음 표기법에 대한 설명으로 바르지 않은 것은?

① 음소 문자로 만들어진 것임에도 실제로 표기할 때는 음절 문자처럼 사용되었다.
② 실사와 허사를 분리하여 적지 않고 이어 적는 연철식 표기법을 택하였다.
③ 홑글자들을 병서 또는 연서하는 방식으로 많은 글자들을 만들어 사용하였다.
④ 훈민정음 체계 속에는 성조를 표기하기 위한 방점이 포함되어 있다.
⑤ 훈민정음 창제 시부터 문장 내에서 띄어쓰기를 하였다.

05

2019 서울시 9급

〈보기〉의 밑줄 친 ㉠에 해당하는 글자가 아닌 것은?

보기

한글 중 초성자는 기본자, 가획자, 이체자로 구분된다. 기본자는 조음 기관의 모양을 상형한 글자이다. ㉠가획자는 기본자에 획을 더한 것으로, 획을 더할 때마다 그 글자가 나타내는 소리의 세기는 세어진다는 특징이 있다. 이체자는 획을 더한 것은 가획자와 같지만 가획을 해도 소리의 세기가 세어지지 않는다는 차이가 있다.

① ㄹ ② ㄷ ③ ㅂ ④ ㅊ

06

2018 국가직 9급

밑줄 친 부분에 대한 설명으로 적절한 것은?

말ᄊᆞᄆᆞᆯ ㉠ᄉᆞᆯᄫᆞ리 하ᄃᆡ 天命을 疑心ᄒᆞ실ᄊᆡ ᄭᅮ므로 ㉡뵈아시니

놀애ᄅᆞᆯ 브르리 ㉢하ᄃᆡ 天命을 모ᄅᆞ실ᄊᆡ ᄭᅮ므로 ㉣알외시니

[해석] 말씀을 아뢸 사람이 많지만, 天命을 의심하시므로 꿈으로 재촉하시니

노래를 부를 사람이 많지만, 天命을 모르므로 꿈으로 알리시니

- 『용비어천가』 13장 -

① ㉠에서 '-이'는 주격을 나타내는 조사로 기능한다.
② ㉡에서 '-아시-'는 높임을 나타내는 선어말 어미로 기능한다.
③ ㉢에서 '-ᄃᆡ'는 이유를 나타내는 연결 어미로 기능한다.
④ ㉣에서 '-외'는 사동을 나타내는 접미사로 기능한다.

정답&해설

01 ③ 고전 문법

㉠은 '백성이', ㉡은 '바가', ㉣은 '내가'로 해석된다. 따라서 모두 '주어'에 해당한다. 반면, ㉢은 '자기'로 해석되는데 '자기(의)', 즉 '관형어'이다.

02 ④ 훈민정음 28 자모 체계

④ 'ㅸ'은 연서 규정에 의해 만들어진 글자이다. 연서자들은 이미 만들어진 글자들을 운용하여 만드는 글자이기 때문에 28자모 체계에 해당하지 않는다.

03 ④ 중세 국어의 표기법

④ 중세 국어에서는 8종성법이 사용되었으며(㉠), 한 음절을 초성, 중성, 종성으로 나누었으나 종성을 위한 글자를 따로 만들지는 않았다(㉣). 또한 순음 밑에 ㅇ을 더하여 순경음 'ㅸ'을 만들기도 하였다(㉤).

| 오답해설 | ㉡ 중세 국어 시기에는 앞말이 불청불탁자로 끝났을 때, 그것과 같은 계열의 전청자를 사잇소리 표기로 사용하기도 하였다. 특히 이러한 표기법은 『용비어천가』에서 두드러진다.
㉢ 동국정운식 한자음 표기는 한자 아래가 아니라 한자 옆에 병기하였다.

04 ⑤ 훈민정음의 표기법

⑤ 훈민정음 창제 시기에는 문장 내에서 띄어쓰기를 하지 않았다.

| 오답해설 | ① '모든 음운은 모름지기 어울려야 음절이 이루어진다.'라는 성음법 규정으로 보아 음소 문자로 만들어진 것임에도 실제로 표기할 때는 음절 문자처럼 사용되었다는 것을 알 수 있다.
② 조선 전기, 즉 분철이 나타나기 전까지는 체언과 조사, 어간과 어미 등을 소리대로 이어 적는 연철 표기가 쓰였다.
③ 훈민정음의 '연서법', '부서법'의 방법들로 '각자 병서', '합용 병서' 등 많은 글자들을 만들어 사용하였다.
④ 훈민정음에는 소리의 높낮이를 나타내는 성조를 표기하기 위한 방점이 포함되어 있었다.

05 ① 훈민정음의 제자 원리

① 'ㄹ'은 가획자가 아니라 설음인 'ㄴ'의 '이체자'이다.

06 ④ 고전 문법

④ '알외-'의 '-외-'는 사동 접미사이다. 역사적으로는 사동 접미사 '-오-'와 '-이-'가 시간의 차이를 두고 차례로 결합한 형태이다.

| 오답해설 | ① '이'는 의존 명사이다. 'ㅣ' 모음으로 끝났으므로 주격 조사는 생략되어 있다.
② '재촉하다'의 옛말은 '뵈아다'로, '뵈아시니'에서 주체 높임의 선어말 어미는 '-시-'이다.
③ '-ᄃᆡ'는 대립 또는 전제를 나타내는 연결 어미이다.

| 정답 | 01 ③ 02 ④ 03 ④ 04 ⑤ 05 ① 06 ④

07

2013 서울시 7급

높임법의 유형이 다른 하나는?

① 내 님을 그리ᄉᆞ와 우니다니
② 如來ㅅ 일후믈 듣ᄌᆞᄫᆞ면
③ 내 멀톄로 닐오리이다.
④ 부텻 은혜를 닙ᄉᆞᄫᅡ
⑤ 和尙ᄭᅴ 묻ᄌᆞ오ᄃᆡ

08

2013 국가직 7급

다음 글의 설명에 어긋나는 문장은?

> 중세 국어의 의문문은 명사에 보조사가 통합되어 이루어지기도 한다. 의문사가 없이 가부(可否)의 판단만을 묻는 판정 의문에는 '가'가 쓰이고, 의문사가 있어 상대방에게 설명을 요구하는 설명 의문에는 '고'가 쓰인다. 의문의 보조사 '가, 고'는 'ㄹ'이나 'ㅣ' 모음 뒤에서는 'ㄱ'이 'ㅇ'으로 약화되어 '아, 오'로 나타난다.

① 이 두 사ᄅᆞ미 眞實로 네 항것가
② 그 ᄠᅳ디 ᄒᆞᆫ가지오 아니오
③ 니르샤ᄃᆡ 이 엇던 光明고
④ 法法이 므슴 얼굴오

09

2017 국가직 7급 추가 채용

다음을 분석한 것으로 옳지 않은 것은?

> 이랑이 소ᄅᆡ를 놉히 ᄒᆞ야 나를 불러 져긔 믈밋ᄎᆞᆯ 보라 웨거ᄂᆞᆯ 급히 눈을 드러 보니 믈밋 홍운을 헤앗고 큰 실오리 ᄀᆞᆺᄒᆞᆫ 줄이 븕기 더옥 긔이ᄒᆞ며 긔운이 진홍 ᄀᆞᆺᄒᆞᆫ 것이 ᄎᆞᄎᆞ 나 손바닥 너비 ᄀᆞᆺᄒᆞᆫ 것이 그믐밤의 보는 ᄉᆞᆺ불빗 ᄀᆞᆺ더라. ᄎᆞᄎᆞ 나오더니 그 우흐로 젹은 회오리밤 ᄀᆞᆺᄒᆞᆫ 것이 븕기 호박구슬 ᄀᆞᆺ고 ᄆᆞᆰ고 통낭ᄒᆞ기ᄂᆞᆫ 호박도곤 더 곱더라.

① 혼철 표기가 발견된다.
② 명사형 어미 '-기'가 사용된다.
③ 원순 모음화를 반영한 표기가 나타나지 않는다.
④ '의'가 현대 국어와 다른 용법으로 사용되기도 하였다.

10

2017 서울시 9급

다음 중 국어의 역사에 대한 설명으로 옳은 것은?

① 띄어쓰기는 1933년 한글 맞춤법 통일안에서 규범화되었다.
② 주격 조사 '가'는 고대 국어에서부터 등장한다.
③ 'ㆍ'는 17세기 이후의 문헌에서부터 나타나지 않는다.
④ 'ㅸ'은 15세기 중반까지 사용되다가 'ㅃ'으로 변하였다.

11

2016 국가직 7급

우리말과 글에 대한 설명으로 옳지 않은 것은?

① '보라매'와 '수라'는 몽고어에서 유입된 말이다.
② 모음 조화 현상은 현대 국어보다 중세 국어에서 더 뚜렷하게 나타난다.
③ 15세기부터 주격 조사 형태 '가'가 나타나서 활발하게 사용되었다.
④『훈몽자회(訓蒙字會)』에는 한글 자모의 명칭과 순서가 나타난다.

정답&해설

07 ③ 높임 선어말 어미

③ '닐오리이다'는 상대 높임 선어말 어미 '-이-'를 통해 상대 높임을 실현하고 있다.

|오답해설| ①②④⑤ 모두 객체 높임 선어말 어미 '숩, 줍, 숩'을 통해 객체 높임을 실현하고 있다.

08 ② 중세 국어의 의문문

② 문장 속에 의문사가 없는 판정 의문이므로 '가(아)'가 쓰여야 한다.

|오답해설| ① 의문사가 없으므로 '가'가 쓰였다.
③④ 문장 속에 '엇던', '므슴'이라는 의문사가 있는 설명 의문이므로 '고(오)'가 쓰였다.

09 ③ 근대 국어의 표기

③ '숫불빗'과 같이 이전 시기에 '블'로 표기되던 것이 '불'로 표기되므로 원순 모음화를 반영한 표기가 나타났다고 볼 수 있다.

|오답해설| ① 혼철 표기(중철)가 '믈밋출'에서 나타난다.
② '통낭ᄒᆞ기'와 같이 명사형 어미 '-기'가 사용되었다.
④ '그믐밤의 보는'에서 '의'가 부사격 조사 '에'로 사용되고 있음을 알 수 있다.

10 ① 고전 문법

① 띄어쓰기는 1933년에 조선어 학회에서 정한 한글 맞춤법 통일안에서 규범화되었다.

|오답해설| ② 주격 조사 '가'는 중세 국어까지는 존재하지 않다가 근대 국어에 등장한다.
③ 'ㆍ'의 음가는 16세기에서 18세기를 거쳐 사라졌지만 글자는 관습적으로 쓰였으며 20세기에 소멸되었다.
④ 'ㅸ'은 세종과 세조 시기, 즉 15세기 중반까지 사용되었다. 하지만 'ㅸ'이 'ㅃ'으로 변한 것은 아니다.

11 ③ 고전 문법

③ 15세기에는 주격 조사로 '가'는 없었고 대신 '이, ㅣ, ø'가 존재했다. 주격 조사 '가'가 활발히 사용된 것은 17세기 이후이다.

|오답해설| ① '보라매'와 임금의 밥을 높여 이르는 '수라'는 몽고어에서 유입된 말이다.
② 'ㆍ(아래아)'의 소실로 현대 국어에서 모음 조화가 많이 문란해졌다. 중세 국어에도 모음 조화의 예외는 많이 있었지만 현대 국어보다는 더 규칙적으로 지켜졌다.
④『훈몽자회』는 최세진이 지은 어린이용 한자 교습서이다. 자모의 명칭과 순서가 현대 국어와 유사하며, 한글 자모의 명칭을 처음으로 제시하였다.

|정답| 07 ③ 08 ② 09 ③ 10 ① 11 ③

CHAPTER

03 주요 고전문 분석

☐ 1회독 월 일
☐ 2회독 월 일
☐ 3회독 월 일
☐ 4회독 월 일
☐ 5회독 월 일

단권화 MEMO

- 표기상의 특징
  ① 동국정운식 한자음 표기: 한자음의 표준화를 위해 세종 30년에 간행한 『동국정운(東國正韻)』에 규정된 이상적인 한자음의 표기 방법
  ② 방점(傍點) 사용: 음의 성조(음의 높낮이)를 표시하기 위해 글자 왼쪽에 방점(사성점, 좌가점)을 찍음
  ③ 현재는 사용되지 않는 문자(ㅸ, ㆆ, ㅿ, ㆁ, ㆍ) 사용
  ④ 이어적기(연철): 소리 나는 대로 표기하는 방식(자음 받침이 있고 뒤에 모음으로 시작하는 말이 붙으면 자음 받침을 모음에 이어 적는 방식)
  ⑤ 모음 조화가 잘 지켜짐

1 세종어제훈민정음(世宗御製訓民正音) | 『훈민정음 언해본』

❶ 世·솅宗종御·엉製·졩訓·훈民민正·졍音음

중국 원음에 가깝게 표기하기 위한 동국정운식 한자음 표기:
'초성 + 중성 + 종성'을 모두 갖추어 표기.
종성이 없는 경우에는 음가 없는 'ㅇ'을 사용함
예 솅, 엉, 졩

❷ 나·랏:말ᄊᆞ·미 中듕國·귁·에 달·아

이어적기 (:말ᄊᆞ·미) / 각자 병서 (ᄊ) / 비교 부사격 조사 '에' / 달아(← 다ᄅᆞ + 아): 'ㄹㅇ' 활용형이 규칙적으로 나타남

❸ 文문字·ᄍᆞᆼ·와·로 서르 ᄉᆞᄆᆞᆺ·디 아·니 ᄒᆞᆯ·ᄊᆡ

ᄉᆞᄆᆞᆺ디(← ᄉᆞᄆᆞᆾ디): 8종성법 / -ㄹᄊᆡ: 이유를 나타내는 종속적 연결 어미(~하기 때문에)

❹ ·이런 젼·ᄎᆞ·로 어·린 百·ᄇᆡᆨ姓·셩·이 니르·고·져 ·홇 ·배 이·셔·도

까닭으로 / 의미의 이동[어리석다 愚 → (나이가) 어리다 幼] / 'ㆆ'은 된소리 부호, 'ㄹ' 관형사형 어미 뒤에 '바'라는 의존 명사가 온 후 주격 조사 'ㅣ'가 다시 결합함

❺ ᄆᆞ·ᄎᆞᆷ:내 제·ᄠᅳ·들 시·러 펴·디 :몯 ᄒᆞᇙ ·노·미 하·니·라

어두 자음군, 이어적기 사용 (ᄠᅳ·들) / (→ 펴지): 구개음화가 일어나지 않음 / (→ 놈이): 의미의 축소(일반적인 사람 → 사람의 비속어)

❻ ·내·이·ᄅᆞᆯ 爲·윙·ᄒᆞ·야 :어엿·비 너·겨

나 + ㅣ(주격 조사)
→ 주격일 때 거성, 관형격일 때 평성 / 의미의 이동(가엽다 → 예쁘다)

❼ ·새·로 ·스·믈여·듧 字·ᄍᆞᆼ·ᄅᆞᆯ ᄆᆡᇰ·ᄀᆞ노·니

(→ 스물): 원순 모음화가 일어나지 않음 / ᄂᆞ + 오 + 니
→ 1인칭 화자 표지의 '-오-' 사용

❽ :사ᄅᆞᆷ:마·다 :ᄒᆡ·ᅇᅧ :수·ᄫᅵ 니·겨

수ᄫᅵ → 수이 → 쉬이(쉽게).
현재는 사용되지 않는 'ㅸ'(순경음 비읍)이 사용됨

❾ ·날·로 ·ᄡᅮ·메 便뼌安한·킈 ᄒᆞ·고·져 ᄒᆞᇙ ᄯᆞᄅᆞ·미니·라.

모음 조화 잘 지켜짐
ᄡᅳ- + -움/움+ -에: 중세 국어 시기에는 명사형 어미로 '-옴/움'이 주로 쓰임
'-기'는 중세 국어 마지막 시기에 등장하지만 본격적인 사용은 근대 국어 시기임

| 이해와 감상

1446년(세종 28년)에, 창제된 글자를 반포하기 위해 만든 한문본 『훈민정음(訓民正音)』을 세종 사후인 세조 5년(1459)에 언해(諺解)하여 『세종어제훈민정음』이라고 하였다. 전자를 '해례본', 후자를 '언해본'이라 한다. 제시된 부분은 『세종어제훈민정음』의 어지(御旨) 부분으로, 훈민정음을 창제한 취지를 밝히고 있다.

| 현대어 풀이

❶ 세종어제훈민정음(세종이 직접 만든 백성을 가르치는 바른 소리)
❷ 우리나라의 말이 중국과 달라
❸ 문자와 서로 맞지 아니하므로
❹ 이런 까닭으로 어리석은 백성이 말하고자 할 바가 있어도
❺ 마침내 제 뜻을 능히 펴지 못하는 사람이 많으니라
❻ 내 이를 가엾게 여겨
❼ 새로 스물여덟 자를 만드노니
❽ 사람마다 하여금 쉽게 익혀
❾ 날로 씀에 편안케 하고자 할 따름이니라

단권화 MEMO

■ 『훈민정음』의 창제 정신
- 자주 정신
- 애민 정신
- 실용 정신

단권화 MEMO

• 표기상의 특징
① 8종성법의 예외가 나타나기도 함(ㅈ, ㅊ, ㅍ이 종성에서 표기됨)
② 모음 조화가 지켜짐
③ 연철 표기를 기본으로 함
④ 사잇소리 표기가 잘 지켜짐(앞 단어의 말음이 불청불탁자일 경우 그것과 같은 계열의 전청자가 표기로 사용됨)
참 • 불청불탁자: ㆁ, ㄴ, ㅁ, ㅇ, ㄹ, ㅿ 등의 유성 자음
• 전청자: ㄱ, ㄷ, ㅂ, ㅅ, ㅈ, ㆆ 등의 무성 자음

2 용비어천가(龍飛御天歌)

【제1장】

❶ 海東(해동) 六龍(육룡)이 ᄂᆞᄅᆞ샤 일마다 天福(천복)이시니.

- ᄂᆞᆯ(어간)+ᄋᆞ(매개 모음)+샤(주체 높임 선어말 어미)+아(종속적 연결 어미 탈락)
- 六龍: 세종 때를 기준으로 그의 여섯 조상을 가리키는 말 [목조(穆祖), 익조(翼祖), 도조(度祖), 환조(桓祖), 태조(太祖), 태종(太宗)]
- 시: 주체 높임 선어말 어미

❷ 古聖(고성)이 同符(동부)ᄒᆞ시니.

- 古聖: 중국의 성현
- 이: 비교 부사격 조사('~과'로 해석)

【제2장】

❸ 불휘 기픈 남ᄀᆞᆫ ᄇᆞᄅᆞ매 아니 뮐ᄊᆡ, 곶 됴코 여름 하ᄂᆞ니.

- 뮐ᄊᆡ: 뮈+ㄹᄊᆡ(종속적 연결 어미)
- 여름: 열+음(명사 파생 접미사). 중세 국어 시기에는 명사형 어미와 명사 파생 접미사가 형태상 구분되었다는 점을 주의
- 남ᄀᆞᆫ: (남ㄱ+ᄋᆞᆫ) 모음으로 된 조사 앞에서는 끝 모음이 탈락하고 'ㄱ'이 덧생김
- 곶: 종성부용초성 표기

❹ ᄉᆡ미 기픈 므른 ᄀᆞᄆᆞ래 아니 그츨ᄊᆡ, 내히 이러 바ᄅᆞ래 가ᄂᆞ니.

- 바ᄅᆞ래: 바ᄅᆞᆯ(海)+애(지향점 부사격 조사)
- 므른: 믈+은(모음 조화)
- 그츨ᄊᆡ: 그치므로, 끊어지므로 (기본형: 긏다)
- 내히: 내ㅎ(ㅎ 종성 체언)+이(주격 조사)

【제4장】

❺ 狄人(적인)ㅅ 서리예 가샤 狄人(적인)이 ᄀᆞᆯ외어늘, 岐山(기산) 올ᄆᆞ샴도 하ᄂᆞᇙ ᄠᅳ디시니.

- 狄人ㅅ: 적인의. '적인'은 중국 북쪽 변방의 오랑캐를 말함 'ㅅ'은 사잇소리
- ᄀᆞᆯ외어늘: ᄀᆞᆯ외+거늘('ㄱ' 탈락)
- 올ᄆᆞ샴도: 옮+ᄋᆞ+샤+옴(명사형 어미)+도(보조사)
- 하ᄂᆞᇙ: 하ᄂᆞᆯ+ㆆ(사잇소리)

❻ 野人(야인)ㅅ 서리예 가샤 野人(야인)이 ᄀᆞᆯ외어늘, 德源(덕원) 올ᄆᆞ샴도 하ᄂᆞᇙ ᄠᅳ디시니.

- 德源: 함경남도에 있던 고을 이름
- ᄠᅳ디시니: ᄠᅳᆮ+이(서술격 조사)+시+니

【제48장】

❼ 굴허에 ᄆᆞᄅᆞᆯ 디내샤 도ᄌᆞ기 다 도라가니 半(반)길 노ᄑᆡᆫᄃᆞᆯ 년기 디나리잇가.

- 디내샤: 디나+ㅣ(사동 접미사)+샤+아(종속적 연결 어미 탈락)
- 굴허에: 구렁에, 좁은 골짜기에 '굴헝'이라는 명사에 '에(처소격 조사)'가 결합된 형태
- 년기: 녀느(ㄱ 곡용 체언)+이(주격 조사)

❽ 石壁(석벽)에 ᄆᆞᄅᆞᆯ 올이샤 도ᄌᆞᄀᆞᆯ 다 자ᄇᆞ시니 현 번 ᄠᅱ운ᄃᆞᆯ ᄂᆞ미 오ᄅᆞ리잇가.

- 올이샤: '오ᄅᆞ다'에 사동 접미사 '이'가 결합된 형태
- ᄠᅱ운ᄃᆞᆯ: ㄴᄃᆞᆯ: ~라 한들
- 오ᄅᆞ리잇가: 오ᄅᆞ+리(미래 선어말 어미)+잇(상대 높임 선어말 어미)+가(의문형 종결 어미)

【제125장】

❾ 千世(천세) 우희 미리 定(정)ᄒᆞ샨 漢水(한수)北(북)에,

- 우희: 우ㅎ+의(특수 처소 부사격 조사, 관형격 조사가 아님)

❿ 累仁開國(누인개국)ᄒᆞ샤 卜年(복년)이 ᄀᆞᆺ업스시니,

- 累仁開國ᄒᆞ샤: 어짊(仁)을 쌓아 나라를 여시어
- ᄀᆞᆺ업스시니: ᄀᆞᆺ없(어간)+으(매개 모음)+시(주체 높임 선어말 어미)+니(종속적 연결 어미)

⓫ 聖神(성신)이 니ᅀᆞ샤도 敬天勤民(경천근민)ᄒᆞ샤ᅀᅡ 더욱 구드시리이다.

- ᅀᅡ: 강조의 보조사 (현대 국어에는 없음)
- 구드시리이다: 굳으실 것입니다(기본형: 굳다)

⓬ 님금하, 아ᄅᆞ쇼셔. 洛水(낙수)예 山行(산행) 가 이셔 하나빌 미드니잇가.

- 하: 높임의 대상에 결합하는 호격 조사 '하'
- 하나빌: 할아버지를, 한아비(명사)+ㄹ(목적격 조사)

| 이해와 감상

『용비어천가』는 세종 27년(1445)에 정인지, 권제, 안지 등이 왕명을 받아 편찬한 책으로, 국문학상으로 악장, 양식상으로는 서사시, 내용상으로는 송축가에 해당한다. 전체 10권 5책 125장으로 된 이 장편 서사시는 그 창작 동기를 크게 두 가지로 나눌 수 있다. 하나는 이성계의 역성혁명이 하늘의 뜻이었다는 조선 건국의 정당성을 내비치는 내적 동기, 두 번째는 훈민정음 창제 후 훈민정음의 실용성을 시험해 보려던 목적의 외적 동기이다. 따라서 『용비어천가』는 훈민정음으로 표기된 최초의 문헌이라는 점에서 문학적, 역사적 가치를 지닌다.

| 현대어 풀이

【제1장】

❶ 해동(우리나라)의 여섯 용이 날으시어서, 그 행동하신 일(조선 건국)마다 모두 하늘이 내리신 복이시니.

❷ (이 일은) 옛날의 성인이 하신 일들과 부절을 합친 것처럼 꼭 맞으시니.

【제2장】

❸ 뿌리가 깊은 나무는 바람에 움직이지 아니하므로, 꽃이 좋고 열매도 많으니.

❹ 샘이 깊은 물은 가뭄에도 끊이지 않으므로, 내가 이루어져 바다로 가니

【제4장】

❺ (주나라 왕 '고공단보'가) 오랑캐 사이에 가시어 오랑캐가 덤비거늘, 기산으로 옮아가심도 하늘의 뜻이시니.

❻ (익조가) 오랑캐 사이에 가시어 오랑캐가 덤비거늘, 덕원으로 옮아가심도 하늘의 뜻이시니.

【제48장】

❼ (금나라 태조가) 구렁에 말을 지나게 하시어 도둑이 다 돌아가니, (한 길 아니라) 반 길 높이인들 다른 사람이 지나겠습니까?

❽ (이 태조가) 돌 절벽에 말을 올리시어 도적을 다 잡으시니, (한 번 아니라) 몇 번을 뛰어오르게 한들 남이 오르겠습니까?

【제125장】

❾ 천 년 진(아주 오래전)에 미리 정하신 한강 북에

❿ (육조께서) 어진 일을 쌓고 나라를 여시어, 나라의 운수가 한이 없으시니

⓫ 성신(후대 왕들)이 이으셔도 하늘을 공경하고 백성을 위하여 힘쓰셔야 나라가 더욱 굳으실 것입니다.

⓬ 임금님이시여 아소서. (하나라 태강처럼) 낙수에 사냥 가서 조상의 공덕만을 믿습니까? (믿을 것이겠습니까?)

단권화 MEMO

■ 『용비어천가』 각 장의 주제

- [제1장]: 조선 건국의 천명성
- [제2장]: 조선 왕조의 무궁한 발전 기원
- [제4장]: 익조에게 내려진 하늘의 뜻
- [제48장]: 태조의 초인적인 능력
- [제125장]: 후왕에 대한 권계

단권화 MEMO

- 표기상의 특징
  - ① ㅸ, ㆆ, ㅿ 소실: 받ᄌᆞ온, 해로온
  - ② 모음 조화의 혼란: 비르소미오
  - ③ 명사형 어미(-기)가 쓰임: 아당ᄒᆞ기
  - ④ 'ㄹㅇ'형 활용형이 'ㄹㄹ'로 나타남: 닐러
  - ⑤ 각자 병서 안 쓰임: 말솜
  - ⑥ 분철(끊어적기) 확대: 몸이며, 머리털이며
  - ⑦ 동국정운식 한자음 표기하지 않음: 孔공子ᄌᆞ(받침 없는 한자음에 'ㅇ'을 표기하지 않음)
  - ⑧ 아직 8종성법이 쓰임: 벋
  - ⑨ 사잇소리는 'ㅅ'으로 통일됨

3 소학언해(小學諺解)

【권2 : 29】

❶ 孔·공子·ᄌᆞㅣ 曾증子·ᄌᆞᄃᆞ·려 닐·러 ᄀᆞᆯᄋᆞ·샤·ᄃᆡ,

(孔·공子·ᄌᆞㅣ: 현실적인 한자음 표기 / ·ᄌᆞᄃᆞ·려: 부사격 조사 '에게'(화법 동사와 함께 쓰임) / 닐·러: 15세기 'ㄹㅇ' 활용형이 16세기에 와서 'ㄹㄹ' 활용형으로 바뀜 / ᄀᆞᆯᄋᆞ·샤·ᄃᆡ: 끊어적기 방식(분철 표기))

❷ ·몸 ·이며 얼굴·이며 머·리털·이·며·ᄉᆞᆯ·ᄒᆞᆫ 父·부母:모·ᄭᅴ 받ᄌᆞ·온 거·시·라.

(얼굴: 형체[體] → 낯[顔](의미의 축소) / ᄉᆞᆯ·ᄒᆞᆫ: ᄉᆞᆯㅎ(ㅎ종성 체언)+ᄋᆞᆫ / 받ᄌᆞ·온: 받ᄌᆞᄫᆞᆫ(15C) → 받- + ᄌᆞᆸ(객체 높임 선어말 어미) + -ᄋᆞᆫ(관형사형 어미))

❸ 敢:감·히 헐·워 샹ᄒᆡ·오·디 아 ·니 :홈·이 :효·도·ᄋᆡ 비·르·소미·오,

(샹ᄒᆡ·오·디: 샹ᄒᆞ+이오(이중 사동 접미사)+디(보조적 연결 어미) / 비·르·소미·오: 비롯+옴+이오(모음 조화의 혼란))

❹ ·몸·을 셰·워 道 :도·를 行·ᄒᆡᆼ·ᄒᆞ·야 일:홈·을 後:후世:세·예 :베퍼·ᄡᅥ

(·몸·을: 모음 조화의 혼란과 끊어적기를 보여 줌 / 일:홈: 모음 조화의 혼란 / ·ᄡᅥ: (→ 로써) 以(써 이)를 직역한 표현)

❺ 父·부母:모ᄅᆞᆯ :현·뎌케 :홈·이 :효·도·ᄋᆡ ᄆᆞ·ᄎᆞᆷ·이니 ·라.

(ᄆᆞ·ᄎᆞᆷ·이니 ·라: 끊어적기 방식)

【권2 : 67】

❻ :유·익ᄒᆞᆫ ·이 :세 가 ·짓 :벋·이오, :해·로온 ·이 :세 가 ·짓 :벋·이니,

(:벋·이오: 벗이고('ㄱ' 탈락) / :해·로온: 해로ᄫᆞᆫ(15C): 'ㅸ'이 안 쓰임 / ·짓: 사잇소리 'ㅅ' 사용)

❼ 直·딕ᄒᆞᆫ ·이·ᄅᆞᆯ :벋ᄒᆞ·며 :신·실ᄒᆞᆫ ·이·ᄅᆞᆯ :벋ᄒᆞ·며

(·이·ᄅᆞᆯ: 이를(15C): 모음 조화의 혼란 / :벋ᄒᆞ·며: 8종성법 사용. 이후 'ㄷ'이 'ㅅ'으로 바뀌어 '벗'으로 표기됨(7종성법))

❽ 들:온 ·것 한 ·이·ᄅᆞᆯ :벋ᄒᆞ·면 :유 ·익ᄒᆞ·고

(들:온: 드ᄅᆞᆫ(15C) → 들온(16C): 모음 조화의 혼란, 끊어적기 방식 / 한: 많은)

❾ :거·동·만 니·근 ·이·ᄅᆞᆯ :벋ᄒᆞ·며, 아:당ᄒᆞ·기 잘 ·ᄒᆞ·ᄂᆞᆫ·이·ᄅᆞᆯ :벋ᄒᆞ·며,

(아:당ᄒᆞ·기: 아당ᄒᆞ- + -기(명사형 어미): 명사형 어미 '-기'가 사용됨)

❿ :말솜·만 니·근 ·이·ᄅᆞᆯ :벋ᄒᆞ·면 해·로·온이·라.

(:말솜: 말ᄊᆞᆷ(15C) → 말솜(16C): 각자 병서가 쓰이지 않음)

| 이해와 감상

『소학』은 중국 남송 때 유자징이 주자의 가르침을 편찬한 6권 5책의 아동용 학습서이다. 이후 우리나라에서는 1518년 중종 때 『소학』을 번역한 『번역소학』을 발간하였으나, 의역과 오역이 많아 이를 바로잡고자 1587년에 선조의 명으로 『소학언해』가 간행되었다. 『소학언해』는 훈민정음이 창제된 후 약 150여 년이 지난 뒤에 간행되어 16세기 말의 문법적 변화를 보여 주는 중요한 문헌이다.

| 현대어 풀이

【권2 : 29】

❶ 공자께서 증자에게 일러 말씀하시기를,
❷ 몸과 형체와 머리털과 살은 부모께 받은 것이라.
❸ 감히 헐게 하여 상하게 하지 아니함이 효도의 시작이고,
❹ 입신(출세)하여 도를 행하여 이름을 후세에 날려
❺ 이로써 부모를 드러나게 함이 효도의 끝이니라.

【권2 : 67】

❻ 유익한 벗이 셋이고, 해로운 벗이 셋이니,
❼ 정직한 이를 벗하며, 신실한 이를 벗하며,
❽ 견문이 많은 이를 벗하면 유익하고,
❾ 행동만 익은 이를 벗하며, 아첨하기를 잘하는 이를 벗하며,
❿ 말만 익은 이를 벗하면 해로우니라.

단권화 MEMO

단권화 MEMO

• 표기상의 특징
① 모음 조화가 문란함: ᄲᅧᄅᆞᆯ, 니ᄅᆞ러, 거ᄂᆞ리고
② 어두 자음군이 사용됨: ᄭᅮ메, ᄲᅧᄅᆞᆯ, ᄯᅩ
③ 아래아(ㆍ)가 사용됨: 사ᄅᆞᆷ이니, ᄒᆞᆫ가지, 댱ᄌᆞ, ᄉᆞ로
④ 끊어적기, 이어적기, 거듭적기가 혼용됨
⑤ 두음 법칙이 적용되지 않음: 모음(ㅑ, ㅕ, ㅛ, ㅠ) 앞에 'ㄴ'이 사용됨 – 뉴핑노, 닐와다, 념습, 니러나
⑥ 구개음화가 일어나지 않음: 'ㅣ' 계열 모음 앞에서 'ㄷ, ㅌ'이 사용됨 – 티다가, 튱분, 포튱, 됴ᄒᆞ리라, 뎡유왜난
⑦ 성조를 표시하던 방점이 사라짐

4 동국신속삼강행실도(東國新續三綱行實圖)

【경명충렬(敬命忠烈)】

❶ 참의 고경명은 광쥐 사ᄅᆞᆷ이니 임진왜난의 의병을 슈챵(首倡)ᄒᆞ야 금산 도적글 티다가 패ᄒᆞ여

광쥐: 광주의 / 슈챵(首倡)ᄒᆞ야: 우두머리가 되어 의병을 일으켜 / 도적글: 거듭적기 / 티다가: 치다가 (구개음화 이전 표기)

❷ 아ᄃᆞᆯ 인후와 막하 사ᄅᆞᆷ 뉴핑노 안영으로 ᄒᆞᆫ가지로 죽다.

으로: 과 / ᄒᆞᆫ가지로: 함께

❸ 댱ᄌᆞ 죵휘 원슈 갑ᄑᆞ려 군을 닐와다 진쥐가 죽다.

댱ᄌᆞ: 장자(구개음화 이전 표기) / 닐와다: 일으켜 / 가: 에서

❹ 처엄의 경명의 주검을 거두워 금산 묏가온대 가만이 무덧더니

처엄의: 처음에 / 묏가온대: 산속에, 사잇소리 'ㅅ' 사용

❺ 마ᄋᆞᆫ날 밧긔 처엄으로 념습(殮襲)ᄒᆞ니 ᄂᆞᆾ비치 산ᄃᆞᆺ ᄒᆞ더라.

마ᄋᆞᆫ날: 마흔날 / 밧긔: 지나서 / 념습(殮襲)ᄒᆞ니: 죽은 사람을 씻기고 묶으니

❻ 영장(永葬)호매 긴 므지게 무뎜 녑픠셔 니러나 비치 슈샹ᄒᆞ니

영장(永葬)호매: 장사를 지내매 / 긴 므지게 무뎜 녑픠셔 니러나: 고경명 죽음의 신성함 상징 / 슈샹ᄒᆞ니: 특이하니

❼ 사ᄅᆞᆷ이 니로ᄃᆡ 튱분(忠憤)의 감동ᄒᆞᆫ 배라 ᄒᆞ더라.

튱분(忠憤): 충분(충성과 의분)

❽ 쇼경 대왕이 명ᄒᆞ샤 졍녀(旌閭)ᄒᆞ시고 광쥐다가 제ᄒᆞᆯ 집을 세시고 집 일홈을 포튱이라 ᄒᆞ시고

쇼경 대왕: 선조 / 졍녀(旌閭)ᄒᆞ시고: 정문을 세우고 표창하시고 / 제ᄒᆞᆯ: 제사 지낼

❾ 관원 보내샤 제ᄒᆞ시고 증 좌찬셩 ᄒᆞ시니라.

【이보할지(李甫割指)】

❶ 니보ᄂᆞᆫ 농안현 사ᄅᆞᆷ이니 그 아비 ᄐᆡ방이 사오나온 병을 어더 거의 죽게 되니

사오나온: 나쁜, 중한, 사나운

❷ 구ᄒᆞ여도 효험이 업서 일야의 우더니

일야의: 밤낮으로

❸ ᄭᅮ메 즁이 고ᄒᆞ여 닐오ᄃᆡ 산 사ᄅᆞᆷ의 ᄲᅧᄅᆞᆯ 머그면 가히 됴ᄒᆞ리라.

ᄭᅮ메: 꿈에 / 닐오ᄃᆡ: 이르되 / 됴ᄒᆞ리라: 좋아지리라

❹ 뵈 즉시 놀라 ᄭᆡᄃᆞ라 손가락을 버혀 약글 밍ᄀᆞ라 ᄲᅧ 받ᄌᆞ오니 아ᄇᆡ 병이 즉시 됴ᄒᆞ니라.

뵈: 보가 / ᄭᆡᄃᆞ라: 깨어나, 깨달아 / 버혀: 베어 / 밍ᄀᆞ라: 만들어 / ᄲᅧ: 한문 번역 투 / 받ᄌᆞ오니: 바치니 / 됴ᄒᆞ니라: 좋아졌다, 나아졌다

【최금타적(催今打賊)】

❶ 냥녀 최금이ᄂᆞᆫ 옥괘현 사ᄅᆞᆷ이니 ᄉᆞ로 궉진의 겨집이라.

냥녀: 양민 신분의 여자 / ᄉᆞ로: 사노비 / 겨집: 아내

❷ 뎡유왜난의 그 지아비ᄅᆞᆯ 조차 두 아드ᄂᆞᆯ 거ᄂᆞ리고 도적을 묏가온대 피ᄒᆞ더니

❸ 도적이 블ᄋᆡ예 니ᄅᆞ러 그 지아비ᄂᆞᆯ 몬져 주기고 ᄯᅩ 두 아ᄃᆞᆯᄂᆞᆯ 주겨ᄂᆞᆯ

블ᄋᆡ예: 불의에, 갑자기 / 주겨ᄂᆞᆯ: 죽이거늘

❹ 최금이 돌ᄒᆞᆯ 가지고 겨ᄅᆡ 내ᄃᆞ라 ᄒᆞᆫ 도적을 주기니 도적이 주기다.

돌ᄒᆞᆯ: 돌을 / 겨ᄅᆡ: 엉겁결에 / 내ᄃᆞ라: 달려나가, 내달려 / 주기다: (최금을) 죽이다

❺ 금 샹됴애 졍문ᄒᆞ시니라.

금 샹됴: 지금 왕위에 있는 임금(광해군)

단권화 MEMO

| 이해와 감상

1617년(광해군 9년)에 유근이 왕명에 따라 편찬한 『삼강행실도(三綱行實圖)』의 속편이다. 18권 18책의 목판본으로 임진왜란 중에 목숨을 바친 사람들을 비롯하여 신라·고려·조선 시대의 충신·효자·열녀의 사적(事蹟)을 수록하고 그 덕행을 찬양하였다. 임진왜란 직후 충(忠)·효(孝)·열(烈)을 보여 준 사람들의 행적을 다루어 피폐된 국민 도의를 회복시키고자 하였다. 한문으로 적고 한글로 풀이하였으며 본문의 내용을 그림으로 그렸다. 왜란 후 중시했던 당시의 가치관과 함께 17세기 근대 국어 초기의 모습을 엿볼 수 있는 중요한 자료이다.

| 현대어 풀이

【경명충렬】

❶ 참의 고경명은 광주 사람이니 임진왜란에 의병을 일으켜서 금산의 왜적을 치다가 패하여
❷ 아들 인후와 막하에 있던 유팽로, 안영과 함께 죽었다.
❸ 장자인 종후가 원수를 갚으려 군을 일으켰다가 진주에서 죽었다.
❹ 처음에 경명의 주검을 거두어 금산 산중에 가만히 묻었다가
❺ 사십여 일이 지난 뒤에 처음으로 염습하니 얼굴빛이 살아 있는 사람 같았다.
❻ 안장하니 긴 무지개가 무덤 옆에서 일어나 빛이 특이하여
❼ 사람들이 이르되 충성스러운 분노에 (하늘이) 감동한 바라 하였다.
❽ 소경 대왕께서 명하여 정문을 세워 표창하시고 광주에 사당을 지어 이름을 포충(褒忠)이라 하시고
❾ 관원을 보내어 제사를 지내게 하시고 좌찬성의 직위를 내리셨다.

【이보할지】

❶ 이보는 용안현 사람이니 그 아버지 태방(台芳)이 사나운 병[악질(惡疾)]을 얻어 거의 죽게 되니
❷ 구완하여 치료해도 효험이 없어 밤낮으로 울고 있는데,
❸ 꿈에 중이 일러 말하되 산 사람의 뼈를 먹으면 나을 수 있을 것이라 했다.
❹ 이보가 즉시 놀라서 깨어 손가락을 베어 약을 만들어 드리니 아비의 병이 즉시 나았다.

【최금타적】

❶ 양민 여자 최금은 옥과현 사람이니 사노(私奴) 구억진의 아내였다.
❷ 정유왜란에 그 지아비를 따라 두 아들을 거느리고 산중으로 왜적을 피하였는데,
❸ 왜적이 갑자기 이르러 그 지아비를 먼저 죽이고 또 두 아들을 죽이거늘
❹ 최금이 돌을 가지고 돌진하여 한 왜적을 죽였더니 왜적이 (최금을) 죽였다.
❺ 지금 임금께서 정문을 내리셨다.

단권화 MEMO

• 표기상의 특징
① 대화체 형식의 자료로서 당시의 구어(口語)가 드러남
② 모음 조화가 파괴되어 가는 양상이 드러남
③ 선어말 어미 '-오-'의 기능이 상실되어 가는 모습을 보여 줌
④ 의문형 어미들의 혼란이 나타남
⑤ 거듭적기와 끊어적기가 함께 사용됨
⑥ 7종성법(ㄱ, ㄴ, ㄹ, ㅁ, ㅂ, ㅅ, ㅇ)이 쓰임
⑦ ㅿ, ㆁ, 방점이 소멸됨

5 노걸대언해(老乞大諺解)

❶ 너ᄂᆞᆫ 高麗ㅅ사ᄅᆞᆷ이어니 ᄯᅩ 엇디 漢語 니ᄅᆞᆷ을 잘 ᄒᆞᄂᆞ뇨.
(漢語: 한어(중국어) / 니ᄅᆞᆷ: 말하기를)

❷ 내 漢ㅅ사ᄅᆞᆷ의손ᄃᆡ 글 ᄇᆡ호니 이런 젼ᄎᆞ로 져기 漢ㅅ말을 아노라.
(의손ᄃᆡ: 에게(부사격 조사), 모음 조화 파괴)

❸ 네 뉘손ᄃᆡ 글 ᄇᆡ혼다.
(뉘손ᄃᆡ: 누구에게 / ᄇᆡ혼다: ᄇᆡ호+ㄴ다(2인칭에 사용하는 의문형 종결 어미))

❹ 내 漢 ᄒᆞᆨ당의셔 글 ᄇᆡ호라.
(ᄒᆞᆨ당: 종성의 'ㆁ'이 'ㅇ'으로 바뀜 / 라: 평서형 종결 어미(1인칭 선어말 어미 '-오-'가 쓰이지 않음))

❺ 네 므슴 글을 ᄇᆡ혼다.
(므슴: 무슨 / ᄇᆡ혼다: 배우느냐)

❻ 倫語 孟子 小學을 닐그롸.
(롸: 오(1인칭 선어말 어미)+라(평서형 종결 어미))

❼ 네 每日 무슴 공부ᄒᆞᄂᆞᆫ다.

❽ 每日 이른 새배 니러 學堂의 가 스승님ᄭᅴ 글 ᄇᆡ호고 學堂의셔 노하든 집의 와 밥 먹기 ᄆᆞᆺ고
(새배: 새벽에 / 學堂의셔: 모음 조화 파괴 / ᄆᆞᆺ고: 기본형은 'ᄆᆞᆾ다'임. 7종성 표기)

❾ ᄯᅩ ᄒᆞᆨ당의 가 셔품쓰기 ᄒᆞ고 셔품쓰기 ᄆᆞᆺ고 년구ᄒᆞ기 ᄒᆞ고 년구ᄒᆞ기 ᄆᆞᆺ고 글읇기 ᄒᆞ고
(의: 에)

❿ 글읇기 ᄆᆞᆺ고 스승 앏픠셔 글을 강ᄒᆞ노라.
(앏픠셔: 거듭적기(중철))

⓫ 므슴 글을 강ᄒᆞᄂᆞ뇨.
(강ᄒᆞᄂᆞ뇨: 2인칭 의문형이나 '-ㄴ다'가 쓰이지 않음)

⓬ 小學 倫語 孟子를 강ᄒᆞ노라.

| 이해와 감상

『노걸대언해』는 사절의 왕래나 상인의 교역에 필요한 중국어 회화책이다. 작자와 간행 연대는 정확히 알려져 있지 않으나 『통문관지(通文館志)』의 기록에 의하면 조선 현종(1670년) 때 정상국(鄭相國)이 지은 것으로 추정하고 있다. 이 책은 16세기 초 조선 중종 때 간행된 최세진(崔世珍)의 『번역노걸대(飜譯老乞大)』를 참고하여 언해한 것으로 보인다. 두 책 모두 원본에 대한 각기 다른 언해본이라 국어사 연구에 귀중한 자료이며, 특히 『노걸대언해』는 시기상 근대 국어의 자료로 활용된다.

| 현대어 풀이

❶ 너는 고려 사람인데 또 어찌 중국말을 잘하는가?
❷ 내가 중국 사람에게 글을 배웠으니 이런 까닭으로 조금 중국말을 아노라.
❸ 너는 누구에게 글을 배우느냐?
❹ 나는 중국 학당에서 글을 배운다.
❺ 너는 무슨 글을 배우느냐?
❻ 논어, 맹자, 소학을 읽는다.
❼ 너는 매일 무슨 공부하느냐?
❽ 매일 이른 새벽에 일어나 학당에 가서 스승님께 글을 배우고, 방과 후면 집에 와서 밥 먹기를 마치고,
❾ 또 학당에 가서 글씨 쓰기를 하고, 글씨 쓰기를 마치고는 연구하기 하고, 연구하기 마치고는 글 읊기를 하고,
❿ 글 읊기를 마치고는 스승님 앞에서 글을 외운다.
⓫ 무슨 글을 외우는가?
⓬ 소학, 논어, 맹자를 외운다.

네가 세상에서 보고자 하는 변화가 있다면,
네 스스로 그 변화가 되어라.

– 마하트마 간디(Mahatma Gandhi)

PART

Ⅳ 언어 예절과 바른 표현

5개년 챕터별 출제비중 & 출제개념

챕터	출제비중	출제개념
CHAPTER 01 언어 예절	0%	–
CHAPTER 02 바른 표현	100%	바른 단어 사용, 문장 성분의 호응, 바른 조사 사용

3%

※최근 5개년(국, 지, 서)
출제비중

학습목표

CHAPTER 01 언어 예절	❶ 각 상황에서의 호칭어, 지칭어 공부하기 ❷ 계촌법 공부하기 ❸ 경어법 공부하기
CHAPTER 02 바른 표현	❶ 헷갈리기 쉬운 표현 공부하기 ❷ 잘못된 문장 수정 공부하기

CHAPTER

01 언어 예절

- [ ] 1회독 월 일
- [ ] 2회독 월 일
- [ ] 3회독 월 일
- [ ] 4회독 월 일
- [ ] 5회독 월 일

단권화 MEMO

01 가정에서의 호칭과 지칭

부르는 말에는 직접 상대방을 부르는 호칭어와 다른 이에게 그 사람을 가리켜 말하는 지칭어가 있다.

1 부모와 자녀

(1) 아버지에 대한 호칭과 지칭

구분			살아 계신 아버지	돌아가신 아버지
호칭	아버지, 아빠			
지칭	당사자에게		아버지, 아빠	
	어머니에게		아버지, 아빠	아버지
	조부모에게		아버지, 아빠	아버지
	형제, 자매, 친척에게		아버지, 아빠	아버님, 아버지
	배우자에게	남편에게	아버지, 친정아버지, ○○[지역] 아버지	친정아버님, 친정아버지
		아내에게	아버지	아버님, 아버지
	배우자 가족에게	시가 쪽 사람에게	친정아버지, ○○[지역] 아버지, ○○[자녀] 외할아버지	친정아버님, 친정아버지, ○○[자녀] 외할아버님, ○○[자녀] 외할아버지
		처가 쪽 사람에게	아버지	아버님, 아버지
	그 밖의 사람에게	아들이	아버지, ○○[자녀] 할아버지	아버님, 아버지, ○○[자녀] 할아버님, ○○[자녀] 할아버지
		딸이	아버지, 친정아버지, ○○[자녀] 외할아버지	아버님, 아버지, 친정아버님, 친정아버지, ○○[자녀] 외할아버님, ○○[자녀] 외할아버지

(2) 어머니에 대한 호칭과 지칭

구분			살아 계신 어머니	돌아가신 어머니
호칭	어머니, 엄마			
지칭	당사자에게		어머니, 엄마	
	아버지에게		어머니, 엄마	어머니
	조부모에게		어머니, 엄마	어머니
	형제, 자매, 친척에게		어머니, 엄마	어머님, 어머니
	배우자에게	남편에게	친정어머니, 어머니, 엄마, ○○[지역] 어머니	친정어머님, 친정어머니
		아내에게	어머니	어머님, 어머니
	배우자 가족에게	시가 쪽 사람에게	친정어머니, ○○[지역] 어머니, ○○[자녀] 외할머니	친정어머님, 친정어머니, ○○[자녀] 외할머님, ○○[자녀] 외할머니
		처가 쪽 사람에게	어머니	어머님, 어머니
	그 밖의 사람에게	아들이	어머니, ○○[자녀] 할머니	어머님, 어머니, ○○[자녀] 할머님, ○○[자녀] 할머니
		딸이	어머니, 친정어머니, ○○[자녀] 외할머니	어머님, 어머니, 친정어머님, 친정어머니, ○○[자녀] 외할머님, ○○[자녀] 외할머니

더 알아보기 부모의 지칭어: 남에게 자신의 부모를 지칭할 때

구분	아버지	어머니
살아 계심	가친(家親), 가엄(家嚴), 가대인(家大人) 등	자친(慈親), 가모(家母), 자위(慈闈) 등
돌아가심	선친(先親), 선고(先考) 등	선비(先妣), 선자(先慈) 등

(3) 자녀에 대한 호칭과 지칭

구분		혼인하지 않은 자녀	혼인한 자녀
호칭	○○[이름]		아범, ○○[손주] 아범, 아비, ○○[손주] 아비, 어멈, ○○[외손주] 어멈, 어미, ○○[외손주] 어미, ○○[이름], ○○[손주] 아빠, ○○[손주] 엄마
지칭	당사자에게	○○[이름]	아범, ○○[손주] 아범, 아비, ○○[손주] 아비, 어멈, ○○[외손주] 어멈, 어미, ○○[외손주] 어미, ○○[이름], ○○[손주] 아빠, ○○[손주] 엄마
	가족, 친척에게	○○[이름]	아범, ○○[손주] 아범, 아비, ○○[손주] 아비, 어멈, ○○[외손주] 어멈, 어미, ○○[외손주] 어미, ○○[이름], ○○[손주] 아빠, ○○[손주] 엄마
	자녀의 직장 사람들에게	○○○ 씨, ○ 과장[직함 이름], ○○○ 과장, ○ 과장님, ○○○ 과장님, ○ 선생	
	그 밖의 사람에게	○○[이름], 아들, 딸, ○○[손주] 아빠, ○○[손주] 엄마	
	손주(해당 자녀의 자녀)에게		아버지, 아빠, 아범, 아비, 어머니, 엄마, 어멈, 어미
	사돈 쪽 사람에게		아범, ○○[손주] 아범, 아비, ○○[손주] 아비, 어멈, ○○[외손주] 어멈, 어미, ○○[외손주] 어미, ○○[이름], ○○[손주] 아빠, ○○[손주] 엄마

단권화 MEMO

단권화 MEMO

2 시부모와 며느리

(1) 시아버지와 시어머니에 대한 호칭과 지칭

구분		시아버지	시어머니
호칭		아버님, 아버지	어머님, 어머니
지칭	당사자에게	아버님, 아버지	어머님, 어머니
	시어머니(시아버지)에게	아버님, 아버지	어머님, 어머니
	시조부모에게	아버님, 아버지	어머님, 어머니
	남편에게	아버님, 아버지	어머님, 어머니
	남편의 동기에게	아버님	어머님, 어머니
	남편 동기의 배우자에게	아버님, 아버지	어머님, 어머니
	자녀에게	할아버지, 할아버님	할머니, 할머님
	시가 쪽 친척에게	아버님, 아버지	어머님, 어머니
	친정 쪽 사람에게	시아버님, 시아버지, ○○[자녀] 할아버지, ○○[자녀] 할아버님	시어머님, 시어머니, ○○[자녀] 할머니, ○○[자녀] 할머님
	그 밖의 사람에게	시아버님, 시아버지, 아버님, ○○[자녀] 할아버지, ○○[자녀] 할아버님	시어머님, 시어머니, 어머님, ○○[자녀] 할머니, ○○[자녀] 할머님

(2) 며느리에 대한 호칭과 지칭

호칭		어멈, ○○[손주] 어멈, 어미, ○○[손주] 어미, 아가, 새아가, ○○[손주] 엄마
지칭	당사자에게	어멈, ○○[손주] 어멈, 어미, ○○[손주] 어미, 아기, 새아기, ○○[손주] 엄마
	부모에게	며늘애, 어멈, ○○[손주] 어멈, 어미, ○○[손주] 어미, ○○[아들] 처, ○○[손주] 엄마
	배우자에게	며늘애, 새아기, 어멈, ○○[손주] 어멈, 어미, ○○[손주] 어미, ○○[아들] 댁, ○○[아들] 처, ○○[손주] 엄마
	당사자 남편인 아들에게	어멈, ○○[손주] 어멈, 어미, ○○[손주] 어미, 네 댁, 네 처, ○○[손주] 엄마
	아들에게 동생의 아내를	○○[손주] 어멈, ○○[손주] 어미, ○○[아들] 댁, ○○[아들] 처, 제수, 계수, ○○[손주] 엄마
	아들에게 형의 아내를	○○[손주] 어멈, ○○[손주] 어미, 형수, ○○[손주] 엄마
	딸에게 남동생의 아내를	○○[손주] 어멈, ○○[손주] 어미, 올케, ○○[아들] 댁, ○○[아들] 처
	딸에게 오빠의 아내를	○○[손주] 어멈, ○○[손주] 어미, 올케, 새언니, ○○[손주] 엄마
	다른 며느리에게	○○[손주] 어멈, ○○[손주] 어미, 형, 동서, ○○[손주] 엄마
	사위에게	처남의 댁, 처남댁, ○○[손주] 어멈, ○○[손주] 어미, ○○[아들] 댁, ○○[아들] 처, ○○[손주] 엄마
	손주에게	어머니, 엄마, 어미
	친척에게	며느리, 며늘애, ○○[아들] 댁, ○○[아들] 처, ○○[손주] 어멈, ○○[손주] 어미, ○○[손주] 엄마
	사돈에게	며늘애, ○○[손주] 어멈, ○○[손주] 어미, ○○[손주] 엄마
	그 밖의 사람에게	며느리, 새아기

3 처부모와 사위

(1) 장인과 장모에 대한 호칭과 지칭

구분		장인	장모
호칭		장인어른, 아버님, 아버지	장모님, 어머님, 어머니
지칭	당사자에게	장인어른, 아버님, 아버지	장모님, 어머님, 어머니
	장모(장인)에게	장인어른, 아버님, 아버지	장모님, 어머님, 어머니
	아내에게	장인어른, 아버님, 장인, 아버지	장모님, 어머님, 장모, 어머니
	부모와 동기, 친척에게	장인, 장인어른, ○○[자녀] 외할아버지	장모, 장모님, ○○[자녀] 외할머니
	아내의 동기와 그 배우자에게	장인어른, 아버님, 아버지	장모님, 어머님, 어머니
	자녀에게	외할아버지, 외할아버님	외할머니, 외할머님
	그 밖의 사람에게	장인, 장인어른, ○○[자녀] 외할아버지, ○○[자녀] 외할아버님, 아버지	장모, 장모님, ○○[자녀] 외할머니, ○○[자녀] 외할머님, 어머니

(2) 사위에 대한 호칭과 지칭

구분		내용
호칭		○ 서방, ○○[외손주] 아범, ○○[외손주] 아비, ○○[외손주] 아빠, 여보게
지칭	당사자에게	○ 서방, 자네, ○○[외손주] 아범, ○○[외손주] 아비, ○○[외손주] 아빠
	부모에게	○ 서방, ○○[외손주] 아범, ○○[외손주] 아비, ○○[외손주] 아빠
	당사자의 아내인 딸에게	○ 서방, ○○[외손주] 아범, ○○[외손주] 아비, ○○[외손주] 아빠
	배우자에게	○ 서방, ○○[외손주] 아범, ○○[외손주] 아비, ○○[외손주] 아빠
	사돈에게	○ 서방, ○○[외손주] 아범, ○○[외손주] 아비, ○○[외손주] 아빠
	아들에게	○ 서방, 매형, 자형, 매부, 매제, ○○[외손주] 아빠
	당사자의 아내가 아닌 다른 딸에게	○ 서방, 형부, 제부, ○○[외손주] 아빠
	며느리에게	○ 서방, ○○[외손주] 아빠
	다른 사위에게	○ 서방, ○○[외손주] 아빠
	외손주에게	아버지, 아빠
	그 밖의 사람에게	사위, ○ 서방, ○○[외손주] 아빠

단권화 MEMO

■ **빙장어른, 빙모님**

'빙장어른'과 '빙모님'은 다른 사람의 처부모를 높여 이르는 말이다. 따라서 자신의 처부모를 부르거나 지칭할 때는 쓸 수 없다.

단권화 MEMO

■ 부부간 호칭 '자기'
'자기(自己)'는 원래 앞에서 이미 말하였거나 나온 사람을 도로 가리키는 말이지만, 오늘날에는 연인이나 부부 사이에서 상대방을 정답게 이르는 말로도 쓰인다.

■ 아내
'아내'를 부모에게 지칭할 때 '처'라고 하지 않는다.

4 남편과 아내

(1) 남편에 대한 호칭과 지칭

호칭			여보, ○○ 씨, ○○[자녀] 아버지, ○○[자녀] 아빠, 영감, ○○[손주, 외손주] 할아버지
지칭	당사자에게		당신, ○○ 씨, 영감, ○○[자녀] 아빠
	시부모에게		아범, 아비, 그이, ○○[자녀] 아빠
	친정 부모에게		○ 서방, 아범, 아비, ○○[자녀] 아빠
	남편 동기에게		그이, ○○[자녀] 아버지, ○○[자녀] 아빠, 형, 형님, 동생, 오빠
	남편 동기의 배우자에게		그이, ○○[자녀] 아버지, ○○[자녀] 아빠
	동기와 배우자에게	손위 동기에게	○ 서방, 그이, ○○[자녀] 아버지, ○○[자녀] 아빠
		손위 동기의 배우자에게	○ 서방, 그이, ○○[자녀] 아버지, ○○[자녀] 아빠
		손아래 동기에게	그이, ○○[자녀] 아버지, ○○[자녀] 아빠, 매형, 자형, 매부, 형부
		손아래 동기의 배우자에게	그이, ○○[자녀] 아버지, ○○[자녀] 아빠
	자녀에게		아버지, 아빠
	며느리에게		아버님
	사위에게		장인, 장인어른, 아버님
	친구에게		그이, 남편, 애아버지, 애 아빠, ○○[자녀] 아버지, ○○[자녀] 아빠
	남편 친구에게		그이, 애아버지, 애 아빠, ○○[자녀] 아버지, ○○[자녀] 아빠, 바깥양반, 바깥사람
	남편 회사에 전화를 걸 때		○○○ 씨, 과장님, ○ 과장님, ○○○ 과장님
	아는 사람에게		○○[자녀] 아버지, ○○[자녀] 아빠, 바깥양반, 바깥사람
	모르는 사람에게		남편, 애아버지, 애 아빠

(2) 아내에 대한 호칭과 지칭

호칭			여보, ○○ 씨, ○○[자녀] 엄마, 임자, ○○[손주, 외손주] 할머니
지칭	당사자에게		당신, ○○ 씨, 임자
	친부모에게		어멈, 어미, 집사람, 안사람, ○○[자녀] 엄마
	장인, 장모에게		어멈, 어미, ○○[자녀] 엄마, 집사람, 안사람
	동기에게	손위 동기에게	○○[자녀] 엄마, 집사람, 안사람
		남동생에게	○○[자녀] 엄마, 형수
		여동생에게	○○[자녀] 엄마, 언니, 새언니, 올케, 올케언니
	동기의 배우자에게		○○[자녀] 엄마, 집사람, 안사람

아내 동기에게	아내의 손위 동기에게	○○[자녀] 엄마, 집사람, 안사람
	아내의 남동생에게	○○[자녀] 엄마, 누나
	아내의 여동생에게	○○[자녀] 엄마, 언니
아내 동기의 배우자에게		○○[자녀] 엄마, 집사람, 안사람
자녀에게		어머니, 엄마
며느리에게		어머니
사위에게		장모
친구에게		집사람, 안사람, 아내, 애어머니, 애 엄마, ○○[자녀] 엄마
아내 친구에게		집사람, 안사람, 애어머니, 애 엄마, ○○[자녀] 엄마, ○○[자녀] 어머니
아내 회사에 전화를 걸 때		○○○ 씨, 과장님, ○ 과장님, ○○○ 과장님
아는 사람에게		○○[자녀] 엄마, ○○[자녀] 어머니, 집사람, 안사람, 아내, 처
모르는 사람에게		집사람, 안사람, 아내, 처, 애어머니, 애 엄마

5 동기와 그 배우자: 남자

(1) 형과 형의 아내에 대한 호칭과 지칭

구분		형	형의 아내
호칭		형, 형님	형수님, 아주머님, 아주머니
지칭	당사자에게	형, 형님	형수님, 아수머님, 아주머니
	부모에게	형	형수, 아주머니
	동기와 그 배우자에게	형, 형님	형수님, 형수, 아주머님, 아주머니
	처가 쪽 사람에게	형, 형님, ○○[자녀] 큰아버지	형수님, 아주머님, 아주머니, ○○[자녀] 큰어머니
	자녀에게	큰아버지, 큰아버님	큰어머니, 큰어머님
	그 밖의 사람에게	형, 형님, ○○[자녀] 큰아버지	형수님, ○○[자녀] 큰어머니

(2) 남동생과 남동생의 아내에 대한 호칭과 지칭

구분		남동생	남동생의 아내
호칭		○○[이름], 아우, 동생	제수씨, 계수씨
지칭	당사자에게	○○[이름], 아우, 동생	제수씨, 계수씨
	부모에게	○○[이름], 아우, 동생	제수, 제수씨, 계수, 계수씨
	동기와 그 배우자에게	○○[이름], 아우, 동생	제수, 제수씨, 계수, 계수씨
	처가 쪽 사람에게	아우, 동생, ○○[자녀] 작은아버지	제수, 제수씨, 계수, 계수씨, ○○[자녀] 작은어머니
	자녀에게	삼촌, 작은아버지	숙모, 작은어머니
	그 밖의 사람에게	○○[이름], 아우, 동생, ○○[자녀] 작은아버지	제수, 제수씨, 계수, 계수씨, ○○[자녀] 작은어머니

단권화 MEMO

■ 형제자매의 배우자에 대한 호칭과 지칭

남자나 여자 모두 손아래 형제자매나 형제자매의 배우자에게는 친근함을 표현하기 위해 '○○ 씨'와 같이 이름으로 부를 수 있다.

단권화 MEMO

(3) 누나와 누나의 남편에 대한 호칭과 지칭

구분		누나	누나의 남편
호칭		누나, 누님	매형, 자형, 매부
지칭	당사자에게	누나, 누님	매형, 자형, 매부
	부모에게	누나	매형, 자형, 매부
	동기와 그 배우자에게	누나, 누님, 누이	매형, 자형, 매부
	처가 쪽 사람에게	누나, 누님, 누이, ○○[자녀] 고모	매형, 자형, 매부, ○○[자녀] 고모부
	자녀에게	고모, 고모님	고모부, 고모부님
	그 밖의 사람에게	누나, 누님, 누이, ○○[자녀] 고모	매형, 자형, 매부, ○○[자녀] 고모부

(4) 여동생과 여동생의 남편에 대한 호칭과 지칭

구분		여동생	여동생의 남편
호칭		○○[이름], 동생	○ 서방, 매부, 매제
지칭	당사자에게	○○[이름], 동생	○ 서방, 매부, 매제
	부모에게	○○[이름], 동생	○ 서방, 매부, 매제
	동기와 그 배우자에게	○○[이름], 동생, 누이	○ 서방, 매부, 매제
	처가 쪽 사람에게	누이동생, 여동생, 동생, 누이, ○○[자녀] 고모	매부, 매제, ○○[자녀] 고모부
	자녀에게	고모	고모부
	그 밖의 사람에게	누이동생, 여동생, 동생, 누이, ○○[자녀] 고모	○ 서방, 매부, 매제, ○○[자녀] 고모부

6 동기와 그 배우자: 여자

(1) 오빠와 오빠의 아내에 대한 호칭과 지칭

구분		오빠	오빠의 아내
호칭		오빠, 오라버니, 오라버님	새언니, 언니
지칭	당사자에게	오빠, 오라버니, 오라버님	새언니, 언니
	부모에게	오빠, 오라버니	새언니, 언니, 올케, 올케언니
	동기와 그 배우자에게	오빠, 오라버니, 오라버님	새언니, 언니, 올케, 올케언니
	시가 쪽 사람에게	오빠, 친정 오빠, 오라버니, 친정 오라버니, ○○[자녀] 외삼촌	올케, 올케언니, 새언니, ○○[자녀] 외숙모
	자녀에게	외삼촌, 외숙부, 외숙부님	외숙모, 외숙모님
	그 밖의 사람에게	오빠, 친정 오빠, 오라버니, 친정 오라버니, ○○[자녀] 외삼촌	올케, 올케언니, 새언니, ○○[자녀] 외숙모

단권화 MEMO

(2) 남동생과 남동생의 아내에 대한 호칭과 지칭

구분		남동생	남동생의 아내
호칭		○○[이름], 동생	올케
지칭	당사자에게	○○[이름], 동생	올케
	부모에게	○○[이름], 동생	올케
	동기와 그 배우자에게	○○[이름], 동생	올케
	시가 쪽 사람에게	친정 동생, ○○[자녀] 외삼촌	올케, ○○[자녀] 외숙모
	자녀에게	외삼촌, 외숙부	외숙모
	그 밖의 사람에게	○○[이름], 동생, 친정 동생, ○○[자녀] 외삼촌	올케, ○○[자녀] 외숙모

(3) 언니와 언니의 남편에 대한 호칭과 지칭

구분		언니	언니의 남편
호칭		언니	형부
지칭	당사자에게	언니	형부
	부모에게	언니	형부
	동기와 그 배우자에게	언니	형부
	시가 쪽 사람에게	언니, ○○[자녀] 이모	형부, ○○[자녀] 이모부
	자녀에게	이모, 이모님	이모부, 이모부님
	그 밖의 사람에게	언니, ○○[자녀] 이모	형부, ○○[자녀] 이모부

(4) 여동생과 여동생의 남편에 대한 호칭과 지칭

구분		여동생	여동생의 남편
호칭		○○[이름], 동생	○ 서방, 제부
지칭	당사자에게	○○[이름], 동생	○ 서방, 제부
	부모에게	○○[이름], 동생	○ 서방, 제부
	동기와 그 배우자에게	○○[이름], 동생	○ 서방, 제부
	시가 쪽 사람에게	친정 여동생, ○○[자녀] 이모	동생의 남편, ○○[자녀] 이모부, 제부
	자녀에게	이모	이모부
	그 밖의 사람에게	친정 여동생, ○○[자녀] 이모	동생의 남편, ○○[자녀] 이모부, 제부

단권화 MEMO

■ 배우자의 형제자매에 대한 호칭과 지칭

배우자의 형제자매와 친하게 지내는 가정에서는 배우자의 형제자매를 나의 형제자매를 부르는 것처럼 부르기도 한다. 예를 들면, 여자가 남편의 누나를 '형님' 대신 '언니'로 부르거나, 남자가 아내의 남동생을 '처남' 대신 이름으로 직접 부르는 경우가 있다. 전통적인 방식은 아니지만 집안의 분위기에 따를 일이다.

■ 배우자의 형제자매의 배우자에 대한 호칭과 지칭

요즘은 며느리들 간, 사위들 간 서열과 나이가 뒤바뀐 경우가 종종 있는데, 이때 '동서님'이라는 말을 두루 쓰는 것이 좋다. 서열 관계를 기준으로 한 전통적인 호칭보다 '-님'을 붙여 상대를 존중하는 뜻을 드러낸다면 호칭으로 생기는 갈등을 줄일 수 있을 것이다.

7 남편의 동기와 그 배우자

(1) 남편의 형과 그 아내에 대한 호칭과 지칭

구분		남편의 형	남편 형의 아내
호칭		아주버님, 아주버니	형님
지칭	당사자에게	아주버님, 아주버니	형님
	시가 쪽 사람에게	아주버님, 아주버니	형님
	친정 쪽 사람에게	시아주버니, ○○[자녀] 큰아버지	큰동서, 형님, 맏동서[남편 맏형의 아내만], ○○[자녀] 큰어머니
	자녀에게	큰아버지, 큰아버님	큰어머니, 큰어머님
	그 밖의 사람에게	시아주버니, ○○[자녀] 큰아버지	큰동서, 형님, 맏동서[남편 맏형의 아내만], ○○[자녀] 큰어머니

(2) 남편의 아우와 그 아내에 대한 호칭과 지칭

구분		남편의 아우	남편 아우의 아내
호칭		도련님[미혼], 서방님[기혼]	동서
지칭	당사자에게	도련님[미혼], 서방님[기혼]	동서
	시가 쪽 사람에게	도련님[미혼], 서방님[기혼]	동서
	친정 쪽 사람에게	시동생, ○○[자녀] 작은아버지, ○○[자녀] 삼촌	동서, 작은동서, ○○[자녀] 작은어머니
	자녀에게	작은아버지, 작은아버님, 삼촌	작은어머니, 작은어머님
	그 밖의 사람에게	시동생, 도련님[미혼], 서방님[기혼], ○○[자녀] 작은아버지, ○○[자녀] 삼촌	동서, 작은동서, ○○[자녀] 작은어머니

(3) 남편의 누나와 여동생에 대한 호칭과 지칭

구분		남편의 누나	남편의 여동생
호칭		형님	아가씨, 아기씨
지칭	당사자에게	형님	아가씨, 아기씨
	시가 쪽 사람에게	형님	아가씨, 아기씨
	친정 쪽 사람에게	시누이, 형님, ○○[자녀] 고모	시누이, ○○[자녀] 고모
	자녀에게	고모, 고모님	고모, 고모님
	그 밖의 사람에게	시누이, 형님, ○○[자녀] 고모	시누이, 아가씨, 아기씨, ○○[자녀] 고모

(4) 시누이의 남편에 대한 호칭과 지칭

구분		남편 누나의 남편	남편 여동생의 남편
호칭		아주버니, 아주버님	서방님
지칭	당사자에게	아주버니, 아주버님	서방님
	자녀에게	고모부, 고모부님	고모부, 고모부님
	자녀 외의 사람들에게	시누이 남편, 아주버님, ○○[지역] 아주버님, ○○[자녀] 고모부, ○○[자녀] 고모부님	시누이 남편, 서방님, ○○[지역] 서방님, ○ 서방, ○○[자녀] 고모부, ○○[자녀] 고모부님

8 아내의 동기와 그 배우자

(1) 아내의 남자 동기에 대한 호칭과 지칭

구분			아내 오빠	아내 남동생
호칭			형님	처남
지칭	당사자에게		형님	처남, 자네
	아내에게		형님	처남
	부모, 동기, 그 밖의 사람에게		처남, ○○[자녀] 외삼촌	처남, ○○[자녀] 외삼촌
	장인, 장모에게		형님	처남
	아내의	손위 동기와 그 배우자에게	형님	처남
		손아래 동기와 그 배우자에게	형님, 형, 오빠	처남, 동생, 형님, 형, 오빠
	자녀에게		외삼촌, 외숙부, 외숙부님	외삼촌, 외숙부, 외숙부님

(2) 아내의 남동생을 아내의 동기에게 지칭할 때

화자 (~가)	청자 (~에게)		지칭어 (~이라고 지칭한다.)	
나	① 아내 오빠, 아내 언니		처남	
	② 아내		처남	
	③ 아내 남동생, 아내 여동생		처남, 동생	
	④ 당사자인 남동생 (지칭 대상)		처남	
	⑤ 아내 남동생	아내 여동생	형, 형님	오빠

■ 청자 칸의 ①~⑤는 아내 동기들의 서열을 나타낸다.

(3) 아내 남자 동기의 배우자에 대한 호칭과 지칭

구분			아내 오빠의 아내	아내 남동생의 아내
호칭			아주머니, 아주머님	처남의 댁, 처남댁
지칭	당사자에게		아주머니, 아주머님	처남의 댁, 처남댁
	아내에게		처남의 댁, 처남댁	처남의 댁, 처남댁
	부모, 동기, 그 밖의 사람에게		처남의 댁, 처남댁, ○○[자녀] 외숙모	처남의 댁, 처남댁, ○○[자녀] 외숙모
	장인, 장모에게		처남의 댁, 처남댁	처남의 댁, 처남댁
	아내의	손위 동기와 그 배우자에게	처남의 댁, 처남댁	처남의 댁, 처남댁
		손아래 동기와 그 배우자에게	형수, 새언니, 언니, 올케, 올케언니	형수, 새언니, 언니, 올케, 올케언니
	자녀에게		외숙모, 외숙모님	외숙모, 외숙모님

단권화 MEMO

단권화 MEMO

■ 청자 칸의 ①~⑤는 아내 동기들의 서열을 나타낸다.

(4) 아내의 여자 동기에 대한 호칭과 지칭

구분			아내 언니	아내 여동생
호칭			처형	처제
지칭	당사자에게		처형	처제
	아내에게		처형	처제
	부모, 동기, 그 밖의 사람에게		처형, ○○[자녀] 이모	처제, ○○[자녀] 이모
	장인, 장모에게		처형	처제
	아내의	손위 동기와 그 배우자에게	처형	처제
		손아래 동기와 그 배우자에게	누나, 누님, 언니	처형, 동생, 누나, 누님, 언니
	자녀에게		이모, 이모님	이모, 이모님

(5) 아내의 여동생을 아내의 동기에게 지칭할 때

화자 (~가)	청자 (~에게)		지칭어 (~라고 지칭한다.)	
나	① 아내 오빠, 아내 언니		처제	
	② 아내		처제	
	③ 아내 남동생, 아내 여동생		처제, 동생	
	④ 당사자인 여동생(지칭 대상)		처제	
	⑤ 아내 남동생	아내 여동생	누나, 누님	언니

(6) 아내 여자 동기의 배우자에 대한 호칭과 지칭

구분			아내 언니의 남편	아내 여동생의 남편
호칭			형님	동서, ○ 서방
지칭	당사자에게		형님	동서, ○ 서방
	아내에게		형님	동서, ○ 서방
	부모, 동기, 그 밖의 사람에게		동서, ○○[자녀] 이모부	동서, ○○[자녀] 이모부
	장인, 장모에게		형님	동서, ○ 서방
	아내의	손위 동기와 그 배우자에게	형님	동서, ○ 서방
		손아래 동기와 그 배우자에게	매형, 자형, 매부, 형부, 형님	매형, 자형, 매부, 형부, ○ 서방
	자녀에게		이모부, 이모부님	이모부, 이모부님

9 조부모와 손주

단권화 MEMO

(1) 조부모와 외조부모에 대한 호칭과 지칭

구분		조부모	외조부모
호칭		할아버지, 할머니	할아버지, 외할아버지, 할머니, 외할머니
지칭	당사자와 그 배우자에게	할아버지, 할머니	할아버지, 외할아버지, 할머니, 외할머니
	부모, 형제, 자매, 친척에게	할아버지, 할머니	외할아버지, 외할머니
	아내와 처가 쪽 사람에게	할아버지, 할머니	외할아버지, 외할머니
	남편과 시가 쪽 사람에게	할아버지, 할머니, 친정 할아버지, 친정 할머니	외할아버지, 외할머니, 친정 외할아버지, 친정 외할머니

(2) 시조부와 시조모에 대한 호칭과 지칭

구분		시조부	시조모
호칭		할아버님, 할아버지	할머님, 할머니
지칭	당사자에게	할아버님, 할아버지	할머님, 할머니
	시조모(시조부)에게	할아버님, 할아버지	할머님, 할머니
	시부모에게	할아버님, 할아버지	할머님, 할머니
	남편, 시가 쪽 사람에게	할아버님, 할아버지	할머님, 할머니
	부모, 동기, 친정 쪽 사람에게	시할아버님, 시할아버지, 시조부님, 시조부, ○○[자녀] 증조할아버님, ○○[자녀] 증조할아버지, ○○[자녀] 증조부님, ○○[자녀] 증조부	시할머님, 시할머니, 시조모님, 시조모, ○○[자녀] 증조할머님, ○○[자녀] 증조할머니, ○○[자녀] 증조모님, ○○[자녀] 증조모

(3) 시외조부와 시외조모에 대한 호칭과 지칭

구분		시외조부	시외조모
호칭		할아버님, 외할아버님, 할아버지	할머님, 할머니, 외할머님, 외할머니
지칭	당사자에게	할아버님, 외할아버님	할머님, 할머니, 외할머님, 외할머니
	시외조모(시외조부)에게	할아버님, 외할아버님	할머님, 할머니, 외할머님, 외할머니
	시부모에게	외할아버님	외할머님
	남편, 시가 쪽 사람에게	외할아버님	외할머님
	부모, 동기, 친정 쪽 사람에게	시외할아버님, 시외할아버지, 시외조부님, 시외조부	시외할머님, 시외할머니, 시외조모님, 시외조모

단권화 MEMO

(4) 처조부와 처조모에 대한 호칭과 지칭

구분		처조부	처조모
호칭		할아버님, 할아버지	할머님, 할머니
지칭	당사자에게	할아버님	할머님
	처조모(처조부)에게	할아버님	할머님
	처부모에게	할아버님	할머님
	아내, 처가 쪽 사람에게	할아버님	할머님
	부모, 동기, 친척에게	처조부님, 처조부, ○○[자녀] 외증조할아버님, ○○[자녀] 외증조할아버지, ○○[자녀] 외증조부님, ○○[자녀] 외증조부	처조모님, 처조모, ○○[자녀] 외증조할머님, ○○[자녀] 외증조할머니, ○○[자녀] 외증조모님, ○○[자녀] 외증조모

(5) 처외조부와 처외조모에 대한 호칭과 지칭

구분		처외조부	처외조모
호칭		할아버님, 할아버지, 외할아버님, 외할아버지	할머님, 할머니, 외할머님, 외할머니
지칭	당사자에게	할아버님, 할아버지, 외할아버님, 외할아버지	할머님, 할머니, 외할머님, 외할머니
	처외조모(처외조부)에게	할아버님, 할아버지, 외할아버님, 외할아버지	할머님, 할머니, 외할머님, 외할머니
	처부모에게	외할아버님	외할머님
	아내, 처가 쪽 사람에게	외할아버님	외할머님
	부모, 동기, 친척에게	처외조부님, 처외조부	처외조모님, 처외조모

(6) 손주와 외손주에 대한 호칭과 지칭

구분		손주	외손주
호칭		○○[이름]	○○[이름]
지칭	집안 사람들에게	○○[이름]	○○[이름]
	그 밖의 사람에게	○○[이름], 손자, 손녀	○○[이름], 외손자, 외손녀, 손자, 손녀

10 숙질

■ **아버지의 형제자매에 대한 호칭과 지칭**

예전에는 형보다 동생이 먼저 결혼하는 일이 많지 않았기 때문에 동생이 결혼을 해서 자녀가 생겼을 때 형도 역시 자녀가 있는 것이 일반적이었다. 그런데 요즘에는 형이 결혼하지 않았는데 동생이 먼저 결혼하여 자녀가 생기는 경우도 있다. 아버지의 형에게 '큰아버지'라고 부르는 것이 전통적인 호칭이지만, 아버지의 형이 결혼하지 않았다면 '(큰)삼촌'으로 부르고 이르는 것도 가능하다.

(1) 아버지의 형과 그 아내에 대한 호칭과 지칭

구분		아버지의 형	아버지 형의 아내
호칭		큰아버지	큰어머니
지칭	당사자에게	큰아버지	큰어머니
	자녀에게	큰할아버지, 큰할아버님, ○○[지역] 큰할아버지, ○○[지역] 큰할아버님, ○○[지역] 할아버지, ○○[지역] 할아버님	큰할머니, 큰할머님, ○○[지역] 큰할머니, ○○[지역] 큰할머님, ○○[지역] 할머니, ○○[지역] 할머님
	당사자의 자녀에게	아버지, 아빠, 큰아버지	어머니, 엄마, 큰어머니
	그 밖의 사람에게	큰아버지, 백부[아버지 맏형만]	큰어머니, 백모[아버지 맏형의 아내만]

(2) 아버지의 남동생과 그 아내에 대한 호칭과 지칭

구분		아버지의 남동생	아버지 남동생의 아내
호칭		작은아버지, 아저씨, 삼촌	작은어머니
지칭	당사자에게	작은아버지, 아저씨, 삼촌	작은어머니
	자녀에게	작은할아버지, 작은할아버님, ○○[지역] 작은할아버지, ○○[지역] 작은할아버님, ○○[지역] 할아버지, ○○[지역] 할아버님	작은할머니, 작은할머님, ○○[지역] 작은할머니, ○○[지역] 작은할머님, ○○[지역] 할머니, ○○[지역] 할머님
	당사자의 자녀에게	아버지, 아빠, 작은아버지	어머니, 엄마, 작은어머니
	그 밖의 사람에게	작은아버지, 숙부, 아저씨, 삼촌	작은어머니, 숙모

(3) 아버지의 누이와 그 남편에 대한 호칭과 지칭

구분		아버지의 누이	아버지 누이의 남편
호칭		고모, 아주머니	고모부, 아저씨
지칭	당사자에게	고모, 아주머니	고모부, 아저씨
	자녀에게	대고모, 대고모님, 왕고모, 왕고모님, 고모할머니, 고모할머님, ○○[지역] 할머니, ○○[지역] 할머님	대고모부, 대고모부님, 왕고모부, 왕고모부님, 고모할아버지, 고모할아버님, ○○[지역] 할아버지, ○○[지역] 할아버님
	당사자의 자녀에게	어머니, 엄마, 고모	아버지, 아빠, 고모부
	그 밖의 사람에게	고모	고모부, 고숙

(4) 어머니의 자매와 그 남편에 대한 호칭과 지칭

구분		어머니의 자매	어머니 자매의 남편
호칭		이모, 아주머니	이모부, 아저씨
지칭	당사자에게	이모, 아주머니	이모부, 아저씨
	자녀에게	이모할머니, 이모할머님, ○○[지역] 할머니, ○○[지역] 할머님	이모할아버지, 이모할아버님, ○○[지역] 할아버지, ○○[지역] 할아버님
	당사자의 자녀에게	어머니, 엄마, 이모	아버지, 아빠, 이모부
	그 밖의 사람에게	이모	이모부, 이숙

(5) 어머니의 남자 형제와 그 아내에 대한 호칭과 지칭

구분		어머니의 남자 형제	어머니 남자 형제의 아내
호칭		외삼촌, 아저씨	외숙모, 아주머니
지칭	당사자에게	외삼촌, 아저씨	외숙모, 아주머니
	자녀에게	아버지 외삼촌, ○○[지역] 할아버지, ○○[지역] 할아버님	아버지 외숙모, ○○[지역] 할머니, ○○[지역] 할머님
	당사자의 자녀에게	아버지, 아빠, 외삼촌, 외숙부	어머니, 엄마, 외숙모
	그 밖의 사람에게	외삼촌, 외숙	외숙모

단권화 MEMO

단권화 MEMO

(6) 남자 조카와 그 아내에 대한 호칭과 지칭

구분	남자 조카	남자 조카의 아내
호칭	○○[이름], 조카[친조카를, 남편의 조카를], 조카님[나이 많은 조카를], ○○[조카의 자녀] 아범, ○○[조카의 자녀] 아비	아가, 새아가, ○○[조카의 자녀] 어멈, ○○[조카의 자녀] 어미, 질부(姪婦)[친조카의 아내를, 남편 조카의 아내를], 생질부(甥姪婦)[누이의 며느리를], 이질부(姨姪婦)[자매의 며느리를]
지칭	○○[이름], 조카[친조카를, 남편의 조카를], 조카님[나이 많은 조카를], ○○[조카의 자녀] 아범, ○○[조카의 자녀] 아비, 생질(甥姪)[누이의 아들을, 남편 누이의 아들을], 이질(姨姪)[자매의 아들을, 아내 자매의 아들을], 처조카[아내의 조카를]	아기, 새아기, ○○[조카의 자녀] 어멈, ○○[조카의 자녀] 어미, 조카며느리[친조카의 아내를, 남편 조카의 아내를], 질부(姪婦)[친조카의 아내를, 남편 조카의 아내를], 생질부(甥姪婦)[누이의 며느리를, 남편 누이의 며느리를], 이질부(姨姪婦)[자매의 며느리를], 처조카며느리[아내 조카의 아내를], 처질부(妻姪婦)[아내 조카의 아내를], 처이질부(妻姨姪婦)[아내 자매의 며느리를]

(7) 여자 조카와 그 남편에 대한 호칭과 지칭

구분	여자 조카	여자 조카의 남편
호칭	○○[이름], 조카[친조카를, 남편의 조카를], 조카님[나이 많은 조카를], ○○[조카의 자녀] 어멈, ○○[조카의 자녀] 어미	○ 서방, ○○[조카의 자녀] 아범, ○○[조카의 자녀] 아비
지칭	○○[이름], 조카[친조카를, 남편의 조카를], 조카님[나이 많은 조카를], ○○[조카의 자녀] 어멈, ○○[조카의 자녀] 어미, 조카딸[친조카를, 남편의 여자 조카를], 질녀(姪女)[친조카를, 남편의 여자 조카를], 생질녀(甥姪女)[누이의 딸을, 남편 누이의 딸을], 이질(姨姪)[자매의 딸을], 이질녀(姨姪女)[자매의 딸을], 처조카[아내의 여자 조카를], 처조카딸[아내의 여자 조카를], 처이질(妻姨姪)[아내 자매의 딸을], 처이질녀(妻姨姪女)[아내 자매의 딸을]	○ 서방, ○○[조카의 자녀] 아범, ○○[조카의 자녀] 아비, 조카사위[친조카의 남편을, 남편 조카의 남편을], 질서(姪壻)[친조카의 남편을, 남편 조카의 남편을], 생질서(甥姪壻)[누이의 사위를, 남편 누이의 사위를], 이질서(姨姪壻)[자매의 사위를], 처조카사위[아내 조카의 남편을], 처질서(妻姪壻)[아내 조카의 남편을], 처이질서(妻姨姪壻)[아내 자매의 사위를]

11 사촌

(1) 아버지 동기의 자녀에 대한 호칭과 지칭

호칭			형, ○○[이름] 형, 형님, ○○[이름] 형님, 오빠, ○○[이름] 오빠, 누나, ○○[이름] 누나, 누님, ○○[이름] 누님, 언니, ○○[이름] 언니, ○○[이름] [동갑, 손아래 사촌일 경우]
지칭	당사자와 그 배우자에게		형, ○○[이름] 형, 형님, ○○[이름] 형님, 오빠, ○○[이름] 오빠, 누나, ○○[이름] 누나, 누님, ○○[이름] 누님, 언니, ○○[이름] 언니, ○○[이름] [동갑, 손아래 사촌일 경우]
	부모, 친척에게		○○[이름] 형, ○○[이름] 형님, ○○[이름] 오빠, ○○[이름] 누나, ○○[이름] 누님, ○○[이름] 언니, ○○[이름] [동갑, 손아래 사촌일 경우]
	당사자의 자녀에게		아버지, 아빠, 어머니, 엄마
	그 밖의 사람에게	아버지 남자 동기의 자녀를	사촌 형, 사촌 형님, 사촌 오빠, 사촌 누나, 사촌 누님, 사촌 언니, 사촌, 사촌 동생
		아버지 여자 동기의 자녀를	고종형, 고종형님, 고종사촌 형, 고종사촌 형님, 고종사촌 오빠, 고종사촌 누나, 고종사촌 누님, 고종사촌 언니, 고종사촌, 고종사촌 동생

(2) 어머니 동기의 자녀에 대한 호칭과 지칭

구분			내용
호칭			형, ○○[이름] 형, 형님, ○○[이름] 형님, 오빠, ○○[이름] 오빠, 누나, ○○[이름] 누나, 누님, ○○[이름] 누님, 언니, ○○[이름] 인니, ○○[이름] [동갑, 손아래 사촌일 경우]
지칭	당사자와 그 배우자에게		형, ○○[이름] 형, 형님, ○○[이름] 형님, 오빠, ○○[이름] 오빠, 누나, ○○[이름] 누나, 누님, ○○[이름] 누님, 언니, ○○[이름] 언니, ○○[이름] [동갑, 손아래 사촌일 경우]
	부모, 친척에게		○○[이름] 형, ○○[이름] 형님, ○○[이름] 오빠, ○○[이름] 누나, ○○[이름] 누님, ○○[이름] 언니, ○○[이름] [동갑, 손아래 사촌일 경우]
	당사자의 자녀에게		아버지, 아빠, 어머니, 엄마
	그 밖의 사람에게	어머니 남자 동기의 자녀를	외사촌 형, 외사촌 형님, 외사촌 오빠, 외사촌 누나, 외사촌 누님, 외사촌 언니, 외사촌, 외사촌 동생
		어머니 여자 동기의 자녀를	이종형, 이종형님, 이종사촌 형, 이종사촌 형님, 이종사촌 오빠, 이종사촌 누나, 이종사촌 누님, 이종사촌 언니, 이종사촌, 이종사촌 동생

12 사돈 사이

(1) [같은 항렬] 자녀 배우자*의 부모에 대한 호칭과 지칭

구분		내가 아버지인 경우		내가 어머니인 경우	
		자녀 배우자의 아버지를	자녀 배우자의 어머니를	자녀 배우자의 아버지를	자녀 배우자의 어머니를
호칭		사돈어른, 사돈	사부인	사돈어른, 밭사돈	사부인, 사돈
지칭	당사자에게	사돈어른, 사돈	사부인	사돈어른, 밭사돈	사부인, 사돈
	자기 쪽 사람에게	사돈, ○○[외손주] 할아버지, ○○[손주] 외할아버지	사부인, ○○[외손주] 할머니, ○○[손주] 외할머니	사돈어른, 밭사돈, ○○[외손주] 할아버지, ○○[손주] 외할아버지	사부인, ○○[외손주] 할머니, ○○[손주] 외할머니
	사돈 쪽 사람에게	사돈어른, 사돈, ○○[외손주] 할아버지, ○○[손주] 외할아버지	사부인, ○○[외손주] 할머니, ○○[손주] 외할머니	사돈어른, ○○[외손주] 할아버지, ○○[손주] 외할아버지	사부인, ○○[외손주] 할머니, ○○[손주] 외할머니

(2) [같은 항렬] 자녀 배우자의 삼촌 항렬에 대한 호칭과 지칭

구분		내가 아버지인 경우		내가 어머니인 경우	
		자녀 배우자의 삼촌, 외삼촌을	자녀 배우자의 고모, 이모를	자녀 배우자의 삼촌, 외삼촌을	자녀 배우자의 고모, 이모를
호칭		사돈어른, 사돈	사부인	사돈어른, 밭사돈	사부인, 사돈
지칭	당사자에게	사돈어른, 사돈	사부인	사돈어른, 밭사돈	사부인, 사돈
	자기 쪽 사람에게	사돈	사부인	사돈어른	사부인
	사돈 쪽 사람에게	사돈어른, 사돈	사부인	사돈어른	사부인

단권화 MEMO

*자녀 배우자
며느리, 사위

■ 며느리, 사위의 부모에 대한 호칭과 지칭

결혼은 나이 가족과 같은 범위의 가족이 더 생기는 것이어서 결혼으로 맺어진 사돈 간에도 다양한 관계들을 고려해 불러야 한다. 우선 사위나 며느리의 부모를 부르거나 이르는 말은 내가 아버지인지 어머니인지에 따라, 상대방이 아버지인지 어머니인지에 따라 다른 것이 전통의 방식이다. 그러나 관계에 상관없이 쓸 수 있는 말로 '사돈', '사돈어른'이 있다. 손주의 이름을 빌려서 'OO[손주 이름] 할아버지', 'OO[손주 이름] 할머니', 'OO[손주 이름] 외할아버지', 'OO[손주 이름] 외할머니'로 부르는 방법도 가능하다.

단권화 MEMO

*동기 배우자
형수, 올케, 매부 등

(3) [같은 항렬] 동기 배우자*의 동기 및 그 배우자에 대한 호칭과 지칭

구분		남자	여자
호칭		사돈, 사돈도령, 사돈총각	사돈, 사돈아가씨, 사돈처녀
지칭	당사자에게	사돈, 사돈도령, 사돈총각	사돈, 사돈아가씨, 사돈처녀
	그 밖의 사람에게	사돈, 사돈도령, 사돈총각	사돈, 사돈아가씨, 사돈처녀

(4) [위 항렬] 자녀 배우자의 조부모 및 동기 배우자의 부모에 대한 호칭과 지칭

호칭		사장어른
지칭	당사자에게	사장어른
	그 밖의 사람에게	사장어른

(5) [아래 항렬] 자녀 배우자의 동기와 그 자녀, 동기 배우자의 조카에 대한 호칭과 지칭

구분		남자	여자
호칭		사돈, 사돈도령, 사돈총각	사돈, 사돈아가씨, 사돈처녀
지칭	당사자에게	사돈, 사돈도령, 사돈총각	사돈, 사돈아가씨, 사돈처녀
	그 밖의 사람에게	사돈, 사돈도령, 사돈총각, ○○[외손주] 삼촌, ○○[손주] 외삼촌	사돈, 사돈아가씨, 사돈처녀, ○○[손주] 이모, ○○[외손주] 고모

02 계촌법

1 개념

'계촌법'은 일가의 촌수를 따지는 방법이다. 촌수를 따질 때 가장 기초가 되는 것은 '나'(자기)로서, 혈연을 기준으로 정해진다.

2 계촌도

(1) 남자[직계(直系)]

2촌 조부 (祖父)
4촌 종조 (從祖)
6촌 재종조 (再從祖)
8촌 3종조 (三從祖)
1촌 부 (父)
3촌 백숙부 (伯叔父)
5촌 종백숙부 (從伯叔父)
7촌 재종백숙부 (再從伯叔父)
9촌 3종백숙부 (三從伯叔父)
0촌 나 (己)
2촌 형, 제 (兄, 弟)
4촌 종형제 (從兄弟)
6촌 재종형제 (再從兄弟)
8촌 3종형제 (三從兄弟)
10촌 4종형제 (四從兄弟)
1촌 아들 (子)
3촌 질 (姪)
5촌 종질 (從姪)
7촌 재종질 (再從姪)
9촌 3종질 (三從姪)
11촌 4종질 (四從姪)
2촌 손자 (孫)
4촌 종손 (從孫)
6촌 재종손 (再從孫)
8촌 3종손 (三從孫)
10촌 4종손 (四從孫)
(2) 여자[내종간(內從間, 고모계)]
4촌 고조 (高祖)
3촌 증조 (曾祖)
5촌 증대고모 (曾大姑母)
2촌 조 (祖)
4촌 대고모 (大姑母)
6촌 내재종조 (內再從祖)
1촌 부 (父)
3촌 고모 (姑母)
5촌 내종숙 (內從叔)
7촌 내재종숙 (內再從叔)
0촌 나 (己)
2촌 자매 (姉妹)
4촌 내종형제 (內從兄弟)
6촌 내재종형제 (內再從兄弟)
8촌 내3종형제 (內三從兄弟)
1촌 딸 (女)
3촌 생질 (甥姪)
5촌 내종질 (內從姪)
7촌 내재종질 (內再從姪)
9촌 내3종질 (內三從姪)
2촌 손녀 (孫女)
4촌 이손 (離孫)
6촌 내재종손 (內再從孫)
8촌 내3종손 (內三從孫)
10촌 내4종손 (內四從孫)
단권화 MEMO

단권화 MEMO

(3) 외가[외종간(外從間)]

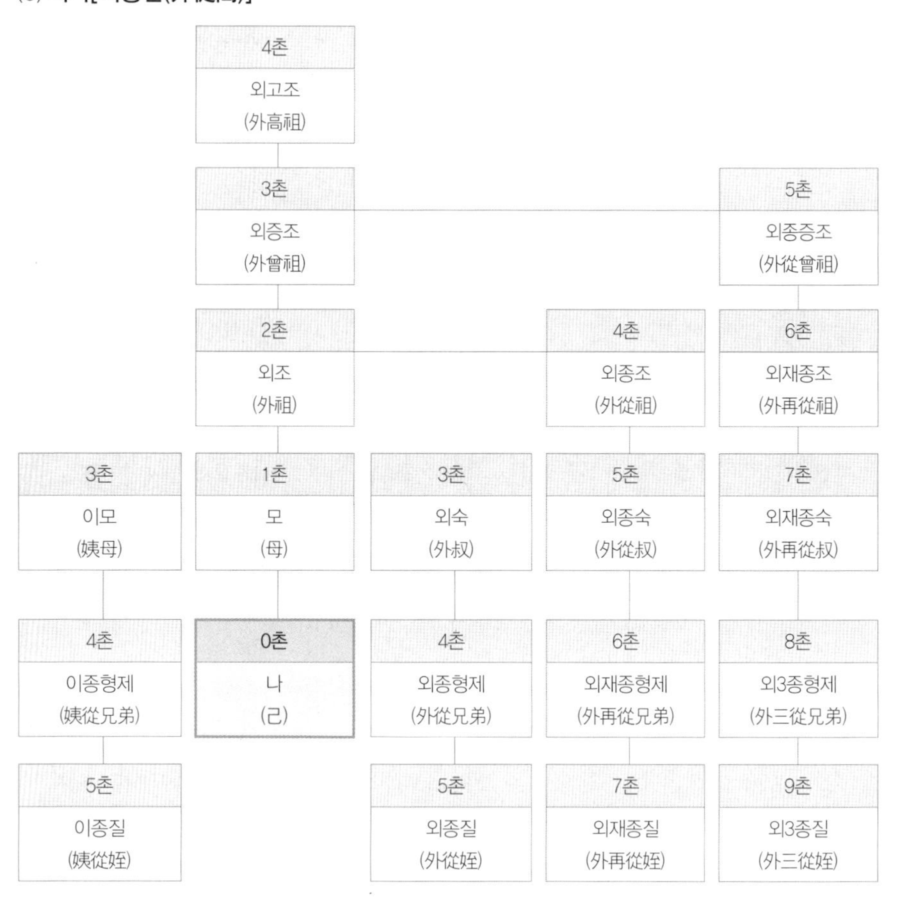

03 사회에서의 호칭과 지칭

1 직장 사람과 그 가족

(1) 상사, 직급이 같은 동료, 아래 직원에 대한 호칭과 지칭

구분	상사	직급이 같은 동료	아래 직원
호칭 및 지칭	선생님, ○ 선생님, ○○○ 선생님, ○ 선배님, ○○○ 선배님, ○ 여사님, ○○○ 여사님, 부장님, ○ 부장님, ○○○ 부장님, 총무부장님	○○○ 씨, ○○ 씨, 선생님, ○ 선생님, ○○○ 선생님, ○ 선생, ○○○ 선생, 선배님, ○ 선배님, ○○○ 선배님, 선배, ○ 선배, ○○ 선배, 형, ○ 형, ○○ 형, ○○○ 형, 언니, ○○ 언니, ○ 여사, ○○○ 여사, 과장님, ○ 과장님, ○ 과장, ○○○ 과장	○○ 씨, ○○○ 씨, ○ 선생님, ○○○ 선생님, ○ 선생, ○○○ 선생, ○ 형, ○○ 형, ○○○ 형, ○ 여사, ○○○ 여사, ○ 군, ○○ 군, ○○○ 군, ○ 양, ○○ 양, ○○○ 양, 과장님, ○ 과장님, ○ 과장, ○○○ 과장, 총무과장

■ 직장 상사에 대한 호칭과 지칭

전통적으로 직장 상사를 부르거나 이를 때는 '○○[직함 이름]님'을 기본으로 하고 그 앞에 이름이나 성, 부서 등을 붙여 해당 상사를 구별해 불러 왔다. 직함이 없는 상사는 '선배님'과 '선생님'으로 부르거나 이를 수 있다. 오늘날에도 이런 방식에는 변함이 없다. 다만 친밀함의 정도가 높은 사이에는 '–님'을 붙여 높여 부르는 것이 서로 어색한 경우가 있다. 그럴 때는 '○○○ 선배', '○ 선배' 등과 같이 부르기도 한다. 이 호칭은 본인보다 나이가 어린 선배에게도 사용할 수 있다.

(2) 상사의 아내, 남편, 자녀에 대한 호칭과 지칭

단권화 MEMO

구분		상사의 아내	상사의 남편	상사의 자녀
호칭		사모님, 아주머님, 아주머니, ○ 선생님, ○○○ 선생님, ○ 과장님, ○○○ 과장님, 여사님, ○ 여사님	선생님, ○ 선생님, ○○○ 선생님, 과장님, ○ 과장님, ○○ 과장님	○○[이름], ○○○ 씨, 과장님, ○ 과장님, ○ 과장
지칭	당사자에게	사모님, 아주머님, 아주머니, ○ 선생님, ○○○ 선생님, ○ 과장님, ○○○ 과장님, 여사님, ○ 여사님	선생님, ○ 선생님, ○○○ 선생님, 과장님, ○ 과장님, ○○ 과장님	○○[이름], ○○○ 씨, 과장님, ○ 과장님, ○ 과장, 아드님, 따님, 자제분
	해당 상사에게	사모님, 아주머님, 아주머니, ○ 선생님, ○○○ 선생님, ○ 과장님, ○○○ 과장님, 여사님, ○ 여사님	바깥어른, 선생님, ○ 선생님, ○○○ 선생님, 과장님, ○ 과장님, ○○○ 과장님	아드님, 따님, 자제분, ○○[이름], ○○○ 씨, 과장님, ○ 과장님, ○ 과장
	그 밖의 사람에게	사모님, 과장님 부인, ○ 과장님 부인, ○○○ 과장님 부인, 과장님 사모님, ○ 과장님 사모님, ○○○ 과장님 사모님	과장님 바깥어른, ○ 과장님 바깥어른, ○○○ 과장님 바깥어른, 과장님 바깥양반, ○ 과장님 바깥양반, ○○○ 과장님 바깥양반, 과장 바깥양반, ○ 과장 바깥양반, ○○○ 과장 바깥양반	과장님 아드님, ○ 과장님 아드님, ○○○ 과장님 아드님, 과장님 따님, ○ 과장님 따님, ○○○ 과장님 따님, 과장님 자제분, ○ 과장님 자제분, ○○○ 과장님 자제분

(3) 동료나 아래 직원의 아내, 남편, 자녀에 대한 호칭과 지칭

구분		동료나 아래 직원의 아내	동료나 아래 직원의 남편	동료나 아래 직원의 자녀
호칭		○○ 씨, ○○○ 씨, 아주머님, 아주머니, ○ 선생님, ○○○ 선생님, ○ 과장님, ○○○ 과장님	○○ 씨, ○○○ 씨, 선생님, ○ 선생님, ○○○ 선생님, 과장님, ○ 과장님, ○○○ 과장님	○○[이름], ○○○ 씨, 과장님, ○ 과장님, ○ 과장
지칭	당사자에게	○○ 씨, ○○○ 씨, 아주머님, 아주머니, ○ 선생님, ○○○ 선생님, ○ 과장님, ○○○ 과장님	○○ 씨, ○○○ 씨, 선생님, ○ 선생님, ○○○ 선생님, 과장님, ○ 과장님, ○○○ 과장님	○○[이름], ○○○ 씨, 과장님, ○ 과장님, ○ 과장, 아드님, 아들, 따님, 딸, 자제분
	해당 동료 및 해당 아래 직원에게	아주머님, 아주머니, 부인, ○ ○ 씨, ○○○ 씨, ○ 선생님, ○○○ 선생님, ○ 과장님, ○○○ 과장님	남편, 부군, 바깥양반, ○○ 씨, ○○○ 씨, 선생님, ○ 선생님, ○○○ 선생님, 과장님, ○ 과장님, ○○○ 과장님	아드님, 아들, 따님, 딸, 자제분, ○○[이름], ○○○ 씨, 과장님, ○ 과장님, ○ 과장
	그 밖의 사람에게	과장님 부인, ○ 과장님 부인, ○○○ 과장님 부인, 과장 부인, ○ 과장 부인, ○○○ 과장 부인, ○○○ 씨 부인	과장님 남편, ○ 과장님 남편, ○○○ 과장님 남편, 과장 남편, ○ 과장 남편, ○○○ 과장 남편, ○○○ 씨 남편, 과장님 바깥양반, ○ 과장님 바깥양반, ○○○ 과장님 바깥양반, 과장 바깥양반, ○ 과장 바깥양반, ○○○ 과장 바깥양반, ○○○ 씨 바깥양반	과장님 아드님, ○ 과장님 아드님, ○○○ 과장님 아드님, 과장님 아들, ○ 과장님 아들, ○○○ 과장님 아들, 과장 아들, ○ 과장 아들, ○○○ 과장 아들, ○○○ 씨 아들, 과장님 따님, ○ 과장님 따님, ○○○ 과장님 따님, 과장님 딸, ○ 과장님 딸, ○○○ 과장님 딸, 과장 딸, ○ 과장 딸, ○○○ 과장 딸, ○○○ 씨 딸, 과장님 자제분, ○ 과장님 자제분, ○○○ 과장님 자제분

단권화 MEMO

■ **친구 가족에 대한 호칭과 지칭**

친구의 아내를 '제수' 또는 '제수씨'라고 부르는 경우가 있다. 가족 간에 부르거나 이르는 말의 쓰임이 사회적인 관계로 확장된 사례이다. 그런데 「표준국어대사전」에 '제수'는 '남자 형제 사이에서 동생의 아내'를 이르거나 '남남의 남자끼리 동생뻘이 되는 남자의 아내'를 이르는 말로 한정되어 있어, 친구의 아내를 부르거나 이를 때 '제수'라고 하는 것은 옳지 않다. 그러나 친구 사이가 형제처럼 친밀하고 친구의 아내가 이에 대해 불편한 마음을 느끼지 않는다면 '제수'라는 말을 쓸 수 있다.

2 지인

(1) 친구의 아내와 친구의 남편에 대한 호칭과 지칭

구분		친구의 아내	친구의 남편
호칭		아주머니, ○○ 씨, ○○○ 씨, ○○[친구 자녀] 어머니, ○○ 엄마, ○ 여사, 여사님, ○ 여사님, 과장님, ○ 과장님, ○ 선생, 선생님, ○ 선생님	○○ 씨, ○○○ 씨, ○○[친구 자녀] 아버지, ○○ 아빠, 과장님, ○ 과장님, 선생님, ○ 선생님
지칭	당사자에게	아주머니, ○○ 씨, ○○○ 씨, ○○[친구 자녀] 어머니, ○○ 엄마, ○ 여사, 여사님, ○ 여사님, 과장님, ○ 과장님, ○ 선생, 선생님, ○ 선생님	○○ 씨, ○○○ 씨, ○○[친구 자녀] 아버지, ○○ 아빠, 과장님, ○ 과장님, 선생님, ○ 선생님
	해당 친구에게	부인, 집사람, 안사람, ○○ 씨, ○○○ 씨, ○○[친구 자녀] 어머니, ○○ 엄마, ○ 과장님	남편, 바깥양반, ○○ 씨, ○○○ 씨, ○○[친구 자녀] 아버지, ○○ 아빠, ○ 과장님
	아내(남편)에게	○○[친구] 부인, ○○[친구] 집사람, ○○[친구] 안사람, ○○[친구] 처, ○○[친구] 씨 부인, ○○[친구 자녀] 어머니, ○○ 엄마, ○ 과장 부인, ○ 과장님	○○[친구] 남편, ○○[친구] 바깥양반, ○○[친구] 씨 남편, ○○[친구 자녀] 아버지, ○○ 아빠, ○ 과장 남편, ○ 과장님
	자녀에게	○○[친구 자녀] 어머니, ○○ 엄마, 아주머니, ○○[지역] 아주머니, ○ 과장님	○○[친구 자녀] 아버지, ○○ 아빠, 아저씨, ○○[지역] 아저씨, ○ 과장님
	다른 친구에게	○○[친구] 부인, ○○[친구] 집사람, ○○[친구] 안사람, ○○[친구] 처, ○○[친구] 씨 부인, ○○ 씨, ○○○ 씨, ○○[친구 자녀] 어머니, ○○ 엄마, ○ 과장 부인	○○[친구] 남편, ○○[친구] 바깥양반, ○○[친구] 씨 남편, ○○ 씨, ○○○ 씨, ○○[친구 자녀] 아버지, ○○ 아빠, ○ 과장 남편

(2) 남편의 친구와 아내의 친구에 대한 호칭과 지칭

구분		남편의 친구	아내의 친구
호칭		○○ 씨, ○○○ 씨, ○○[남편 친구의 자녀] 아버지, 과장님, ○ 과장님, ○○○ 과장님, 선생님, ○ 선생님, ○○○ 선생님	○○ 씨, ○○○ 씨, ○○[아내 친구의 자녀] 어머니, 아주머니, ○ 선생, 선생님, ○ 선생님, ○○○ 선생님, 과장님, ○ 과장님, ○○○ 과장님, ○ 여사, 여사님, ○ 여사님, ○○○ 여사님
지칭	당사자에게	○○ 씨, ○○○ 씨, ○○[남편 친구의 자녀] 아버지, 과장님, ○ 과장님, ○○○ 과장님, 선생님, ○ 선생님, ○○○ 선생님	○○ 씨, ○○○ 씨, ○○[아내 친구의 자녀] 어머니, 아주머니, ○ 선생, 선생님, ○ 선생님, ○○○ 선생님, 과장님, ○ 과장님, ○○○ 과장님, ○ 여사, 여사님, ○ 여사님, ○○○ 여사님
	남편(아내)에게	○○ 씨, ○○○ 씨, ○○[남편 친구의 자녀] 아버지, ○ 과장님, ○○○ 과장님, ○ 선생님, ○○○ 선생님	○○ 씨, ○○○ 씨, ○○[아내 친구의 자녀] 어머니, ○ 과장님, ○○○ 과장님, ○ 선생, ○ 선생님, ○○○ 선생님
	자녀에게	아저씨, ○○[지역] 아저씨, ○○[남편 친구의 자녀] 아버지, ○ 과장님	아주머니, ○○[지역] 아주머니, ○○[아내 친구의 자녀] 어머니, ○ 과장님
	그 밖의 사람에게	○○ 씨, ○○○ 씨, ○○[남편 친구의 자녀] 아버지, ○ 과장님, ○○○ 과장님, ○ 선생님, ○○○ 선생님	○○ 씨, ○○○ 씨, ○○[아내 친구의 자녀] 어머니, ○ 과장님, ○○○ 과장님, ○ 선생님, ○○○ 선생님

(3) 부모님의 친구에 대한 호칭과 지칭

구분	아버지의 친구	어머니의 친구
호칭 및 지칭	아저씨, ○○[지역] 아저씨, ○○[아버지 친구의 자녀] 아버지, 어르신, 선생님, 과장님, ○ 과장님	아주머니, ○○[지역] 아주머니, 아줌마, ○○[지역] 아줌마, ○○[어머니 친구의 자녀] 어머니, 어르신, 선생님, 과장님, ○ 과장님

(4) 친구의 부모님에 대한 호칭과 지칭

구분		친구의 아버지	친구의 어머니
호칭		아저씨, ○○[지역] 아저씨, ○○[친구] 아버지, 아버님, ○○[친구] 아버님, 어르신, ○○[친구의 자녀] 할아버지	아주머니, ○○[지역] 아주머니, 아줌마, ○○[지역] 아줌마, 어머님, ○○[친구] 어머님, ○○[친구] 어머니, ○○[친구] 엄마, 어르신, ○○[친구의 자녀] 할머니
지칭	당사자에게	아저씨, ○○[지역] 아저씨, ○○[친구] 아버지, 아버님, ○○[친구] 아버님, 어르신, ○○[친구의 자녀] 할아버지	아주머니, ○○[지역] 아주머니, 아줌마, ○○[지역] 아줌마, 어머님, ○○[친구] 어머님, ○○[친구] 어머니, ○○[친구] 엄마, 어르신, ○○[친구의 자녀] 할머니
	해당 친구에게	아버님, 아버지, 아빠, 어르신, 부친, 춘부장	어머님, 어머니, 엄마, 어르신, 모친, 자당

3 선생님의 배우자

구분		남자 선생님의 아내	여자 선생님의 남편
호칭		사모님, 선생님, ○ 선생님, ○○○ 선생님, 과장님, ○ 과장님	사부(師夫)님, 선생님, ○ 선생님, ○○○ 선생님, 과장님, ○ 과장님
지칭	당사자 및 해당 선생님에게	사모님, 선생님, ○ 선생님, ○○○ 선생님, 과장님, ○ 과장님	사부(師夫)님, 선생님, ○ 선생님, ○○○ 선생님, 과장님, ○ 과장님, 바깥어른

4 직원과 손님

(1) 식당, 상점, 회사, 관공서 등의 직원에 대한 호칭과 지칭

호칭 및 지칭	아저씨, 젊은이, 총각, 아주머니, 아가씨, ○○ 씨, ○○○ 씨, 과장님, ○ 과장님, ○○○ 과장님, ○ 과장, ○○○ 과장, 선생님, ○ 선생님, ○○○ 선생님, ○ 선생, ○○○ 선생 [주로 식당, 상점 등에서의 호칭]: 여기요, 여보세요

(2) 식당, 상점, 회사, 관공서 등의 손님에 대한 호칭과 지칭

호칭 및 지칭	손님, ○○○ 님, ○○○ 손님

단권화 MEMO

■ 직원과 손님에 대한 호칭과 지칭
예전에는 손님이 직원을 '젊은이', '총각', '아가씨' 등으로 불렀는데, 이러한 말을 사용하는 것은 나이 차이나 손님으로서 갖게 되는 사회적 힘의 차이를 드러내려는 의도로 보일 수 있다. 직원을 '아줌마'로 부르는 경우도 상대방을 낮추는 느낌이 들게 할 수 있다. 요즘은 시민들의 문화 의식이 점차 높아지면서 식당이나 상점 직원을 '아줌마', '아저씨', '젊은이', '총각', '아가씨' 등으로 부르는 관습들이 점차 개선되고 있다.

단권화 MEMO

04 경어법

우리말은 남을 높여서 말하는 경어법이 잘 발달된 언어이다. 올바른 경어법을 사용하기 위해서 어휘를 잘 선택해서 쓸 줄 알아야 한다.

1 가정에서의 경어법

① 용언(동사·형용사)이 여러 개 함께 나타날 경우 대체로 문장의 마지막 용언에 높임 선어말어미 '–시–'를 쓴다.

예 • 할머니가 책을 읽으시고 계시다. (×)
• 할머니가 책을 읽고 계시다. (○)

② '야단'은 어른에게 쓸 수 없는 말이다.

예 • 아버지한테 야단을 맞았다. (×)
• 아버지한테 걱정(꾸중/꾸지람)을 들었다. (○)

③ 존칭의 조사 '께서', '께'는 일상 대화에서는 잘 쓰이지 않는다. 용언의 '–시–'로 높였다고 생각하기 때문이다.

예 • 아버지께서 어머니께 재미있는 이야기를 하셨습니다. (덜 자연스러운 표현)
• 아버지가 어머니한테 재미있는 이야기를 하셨습니다. (더 자연스러운 표현)

단, 깍듯이 존대해야 할 사람이나 공식적인 자리에서는 '께서', '께' 등으로 높여야 한다.

④ 존경의 어휘를 쓰지 않아야 할 자리에 존경의 어휘를 쓰는 것은 잘못이다.

예 • 아버님은 9층에 볼일이 계시다. (×)
• 아버님은 9층에 볼일이 있으시다. (○)

⑤ 다른 사람에게 부모를 말할 때는 언제나 높여 말한다.

예 저희(우리) 아버지께서 이렇게 말씀하셨습니다. (○)

⑥ 자녀를 손주에게 말할 때에는 '아비(아범)/어미(어멈)'보다는 '아버지/어머니'로 가리키고, 서술어에 '–시–'를 넣지 않고 말하는 것이 표준이다.

예 • ○○야, 아비(아범) 좀 오라고 해라. (×)
• ○○야, 아버지 좀 오라고 해라. (○)

단, 손주에게 부모는 대우해서 표현해야 할 윗사람이라는 것을 가르친다는 교육적인 차원에서 서술어에 '–시–'를 넣어 "○○야, 아버지/어머니 좀 오시라고 해라."라고 할 수도 있다.

2 직장에서의 경어법

① 윗사람에 관해서 말할 때는 듣는 사람이 누구든지 '–시–'를 넣어 말하는 것이 바람직하다. 이것은 가정에서 아버지를 할아버지께 말할 때 "할아버지, 아버지가 진지 잡수시라고 하였습니다."와 같이 아버지를 높이지 않는 것과는 다르다. 곧, 가정과 직장의 언어 예절에는 차이가 있다. 간혹 압존법*을 적용하여 직장에서도 낮추어 말해야 한다고 생각하는 사람이 있으나 이는 우리의 전통 언어 예절과는 거리가 멀다.

예 • (평사원이) 사장님, 이 과장은 은행에 갔습니다. (×)
• (평사원이) 사장님, 이 과장님은 은행에 가셨습니다. (○)

② 직장에서 직급이 높은 사람 또는 직급이 같거나 낮은 사람에게도 직장 사람들에 관해 말할 때에는 '–시–'를 넣어 존대한다.

예 (사장이 과장에게) 김 대리 어디에 가셨습니까? (○)

＊압존법
윗사람 앞에서 그 사람보다 낮은 윗사람을 낮추는 어법

3 공손법

① 관공서 등의 직원이 손님을 맞을 때는 관공서 등의 직급에 관계없이 "손님, 도장 가지고 오셨습니까?"처럼 정중하게 말하는 것이 바람직하고, 손님도 "이제 다 되었습니까?" 하고 말하는 것이 좋다.

② 버스 등 우연한 자리에서 연세가 위인 분에게는 "좀 비켜 주세요."라는 표현보다는 "제가 지나가도 되겠습니까?", "비켜 주시겠습니까?"처럼 완곡한 표현을 하는 것이 바람직하다.

③ 집에서는 "할아버지 진지 잡수셨습니까?"처럼 '밥'에 대하여 '진지'를 쓰지만, 직장이나 일반 사회에서는 "과장님, 점심 잡수셨습니까?"처럼 '점심(저녁)'이나 '식사'로 쓰는 것이 좋다.

단권화 MEMO

05 인사말

1 아침, 저녁

① 아침에 집에서 윗사람에게 하는 인사로는 "안녕히 주무셨습니까?", "진지 잡수셨습니까?"가 가장 알맞은 말이다. 동년배나 아랫사람에게는 "안녕?", "잘 잤니?"와 같이 인사하면 된다.

② 저녁에 잠자리에 들기 전에 어른들께는 꼭 "안녕히 주무십시오."라고 인사하고 형제들끼리는 "잘 자."라고 인사하면 된다.

2 만나고 헤어질 때

① 아침에 집을 나서면서 "(~에) 다녀오겠습니다.", "다녀오리다.", "다녀오마." 따위로 인사하고 나갔다가 들어올 때는 "(~에) 다녀왔습니다.", "다녀왔소." 따위로 인사한다.

② 오랜만에 만나게 된 어른에게는 "그동안 안녕하셨습니까?" 하고 인사를 하는 것이 가장 정중한 인사이다. 이웃 사람을 만났을 때는 "안녕하십니까?" 하고 인사하면 된다.

③ 직장에서 먼저 퇴근할 경우에 윗사람에게는 "먼저 (나)가겠습니다.", "내일 뵙겠습니다."로 인사한다. "먼저 실례합니다."나 "수고하십시오."는 윗사람에게 쓰지 않는다. 거래처 등에서 볼일을 마치고 돌아갈 때는 "고맙습니다. 안녕히 계십시오."라고 인사한다.

3 전화 예절

(1) 전화를 받을 때의 말

① 우리나라에서는 전화를 받는 사람이 먼저 말을 시작한다. 집에서 전화를 받을 경우 "여보세요."라고 말하는 것이 표준이며, "네."는 거만한 느낌을 줄 수 있으므로 쓰지 않는다. 직장에서 받을 때는 "네, ○○주식회사입니다." 하고 받으면 된다.

② 전화를 바꾸어 줄 때에는 집에서나 직장에서 모두 "(네,) 잠시(잠깐, 조금) 기다려 주십시오. 바꾸어 드리겠습니다."라고 하는 것이 좋다. 만약, 전화를 건 사람이 누구인지 밝히지 않았을 경우에는 "누구(시)라고 전해 드릴까요(여쭐까요)?"라고 할 수 있다.

③ 전화가 잘못 걸려 오면 "아닌데요(아닙니다), 전화 잘못 걸렸습니다."라고 말하는 것이 좋다. 단, "(전화) 잘못 거셨습니다."와 같이 상대방의 잘못으로 돌리는 표현은 하지 않는다.

단권화 MEMO

(2) 전화를 걸 때의 말

① 집에 전화를 걸 때 상대방이 응답을 하면 "안녕하십니까? (저는, 여기는) ○○○입니다. ○○○ 씨 계십니까?"와 같이 인사를 하고 자신의 신분을 밝히는 것이 기본 예절이다.

② 통화하고 싶은 사람이 없을 때는 "말씀 좀 전해 주시겠습니까?", "죄송합니다만(미안합니다만) ○○○한테서 전화 왔었다고 전해 주시겠습니까?"와 같이 말한다.

③ 대화를 마치고 전화를 끊을 때는 "안녕히 계십시오", "고맙습니다. 안녕히 계십시오.", "이만(그만) 끊겠습니다. 안녕히 계십시오."와 같이 인사를 하고 끊는다. 단, "들어가세요."는 쓰지 않는다.

4 소개하기

(1) 자신을 직접 소개할 때

① 먼저 "안녕하십니까?", "처음 뵙겠습니다." 등으로 인사하고 "저는 ○○○입니다."라고 자신의 이름을 밝힌다. 목적에 따라 자신의 직장명, 소속 등을 밝히며 말할 수 있다.

② 부모님의 이름을 빌려 자신을 표현할 때에는 "저희 아버지가 ○[姓] ○자 ○자 쓰십니다.", "저희 아버지 함자가 ○[姓] ○자 ○자입니다.", "○○○ 씨[부장(님)]의 아들입니다."와 같이 말한다. '○자 ○자 ○자'와 같이 부모님 성(姓)에 '자'를 붙이는 표현은 사용하지 않는다.

③ 자신의 성(姓)이나 본관(本貫)을 남에게 소개하는 경우에는 "○가(哥)" 또는 "○○[본관] ○가"라고 하는 것이 바람직하고 남의 성을 말할 때는 "○ 씨(氏)", "○○[본관] ○씨"라고 한다.

(2) 중간에서 다른 사람을 소개할 때의 순서

① 친소 관계를 따져 자기와 가까운 사람을 먼저 소개한다.

② 손아랫사람을 손윗사람에게 먼저 소개한다.

③ 남성을 여성에게 먼저 소개한다.

④ 위와 같은 상황이 섞여 있을 때는 '① → ② → ③'의 순서로 적용한다.

5 편지 쓰는 법

① 직함을 넣을 때는 자신의 이름 뒤에 직함을 써서는 안 된다.

예 • ○○주식회사 ○○○ 사장 올림 (×)
• ○○주식회사 사장 ○○○ 올림 (○)

② '○○로부터'라는 것은 외국어의 직역이므로 쓰지 않도록 해야 한다.

③ 봉투를 쓸 때는 '○○○ + 직함 + 님(께), ○○○ 좌하, ○○○ 귀하, ○○○ 님(에게), ○○○ 앞, ○○주식회사 귀중, ○○주식회사 ○○○ 사장님, ○○주식회사 ○○○ 귀하' 등처럼 쓴다.

④ 직함 뒤에 다시 '귀하'나 '좌하' 등을 쓰지 않는다.

예 • ○○○ 사장님 귀하 (×)
• ○○○ 귀하 (○)
• ○○○ 사장님께 (○)

⑤ 과거에 고향의 부모님께 편지를 보낼 때 부모님의 함자를 쓰기 어려워 자신의 이름 뒤에 '본제입납(本第入納), 본가입납(本家入納)'이라고 쓰기도 하였으나 오늘날에는 적절하지 않다. 부모님 성함을 쓰고 '○○○ 귀하, ○○○ 좌하'라고 쓴다.

6 전자 우편

형식적으로 편지와 다르지 않다. 단, 전자 우편의 경우 날짜가 자동으로 표시되므로 보내는 사람 이름 앞에 날짜를 쓰지 않아도 된다.

7 특정한 때 인사말

(1) 새해 인사

① 새해 인사로 가장 알맞은 것은 "새해 복 많이 받으십시오."이다. 상대에 따라 "새해 복 많이 받으세요.", "새해 복 많이 받게.", "새해 복 많이 받아라." 등으로 쓸 수 있다.

② 세배할 때는 절하는 것 자체가 인사이기 때문에 어른에게 "새해 복 많이 받으십시오."와 같은 말을 할 필요는 없다.

③ 어른에게 "절 받으세요.", "앉으세요."라고 말하는 것은 예의가 아니다.

④ 어른께 "만수무강하십시오.", "할머니 오래오래 사세요."와 같이 건강과 관련된 말은 쓰지 않는 것이 좋다. 의도와 달리 상대방에게 '내가 그렇게 늙었나?' 하는 서글픔을 느끼게 할 수 있기 때문이다. "올해에도 등산 많이 하세요."와 같이 기원을 담은 인사말을 한다.

(2) 축하와 위로의 인사말

① 어른의 생일일 경우 "생신 축하합니다."라고 인사하고, 상대에 따라 "생일 축하하네.", "생일 축하해."와 같이 쓰면 된다.

② 집안 결혼식에 가서 결혼하는 사람에게도 "축하합니다." 등으로 말하면 된다. 입학시험에 합격한 사람이라면 "합격을 축하합니다." 등과 같이 말한다.

③ 문병을 가게 된 경우에는 "좀 어떠십니까?", "얼마나 고생이 되십니까?" 등으로 인사하고, 불의의 사고일 때는 "불행 중 다행입니다."와 같이 말할 수 있다. 문병을 마치고 나올 때는 "조리(조섭) 잘하십시오.", "속히 나으시기 바랍니다."와 같이 인사를 하면 된다.

(3) 문상

① 문상 가서 가장 예의에 맞는 인사말은 아무 말도 하지 않는 것이다. 굳이 인사말을 해야 한다면 "삼가 조의를 표합니다.", "얼마나 슬프십니까?", "뭐라 드릴 말씀이 없습니다.", "고인의 명복을 빕니다."가 바람직하다.

② 전통적으로 남편 상을 당한 사람에게는 "천붕지통(天崩之痛)이 오죽하시겠습니까?", 아내 상을 당한 사람에게는 "고분지통(鼓盆之痛)이…….", 형제 상을 당한 사람에게 "할반지통(割半之痛)이……." 하기도 하였고, 또 자녀 상을 당한 사람에게는 "참척(慘慽)을 당하시어 얼마나 마음이 아프시겠습니까?" 하기도 했지만, 굳이 복잡하게 나누어 인사말을 할 필요는 없다. 다만, 부모 상의 경우에만 전통적인 인사말인 "얼마나 망극(罔極)하십니까?"를 쓸 수 있되, 이 말은 상주와 문상객의 나이가 지긋할 때 쓸 수 있다.

(4) 건배할 때

무엇을 위하는지 불분명한 '위하여'보다는 '우리 회사의 발전을 위하여'처럼 목적어를 명시하는 것이 좋다.

(5) 연하장

대체로 편지 형식과 일치한다. 새해를 축하하기 위한 기원을 담은 인사말로 '새해 복 많이 받으십시오.' 등의 인사말을 사용한다.

단권화 MEMO

단권화 MEMO

*단자(單子)

부조나 선물 따위의 내용을 적은 종이. 돈의 액수나 선물의 품목, 수량, 보내는 사람의 이름 따위를 써서 물건과 함께 보낸다.

*부고(訃告)

사람의 죽음을 알림. 또는 그런 글

(6) 봉투 및 단자*의 인사말

① **회갑 등**: 회갑 잔치 등에서 축의금을 낼 경우 봉투의 앞면에 '祝 壽宴(축 수연)', '祝 華甲(축 화갑)'과 같이 쓰고 뒷면에 이름을 쓴다. 한글로 써도 무방하며 가로쓰기를 할 수도 있다.

② **청첩**

㉠ 청첩장도 편지의 일종이므로 편지와 비슷한 형식으로 쓰면 된다.

㉡ 결혼식을 하는 날짜, 시간, 장소를 정확히 밝힌다. 여기에 결혼식 장소로 찾아오기 쉽도록 약도나 찾아가는 방법을 자세히 덧붙이는 것이 좋다.

③ **부고**: 부고*는 사람들이 쉽게 알 수 있도록 써야 한다는 것이 일반적인 견해이다. 부고는 자녀의 이름이 아닌 호상(護喪: 초상 치르는 데에 관한 온갖 일을 책임지고 맡아 보살피는 사람)의 이름으로 보내야 한다.

④ **결혼식**: 결혼식에는 '祝 婚姻(축 혼인), 祝 結婚(축 결혼), 祝 華婚(축 화혼), 祝儀(축의), 賀儀(하의)' 등을 인사말로 쓸 수 있다.

⑤ **문상**: 문상의 경우 봉투의 인사말은 '賻儀(부의), 謹弔(근조)' 등을 쓴다. '삼가 조의를 표합니다.'라는 문장 형식의 인사말은 단자에는 써도 봉투에는 쓰지 않는다.

⑥ **조장과 조전**: 불가피한 사정으로 문상을 갈 수 없을 때에는 편지나 전보를 보낸다. 부고를 받고도 문상을 가지 않거나 편지나 전보조차 보내지 않는 것은 예의에 어긋난다.

⑦ **정년 퇴임**: 정년 퇴임의 경우 봉투나 단자의 인사말로 '謹祝(근축), 頌功(송공), (그동안의) 공적을 기립니다.'처럼 쓸 수 있다.

01 언어 예절

01 부르는 말에는 직접 상대방을 부르는 (　　　)와/과 다른 이에게 그 사람을 가리켜 말하는 (　　　) 이/가 있다.

02

구분	남에게 자신의 아버지를 지칭할 때	남에게 자신의 어머니를 지칭할 때
살아 계심	가친(家親), 가엄(家嚴), 가대인(家大人) 등	자친(慈親), 가모(家母), 자위(慈闈) 등
돌아가심	(　　　), 선고(先考) 등	선비(先妣), 선자(先慈) 등

03 남편은 아이가 있으면 (　　　)(이)라고 하면 되고, 아이가 없을 경우 '당신, ○○ 씨', 나이가 들어서는 '영감'이라고 할 수 있다.

04 형은 '형(님)'으로 부른다. 형의 아내는 '(　　　), (　　　), 형수님'이라고 부른다.

05 남자의 경우 여동생은 '○○[이름], 동생'으로 부른다. 그 남편은 (　　　), (　　　), (　　　)(으)로 부른다.

06 아내의 오빠를 부르는 말은 (　　　)이다.

07 며느리·사위의 조부모를 부르는 말은 (　　　)이다.

08 아침에 집에서 윗사람에게 하는 인사로는 "(　　　)?", "진지 잡수셨습니까?"가 가장 알맞다.

09 중간에서 다른 사람을 소개할 때는 다음과 같은 순서로 한다.

① 친소 관계를 따져 자기와 가까운 사람을 먼저 소개한다.

② 손아랫사람을 손윗사람에게 먼저 소개한다.

③ (　　　)을/를 (　　　)에게 먼저 소개한다.

④ 위와 같은 상황이 섞여 있을 때는 '① → ② → ③'의 순서로 적용한다.

10 문상 가서 굳이 인사말을 해야 한다면 "삼가 조의를 표합니다.", "(　　　)", "뭐라 드릴 말씀이 없습니다.", "고인의 명복을 빕니다."가 바람직하다.

| 정답 | 01 호칭어, 지칭어 02 선친(先親) 03 ○○[자녀] 아빠 04 아주머님, 아주머니 05 매부, 매제, ○ 서방 06 형님 07 사장어른 08 안녕히 주무셨습니까 09 남성, 여성 10 얼마나 슬프십니까?

01 언어 예절

교수님 코멘트▶ 이 영역에서는 가족 간 언어 예절, 공적 상황에서의 언어 예절, 높임법 등이 자주 출제된다. 특히 높임법과 가족 간 언어 예절 중 동기간 언어 예절이 종종 출제된다. 따라서 기본서 회독을 통해 확인해 두자. 또한 기출문제를 통해서 유형을 파악하고, 앞서 학습한 개념이 어떻게 문제화되는지 알아 두자.

01

2014 국가직 7급

표준 언어 예절에 알맞은 표현은?

① 자기의 본관을 소개할 때 "저는 ○○[본관] ○씨입니다."라고 한다.
② 남편의 친구에게 자신을 소개할 때 "저는 ○○○ 씨의 부인입니다."라고 한다.
③ 텔레비전에서 사회자가 20대의 연예인을 소개할 때 "○○○ 씨를 모시겠습니다."라고 한다.
④ 어머니와 길을 가다 선생님을 만났을 때 "저의 어머니십니다."라고 어머니를 선생님께 먼저 소개한다.

02

2013 국가직 7급

우리말 표현으로 옳은 것은?

① (시청 간부가 외부 전문가에게) 저는 시청에 근무하는 전우치 과장입니다. 교수님께 하반기 경제 전망에 대해 자문을 구하고자 전화를 드렸습니다.
② (간호사가 환자에게) 환자분, 주사 맞게 침대에 누우실게요.
③ (며느리가 시어머니에게) 어머니, 아범은 아직 안 들어왔어요.
④ (한국인이 외국인에게) 저희나라 국민들은 독도 문제에 대해 매우 민감합니다.

03

2013 지방직 7급

어법에 맞는 표현은? (정답 2개)

① (면접을 마친 후 면접관에게) 면접관님, 수고하십시오.
② (문상을 가서 상주에게) 삼가 조의를 표합니다.
③ (점원이 손님에게) 손님께서 찾으시는 물건은 품절이십니다.
④ (아내가 남편에게) 오빠, 외식하러 가요.

04
2013 지방직 9급

편지 용어에 대한 설명으로 옳지 않은 것은?

① 친전(親展): 편지를 받을 사람이 직접 펴 보라고 편지 겉봉에 적는 말

② 좌하(座下): 편지를 받을 사람이 아랫사람일 때 붙이는 말

③ 귀중(貴中): 편지나 물품 따위를 받을 단체나 기관의 이름 아래에 쓰는 높임말

④ 본제입납(本第入納): 본가로 들어가는 편지라는 뜻으로, 자기 집으로 편지할 때에 편지 겉봉에 자기 이름을 쓰고 그 밑에 쓰는 말

정답&해설

01 ④ 소개하기

④ 언어 예절상 본인과 더 가까운 사람을 먼저 소개하는 것이 알맞다.

|오답해설| ① 본관을 소개할 때는 '저는 ○○[본관] ○가입니다.'라고 한다.

② '부인'은 '남의 아내를 높여 부르는 말'이다. 따라서 본인이 자신을 지칭할 때는 '아내'가 적절하다.

③ '모시다'는 '데리다'의 높임말이므로 '소개하다'를 쓰는 게 적절하다.

02 ③ 지칭어와 경어법

③ 며느리가 시부모에게 남편을 말할 때 아이가 있으면 '아범'이라는 표현을 사용할 수 있다.

|오답해설| ① '이름+직함'은 높임이고 '직함+이름'은 낮춤이다. 따라서 자신을 표현할 때에는 낮춤의 '직함+이름'이 더 적절하다.

② '~ㄹ게요.'의 주체는 항상 말하는 이로 고정된다. 즉, 말하는 이가 자신의 행동에 대하여는 쓸 수 있지만 상대방의 행동에 대하여 쓰는 것은 어색하다. 따라서 청자에게는 쓸 수 없다. '누우세요.'로 수정한다.

④ 절대적 대상인 '국가, 겨레'는 낮추지 않는다. 따라서 '우리나라'로 수정한다.

03 ②④ 올바른 언어 예절

② 문상을 가서는 아무 말도 하지 않는 것이 예의에 맞다. 그러나 혹 조의를 표하고자 한다면 "삼가 조의를 표합니다.", "뭐라 드릴 말씀이 없습니다.", "고인의 명복을 빕니다." 정도로 말한다.

④ 기존의 표준 언어 예절에서는 부부 사이에 '오빠'라는 표현은 적절하지 않은 것이었다. 하지만 2020년 개정 내용에 따르면 부부 사이의 호칭은 부부가 자유롭게 사용할 수 있는 것으로 보고 있다. 이에 따라 출제 당시에는 틀린 내용이었지만 현재는 부부 사이의 호칭으로 '오빠'도 얼마든지 사용이 가능하다.

|오답해설| ① '수고하세요.'는 윗사람에게 쓰는 표현이 아니다. 따라서 '고맙습니다.' 정도로 수정한다.

③ 간접 높임의 경우도 청자와 밀접한 관련이 없으면 굳이 높임을 쓸 필요가 없다. 따라서 '품절이십니다.'는 과도하게 높인 것이고, '품절입니다.'가 적절하다.

04 ② 편지 쓰는 법

② '좌하'는 편지를 받는 사람을 높여 그의 이름이나 호칭 아래에 붙여 쓰는 말이다.

|정답| 01 ④ 02 ③ 03 ②④ 04 ②

05

2013 지방직 9급

밑줄 친 말이 옳게 쓰인 것은?

① 자네의 선대인께서는 올해 건강하신가?
② 옆집 선배와 나는 두 살 터울이다.
③ 오늘 아버지께 걱정을 들었다.
④ 면접하러 온 사람들은 현관 앞에서 복장을 매무새하였다.

06

2016 국가직 7급

전화를 사용할 때, 표준 언어 예절로 바람직하지 않은 것은?

① 아닌데요, 전화 잘못 거셨습니다.
② 네, 잠깐 기다려 주십시오. 바꾸어 드리겠습니다.
③ 지금 안 계십니다. 들어오시면 뭐라고 전해 드릴까요?
④ 잘 알겠습니다. 이만 끊겠습니다. 안녕히 계십시오.

07

2015 지방직 9급

다음 중 올바른 우리말 표현은?

① (초청장 문안에서) 귀하를 이번 행사에 꼭 모시고자 하오니 많이 참석해 주시기 바랍니다.
② (전화 통화에서) 과장님은 지금 자리에 안 계십니다. 뭐라고 전해 드릴까요?
③ (직원이 고객에게) 주문하신 상품은 현재 품절이십니다.
④ (방송에 출연해서) 저희나라가 이번에 우승한 것은 국민 여러분의 뜨거운 성원 덕택입니다.

정답&해설

05 ③ 올바른 표현

③ '어른께 꾸중을 들었다.'라는 의미로 '걱정을 들었다.'라고 표현할 수 있다.

|오답해설| ① '선대인'은 '돌아가신 남의 아버지'를 이르는 말이다. '살아 있는 남의 아버지'를 높이는 표현인 '춘부장'으로 고쳐 써야 한다.
② '터울'은 한 어머니가 낳은 자녀들의 나이 차이를 표현할 때 쓸 수 있는 말이다. 따라서 남의 경우 '차이'를 써야 한다.
④ '매무새'는 '옷, 머리 따위를 수습하여 입거나 손질한 모양새'이므로 문맥상 '옷을 입을 때 매고 여미는 따위의 뒷단속'을 의미하는 '매무시'를 써야 한다.

06 ① 전화 예절

① 전화를 잘못 건 주체는 상대방이다. 따라서 '전화 잘못 거셨습니다.'와 같이 말하는 것은 상대의 잘못을 지적하는 느낌을 줄 수 있다. 따라서 '전화 잘못 걸렸습니다.' 정도로 수정해야 한다.

07 ② 경어법

② 직장에서는 압존법을 사용하지 않으므로 전화를 받는 사람은 전화를 건 상대방의 지위에 관계 없이 전화 건 사람과 과장님을 모두 높여서 표현해야 한다.

|오답해설| ① 서로 다른 두 개의 주어가 무리하게 생략되었다. 즉 '(제가) 귀하를 모시고자 합니다.'와 '(귀하가) 참석해 주시기 바랍니다.'의 주어가 생략되어 주체와 서술어가 호응하지 않는 문장이다.
③ 사물은 높일 필요가 없다. 따라서 '품절이십니다.'는 잘못된 표현이다.
④ 어떤 경우라도 '저희나라'는 사용할 수 없는 표현이다. '우리나라'로 수정한다.

|정답| 05 ③ 06 ① 07 ②

CHAPTER

02 바른 표현

☐ 1회독 월 일
☐ 2회독 월 일
☐ 3회독 월 일
☐ 4회독 월 일
☐ 5회독 월 일

단권화 MEMO

01 잘못된 단어의 사용

001 갈치는 가시를 골라내며 먹어야 한다. → 발라내며
➡ '뼈다귀에 붙은 살을 걷어 내다.'의 의미일 때는 '바르다'를 쓴다.

002 자신의 힘을 빙자하여 오만하게 구는 사람이 있다. → 이용
➡ '빙자(憑藉)'는 남의 힘을 빌려 의지하거나 말막음을 위하여 핑계로 내세우는 행위를 말한다. 따라서 문맥상 맞지 않으므로 '이용'으로 쓰는 것이 적절하다.

003 그가 김 선생님에게서 직접 창을 사숙(私淑)한 지 여러 해가 지났다. → 사사(師事)한
➡ '사숙하다'는 직접 배우지 않은 상황에 쓰이는 말이므로, 이 문장과 같이 직접 배운 경우에는 '사사하다'*를 사용한다.

004 출근할 때 지하철을 사용하는 사람이 많다. → 이용
➡ '사용'은 일정한 목적이나 기능에 맞게 쓰는 것이고, '이용'은 대상을 필요에 따라 이롭게 쓰는 것이다.

005 남을 괴롭힌 사람은 죄를 받아 마땅하다. → 벌
➡ '죄'는 '잘못이나 허물로 인하여 벌을 받을 만한 일'을 뜻한다. 따라서 '죄'는 짓는 것이지 받는 것이 아니다. 남을 괴롭힌 사람은 죄를 지은 사람이므로 '벌'을 받아야 한다.

006 병원에 출산 예정인 임산부들이 많이 있었다. → 임신부
➡ '임산부'는 아이를 가진 여자와 아이를 갓 낳은 여자를 포함하는 말이므로, 이 문장 상황에서는 '임신부'가 더 적절한 말이다.

007 키가 생각보다 굉장히 작아 보인다. → 무척
➡ '굉장히'는 아주 크고 훌륭하다는 의미를 지니므로 '작다'와 같은 형용사와 사용하는 것은 어울리지 않는다. 이 문장 상황에서는 '무척'을 써야 한다.

008 모든 지하자원은 무한대가 아닌 국한된 자원이다. → 한정
➡ '국한'은 범위를 한정하는 것이고, '한정'은 수량이나 범위를 제한해 정하는 것이다.

009 생사의 귀로에서 돌아왔다. → 기로(岐路)
➡ '기로'는 갈림길의 의미이고, '귀로'는 돌아오는 길의 의미이다.

010 귀사를 향한 많은 관심에 임직원들은 감사할 따름입니다. → 폐사(弊社)*
➡ '귀사'는 상대방의 회사를 높여 이르는 말이다. 자신의 회사를 말할 때에는 자기 회사를 낮추어 표현하는 '폐사'를 쓰는 것이 적절하다.

011 지진 희생자들의 넋을 기리기 위해 많은 분들이 모였습니다. → 위로하기
➡ '기리다'는 뛰어난 업적이나 바람직한 정신 따위를 칭찬하고 기억하다의 의미이다. 사고 희생자에게는 '위로하다'가 적절하다.

***사사하다**
'사사하다'를 '사사받다'로 쓰는 경우가 있는데, 이는 잘못된 표현이다. '사사하다'는 '스승으로 섬기고 가르침을 받다.'로 이미 그 말에 '받다'라는 의미가 내포되어 있기 때문이다.

***폐사(弊社)**
자신의 회사를 낮출 때 쓰는 말

012 연말에는 숙취 효과가 있는 약들이 많이 팔린다. → 숙취 제거 효과
➡ '숙취'는 다음 날까지 깨지 않는 취기를 뜻하므로 '숙취 제거 효과'라고 해야 적절하다.

013 그는 서서 문턱에 기대고 영희를 기다렸다. → 문설주
➡ '문설주'는 '문짝을 끼워 달기 위하여 문의 양쪽에 세운 기둥'을 의미한다. '문턱'은 기댈 수 있는 대상이 아니다.

014 이번 일을 성공적으로 이끈 주모자는 철수다. → 주도자
➡ 긍정적 가치를 가진 일에 대해서는 '주도자'를 쓰고, 부정적인 일에 대해서는 '주모자'를 쓴다.

015 다친 학생들을 병원으로 후송했다. → 이송
➡ '이송하다'는 다른 곳으로 옮기어 보내다의 의미이고, '후송'은 적군과 맞대고 있는 지역에서 부상자를 후방으로 보내는 것을 의미한다.

016 홀몸도 아닌데, 조심하세요. → 홑몸
➡ 임신하지 않은 몸을 의미할 때는 '홑몸'을 사용한다. '홀몸'은 배우자나 형제가 없는 사람을 의미한다.

017 지하철에서 핸드폰을 이용하는 사람이 많다. → 사용
➡ '이용'은 대상을 필요에 따라 이롭게 쓰는 것이고, '사용'은 일정한 목적이나 기능에 맞게 쓰는 것이다.

018 철수가 실력이 많이 상승했다. → 향상
➡ 실력, 수준, 기술 따위가 나아지는 것은 '향상'이다. '상승'은 낮은 데서 위로 올라가는 것이다.

019 오늘 은행에 공과금을 수납했다. → 납부
➡ 세금이나 공과금 따위를 관계 기관에 낸다는 의미일 때는 '납부하다'를 쓴다.

020 기술의 발달은 자연 자원 이용의 효과를 떨어뜨렸다. → 효율
➡ 들인 노력과 얻은 결과의 비율은 '효율'을 사용하는 것이 적절하다.

021 새의 꼬리기 회려할수록 수컷일 확률이 높다. → 꽁지
➡ 동물의 꽁무니는 일반적으로 '꼬리'라고 하지만, 새의 꽁무니에 붙은 깃은 '꽁지'라고 한다.

022 공무원 시험 난이도가 점점 낮아지고 있다. → 난도
➡ '난이도'는 어려움과 쉬움을 동시에 나타내므로 이를 동시에 낮게 할 수는 없다.

023 글이 난잡할수록 의미는 불분명해진다. → 난삽(難澁)
➡ '난잡'은 사람의 행동이나 사물의 배치와 관련된 말이다. '난삽'은 말이나 글과 관련되어 쓰이는 말이다.

024 진실이 가려지지 않아 문제가 커졌다. → 밝혀지지
➡ '가려지다'는 잘잘못이 구별된다는 의미이다. 앞의 '진실'과 호응하지 않으므로 '밝혀지다'가 적절하다.

025 증세가 많이 개선되었다. → 호전
➡ 병세가 나아지는 것은 '호전'이 자연스럽다. '개선'은 잘못된 것을 고쳐 더 좋게 만드는 것이다.

026 오랜 시간에 거친 회의로 모두 피곤해했다. → 걸친
➡ '거치다'는 '어떤 과정이나 단계를 밟다.'의 의미이고, '일정한 횟수나 시간, 공간을 거쳐 이어지다.'의 의미일 때는 '걸치다'를 쓴다.

027 너의 도덕성 결핍이 언젠가 문제가 될 것이다. → 결여
➡ 도덕성, 타당성, 보편성 등의 말에는 마땅히 있어야 할 것이 모자람을 의미하는 '결여'가 어울린다.

028 무남독녀 고명딸만큼 예쁜 자식도 없다. → 외동딸
➡ '고명딸'은 아들 많은 집의 외딸을 의미한다. 무남독녀일 때는 '외동딸'을 쓴다.

029 우리 군이 패배했다는 낭보가 들렸다. → 비보
➡ '낭보'는 '기쁜 소식'을 의미하므로 슬픈 소식일 때는 '비보'가 적절하다.

030 그는 여러 고위직을 연임(連任)한 후에 퇴직했다. → 역임(歷任)
➡ '연임'은 한 직위가 끝난 후 계속 그 직위에 머무르는 경우에 쓰이는 말이고, 여러 직위를 두루 거친 경우에 쓰일 때는 '역임'을 사용한다.

단권화 MEMO

단권화 MEMO

031 자본가가 갈취하는 노동자들의 노동 성과는 절대 작지 않다. → 착취
➡ 계급 사회에서 타 계급의 노동 성과를 무상으로 취득한다는 의미일 때는 '착취'가 알맞다.

032 비를 맞아 체온이 감소했다. → 내렸다
➡ '감소하다'는 양이나 수치가 준 것을 나타내고, 값이나 수치, 온도 따위가 낮아질 때는 '내리다'를 쓴다.

033 그의 범죄는 미수에 머물고 말았다. → 미수에 그치고
➡ '미수에 그치다.', '미수로 그치다.'와 같이 쓴다. '머물다'라는 표현은 화자의 아쉬움을 나타낼 수도 있기 때문에 이 문장 상황에서는 적절하지 않다.

034 어려서 그런지 심술꽤나 부리더라. → 깨나
➡ '깨나'는 '어느 정도 이상'의 뜻을 나타내는 보조사이다. '심술꽤나'로 쓰지 않도록 한다.

035 철수는 일이 잘못될까 봐 안절부절했다. → 안절부절못했다
➡ '안절부절못하다'가 표준어이다.

036 철수에게 피해를 입은 사람들은 아직도 앙금이 가라앉지 않았다. → 가시지
➡ '앙금'은 부드러운 가루가 가라앉은 층의 의미로 쓰일 때는 '앙금이 생기다.', '앙금이 가라앉다.'처럼 쓰이고, 마음속의 감정을 의미할 때는 '앙금이 남다.', '앙금이 가시다.'와 같이 쓰인다.

037 자식을 잃은 애환을 어떻게 말로 다 할까? → 슬픔
➡ '애환'은 슬픔과 기쁨을 동시에 나타내는 말이다. 자식을 잃은 상황은 기쁠 수 없으므로 '슬픔'을 써야 한다.

038 감기는 보통 비위생적인 습관으로부터 야기되는 질병이다. → 유발
➡ '야기'는 주로 일이나 사건을 대상으로 한다. 감정, 욕구, 질병 등과 함께 쓰일 때는 '유발'이 잘 어울린다.

039 문맥에 맞는 가장 정확한 어휘를 쓰기 위해 노력해야 한다. → 단어
➡ '어휘'는 낱말 전체를 의미한다. 문맥에서 사용되는 특정한 낱말일 때는 '단어'가 적절하다.

040 한글은 세계에서 가장 훌륭한 언어이다. → 문자
➡ 한글은 우리말을 적는 글자의 명칭이지 언어 그 자체가 아니다.

041 청소년 성매매는 우리 사회에서 개선해야 할 과제 중 하나이다. → 근절
➡ '다시 살아날 수 없도록 완전히 없애다.'의 의미일 때는 '근절'이 적절하다.

042 범인의 발자국 소리가 들렸다. → 발소리
➡ '발자국'은 발로 밟은 자리에 남은 모양을 의미한다. 모양은 보는 것이지 듣는 것이 아니다.

043 항상 어머니께서 아버지의 병치레를 도맡았다. → 병구완
➡ '병치레'는 병을 앓아 치러 내는 일이다. 남의 병을 돌보는 내용이 들어갈 때는 '병구완'이 적절하다.

044 놀러 오는 친구를 배웅하러 나갔다. → 마중
➡ '배웅하다'는 작별하여 보낼 때 쓰이는 말이다. 놀러 오는 친구를 만나러 간 것이므로 '마중하다'를 쓰는 것이 적절하다.

045 공사장의 불법 행위로 인한 보상을 요구했다. → 배상
➡ '보상'은 합법적 행위에 의해 생긴 피해일 때 쓰이고, 불법적 행위에 의해 생긴 피해에 대해서는 '배상(賠償)'을 사용한다.

046 그는 비가 오는 날마다 강수량을 측정한다. → 강우량
➡ 일정한 기간 동안 내린 비의 총량을 의미할 때는 '강우량'이 적절하다. '강수량'은 일정 기간 동안 내린 비, 눈, 우박, 안개 따위의 총량을 의미한다.

047 한강의 수질 개량 사업을 마련해야 한다. → 개선
➡ 제도나 환경, 근로 조건, 근무 여건 등을 바꿀 때는 '개선'이 적절하다.

048 적금을 유지하려면 외식비를 크게 내려야 하겠다. → 줄여야
➡ 수나 분량이 적어지게 하다의 의미로 사용될 때는 '줄이다'를 사용한다.

049 그는 눈맵시가 있는 편이라 한번 본 것을 잘 따라 한다. → 눈썰미

➡ '눈맵시'는 눈이 생긴 모양새를 뜻한다. 한두 번 보고 곧 그대로 해내는 재주를 나타낼 때는 '눈썰미'를 쓰는 것이 자연스럽다.

050 축제의 대단원의 막을 열었다. → 대단원의 막을 내렸다

➡ '대단원'이란 어떤 일의 맨 마지막, 대미를 의미하므로 '대단원의 막을 내리다.' 등으로 표현한다.

051 고함 소리가 문득 들려왔다. → 갑자기

➡ '문득'은 생각이나 느낌 따위가 갑자기 떠오르는 모양이나 어떤 행위가 갑자기 이루어지는 모양을 뜻한다.

052 지폐를 변조해 사용한 철수는 결국 구속됐다. → 위조

➡ '변조'는 이미 존재하는 물건에 무엇을 첨삭하여 바꾸는 것이고, '위조'는 처음부터 속일 목적으로 아예 진짜 같이 만드는 것이다. 그러므로 지폐를 위조했다는 표현이 알맞다.

053 철수의 유명세를 다들 부러워한다. → 인기

➡ '유명세'는 널리 알려진 이름으로 인하여 겪게 되는 불편을 속되게 이르는 말이므로, 긍정적인 의미로 사용할 때는 '인기'가 더 적절하다.

054 내가 원해서 한 일이라 부득불(不得不) 기분이 좋다. → 미상불(未嘗不)

➡ '부득불'은 '마음이 내키지 아니하나 마지못해 하다.'의 의미이고, '미상불'은 '아닌 게 아니라 과연'의 의미이다.

055 죽음도 불사(不辭)하지 않겠다고 외쳤다. → 불사하겠다

➡ '불사하다'는 '사양하지 아니하다.' 또는 '마다하지 않다.'라는 의미이다. 그러므로 이 문장 상황에서는 '불사하다'를 써야 한다.

056 공사로 여러분께 불편을 드려 죄송합니다. → 불편을 끼쳐

➡ '영향, 해, 은혜 따위를 입거나 당하게 하다.'의 의미로 쓰일 때는 '끼치다'를 사용한다.

057 옷에 묻지 않게 붓뚜껑을 잘 닫아라. → 붓두껍

➡ '붓두껍'은 붓촉에 끼워 두는 뚜껑을 말한다. '붓뚜껑'이라는 단어는 존재하지 않는다.

058 서울에서 제주도까지 비행기 값이 얼마인가? → 삯

➡ 비행기, 버스, 택시 등의 교통수단 요금은 '삯'이라고 한다.

059 군대에 있는 후배에게 문안 편지를 보냈다. → 안부 편지, 위문 편지

➡ '문안'은 웃어른께 안부를 여쭈거나 인사를 하는 것을 의미한다. 이 문장은 후배에게 편지를 쓰는 상황이므로 '위문 편지' 정도가 적절하다.

060 사람들이 거의 모르는 명승지를 찾아다녔다. → 경승지(景勝地)

➡ '명승지'는 경치가 좋기로 이름난 곳이다. 사람들이 거의 모르는 곳은 '경승지'가 적절하다.

061 할머니, 그동안 기체 미령하셨습니까? → 안녕하셨습니까

➡ '미령(靡寧)'은 어른의 몸이 병으로 편치 못한 것을 의미하므로, 이 상황에서는 건강하고 평안하다의 의미인 '안녕하다'를 쓰는 것이 더 적절하다.

062 보수 세력들의 파렴치한 행동에 치가 떨린다. → 수구(守舊)

➡ '보수'는 가치 중립적인 말이다. 부정적 의미로 사용할 때는 '수구(守舊)'가 적절하다.

063 그 일이 빌미가 되어 성공한 사람이 많다. → 원인

➡ '빌미'는 '재앙이나 탈 따위가 생기는 원인'이라는 뜻으로, 부정적인 의미가 강하다.

064 조용한 와중에 벨이 울렸다. → 도중

➡ '와중'은 '일이나 사건 따위가 시끄럽고 복잡하게 벌어지는 가운데'라는 의미이므로, 조용한 상황에서는 어울리지 않는다.

065 그는 어린 나이에 운명을 달리했다. → 유명

➡ '유명'은 어둠과 밝음, 저승과 이승을 아울러 이르는 말이다. '죽다'를 완곡하게 이를 때 '유명을 달리하다, 운명하다'라고 한다.

단권화 MEMO

단권화 MEMO

066 철수가 다른 사람들에 비해 일을 월등히 못한다. → 현저히
➡ '월등하다'는 긍정적인 의미로 사용되기 때문에 이 문장 상황에서는 '현저하다'가 어울린다.

067 이번 결정은 민주주의 사회에서 의미가 크다. → 의의
➡ '의미'가 대상이 지니는 주관적인 가치의 중요성에 주안점이 있는 반면, '의의'는 객관적인 가치나 중요성에 주안점이 있다.

068 그 정당은 아직 정치적 힘이 빈약(貧弱)하고 대중에 대한 영향력이 약하다. → 미약(微弱)
➡ 힘이나 영향력 등의 세기가 약하다는 의미로 사용할 때는 '미약'이 더 적절하다. '빈약'은 가난하여 힘이 없거나 자료나 근거가 충실하지 못하거나 신체가 제대로 발달하지 못했을 때 주로 사용된다.

069 그 민족의 계속된 사고의 결과가 그 민족을 대표하는 하나의 사유(思惟)로 자리 잡았다. → 사상(思想)
➡ '사유'가 지속적이고 동적인 개념이라면 '사상'은 정적인 측면이 강하다. 이 문장은 일정한 생각으로 자리 잡은 경우이므로 '사상'이 더 적절하다.

070 철수는 오전에 한 말을 좀 더 상술(詳述)했다. → 부연(敷衍)
➡ 처음부터 자세하게 설명하는 것은 '상술'이고, 어떤 말 뒤에 덧붙여 설명하는 것은 '부연'이다.

071 건물도 임대해서 쓰는 처지에 그것은 무리다. → 임차
➡ '임대'는 돈을 받고 자기의 물건을 빌려주는 것을 의미한다. 빌려서 쓰는 것은 '임차'이다.

072 직원을 채용하고 해임할 수 있는 임명권이 필요하다. → 임면(任免)
➡ '임면'은 임명과 해임을 모두 포함하여 이르는 말이다.

073 대표님의 말씀에 의의 있습니다. → 이의(異議)
➡ 다른 의견이나 논의를 뜻하는 말은 '이의'이다.

074 두 물체의 이음새를 잘 고정해라. → 이음매
➡ '두 물체를 이은 자리'의 의미로 쓰일 때는 '이음매'를 사용한다. '이음새'는 두 물체를 이은 모양새를 의미한다.

075 안주 일절 있음. → 일체
➡ '일절'은 부정문에 쓰이고 '일체'는 긍정문에 쓰인다. '전혀'로 바꿀 수 있으면 '일절'이 쓰이고, '모든'이나 '전부'로 바꿀 수 있으면 '일체'로 쓴다.

076 여름이라 그런지 날씨가 많이 푹하다. → 덥다
➡ '푹하다'는 겨울 날씨가 퍽 따뜻하다는 뜻이므로 여름과는 어울리지 않는다.

077 도배할 때는 풀솔에 풀을 잘 묻혀야 한다. → 귀얄
➡ 풀이나 옻을 칠할 때 쓰는 솔은 '귀얄'이라고 한다. '풀솔'이라는 단어는 없다.

078 그는 자신의 이름을 한문으로 적지 못한다. → 한자
➡ '한문'은 '중국 고전의 문장 또는 한자만으로 쓰인 문장'을 의미하므로 이름을 적을 때는 '한자'로 쓰는 것이 적절한 표현이다.

079 철수 어머니는 항년 90세를 일기(一期)로 별세하셨다. → 향년(享年)*
➡ 한평생 살아 누린 나이로, 죽을 때의 나이를 말할 때는 '향년'을 쓴다. '항년'은 향년의 잘못된 표기이다.

*향년(享年)
'향년'은 죽을 때의 나이를 말하므로 살아 있는 사람에게 쓰는 것은 잘못된 표현이다.
예 올해로 향년 20세가 된 그는 오늘 대학에 입학했다. (×)

080 우리 회사는 지금까지와는 완전히 다른 새로운 계기를 맞이하였습니다. → 전기(轉機)
➡ '계기'는 어떤 일을 일으키거나 결정하게 되는 동기나 근거를 말하고, '전기'는 사물의 상태나 모양이 지금까지와는 다른 상태로 바뀌는 기회나 시기를 가리킨다.

081 기존에 살던 입주민들의 반대가 심했다. → 주민
➡ '입주민'은 새로 지은 집에 들어와서 사는 사람을 의미한다. 이 문장과 같이 기존에 살던 사람들은 '주민'으로 표현하는 것이 적절하다.

082 철수는 선생님께 이번 일에 대해 자문을 구했다. → 자문(諮問)했다.
➡ '자문'은 일을 함에 있어 남에게 의견을 묻는다는 뜻이다. 우리가 흔히 쓰는 '자문을 구하다'라는 말은 '자문하다'를 잘못 사용한 경우이다.

083 철수와 영희는 주변 사람들의 주선으로 해후(邂逅)할 수 있었다. → 상봉(相逢)

➡ '해후'는 오랫동안 헤어졌다가 뜻밖에 다시 만난다는 의미이므로, 누군가의 주선으로 만날 때는 '상봉'을 쓴다.

084 미신과 과학을 혼돈(混沌)하는 경우가 많다. → 혼동(混同)

➡ '혼돈'은 어찌할 것인지 갈피를 잡지 못하는 상태를 이르는 말이다. 성질이 비슷한 두 가지 사물 등을 구별하지 못할 때는 '혼동'을 사용한다.

085 철수의 실패담은 사람들 입에 항상 회자된다. → 오르내린다

➡ '회자되다'는 칭찬을 받으며 사람의 입에 자주 오르내리게 된다는 의미이므로 '실패담'이라는 말과 어울리지 않는다.

086 사람은 현실과 이상 사이에서 항상 고민하는 존재이다. → 고뇌

➡ '고민'은 그 대상이 현실적이고 구체적인 문제들일 때 사용되는 말이므로, 인생, 선악, 신의 존재와 같이 추상적인 문제일 때는 '고뇌'를 사용하는 것이 적절하다.

087 미국의 요구를 계속 거절할 수는 없었다. → 거부

➡ '거절'은 주로 개인과 개인의 사이에서 사용하는 말이므로, 집단과 집단의 공식적인 관계에서는 '거부'를 사용하는 것이 더 적절하다.

088 기업이 발전하려면 건강한 재무 구조를 갖춰야 한다. → 건실

➡ '건강'은 정신적, 육체적으로 튼튼한 상태를 의미한다. 기업의 경영 상태와 성장 가능성을 지칭할 때는 '건실'을 쓴다.

089 일하는 사람은 작지만 다들 열심히 한다. → 적지만

➡ 크기가 아닌 사물이나 사람의 수량을 나타낼 때는 '적다'가 사용된다.

090 이번 성과를 달성한 장본인이 바로 철수다. → 인물

➡ '장본인'이라는 말은 부정적인 상황이나 문맥에서 주로 사용되는 말이므로, 긍정적인 인물을 가리킬 때는 잘 사용하지 않는다.

091 고인의 숭고한 삶과 뜻을 추모했다. → 기렸다

➡ '추모'는 '죽은 사람을 사모함'을 뜻하므로 '삶, 뜻'을 추모한다는 말은 어색하다.

092 그의 생일에 맞춰 훈장이 추서(追敍)되었다. → 수여(授與)

➡ '추서'는 죽은 뒤에 관등을 올리거나 훈장 따위를 주는 것을 말한다. 살아 있는 사람에게 훈장을 줄 때는 '수여'가 적절하다.

093 올해도 연일 유가가 하락세로 치닫고 있다. → 내리닫고

➡ '치닫다'는 '위로 올라간다.'라는 의미이므로 유가가 내릴 때에는 적절하지 않다.

094 작은아버지, 큰아버지는 나와 인척(姻戚) 관계이다. → 친척

➡ '인척'은 혼인으로 맺어진 친척이다. 성과 본이 같은 일가일 때는 '친척'을 사용한다.

095 만유인력의 법칙은 과학적 논리로 정당하다. → 타당

➡ '정당'은 정의로움과 관련될 때 주로 쓰이고, 논리적으로 보아 맞는지 틀린지를 따질 때는 주로 '타당'을 사용한다.

096 철수의 성공을 타산지석 삼아 나도 꼭 성공하겠다. → 귀감(龜鑑)

➡ '타산지석'은 남의 잘못으로부터 교훈을 얻는 것이므로, 남의 좋은 것으로부터 교훈을 얻을 때는 '귀감'이 적절하다.

097 그의 성공은 어려운 상황에서도 모든 일을 긍정적으로 생각한 탓이다. → 덕분

➡ '탓'은 주로 부정적인 상황에 쓰이는 말이므로 긍정적인 상황에서는 '덕분'이 적절하다.

098 김 선배와 나는 두 살 터울이다. → 차이

➡ '터울'은 한 어머니에게서 태어난 자식의 나이 차이를 뜻하므로 선배와의 나이 차이를 나타내는 말로는 적절하지 않다.

단권화 MEMO

단권화 MEMO

■ '피고인'과 '피고'
'피고인'은 형사 소송에서, '피고'는 민사 소송에서 쓰이는 말이다.

099 이번 여행은 기행문에 기술된 대로 일정을 짰기 때문에 많은 것을 느낄 수 있는 좋은 경험이었다. → 서술
➡ 어떤 일을 순서에 따라 차례대로 적어 나가는 것을 의미할 때는 '서술'이 더 적절한 표현이다. '기술'에는 이러한 의미가 없다.

100 이미 있는 것을 이용하여 더 좋은 것을 만들기 위해 노력한다. → 활용
➡ '이용'은 때로 부정적인 의미를 포함하고 있으나, '활용'은 사람이나 물건을 더 적극적으로 사용하여 좋은 결과를 얻는 일을 의미하므로 이 문장에서는 '활용'을 사용하는 것이 더 적절하다.

101 있어도 적용하지 않는 법률은 폐지(廢止)해야 마땅하다. → 폐기(廢棄)
➡ 법률이 있으나 적용하지 않아서 사실상 사문화된 상태를 없앨 경우 '폐기'를 쓰고, 법률이 효력을 발휘하는 상태를 없앨 때는 '폐지'를 사용한다.

102 범인으로 의심되는 사람이 피고인 신분으로 경찰에 체포됐다. → 피의자
➡ 수사 기관으로부터 죄를 지었다는 의심을 받는 상태에 있는 사람은 '피의자'이고, 피의자가 검사에 의해서 기소되면 '피고인'이 된다.

103 대홍수로 인해 주민들이 피란(避亂)을 떠났다. → 피난(避難)
➡ 전쟁을 피해 가는 행위는 '피란'이고, 전쟁뿐만 아니라 재해를 피해 옮겨 가는 것은 '피난'을 사용한다.

104 자동차 시장 개방과 함께 국내 생산 자동차 정가가 평균 15% 이상 할인되었다. → 인하
➡ '할인'은 특별한 기간 동안 가격을 낮추어 판매하는 것이고, 정가 자체를 낮추는 경우에는 '인하'를 사용한다.

105 이번 훈련의 목표는 북한의 도발을 억제(抑制)하는 데 있다. → 억지(抑止)
➡ 이미 하고 있는 것을 더 왕성해지지 않게 하는 것은 '억제'이고, 처음부터 억눌러서 하지 못하게 하는 것은 '억지'이다.

106 청나라 대군을 제지(制止)하지 못하면 한양도 위험하다. → 저지(沮止)
➡ 규모가 작은 행동을 못하게 할 때는 '제지'를, 규모가 큰 행위나 추상적인 행위일 때는 '저지'를 사용한다.

107 흩어진 우리 민족의 정신을 하나로 종합해야 한다. → 통합
➡ '종합'은 합치더라도 각각의 기능이 살아 있고 존재가 소멸하지 않으나, '통합'은 새로운 하나로 완전히 변하는 것이다. 이 문장은 정신을 합치는 것이므로 '통합'을 사용하는 것이 더 적절하다.

108 여러 모임을 주최하다 보면 회원들과 갈등이 생기기도 한다. → 주관
➡ '주최'는 어떤 행사나 모임을 기획하여 열리도록 하는 것에 초점이 있는 반면, '주관'은 주최자가 설정해 놓은 목적에 맞게 행사나 모임을 책임지고 관리하는 행위 자체에 초점을 두는 말이다.

109 예전에 없던 것을 새롭게 지정할 때에는 항상 위험이 따른다. → 설정
➡ '지정'은 이미 있는 것들 중에서 일부에 특별한 의미를 주어 정하는 것이라면, '설정'은 예전에 없던 것을 새로 만들어 정할 때 쓰인다.

110 청소년들의 취미에 맞추려면 그들 문화를 먼저 알아야 한다. → 취향
➡ 일정한 방향성이 없는 기호를 의미할 때는 '취향'을 쓴다.

111 마음의 상처를 치료하기 위해 고향을 찾았다. → 치유
➡ 마음의 상처나 슬픔과 같이 추상적인 상처를 낫게 한다는 의미로 사용할 때는 '치유'가 더 적절하다.

112 오늘 게시판에 특이(特異)할 만한 사건이 올라왔다. → 특기(特記)
➡ '특이하다'가 '보통에 비하여 두드러지게 다르다.'의 의미라면, '특별히 다루어 기록하다.'의 의미로 사용할 때는 '특기하다'가 더 적절하다.

113 우리 회사는 그동안 시도하지 않았던 사업을 계획하고 개발할 예정입니다. → 기획
➡ 아직 없었던 일을 처음으로 고안하여 추진하는 일에는 '기획'을 사용하는 것이 더 적절하다.

114 남과 북이 공동의 이익을 얻을 수 있다면 그것보다 좋은 일은 없을 것이다. → 공통
➡ '공동'은 같이하는 행위에 초점을 두는 표현이고, '공통'은 둘 이상의 사이에서 무엇이 관계되거나 통용되는 것에 초점을 두는 표현이므로 이 문장 상황에서는 '공통'이 더 적절하다.

115 철수는 자신의 잠재된 재간(才幹)을 찾기 위해 노력했다. → 재능(才能)
➡ '재간'은 주로 신체적인 능력에 한정하여 사용되는 말이므로, 잠재적인 소질이나 자질을 의미할 때는 '재능'을 사용하는 것이 적절하다.

116 그는 남자 사원 중 가장 뛰어난 재원(才媛)이다. → 인재(人才)
➡ '재원'은 재주가 있는 젊은 여자를 이르는 말이다.

117 한글이 창조된 이후 백성들의 삶은 달라졌다. → 창제(創製)
➡ '처음으로 어떤 것을 만들어 제도화하다.'의 의미로 사용할 때는 '창제'가 적절하다.

118 신호 체제 개편으로 교통 혼잡을 줄일 수 있었다. → 체계
➡ '체제'는 사회를 하나의 유기체로 볼 때 그 조직이나 양식 또는 그 상태를 이르는 말이고, '체계'는 일정한 원리에 따라서 낱낱의 부분이 짜임새 있게 조직되어 통일된 전체를 뜻한다.

119 아이들의 물장난으로 방이 초토가 되었다. → 엉망
➡ '초토'는 '불에 타서 검게 그을린 땅'을 의미하므로 이 문장 상황에 어울리지 않는다.

120 우리는 조상들로부터 물려받은 좋은 인습을 계승해야 한다. → 전통
➡ '인습'은 예로부터 내려온 행동 양식 중 부정적인 것을 의미하므로 물려받을 대상이 아니다.

121 특히 자신보다 부족한 상대에 대한 교만은 보기 안 좋다. → 오만
➡ '교만'은 내적 성찰이 부족한 상태를 이르는 말이고, 상대를 무시하거나 업신여기는 것은 '오만'이다.

122 시장 점유율을 높이려고 하는 그 회사의 노력이 기특하다. → 가상하다
➡ '기특하다'와 '가상하다'는 둘 다 윗사람이 아랫사람을 칭찬할 때 쓰이지만 '기특하다'는 기대하지 않은 특별하고 뛰어난 행동일 때, 주로 대상이 어린아이일 때 쓰이는 경향이 있다. '가상하다'는 이런 의미 없이 단순히 어떤 행동에 대한 칭찬의 의미가 있을 때 사용된다.

123 인간은 본질적으로 동등(同等)한 존재이다. → 평등
➡ '동등'은 겉으로 드러난 모습이 같을 때 쓰이는 말이고, 외형상의 차이와 상관없이 본질적으로 같음을 가리킬 때는 '평등'을 사용한다.

124 이 물건을 구입하려면 먼저 장부에 구입 목적을 등재(登載)하시오. → 기재(記載)
➡ 장부나 대장에 현재 올라 있는 상태를 나타낼 때는 '등재'를 쓰고, 기록해야 할 사항을 나타낼 때는 '기재'를 쓴다.

125 문장과 문장 사이의 맥락에 따라 의미가 바뀔 수 있다. → 문맥
➡ 글에 표현된 의미의 앞뒤 관계를 의미할 때는 '문맥'이 적절하다.

126 어제 한 회식 때문인지 오늘 하루 종일 무력하다. → 무기력
➡ 주로 세력, 능력이 없을 때는 '무력'을 쓰고, 기운이나 힘, 활력 자체가 없을 때는 '무기력'을 쓴다.

127 비리 공무원에 대한 비판이 쏟아졌다. → 비난
➡ 상대방의 잘못이나 결점을 책잡아 나쁘게 말한다는 의미로 사용할 때는 '비난'이 더 적절하다.

128 돈에 대한 욕구는 사라지지 않는다. → 욕망
➡ '욕구'가 어떤 것을 얻고자 하는 생리적, 심리적 상태를 의미한다면, '욕망'은 그러한 마음가짐 자체를 의미한다. 문맥상 부족을 느껴 무엇을 가지고자 탐하는 마음을 의미하는 '욕망'이 적절하다.

129 그 회사의 상황은 다음 주가 고비라는 말이 있을 정도로 매우 위험했다. → 위태
➡ '위험'은 안전하지 못한 상태를 의미하고, '위태'는 당장의 급박하고 아슬아슬한 상태를 의미한다.

130 일본은 위안부 기록을 은닉(隱匿)하고자 한다. → 은폐(隱蔽)
➡ '은닉'은 남의 물건이나 범죄를 저지른 사람을 숨기는 것을 의미하고, 사실이나 진실, 군사 기밀 등을 숨길 때는 '은폐'라는 용어를 더 많이 사용한다.

131 모인 사람 모두 올해의 소망을 서명했다. → 적었다
➡ 자기 이름을 문서에 적을 때 '서명'이라는 말을 사용한다.

단권화 MEMO

단권화 MEMO

132 아무리 범인이라도 발에 수갑을 채워서는 안 된다. → 족쇄
➡ 손에 채우는 것이 '수갑'이고, 발에 채우는 것은 '족쇄'이다.

133 그는 관련 서류를 구청에 접수했다. → 제출
➡ '접수'는 문서나 물건 따위를 받는 것을 의미하므로, 서류를 내야 하는 상황에서는 '제출'을 써야 한다.

134 독감 예방 접종을 맞자. → 주사
➡ '접종'은 '주사액을 몸에 주입하다.'의 의미이므로 '맞다'와 의미가 겹친다. 또한 접종을 맞을 수는 없으므로 문장 호응상에도 문제가 있다.

135 바르게 살자는 의식을 조장해야 한다. → 심어 줘야
➡ '조장하다'는 바람직하지 않은 일을 더 심해지도록 부추기는 것을 의미하므로, 긍정적인 의미일 때는 사용하지 않는다.

136 철수는 주위가 산만하다. → 주의
➡ '어떤 한 곳이나 일에 관심을 집중하여 기울이지 못하다.'의 의미일 때는 '주의가 산만하다.'와 같이 사용한다.

137 철수는 성공을 지양한다. → 지향(志向)
➡ 일정한 의도를 가지고 어떤 목표로 나아가는 것은 '지향'이다. '지양(止揚)'은 '어떤 것을 하지 않다.'의 의미이다.

138 차선을 건너자 인도가 나왔다. → 차로
➡ '차선'은 도로에 그어 놓은 선을 의미한다. 이 문장 상황에서는 '차로(車路)'라는 말이 적절하다.

139 스님께서 무식한 사람을 깨우쳐 주셨다. → 무지(無知)
➡ '무식'은 배우지 못했거나 보고 듣지 못하여 아는 것이 없을 때 쓰는 말이고, 깨닫지 못하는 상태는 '무지'이다.

140 철수는 출판사와 함께 사전을 발간(發刊)하였다. → 편찬
➡ '발간'과 '편찬' 모두 책을 만들어 낸다는 의미이지만, 사전을 만들어 낼 때는 '편찬'이 더 적절하다. '편찬'은 여러 가지 자료를 모아 체계적으로 정리하여 책을 만든다는 의미를 갖고 있다. 따라서 책, 신문, 잡지는 '발간'이, 사전은 '편찬'이 어울린다.

141 청소년기에는 정서 발전을 위해 문학책을 많이 읽어야 한다. → 발달
➡ '신체, 정서, 지능 따위가 성장하거나 성숙하다.'의 뜻으로 사용할 때는 '발달'이 더 적절하다.

142 국방비의 집행은 국가 방어에 큰 역할을 한다. → 방위(防衛)
➡ 국가와 같이 큰 단위를 지킨다는 의미일 때는 '방위'가 더 적절하다.

143 마을이 홍수가 나기 전 모습으로 복원되었다. → 복구
➡ '복원'은 완벽하게 이전의 모습으로 되돌린다는 뜻으로 구체적인 것과 추상적인 것 모두에 사용되지만, '복구'는 구체적인 것에 한정하여 사용한다. 이 문장에서는 '마을'이라는 구체적인 대상이 있으므로 '복구'가 더 적절하다.

144 임무 완성만이 우리 회사가 살 길이다. → 완수
➡ '완성'은 미완의 형태를 완전하게 구성한다는 의미이고, '완수'는 과업, 임무, 목표 등을 이루어 낼 때 주로 사용된다.

145 승객을 많이 싣고 비행기가 출격했다. → 출발/이륙
➡ '출격'은 적을 공격하러 나감을 의미하므로, 일반적인 비행기의 비행에 사용하는 것은 적절하지 않다.

146 철수는 혈압이 있어서 군대에 가지 않았다. → 혈압이 높아서/낮아서
➡ 혈압은 누구나 있다. 혈압이 일반적인 수준보다 높거나 낮을 때 문제가 되는 것이다.

147 해외 시장 진출은 그 기업의 숙명(宿命)이었다. → 운명
➡ '숙명'은 주로 사람에게 쓰이는 말이므로, 기업에는 '운명'이라는 말을 사용하는 것이 더 적절하다.

148 애인의 이성 친구 문제로 시기하는 사람이 많다. → 질투
➡ '시기'나 '질투'는 모두 다른 이를 샘내고 미워한다는 의미가 있으나, 삼각관계가 전제된 상황에서는 사랑하는 사이에서 상대가 다른 이를 좋아할 경우에 지나치게 시기하는 것을 의미하는 '질투'를 써야 한다.

단권화 MEMO

149 변호인의 신문(訊問)으로 재판이 시작되었다. → 심문(審問)

➡ '신문'은 법원, 검찰과 같은 국가 기관이 어떤 사건에 관해 말로 물어 조사하는 것을 의미하고, '심문'은 법원이 당사자에게 서면이나 구두로 개별적으로 진술할 기회를 주는 것을 의미한다.

150 소속사와의 분쟁으로 앞으로 남은 기간의 계약은 해제(解除)하기로 했다. → 해지(解止)

➡ '해지'는 이미 계약에 따라 이루어진 행위는 유효하나 앞으로의 계약을 없애는 행위이고, '해제'는 처음부터 소급하여 계약이 없었던 것으로 하는 행위이다.

151 이번 사건으로 우리나라 법률 기반이 얼마나 허약한지 국민들 모두가 알게 되었다. → 취약

➡ '허약'은 주로 사람의 신체와 관련하여 쓰이고, 어떤 기반이나 구조와 연결될 때는 '취약'을 쓰는 것이 더 적절하다.

152 지원서 형식에 맞지 않는 지원은 검토되지 않는다. → 양식(樣式)

➡ 문서나 건축물의 형식에는 '양식'을 쓰는 것이 더 적절하다.

153 재계 1위부터 10위까지 갑부 명단을 살펴보자. → 부자

➡ 갑부는 첫째가는 부자라는 말이므로 이 문장의 상황에서는 적절하지 않다.

154 영업 사원의 능력은 매달 달성하는 업적(業績)에서 드러난다. → 실적(實績)

➡ '업적'은 어떤 사람이 이룬 훌륭한 일을 의미하고, '실적'은 어떤 분야에서 이룬 일을 의미한다. 영업 사원의 능력은 가치 중립적인 성격을 지니므로 '실적'을 사용하는 것이 더 적절하다.

155 연속되는 집중 호우로 논밭이 모두 물에 잠겼다. → 계속

➡ '계속'에는 행위나 현상을 끊지 않고 이어 나간다는 의미와 중간에 끊어진 행위나 현상을 다시 이어 간다는 의미가 있으나, '연속'은 중간에 그러한 끊어짐이 없다.

156 『백범일지』에는 윤봉길 열사(烈士)의 정신이 잘 담겨 있다. → 의사(義士)

➡ '열사'는 어떤 일을 도모하였으나 직접적으로 성취하지 못하고 사망한 경우를 말하고, '의사'는 주로 무력 행동을 통해 큰 공적을 세우고 사망한 경우를 일컫는다.

02 잘못 사용된 문장 구조

1 문장의 병렬

01 아시아인과 백인은 피부색이 다르다. → 황인과 백인은 / 아시아인과 유럽인은 피부색이 다르다.

➡ 아시아인과 백인은 분류 기준이 다르므로 병렬적으로 연결하는 것은 적절하지 않다.

02 그 야구팀은 타격과 수비력이 튼튼해서 이겼다. → 그 야구팀은 타격이 강하고 수비력이 튼튼해서 이겼다.

➡ '타격과 수비력'은 '튼튼하다'라는 하나의 서술어로 묶기에 적절하지 않다.

03 ㉠ 옆 사람과 잡담을 하거나 부정행위를 금지한다. → 옆 사람과 잡담을 하거나 부정행위를 하는 것을 금지한다.

㉡ 부모의 자녀에 대한 사랑이 절대적인 사랑이라면 남녀 간의 사랑은 상대적이라고 할 수 있다. → 부모의 자녀에 대한 사랑이 절대적인 사랑이라면 남녀 간의 사랑은 상대적인 사랑이라고 할 수 있다.

➡ 앞 절에 맞추어 뒤 절의 내용도 풀어 주는 것이 적절하다.

04 민수는 야구를 하고 영희는 얼굴이 예쁘다. → 민수는 야구를 하고 영희는 육상을 한다.

➡ 앞 절과 뒤 절의 내용이 대등하지 않음에도 대등적으로 이어진 문장으로 묶여 있다.

05 고객 서비스 및 수익성을 향상시킵시다. → 고객 서비스를 개선하고 수익성을 향상시킵시다.

➡ 고객 서비스와 수익성은 하나의 서술어로 묶기에 적절하지 않다.

단권화 MEMO

06 다음 시간에 다시 만나기를 바라며, 안녕히 계십시오. → 다음 시간에 다시 만나기를 바랍니다. 안녕히 계십시오.
➡ '만나기를 바라는 것'과 '안녕히 계십시오'는 대등한 층위로 묶일 것이 아니다.

07 교육 문제에 대한 단기적인 해결책보다는 장기적인 정책을 수립하는 것이 중요하다고 생각합니다. → 교육 문제에 대한 단기적인 해결책을 마련하는 것보다 장기적인 정책을 수립하는 것이 중요하다고 생각합니다.
➡ 비교를 나타내는 문장이므로 앞 절과 뒤 절이 동일한 층위를 지니도록 수정하는 것이 좋다.

08 저는 잘 가르치고 보람 있게 지내고 있습니다. → 저는 학생들을 잘 가르치고 보람 있게 지내고 있습니다.
➡ '가르치다'는 '보람 있다'와 목적어를 공유하지 않으므로 풀어서 써 주어야 한다.

09 마지막으로 당신의 건강과 가정에 평화를 기원합니다. → 마지막으로 당신의 건강과 가정의 평화를 기원합니다.
➡ '과'를 사이에 둔 앞과 뒤의 구를 평행적으로 맞추는 것이 좋다.

2 주어와 서술어의 호응

01 ㉠ 올해의 경제 성장률은 앞으로 수정이 불가피할 전망입니다. → 경제 성장률은~것으로 전망됩니다.
➡ '경제 성장률'이라는 주어는 전망하는 행위의 주체가 되기에 부적절하다. 전망은 사람이 하는 것이다.
㉡ 미세 먼지는 인체에 유해할 뿐만 아니라 환경에 미치는 심각성을 잘 이해하길 바랍니다. → 인체에 유해할 뿐만 아니라, 환경에 심각한 영향을 미친다는 것을
➡ '미세 먼지'는 이해하는 행위의 주체가 될 수 없다. 따라서 문장 구조를 바꿔야 한다.

02 ㉠ 제가 여러분에게 당부하고 싶은 것은 자신의 한계를 뛰어넘을 수 없다는 생각을 버리길 바랍니다 → 당부하고 싶은 것은 ~ 버리시라는 것입니다.
㉡ 가장 큰 문제는 물가가 지속적으로 상승하고 있다는 보도를 우리가 연일 접하고 있다. → 가장 큰 문제는 ~ 접하고 있다는 것이다.
➡ 주어가 특정한 사실을 지정한다면 서술어에서도 이를 밝히는 것이 좋다.

03 이 사무실은 무단출입자에 대하여는 군사 기밀 보호법에 의거 처벌을 받게 됩니다. → 이 사무실에 무단출입하는 자는
➡ 처벌을 받는 대상은 '이 사무실'이 아니라 사람이어야 한다.

04 경기체가의 쇠퇴는 조선 중기 이후로 볼 수 있다. → 경기체가의 쇠퇴 시기는
➡ 서술부에서 시기를 구체적으로 언급하고 있으므로 주어에서도 시기가 표현되는 것이 좋다.

05 그 지역은 방사능에 노출되었기 때문입니다. → 노출되었다.
➡ 주어가 '이유, 원인'을 나타내지 않으므로 '때문이다'를 쓰는 것은 자연스럽지 않다.

3 부사어의 호응

01 이승엽은 실로 훌륭한 야구 선수가 아니다. → 이승엽은 실로 훌륭한 야구 선수이다.
➡ '실로'는 긍정의 표현과 함께 쓰인다.

02 ㉠ 그들은 결코 그 일을 해냈다. → 그들은 결코 그 일을 해내지 못한다.
㉡ 민수는 아버지를 닮아 그다지 성실하다. → 민수는 아버지를 닮아 그다지 성실하지 못하다.
㉢ 그 영화는 여간 재미있다. → 그 영화는 여간 재미있지 않다.
➡ '결코, 그다지, 여간' 등은 부정 표현과 어울린다. 이런 표현을 '부정극어'라고 한다.

03 그것은 비단 기관 간의 업무 영역에 대한 이야기이며, 예산 배분과 관련된 문제이다. → 비단 ~ 이야기일 뿐만 아니라
➡ '비단'은 '다만, 오직'의 뜻을 지니면서 부정하는 표현과 어울린다.

04 ㉠ 인간은 반드시 혼자 살 수 없다. → 인간은 절대로 혼자 살 수 없다.
㉡ 그 지역에 가면 절대로 그 식당에 가 보아야 한다. → 그 지역에 가면 반드시 그 식당에 가 보아야 한다.
➡ '반드시'는 '틀림없이'의 의미를 지니면서 일반적으로 긍정적 문맥에 사용되고, '절대로'는 일반적으로 부정적 문맥에 사용된다.

05 수험생은 모름지기 열심히 공부한다. → 수험생은 모름지기 열심히 공부해야 한다.
➡ '모름지기'라는 부사어는 '-어야/-아야 한다'와 같은 당위를 나타내는 서술어와 어울린다.

06 민수는 슬픔에 빠진 그녀로 하여금 웃었다. → 민수는 슬픔에 빠진 그녀로 하여금 웃게 만들었다.
➡ '하여금'은 사동의 의미를 지니므로 사동 표현이 들어간 문장에서 쓰여야 한다.

07 비록 사소한 문제에도 선생님과 의논하는 것이 좋다. → 비록 사소한 문제일지라도 선생님과 의논하는 것이 좋다.
➡ '비록'은 '아무리 그러하더라도'의 의미를 지니면서 '-ㄹ지라도', '-지마는' 등과 어울린다.

03 필수적 문장 성분의 생략

01 지하철 파업이 언제 끝나고, 언제 이용할 수 있을지 모른다. → 지하철을 언제 이용할 수 있을지 모른다. / 우리가 지하철을 언제 이용할 수 있을지 모른다.
➡ '이용하다'와 호응하는 목적어를 넣어야 한다. 또한 주어 '우리가' 등을 상정할 수도 있다.

02 문학은 사회 현실과 밀접한 관련을 맺는 예술 장르로서 문학을 통해서 사회 현실에 대한 인식을 바꿀 수 있다. → 인간은 문학을 통해서 사회 현실에 대한 인식을 바꿀 수 있다.
➡ 주어가 생략되어 있으므로 주어를 넣어야 한다.

03 ㉠ 나는 이번 여행을 통해서 우리나라의 전국을 돌아다녔는데, 나에게 소중한 경험을 주었다. → 여행은 나에게 소중한 경험을 주었다.
➡ 뒤 문장의 주어는 '나'가 아님에도 생략되어 있으므로, '이것은' 또는 '여행은'과 같은 적절한 주어를 넣어야 한다.
㉡ 정부는 올해의 청년 실업률이 10%가 넘는 것으로 집계했으나 앞으로 더욱 증가할 것이다. → 앞으로 청년 실업률은 더욱 증가할 것이다.
➡ 뒤 문장의 주어가 생략되어 있으므로 적절한 주어를 넣어야 한다.

04 모두 흥에 겨워 술과 음식을 먹고 있었다. → 술을 마시고 음식을 먹고 있었다.
➡ '술'과 호응하는 적절한 서술어를 넣어야 한다.

05 미국은 군사력과 자원이 많다. → 군사력이 강하고 자원이 많다.
➡ '군사력'과 호응할 수 있는 서술어 '강하다'를 넣어야 한다.

06 정부는 국민들의 건강과 깨끗한 자연환경을 조성하기 위해서 환경 관련 법안을 개정하기로 하였다. → 국민들의 건강을 지키고
➡ '국민들의 건강'은 '조성하다'의 목적어가 될 수 없으므로 적절한 서술어를 넣어야 한다.

07 ○○생수는 알프스의 만년설이 녹아서 된 것이다. → 녹아서 물이 된 것이다. / 녹아서 만들어진 것이다.
➡ '되다'는 보어를 요구하므로 보어 '물이'를 넣거나 서술어를 바꾸어야 한다.

08 민수는 상을 받을 예정이다. → 민수는 학교에서 상을 받을 예정이다.
➡ '받다'는 필수적 부사어를 요구하므로 적절한 부사어를 넣어야 한다.

단권화 MEMO

단권화 MEMO

04 잘못된 문장의 접속

01 하루 30분 이상의 운동을 하며, 수험생으로 하여금 공부의 효율을 높여 줍니다. → 하루 30분 이상의 운동을 하면, 수험생은 공부의 효율을 높일 수 있습니다.

➡ 인과 관계와 조건을 나타내는 '-면'으로 바꾸는 것이 적절하다. 뒤 절은 주어와 서술어의 호응을 고쳐야 한다.

05 잘못된 시제의 호응

01 내가 최근 살고 있는 동네는 예전에는 농촌이던 곳이었다. → 농촌이던 곳이다.

➡ '예전'과 호응하여 과거 사실의 회상을 나타내는 '-던'이 쓰이는 것은 옳지만, '최근'과 호응하여 '-었-'이 쓰이는 것은 부적절하다.

02 학교를 마치고 집에 왔더니 일곱 시가 넘는다. → 학교를 마치고 집에 왔더니 일곱 시가 넘었다.

➡ 시제로 보았을 때 집에 온 것은 과거의 사실이고 완료된 동작이므로 '-었-'을 쓰는 것이 적절하다.

03 나는 그날 오후에 도착할 소식을 읽으며 초조함을 느꼈었다. → 도착한

➡ 문장의 전체 시제인 과거와 맞출 필요가 있다.

04 다음 주 화요일에 나는 강릉으로 여행을 가는데 아마 그날은 비가 오겠다. → 비가 올 것이다.

➡ '-겠-', '-ㄹ 것' 모두 미래 시제와 함께 추측, 의지, 가능성 등의 의미를 나타내지만, '날씨'와 같이 추측의 근거가 명확하지 않고 변동 가능성이 높을 때는 '-겠-'보다는 '-ㄹ 것'을 쓰는 것이 더 적절하다.

06 잘못된 수식

01 두 수사 기관의 협력을 지속 추진하여 신속한 수사를 할 수 있도록 노력하겠습니다. → 지속적으로 추진하여

➡ '추진하다'가 서술어이므로 부사어의 형태인 '지속적으로'로 바꾸어 주는 것이 적절하다.

02 학생들이 어려움을 겪는 문제에 대하여 가능한 신속히 조치를 취하겠습니다. → 가능한 한

➡ '가능한'은 관형어이므로 뒤에 체언이 와야 하는데 부사가 왔으므로 적절하지 않다. 그러므로 자립 명사 '한'을 써서 '가능한 한'으로 쓰는 것이 적절하다.

07 모호한 표현

01 청소년들의 인터넷 게임 중독 문제는 어떻게 좀 손을 써야 한다. → 청소년들의 게임 중독 문제는 꼭 해결을 해야 한다.

➡ 의미가 구체적으로 드러나게 수정해야 한다.

02 그때는 제 기분이 좋았던 것 같아요. → 그때는 제 기분이 좋았습니다.

➡ 자신의 심리를 표현하는 데 추측 표현을 사용하는 것은 적절하지 않다.

03 영수네는 별로 잘 살지 못한다. → 영수네는 잘 살지 못한다.

➡ 모호한 표현이 반복되어 있으며 '별로', '잘'의 기준도 모호하다.

08 지나친 관형어, 명사화 구성

단권화 MEMO

1 지나친 관형어의 구성

01 그 모델은 화려한 빛나는 의상을 입고 무대에 올랐다. → 화려하고 빛나는

02 그 사람은 젊은 훌륭한 유능한 의사라고 할 수 있다. → 젊고 훌륭하며 유능한

03 이 기술은 안전한 고도의 정밀한 기술이므로 안심해도 된다. → 안전하고 고도로 정밀한

04 이 건물은 세계적인 유명한 건축가의 작품이다. → 세계적으로 유명한

➠ 관형어를 여러 개 반복하는 것은 적절하지 않으며, 관형어 뒤에는 체언이 오는 것이 가장 자연스럽다.

2 지나친 명사화 구성

01 지금 정부가 사고 피해자들에게 보여야 할 자세는 피해자의 마음에 공감함이다. → 공감하려는 노력이다.

02 김 교수는 대학생들이 읽어야 할 필수 도서 목록 선정에 참여하였다. → 김 교수는 대학생들이 필수적으로 읽어야 할 도서 목록을 선정하는 데 참여하였다.

03 관계 기관들은 홍수 방지 대책 마련을 위해서 분주했다. → 홍수를 방지할 대책을 마련하기 위해서

➠ 명사화 구성을 과도하게 사용하면 문장이 어색해지기 때문에 적절한 서술어를 사용하여 풀어 써 주어야 한다.

09 기타 잘못 쓰인 표현

01 그것은 신의 뜻이라고 아니할 수 없었다. → 신의 축복이었다. / 신의 뜻이었다.

➠ 불필요한 이중 부정 표현이다.

02 우리 지역에서는 정화된 폐수만을 내보낸다. → 오염된 물을 정화하여

➠ 정화된 것은 폐수라고 할 수 없다.

03 새로 나온 핸드폰은 방수와 방진에 잘 견디도록 만들어졌다. → 물과 먼지에 잘 견디도록 / 방수와 방진 기능을 포함하여

➠ '방수', '방진'에 이미 '막다'의 의미가 포함되어 있으므로 '잘 견디도록'은 군더더기 표현이 된다.

04 일본의 역사 왜곡 문제에 대해서 참아야 할 이유가 없다고 할 수 있다. → 참아야 할 이유가 없다.

➠ 부정 표현만으로 충분히 의미가 전달된다.

05 국군은 국민의 안전을 보호하기 위해서 힘쓰고 있다. → 국민을 안전하게 보호하기 위해서

➠ 국군의 보호 대상은 '안전'이 아니라 '국민'이다.

06 이 약은 하루에 한 알 이상 복용하면 몸에 해롭습니다. → 두 알 이상

➠ '한 알 이상'에는 '한 알'이 포함되므로 어색한 문장이다.

10 번역 투 표현

1 일본어 번역 투

01 ~에 다름 아니다 → ~이나 다름없다

➠ 예 그는 학생에 다름 아니다. → 그는 학생이나 다름없다.

02 ~ 값하다 → -ㄹ 만하다

➠ 예 그 결과는 우리의 기대에 값한다. → 그 결과는 우리가 기대할 만하다.

단권화 MEMO

03 ～에 있어(서) → 문맥상 맞는 표현으로 수정 또는 생략

➠ 예 • 학생에게 있어 가장 중요한 것은 공부이다. → 학생에게 가장 중요한 것은 공부이다.
• 이번 사건을 처리함에 있어 → 이번 사건을 처리할 때

04 ～에 있다 → ～이다

➠ 예 우리 목표는 우승에 있다. → 우리 목표는 우승이다.

2 영어, 기타 번역 투

01 ～을 갖다 → ～을 하다

➠ 예 회의를 갖다. → 회의를 하다.

02 ～할 계획이 있다 → ～할 계획이다

➠ 예 열심히 공부할 계획이 있다. → 열심히 공부할 계획이다.

03 아무리 ～해도 지나치지 않는다 → 항상 ～하자

➠ 예 건강을 잘 챙기는 것은 아무리 강조해도 지나치지 않는다. → 항상 건강을 잘 챙기자.

04 ～에 위치하다 → ～에 있다

➠ 예 우리 집은 서울에 위치한다. → 우리 집은 서울에 있다.

05 ～과 함께 → ～하여

➠ 예 할아버지께서는 건강 악화와 함께 돌아가셨다. → 할아버지께서는 건강이 악화되어 돌아가셨다.

06 가장 ～한 것 중 하나는 ～이다 → ～하려면 ～이 필요하다

➠ 예 시험에 합격하기 위해 가장 필요한 것 중 하나는 노력이다. → 시험에 합격하려면 무엇보다 노력이 필요하다.

07 ～을 필요로 한다 → ～이 필요하다

➠ 예 노력을 필요로 한다. → 노력이 필요하다.

08 ～을 고려에 넣다 → ～을 고려하다

➠ 예 요즘 현실을 고려에 넣는다면 → 요즘 현실을 고려한다면

09 ～이 요구되다 → ～이 필요하다

➠ 예 항상 경청하려는 자세가 요구된다. → 항상 경청하려는 자세가 필요하다.

10 ～에 의해 ～되다 → ～이 ～하다

➠ 예 철수에 의해 실행된다. → 철수가 실행한다.

11 무생물 주어 → 적절한 주어를 설정

➠ 예 이 문서는 범인이 누구인지를 우리에게 알려 주고 있다. → 우리는 이 문서에서 범인이 누구인지 알아냈다.

12 ～한 관계로 → ～해서

➠ 예 너무 많이 먹은 관계로 → 너무 많이 먹어서

13 이해가 가다, 납득이 가다, 생각이 들다, 참여가 있다, 주의가 요구되다 → 이해하다, 납득하다, 생각하다, 참여하다, 주의하다

➠ 예 이제 이해가 갔다. → 이제 이해했다.

14 ～로부터 → ～에게

➠ 예 부모님으로부터 들었다. → 부모님에게 들었다.

15 었었다 → 었다

➠ 예 오늘 아침에 회의를 했었다. → 오늘 아침에 회의를 했다.

16 ～와의 → ～의

➠ 예 엄마와 동생과의 문제 → 엄마와 동생의 문제

02 바른 표현

※ 밑줄 친 부분을 바르게 고쳐 쓰시오.

01 병원에 출산 예정인 임산부들이 많이 있었다. → (　　　)

02 범인의 발자국 소리가 들렸다. → (　　　)

03 여름이라 그런지 날씨가 많이 푹하다. → (　　　)

04 아시아인과 백인은 피부색이 다르다. → (　　　)

05 수험생은 모름지기 열심히 공부한다. → (　　　)

06 미국은 군사력과 자원이 많다. → (　　　)

07 나는 그날 오후에 도착할 소식을 읽으며 초조함을 느꼈었다. → (　　　)

08 학생들이 어려움을 겪는 문제에 대하여 가능한 신속히 조치를 취하겠습니다. → (　　　)

09 그때는 제 기분이 좋았던 것 같아요. → (　　　)

10 이 건물은 세계적인 유명한 건축가의 작품이다. → (　　　)

| 정답 | 01 임신부 02 발소리 03 덥다 04 황인과 백인은 / 아시아인과 유럽인은 05 공부해야 한다 06 군사력이 강하고 자원이 많다 07 도착한 08 가능한 한 09 좋았습니다(좋았어요) 10 세계적으로 유명한

02 바른 표현

교수님 코멘트▶ 이 영역에서는 중의성, 잉여적 표현, 문장 성분 간 호응 등이 자주 출제된다. 처음에는 낯설 수 있으나 같은 유형과 비슷한 예들이 자주 출제되는 영역이므로 문제를 많이 풀어 보며 익숙해지자.

01

2022 국가직 9급

(가)~(라)를 고쳐 쓴 것으로 옳지 않은 것은?

> (가) 오빠는 생김새가 나하고는 많이 틀려.
> (나) 좋은 결실이 맺어졌으면 하는 바람입니다.
> (다) 내가 오직 바라는 것은 네가 잘됐으면 좋겠어.
> (라) 신은 인간을 사랑하기도 하지만 시련을 주기도 한다.

① (가): 오빠는 생김새가 나하고는 많이 달라.
② (나): 좋은 결실을 맺었으면 하는 바램입니다.
③ (다): 내가 오직 바라는 것은 네가 잘됐으면 좋겠다는 거야.
④ (라): 신은 인간을 사랑하기도 하지만 인간에게 시련을 주기도 한다.

02

2017 기상직 7급

다음 중 바르게 쓰인 문장은?

① 취직할 생각이 아예 없었기 때문에 그가 여행 갈 시간을 내기란 좀체 쉬운 일이었다.
② 공부를 하지 않았다고 해서 낮은 점수를 받은 그녀에게서 불만이 아주 없었던 것은 아니었다.
③ 다행스러운 것은 그의 노력이 충분한 보상을 받았으며 인류를 위해 연구실에 남아 실험을 계속하기로 결심했다는 점이다.
④ 그가 가사에 몰두했던 것은 단순히 그것이 좋아서라기보다는 그동안 인간관계에서 겪은 아픈 기억을 지우기 위해서였다.

03

2017 경찰직 2차

다음 중 어법에 가장 적절한 것은?

① 때는 바야흐로 만물이 소생하는 봄이다.
② 인간은 자연에 복종하기도 하고, 지배하기도 한다.
③ 글을 잘 쓰려면 신문과 뉴스를 열심히 시청해야 한다.
④ 철이는 영선이에게 가방을 주었는데, 그 보답으로 철이에게 책을 선물하였다.

04
2018 국회직 8급

다음 중 문장의 구성이 자연스럽지 않은 것은?

① 불평등과 양극화가 심해진 지금의 자본주의가 자본과 시장의 폐해를 제대로 규제하고 제어하지 못한 정치 실패이자 민주주의 실패의 결과인 것은 한국만의 문제가 아니다.

② 1980년대 초부터 지난 30년 동안 미국과 유럽의 선진국들이 시장 근본주의적인 자본주의를 추구한 결과로 경제 구조뿐만 아니라 사회 구조에도 부정적 결과들이 구조화되었다.

③ 단순하게는 혼자서 삶을 꾸려 나갈 수 없다는 데서, 나아가 여러 사람과 더불어 살면서 가치 있는 삶을 만들어 간다는 데서 인간이 사회적 동물이라는 진술의 원인 혹은 의미를 찾을 수 있겠다.

④ 현재의 출산 장려 정책은 분만을 전후한 수개월의 짧은 기간에 혜택을 집중시키는데, 가족과 모성의 생애 주기를 고려한 종합적 건강 증진보다는 건강한 신생아를 얻는 것 자체를 목적으로 하기 때문이다.

⑤ 그러나 이러한 높은 수준의 지성적 연구는 예술과 과학 사이에 존재하는 차이점보다 오히려 양자 간의 유사점에 대한 인식을 토대로 하여 성립하기 때문에 예술이나 과학 어느 하나만으로는 지칭될 수 없는 성질의 것이다.

정답&해설

01 ② 잘못 사용된 단어와 문장 구조

② '바람'은 '어떤 일이 이루어지기를 기다리는 간절한 마음'이라는 뜻이다. 반면, '바램'은 '바래다'의 명사형으로 '볕이나 습기를 받아 색이 변하다.'라는 뜻이다. 따라서 맥락을 고려하면 '바람'이 맞다. 참고로 '결실이 맺어지다'의 경우 학자의 견해에 따라 의미 중복으로 보기도 한다.

|오답해설| ① '틀리다'는 '셈이나 사실 따위가 그르게 되거나 어긋나다.'라는 뜻이다. 반면 '다르다'는 '비교가 되는 두 대상이 서로 같지 아니하다.'라는 뜻이다. 따라서 '오빠와 나는 틀린 것이 아니라 다른 것'이 맞는 표현이다.

③ 주어인 '내가 바라는 것은'과 서술어인 '좋겠어'가 서로 호응하지 않는다. 따라서 '~은 ~이다' 또는 '~은 ~이라는 것이다'의 구성으로 바꾸어 표현하는 것이 좋다.

④ 서술어 '주다'는 '~가 ~에게 ~을 주다'의 구성으로 쓰인다. 따라서 필수적 부사어인 '인간에게'가 들어가야 한다.

02 ④ 잘못 사용된 문장 구조

④ 주어와 서술어의 호응이나 문맥상의 해석에 있어서 적절한 문장이다.

|오답해설| ① '좀체'는 부정적 표현과 어울리므로 '좀체'를 삭제한다.

② 불만의 주체가 분명히 드러나도록 '그녀에게서'를 '그녀가'로 바꾼다.

③ '결심하다'라는 서술어의 주어를 넣어 주어야 한다.

03 ① 잘못 사용된 문장 구조

① 부족한 문장 성분도 없고 문맥도 적절한 문장이다.

|오답해설| ② 서술어 '지배하다'의 목적어 '자연을'을 넣어 주어야 한다.

③ '시청하다'는 뉴스에는 적절히 호응하는 서술어이지만 신문에는 어울리지 않으므로 '신문을 읽고 뉴스를 열심히 시청해야 한다.' 정도로 바꾸어 준다.

④ 앞 절과 뒤 절의 주어가 같지 않은데 뒤 절의 주어가 생략되었으므로, 뒤 절에 주어 '영선이는'을 넣어 준다.

04 ④ 잘못된 문장의 접속

④ 뒤의 절에 '때문이다'라는 서술어가 사용되고 있으므로 앞 절에는 결과나 현재의 상황을 분명히 드러내는 내용이 와야 한다. 그러므로 전제를 나타내는 '-ㄴ데'를 인과 관계를 분명히 나타낼 수 있는 '집중시키고 있는데, 그 이유는 ~'이나 '집중시키고 있다. 왜냐하면 ~'으로 수정한다.

|정답| 01 ② 02 ④ 03 ① 04 ④

05

2014 지방직 7급

어법상 가장 자연스러운 것은?

① 내가 주장하고 싶은 점은 대중 스타를 맹목적으로 추종하는 것은 바람직하지 않다는 점을 강조하고 싶다.
② 실력 있는 강사진이 수강생 여러분을 직접 교육시켜 드립니다.
③ 이 제품을 사용하다가 궁금한 점이나 작동이 잘 안 될 때는 바로 연락을 주시기 바랍니다.
④ 성과란 것을 무조건 양적인 면만으로 따진다는 것도 문제가 없지는 않다.

06

2021 국가직 9급

가장 자연스러운 문장은?

① 날씨가 선선해지니 역시 책이 잘 읽힌다.
② 이렇게 어려운 책을 속독으로 읽는 것은 하늘의 별 따기이다.
③ 내가 이 일의 책임자가 되기보다는 직접 찾기로 의견을 모았다.
④ 그는 시화전을 홍보하는 일과 시화전의 진행에 아주 열성적이다.

07

2014 지방직 9급

밑줄 친 단어의 쓰임이 적절하지 않은 것은?

① 동아리 활성화를 위한 프로그램 개발이 필요하다.
② 사람들의 후원금이 방송국에 답지하고 있다.
③ 빙산이 바다 위를 부상하는 것은 온난화 때문이다.
④ 세입자에게 밀린 집세를 너무 자주 채근하지 마라.

08

2015 국가직 7급

가장 자연스러운 문장은?

① 그는 이 문제에 대해 가능한 충실히 논의해 왔다.
② 이 물건은 후보 공천 시점에 보낸 것인지도 모른다.
③ 디지털 텔레비전 시대에는 고화질의 화면은 물론 다양한 정보도 손쉽게 얻을 수 있다.
④ 지금까지는 문제를 회피하기만 했지만 이제는 이와 같은 관례를 깨뜨릴 때도 되었다는 생각이다.

정답&해설

05 ④ 잘못 사용된 문장 구조

④ 이중 부정이 쓰이긴 하였으나 빠진 문장 성분이 없고 문장 성분 간의 호응도 맞으므로 가장 자연스러운 문장이다.

|오답해설| ① '~은 ~이다'의 구조가 적절하다. 따라서 뒷부분을 '바람직하지 않다는 점이다' 정도로 수정한다.
② 주동의 의미인 '직접'과 사동인 '시키다'가 호응하지 않는다. 따라서 '교육해 드립니다'로 수정한다.
③ '궁금한 점이'에 대한 서술어가 없다. 따라서 '궁금한 점이 있거나' 정도로 수정한다.

06 ① 잘못 사용된 문장 구조

|오답해설| ② '읽는' 주체도 제시되어 있지 않고, '속독'과 '읽는'의 의미가 중복된다.
③ '찾기'의 목적어가 제시되어 있지 않다. 누구를(또는 무엇을) 찾는 것인지 정확하게 표현해 주어야 한다.
④ '시화전을 홍보하는 일'의 구성과 동위문이 되게 하려면 '시화전의 진행'을 '시화전을 진행하는 일'로 수정해야 한다.

07 ③ 잘못된 단어의 사용

③ '바다 위로'가 아닌 '바다 위를'이라고 했으므로 '물 위로 떠오르다.'의 의미인 '부상하다'보다는 '물 위나 물속, 또는 공기 중을 떠다니다.'의 뜻을 지닌 '부유하다'가 더 맞는 표현이다.

|오답해설| ① '개발'은 '토지나 천연자원 따위를 유용하게 만듦', '지식이나 재능 따위를 발달하게 함', '산업이나 경제 따위를 발전하게 함', '새로운 물건을 만들거나 새로운 생각을 내어놓음'의 의미이다. 반면, '계발'은 '슬기나 재능, 사상 따위를 일깨워 줌'의 의미이다. 여기서 주의할 점은 '일깨워 줌'에 있다. 즉, '개발'이 좀 더 단순한 의미의 발달을 뜻한다면, '계발'은 숨겨진 재능 따위를 발달시킨다는 의미이다. 따라서 문맥상 '개발'이 맞는 표기이다.
② '답지하다'는 '한군데로 몰려들거나 몰려오다.'의 의미로 문맥상 맞는 표기이다.
④ '채근하다'는 '어떻게 행동하기를 따지어 독촉하다.'의 의미로 문맥상 적절하다.

08 ② 잘못 사용된 문장 구조

② '이 물건은 ~ 것인지도'는 '명사(물건)'는 '명사(것)이다.'의 구조이므로 자연스럽다. '~인지도 모른다'의 경우도 관용구로 일반적으로 사용할 수 있는 문장 구조이다. 하지만 서술어 '보내다'의 경우 '누가'에 해당하는 주어와 '무엇을'에 해당하는 목적어가 불분명하다. 따라서 상대적 관점에서 다른 선택지에 비해 자연스러운 것이지 수험적으로 보자면 완벽한 정답이라 보기 어렵다.

|오답해설| ① 가능한 충실히(×) → 가능한 한 충실히(○): '가능한'은 '가능하다'의 관형사형이므로 뒤에 수식받는 명사가 와야 한다. 따라서 의존 명사 '한'을 넣어 주는 것이 적절하다.
③ 고화질의 화면은 물론 다양한 정보도 손쉽게 얻을 수 있다(×) → 고화질의 화면을 볼 수 있는 것은 물론 다양한 정보도 손쉽게 얻을 수 있다(○): '얻을 수 있다'가 서술하는 대상이 '고화질의 화면', '다양한 정보' 둘 다 되므로 '고화질의 화면'에 해당하는 서술어를 따로 설정해야 한다.
④ 되었다는 생각이다(×) → 되었다(○): '생각이다'에 해당하는 주어가 '이제는'이므로 어색한 문장이다. 따라서 주어 '이제는'을 고정하려면 '생각이다'를 빼고 '되었다'만을 남겨 두는 것이 자연스럽다.

|정답| 05 ④ 06 ① 07 ③ 08 ②

09

2014 국가직 7급

문장 성분의 연결이 자연스러운 것은?

① 이 도시의 바람직한 모습은 이 지방의 행정, 문화, 교육 분야의 중심 기능을 담당해야 한다.

② 노사 간에 지속적인 대화를 시도하고 있으나, 불필요한 공방으로 인하여 기약 없이 지연되고 있다.

③ 예전에 한국인은 양만 따진다는 말이 있었으나, 이제는 양뿐 아니라 질을 아울러 따질 수 있게 되었다.

④ 해외여행이나 좋은 영화나 뮤지컬 등은 빼놓지 않고 관람하는 것이 이른바 골드 미스의 전형적인 생활 양식이다.

10

2016 국가직 7급

어법에 맞는 것은?

① 날씨가 내일부터 누그러져 주말에는 예년 기온을 되찾을 것으로 예상됩니다.

② 내가 유학을 떠날 때, 친구가 소개시켜 준 학교는 유명한 학교가 아니었다.

③ 1반 축구팀은 불안한 수비와 문전 처리가 미숙하여 2반 축구팀에 패배하였다.

④ 방송 장비를 휴대한 트럭이 현장에 대기하면서 실시간으로 상황을 중계합니다.

정답&해설

09 ③ 잘못 사용된 문장 구조

③ 뒤 절의 주어가 없지만 이는 앞 절과 동일하여 생략된 것으로, 자연스러운 문장이다.

|오답해설| ① '모습은 ~이다'의 구조가 자연스럽다. 따라서 '담당하는 것이다' 정도로 수정한다.

② '불필요한 공방'의 주체가 모호하다. 따라서 '노사 간의 불필요한 공방'으로 수정한다. 그리고 무엇이 지연되는지 부정확하다.

④ 문맥상 '해외여행을 관람한다'가 되어서 어색하다. 따라서 '해외여행'의 서술어를 추가하여 '해외여행을 다니고' 정도로 수정한다.

10 ① 잘못된 단어의 사용

① 문장 성분의 호응 등이 가장 자연스러운 문장이다.

|오답해설| ② 소개시켜(×) → 소개해(○): 접사 '-시키다'를 '-하다'로 교체해도 문맥상 지장이 없는 경우 '-시키다'는 불필요한 표현이다.

③ 불안한 수비와 문전 처리가 미숙하여(×) → 수비가 불안하고 문전 처리가 미숙하여(○): '불안한'이 수식하는 범위가 '수비'와 '문전 처리' 둘 다 해당되어 정확하지 않은 문장이 되었다.

④ 휴대한(×) → 실은(○): '휴대하다'는 '손에 들거나 몸에 지니고 다니다.'라는 뜻이다. 따라서 '싣다'의 활용형인 '실은'으로 교체하는 것이 바람직하다.

|정답| 09 ③ 10 ①

끝이 좋아야 시작이 빛난다.

– 마리아노 리베라(Mariano Rivera)

여러분의 작은 소리
에듀윌은 크게 듣겠습니다.

본 교재에 대한 여러분의 목소리를 들려주세요.
공부하시면서 어려웠던 점, 궁금한 점,
칭찬하고 싶은 점, 개선할 점, 어떤 것이라도 좋습니다.

에듀윌은 여러분께서 나누어 주신 의견을
통해 끊임없이 발전하고 있습니다.

에듀윌 도서몰 book.eduwill.net
- 부가학습자료 및 정오표: 에듀윌 도서몰 → 도서자료실
- 교재 문의: 에듀윌 도서몰 → 문의하기 → 교재(내용, 출간) / 주문 및 배송

2023 에듀윌 7·9급공무원 기본서 국어: 문법과 어문규정

발 행 일	2022년 6월 23일 초판 ㅣ 2023년 1월 19일 2쇄
편 저 자	배영표
펴 낸 이	김재환
펴 낸 곳	(주)에듀윌
등록번호	제25100-2002-000052호
주 소	08378 서울특별시 구로구 디지털로34길 55 코오롱싸이언스밸리 2차 3층

www.eduwill.net

대표전화 1600-6700

2023

에듀윌 7·9급공무원

기본서

회독극대화 워크북

국어

배영표 편저 / 임지혜, 송운학, 조은아, 손정효 감수

☑ 문법의 핵심 개념 수록!

☑ 자동반복 3회독 가능!

2023

에듀윌 7·9급공무원

기본서

회독극대화 워크북

국어

핵심만 모아
회독을
극대화한다!

회독극대화 워크북

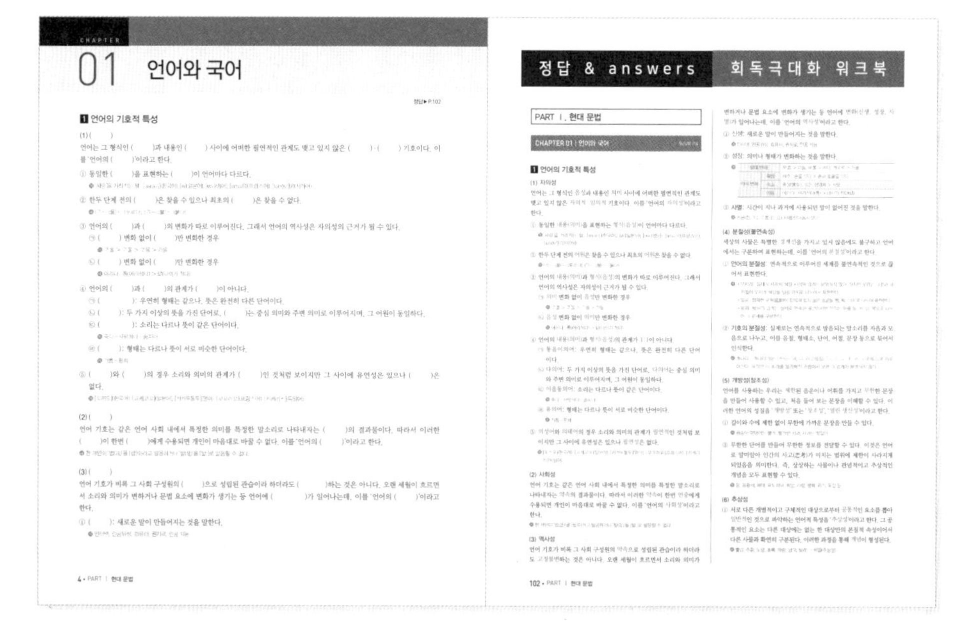

POINT 1 핵심 개념만 모았다!	암기와 이해가 동시에 필요한 《문법과 어문 규정》 전체 내용의 핵심 내용만 엄선하여 수록하였다. 회독 후 요약서로도 활용할 수 있다.
POINT 2 회독 극대화! 자동반복 3회독 가능!	회독이 중요한 공시 국어 문법! 워크북을 통해 자동 3회독이 되도록 설계하였다. 핵심 내용만 반복 회독하여 빠르고 확실하게 국어 문법을 정복할 수 있다.

워크북 100% 활용법

1. 빈칸을 채우기 전에 기본서를 1차 복습하세요.
2. '워크북'의 빈칸을 채워 보세요.
   - 기억이 잘 안 나더라도 실망하지 마세요.
   - 기억이 나는 만큼 최선을 다해 빈칸을 채우세요.
3. 정답을 보기 전에 다시 기본서를 2차 복습하세요.
4. 다시 빈칸을 수정하고 채우세요.
5. 정답을 보며 3차 복습을 하세요.

PART

I

현대 문법

CHAPTER

01 언어와 국어

정답▶P.102

1 언어의 기호적 특성

(1) (   )

언어는 그 형식인 (   )과 내용인 (   ) 사이에 어떠한 필연적인 관계도 맺고 있지 않은 (   )·(   ) 기호이다. 이를 '언어의 (   )'이라고 한다.

① 동일한 (   )을 표현하는 (   )이 언어마다 다르다.

　예 '사랑'을 가리키는 말: [saraŋ](한국어), [ai](일본어), [lʌv](영어), [amu:R](프랑스어), [ljubóv'](러시아어)

② 한두 단계 전의 (   )은 찾을 수 있으나 최초의 (   )은 찾을 수 없다.

　예 (?) ← (풀) ← (푸르다), (?) ← (불) ← (붉다)

③ 언어의 (   )과 (   )의 변화가 따로 이루어진다. 그래서 언어의 역사성은 자의성의 근거가 될 수 있다.

　㉠ (   ) 변화 없이 (   )만 변화한 경우

　　예 ᄀᆞᅀᆞᆯ > ᄀᆞᄋᆞᆯ > ᄀᆞ을 > 가을

　㉡ (   ) 변화 없이 (   )만 변화한 경우

　　예 어리다: 愚(어리석다) > 幼(나이가 적다)

④ 언어의 (   )과 (   )의 관계가 (   )이 아니다.

　㉠ (   ): 우연히 형태는 같으나, 뜻은 완전히 다른 단어이다.

　㉡ (   ): 두 가지 이상의 뜻을 가진 단어로, (   )는 중심 의미와 주변 의미로 이루어지며, 그 어원이 동일하다.

　㉢ (   ): 소리는 다르나 뜻이 같은 단어이다.

　　예 죽다 – 사망하다 – 숨지다

　㉣ (   ): 형태는 다르나 뜻이 서로 비슷한 단어이다.

　　예 기쁨 – 환희

⑤ (   )와 (   )의 경우 소리와 의미의 관계가 (   )인 것처럼 보이지만 그 사이에 유연성은 있으나 (   )은 없다.

　예 [꼬끼오](한국어), [고케고꼬](일본어), [커커두둘두](영어), [꼬꼬리꼬](프랑스어), [키케리키](독일어)

(2) (   )

언어 기호는 같은 언어 사회 내에서 특정한 의미를 특정한 말소리로 나타내자는 (   )의 결과물이다. 따라서 이러한 (   )이 한번 (   )에게 수용되면 개인이 마음대로 바꿀 수 없다. 이를 '언어의 (   )'이라고 한다.

예 한 개인이 '법(法)'을 [밥]이라고 발음하거나 '발(足)'을 [발:]로 발음할 수 없다.

(3) (   )

언어 기호가 비록 그 사회 구성원의 (   )으로 성립된 관습이라 하더라도 (   )하는 것은 아니다. 오랜 세월이 흐르면서 소리와 의미가 변하거나 문법 요소에 변화가 생기는 등 언어에 (   )가 일어나는데, 이를 '언어의 (   )'이라고 한다.

① (   ): 새로운 말이 만들어지는 것을 말한다.

　예 인터넷, 인공위성, 컴퓨터, 원자로, 인공 지능

② (　　　): 의미나 형태가 변화하는 것을 말한다.

예		
(　　　)	확장	세수(洗手): 손을 씻다 > 손과 얼굴을 씻다
	축소	중생(衆生): 모든 생명체 > 사람
	이동	어리다: 어리석다[愚] > 나이가 적다[幼]
형태 변화		ᄆᆞᅀᆞᆷ > 마음, 바롤 > 바다, 거우루 > 거울

③ 사멸: 시간이 지나 과거에 사용되던 말이 없어지는 것을 말한다.

예 즈믄(천, 千), ᄀᆞ롬(강, 江), 녀름짓다(농사짓다)

(4) (　　　　　)

세상의 사물은 특별한 (　　　)을 가지고 있지 않음에도 불구하고 언어에서는 구분하여 표현하는데, 이를 '언어의 (　　　)'이라고 한다.

① 언어의 분절성: 연속적으로 이루어진 세계를 불연속적인 것으로 끊어서 표현한다.

예 • 무지개: 실제 무지개는 색깔 사이의 경계가 분명하지 않다. 하지만 우리는 그것과 상관없이 무지개 색깔을 일곱 가지로 나누어서 표현한다.
• 얼굴: 정확한 구획(區劃)이 정해져 있지 않은 얼굴을 '뺨, 턱, 이마' 등으로 나누어 표현한다.
• 방위: 방위의 경계는 실제로 연속된 공간이지만 우리는 이를 동, 서, 남, 북으로 나누어 그 경계를 구분한다.

② 기호의 분절성: 실제로는 연속적으로 발음되는 말소리를 자음과 모음으로 나누고, 이를 음절, 형태소, 단어, 어절, 문장 등으로 묶어서 인식한다.

예 개나리: '개나리'라는 단어는 '개, 나, 리'(3음절), 'ㄱ, ㅐ, ㄴ, ㅏ, ㄹ, ㅣ'(6음소)로 이루어진다. 하지만 이 소리를 물리학적 관점에서 보면 그 경계가 분명하지 않다.

(5) (　　　　　)

언어를 사용하는 우리는 (　　　)된 음운이나 어휘를 가지고 (　　　)한 문장을 만들어 사용할 수 있고, 처음 들어 보는 문장을 이해할 수 있다. 이러한 언어의 성질을 '(　　　)' 또는 '(　　　)', '(　　　　　)'이라고 한다.

① 길이와 수에 제한 없이 무한에 가까운 문장을 만들 수 있다.

예 원숭이 엉덩이는 빨개, 빨가면 사과, 사과는 맛있어……

② 무한한 단어를 만들어 무한한 정보를 전달할 수 있다. 이것은 언어로 말미암아 인간의 사고(思考)가 미치는 범위에 제한이 사라지게 되었음을 의미한다. 즉, 상상하는 사물이나 관념적이고 추상적인 개념을 모두 표현할 수 있다.

예 용, 봉황새, 해태, 유토피아, 희망, 사랑, 평화, 위기, 우정 등

(6) (　　　)

① 서로 다른 개별적이고 구체적인 대상으로부터 (　　　)인 요소를 뽑아 (　　　)인 것으로 파악하는 언어적 특성을 '(　　　)'이라고 한다. 그 공통적인 요소는 다른 대상에는 없는 한 대상만의 본질적 속성이어서 다른 사물과 확연히 구분된다. 이러한 과정을 통해 (　　　)이 형성된다.

예 빨강, 주황, 노랑, 초록, 파랑, 남색, 보라 → 색깔(추상성)

② (　　　) 과정에서는 대상을 한 번만 묶어 표현하는 것이 아니라 묶인 것을 다시 묶기도 한다.

예 • 냉이 → 풀 → 식물
• 개나리 → 꽃 → 식물

2 언어의 (　　　)

언어의 (　　　)(음성)이 (　　　)(의미)을 바탕으로 만들어진 결과물이라는 말로, (　　　)과 (　　　) 둘 사이의 유사성을 전제하는 개념이다.

(　　　)	언어의 형식이 내용의 언어적 재료의 양과 비례하는 경우 예 복수나 복합어(합성어, 파생어)의 경우 단수나 단일어보다 일반적으로 길이가 길다.
(　　　)	시간적, 순서적 선후 관계가 언어의 형식에 영향을 주는 경우 예 문답(問答)의 경우 먼저 묻고 그다음 답해야 하므로 '답문(答問)'보다는 '문답(問答)'이 더 자연스럽다.
(　　　)	개념의 가까운 정도가 언어의 형식에 영향을 주는 경우 예 '아버지와 할아버지', '어머니와 할머니'의 경우 가까운 정도가 둘의 결합 방식에 영향을 주고 있음을 알 수 있다.

3 언어의 기능

담화는 화자, 청자, 상황, 메시지로 구성되는데, 이러한 구성 요소 간의 상호 관계에 의해 여러 가지 기능을 가진다.

① (　　　　) 기능: 화자가 현실 세계에 대한 자신의 (　　　　)이나 (　　　　)을 언어로 표현하는 기능을 말한다.

예 • 내 몸무게는 70kg이다. (사실적 판단)
• 넌 볼수록 재미있는 친구야. (지시 대상에 대한 화자의 태도)
• 철수는 영희를 좋아하는 것 같지 않다. (판단에 대한 확신 표현)
• 나는 고 3 때 견디기 어려웠다. (화자의 감정)

② (　　　)의 기능: 주제에 관한 (　　　　)나 (　　　)을 전달하는 기능을 말한다. 주로 공공 기관의 안내, 뉴스, 신문 등이 전달의 기능을 갖는다.

예 2022년 국가직 9급 시험일은 4월 2일이다.

③ (　　　　) 기능: 언어를 의식하지 않고 거의 (　　　)으로 사용하는 것으로, 감탄사가 대표적이다. (　　　　)와 (　　　　)가 없어서 기대하는 반응도 있기 어렵다.

예 "엄마야!" / "에구머니나!"

④ (　　　　　) 기능: 언어를 통해 (　　　)과 (　　　)를 축적하고 보존하는 기능으로, 언어의 전달 기능, 과정과 목적이라는 측면에서 밀접한 관계를 갖는다. 정보의 (　　　)에 있어 문자가 주를 이루던 과거와 달리, 현대에 와서는 그 (　　　)의 영역이 넓어졌다.

예 서적, 방송, CD

⑤ (　　　　　): 청자로 하여금 특정 (　　　)을 하게 하는 기능을 말한다. 청자에게 감화 작용을 하여 실제 (　　　)에 옮기도록 한다는 점에서 표현적 기능과 다르다.

예 • 밥 먹어라. (명령)
• 열심히 공부하자. (청유)
• 빨리 못 가겠니? (반어 의문)
• 기타: 표어, 유세, 광고, 속담, 격언, 표지판 문구 등

⑥ (　　　　　): 언어를 통해 (　　　) 관계를 확인하는 행위로서, 원만한 사회생활을 유지하는 데 필요한 기능이다. 발화의 (　　　) 의미보다는 발화 (　　　)과 밀접한 관계를 맺는다. 대표적인 예로 인사말이 있다.

예 안녕히 주무셨습니까? / 좋아 보이시네요.

⑦ (　　　　　): 화자가 말을 할 때 그 말을 (　　　　) 하려는 노력을 의미한다. 즉, 말의 (　　　　)에 관심을 갖는 기능을 말한다. 주로 문학 작품에서 중시된다.

예 • 내 마음은 호수요
• 순이와 바둑이: '바둑이와 순이'라고 해도 의미상 아무 상관이 없으나 일반적으로 음절 수가 적은 단어를 먼저 말해야 말이 더 부드럽다. 즉, 미적 기능이 살아나게 된다.

⑧ (   ): 언어와 언어끼리 관계하는 기능으로, 말을 통해 새로운 말을 학습하고 지식을 증진하는 기능을 말한다.

예 • '춘부장'은 남의 아버지를 높여 이르는 말이다.
• '물'은 일상어이나, 'H_2O'는 전문어이다.

4 언어와 사고

① (   ): 사고는 언어라는 그릇 속에 담기기 전에는 불분명하고 불완전한 것이며 사고가 언어로 표현될 때 비로소 사고는 분명하게 그 모습을 드러내게 된다는 견해이다. 즉, 언어로 명명해야만 인식할 수 있다는 관점이다.

예 • 우리 국어에서 청색, 초록색, 남색을 구별하지 않고 모두 '푸르다' 혹은 '파랗다'라고 표현하는 경우가 많다 보니 아이들이 이 세 가지 색을 구별하지 못하는 경우
• 실제 무지개의 색을 쉽게 변별할 수 없지만 7가지 색으로 구분하는 경우

② (   ): 어린이들을 통해 알 수 있듯이 지각이나 사고가 먼저 발달한 후에 언어 발달이 이루어진다는 견해이다. 즉, 언어로 명명하는 과정이 없더라도 사고는 존재할 수 있다는 관점이다.

예 • 좋아하는 이성 친구에게 자신의 마음을 표현하고 싶은데 적당한 말이 떠오르지 않는 경우
• 공무원 시험에 합격했을 때의 기쁜 마음이 말이나 생각으로는 설명이 안 되는 경우

③ 언어와 사고가 상호 보완적이라는 견해: 어린이들의 경우도 언어를 통해 사고력이 향상되면 복잡한 문장을 사용할 수 있게 되어 언어 능력이 발달한다. 이처럼 언어와 사고는 일방통행이 아닌 상호 보완적인 관계라는 견해이다.

5 언어의 형태적 분류

(1) (   )(agglutinative language)

단어가 활용될 때 단어의 어간과 어미가 비교적 명백하게 (   )되는 언어이다. 우리에게 친숙한 예로 당연히 한국어를 들 수 있으며, 그 패턴은 고등학교 국어 시간에 배우는 형태소 분석을 이해하면 쉽게 파악된다. 대체로 하나의 형태소는 하나의 문법적인 기능을 한다. 교착어는 (   )라고도 하며 한국어, 터키어, 일본어, 핀란드어 등이 (   )에 속한다. 영어의 경우 복수형 접미사 '-s'나 과거형 접미사 '-(e)d' 등에서 교착어적인 모습도 가지고 있음을 알 수 있다.

예 한국어: 아버지는 나귀 타고 장에 가신다. → 아버지/는(조사) 나귀 타(어간)/고(어미) 장/에(조사) 가(어간)/시(선어말 어미)/ㄴ(선어말 어미)/다(어말 어미)

(2) 굴절어(inflectional language)

굴절어는 단어의 활용 형태가 단어 자체의 변형으로 나타나는 언어로 어간과 접사(접사적 역할을 하는 형태소)가 쉽게 분리되지 않는 형태를 보인다. 따라서 어휘 자체에 격, 품사 등을 나타내는 요소가 포함되어 있다. 대표적인 것은 인도·유럽 어족이다.

예 영어: sing-sang-sung, He(3인칭 주격), loves(3인칭 동사), you(2인칭 목적격)

(3) 고립어(isolating language)

문법적인 형태를 나타내는 어형 변화나 접사가 거의 없고 어순과 위치만으로 문법적인 관계를 나타내는 언어이다. 중국어가 대표적이며 중국·티베트 어족에 속하는 중국어, 티베트어, 미얀마어가 고립어에 속한다고 알려져 있다.

예 중국어: 我愛你 → 나 사랑해 너

6 국어 어휘의 특질

(1) 음운상의 특질

① 국어의 자음 중 파열음 'ㄱ, ㄷ, ㅂ'과 파찰음 'ㅈ'은 '예사소리(   ), 된소리(   ), 거센소리(   )'가 대립하는 3중 체계, 즉 (   )을 이룬다.

예 • 예사소리(평음): ㄱ, ㄷ, ㅂ, ㅈ • 된소리(경음): ㄲ, ㄸ, ㅃ, ㅉ
• 거센소리(격음): ㅋ, ㅌ, ㅍ, ㅊ • 불-뿔-풀

② 유음 'ㄹ'의 특성: 설전음 [r]과 설측음 [l]의 구별이 분명하지 않다. 우리말의 유음 'ㄹ'은 음절의 끝소리 자리나 자음 앞에서는 [l]로 실현되며, 음절의 첫소리나 모음 앞 또는 유성 자음을 포함하는 유성음 사이에서는 [r]로 실현된다. 그러나 국어에서는 'ㄹ'을 [l]과 [r]로 특별히 구분하여 인식하지 않는다. 즉, 우리말에서 [l]과 [r]은 서로 다른 음운이 아니라 단지 'ㄹ'의 (   )(變異音)일 뿐이다.

예 '칼과'의 'ㄹ': [l], '칼이'의 'ㄹ': [r]

③ 두음 법칙

㉠ 영어와 달리 우리말에서는 첫소리에 (   )이 오는 것을 꺼린다. 단, 과거에는 (   )이 올 수 있었다.

예 spring → 스프링, ᄣᅢ(時) → 때, ᄡᆞᆯ(米) → 쌀

㉡ 어두에 '(   )'이 오는 것을 꺼린다. 이때 '(   )'은 '(   )'으로 변한다.

예 락원 → 낙원, 로인 → 노인

㉢ 어두의 'ㄴ'은 (   ) 또는 반모음 (   ) 앞에 오는 것을 꺼린다.

예 녀자 → 여자, 력도 → 녁도 → 역도

④ (   ): 음절의 끝에 받침으로 특정한 자음(ㄱ, ㄴ, ㄷ, ㄹ, ㅁ, ㅂ, ㅇ)만이 오는 규칙을 '음절의 끝소리 규칙'이라고 한다. 'ㄱ, ㄴ, ㄷ, ㄹ, ㅁ, ㅂ, ㅇ' 이외의 자음들은 음절의 끝에 오게 되면 이것들 중 하나로 바뀐다. 예를 들어, '잎'은 'ㅍ'이 음절의 끝소리 규칙에 의해 'ㅂ'으로 바뀌어 [입]으로 소리 난다. 그 외에 '옷[옫], 있고[읻꼬], 꽃[꼳], 부엌[부억], 밖[박]' 등도 모두 음절의 끝소리 규칙을 보여 주는 예이다.

⑤ 모음 조화: 양성 모음은 양성 모음끼리만 어울리고, 음성 모음은 음성 모음끼리만 어울리는 현상을 '모음 조화'라고 한다. '모음 조화'는 일종의 모음 동화 규칙으로, 언어의 다음절어(多音節語) 안에서, 혹은 어간·어근 형태소가 어미·접사 형태소들과 결합할 때 그에 포함되는 모음들이 일정한 자질을 공유하는 것을 말한다.

예 반짝반짝, 번쩍번쩍, 잡아, 먹어

⑥ 음상(音相)의 차이로 인해 어감이 변하며 심지어 낱말의 뜻이 분화되기도 한다.

㉠ 자음의 경우: '(   ) → (   ) → (   )'로 갈수록 강한 느낌이 난다.

예 뚱뚱하다 → 퉁퉁하다, 빙빙 → 삥삥 → 핑핑

㉡ 모음의 경우: (   )이 (   )에 비하여 '작고, 날카롭고, 가볍고, 경쾌하고, 밝은' 느낌을 준다.

예 방글방글-벙글벙글, 졸졸-줄줄, 살살-슬슬, 옴찔-움찔

㉢ 음상의 차이는 어감을 다르게 하는 데 그치지 않고, 낱말의 뜻을 분화시키는 작용도 한다.

예 덜다[減]-털다[拂], 뛰다[躍]-튀다[彈], 맛(음식 따위를 혀에 댈 때 느끼는 감각)-멋(차림새, 행동, 됨됨이 따위가 세련되고 아름다움), 살(연령)-설(설날)

(2) 어휘상의 특질

① 기원전 3세기경 한자어의 유입을 시작으로 오늘날 국어의 어휘는 (   ), (   ), (   )의 (   ) 체계를 가지고 있다.

② 윗사람과 아랫사람의 구별이 분명했던 사회 구조와 문화의 영향으로 (   )이 발달해 있다.

예 '하십시오/하오', '하게/해라', '자다/주무시다', '주다/드리다'

③ 고유어 중 (　　　)와 (　　　)가 풍부하게 발달해 있다. 또한 이러한 감각어는 정서적 유사성(類似性)에 의해 비유 표현으로까지 전용(轉用)되어 일반 언어생활에서 애용되기도 한다.

예 • 노란색을 나타내는 색채어: 노랗다, 노르께하다, 노르끄레하다, 노르무레하다, 노르스름하다, 노릇하다, 노릇노릇하다, 누릇누릇하다, 싯누렇다 등
• 감각어: 그 사람은 '짜다, 싱겁다, 가볍다.', 그 사람은 입이 '가볍다, 무겁다.'

④ 의성어와 의태어 같은 (　　　　)가 발달해 있다. 상징어란 주로 소리, 동작, 형태를 모사(模寫)한 단어로, 구체적이고 감각적인 표현 수단이며 음상의 차이에 의해 다양하게 분화될 수 있다.

예 • 의성어: 우당탕, 퍼덕퍼덕
• 의태어: 아장아장, 엉금엉금

(3) 구문상의 특질

① 교착어적 성질로 인해 (　　　), (　　　)가 발달해 있다.

② 조사와 어미는 뜻을 덧붙이거나 표현을 더 섬세하게 하는 문체적 효과가 있다.

예 철수는 밥을 먹는다. / 철수도 밥을 먹는다. / 철수까지 밥을 먹는다.

(4) 어순상의 특질

① 국어에서는 화자의 결론을 (　　　)에 진술한다.

> • 국어: 주어 + 목적어 + (　　　)
> • 영어: 주어 + (　　　) + 목적어
>
> 국어는 이러한 어순상의 특성으로 인해 청자를 끝까지 잡아 놓을 수 있다는 장점이 있으나 비판적인 사고가 다소 어려울 수 있다는 단점이 있다. 반면, 영어의 경우 청자가 비판적으로 들을 수 있다는 장점이 있으나 청자를 끝까지 붙들어 두는 긴장감이 다소 부족할 수 있다는 단점이 있다.

② (　　　)가 (　　　) 앞에 온다.

③ 주어가 (　　　)되는 경우가 많고, 주어가 둘 이상 나열될 수도 있다.

④ 문법적인 성(性, gender)의 구별이 없고, 단수·복수의 개념이 명확하지 않다.

7 국어의 문자: 한글 명칭의 변화

① (　　　　): '백성을 가르치는 바른 소리'라는 뜻으로, (　　　)에 세종이 창제한 우리나라 글자를 이르는 말이다. 줄여서 '(　　　)'이라고 한다.

② (　　　　): '상말을 적는 문자'라는 뜻으로, 한글을 (　　　) 이르던 말이다.

③ **암글**: 예전에, '여자들이나 쓰는 글'이라는 뜻으로, 한글을 낮잡아 이르던 말이다. 남자들이 쓰는 한문을 높여 이르는 말인 '진서(眞書)'에 비해 여자들은 쉬운 글자인 한글을 쓴다는 남존여비의 사고방식과 사대사상(事大思想)에서 나온 명칭이다.

④ **중글**: 불교 사찰의 승려들이 한글을 이용하여 번역·교육하던 것에서 유래한 말로, 불교와 한글을 경시한 명칭이다.

⑤ **반절(反切)**: 중종 때 간행된 최세진의 『훈몽자회(訓蒙字會)』에 기록된 명칭이다. 한자음의 표기를 위해 적던 반절(反切)에서 가져온 표현이다. 최세진이 당시 한글을 한자음의 표기 수단 정도로 인식했음을 알 수 있는 용어이다.

⑥ **국서(國書)**: 김만중이 『서포만필(西浦漫筆)』에서 쓴 표현이다.

⑦ **국문(國文)**: 갑오개혁 이후 사대주의에서 벗어나 국어의 자주성과 존엄성을 자각하면서 생긴 명칭이다.

⑧ **가갸글**: 한글 음절의 차례를 반영해 만든 명칭으로, 현재 '한글학회'의 전신인 '조선어연구회'에서 사용한 표현이다.

⑨ **한글**: (　　　)이 붙인 명칭이다. 1928년부터는 '가갸날'이 '(　　　)'로 개칭되었다.

8 어원에 따른 갈래: 고유어, 한자어, 외래어

(1) 고유어

우리가 옛날부터 사용하여 온 순수 우리말 어휘이다.

고유어의 특징과 기능은 다음과 같다.

① 의미의 폭이 넓고 상황에 따라 여러 가지 다른 의미로 해석되는 다의어가 많아서, 고유어 (　　　)에 (　　　)의 한자어들이 폭넓게 대응한다.

② 우리 민족 특유의 (　　　)와 (　　　)를 표현하며, 정서적 감수성을 풍요롭게 한다.

③ (　　　)을 만들 때 중요한 자원으로 활용할 수 있다.

(2) 한자어

한자를 바탕으로 만들어진 어휘이다. 한자어는 중국의 한자 체계가 우리나라에 도입된 뒤 오랜 시간 우리말로서 자리 잡았고, 여전히 우리 국어 속에서 생산력을 가지고 있다는 점에서 중국어 차용어와 구별된다.

한자어의 특징과 기능은 다음과 같다.

① 주로 (　　　)·(　　　)로서, 정확하고 분화된 의미를 가지고 있어 고유어를 (　　　)하는 역할을 한다.

② 이미 귀화가 끝난 (　　　)이다.

③ 의미가 전문화되고 분화되어 있어서 전문적이고 세부적인 분야에서 정밀한 의미를 나타내는 데 주로 사용된다.

④ 복잡한 개념을 집약하고 있어서 잡지 표제문과 같이 내용을 간단하게 제시하여야 할 경우 많이 사용된다.

⑤ 고유어에 대하여 '(　　　)'로 사용되는 경향이 있다.

(3) 외래어

외국에서 들어온 말들 중 국어의 일부로 인정되는 것들로, 귀화어와 차용어가 있다. 외래어는 일반적으로 한자어를 제외하고 외국에서 들어온 말을 의미하나 한자어까지 외래어에 포함하는 경우도 있다. 외래어는 외국 문화와 오랜 교류의 결과로 형성되는데, 지나치게 외래어가 많으면 문화적 자긍심이 손상되고 자국어의 정체성마저 위협받게 되므로 외래 문물을 받아들일 때부터 우리말로 바꾸어 쓰는 노력을 기울여야 한다.

① (　　　): 한자어와 같이 완전히 (　　　)처럼 인식되거나 (　　　)로 받아들여진 외래어를 말한다. 오래전에 우리말에 들어와서 이미 (　　　)라는 감각마저 잃어버린 것들이라 할 수 있다.

한자어 어원	붓[筆], 먹[墨], 고추[苦草], 구역질(嘔逆－), 비위(脾胃), 반찬(飯饌), 자반[佐飯], 배추[白菜]
(　　　)	가라말[黑馬], 구렁말[栗色馬], 송골매, 보라매, 수라
범어(산스크리트어) 어원	부처, 달마, 석가, 보살, 사리, 열반, 탑, 바라문
여진어 어원	수수, 메주, 두만(강), 호미
(　　　)	담배(tabaco), 빵
일본어 어원	(　　　), 구두, (　　　)
영어 어원	남포(lamp)
네덜란드어 어원	(　　　)
(　　　)	고무, 망토, 루주

② **차용어**: 외국에서 들어와 널리 쓰이는 말로, 완전히 우리말처럼 인식되지는 못하고 (　　　)라는 의식이 남아 있는 (　　　)이다.

예 버스, 컴퓨터, 아르바이트, 다다미

CHAPTER

02 음운론

정답▶P.105

1 (　　)

각각의 개별적인 음성일지라도, 사람들이 머릿속에서 같은 소리로 인식하는 (　　　)인 말소리를 '(　　　)'이라고 한다. (　　　)은 말의 뜻을 변별해 주는 (　　　)의 최소 단위로, 의미를 (　　　)하는 기능을 한다. 다시 말해, 한 언어에서 어떤 음이 의미를 변별하여 주는 기능을 할 때, 이 음을 '(　　　)'이라고 한다. 가령, '국'과 '묵'은 'ㄱ'과 'ㅁ'의 차이로 뜻이 변별되는데, 이렇게 뜻을 변별하는 'ㄱ'과 'ㅁ'이 음운인 것이다. (　　　)은 언어마다 다르며, 따라서 한 언어 내에서 (　　　)의 수는 한정되어 있다.

'(　　　)'은 '음소'와 '운소'를 합친 말로, 각각의 특징은 다음과 같다.

| 음향, 음성, 음운의 비교

구분	소리의 차이		분절성	변별적 기능	단위
음향	자연의 소리		비분절적	의미와 무관	–
(　　　)	언어음	개인적, 구체적, 물리적 소리	분절적		음운의 음성적 실현 단위
(　　　)		사회적, 추상적, 관념적 소리		의미와 관련	변별적인 기능을 하는 소리의 최소 단위

2 국어의 자음 체계: 19개

조음 방법 / 소리의 세기 / 조음 위치			(　　　)	혀끝소리 (잇몸소리, 치조음)	(　　　)	(　　　)	목청소리 (후음)
안울림 소리	(　　　)	예사소리	ㅂ	ㄷ		ㄱ	
		된소리	ㅃ	ㄸ		ㄲ	
		거센소리	ㅍ	ㅌ		ㅋ	
	파찰음	예사소리			(　　　)		
		된소리			(　　　)		
		거센소리			(　　　)		
	(　　　)	예사소리		ㅅ			ㅎ
		된소리		ㅆ			
울림 소리	(　　　)		ㅁ	(　　　)		(　　　)	
	유음			ㄹ			

3 모음

허파에서 나오는 공기의 흐름이 발음 기관의 (　　　)를 받지 않고 순하게 나는 소리를 '모음'이라고 한다.

(1) 단모음

발음하는 도중에 혀나 입술이 (　　　)되어 움직이지 않고 발음되는 모음을 '단모음'이라고 한다. 단모음은 모두 10개이다.

| 국어의 단모음 체계: 10개

혀의 높이 \ 입술의 모양 \ 혀의 위치	(　　　)		후설 모음	
	평순 모음	(　　　)	평순 모음	(　　　)
(　　　)	(　　　)	ㅟ[y]	ㅡ[ɨ]	ㅜ[u]
중모음	ㅔ[e]	ㅚ[ø]	ㅓ[ə]	(　　　)
저모음	ㅐ[ɛ]		ㅏ[a]	

(2) (　　　)

이중 모음을 형성하는 '(　　　), (　　　)'를 '(　　　)'이라고 한다. (　　　)은 음성의 성질로 보면 모음과 비슷하지만, 반드시 다른 모음에 붙어야 발음될 수 있다는 점에서 자음과 비슷하다. 이 때문에 '(　　　)'이라고 부르기도 하며, 독립된 음운으로 보지 않아 반달표(˘)를 붙여 표기하기도 한다.

(3) 이중 모음

발음할 때 혀의 위치나 입술의 모양이 (　　　) 모음을 '이중 모음'이라고 한다. 이중 모음은 반모음과 단모음이 결합하여 이루어진다. 따라서 두 개의 모음이 연속적으로 발음되는 것과 비슷하며, 이중 모음을 길게 끌어서 발음하면 결국 단모음으로 끝나게 된다. 반모음이 단모음 앞에 오는 것을 '상향 이중 모음'이라고 하고, 반모음이 단모음 뒤에 오는 것을 '하향 이중 모음'이라고 한다.

| 국어의 이중 모음: 11개

상향 이중 모음	ㅣ[j] 계열	ㅑ, ㅕ, ㅛ, ㅠ, ㅒ, ㅖ
	ㅗ[w]/ㅜ[w] 계열	ㅘ, ㅙ, ㅝ, ㅞ
하향 이중 모음	ㅣ[j] 계열	(　　　)

4 소리의 길이(장음과 단음)

국어에서는 모음이 길게 발음되느냐 짧게 발음되느냐에 따라 그 음절의 뜻이 달라지므로, 소리의 길이는 하나의 (　　　)이 된다.

예 [눈](眼) – [눈:](雪), [말](馬) – [말:](言語), [밤](夜) – [밤:](栗)

① 긴소리는 일반적으로 단어의 (　　　　)에서만 나타난다. 따라서 본래 길게 발음되던 단어도 (　　　　) 이하에 오면 짧게 발음된다.

예 눈보라[눈:보라] → 첫눈[천눈], 말씨[말:씨] → 잔말[잔말], 밤나무[밤:나무] → 생밤[생밤]

② 비록 긴소리를 가진 음절이라도 다음과 같은 경우에는 긴소리로 나지 않는다.

㉠ (　　　)인 어간에 (　　　)으로 시작된 어미가 이어지는 경우

예 (머리를, 눈을) 감다[감:따] → 감으니[가므니], 밟다[밥:따] → 밟으니[발브니]

㉡ 용언의 어간에 (　　　), (　　　)의 접미사가 결합되어 (　　　　)나 (　　　　)가 되는 경우

예 밟다[밥:따] → 밟히다[발피다], 꼬다[꼬:다] → 꼬이다[꼬이다], 삶다[삼:따] → 삶기다[삼기다]

③ 대표적인 긴소리의 발음: 1음절 명사

간(　　) – 간:(　　)　김(　　) – 김:(　　)　굴(　　) – 굴:(　　)　눈(　　) – 눈:(　　)
돌(　　) – 돌:(　　)　말(　　) – 말:(　　)　발(　　) – 발:(　　)　밤(　　) – 밤:(　　)
배(　　) – 배:(　　)　벌(　　) – 벌:(　　)　병(　　) – 병:(　　)　섬(　　) – 섬:(　　)
손(　　) – 손:(　　)　솔(　　) – 솔:(　　)　장(　　) – 장:(　　)　종(　　) – 종:(　　)

5 음운의 (　　)

'음운의 (　　)'이란 어떤 형태소가 다른 형태소와 결합할 때 그 환경에 따라 발음이 달라지는 현상을 말한다. 음운의 변동에는 대표적으로 (　　), (　　), (　　), (　　)가 있다.

① (　　): 음운이 다른 음운으로 바뀌는 현상으로, 동화 현상도 포함한다.
② (　　): 두 음운이 하나의 음운으로 줄어드는 현상
③ (　　): 두 음운 중 어느 하나가 없어지는 현상
④ (　　): 형태소가 결합할 때 그 사이에 음운이 덧붙는 현상

(1) 음절의 끝소리 규칙(평파열음화)

국어의 음절 구조상, 받침에 해당하는 끝소리에는 하나의 자음만 올 수 있다. 그리고 이 끝소리에서 실제로 발음되는 자음은 '(　　), (　　), (　　), (　　), (　　), (　　), (　　)'의 (　　)개 대표음뿐이다. 따라서 음절 끝에 이 (　　)개의 소리 이외의 자음이 오면, 이 (　　) 중의 하나로 바뀌어 발음된다. 따라서 음절의 끝소리 규칙(평파열음화)은 음운의 (　　)로 볼 수 있다.

① 환경 1

후행 형태소	받침의 유형	음절의 끝소리 규칙 (평파열음화)	용례
자음	홑자음	ㄲ, ㅋ → (　　)	밖 → [박], 부엌 → [부억]
		ㅌ, ㅅ, ㅆ, ㅈ, ㅊ, ㅎ → (　　)	바깥 → (　　), 옷 → [옫], 있고 → [읻꼬], 낮 → [낟], 꽃 → [꼳], 히읗 → (　　)
		ㅍ → (　　)	잎 → (　　)

② 환경 2

후행 형태소	받침의 유형	음절의 끝소리 규칙 (평파열음화)	용례	비고
모음으로 시작하는 (　　) 형태소	환경 1과 동일		잎 위 → [입위] → (　　), 옷 안 → [옫안] → [오단], 꽃 아래 → [꼳아래] → [꼬다래], 부엌 안 → [부억안] → [부어간]	절음화

㉠ 연음화: 앞 음절의 받침 소리가 모음으로 시작하는 뒤 음절의 초성으로 이어져 나는 것
㉡ 절음화: 앞 음절의 받침이 다음에 있는 모음에 바로 연음되지 않고 대표음으로 바뀐 뒤 연음되는 것

(2) 된소리되기(경음화)

안울림소리 뒤에 안울림 예사소리가 올 때 뒤의 소리가 된소리로 발음되는 현상을 '된소리되기'라고 한다. 된소리되기를 과도하게 적용하면 비표준 발음이 되므로 주의해야 한다.

된소리되기는 다음과 같은 조건에서 실현된다.

① 두 개의 (　　　　)가 만나면 뒤의 예사소리를 (　　　)로 발음한다.

　예 국밥 → (　　　), 걷다[步] → [걷:따], 없다 → (　　　), 덮개 → [덥깨], 역도 → [역또], 젖소 → [젇쏘]

② 한자어의 '(　　)' 받침 다음에 '(　　), (　　), (　　)'이 오면 '(　　), (　　), (　　)'을 된소리로 발음한다.

　예 갈등(葛藤) → [갈뜽], 말살(抹殺) → [말쌀]

③ '(　　), (　　)'으로 끝나는 어간 뒤에 예사소리로 시작하는 어미가 오면 뒤의 예사소리를 된소리로 발음한다.

　예 안고 → (　　　), 심다 → (　　　)

6 음운의 동화

'음운의 동화'는 한 음운이 인접하는 다른 음운의 성질을 (　　　　) 음운 현상을 말한다. 동화가 일어나면 앞뒤 음운의 위치나 소리 내는 방법이 서로 유사하게 변하는데, 이는 소리를 좀 더 쉽게 내기 위함이다. (　　　　)가 가깝거나 (　　　　)이 비슷한 소리가 연속되면 그렇지 않은 경우보다 발음할 때 힘이 덜 들고 편하기 때문이다. 동화는 그 대상에 따라 자음 동화와 모음 동화로 나뉘며, 방향과 정도에 따라 다음과 같이 나눌 수 있다.

① **순행 동화**: 앞 음운의 영향으로 뒤 음운이 변한다.

② **역행 동화**: 뒤 음운의 영향으로 앞 음운이 변한다.

③ **상호 동화**: 앞뒤 음운이 모두 변한다.

④ **완전 동화**: 똑같은 소리로 변한다.

⑤ **불완전 동화(부분 동화)**: 비슷한 소리로 변한다.

(1) 자음 동화

음절의 끝 자음이 그 뒤에 오는 자음과 만날 때, 어느 한쪽이 다른 쪽 자음을 닮아서 그와 비슷한 소리로 바뀌거나 양쪽이 서로 닮아서 두 소리가 모두 바뀌는 현상이다.

① **비음화**: (　　)이 아니었던 것이 (　　)을 만나 (　　)이 되는 것을 말한다. 구체적으로는 파열음이나 유음이 (　　)을 만나 (　　)으로 바뀌는 현상을 가리킨다.

조음 방법	소리의 세기	조음 위치	입술소리 (양순음)	혀끝소리 (잇몸소리, 치조음)	센입천장 소리 (경구개음)	여린입천장 소리 (연구개음)	목청소리 (후음)
안울림 소리	파열음	예사소리	ㅂ	ㄷ		ㄱ	
		된소리	ㅃ	ㄸ		ㄲ	
		거센소리	ㅍ	ㅌ		ㅋ	
	파찰음	예사소리			ㅈ		
		된소리			ㅉ		
		거센소리			ㅊ		
	마찰음	예사소리		ㅅ			ㅎ
		된소리		ㅆ			
울림 소리	비음		(　)	(　)		(　)	
	유음			ㄹ			

㉠ 파열음의 비음화(역행 비음 동화): 파열음 'ㅂ, ㄷ, ㄱ'이 비음 'ㅁ, ㄴ' 앞에서 비음에 동화되어 'ㅁ, ㄴ, ㅇ'으로 발음되는 현상을 말한다.

양순음 'ㅂ, ㅍ'은 비음 앞에서 [ㅁ]으로 발음	예 밥물 → [밤물], 앞문 → [압문] → [암문]
치조음 'ㄷ, ㅌ'은 비음 앞에서 [ㄴ]으로 발음	예 닫는 → [단는], 겉문 → [걷문] → [건문]
연구개음 'ㄱ, ㄲ, ㅋ'은 비음 앞에서 [ㅇ]으로 발음	예 국민 → [궁민], 국물 → [궁물], 깎는 → [깍는] → [깡는], 부엌만 → [부억만] → [부엉만]

㉡ 유음의 비음화: 유음 'ㄹ'이 비음 'ㅁ, ㅇ'을 만나 비음 'ㄴ'으로 발음되는 현상을 말한다.

예 종로 → [종노], 남루 → [남:누]

㉢ (　　　　　): 앞 음절의 끝소리 'ㅂ, ㄷ, ㄱ'이 뒤에 오는 'ㄹ'을 '(　　　)'으로 변하게 하고, 변화된 'ㄴ'의 영향으로 앞의 'ㅂ, ㄷ, ㄱ'이 비음 '(　　　), (　　　), (　　　)'으로 동화되는 현상을 말한다.

예 섭리 → [섭니] → [섬니], 몇 리 → [멷리] → [멷니] → [면니], 백로 → [백노] → [뱅노], 국력 → [국녁] → [궁녁]

② 유음화: (　　　)이 아니었던 것이 (　　　)을 만나 (　　　)으로 바뀌는 것을 말한다. 구체적으로는 비음인 '(　　　)'이 유음인 '(　　　)'을 만나 '(　　　)'로 바뀌는 현상을 가리킨다.

조음 방법 / 소리의 세기 / 조음 위치			입술소리 (양순음)	혀끝소리 (잇몸소리, 치조음)	센입천장 소리 (경구개음)	여린입천장 소리 (연구개음)	목청소리 (후음)
안울림 소리	파열음	예사소리	ㅂ	ㄷ		ㄱ	
		된소리	ㅃ	ㄸ		ㄲ	
		거센소리	ㅍ	ㅌ		ㅋ	
	파찰음	예사소리			ㅈ		
		된소리			ㅉ		
		거센소리			ㅊ		
	마찰음	예사소리		ㅅ			ㅎ
		된소리		ㅆ			
울림 소리	비음		ㅁ	ㄴ ↓		ㅇ	
	유음			(　　　)			

③ 표준 발음으로 인정하지 않는 자음 동화

㉠ 연구개음화: (　　　　　)이 아닌 'ㄷ, ㅂ, ㄴ, ㅁ' 등이 (　　　　　)에 동화되어 (　　　　　)인 '(　　　), (　　　)'으로 발음되는 현상. 수의적 변화로 비표준 발음이다.

예 ㄷ → ㄱ: 숟가락[숙까락], ㅂ → ㄱ: 갑갑하다[각까파다], ㄴ → ㅇ: 건강[경강], ㅁ → ㅇ: 감기[강:기]

㉡ 양순음화: (　　　)이 아닌 'ㄴ, ㄷ'이 (　　　)에 동화되어 (　　　) '(　　　), (　　　)'으로 발음되는 현상. 수의적 변화로 (　　　　　)이다.

예 ㄴ → ㅁ: 신문[심문], ㄷ → ㅁ: 꽃말[꼼말], ㄷ → ㅂ: 꽃바구니[꼽빠구니]

(2) 구개음화

조음 방법 / 소리의 세기 / 조음 위치			입술소리 (양순음)	혀끝소리 (잇몸소리, 치조음)	센입천장 소리 (경구개음)	여린입천장 소리 (연구개음)	목청소리 (후음)
안울림 소리	파열음	예사소리	ㅂ	ㄷ		ㄱ	
		된소리	ㅃ	ㄸ		ㄲ	
		거센소리	ㅍ	ㅌ		ㅋ	
	파찰음	예사소리			(　　)		
		된소리			(　　)		
		거센소리			(　　)		
	마찰음	예사소리		ㅅ			ㅎ
		된소리		ㅆ			
울림 소리	비음		ㅁ	ㄴ		ㅇ	
	유음			ㄹ			

① 끝소리가 'ㄷ, ㅌ'인 형태소가 모음 (　　　　)나 (　　　　)로 시작되는 (　　　　)와 만나면 'ㄷ, ㅌ'이 구개음 '(　　), (　　)'으로 바뀌는 현상을 '구개음화'라고 한다.

예 • 굳이 → [구디] → [구지], 해돋이 → [해도디] → [해도지]
• 같이 → [가티] → [가치], 닫혀 → [다텨] → [다쳐] → [다처], 붙이다 → [부티다] → [부치다]
• 굳히다 → [구티다] → [구치다]

② 현대 국어의 경우 (　　　　) 안에서는 구개음화가 일어나지 않지만 근대 국어에서는 (　　　　) 안에서도 구개음화가 일어났다.

예 • 현대: 느티나무 → [느치나무] (×), 티끌 → [치끌] (×)
• 중세: 텬디 > 쳔지 > 천지(天地) (○)

(3) (　　　　)

모음과 모음이 만날 때 한 모음이 다른 모음을 닮는 현상이다.

① 'ㅣ' 모음 역행 동화

혀의 높이 / 입술의 모양 / 혀의 위치	전설 모음		후설 모음	
	평순 모음	원순 모음	평순 모음	원순 모음
고모음	ㅣ[i]	(　　)	ㅡ[ɨ]	ㅜ[u]
중모음	(　　)	(　　)	ㅓ[ə]	ㅗ[o]
저모음	(　　)		ㅏ[a]	

㉠ 앞 음절의 후설 모음 'ㅏ, ㅓ, ㅗ, ㅜ'가 뒤 음절의 전설 모음 '(　　)'와 만나면 이에 끌려서 전설 모음 '(　　), (　　), (　　), (　　)'로 변하는 현상을 말한다. 'ㅣ' 모음 역행 동화에 의한 변동은 대부분 (　　)와 (　　　　)으로 인정하지 않는다.

예 • 아비 → [애비], 잡히다 → [재피다]
• 먹이다 → [메기다] • 속이다 → [쇠기다]
• 죽이다 → [쥐기다] • 굶기다 → [귐기다]

㉡ 'ㅣ' 모음 역행 동화 중에서 표준어로 인정하는 예외적인 경우가 있다.

예 남비 → 냄비, 풋나기 → 풋내기

② 'ㅣ' 모음 순행 동화(이중 모음화): 전설 모음 '(　　　)' 뒤에 후설 모음 'ㅓ, ㅗ'가 오면 '(　　　)'의 영향을 받아 각각 '(　　　), (　　　)'로 변하는 현상을 말한다. 'ㅣ' 모음 순행 동화는 표준 발음 인정 여부에 관한 (　　　)이 있다.

예 • [되어](○)–[되여](○), [피어](○)–[피여](○), [이오](○)–[이요](○), [아니오](○)–[아니요](○)
• [기어](○)–[기여](?), [미시오](○)–[미시요](?): [기여]와 [미시요] 등은 『표준국어대사전』에서는 허용되는 표준 발음이지만, 〈표준 발음법〉 기준으로는 비표준 발음이다.

③ 이외에 표준 발음으로 인정하지 않는 모음 동화

구분	원순 모음화	전설 모음화
내용	• 평순 모음 'ㅡ, ㅓ'가 원순 모음 'ㅜ'로 바뀌는 현상 • 주로 양순음 'ㅂ, ㅃ, ㅍ, ㅁ' 다음에 잘 일어남 • 비표준 발음이므로 발음에 주의해야 함	• 'ㅅ, ㅈ, ㅊ, ㅆ, ㅉ' 등의 치조음이나 경구개음 다음에 후설 모음 'ㅡ/ㅜ'가 오는 경우 'ㅡ/ㅜ'가 전설 모음 'ㅣ'로 바뀌는 현상 • 비표준 발음이므로 발음에 주의해야 함
용례	• (　　　)(○) – 기뿌다(×) • (　　　)(○) – 널부러지다(×) • (　　　)(○) – 아부지(×) • (　　　)(○) – 아둥바둥(×) • (　　　)(○) – 오무리다(×) • (　　　)(○) – 움추리다(×) • (　　　)(○) – 주루룩(×) • (　　　)(○) – 푸두덕(×) • (　　　)(○) – 후두둑(×)	• (　　　)(○) – 괜시리(×) • (　　　)(○) – 부시시(×) • (　　　)(○) – 시라소니(×) • (　　　)(○) – 까실까실(×) • (　　　)(○) – 으시대다(×) • (　　　)(○) – 고시레(×) • (　　　)(○) – 으시시(×) • (　　　)(○) – 추스리다(×) • (　　　)(○) – 메시껍다(×)

(4) 모음 조화

(　　　　) 'ㅏ, ㅗ'는 'ㅏ, ㅗ'끼리, (　　　　) 'ㅓ, ㅜ, ㅡ'는 'ㅓ, ㅜ, ㅡ'끼리 어울리려는 현상이다. 현대 국어에서는 (　　　), (　　　)나 (　　　　), (　　　)에서 모음 조화가 비교적 잘 지켜진다.

① 용언의 어미 '–아/–어, –아서/–어서, –아도/–어도, –아야/–어야, –아라/–어라, –았–/–었–' 등이 용언의 어간과 서로 어울리는 경우에 잘 나타난다.

예 • 깎아, 깎아서, 깎아도, 깎아야, 깎아라, 깎았다
• 먹어, 먹어서, 먹어도, 먹어야, 먹어라, 먹었다

② (　　　)와 (　　　)에서 가장 뚜렷이 나타난다.

예 • 의성어: 졸졸–줄줄
• 의태어: 알락알락–얼럭얼럭, 살랑살랑–설렁설렁, 오목오목–우묵우묵

③ 모음의 종류에 따른 의미의 차이가 있다.

(　　　), (　　　)(양성 모음)를 사용한 단어	밝고, 경쾌하고, 가볍고, 빠르고, 날카롭고, 작은 느낌
(　　　), (　　　)(음성 모음)를 사용한 단어	어둡고, 무겁고, 크고, 둔하고, 느리고, 큰 느낌

④ 현대 국어에서 모음 조화는 규칙적이지 못하다.

모음 조화가 지켜진 예	곱–+–아 → 고와, 서럽–+–어 → 서러워, 거북스럽–+–어 → 거북스러워, 무겁–+–어 → 무거워
모음 조화가 지켜지지 않은 예	아름답–+–어 → 아름다워, 차갑–+–어 → 차가워, 날카롭–+–어 → 날카로워, 놀랍–+–어 → 놀라워

⑤ 모음 조화 파괴의 원인: 모음 조화는 15세기에는 매우 엄격히 지켜졌고, 16~18세기에는 '(　　　)'의 소실로 '(　　　)'가 중성 모음이 되어 예외가 많이 생겼다. 현대 국어에서는 (　　　), (　　　), (　　　　)과 (　　　) 정도에서만 모음 조화가 비교적 잘 지켜지고 있다.

| ‘ · (아래아)’의 소실

1단계	( ): 둘째 음절에서 ‘ㅡ’로 바뀜	← 모음 조화 붕괴의 직접적인 원인
2단계	( ): 첫째 음절에서 ‘ㅏ’로 변천	

7 음운의 (   )

앞뒤 형태소의 두 음운이 마주칠 때, 두 음운이 결합되어 하나의 음운으로 (   ) 현상을 ‘음운의 (   )’이라고 한다. 둘 중 어느 하나의 음운이 생략되는 것이 아니기 때문에 그 특성이 살아 있다.

8 음운의 탈락

앞뒤 형태소의 두 음운이 마주칠 때, 그중 한 음운이 완전히 생략되는 현상을 ‘음운의 탈락’이라고 한다. 음운의 축약과는 달리 음운의 탈락은 생략된 음운의 성질이 모두 사라진다.

(1) 자음 탈락

① ‘ㄹ’ 탈락

㉠ 용언 어간의 끝소리인 ‘ㄹ’이 어미의 첫소리 ‘(   ), (   ), (   ), (   ), (   )’ 앞에서 예외 없이 탈락하는 현상

예 • 갈다: 가니, 간, 갈, 갑니다, 가시다, 가오
• 둥글다: 둥그니, 둥근, 둥글, 둥급니다, 둥그시다, 둥그오

㉡ 파생어와 합성어를 만드는 과정에서 ‘(   ), (   ), (   ), (   )’ 앞에서 ‘ㄹ’이 탈락하는 현상

예 • ‘(   )’ 앞: 따님(딸－님), 부나비(불－나비)
• ‘(   )’ 앞: 다달이(달－달－이), 마되(말－되), 여닫이(열－닫－이)
• ‘(   )’ 앞: 마소(말－소), 부삽(불－삽)
• ‘(   )’ 앞: 무자위(물－자위), 바느질(바늘－질), 싸전(쌀－전)

㉢ ‘(   ), (   )’ 앞에서 ‘ㄹ’이 탈락하는 현상

예 • ‘ㄷ’ 앞: 不同 → 부동, 不當 → 부당, 不得已 → 부득이, 不斷 → 부단
• ‘ㅈ’ 앞: 不知 → 부지, 不正 → 부정, 不條理 → 부조리

② ‘ㅎ’ 탈락: ‘ㅎ(ㄶ, ㅀ)’을 끝소리로 가지는 용언의 어간이 모음으로 시작하는 어미 앞에서 ‘ㅎ’이 탈락하는 현상이다. ‘ㅎ’ 탈락은 명사에는 적용되지 않는다.

예 • 용언의 활용: 낳으니 → [나으니], 놓아 → [노아], 쌓이다 → [싸이다], 많아 → [마:나], 않은 → [아는], 닳아 → [다라], 끓이다 → [끄리다]
• 명사: 올해[오래](×) [올해](○), 전화[저:놔](×) [전:화](○)

③ ‘ㅎ’ 탈락의 유의 사항

㉠ ‘하얗습니다’에서 ‘ㅎ’이 탈락한 ‘하얍니다’는 표준어로 인정하지 않는다. 따라서 ‘(   ), (   ), (   ), (   ), (   )’로 적어야 한다.

㉡ 용언 어간의 끝소리 ‘ㅎ’이 어미 ‘－네’와 결합하는 경우, ‘ㅎ’이 (   ) 형태와 (   ) 형태 모두를 표준어로 인정한다.

예 동그랗네(○) – 동그라네(○)

④ 자음군 단순화

㉠ 음절 끝에 겹받침이 올 경우 두 개의 자음 중 하나가 탈락하고 남은 하나만 발음된다.

예	
앞 자음이 탈락하는 경우	밝다 → [박따], 젊다 → [점:따]
뒤 자음이 탈락하는 경우	앉다 → [안따], 값 → [갑]

㉡ 자음군 단순화는 다음과 같은 조건에 적용된다.

받침의 유형		용례	예외
겹자음	ㄳ, ㄵ, ㄶ, ㄼ, ㄽ, ㄾ, ㅀ, ㅄ → 첫째 자음이 남음	넋 → [넉], 앉고 → [안꼬], 않는 → [안는], 넓다 → [널따], 외곬 → [외골/웨골], 핥고 → [할꼬], 앓는 → [알른], 값 → [갑]	ㄼ
	ㄺ, ㄻ, ㄿ → 둘째 자음이 남음 ('ㄿ'은 대표음인 'ㅂ'이 남음)	닭 → [닥], 읽지 → [익찌], 젊다 → [점:따], 읊지 → [읍찌]	ㄺ

⑤ 겹받침 발음의 유의 사항

예외 겹받침	내용	용례
ㄼ	• 'ㄼ'은 대개의 경우 앞의 '(　　　)'이 남는 것이 일반적 • 예외적으로 '(　　　)'은 뒤에 자음이 오면 앞의 'ㄹ'이 탈락 • '(　　　), (　　　)'의 경우에도 예외적으로 앞의 'ㄹ'이 탈락	• 밟다 → [　　　], 밟소 → [밥:쏘], 밟지 → [　　　], 밟는 → [밥:는] → [밤:는], 밟게 → [밥:께], 밟고 → [밥:꼬] • 넓죽하다 → [　　　], 넓둥글다 → [　　　]
ㄺ	• 'ㄺ'은 대개의 경우 앞의 '(　　　)'이 탈락하는 것이 일반적 • 예외적으로 용언의 어간 말음 'ㄺ'은 '(　　　)' 앞에서 뒤의 'ㄱ'이 탈락	맑고 → [　　　], 묽고 → [물꼬], 얽거나 → [　　　]
ㄶ, ㅀ	• 'ㄶ, ㅀ'의 'ㅎ'은 뒤에 'ㄱ, ㄷ, ㅈ'이 오면 '(　　　),(　　　), (　　　)'으로 (　　　) • 'ㄶ, ㅀ' 뒤에 'ㅅ'이 오면 'ㅎ'이 탈락하고 'ㅅ'은 '(　　　)'으로 변화 • 'ㄶ, ㅀ' 뒤에 'ㄴ'이 오면 'ㅎ'을 발음하지 않음 • 'ㄶ, ㅀ' 뒤에 모음으로 시작하는 어미나 접미사가 오면 '(　　　)'을 발음하지 않음	• 않고 → [　　　], 앓고 → [알코] • 않소 → [　　　] • 앓는 → [알는] → [　　　] • 않았다 → [안아따] → [　　　]

(2) 모음 탈락

① (　　　): '(　　), (　　)'로 끝나는 용언의 어간 뒤에 (　　) 모음이 연달아 나오면, 하나의 모음이 탈락하는 현상이다.

예 타+아 → 타, 타+았다 → 탔다 / 서+어 → 서, 서+었다 → 섰다 / 켜+어 → 켜, 켜+었다 → 켰다 / 펴+어 → 펴, 펴+었다 → 폈다

② (　　　): '(　　)'로 끝나는 용언의 어간 뒤에 '(　　　), (　　　)'로 시작하는 어미가 결합하면, '(　　)'가 예외 없이 탈락하는 현상이다.

예 뜨다 → 떠, 떴다 / 끄다 → 꺼, 껐다 / 크다 → 커, 컸다 / 담그다 → 담가, 담갔다 / 고프다 → 고파, 고팠다

9 음운의 첨가: 사잇소리 현상

앞뒤 형태소의 두 음운이 마주칠 때, 원래 없던 음운이 덧붙여지는 현상을 '(　　　)'라고 한다. (　　　)의 대표적인 예는 '(　　　)'이다.

(1) 사잇소리의 유형

① **된소리되기**: 두 개의 형태소 또는 단어가 합쳐져서 합성 명사를 이룰 때, 앞말의 끝소리가 (　　)이고 뒷말의 첫소리가 (　　　)이면, 뒤의 예사소리가 (　　)로 변한다. 이를 표시하기 위하여 합성어의 앞말이 모음으로 끝났을 때는 받침으로 (　　)을 적는다.

예 • 촛불(초+불) → [초뿔/촏뿔], 뱃사공(배+사공) → [배싸공/밷싸공]
• 밤+길 → [밤낄], 촌+사람 → [촌:싸람], 등+불 → [등뿔], 길+가 → [길까]

② 'ㄴ' 첨가

㉠ 합성어가 형성되는 환경에서 앞말이 (　　)으로 끝나고 뒷말이 '(　　), (　　)'으로 시작되면 '(　　)' 소리가 첨가된다.

예 잇몸(이+몸) → [인몸], 콧날(코+날) → [콘날]

㉡ 합성어가 형성되는 환경에서 앞말이 (　　　)으로 끝나고 뒷말이 모음 '(　　　)'나 반모음 '(　　　)'로 시작되면 '(　　　)' 소리가 첨가된다.

예 논일(논+일) → [논닐], 집일(집+일) → [짐닐]

③ 'ㄴㄴ' 첨가: 합성어가 형성되는 환경에서 앞말이 (　　　)으로 끝나고 뒷말이 모음 '(　　　)'나 반모음 '(　　　)'로 시작되면 '(　　　)' 소리가 첨가된다.

예 깻잎(깨+잎) → [깬닙], 베갯잇(베개+잇) → [베갠닏]

(2) 사잇소리 현상의 특징

① (　　　)상 사잇소리가 있다. 예 초+불(촛불) → [초뿔/촏뿔]

② 사잇소리 현상은 불규칙해서 일정한 법칙을 찾기 힘들고 예외 현상이 많다.

예 고래기름, 참기름, 기와집, 은돈, 콩밥, 말방울, 인사말, 머리말, 고무줄

③ 사잇소리 현상에 따른 (　　　　)가 일어날 수 있다.

예
- 고기+ㅅ+배 → [고기빼/고긷빼] (뜻: 고기잡이를 하는 배)
  고기+배 → [고기배] (뜻: 고기의 배[腹])
- 나무+ㅅ+집 → [나무찝/나묻찝] [뜻: 나무(장작)를 파는 집]
  나무+집 → [나무집] (뜻: 나무로 만든 집)

④ 한자로 이루어진 합성어는 사잇소리 현상이 나타나더라도 사이시옷을 적지 않는 것을 원칙으로 한다. 단, 그 소리가 확실하게 인식되는 여섯 단어 '(　　　　), (　　　　), (　　　　), (　　　　), (　　　　), (　　　　)'에서만 사이시옷을 받치어 적는다.

⑤ 두 단어를 이어서 한 마디로 발음할 때에도 사잇소리 현상과 같은 현상이 일어나는 경우가 있다.

예 한 일 → [한닐], 옷 입다 → [온닙따], 할 일 → [할닐] → [할릴], 잘 입다 → [잘닙다] → [잘립따], 먹은 엿 → [머근녇]

(3) 'ㄴ' 소리를 첨가하여 발음하되, 표기대로 발음할 수도 있는 단어들

감언이설[(　　) / (　　)]	강약[(　　) / (　　)]	검열[(　　) / (　　)]
그런 일[(　　) / (　　)]	금융[(　　) / (　　)]	먹을 엿[(　　) / (　　)]
먹은 엿[(　　) / (　　)]	못 이기다[(　　) / (　　)]	못 잊다[(　　) / (　　)]
못 잊어[(　　) / (　　)]	밤이슬[(　　) / (　　)]	서른여섯[(　　) / (　　)]
순이익[(　　) / (　　)]	야금야금[(　　) / (　　)]	연이율[(　　) / (　　)]
영영[(　　) / (　　)]	옷 입다[(　　) / (　　)]	욜랑욜랑[(　　) / (　　)]
이글이글[(　　) / (　　)]	이죽이죽[(　　) / (　　)]	의기양양[(　　) / (　　)]
잘 익히다[(　　) / (　　)]	한 일[(　　) / (　　)]	할 일[(　　) / (　　)]

10 기타 음운 현상

(1) 호전 작용

'ㄹ' 받침을 가진 단어 또는 어간이 다른 단어 또는 접미사와 결합할 때, '(　　　)'이 '(　　　)'으로 바뀌어 발음되고 표기되는 현상이다.

예 이틀+날 → 이튿날, 사흘+날 → 사흗날, 삼질+날 → 삼짇날, 설+달 → 섣달, 술+가락 → 숟가락, 잘+다랗다 → 잗다랗다

(2) 활음조

발음을 (　　　　) 하기 위하여 음운을 변화 또는 첨가시키는 것을 말한다. 활음조는 다음의 두 가지 현상으로 나타난다.

'(　　)' → '(　　)'	예 한아버지 → 할아버지, 안음[抱] → 아름, 한나산(漢拏山) → 한라산, 곤난(困難) → 곤란
'(　　), (　　)' 첨가	예 폐염(肺炎) → 폐렴, 지이산(智異山) → 지리산

CHAPTER

03 형태론

정답▶P.110

1 형태소

'형태소'란 일정한 뜻을 가진 (   )로, 여기에서 '뜻'은 어휘적 의미와 문법적 의미를 모두 포괄한다.

하늘	이	맑-	-았-	-다
명사	주격 조사	어간	과거 시제 선어말 어미	어말 어미

형태소는 다음 기준에 따라 분류할 수 있다.

(1) 자립성의 유무에 따라

① (   ): 홀로 자립해서 단어가 될 수 있는 형태소로, 명사·대명사·수사·관형사·부사·감탄사가 (   )에 해당한다. 예 하늘

② (   ): 반드시 다른 형태소와 결합해야만 단어가 되는 형태소로, 조사·용언의 어간과 어미·접사가 (   )에 해당한다. 예 이, 맑-, -았-, -다

(2) 의미의 유형에 따라

① (   ): 구체적인 대상이나 구체적인 상태를 나타내는 (   )를 가지고 있는 형태소로, 자립 형태소와 용언의 어간이 (   )에 해당한다. 예 하늘, 맑-

② (   ): (   ), 즉 문법적 의미만을 나타내는 형태소로, 조사와 어미·접사가 (   )에 해당한다.
예 이, -았-, -다

(3) 형태소의 종류에 따른 품사의 구분

형태소 구분		품사 구분
자립성의 유무	( )	명사, 대명사, 수사, 관형사, 부사, 감탄사
	( )	조사, 용언의 어간과 어미
의미의 유형	( )	명사, 대명사, 수사, 관형사, 부사, 감탄사, 용언의 어간
	( )	조사, 용언의 어미

2 이형태(異形態)

하나의 형태소가 환경에 따라 모습을 달리하는 것을 '이형태'라고 한다. 이형태는 다음의 세 가지로 분류할 수 있다.

① (   ): 하나의 형태소가 음운 환경에 따라 다르게 나타나는 이형태로, 선행하는 음운이 모음이냐 자음이냐, 양성 모음이냐 음성 모음이냐에 따라 다르게 나타난다.
예 '이/가', '을/를', '로/으로', '-시-/-으시-', '-았-/-었-', '-아/-어-'

② (   ): 연결되는 형태소 자체에 의해서만 설명되는 이형태이다.
예 • 과거 시제를 나타내는 '-였-/-었-': '-었-'이 기본 형태이지만, 특별히 어간 '하-' 뒤에서는 '-였-'으로 바뀌게 된다.
• 명령형 어미 '-아라/-어라', '-거라', '-너라': '-아라/-어라', '-거라'가 기본 형태이지만, 특별히 어간 '오-' 뒤에서는 '-너라'로 바뀌게 된다.

③ (   ): 음운적 환경이나 형태적인 환경에 영향을 받지 않고 동일한 환경에서 조건 없이 서로 대체될 수 있는 이형태이다.

예 • 밥+을/밥+ ø(밥을 먹었다/밥 먹었다): '을'과 'ø'는 서로 같은 환경에서 자유롭게 교체되어 나타날 수 있다.
• 노을/놀: 복수 표준어도 자유 이형태로 볼 수 있다.

3 단어(낱말)

문장 내에서 (   )하여 쓰일 수 있는 말이나 (   )할 수 있는 형태소에 붙어서 쉽게 분리될 수 있는 말을 '(   )'라고 한다. (   )는 품사 분류의 기준이며, 사전 등재의 기본 단위이다. (   )는 띄어 쓰는 것을 원칙으로 하며, (   )는 앞말에 붙여 쓴다.

① 자립성이 없는 조사가 단어로 인정받는 이유는 쉽게 분리될 수 있기 때문이다. 반면에, 어미는 자립성이 없고 앞말과 분리될 수 없으므로 단어로 보지 않는다.
② 의존 명사와 보조 용언은 자립성이 결여되어 있으나, 자립 형태소의 출현 환경에서 나타나고 의미도 문법적인 것이 아니므로 준자립어로 간주하여 단어로 분류한다.
③ 복합어의 경우 형태소는 두 개 이상으로 나눌 수 있지만 한 단어로 여긴다.

4 단어의 형성

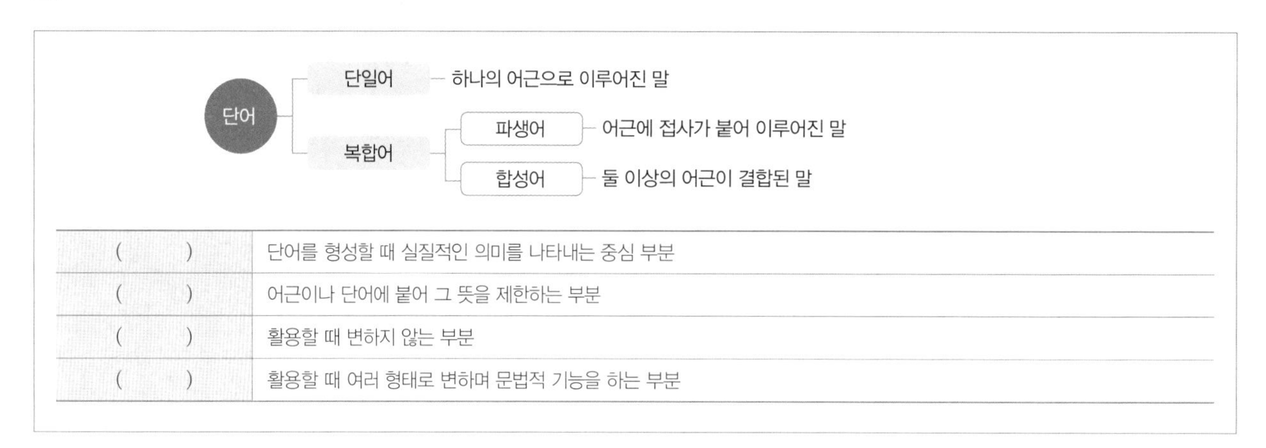

( )	단어를 형성할 때 실질적인 의미를 나타내는 중심 부분
( )	어근이나 단어에 붙어 그 뜻을 제한하는 부분
( )	활용할 때 변하지 않는 부분
( )	활용할 때 여러 형태로 변하며 문법적 기능을 하는 부분

(1) 단일어

하나의 (   )으로 된 단어이다.

(2) 복합어

둘 이상의 (   )이 결합하여 이루어진 단어(   )나, 하나의 (   )에 (   )가 결합하여 이루어진 단어(   )이다.

(3) 파생어

어근의 앞이나 뒤에 접사가 붙어서 만들어진 단어를 '파생어'라고 한다.

5 합성어

(1) 어근의 결합 방식에 따른 분류

구분	합성 방법	예
( )	두 어근이 본래의 뜻을 유지하고 대등하게 결합한 합성어	앞뒤, 손발
( )	두 어근이 본래의 뜻을 유지하고 결합하되, 한 어근이 다른 한 어근에 종속되어 있는 합성어(한 어근이 다른 어근을 수식함)	돌다리, 국밥
( )	두 어근의 결합 결과, 두 어근과는 완전히 다른 제3의 의미가 도출되어 나온 합성어	춘추, 세월

(2) 통사적 구성 방식과의 일치 여부에 따른 분류

① (   ): 두 어근의 결합 방식이 우리말의 일반적인 (   )과 일치하는 합성어

합성 방법	예
명사+명사	손발, 밤낮, 손등, 코웃음
관형어+체언	첫사랑, 군밤, 새해, 어린이
부사+부사	곧잘, 이리저리
부사+용언	잘나다, 못나다
체언+(조사 생략)+용언	힘들다, 장가가다, 본받다, 값싸다
용언+연결 어미+용언	들어가다, 돌아가다, 뛰어가다
한자어의 결합이 우리말 어순과 일치하는 경우	북송(北送), 전진(前進)

② (   ): 두 어근의 결합 방식이 우리말의 일반적인 (   )과 일치하지 않는 합성어

합성 방법	예
( )	꺾쇠, 감발, 덮밥, 접칼
( )	여닫다, 우짖다, 검푸르다, 뛰놀다, 오가다
( )	부슬비, 산들바람
( ) 참 한자어에서 많이 나타나는 구성임	독서(讀書), 급수(給水), 등산(登山)

6 품사

단어들을 성질이 공통된 것끼리 모아 갈래를 지어 놓은 것을 '품사'라고 한다. 품사는 형태, 기능, 의미에 따라 다음과 같이 구분할 수 있다.

(1) 형태에 따른 분류

단어의 형태 변화가 있는지 없는지에 따른 분류이다.

명칭	분류 기준
( )	• 단어의 형태가 변함 • 용언, 서술격 조사가 해당됨
( )	• 단어의 형태가 변하지 않음 • 체언, 관계언, 수식언, 독립언이 해당됨

(2) 기능에 따른 분류

단어가 문장 내에서 하는 역할(문장 성분)에 따른 분류로, '5언'이라고 지칭한다.

명칭	분류 기준
( )	대체로 문장에서 주어가 되는 자리에 놓여 주체의 역할을 하는 기능
( )	체언에 붙어 문법적 관계를 표시하거나 뜻을 더해 주는 기능
( )	문장의 주체를 서술하는 기능
( )	체언이나 용언 앞에 놓여 체언이나 용언을 꾸미거나 의미를 한정하는 기능
( )	문장 속에서 다른 단어와 어울리지 않고 독립적으로 쓰임

(3) 의미에 따른 분류

단어가 가지는 의미에 따른 분류로, '9품사'라고 지칭한다.

명칭		분류 기준
체언	(　　　)	사물의 명칭을 표시
	(　　　)	사물의 명칭을 대신하여 표시
	(　　　)	사물의 수와 차례를 표시
관계언	(　　　)	말과 말의 관계를 표시
용언	(　　　)	사물의 움직임을 표시
	(　　　)	사물의 성질, 상태, 존재를 표시
수식언	(　　　)	체언 앞에 놓여 체언을 수식
	(　　　)	용언 앞에 놓여 사물의 움직임, 성질, 상태를 한정
독립언	(　　　)	느낌이나 부름, 대답을 표시

7 명사

(1) 사용 범위에 따른 분류

(　　　)	특정한 사람이나 사물에 대하여 붙여진 이름 예 사람 이름(이순신), 나라명(대한민국), 책 이름(열하일기)
(　　　)	일반적인 사물의 이름 예 자동차, 꽃, 시계, 책

(2) 자립성 유무에 따른 분류

(　　　)		문장에서 다른 말의 도움을 받지 않고 여러 성분으로 쓰이는 명사 예 자동차, 꽃, 시계, 책
(　　　)		명사의 성격을 띠면서도 그 의미가 형식적이어서 홀로 자립하여 쓰이지 못하고 반드시 관형어가 있어야만 문장에 쓰일 수 있는 명사 예 것, 데, 바, 수, 이
	(　　　)	• 격 조사가 붙어 주어, 목적어, 서술어 등으로 쓰이는 의존 명사 예 것, 분, 데, 바 • 문장의 여러 성분에 두루 쓰인다. 예 것이, 것을, 것에 • 보편성 의존 명사 중 대표적인 것은 '것'으로, 자립 명사의 대용 이외에도 여러 가지 특수한 기능을 한다. 예 • 선행 체언 지시: 우리 집의 백자는 조선 시대 후기의 것입니다. ('백자'를 지시) • 문장의 뜻 강조: 그들은 무한한 행복을 추구하고 있는 것이다.
	(　　　)	• 주로 주격 조사가 붙어 주어로 쓰이는 의존 명사 예 지, 수, 리, 나위 • 주격 조사와 결합하여 주어로 쓰이지만 주격 조사가 생략될 때도 있다. 예 이곳에 온 지가 벌써 한 해가 가까워 온다. / 나도 어쩔 수가 없었다. / 그럴 리 없다.
	(　　　)	• 주로 '이다'가 붙어 서술어로 쓰인다. 예 뿐, 터, 때문, 따름 • 서술어로 사용되며, '의존 명사+이다'의 형태나 '아니다'의 형태로 나타난다. 예 뿐이다, 터이다, 때문이 아니다

( )	• 주로 '하다' 앞에 와서 부사어로 쓰인다. 예 대로, 만큼, 듯, 채 • 부사격 조사와 결합하여 부사어로 쓰인다. • '뻔, 체, 양, 듯, 만' 등은 '하다'와 결합하여 동사, 형용사처럼 쓰이기도 한다. 예 비가 올 듯하다.
( )	• 수 관형사 다음에 쓰여 앞에 오는 명사의 수량 단위를 나타낸다. 예 마리, 자, 섬, 자루 • 선행하는 명사의 수량을 단위의 이름으로 지시하는 기능을 가진다. • 반드시 수 관형사와 결합한다. 예 사람이 열 명, 병이 다섯 개 • 자립 명사와 의존 명사의 기능을 함께 가지는 것도 있다. 예 나무 세 그루 - 그루만 남은 나무 / 막걸리 세 사발 - 사발에 담긴 막걸리

(3) 의존 명사의 판별

① '만큼, 대로, 뿐'은 용언의 관형사형 뒤에 오면 '(　　　)'이지만, 체언 뒤에 오면 '(　　)'로 취급하여 붙여 쓴다.

예 • 대로: 아는 대로(　　　), 나는 나대로(　　)
　• 만큼: 먹을 만큼(　　　), 너만큼 나도 안다(　　)

② '법, 성, 만, 뻔, 체, 양, 듯, 척'이 혼자 쓰이면 (　　　)이고, '(　　)'와 함께 쓰이면 (　　　)이다.

예 척: 아는 척을 한다.(　　　), 아는 척한다.(　　)

③ 동일한 형태가 쓰임에 따라 의존 명사, 접미사, 어미로 구분되기도 한다. 이때, '의존 명사'는 앞말과 띄어 쓰고, '접미사'나 '어미'는 어근 또는 어간 뒤에 붙여 쓴다.

예 • 이: 말하는 이(　　　), 옮긴 이(　　　), 젖먹이/때밀이(　　)
　• 듯: 씻은 듯 깨끗하다.(　　　), 구름에 달 가듯(　　)

④ 동일한 형태가 쓰임에 따라 '의존 명사'와 '자립 명사'로 구분되기도 한다.

예 되: 열 되를 한 말이라고 한다.(　　　), 되는 말보다 적다.(　　　)

8 대명사

(1) 지시 대명사

① 개념: (　　)이나 (　　), (　　)을 대신 가리키는 대명사를 '지시 대명사'라고 한다.

② 분류

구분	( )	( )	( )	( )	( )
사물 대명사	이, 이것	그, 그것	저, 저것	무엇	–
처소 대명사	여기	거기	저기		–

③ 특징

㉠ '관형사+의존 명사'의 합성어 형태가 있다.

예 이것, 그것, 저것

㉡ '이, 그, 저'에 (　　)가 연결되거나 '(　　), (　　), (　　)'으로 바꿀 수 있으면 지시 대명사이다.

예 이를 보라. (→ 이것을 보라.)

㉢ '여기, 거기, 저기'가 주체 성분으로 쓰였으면 지시 대명사이고, 용언이나 문장 전체를 꾸미면 부사이다.

예 • 지시 대명사: 여기가 바로 대관령이다.
　• 지시 부사: 바로 여기 있었구나.

(2) 인칭 대명사

① 개념: 사람을 대신 가리키는 대명사를 '인칭 대명사'라고 한다.

② 분류

㉠ (   ): 지시 대상이 화자 자신이다.

예 나, 우리, 저

㉡ (   ): 지시 대상이 청자이다.

예 너, 당신

㉢ (   ): 지시 대상이 제3의 인물이다.

예 이이, 그이, 저이

㉣ (   ): 대상의 이름이나 신분을 모를 때 쓰는 인칭 대명사로, 주로 의문문에 쓰인다.

예 누구 얼굴이 먼저 떠오르냐?

㉤ (   ): 특정 인물을 가리키지 않는 인칭 대명사이다.

예 아무라도 응시할 수 있다. 누구든지 할 수 있으면 해라!

㉥ (   ): 한 문장 안에서 앞에 나온 명사(주로 3인칭 주어)를 다시 가리킬 때 쓰는 인칭 대명사이다.

예
- 철수도 자기 잘못을 알고 있다.
- 그분은 당신 딸만 자랑한다.
- 중이 제(저+의) 머리를 못 깎는다.

9 수사

( )	( )	정수	하나, 둘, 셋, 스물
		부정수	한둘, 두셋, 예닐곱
	( )	정수	첫째, 둘째, 다섯째, 마흔째
		부정수	한두째, 서너째, 너덧째
( )	( )	정수	일, 이, 삼, 이십, 백, 천
		부정수	일이, 이삼, 오륙
	( )	정수	제일, 제이, 제삼, 일호, 이호
		부정수	없음

10 관계언: 조사

(1) 개념

자립 형태소(체언 따위) 뒤에 붙어서 다양한 (   )를 나타내거나 의미를 추가하는 의존 형태소를 '(   )'라고 한다. 조사는 문장에서의 역할에 따라 (   ), (   ), (   )로 분류할 수 있다.

(2) 조사 결합의 제약

다음에 제시된 한자어는 일부의 제한된 조사와만 결합한다.

구분	용례
불굴(不屈)	불굴( ) 의지
미연(未然)	미연( ) 방지하다.
가관(可觀)	가관( ).
가망(可望)	가망( ) 없다.
재래(在來)	재래( ) 관습
무진장(無盡藏)	무진장( ) 깔려 있다.
불가분(不可分)	불가분( ) 관계이다.

11 격 조사

(1) 개념

앞에 오는 체언이 문장 안에서 일정한 (   )을 가지도록 하여 주는 조사이다.

(2) 분류

선행 체언에 어떤 자격을 부여하느냐에 따라 (   ), (   ), (   ), (   ), (   ), (   ), (   )로 구분할 수 있다.

구분	형태	기능	용례
( )	이/가, 께서, 에서, 서	선행 체언에 주어 자격 부여 • ( ): 선행 체언이 높임 대상일 때 • ( ): 일반적으로 선행 체언이 단체일 때	• 꽃이 예쁘다. • 아버님께서 신문을 보신다. • 우리 학교에서 우승을 했다.
( )	을/를	서술어에 대한 목적어의 자격 부여	• 밥을 먹는다. • 나는 학교를(에) 다닌다. • 그가 나를 사랑한다.
( )	이/가	'( )' 앞에 붙어 선행 체언이나 용언의 명사형에 보어 자격 부여	• 그는 선생이 아니다. • 언니는 의사가 되었다.
( )	의	• 선행 체언에 붙어 후행 체언을 수식 • 선·후행 체언은 다양한 의미 관계를 가짐	이것은 나의 사진이다. → 내가 가진 사진(소유) → 내가 찍은 사진(행위의 주체) → 나를 찍은 사진(행위의 객체)
( )	에서, 한테, 에, 에게, 으로/로, 로써, 로서, 하고, 와/과, 보다, 에게서, 한테서	선행 체언에 ( ) 자격 부여	아이들이 마당에서 뛰어논다.
( )	야, 아, 이여	주로 사람을 가리키는 체언 뒤에 붙어 독립어 자격 부여	호동아!
( )	이다	체언 뒤에 붙어 ( ) 자격 부여	이것은 연필이다.

12 접속 조사

(1) 접속 조사 '와/과'의 기능

① (   )

'철수와 영수'는 우등생이다.

⇨ 철수는 우등생이다. + 영수는 우등생이다.

여기서 '와'는 '철수'와 '영수'를 묶어서 주어가 되게 한다. 그리고 이 문장은 두 문장으로 나눌 수 있으므로 '철수와 영수는 우등생이다.'는 (   )이다.

② (   )

'영수와 철수'는 아주 닮았다.

⇨ *영수는 아주 닮았다. *철수는 아주 닮았다.

이 문장은 두 문장으로 나눌 수 없으므로 (   )이 아니라 (   )이다(   ). 이것은 대칭 서술어만의 특징이다. 그런데 서술어가 대칭 서술어가 아니더라도 부사 '함께, 같이, 서로' 등 대칭성 부사가 쓰이면 대칭 서술어처럼 행동한다.

(2) 접속 조사와 부사격 조사

'와/과' 등이 (　　　)과 (　　　) 사이에 쓰이지 않고 (　　　)과 (　　　) 혹은 (　　　) 사이에 쓰여 '(　　　　　)'나 '(　　　)'의 뜻을 가지면 접속 조사가 아니라 (　　　　　)이다.

체언과 부사 사이	'공동'의 의미	영희는 철수와 함께 학교에 갔다.
체언과 용언 사이	'비교'의 의미	이것은 저것과 다르다.

13 보조사

앞말에 특별한 (　　　)을 더하여 주는 조사를 '보조사'라고 한다.

(1) 특징

① 보조사는 일정한 (　　　)을 갖추지 않고 그 문장이 요구하는 (　　　)을 가진다.
② 부사나 용언과도 결합한다.
③ 격 조사와 어울려 쓰이기도 하고, 격 조사를 생략시키기도 한다.
④ 문장 성분의 제약 없이 쓰이며, 자리 이동이 자유롭다.

(2) 분류

① (　　　　　): '만, 는, 도'와 같이 (　　　　　) 뒤에 붙는 보조사이다. (　　　　　)는 주어에도 붙고 부사어에도 붙고 용언에도 붙어 다양한 양상을 보인다.

종류	의미	용례
은/는	대조	산은 좋지만 왠지 바다는 싫어.
도	강조, 허용	구름도 쉬어 넘는 헐떡 고개 / 같이 가는 것도 좋습니다.
만, 뿐	단독, 한정	나만 몰랐어. / 이제 믿을 것은 오직 실력뿐이다.
까지, 마저, 조차	극단	할 수 있는 데까지 해 보자. / 브루투스, 너마저도!
부터	시작	내일부터 좀 쉬어야겠다.
마다	균일	학교마다 축제를 벌이는구나.
(이)야	강조	너야 잘 하겠지.
(이)나, (이)나마	최후 선택	애인은 그만두고 여자 친구나 있었으면 좋겠다.

② (　　　　　): '(　　　), (　　　)' 같은 보조사로, (　　　　　)는 문장 맨 끝에 붙어서 '강조'의 의미를 더한다.

예 그가 갔네그려. / 그가 갔구먼그래.

③ **통용 보조사**: '(　　　)'는 상대 높임을 나타내며, 어절이나 문장의 끝에 결합하는 독특한 성격을 가진다.

예 오늘은요, 학교에서 재미있는 노래를 배웠어요.

(3) 보조사 '은/는'

'은/는'이 주어 표지나 목적어 표지의 구실을 한다고는 할 수 없고, 다만 주어 표지나 목적어 표지를 대치한다고 보는 것이 적당하다. 따라서 '은/는'은 격 조사가 아니라 보조사이다.

의미	용례
(　　　　　　　　　　　　　　)	귤은 노랗다.
(　　　　　　　　　　　　　　)	귤은 까서 먹고 배는 깎아서 먹는다.
(　　　　　　　　　　　　　　)	그렇게는 하지 마라.

14 동사

주어의 (　　　)이나 (　　　)을 나타내는 단어의 묶음을 '동사'라고 한다.
동사는 다음과 같은 특징을 가진다.

① (　　　)를 동반하며, (　　　)을 나타낸다.

예 읽는다(현재), 읽었다(과거), 읽겠다(미래), 읽고 있다(현재 진행형)

② (　　　)와 결합이 가능하다.

③ 관형사와는 어울릴 수 없으나, (　　　)의 한정을 받는다.

④ (　　　), (　　　), 강세의 뜻을 나타내는 접사는 기본형에 넣어서 표제어로 삼는다.

예 먹다(타동사, 기본형) → 먹이다(사동사, 기본형), 먹히다(피동사, 기본형)

⑤ (　　　)을 가진다.

15 형용사

주어의 (　　　)이나 (　　　)를 나타내는 단어의 부류이다. 사람이나 사물의 상태가 어떠한가를 형용하거나 그 존재를 나타내면서 문장 안에서 주로 서술어의 기능을 가지는 단어의 묶음을 '(　　　)'라고 한다.

(1) 특징

① 동사와 함께 (　　　)을 하는 용언으로 사물의 성질, 상태를 표시한다.
② (　　　)와의 호응이 없어 자동과 타동, 사동과 피동의 구별이 없다.
③ 부사어의 한정을 받을 수 있으며, (　　　)이 현재형으로 쓰인다.

예 부사어+형용사 기본형: 몹시 달다.

④ (　　　)와 결합이 가능하다.

예 • 형용사의 명사형+격 조사: 달기가 꿀과 같다.
• 형용사 연결형 어미+보조사: 달지도 쓰지도 않다.

(2) 동사와 형용사의 구분 기준('있다, 크다, 밝다' 등과 같이 동사와 형용사로 모두 쓰이는 단어는 제외한다.)

① 동사는 주어의 (　　　)이나 (　　　)(과정)을, 형용사는 (　　　)이나 (　　　)를 나타낸다.

예

구분	예문
동사	• 그는 자리에서 일어난다. (유정 명사의 동작) • 피가 솟는다. (무정 명사의 과정)
형용사	• 과일은 대부분 맛이 달다. (성질) • 꽃이 매우 아름답다. (상태)

② 기본형에 현재 시제 선어말 어미 '(　　　　　)'이 결합할 수 있으면 동사이고, 결합할 수 없으면 형용사이다. [형용사는 (　　　)이 현재형으로 쓰임]

예

구분	예문
동사	그는 자리에서 일어난다.
형용사	*꽃이 매우 아름답는다.

③ 기본형에 현재를 나타내는 관형사형 전성 어미 '(　　　)'이 결합할 수 있으면 동사이고, 결합할 수 없으면 형용사이다. 참고로, 동사 '본, 솟은'에 쓰인 '-(으)ㄴ'은 과거 시제를 나타내는 전성 어미이고 형용사 '단, 아름다운'에 쓰인 '-(으)ㄴ'은 현재 시제를 나타내는 전성 어미이다.

예

구분	예문	
동사	산을 {보는 / 본} 나	하늘로 {솟는 / 솟은} 불길
형용사	맛이 {*단는 / 단} 과일	매우 {*아름답는 / 아름다운} 꽃

④ '(　　　)'를 뜻하는 어미 '(　　　)'나 '목적'을 뜻하는 어미 '(　　　)'와 함께 쓰일 수 있으면 동사, 그렇지 못하면 형용사이다.

예

구분	예문
동사	• 철수가 영희를 때리려 한다. • 호동이는 공책을 사러 나갔다.
형용사	• *영자는 아름다우려 화장을 한다. • *영자는 예쁘러 화장을 한다.

⑤ 동사는 명령형 어미 '(　　　)'와 청유형 어미 '(　　　)'와 결합할 수 있는 데 반하여, 형용사는 명령형 어미나 청유형 어미와 결합할 수 없다.

예

구분	예문
동사	• 철수야, 일어나라. • 우리 심심한데 수수께끼 놀이나 하자.
형용사	• *영자야, 오늘부터 착해라. • *영자야, 우리 오늘부터 성실하자.

⑥ 동사는 감탄형 어미로 '(　　　)'를, 형용사는 '(　　　)'를 취한다.

예

구분	예문
동사	잘 하는구나.
형용사	맛있구나.

16 본용언과 보조 용언

(1) 본용언

보조 용언 없이도 본래의 (　　　　)를 가지는 문장의 (　　　) 서술어이다. 따라서 본용언은 단독으로 문장의 서술어가 될 수 있고, 본용언의 개수로 겹문장인지 홑문장인지 구별할 수 있다.

(2) 보조 용언

앞의 용언에 (　　　　)을 하는 용언이다. 보조 용언은 본래의 (　　　　)를 상실한 상태로 쓰이고 자립성이 없어서 (　　　)으로 주체를 서술할 수 없다. 따라서 보조 용언은 (　　　)으로 사용될 수 없으므로 문장에 용언이 하나만 나타난다면 그것은 (　　　)이다. 또한 보조 용언은 한 문장에서 연달아 사용될 수 있다.

(3) 보조 동사와 보조 형용사의 구별

① 선어말 어미 '(　　　　)'이 결합할 수 있으면 보조 동사, 결합할 수 없으면 보조 형용사이다. 즉, 일반적인 (　　　　) 의 구별법과 같다.

예 책을 읽어 본다. (보조 동사) / 책을 읽는가 보다. (보조 형용사)

② '아니하다, 못하다' 등의 부정 보조 용언은 (　　　　)이 동사이면 (　　　　)이고, (　　　　)이 형용사이면 (　　　　)이다.

예 • 아직도 꽃이 피지 않는다. (보조 동사)
• 이 꽃이 아름답지 않다. (보조 형용사)

③ 동사 뒤에 붙어 앞말이 뜻하는 행동을 일단 긍정하거나 강조하는 '-기는 하다, -기도 하다, -기나 하다'에서 '하다'는 선행 용언이 동사이면 보조 동사이고, 선행 용언이 형용사이면 보조 형용사이다. 단, '-다가 못하여'의 구성으로 쓰인 경우(극에 달해 더 이상 유지할 수 없음을 나타내는 경우)에는 보조 형용사로 본다.

예 • 철수가 옷을 잘 입기는 한다. (보조 동사)
• 사람이 괜찮기는 하네. (보조 형용사)
• 먹다 못해 음식을 남기는 경우 (보조 형용사)

④ '보다'는 (　　　), (　　　), (　　　)등의 의미를 나타내면 보조 형용사이고, 나머지 경우는 보조 동사이다.

예 • 밥이 다 됐나 보다. (보조 형용사 – 추측)
• 확, 욕할까 보다. (보조 형용사 – 의도)
• 돌이 워낙 무겁다 보니 혼자서 들 수가 없었다. (보조 형용사 – 원인)

⑤ '하다'는 앞말을 (　　　)하거나 (　　　)를 나타내면서 선행하는 본용언이 형용사인 경우에는 보조 형용사이고, 나머지 경우는 보조 동사이다.

예 • 부지런하기만 하면 됐다. (보조 형용사 – 강조)
• 할 일이 많기도 하니 어서 서두르자. (보조 형용사 – 이유)

17 용언의 활용

(1) 어간

활용할 때 (　　　　　) 않는 부분으로, 피동·사동·강세 등의 (　　　)가 붙은 말도 포함된다.

(2) 어미

활용할 때 (　　　　　) 부분이다. 용언 및 서술격 조사 '이다'가 활용하여 변하는 부분으로 '(　　　　　)'와 '(　　　　　)'로 구분된다.

① (　　　　　): 어간과 어말 어미 사이에 오는 개방 형태소로, '(　　　), (　　　), (　　　)'을 표시하는 어미이다. 선어말 어미는 그 자체만으로 단어를 완성시키지 못하고 반드시 (　　　　　)를 요구한다. 또한 분포에 따라 자리가 고정되어 있어 (　　　)를 함부로 바꿀 수 없으며, 차례는 분포의 넓고 좁음에 비례한다.

| 선어말 어미의 구분

구분	기능	형태	용례
(　　　　　)	주체 높임	–(으)시–	할머니께서 공부를 하신다.
(　　　　　)	과거	–았–/–었–	호동이가 공부를 했다.
	현재	–는–/–ㄴ–	호동이가 공부를 한다.
	미래(추측)	–겠–	나는 반드시 공부를 하겠다.
	(과거) 회상	–더–	호동이가 공부를 하더라.
(　　　　　)	상대방에게 공손한 뜻을 나타냄. 주로 문어체에 사용됨	–오–/–옵–, –삽–/–사옵–/–사오–, –잡–/–자옵–/–자오–	변변치 못한 물건이오나 정성으로 보내 드리오니 받아 주옵소서.

② 어말 어미: 용언의 맨 끝에서 단어나 문장을 종결하거나 연결하는 어미로, 반드시 필요한 형태소이다. 종결 어미와 연결 어미, 전성 어미로 구분된다.

㉠ (　　　　　): 문장의 서술어가 되어 그 문장을 종결시키는 어말 어미를 '(　　　　　)'라고 한다. 상대 높임법, 문장의 종류를 결정짓는다.

| (　　　　)의 분류

문장의 유형	비격식체		격식체			
	해체	해요체	해라체	하게체	하오체	하십시오체
(　　　)	–아/–어	–아요/–어요	–다	–네, –세	–오	–(습)니다
(　　　)	–아/–어	–아요/–어요	–느냐, –냐, –니, –지	–나, –는가	–오	–습니까
(　　　)	–아/–어, –지	–아요/–어요	–아라/–어라	–게	–오, –구려	–보시오
(　　　)	–아/–어	–아요/–어요	–자	–세	–ㅂ시다	–시지요
(　　　)	–군/–어	–군요	–구나, –어라	–구먼	–구려	–

ⓒ (　　　　　): 뒤따르는 문장이나 용언을 (　　　)시키는 어말 어미를 '(　　　　　)'라고 한다. (　　　　　)는 다시 (　　　　　)와 (　　　　　), (　　　　　)로 나뉜다.

ⓒ (　　　　　): 용언의 어간에 붙어 해당 용언이 명사, 관형사, 부사의 기능을 할 수 있도록 기능의 (　　　)를 주는 어미이다. 기능만 (　　　)시킬 뿐 품사는 용언이며, (　　　　　), (　　　　　), (　　　　　)로 구분할 수 있다.

(3) 규칙 활용

① 어간과 어미가 결합하는 과정에서 어간이나 어미 모두 (　　　　　) 활용을 말한다.

예 • 먹+어 → 먹어, 먹+고 → 먹고
• 입+어 → 입어, 입+고 → 입고

② 형태 변화가 있어도 보편적 음운 규칙으로 설명되는 활용은 규칙 활용으로 인정한다.

구분	내용(조건)	용례
(　　　　　)	어미 '-아/-어'의 교체	잡아, 먹어
(　　　　　)	어간의 끝소리 (　　　)이 'ㄴ, ㄹ, ㅂ, ㅅ, 오' 앞에서 규칙적으로 탈락	• 살다: 사니, 살, 삽니다, 사시오, 사오 • 울다: 우는, 울, 웁니다, 우시오, 우오 • 놀다: 노는, 놀, 놉니다, 노시오, 노오
(　　　　　)	어말 어미 '-아/-어'로 시작되는 어미 및 선어말 어미 '-었-' 앞에서 규칙적으로 탈락	• 쓰다: 써 / 모으다: 모아 • 담그다: 담가 / 아프다: 아파 • 우러르다: 우러러 / 따르다: 따라
(　　　　　)	('ㄹ' 이외의 자음으로 끝난 어간)+'으'+('-ㄴ, -ㄹ, -오, -ㅁ, -시-' 등의 어미)	• 잡- + -ㄴ → 잡은 • 먹- + -ㄴ → 먹은

(4) 불규칙 활용

어간과 어미의 기본 형태가 유지되지 않고 보편적 음운 규칙으로 설명할 수도 없는 활용을 '불규칙 활용'이라고 한다. 어간이 바뀌는 불규칙과 어미가 바뀌는 불규칙, 어간과 어미가 모두 바뀌는 불규칙으로 구분할 수 있다.

① 어간이 바뀌는 경우

구분	내용(조건)	용례		규칙 활용 예
		동사	형용사	
(　　　　　)	'(　　　)'이 모음 어미 앞에서 탈락	잇-+-어 → 이어 짓-+-어 → 지어 붓-+-어 → 부어[注] 낫-+-아 → 나아[癒]	낫-+-아 → 나아[勝, 好]	벗어, 씻어, 솟으니
(　　　　　)	'(　　　)'이 모음 어미 앞에서 '(　　　)'로 바뀜	듣-+-어 → 들어 걷-+-어 → 걸어[步] 묻-+-어 → 물어[問] 깨닫-+-아 → 깨달아 싣-+-어 → 실어[載] 붇-+-어 → 불어	없음	묻어[埋], 얻어[得]
(　　　　　)	• '(　　　)'이 모음 어미 앞에서 '(　　　)'로 바뀜 • '돕-', '곱-'만 '(　　　)'로 바뀌고 나머지는 모두 '(　　　)'로 바뀜	돕-+-아 → 도와 눕-+-어 → 누워 줍-+-어 → 주워 굽-+-어 → 구워[燔]	곱-+-아 → 고와 덥-+-어 → 더워	굽어[曲], 잡아, 뽑으니
(　　　　　)	'(　　　)'가 모음 어미 앞에서 '(　　　)' 형태로 바뀜	흐르-+-어 → 흘러 이르-+-어 → 일러[謂] 가르-+-아 → 갈라[分] 나르-+-아 → 날라	빠르-+-아 → 빨라 배부르-+-어 → 배불러 이르-+-어 → 일러[早]	따라, 치러, 우러러

( )	'( )'가 모음 어미 앞에서 탈락	푸-+-어 → 퍼	없음	주어(줘), 누어(눠), 꾸어(꿔)

② 어미가 바뀌는 경우

구분	내용(조건)	용례		규칙 활용 예
		동사	형용사	
( )	'( )' 뒤에서 어미 '-아'가 '( )'로 바뀜	공부하-+-아 → 공부하여 일하-+-아 → 일하여	상쾌하-+-아 → 상쾌하여 따뜻하-+-아 → 따뜻하여	먹어, 잡아
( )	어간이 '( )'로 끝나는 일부 용언에서 '으'가 탈락하지 않고 어미 '-어'가 '( )'로 바뀜	이르[至]-+-어 → 이르러 (이것뿐임)	노르[黃]-+-어 → 노르러 누르[黃]-+-어 → 누르러 푸르-+-어 → 푸르러 (오직 이 세 개만 있음)	치러
( )	'달다'의 명령형 어미가 '( )'로 바뀜	달-+-아라 → 다오	없음	주어라
( )	명령형 어미 '-아라/-어라'가 '( )'로 바뀜	오-+-아라 → 오너라	없음	먹어라, 잡아라

③ 어간과 어미가 모두 바뀌는 경우

구분	내용(조건)	용례		규칙 활용 예
		동사	형용사	
( )	'( )'으로 끝나는 어간에 '-아/-어'가 오면 어간의 일부인 '( )'이 없어지고 어미도 바뀜	없음	하얗-+-아서 → 하얘서 파랗-+-아 → 파래	좋아서, 낳아서

18 관형사

( ) 앞에 놓여서 ( )을 꾸며 주는 기능을 하는 단어의 묶음을 '관형사'라고 한다.

(1) 특징

① 주로 ( )를 꾸며 준다.

② 문장 안에서 ( )로만 쓰인다.

③ 관형사가 나란히 놓일 때는 뒤의 관형사를 꾸미는 것처럼 보이나, 궁극적으로는 ( )를 꾸민다.

예 저 모든 새 책상

④ ( )이고, ( )와 결합할 수 없다.

예 새 옷 / *새가 옷, *새를 옷

(2) 관형사의 구별

① 성상 관형사 vs. 용언의 관형사형: '새'는 관형사이고, '새로운'은 형용사의 관형사형이다.

성상 관형사	새 신발
형용사의 관형사형	새로운 뉴스

② 성상 관형사 vs. 명사 vs. 부사: '－적(的)'이 붙은 말은 다음과 같이 품사를 달리한다.

(　　　　)	－적(的)+체언	국가적 행사
(　　)	－적(的)+조사	국가적으로 중요하다.
(　　)	－적(的)+용언이나 부사	비교적 많이 쉬웠다.

③ 지시 관형사 vs. 대명사: '이, 그, 저'가 대명사로 쓰일 때에는 조사를 동반하고, 조사가 생략되었더라도 내용상 '이것, 저것, 그것'으로 대치할 수 있으면 대명사이다.

지시 관형사	이 책상(O) → 이것 책상(×)
대명사	이 가운데(O) → 이것 가운데(○)

④ 수 관형사 vs. 수사: 수 관형사는 뒤에 오는 체언을 꾸며 주므로 조사와 결합할 수 없다. 조사와 결합할 수 있으면 '수사'이다.

수 관형사	첫째 분이 나의 형이다.
수사	첫째로 물을 넣고 둘째로 간장을 넣는다.

19 부사

주로 용언 앞에 놓여서 뒤에 오는 용언이나 문장 등을 수식하여 그 의미를 더욱 분명히 해 주는 단어의 묶음을 '부사'라고 한다.

(1) 특징

① (　　　)이며, 시제나 높임 표시를 못한다.

② (　　　)를 취할 수 없으나, (　　　)는 취할 수 있다.

예 • 올 겨울은 너무도 춥다.
• 세월이 참 빨리도 간다.

③ 용언을 (　　　)하는 것이 주기능이지만, 부사, 관형사, 체언, 문장 전체를 수식하기도 한다.

예 • 다행히 산불이 진압되었다. (문장 전체 수식)
• 1등은 바로 나! (체언 수식)

④ 자리 이동이 비교적 자유롭다.

(2) 분류

부사는 일반적으로 문장에서의 역할에 따라 (　　　　　)와 (　　　　　)로 나눌 수 있다.

① (　　　　　): 문장의 특정한 성분을 수식하는 부사로 (　　　　　), (　　　　　), (　　　　　), (　　　　　), (　　　　　)가 있다.

㉠ (　　　　　): 상태나 정도가 어떠한지 꾸미는 부사이다.

상태	빨리, 갑자기, 깊이, 많이, 펄쩍
정도	매우, 퍽, 아주, 너무, 잘, 거의, 가장

㉡ (　　　　　): 발화 현장을 중심으로 장소나 시간 및 앞에 나온 이야기의 내용을 지시하는 부사이다.

처소	이리, 그리, 저리, 이리저리, 요리조리
시간	오늘, 어제, 일찍이, 장차, 언제, 아까, 곧, 이미, 바야흐로, 앞서, 문득, 난데없이, 매일

㉢ (　　　　　): 사람이나 사물의 소리를 흉내 내는 부사이다.

예 철썩철썩, 콸콸, 도란도란, 쾅쾅, 땡땡

㉣ (   ): 사람이나 사물의 모양이나 움직임을 흉내 내는 부사이다.

예 살금살금, 뒤뚱뒤뚱, 느릿느릿, 울긋불긋, 사뿐사뿐, 옹기종기, 깡충깡충

㉤ (   ): 꾸밈을 받는 동사나 형용사의 내용을 부정하는 부사로, '못, 안(아니)'이 있다.

예 오늘 학원에 못 갔다. / 오늘 학원에 안 갔다.

② (   ): (   ) 전체를 꾸며 주는 부사로, (   )와 (   )로 나뉜다.

㉠ (   ): 말하는 이의 마음먹기나 태도를 표시하는 부사로, 문장 전체에 대한 판단을 내리는 기능을 한다. 문장의 첫머리에 오는 것이 일반적이다. 양태 부사는 그 의미에 상응하는 어미와 호응을 이루는데, 단정은 평서형, 의혹은 의문형, 희망은 명령문이나 조건의 연결 어미와 호응을 이룬다.

기능	형태	용례
사태에 대한 믿음, 서술 내용을 단정할 때	과연, 정말, 실로, 물론 등	과연 그분은 위대한 정치가였다.
믿음이 의심스럽거나 단정을 회피할 때	설마, 아마, 비록, 만일, 아무리	설마 거짓말이야 하겠느냐?
희망을 나타내거나 가상적 조건 아래에서 일이 이루어지기를 바랄 때	제발, 부디, 아무쪼록 등	제발 비가 조금이라도 왔으면 좋겠는데.

㉡ (   ): 단어와 단어, 문장과 문장을 이어 주면서 뒤의 말을 꾸며 주는 부사이다. '그리고, 그러나, 혹은, 및' 등이 있다.

단어 접속	연필 또는 볼펜을 사야겠다.
문장 접속	지구는 돈다. 그러나 아무도 그것을 믿지 않았다.

20 독립언: 감탄사

문장 속의 다른 성분에 얽매이지 않고 독립성이 있는 단어를 묶어 '(   )'이라고 한다. (   ) 중 '(   )'는 화자의 부름, 대답, 느낌, 놀람 등을 나타내는 데 쓰이면서, 다른 성분들에 비하여 비교적 독립성이 있는 말이다.

CHAPTER

04 통사론

정답▶P.118

1 문장

생각이나 감정을 (   ) 내용으로 표현하는 최소의 언어 형식을 '(   )'이라고 한다.

(1) 문장의 특징

① 문장은 (   )와 (   )를 갖추는 것을 기본 원칙으로 한다. 단, 문맥에 따라 생략할 수도 있다.

예 • 저 코스모스가(주어부) / 아주 아름답다(서술부)
• 불이야! (서술어 단독 구성)

② 문장은 의미상으로는 완결된 내용을 갖추고, 구성상으로는 주어와 서술어의 관계를 갖추며, 형식상으로는 문장이 끝났음을 나타내는 표지가 있다.

③ 문장은 형식 면에서 구성 요소가 질서 있고 통일되게 유의적으로 배열되어야 한다.

④ 문장을 구성하는 문법 단위로는 (   ), (   ), (   )이 있다. 최소 자립 단위인 (   )는 문장의 문법 단위에 해당하지 않는다.

(2) 문장을 구성하는 기본적인 문법 단위

① 어절

㉠ 문장을 구성하는 기본 문법 단위이다.

㉡ (   ) 단위와 일치한다.

㉢ 조사나 어미와 같이 문법적인 기능을 하는 요소들이 앞의 말에 붙어 한 어절을 이룬다.

예 영수가 집에서 밥을 먹는다. (4어절)

② 구

㉠ 중심이 되는 말과 그것에 딸린 말들의 묶음이다.

㉡ 두 개 이상의 어절이 모여 하나의 단어와 동등한 기능을 한다.

㉢ (   )와 (   )의 관계를 가지지 못한다.

㉣ 종류

구분	내용	용례
명사구	관형사 + 체언, 체언 + 접속 조사 + 체언	• 새 차가 좋다. • 철수와 민수가 만났다.
동사구	부사 + 동사, 본동사 + 보조 용언	• 그는 문 쪽으로 빨리 달렸다. • 음식을 먹어 본다.
형용사구	부사 + 형용사, 본형용사 + 보조 용언	• 봄인데도 오늘은 매우 춥다. • 나도 쟤처럼 예쁘고 싶다.
관형사구	부사 + 관형사, 관형사 + 접속 부사 + 관형사	• 이 교재는 아주 새 책이다. • 이 그리고 저 사람이 했다.
부사구	부사 + 부사, 부사 + 접속 부사 + 부사	• 그는 매우 빨리 친해졌다. • 너무 그리고 자주 전화를 했다.

③ 절

㉠ 어떤 문장의 한 (　　　) 노릇을 하는 문장이다.

㉡ (　　　)와(　　　)의 관계를 가지는 단위를 설정할 수 있다는 점에서 구와 구별되고, 더 큰 문장 속에 들어가서 전체 문장의 일부분으로 쓰인다는 점에서 (　　　)과 구별된다.

㉢ 종류

구분	내용	용례
(　　　)	문장 + 명사형 어미 '-(으)ㅁ/-기'	나는 철수가 학생임을 알았다.
(　　　)	이중 주어문의 끝 문장	철수가 키가 크다.
(　　　)	문장 + 관형사형 어미 '-(으)ㄴ/-는/-은/-던/-(으)ㄹ'	너는 마음이 예쁜 사람을 만나라.
(　　　)	문장 + 부사 파생 접미사 '-이'	철수가 말이 없이 집에 갔다.
(　　　)	인용 문장 + 직·간접 인용 조사 '하고/라고/고'	철수가 아기가 귀엽다고 말했다.

2 주성분: 주어, 서술어, 목적어, 보어

(1) 주어

주어는 문장에서 동작이나 작용, 상태, 성질의 주체를 나타내는 문장 성분으로, '(　　　)', '(　　　)'에 해당한다. 주어는 체언이나 체언 구실을 하는 구나 절에 '(　　　)', '(　　　)' 등이 붙어 나타나는데, 주격 조사가 (　　　)될 수도 있고 (　　　)가 붙을 수도 있다.

(2) 서술어

① 서술어는 주어를 (　　　)(어찌하다), (　　　)(어떠하다), 체언+(　　　　) '이다'(무엇이다)로 나타내는 문장 성분이다. 즉, 서술어는 주어의 동작이나 작용, 상태, 성질 등을 풀이하는 기능을 한다.

② **서술어의 자릿수:** 서술어는 그 성격에 따라서 필요로 하는 문장 성분의 (　　　)가 다른데, 이를 '서술어의 (　　　)'라고 한다. 한 문장 안에서 서술어가 요구하는 문장 성분은 '주어, 목적어, 보어, 필수적 부사어'이다. 서술어의 (　　　)에 따라서 나머지 필수 성분들이 결정되기 때문에 주성분으로서 서술어의 중요성이 크다고 할 수 있다.

(3) 목적어

(　　　)가 쓰인 문장에서 그 동작의 대상이 되는 문장 성분을 '(　　　)'라고 한다. 체언에 목적격 조사 '을/를'이 붙는 것이 일반적이나, 때로 '을/를'이 생략될 수도 있다. 또한 '을/를'이 생략되는 대신에 특정한 의미를 더하여 주는 (　　　)가 붙기도 한다.

(4) 보어

서술어 '(　　　), (　　　)'가 필수적으로 요구하는 문장 성분을 '보어'라고 한다.

3 부속 성분: 관형어, 부사어

(1) 관형어의 특징

① (　　　)으로 실현되는 주어, 목적어 앞에서 이들을 꾸미는 문장 성분을 말한다.

② (　　　　)는 자립할 수 없으므로 (　　　　)가 쓰인 문장에는 (　　　)가 반드시 나타난다. 즉, 관형어는 (　　　　)이지만 의존 명사 앞에는 반드시 필요하므로 항상 수의적이라고 할 수 없다.

예 먹을 것이 필요하다.

③ 관형어 뒤에 체언으로 된 관형어가 쓰이는 경우 피수식어의 범위가 중의성을 갖게 되므로 (　　　) 등을 사용하여 중의성을 없애야 한다.

예 아름다운, 친구의 동생을 만났다. (친구의 동생이 아름답다는 의미)

(2) 부사어의 특징

① 서술어의 의미가 분명하게 드러나도록 (　　　)를 꾸며 주는 문장 성분이다.

② (　　　)와 비교적 자유롭게 결합한다.

예 저 개는 빨리도 뛴다.

③ 자리 옮김이 비교적 (　　　　　), (　　　　　)가 (　　　　　)보다 자리 옮김이 더 자유롭다.

예 • 영숙이가 역시 시험에 합격했어.
• 역시 영숙이가 시험에 합격했어.
• 영숙이가 시험에 역시 합격했어.

④ 부사어가 다른 부사어, 관형어, 체언을 꾸밀 때와 부정 부사일 때에는 자리 옮김이 불가능하다. 자리 옮김을 하면 꾸미는 대상이 달라지기 때문이다.

예 • 겨우 하나 끝낸 거니? ('하나'를 한정)
• 하나 겨우 끝낸 거니? ('끝내다'를 한정)

⑤ 부사어는 (　　　　　)이다. 그러나 서술어 중 일부는 부사어를 반드시 요구하는 경우가 있는데, 이런 부사어를 '(　　　　　)'라고 한다. 따라서(　　　　　)는 문장의 필수 성분이 된다.

4 독립 성분: 독립어

문장의 어느 성분과도 직접적인 (　　　)이 없는 문장 성분으로, (　　　)해도 문장이 성립한다.

5 홑문장과 겹문장

(1) 홑문장

주어와 서술어의 관계가 (　　　) 번만 나타나는 문장이다.

예 • 철수가 커피를 마신다.
• 그녀가 결국 머리카락을 잘랐다.

(2) 겹문장

주어와 서술어의 관계가 (　　　) 번 이상 나타나는 문장이다. 겹문장은 다시 (　　　　　)과 (　　　　　)으로 구분할 수 있다.

6 안은문장

다른 문장을 절의 형식으로 안고 있는 문장을 '안은문장'이라고 한다. 안은문장은 어떤 문장 성분(절)을 안았는지에 따라 다음과 같이 구분할 수 있다.

(1) 명사절을 안은문장

명사절은 절 전체가 문장에서 명사처럼 쓰이는 것으로, 주어, 목적어, 보어, 부사어 등의 기능을 한다. 명사절은 서술어에 명사형 어미 '-(으)ㅁ, -기'가 붙거나 관형사형 어미+의존 명사로 된 '-는 것'이 붙어서 만들어진다.

① **'-(으)ㅁ' 명사절:** 사건 (　　　)의 의미를 나타내며, 어울리는 서술어로는 '알다, 밝혀지다, 드러나다, 깨닫다, 기억하다, 마땅하다' 등이 있다.

예 철수가 합격했음이 밝혀졌다. (주어 명사절)

② **'-기' 명사절:** (　　　)의 의미를 나타내며, 어울리는 서술어로는 '바라다, 기다리다, 쉽다, 좋다, 나쁘다, 알맞다' 등이 있다.

예 나는 농사가 잘되기를 진정으로 빌었다. (목적어 명사절)

(2) 관형절을 안은문장

관형절은 절 전체가 문장에서 관형어의 기능을 하는 것으로, 관형사형 어미 '-(으)ㄴ, -는, -(으)ㄹ, -던'이 붙어서 만들어진다. 관형절은 길이와 성분의 쓰임에 따라 다음과 같이 구분할 수 있다.

① 길이에 따라

구분	내용	용례
( )	문장 종결형+관형사형 어미 '-는'	나는 그가 애썼다는 사실을 알았다.
( )	용언의 어간+관형사형 어미 '-(으)ㄴ, -(으)ㄹ, -던'	나는 그가 애쓴 사실을 알았다.

② 성분의 쓰임에 따라

구분	내용	용례
( )	• 관형절의 수식을 받는 체언이 관형절의 한 성분이 되는 경우 • 성분 생략 가능	• 나는 극장에 가는 영수를 봤다. → (영수가) 극장에 갔다: 주어 생략 • 나는 영수가 그린 그림이 좋다. → 영수가 (그림을) 그렸다: 목적어 생략
( )	• 관형절의 피수식어(체언)가 관형절의 한 성분이 아니라 관형절 전체의 내용을 받아 주는 관형절 • 안긴문장이 뒤의 체언과 동일한 의미를 가짐 • 관형절 내 생략된 성분이 없음	나는 순이가 합격했다는 소식을 들었다. → 소식 = 순이가 합격했다.

(3) 부사절을 안은문장

① 부사절은 절 전체가 문장에서 ( )의 기능을 하는 것으로, ( )를 수식하는 기능을 한다.

② 보통 부사 파생 접미사 '-이'가 문장의 서술어 자리에 붙어 형성된다.

예 철수가 말이 없이 집에 갔다.

③ ( ) '-듯이, -게, -도록, -아서/-어서' 등이 붙어서 부사절을 이루기도 한다.

예 • 호동이가 바람이 불듯이 뛰어갔다.
• 그 건물은 옥상이 특별하게 꾸며졌다.
• 영표는 발에 땀이 나도록 뛰었다.
• 길이 비가 와서 미끄럽다.

(4) 서술절을 안은문장

① 서술절은 절 전체가 서술어의 기능을 하는 것으로, 서술절을 안은 문장은 서술어 ( )개에 주어가 ( )개 이상 나타난다. 즉, '주어+(주어+서술어)' 구성을 취한다. 따라서 ( )으로 보기도 한다.

예 영수는 키가 크다.

② 서술절은 그 속에 다시 다른 서술절을 가질 수 있다.

예 코끼리가 코가 길이가 길다.

(5) 인용절을 안은문장

① ( ): 주어진 문장을 그대로 직접 끌어오는 것을 말한다. 일반적으로 '( )'가 붙고 큰따옴표를 사용해 직접 인용한다.

예 철수가 "아기는 역시 귀여워."라고 말했다.

② ( )

㉠ 끌어올 문장을 말하는 사람의 표현으로 바꾸어서 표현하는 것으로, '( )'가 붙어서 이루어진다.

예 철수는 영희가 학원에 간다고 말했다.

㉡ 서술격 조사 '이다'로 끝난 간접 인용절은 '(이)다고'가 아니라 '( )'로 나타난다.

예 철수가 이것이 책이라고 말했다.

7 이어진문장

둘 또는 그 이상의 홑문장이 이어지는 방법에 따라 대등하게 이어진문장과 종속적으로 이어진문장으로 나뉜다.

(1) 대등하게 이어진문장

① 이어지는 홑문장들의 의미 관계가 (　　　)한 경우를 말한다.

② 의미상 대칭 구조를 이루므로, 앞 절과 뒤 절의 (　　　)가 바뀌어도 (　　　)가 달라지지 않는다.

예 엄마는 라디오를 듣고, 아빠는 TV를 본다. = 아빠는 TV를 보고, 엄마는 라디오를 듣는다.

③ 대등하게 이어진문장에서 앞 절은 뒤 절과 '(　　　), (　　　), (　　　)' 등의 의미 관계를 가지며, 대등적 연결 어미 '-고, -며'(나열), '-지만, -(으)나'(대조) , '-든지'(선택) 등으로 나타난다.

(2) 종속적으로 이어진문장

① 앞 절과 뒤 절의 의미 관계가 독립적이지 못하고 (　　　)인 경우이다.

② 앞 절과 뒤 절의 (　　　)를 바꾸면 원래 문장의 (　　　)와 달라지거나 어색해진다.

③ 종속적 연결 어미 '-(다)면'(조건), '-어(서), -(으)니(까)'(원인, 이유) 등으로 나타난다.

8 문장의 종결 표현

(1) 평서문

화자가 청자에게 특별히 (　　　)하는 바 없이 하고 싶은 말을 (　　　)하게 진술하는 문장으로, 대표적으로 어미 '(　　　)'를 붙여 종결한다.

(2) 의문문

화자가 청자에게 (　　　)하여 (　　　)을 요구하는 문장을 말하며, 대표적으로 어미 (　　　), (　　　) 등에 의해 실현된다. 의문문이 간접 인용절로 안길 때에는 종결 어미가 '-느냐, -(으)냐'로 바뀐다.

예 철수가 멋있니? → 민지는 철수가 멋있냐고 물었다.

① (　　　　　): 어떤 사실에 대한 일정한 설명을 요구하는 의문문으로, 문장에 (　　　)가 포함되어 나타난다.

예 • 점심밥 뭐 먹었니?
• 그 친구를 얼마나 좋아하니?

② (　　　　　): 단순히 긍정이나 부정의 대답을 요구하는 의문문으로, 문장에 (　　　)가 나타나지 않는다.

예 • 점심밥 먹었니?
• 장미꽃을 좋아하니?

③ (　　　　　): 굳이 대답을 요구하지 않고 서술의 효과나 명령의 효과를 내는 의문문으로, 대표적으로 (　　　　　), (　　　　　), (　　　　　)이 있다.

㉠ (　　　　　): 겉으로 나타난 의미와는 반대되는 뜻을 지니는 의문문으로, 강한 긍정 진술을 내포하는 것이 보통이다.

예 너한테 피자 한 판 못 사 줄까? (사줄 수 있다는 의미이다.)

㉡ (　　　　　): 감탄의 뜻을 지니는 의문문이다.

예 얼마나 아름다운가? (매우 아름답다는 의미이다.)

㉢ (　　　　　): 명령, 권고, 금지의 뜻을 지니는 의문문이다.

예 빨리 가지 못하겠느냐? (빨리 가라는 의미이다.)

(3) 명령문

화자가 (　　　)에게 어떤 행동을 하도록 강하게 요구하는 문장으로, 대표적으로 어미 '(　　　　　)'에 의해 실현된다.

① (　　　　　): 얼굴을 서로 맞대고 하는 일반적인 명령문으로, 어미 '-아라/-어라, -여라, -거라, -너라'와 결합하여 실현된다.

예 밥은 꼭 챙겨 먹어라.

② (　　　　　): 매체를 통해 이루어지는 특수한 명령문으로, 어미 '(　　　　　)'와 결합하여 실현된다.

예 정부는 수해 대책을 시급히 세우라.

③ (　　　　　): 허락의 뜻을 나타내는 명령문으로, 어미 '(　　　　　), (　　　)'과 결합하여 실현된다. 단, 부정적인 말에는 쓰지 않는 것이 보통이다.

예 • 너도 먹어 보려무나. / *너도 실패해 보려무나.

④ (　　　　　): '(　　　)'는 청자로 하여금 조심하거나 경계할 것을 드러내는 종결 어미이다. 청자에게 명령하는 의미를 나타내고 있으므로 이 종결 어미를 사용한 문장도 명령문의 일종으로 볼 수 있다.

예 얘야, 넘어질라.

(4) 청유문

화자가 청자에게 어떤 행동을 (　　　)하도록 요청하는 문장으로, 대표적으로 어미 '(　　　)'에 의해 실현된다. 주어에는 (　　　)와 (　　　)가 함께 포함되고 서술어로는 (　　　)만 올 수 있으며, 시간 표현의 선어말 어미 '-었-, -더-, -겠-'을 사용하지 않는다.

(5) 감탄문

화자가 청자를 별로 의식하지 않거나 거의 독백하는 상태에서 자기의 (　　　)을 표현하는 문장이다.

9 문장의 높임 표현

(1) 상대 높임법

화자가 (　　　)에 대하여 높이거나 낮추어 말하는 방법으로, 상대 높임법은 종결 표현으로 실현된다. 상대 높임법은 국어 높임법 중 가장 발달해 있으며, 크게 (　　　)와 (　　　　　)로 나뉜다.

① (　　　　　): 의례적 용법으로, 화자와 청자 사이의 심리적인 거리가 멀 때 사용한다.

② (　　　　　): 화자와 청자 사이의 심리적인 거리가 가까울 때 사용하거나 격식을 덜 차리는 표현으로 사용한다.

③ 상대 높임법에 따른 문장 종결법

구분	(　　　)				(　　　)	
	(　　　)	(　　　)	(　　　)	(　　　)	(　　　)	(　　　)
평서법	합니다	하오	하네	하다	해요	해
의문법	합니까	하오	하나, 하는가	하느냐, 하니	해요	해
명령법	하십시오	하오	하게	해라(하여라)	해요	해
청유법	하시지요	합시다	하세	하자	해요	해
감탄법	–	하는구려	하는구먼	하는구나	하는군요	해, 하는군

④ 명령법의 '(　　　)': 인쇄물의 표제나 군중의 구호 등과 같이 불특정 다수를 대상으로 명령을 할 때에는 높임과 낮춤이 중화된 '하라체'를 쓴다.

예 • 다음 글을 읽고 물음에 답하라.
• 정부는 미세 먼지에 대한 대책을 세우라.

(2) 주체 높임법

화자보다 서술어의 주체가 나이나 사회적 지위 등에서 상위자일 때, 서술어의 주체를 높이는 방법이다. 주체 높임 선어말 어미 '(　　　)'를 붙여 높이며, 부수적으로 주격 조사 '이/가' 대신 '(　　　)'가 쓰이기도 하고 주어 명사에 접사 '(　　　)'이 덧붙기도 한다. 그리고 몇 개의 특수한 어휘 '(　　　), (　　　　), (　　　　), (　　　　), (　　　　)'로 실현되기도 한다. 주체 높임법은 주체를 높이는 방식에 따라 (　　　　)과 (　　　　)으로 구분할 수 있다.

① (   ) 높임

㉠ 용언의 어간에 주체 높임 선어말 어미 '-(으)시-'가 붙어 문장의 주체를 높인다.

예 아버지께서 운동을 하신다.

㉡ 주체가 말하는 이보다 낮아도 듣는 이보다 높으면 용언의 어간에 선어말 어미 '-(으)시-'를 붙일 수 있다.

예 (할머니가 손자에게) 이거 아버지가 쓰시게 가져다 드려라.

㉢ 특수 어휘를 사용하여 문장의 주체를 높인다.

예 할머니께서 댁에서 주무신다.

㉣ 조사 '께서', 접사 '-님'을 사용하여 문장의 주체를 높인다.

예 아버님께서 청소를 하셨다.

㉤ 객관적이고 역사적인 사실을 나타낼 때에는 선어말 어미 '-(으)시-'를 생략할 수 있다.

예 충무공은 뛰어난 장군이다.

② (   ) 높임: 주체와 관련된 대상을 통하여 주체를 간접적으로 높이는 것을 말한다. 높여야 할 대상의 (   ), (   ), (   ) 등을 높임으로써 주체에 대한 관심과 친밀감을 표현하여 주체에 대한 높임을 나타낸다.

신체 부분에 의한 간접 높임	그분은 아직도 귀가 밝으십니다.
사물에 의한 간접 높임	그분은 시계가 없으시다.

③ 과도한 간접 높임

㉠ 주체 높임법은 선어말 어미 '-(으)시-'를 통해 실현되는 것이 일반적이나 몇 개의 특수한 어휘(계시다, 잡수시다 등)로 실현되기도 한다. 특히 '있다'의 주체 높임 표현은 '-(으)시-'가 붙은 '있으시다'와 특수 어휘 '계시다'를 사용하는 방법이 있는데, 이 둘의 쓰임이 같지 않다. 즉, '계시다'는 화자가 주체를 직접 높일 때 사용하고, '있으시다'는 주체와 관련된 대상을 통하여 주체를 간접적으로 높일 때 사용한다. 전자를 직접 높임, 후자를 간접 높임이라고 한다.

예 • 어머니께서는 화장실에 있으시다. (×) / 어머니께서는 화장실에 (   ). (○)
→ 주체를 직접 높이므로 직접 높임인 '계시다'를 사용한다.
• 선생님께서는 고민이 계시다. (×) / 선생님께서는 고민이 (   ). (○)
→ 주체인 '선생님'과 연관된 대상인 '고민'을 높이므로 간접 높임을 사용한다.

㉡ 상품을 판매하는 상황에서 고객을 과하게 의식하여 쓰는 간접 높임은 잘못된 표현이다.

예 • 주문하신 물건은 품절이십니다. (×) → (   ). (○)
• 주문하신 물건은 사이즈가 없으십니다. (×) → (   ). (○)
• 주문하신 물건 나오셨습니다. (×) → (   ). (○)
• 주문하신 물건, 포장이세요? (×) → (   )? (○)

(3) 객체 높임법

객체 높임법은 서술어의 (   )를 높이는 방법이다.

① 서술어의 객체를 높이는 (   ), 그중 특수한 동사(   )를 사용한다.

예 나는 아버지를 모시고 병원으로 갔다. (목적어 '아버지'를 높이고 있다.)

② 부사격 조사 '에게' 대신 (   )를 사용하기도 한다.

예 나는 선생님께 과일을 드렸다.

(4) 높임법 사용 시 주의할 점

① (   )은 주로 가정에서 사용되며, 직장 등 사회생활에서는 사용하지 않는다. 즉, 회사에서는 직급에 상관없이 선어말 어미 '-(으)시-'를 붙이는 것이 바람직하다.

예 (평사원이) 회장님, 김 사장님께서 지금 도착하셨습니다.

② 직함은 항상 본인 이름 (　　　)에 붙여야 자신을 낮추는 표현이 된다. 반대로 직함을 이름 (　　　)에 붙이면 높임의 의미를 갖게 된다. 예 안녕하십니까. 국어 강사 배영표입니다.

③ 윗사람 또는 남에게 말할 때 '우리'가 아닌 '(　　　)'를 쓰는 것이 바람직하다. 다만, 나라를 나타낼 때 '저희 나라'는 잘못된 표현이며, 어떠한 상황에서도 '(　　　　)'라고 표현해야 한다.

예 • 저희 집으로 놀러 오세요.
• 우리나라가 4강에 진출했습니다.

④ (　　　)하거나 (　　　)인 표현 또는 어르신들이 본인의 (　　　)를 의식하게 하는 표현은 피해야 한다.

예 • (칠순 잔치에서) 할머니 만수무강하세요. (×)
• (아버지를 배웅하며) 요즘 교통사고 사망자가 증가하는 추세래요. 조심히 다녀오세요. (×)

⑤ 스스로가 본인의 성을 지칭할 때에는 '씨(氏)'보다는 '(　　　)'가 올바른 표현이다. 반면, 남의 성을 말할 때에는 '(　　　)'가 올바른 표현이다.

예 저는 전주 이씨입니다. (×) → 저는 전주 이가입니다. (○)

⑥ 가족 이외의 다른 사람에게 부모를 말할 때에는 (　　　) 표현을 사용한다.

예 사장님, 저희 아버지께서 말씀하셨습니다.

⑦ 존칭을 나타내는 조사 '께서, 께'는 공식적인 상황일 때 주로 사용하고 일반적인 (　　　) 상황에서는 '이/가', '한테' 등을 사용하는 것이 더 자연스럽다.

예 • 사장님께서 도착하셨습니다. (공식 상황)
• 사장님이 도착하셨습니다. (구어 상황)

⑧ 부모님을 소개할 때에는 성(姓)에 '(　　　)'를 붙이지 않는다. 예 저희 아버지가 김 철 자 수 자 쓰십니다.

⑨ 어른에게 '(　　　　), (　　　　), (　　　　)' 등의 표현을 사용하지 않는다.

예 • 선생님, 수고하십시오. (×) → '고맙습니다' 정도로 수정
• 선생님께 야단을 맞았다. (×) → '꾸중을 들었다, 꾸지람을 들었다, 걱정을 들었다' 정도로 수정
• 선생님께 당부드렸습니다. (×) → '부탁드렸습니다' 정도로 수정

10 문장의 시간 표현: 시제

구분	개념	형태	용례
(　　　　)	(　　　)를 기준으로 결정되는 문장의 시제	종결형	• 나는 어제 삼계탕을 먹었다. (과거) • 영희가 지금 공부를 한다. (현재)
(　　　　)	(　　　)에 의존하여 상대적으로 결정되는 시제	관형사형, 연결형	나는 어제 청소하시는(상대적 시제 – 현재) 어머니를 도와드렸다(절대적 시제 – 과거).

11 피동 표현

(　　　)가 동작을 제힘으로 하는 것을 '(　　　)', (　　　)가 다른 주체에 의해서 동작을 (　　　) 되는 것을 '(　　　)'이라고 한다.

예 • 철수가 물고기를 낚았다. (능동)
• 물고기가 철수에게 낚였다. (피동)

(1) 파생적 피동(짧은 피동)

① 능동사의 어간에 피동 접미사 '(　　　), (　　　), (　　　), (　　　)'가 붙어 실현된다.

예 • 강아지가 민수를 물었다. (능동) → 민수가 강아지에게 물렸다. (피동)
• 민수가 강아지를 안았다. (능동) → 강아지가 민수에게 안겼다. (피동)

② '－하다' 대신 접미사 '(　　　)'가 붙어 피동의 뜻을 더한다.

예 • 사용하다 (능동) / 사용되다 (피동)
• 형성하다 (능동) / 형성되다 (피동)
• 생각하다 (능동) / 생각되다 (피동)
• 요구하다 (능동) / 요구되다 (피동)

(2) 통사적 피동(긴 피동)

① 보조적 연결 어미 '(　　　)'에 보조 용언 '(　　　)'가 붙은 '－아(－어)지다'로 실현된다.

예 동생이 신발 끈을 풀었다. (능동) / 신발 끈이 동생에 의해 풀어졌다. (피동)

② 보조적 연결 어미 '(　　　)'에 보조 용언 '(　　　)'가 붙은 '－게 되다'로 실현된다.

예 민지가 논술 대회에 나갔다. (능동) / 민지가 논술 대회에 나가게 되었다. (피동)

(3) 이중 피동

① (　　　　)+'(　　　)' 표현은 사용하지 않는다.

신발 끈이 풀려지다. (×)

'풀려지다'의 경우 '풀리어지다'로 분석된다. 즉, 어간 '풀－'에 짧은 피동을 나타내는 피동 접미사 '(　　　)'와 긴 피동을 나타내는 '(　　　)'가 모두 붙어 (　　　)된 형태이다. 이는 (　　　　)으로, 국어에서 올바른 표현으로 인정받지 못한다. 따라서 '(　　　)' 또는 '(　　　　)' 중 하나로 표현해야 한다.

② '－되다'+'－어지다' 표현은 사용하지 않는다.

그 일이 잘 해결될 거라고 생각되어진다. (×)

'생각되다'에 '－어지다'가 붙어 피동의 표현을 중복 사용한 (　　　　)이다. '(　　　　)'로 표현해야 한다.

③ '갈리우다, 불리우다, 잘리우다, 팔리우다' 등은 잘못된 표현이다. '갈리다'는 '가르다'의 피동사, '불리다'는 '부르다'의 피동사이므로, 또다시 접사가 결합되지 않는다.

예 • 그는 별명으로 불리웠다. (×) → 그는 별명으로 (　　　). (○)
• 두 갈래로 갈리운 길을 찾아라. (×) → 두 갈래로 (　　　) 길을 찾아라. (○)

12 사동 표현

(　　　)가 동작을 직접 하는 것을 '(　　　)'이라 하고, 주어가 남에게 동작을 하도록 (　　　) 것을 '(　　　)'이라고 한다.

예 • 민지가 당근을 먹었다. (주동)
• 엄마가 민지에게 당근을 먹였다. (사동)

(1) 파생적 사동문(짧은 사동문)

주동사인 자동사나 타동사의 어간, 또는 형용사 어간에 사동 접미사 '(　　　), (　　　), (　　　), (　　　), (　　　), (　　　), (　　　)'가 붙거나 명사에 접미사 '(　　　)'가 붙어 실현된다. 일부 자동사는 두 개의 접미사가 연속된 '－이우－'가 붙어서 사동사가 되기도 한다.

예 서다/세우다, 자다/재우다, 뜨다/띄우다, 차다/채우다, 타다/태우다

(2) 통사적 사동문(긴 사동문)

보조적 연결 어미 '(　　　)'에 보조 용언 '(　　　)'가 붙은 '(　　　)'로 실현된다.

(3) 사동 표현 더 알아보기

① 사동문의 의미 해석: 대개 (　　　　)은 주어가 객체에게 직접적인 행위를 하거나 간접적인 행위를 한 것 모두를 나타내고, (　　　　)은 간접적인 행위를 한 것을 나타낸다.

파생적 사동문	어머니가 딸에게 옷을 입혔다. [직접 · (　　　　　)]
통사적 사동문	어머니가 딸에게 옷을 입게 하였다. (　　　　　)

② 주의해야 할 표현: 접사 '-시키다'

컴퓨터를 구매하시면 저희 회사가 직접 교육시켜 드립니다.

'교육시켜'와 같이 표현하면 다른 회사 등을 시켜 위탁 교육을 하게 한다는 의미가 될 수 있다. 따라서 위탁 교육이 아닌 한, '(　　　　　)'와 같이 표현해야 한다. 즉, 동사 '시키다'와 구별해서 사용해야 한다.

③ 과도하게 사동 표현을 사용하는 경우

• 헤매이다(×) - (　　　)(○)

13 문장의 부정 표현

부정 표현이란 긍정 표현에 대하여 언어 내용의 의미를 부정하는 문법 기능을 말한다. 국어에서는 부정 부사 '(　　　), (　　　)'과 부정 용언 '(　　　　　), (　　　), (　　　)'를 사용하여 부정 표현을 만들 수 있다. (　　　), (　　　)에서는 '말다'를 '마/마라', '말자'의 형태로 바꾸어 부정 표현을 만든다.

(1) '안' 부정문

주체(동작주)의 의지에 의한 행동의 부정으로, '의지 부정', '단순 부정'이라고 한다. '안'이 무엇을 부정하느냐에 따라 문장의 의미가 달라진다.

예 민수가 철수를 때리지 않았다.
→ '(　　　)'에 초점: 민수가 아닌 다른 사람이 철수를 때렸다.
→ '(　　　)'에 초점: 민수가 때린 사람은 철수가 아니다.
→ '(　　　)'에 초점: 민수가 철수를 때리지 않고 다른 행위를 했다.

(2) '못' 부정문

주체의 의지가 아닌, 그의 능력상 불가능하거나 외부의 어떤 원인 때문에 그 행위가 일어나지 못하는 것을 표현할 때 쓰는 부정으로, '능력 부정'이라고 한다. '못' 부정문도 '안' 부정문과 마찬가지로 중의성을 지니며, 부사어 '다, 모두, 많이, 조금' 등이 쓰이면 중의적으로 해석된다.

예 • 내가 엄마를 못 만났다. (내가 엄마를 만나지 못했다.)
→ 내가 못 만난 사람은 엄마다.
→ 엄마를 만나지 못한 것은 나다.
→ 내가 엄마를 만나지만 못했을 뿐이다.

• 학생들이 다 못 왔다.
→ 학생들이 아무도 오지 못했다.
→ 학생들의 일부가 오지 못했다.

(3) '말다' 부정문

① 명령문이나 청유문 등에서는 '-지 말다'를 붙여 부정문을 만든다. '-지 마/마라, -지 말자'의 형태로 실현된다.

예 • 집에 가지 말아라. (명령문)
• 집에 가지 말자. (청유문)

② 소망을 나타내는 '바라다, 원하다, 희망하다' 등의 동사가 오면 명령문이나 청유문이 아니더라도 '-지 말다'를 쓰기도 한다.

예 비가 오지 말기를 바란다.
→ 희망을 나타내는 동사 앞에서는 평서문이더라도 '-지 말다'를 사용한다.

CHAPTER

05 의미론과 화용론

정답▶P.123

1 의미의 종류

(1) 중심적/주변적 의미

(　　　　)	가장 기본적이고 핵심적인 의미 예 '손'의 중심적 의미: 아기의 귀여운 손, 손바닥, 손가락
(　　　　)	(　　　　　　)에서 확장되어 사용되는 의미 예 '손'의 주변적 의미: 손이 모자라다, 이 일은 내 손에 달려 있다.

(2) 사전적/함축적 의미

(　　　　)	• 어떤 낱말이 가지고 있는 가장 기본적이고 객관적인 의미 • 언어 전달의 중심된 요소를 다루는 의미 예 '낙엽'의 사전적 의미: 말라서 떨어진 나뭇잎
(　　　　)	사전적 의미에 덧붙어 연상이나 관습 등에 의하여 형성되는 의미 예 '낙엽'의 함축적 의미: 쓸쓸함, 이별, 죽음

(3) 사회적/정서적 의미

(　　　　)	• 언어를 사용하는 사람의 사회적 환경을 드러내는 의미 • 선택하는 단어의 종류나 발화 시의 어투, 글의 문체 등에 의해서 말하는 사람의 출신지, 교양, 사회적 지위 등을 파악할 수 있음
(　　　　)	• 말하는 이(혹은 글쓴이)의 태도나 감정 등을 드러내는 의미 • 자신 및 상대에 대한 심리적 태도를 표현하기 위해 문체나 어조를 다르게 선택함

(4) 주제적/반사적 의미

(　　　　)	• 말하는 이(혹은 글쓴이)의 의도를 나타내는 의미 • 흔히 어순을 바꾸거나 강조하여 발음함으로써 드러남 예 • 사냥꾼이 사슴을 쫓는다.: '사냥꾼'에 초점 • 사슴이 사냥꾼에게 쫓긴다.: '사슴'에 초점
(　　　　)	• 단어가 가지는 사전적 의미와는 관계없이 특정 반응을 일으키는 의미 • 완곡어나 금기어의 사용은 반사적 의미가 고려된 것임 예 인민, 동무: 기본적인 의미 이외에 정치적인 의미가 반사적으로 전달된다.

2 단어 간의 의미 관계

(1) 유의 관계

말소리는 다르지만 의미가 같거나 비슷한 둘 이상의 단어가 맺는 의미 관계를 말한다.

(2) 동음이의 관계

서로 다른 두 개 이상의 단어가 우연히 소리만 같은 경우를 말한다.

(3) 반의 관계

① 둘 이상의 단어에서 의미가 서로 짝을 이루어 대립하는 경우를 '반의 관계'에 있다고 한다. 반의어는 둘 사이에 공통적인 의미 요소가 있으면서도 한 개의 요소만이 달라야 한다.

② 반의 관계를 ( ), ( ), ( ), ( ) 등으로 세분할 수 있다.

( )	정도나 등급을 나타내는 대립어로, ( )이 존재할 수 ( ) 대립어 예 길다 – 짧다, 쉽다 – 어렵다
( )	개념적 영역을 상호 배타적인 두 구역으로 양분하는 대립어로, ( )이 존재할 수 ( ) 대립어 예 살다 – 죽다, 남성 – 여성
( )	맞선 ( )으로 이동을 나타내는 대립쌍, 즉 ( )에 주안점이 있는 대립어 예 동쪽 – 서쪽, 위 – 아래, 앞 – 뒤
( )	( ), ( ), ( ) 대립어는 대립이 둘로 나뉘는 ( )이고, 이와는 달리 색채어나 요일, 명칭 같이 대립이 동일 층위상 여러 가지로 나뉠 수 있는 대립어를 ( )라고 함

3 중의성

하나의 형식이나 언어 표현이 둘 이상의 의미를 지시하는 속성을 '( )'이라고 한다. ( )은 ( ), ( ), ( )으로 구분할 수 있다.

① ( ): 한 문장에 ( )가 있을 때 두 가지 이상의 해석이 가능한 경우를 말한다.

② ( ): ( )을 사용하여 ( )이 유발되는 경우를 말한다.

③ ( ): ( )에 의해 두 가지 이상의 의미로 해석이 가능한 경우를 말한다.

4 의미의 변화

(1) 의미 변화의 원인

언어적 원인	단어와 단어의 접촉, 말소리나 낱말의 형태 변화가 원인이 되어 의미가 변하는 경우 예 • 우연치 않게: '우연하게'가 맞는 표현이나 잘못된 사용이 거듭되면서 의미가 바뀐 경우 • 아침(밥): '아침밥'이 맞는 표현이나 생략된 표현의 사용이 거듭되면서 표현이 굳어진 경우 • ( ): 행자승이 걸치는 치마의 의미이나 행주대첩의 의미와 잘못 연결된 경우
역사적 원인	단어는 그대로 남고 그 단어가 가리키는 대상이 변한 경우에 일어나는 의미 변화 예 영감, 배[船], 붓[毛筆], 공주
사회적 원인	특수 집단에서 사용되던 단어가 일반 사회에서 사용되거나 그 반대의 경우로 의미 변화가 일어난 경우 예 • 수술: 원래는 의학 용어로만 사용되어야 하나 일반화된 경우 • ( ): 원래는 불교 용어로만 사용되어야 하나 일반화된 경우 • 왕: 왕정의 최고 책임자의 의미로 사용되었으나 '일인자(암산왕)', '크다(왕방울)'의 의미로 쓰이고 있음 • ( ): '처갓집에 살러 들어간다.'는 의미로 사용되었으나 '남자가 결혼하다.'의 의미로 쓰이고 있음
심리적 원인	감정, 비유적 표현, 금기에 의한 완곡어 사용 등으로 단어의 의미가 변화한 경우 예 • 완곡어: 마마(천연두) • 비유적 표현: 곰(우둔하다는 의미), 컴퓨터(똑똑하다는 의미)

(2) 의미 변화의 유형

의미의 확대	• (　　　)[脚]: 사람이나 짐승의 다리 → 무생물에까지 적용 • (　　　): 최고 학위 → 어떤 일에 정통한 사람을 비유적으로 이름 • 세수하다: 손만 씻는 행위 → 손이나 얼굴을 씻는 행위 • 목숨: 목구멍으로 드나드는 숨 → 생명 • 핵: 열매의 씨를 보호하는 속껍데기 → 사물의 중심이 되는 알맹이, 원자의 핵 • 겨레: 종친(宗親) → 동포 • 길: 도로 → 방법, 도리 • (　　　): 종이로 만든 것만 가리킴 → 재료의 다양화 인정 • 방석: 네모난 모양의 깔개 → 둥근 모양의 깔개까지 지칭 • 약주: 특정 술 → 술 전체 • 영감: 당상관에 해당하는 벼슬 이름 → 남자 노인 • 아저씨: 숙부 → 성인 남성 • 장인: 기술자 → 예술가
의미의 축소	• 학자: 학문을 하는 사람 → 학문을 연구하는 전문인 • (　　　): 여성 전체 → 여성 비하 • 얼굴: 형체 → 안면부 • (　　　): 남녀 모두 → 여성만 • 공갈: 무섭게 으르고 위협하는 행위 → 거짓말 • 놈: 남성 전체 → 남성 비하
의미의 이동	• (　　　): 어리석다 → 나이가 어리다 • 씩씩하다: 엄하다 → 굳세고 위엄이 있다 • 수작: 술잔을 건네다 → 말을 주고받음, 남의 말 · 행동 · 계획을 낮잡아 이르는 말 • 비싸다: 값이 적당하다 → 값이 나가다 • (　　　): 뇌물 → 사람 사이의 정 • 엉터리: 대강 갖추어진 틀 → 갖추어진 틀이 없음 • 에누리: 값을 더 얹어서 부르는 일 → 값을 깎는 일 • 감투: 벼슬아치가 머리에 쓰는 모자 → 벼슬 • (　　　)(放送): 석방 → 음성이나 영상을 전파로 보냄 • 싸다: 값이 적당하다 → 값이 싸다 • 내외: 안과 밖 → 부부 • (　　　): 불쌍하다 → 예쁘다
의미의 확대와 축소가 단계적으로 이루어지는 경우	(　　　): 손으로 하는 기술이나 재주 → 의학 용어(의미 축소) → 사회 병리 현상이나 폐단을 고침(의미 확대)

PART

II

어문 규정

01 한글 맞춤법

정답▶P.125

1 총칙

제1항 한글 맞춤법은 표준어를 (　　　)대로 적되, (　　　)에 맞도록 함을 원칙으로 한다.

제2항 문장의 각 단어는 (　　　)을 원칙으로 한다.

제3항 외래어는 '(　　　　　)'에 따라 적는다.

2 자모: 자음과 모음

제4항 한글 자모의 수는 (　　　) 자로 하고, 그 순서와 이름은 다음과 같이 정한다.

ㄱ(기역) ㄴ(니은) ㄷ(디귿) ㄹ(리을) ㅁ(미음) ㅂ(비읍) ㅅ(시옷) ㅇ(이응) ㅈ(지읒) ㅊ(치읓) ㅋ(키읔)
ㅌ(티읕) ㅍ(피읖) ㅎ(히읗)
ㅏ(아) ㅑ(야) ㅓ(어) ㅕ(여) ㅗ(오) ㅛ(요) ㅜ(우) ㅠ(유) ㅡ(으) ㅣ(이)

3 소리에 관한 것

(1) 된소리

제5항 한 단어 안에서 뚜렷한 까닭 없이 나는 된소리는 다음 음절의 첫소리를 된소리로 적는다.

1. 두 모음 사이에서 나는 된소리

소쩍새 어깨 오빠 으뜸 아끼다 기쁘다 깨끗하다 어떠하다 해쓱하다 가끔 거꾸로
부썩 어찌 이따금

2. 'ㄴ, ㄹ, ㅁ, ㅇ' 받침 뒤에서 나는 된소리

산뜻하다 잔뜩 살짝 훨씬 담뿍 움찔 몽땅 엉뚱하다

다만, '(　　　), (　　　)' 받침 뒤에서 나는 된소리는, (　　　) 음절이나 (　　　) 음절이 (　　　) 나는 경우가 아니면 된소리로 적지 아니한다.

국수 깍두기 딱지 색시 싹둑(~싹둑) 법석 갑자기 몹시

(2) 구개음화

제6항 'ㄷ, ㅌ' 받침 뒤에 종속적 관계를 가진 '(　　　)'나 '(　　　)'가 올 적에는 그 'ㄷ, ㅌ'이 '(　　　), (　　　)'으로 소리 나더라도 'ㄷ, ㅌ'으로 적는다. (ㄱ을 취하고, ㄴ을 버림)

ㄱ	ㄴ	ㄱ	ㄴ
맏이	마지	핥이다	할치다
해돋이	해도지	걷히다	거치다
굳이	구지	닫히다	다치다
같이	가치	묻히다	무치다
끝이	끄치		

(3) 'ㄷ' 소리 받침

제7항 'ㄷ' 소리로 나는 받침 중에서 'ㄷ'으로 적을 근거가 없는 것은 '(　　　)'으로 적는다.

덧저고리　돗자리　엇셈　웃어른　핫옷　무릇　사뭇　얼핏　자칫하면　뭇[衆]　옛　첫　헛

(4) 모음

제8항 '계, 례, 몌, 폐, 혜'의 'ㅖ'는 '(　　　)'로 소리 나는 경우가 있더라도 '(　　　)'로 적는다. (ㄱ을 취하고, ㄴ을 버림)

ㄱ	ㄴ	ㄱ	ㄴ
계수(桂樹)	게수	혜택(惠澤)	헤택
사례(謝禮)	사레	계집	게집
연몌(連袂)	연메	핑계	핑게
폐품(廢品)	페품	계시다	게시다

다만, 다음 말은 본음대로 적는다.

게송(偈頌)　게시판(揭示板)　휴게실(休憩室)

제9항 '의'나, 자음을 첫소리로 가지고 있는 음절의 'ㅢ'는 '(　　　)'로 소리 나는 경우가 있더라도 '(　　　)'로 적는다. (ㄱ을 취하고, ㄴ을 버림)

ㄱ	ㄴ	ㄱ	ㄴ
의의(意義)	의이	닁큼	닝큼
본의(本義)	본이	띄어쓰기	띠어쓰기
무늬[紋]	무니	씌어	씨어
보늬	보니	틔어	티어
오늬	오니	희망(希望)	히망
하늬바람	하니바람	희다	히다
늴리리	닐리리	유희(遊戲)	유히

(5) 두음 법칙

제10항 한자음 '녀, 뇨, 뉴, 니'가 단어 첫머리에 올 적에는, 두음 법칙에 따라 '(　　　), (　　　), (　　　), (　　　)'로 적는다. (ㄱ을 취하고, ㄴ을 버림)

ㄱ	ㄴ	ㄱ	ㄴ
여자(女子)	녀자	유대(紐帶)	뉴대
연세(年歲)	년세	이토(泥土)	니토
요소(尿素)	뇨소	익명(匿名)	닉명

다만, 다음과 같은 (　　　　　)에서는 '냐, 녀' 음을 인정한다.

냥(兩)　냥쭝(兩-)　년(年)(몇 년)

제11항 한자음 '랴, 려, 례, 료, 류, 리'가 단어의 첫머리에 올 적에는, 두음 법칙에 따라 '야, 여, 예, 요, 유, 이'로 적는다. (ㄱ을 취하고, ㄴ을 버림)

ㄱ	ㄴ	ㄱ	ㄴ
양심(良心)	량심	용궁(龍宮)	룡궁
역사(歷史)	력사	유행(流行)	류행
예의(禮儀)	례의	이발(理髮)	리발

다만, 다음과 같은 의존 명사는 본음대로 적는다.

리(里): 몇 리냐?

리(理): 그럴 리가 없다.

[붙임 1] 단어의 첫머리 이외의 경우에는 본음대로 적는다.

개량(改良) 선량(善良) 수력(水力) 협력(協力) 사례(謝禮) 혼례(婚禮)
와룡(臥龍) 쌍룡(雙龍) 하류(下流) 급류(急流) 도리(道理) 진리(眞理)

다만, ( )이나 '( )' 받침 뒤에 이어지는 '렬, 률'은 '( ), ( )'로 적는다. (ㄱ을 취하고, ㄴ을 버림)

ㄱ	ㄴ	ㄱ	ㄴ
나열(羅列)	나렬	분열(分裂)	분렬
치열(齒列)	치렬	선열(先烈)	선렬
비열(卑劣)	비렬	진열(陳列)	진렬
규율(規律)	규률	선율(旋律)	선률
비율(比率)	비률	전율(戰慄)	전률
실패율(失敗率)	실패률	백분율(百分率)	백분률

[붙임 2] ( )로 된 이름을 성에 붙여 쓸 경우에도 본음대로 적을 수 있다.

신립(申砬) 최린(崔麟) 채륜(蔡倫) 하륜(河崙)

제12항 한자음 '라, 래, 로, 뢰, 루, 르'가 단어의 첫머리에 올 적에는, 두음 법칙에 따라 '( ), ( ), ( ), ( ), ( ), ( )'로 적는다. (ㄱ을 취하고, ㄴ을 버림)

ㄱ	ㄴ	ㄱ	ㄴ
낙원(樂園)	락원	뇌성(雷聲)	뢰성
내일(來日)	래일	누각(樓閣)	루각
노인(老人)	로인	능묘(陵墓)	릉묘

(6) 겹쳐 나는 소리

제13항 한 단어 안에서 ( )이나 ( )이 겹쳐 나는 부분은 같은 글자로 적는다. (ㄱ을 취하고, ㄴ을 버림)

ㄱ	ㄴ	ㄱ	ㄴ
딱딱	딱닥	꼿꼿하다	꼿곳하다
쌕쌕	쌕색	놀놀하다	놀롤하다
씩씩	씩식	눅눅하다	눙눅하다
똑딱똑딱	똑닥똑닥	밋밋하다	민밋하다
쓱싹쓱싹	쓱삭쓱삭	싹싹하다	싹삭하다
연연불망(戀戀不忘)	연련불망	쌉쌀하다	쌉살하다
유유상종(類類相從)	유류상종	씁쓸하다	씁슬하다
누누이(屢屢－)	누루이	짭짤하다	짭잘하다

4 형태에 관한 것

(1) 체언과 조사

제14항 ( )은 ( )와 구별하여 적는다.

떡이 떡을 떡에 떡도 떡만 손이 손을 손에 손도 손만
팔이 팔을 팔에 팔도 팔만 밤이 밤을 밤에 밤도 밤만
집이 집을 집에 집도 집만 옷이 옷을 옷에 옷도 옷만
밖이 밖을 밖에 밖도 밖만 넋이 넋을 넋에 넋도 넋만
흙이 흙을 흙에 흙도 흙만 삶이 삶을 삶에 삶도 삶만
여덟이 여덟을 여덟에 여덟도 여덟만 곬이 곬을 곬에 곬도 곬만
값이 값을 값에 값도 값만

(2) 어간과 어미

제15항 (　　　)의 (　　　)과 (　　　)는 구별하여 적는다.

먹다 먹고 먹어 먹으니 신다 신고 신어 신으니
믿다 믿고 믿어 믿으니 울다 울고 울어 (우니)
깎다 깎고 깎아 깎으니 앉다 앉고 앉아 앉으니
많다 많고 많아 많으니 늙다 늙고 늙어 늙으니

[붙임 1] 두 개의 용언이 어울려 한 개의 용언이 될 적에, 앞말의 (　　　)이 유지되고 있는 것은 그 원형을 밝히어 적고, 그 (　　　　　)은 밝히어 적지 아니한다.

(1) 앞말의 (　　　)이 유지되고 있는 것

넘어지다 늘어나다 늘어지다 돌아가다 되짚어가다 들어가다
떨어지다 벌어지다 엎어지다 접어들다 틀어지다 흩어지다

(2) (　　　　　　　)

드러나다 사라지다 쓰러지다

[붙임 2] (　　　)에서 사용되는 어미 '-오'는 '요'로 소리 나는 경우가 있더라도 그 원형을 밝혀 '오'로 적는다. (ㄱ을 취하고, ㄴ을 버림)

ㄱ	ㄴ
이것은 책이오.	이것은 책이요.
이리로 오시오.	이리로 오시요.
이것은 책이 아니오.	이것은 책이 아니요.

[붙임 3] (　　　)에서 사용되는 '이요'는 '이요'로 적는다. (ㄱ을 취하고, ㄴ을 버림)

ㄱ	ㄴ
이것은 책이요, 저것은 붓이요, 또 저것은 먹이다.	이것은 책이오, 저것은 붓이오, 또 저것은 먹이다.

제16항 어간의 끝음절 모음이 '(　　　), (　　　)'일 때에는 어미를 '(　　　)'로 적고, 그 밖의 모음일 때에는 '(　　　)'로 적는다.

1. '-아'로 적는 경우

나아 나아도 나아서 막아 막아도 막아서 얇아 얇아도 얇아서
돌아 돌아도 돌아서 보아 보아도 보아서

2. '-어'로 적는 경우

개어 개어도 개어서 되어 되어도 되어서 베어 베어도 베어서
쉬어 쉬어도 쉬어서 저어 저어도 저어서 희어 희어도 희어서

제17항 (　　　) 뒤에 덧붙는 조사 '요'는 '요'로 적는다.

읽어 읽어요 참으리 참으리요 좋지 좋지요

제18항 다음과 같은 용언들은 어미가 바뀔 경우, 그 어간이나 어미가 원칙에 벗어나면 벗어나는 대로 적는다.

1. 어간의 끝 '(　　　)'이 줄어질 적

갈다: 가니 간 갑니다 가시다 가오
놀다: 노니 논 놉니다 노시다 노오
불다: 부니 분 붑니다 부시다 부오
둥글다: 둥그니 둥근 둥급니다 둥그시다 둥그오
어질다: 어지니 어진 어집니다 어지시다 어지오

[붙임] 다음과 같은 말에서도 '(　　　)'이 준 대로 적는다.

마지못하다 마지않다 (하)다마다 (하)자마자 (하)지 마라 (하)지 마(아)

2. 어간의 끝 '(　　　)'이 줄어질 적

긋다: 그어　그으니　그었다　　낫다: 나아　나으니　나았다
잇다: 이어　이으니　이었다　　짓다: 지어　지으니　지었다

3. 어간의 끝 '(　　　)'이 줄어질 적

그렇다: 그러니　그럴　그러면　그러오
까맣다: 까마니　까말　까마면　까마오
동그랗다: 동그라니　동그랄　동그라면　동그라오
퍼렇다: 퍼러니　퍼럴　퍼러면　퍼러오
하얗다: 하야니　하얄　하야면　하야오

4. 어간의 끝 '(　　　), (　　　)'가 줄어질 적

푸다: 퍼　펐다　　뜨다: 떠　떴다
끄다: 꺼　껐다　　크다: 커　컸다
담그다: 담가　담갔다　　고프다: 고파　고팠다
따르다: 따라　따랐다　　바쁘다: 바빠　바빴다

5. 어간의 끝 '(　　　)'이 '(　　　)'로 바뀔 적

걷다[步]: 걸어　걸으니　걸었다　　듣다[聽]: 들어　들으니　들었다
묻다[問]: 물어　물으니　물었다　　싣다[載]: 실어　실으니　실었다

6. 어간의 끝 '(　　　)'이 '(　　　)'로 바뀔 적

깁다: 기워　기우니　기웠다　　굽다[炙]: 구워　구우니　구웠다
가깝다: 가까워　가까우니　가까웠다　　괴롭다: 괴로워　괴로우니　괴로웠다
맵다: 매워　매우니　매웠다　　무겁다: 무거워　무거우니　무거웠다
밉다: 미워　미우니　미웠다　　쉽다: 쉬워　쉬우니　쉬웠다

다만, '돕-, 곱-'과 같은 단음절 어간에 어미 '-아'가 결합되어 '와'로 소리 나는 것은 '-와'로 적는다.

돕다[助]: 도와　도와서　도와도　도왔다
곱다[麗]: 고와　고와서　고와도　고왔다

7. '하다'의 활용에서 어미 '(　　　)'가 '(　　　)'로 바뀔 적

하다: 하여　하여서　하여도　하여라　하였다

8. 어간의 끝음절 '르' 뒤에 오는 어미 '(　　　)'가 '(　　　)'로 바뀔 적

이르다[至]: 이르러　이르렀다
노르다: 노르러　노르렀다
누르다: 누르러　누르렀다
푸르다: 푸르러　푸르렀다

9. 어간의 끝음절 '르'의 '(　　　)'가 줄고, 그 뒤에 오는 어미 '-아/-어'가 '-라/-러'로 바뀔 적

가르다: 갈라　갈랐다　　거르다: 걸러　걸렀다
구르다: 굴러　굴렀다　　벼르다: 별러　별렀다
부르다: 불러　불렀다　　오르다: 올라　올랐다
이르다: 일러　일렀다　　지르다: 질러　질렀다

(3) 접미사가 붙어서 된 말

제19항　어간에 '(　　　)'나 '(　　　)'이 붙어서 명사로 된 것과 '(　　　)'나 '(　　　)'가 붙어서 부사로 된 것은 그 어간의 원형을 밝히어 적는다.

1. '(　　　)'가 붙어서 명사로 된 것

길이　깊이　높이　다듬이　땀받이　달맞이
먹이　미닫이　벌이　벼훑이　살림살이　쇠붙이

2. '(　　　)'이 붙어서 명사로 된 것

걸음　묶음　믿음　얼음　엮음　울음　웃음　졸음　죽음　앎

3. '(　　　　)'가 붙어서 부사로 된 것

같이　굳이　길이　높이　많이　실없이　좋이　짓궂이

4. '(　　　　)'가 붙어서 부사로 된 것

밝히　익히　작히

다만, 어간에 '(　　　　)'나 '(　　　　)'이 붙어서 명사로 바뀐 것이라도 그 (　　　　　　　)은 원형을 밝히어 적지 아니한다.

굽도리　다리[髢]　목거리(목병)　무녀리
코끼리　거름(비료)　고름[膿]　노름(도박)

[붙임] 어간에 '(　　　　)'나 '(　　　　)' 이외의 모음으로 시작된 접미사가 붙어서 다른 품사로 바뀐 것은 그 어간의 원형을 밝히어 적지 아니한다.

(1) 명사로 바뀐 것

귀머거리　까마귀　너머　뜨더귀　마감　마개
마중　무덤　비렁뱅이　쓰레기　올가미　주검

(2) 부사로 바뀐 것

거뭇거뭇　너무　도로　뜨덤뜨덤　바투
불긋불긋　비로소　오긋오긋　자주　차마

(3) 조사로 바뀌어 뜻이 달라진 것

나마　부터　조차

제20항 명사 뒤에 '(　　　　)'가 붙어서 된 말은 그 명사의 원형을 밝히어 적는다.

1. 부사로 된 것

곳곳이　낱낱이　몫몫이　샅샅이　앞앞이　집집이

2. 명사로 된 것

곰배팔이　바둑이　삼발이　애꾸눈이　육손이　절뚝발이/절름발이

제21항 명사나 혹은 용언의 어간 뒤에 (　　　　)으로 시작된 접미사가 붙어서 된 말은 그 명사나 어간의 원형을 밝히어 적는다.

1. 명사 뒤에 자음으로 시작된 접미사가 붙어서 된 것

값지다　홑지다　넋두리　빛깔　옆댕이　잎사귀

2. 어간 뒤에 자음으로 시작된 접미사가 붙어서 된 것

낚시　늙정이　덮개　뜯게질　갉작갉작하다
갉작거리다　뜯적거리다　뜯적뜯적하다　굵다랗다　굵직하다
깊숙하다　넓적하다　높다랗다　늙수그레하다　얽죽얽죽하다

제22항 용언의 어간에 다음과 같은 접미사들이 붙어서 이루어진 말들은 그 어간을 밝히어 적는다.

1. '-기-, -리-, -이-, -히-, -구-, -우-, -추-, -으키-, -이키-, -애-'가 붙는 것

맡기다　옮기다　웃기다　쫓기다　뚫리다　울리다　낚이다　쌓이다
핥이다　굳히다　굽히다　넓히다　앉히다　얽히다　잡히다　돋구다
솟구다　돋우다　갖추다　곧추다　맞추다　일으키다　돌이키다　없애다

다만, '-이-, -히-, -우-'가 붙어서 된 말이라도 본뜻에서 멀어진 것은 소리대로 적는다.

도리다(칼로 ~)　드리다(용돈을 ~)　고치다　바치다(세금을 ~)　부치다(편지를 ~)
거두다　미루다　이루다

2. '(　　　　), (　　　　), (　　　　)'가 붙는 것

놓치다　덮치다　떠받치다　받치다　밭치다　부딪치다　뻗치다　엎치다
부딪뜨리다/부딪트리다　쏟뜨리다/쏟트리다　젖뜨리다/젖트리다　찢뜨리다/찢트리다　흩뜨리다/흩트리다

제23항 '(   )'나 '(   )'가 붙는 어근에 '-이'가 붙어서 명사가 된 것은 그 원형을 밝히어 적는다. (ㄱ을 취하고, ㄴ을 버림)

ㄱ	ㄴ	ㄱ	ㄴ
깔쭉이	깔쭈기	살살이	살사리
꿀꿀이	꿀꾸리	쌕쌕이	쌕쌔기
눈깜짝이	눈깜짜기	오뚝이	오뚜기
더펄이	더퍼리	코납작이	코납자기
배불뚝이	배불뚜기	푸석이	푸서기
삐죽이	삐주기	홀쭉이	홀쭈기

[붙임] '(   )'나 '(   )'가 붙을 수 없는 어근에 '-이'나 또는 다른 모음으로 시작되는 접미사가 붙어서 명사가 된 것은 그 원형을 밝히어 적지 아니한다.

개구리 귀뚜라미 기러기 깍두기 꽹과리 날라리 누더기 동그라미 두드러기 딱따구리
매미 부스러기 뻐꾸기 얼루기 칼싹두기

제24항 '(   )'가 붙을 수 있는 시늉말 어근에 '-이다'가 붙어서 된 용언은 그 어근을 밝히어 적는다. (ㄱ을 취하고, ㄴ을 버림)

ㄱ	ㄴ	ㄱ	ㄴ
깜짝이다	깜짜기다	속삭이다	속사기다
꾸벅이다	꾸버기다	숙덕이다	숙더기다
끄덕이다	끄더기다	울먹이다	울머기다
뒤척이다	뒤처기다	움직이다	움지기다
들먹이다	들머기다	지껄이다	지꺼리다
망설이다	망서리다	퍼덕이다	퍼더기다
번득이다	번드기다	허덕이다	허더기다
번쩍이다	번쩌기다	헐떡이다	헐떠기다

제25항 '(   )'가 붙는 어근에 '(   )'나 '(   )'가 붙어서 부사가 되거나, 부사에 '(   )'가 붙어서 뜻을 더하는 경우에는 그 어근이나 부사의 원형을 밝히어 적는다.

1. '-하다'가 붙는 어근에 '-히'나 '-이'가 붙는 경우

급히 꾸준히 도저히 딱히 어렴풋이 깨끗이

[붙임] '-하다'가 붙지 않는 경우에는 소리대로 적는다.

갑자기 반드시(꼭) 슬며시

2. 부사에 '-이'가 붙어서 역시 부사가 되는 경우

곰곰이 더욱이 생긋이 오뚝이 일찍이 해죽이

제26항 '(   )'나 '(   )'가 붙어서 된 용언은 그 '(   )'나 '(   )'를 밝히어 적는다.

1. '(   )'가 붙어서 용언이 된 것

딱하다 숱하다 착하다 텁텁하다 푹하다

2. '(   )'가 붙어서 용언이 된 것

부질없다 상없다 시름없다 열없다 하염없다

(4) 합성어 및 접두사가 붙은 말

제27항 둘 이상의 단어가 어울리거나 접두사가 붙어서 이루어진 말은 각각 그 (   )을 밝히어 적는다.

국말이 꺾꽂이 꽃잎 끝장 물난리 밑천 부엌일 싫증 옷안 웃옷
젖몸살 첫아들 칼날 팥알 헛웃음 홀아비 홑몸 흙내 값없다 겉늙다
굶주리다 낮잡다 맞먹다 받내다 벋놓다 빗나가다 빛나다 새파랗다 샛노랗다 시꺼멓다
싯누렇다 엇나가다 엎누르다 엿듣다 옻오르다 짓이기다 헛되다

[붙임 1] (　　　)은 분명하나 소리만 특이하게 변한 것은 변한 대로 적는다.

할아버지　할아범

[붙임 2] (　　　)이 분명하지 아니한 것은 원형을 밝히어 적지 아니한다.

골병　골탕　끌탕　며칠　아재비　오라비　업신여기다　부리나케

[붙임 3] '이[齒, 虱]'가 합성어나 이에 준하는 말에서 '니' 또는 '리'로 소리 날 때에는 '니'로 적는다.

간니　덧니　사랑니　송곳니　앞니　어금니　윗니　젖니　톱니　틀니　가랑니　머릿니

제28항　끝소리가 '(　　　)'인 말과 딴 말이 어울릴 적에 '(　　　)' 소리가 나지 아니하는 것은 아니 나는 대로 적는다.

다달이(달－달－이)　따님(딸－님)　마되(말－되)　마소(말－소)　무자위(물－자위)　바느질(바늘－질)
부삽(불－삽)　부손(불－손)　싸전(쌀－전)　여닫이(열－닫이)　우짖다(울－짖다)　화살(활－살)

제29항　끝소리가 'ㄹ'인 말과 딴 말이 어울릴 적에 '(　　　)' 소리가 '(　　　)' 소리로 나는 것은 '(　　　)'으로 적는다.

반짇고리(바느질~)　사흗날(사흘~)　삼짇날(삼질~)　섣달(설~)　숟가락(술~)　이튿날(이틀~)　잗주름(잘~)
풀소(풀~)　섣부르다(설~)　잗다듬다(잘~)　잗다랗다(잘~)

제30항　사이시옷은 다음과 같은 경우에 받치어 적는다.

1. (　　　)로 된 합성어로서 앞말이 (　　　)으로 끝난 경우

(1) 뒷말의 첫소리가 (　　　)로 나는 것

고랫재　귓밥　나룻배　나뭇가지　냇가　댓가지　뒷갈망　맷돌　머릿기름　모깃불
못자리　바닷가　뱃길　볏가리　부싯돌　선짓국　쇳조각　아랫집　우렁잇속　잇자국
잿더미　조갯살　찻집　쳇바퀴　킷값　핏대　햇볕　혓바늘

(2) 뒷말의 첫소리 '(　　　), (　　　)' 앞에서 '(　　　)' 소리가 덧나는 것

멧나물　아랫니　텃마당　아랫마을　뒷머리　잇몸　깻묵　냇물　빗물

(3) 뒷말의 첫소리 (　　　) 앞에서 '(　　　)' 소리가 덧나는 것

도리깻열　뒷윷　두렛일　뒷일　뒷입맛　베갯잇　욧잇　깻잎　나뭇잎　댓잎

2. (　　　)과 (　　　)로 된 합성어로서 앞말이 (　　　)으로 끝난 경우

(1) 뒷말의 첫소리가 (　　　)로 나는 것

귓병　머릿방　뱃병　봇둑　사잣밥　샛강　아랫방　자릿세　전셋집　찻잔
찻종　촛국　콧병　탯줄　텃세　핏기　햇수　횟가루　횟배

(2) 뒷말의 첫소리 '(　　　), (　　　)' 앞에서 '(　　　)' 소리가 덧나는 것

곗날　제삿날　훗날　툇마루　양칫물

(3) 뒷말의 첫소리 (　　　) 앞에서 '(　　　)' 소리가 덧나는 것

가욋일　사삿일　예삿일　훗일

3. 두 음절로 된 다음 한자어

(　　　)　(　　　)　(　　　)　(　　　)　(　　　)　(　　　)

제31항　두 말이 어울릴 적에 '(　　　)' 소리나 '(　　　)' 소리가 덧나는 것은 소리대로 적는다.

1. '(　　　)' 소리가 덧나는 것

댑싸리(대ㅂ싸리)　멥쌀(메ㅂ쌀)　볍씨(벼ㅂ씨)　입때(이ㅂ때)　입쌀(이ㅂ쌀)　접때(저ㅂ때)
좁쌀(조ㅂ쌀)　햅쌀(해ㅂ쌀)

2. '(　　　)' 소리가 덧나는 것

머리카락(머리ㅎ가락)　살코기(살ㅎ고기)　수캐(수ㅎ개)　수컷(수ㅎ것)　수탉(수ㅎ닭)　안팎(안ㅎ밖)
암캐(암ㅎ개)　암컷(암ㅎ것)　암탉(암ㅎ닭)

(5) 준말

제32항 단어의 끝 모음이 줄어지고 자음만 남은 것은 그 앞의 음절에 받침으로 적는다.

(본말)	(준말)	(본말)	(준말)
기러기야	기럭아	가지고, 가지지	( ), ( )
어제그저께	엊그저께	디디고, 디디지	( ), ( )
어제저녁	엊저녁		

제33항 체언과 조사가 어울려 줄어지는 경우에는 준 대로 적는다.

(본말)	(준말)	(본말)	(준말)
그것은	그건	너는	넌
그것이	그게	너를	널
그것으로	그걸로	무엇을	뭣을/무얼/뭘
나는	난	무엇이	( )
나를	날		

제34항 모음 'ㅏ, ㅓ'로 끝난 어간에 '-아/-어, -았-/-었-'이 어울릴 적에는 준 대로 적는다. (준말만 인정)

(본말)	(준말)	(본말)	(준말)
가아	( )	가았다	갔다
나아	나	나았다	났다
타아	타	타았다	( )
서어	서	서었다	섰다
켜어	켜	켜었다	켰다
펴어	( )	펴었다	폈다

[붙임 1] 'ㅐ, ㅔ' 뒤에 '-어, -었-'이 어울려 줄 적에는 준 대로 적는다. (본말, 준말 모두 허용)

(본말)	(준말)	(본말)	(준말)
개어	( )	개었다	갰다
내어	내	내었다	냈다
베어	베	베었다	벴다
세어	세	세었다	셌다

[붙임 2] '하여'가 한 음절로 줄어서 '해'로 될 적에는 준 대로 적는다. (본말, 준말 모두 허용)

(본말)	(준말)	(본말)	(준말)
하여	( )	하였다	했다
더하여	더해	더하였다	더했다
흔하여	흔해	흔하였다	흔했다

제35항 모음 'ㅗ, ㅜ'로 끝난 어간에 '-아/-어, -았-/-었-'이 어울려 'ㅘ/ㅝ, ㅘㅆ/ㅝㅆ'으로 될 적에는 준 대로 적는다.

(본말)	(준말)	(본말)	(준말)
꼬아	( )	꼬았다	꽜다
보아	봐	보았다	봤다
쏘아	( )	쏘았다	쐈다
두어	둬	두었다	뒀다
쑤어	쒀	쑤었다	쒔다
주어	줘	주었다	( )

[붙임 1] '놓아'가 '(　　　)'로 줄 적에는 준 대로 적는다.

[붙임 2] 'ㅚ' 뒤에 '-어, -었-'이 어울려 '(　　　), (　　　)'으로 될 적에도 준 대로 적는다.

(본말)	(준말)	(본말)	(준말)
괴어	괘	괴었다	괬다
되어	돼	되었다	됐다
뵈어	봬	뵈었다	뵀다
쇠어	쇄	쇠었다	쇘다
쐬어	쐐	쐬었다	쐤다

제36항　'ㅣ' 뒤에 '-어'가 와서 'ㅕ'로 줄 적에는 준 대로 적는다.

(본말)	(준말)	(본말)	(준말)
가지어	가져	가지었다	가졌다
견디어	(　　　)	견디었다	견뎠다
다니어	다녀	다니었다	다녔다
막히어	막혀	막히었다	(　　　)
버티어	버텨	버티었다	버텼다
치이어	치여	치이었다	치였다

제37항　'ㅏ, ㅕ, ㅗ, ㅜ, ㅡ'로 끝난 어간에 '-이-'가 와서 각각 'ㅐ, ㅖ, ㅚ, ㅟ, ㅢ'로 줄 적에는 준 대로 적는다.

(본말)	(준말)	(본말)	(준말)
싸이다	(　　　)	누이다	(　　　)
펴이다	폐다	뜨이다	띄다
보이다	뵈다	쓰이다	씌다

제38항　'ㅏ, ㅗ, ㅜ, ㅡ' 뒤에 '-이어'가 어울려 줄어질 적에는 준 대로 적는다.

(본말)	(준말)	(본말)	(준말)
싸이어	(　　　), (　　　)	뜨이어	띄어
보이어	뵈어, 보여	쓰이어	씌어, 쓰여
쏘이어	(　　　), (　　　)	트이어	틔어, 트여
누이어	뉘어, 누여		

제39항　어미 '-지' 뒤에 '않-'이 어울려 '(　　　)'이 될 적과 '-하지' 뒤에 '않-'이 어울려 '(　　　)'이 될 적에는 준 대로 적는다.

(본말)	(준말)	(본말)	(준말)
그렇지 않은	(　　　)	만만하지 않다	만만찮다
적지 않은	적잖은	변변하지 않다	(　　　)

제40항　어간의 끝음절 '하'의 'ㅏ'가 줄고 'ㅎ'이 다음 음절의 첫소리와 어울려 거센소리로 될 적에는 거센소리로 적는다.

(본말)	(준말)	(본말)	(준말)
간편하게	(　　　)	다정하다	(　　　)
연구하도록	연구토록	정결하다	정결타
가하다	가타	흔하다	흔타

[붙임 1] 'ㅎ'이 어간의 끝소리로 굳어진 것은 받침으로 적는다.

않다　　않고　　않지　　않든지　　그렇다　　그렇고　　그렇지　　그렇든지
아무렇다　　아무렇고　　아무렇지　　아무렇든지　　어떻다　　어떻고　　어떻지　　어떻든지
이렇다　　이렇고　　이렇지　　이렇든지　　저렇다　　저렇고　　저렇지　　저렇든지

[붙임 2] 어간의 끝음절 '하'가 아주 줄 적에는 준 대로 적는다.

(본말)	(준말)	(본말)	(준말)
(　　　)	거북지	넉넉하지 않다	(　　　)
생각하건대	생각건대	못하지 않다	못지않다
생각하다 못해	생각다 못해	섭섭하지 않다	섭섭지 않다
깨끗하지 않다	깨끗지 않다	익숙하지 않다	익숙지 않다

[붙임 3] 다음과 같은 부사는 소리대로 적는다.

결단코　　결코　　기필코　　무심코　　아무튼　　요컨대　　정녕코　　필연코　　하마터면　　하여튼　　한사코

5 띄어쓰기

(1) 조사

제41항 조사는 그 앞말에 (　　　) 쓴다.

꽃이　　꽃마저　　꽃밖에　　꽃에서부터　　꽃으로만　　꽃이나마　　꽃이다　　꽃입니다　　꽃처럼　　어디까지나
거기도　　멀리는　　웃고만

(2) 의존 명사, 단위를 나타내는 명사 및 열거하는 말 등

제42항 의존 명사는 (　　　) 쓴다.

아는 것이 힘이다.　　나도 할 수 있다.　　먹을 만큼 먹어라.
아는 이를 만났다.　　네가 뜻한 바를 알겠다.　　그가 떠난 지가 오래다.

제43항 단위를 나타내는 명사는 (　　　) 쓴다.

한 개　　차 한 대　　금 서 돈　　소 한 마리　　옷 한 벌　　열 살　　조기 한 손　　연필 한 자루
버선 한 죽　　집 한 채　　신 두 켤레　　북어 한 쾌

다만, (　　　)를 나타내는 경우나 (　　　)와 어울리어 쓰이는 경우에는 붙여 쓸 수 있다.

두시 삼십분 오초　　제일과　　삼학년　　육층　　1446년 10월 9일　　2대대　　16동 502호
제1실습실　　80원　　10개　　7미터

제44항 수를 적을 적에는 '(　　　)' 단위로 띄어 쓴다.

십이억 삼천사백오십육만 칠천팔백구십팔
12억 3456만 7898

제45항 두 말을 이어 주거나 열거할 적에 쓰이는 다음의 말들은 (　　　) 쓴다.

국장 겸 과장　　열 내지 스물　　청군 대 백군　　이사장 및 이사들　　책상, 걸상 등이 있다　　사과, 배, 귤 등등
사과, 배 등속　　부산, 광주 등지

제46항 단음절로 된 단어가 (　　　) 나타날 적에는 (　　　) 쓸 수 있다.

좀더 큰것　　이말 저말　　한잎 두잎

(3) 보조 용언

제47항 보조 용언은 띄어 씀을 ( )으로 하되, 경우에 따라 붙여 씀도 ( )한다. (ㄱ을 원칙으로 하고, ㄴ을 허용함)

ㄱ	ㄴ
불이 꺼져 간다.	불이 ( ).
내 힘으로 막아 낸다.	내 힘으로 막아낸다.
어머니를 도와 드린다.	어머니를 도와드린다.
비가 올 듯하다.	비가 ( ).
그 일은 할 만하다.	그 일은 할만하다.
일이 될 법하다.	일이 될법하다.
비가 올 성싶다.	비가 올성싶다.
잘 아는 척한다.	잘 아는척한다.

다만, 앞말에 ( )가 붙거나 앞말이 ( )인 경우, 그리고 중간에 ( )가 들어갈 적에는 그 뒤에 오는 보조 용언은 ( ) 쓴다.

잘도 놀아만 나는구나! 책을 읽어도 보고…….
네가 덤벼들어 보아라. 이런 기회는 다시없을 듯하다.
그가 올 듯도 하다. 잘난 체를 한다.

(4) 고유 명사 및 전문 용어

제48항 성과 이름, 성과 호 등은 ( ) 쓰고, 이에 덧붙는 호칭어, 관직명 등은 ( ) 쓴다.

김양수(金良洙) 서화담(徐花潭) 채영신 씨 최치원 선생 박동식 박사 충무공 이순신 장군

다만, 성과 이름, 성과 호를 분명히 구분할 필요가 있을 경우에는 ( ) 쓸 수 있다.

남궁억/남궁 억 독고준/독고 준 황보지봉(皇甫芝峰)/황보 지봉

제49항 성명 이외의 고유 명사는 ( )로 띄어 씀을 원칙으로 하되, ( )로 띄어 쓸 수 있다. (ㄱ을 원칙으로 하고, ㄴ을 허용함)

ㄱ	ㄴ
대한 중학교	대한중학교
한국 대학교 사범 대학	한국대학교 사범대학

제50항 전문 용어는 ( )로 띄어 씀을 원칙으로 하되, 붙여 쓸 수 있다. (ㄱ을 원칙으로 하고, ㄴ을 허용함)

ㄱ	ㄴ
만성 골수성 백혈병	만성골수성백혈병
중거리 탄도 유도탄	( )

6 그 밖의 것

제51항 부사의 끝음절이 분명히 '이'로만 나는 것은 '( )'로 적고, '히'로만 나거나 '이'나 '히'로 나는 것은 '( )'로 적는다.

1. '( )'로만 나는 것

가붓이 깨끗이 나붓이 느긋이 둥긋이 따뜻이 반듯이 버젓이 산뜻이 의젓이
가까이 고이 날카로이 대수로이 번거로이 많이 적이 헛되이 겹겹이 번번이
일일이 집집이 틈틈이

2. '(   )'로만 나는 것

극히 급히 딱히 속히 작히 족히 특히 엄격히 정확히

3. '(   ), (   )'로 나는 것

솔직히 가만히 간편히 나른히 무단히 각별히 소홀히 쓸쓸히 정결히 과감히 꼼꼼히 심히 열심히 급급히 답답히 섭섭히 공평히 능히 당당히 분명히 상당히 조용히 간소히 고요히 도저히

제52항 한자어에서 (   )으로도 나고 (   )으로도 나는 것은 각각 그 소리에 따라 적는다.

본음으로 나는 것	속음으로 나는 것
승낙(承諾)	수락(受諾), 쾌락(快諾), 허락(許諾)
만난(萬難)	곤란(困難), 논란(論難)
안녕(安寧)	의령(宜寧), 회령(會寧)
분노(忿怒)	대로(大怒), 희로애락(喜怒哀樂)
토론(討論)	의논(議論)
오륙십(五六十)	오뉴월, 유월(六月)
목재(木材)	모과(木瓜)
십일(十日)	시방정토(十方淨土), 시왕(十王), 시월(十月)
팔일(八日)	초파일(初八日)

제53항 다음과 같은 어미는 (   )로 적는다. (ㄱ을 취하고, ㄴ을 버림)

ㄱ	ㄴ	ㄱ	ㄴ
-(으)ㄹ거나	-(으)ㄹ꺼나	-(으)ㄹ지니라	-(으)ㄹ찌니라
-(으)ㄹ걸	-(으)ㄹ껄	-(으)ㄹ지라도	-(으)ㄹ찌라도
-(으)ㄹ게	-(으)ㄹ께	-(으)ㄹ지어다	-(으)ㄹ찌어다
-(으)ㄹ세	-(으)ㄹ쎄	-(으)ㄹ지언정	-(으)ㄹ찌언정
-(으)ㄹ세라	-(으)ㄹ쎄라	-(으)ㄹ진대	-(으)ㄹ찐대
-(으)ㄹ수록	-(으)ㄹ쑤록	-(으)ㄹ진저	-(으)ㄹ찐저
-(으)ㄹ시	-(으)ㄹ씨	-올시다	-올씨다
-(으)ㄹ지	-(으)ㄹ찌		

다만, (   )을 나타내는 다음 어미들은 된소리로 적는다.

-(으)ㄹ까? -(으)ㄹ꼬? -(스)ㅂ니까? -(으)리까? -(으)ㄹ쏘냐?

제54항 다음과 같은 접미사는 (   )로 적는다. (ㄱ을 취하고, ㄴ을 버림)

ㄱ	ㄴ	ㄱ	ㄴ
심부름꾼	심부름군	귀때기	귓대기
익살꾼	익살군	볼때기	볼대기
일꾼	일군	판자때기	판잣대기
장꾼	장군	뒤꿈치	뒷굼치
장난꾼	장난군	팔꿈치	팔굼치
지게꾼	지겟군	이마빼기	이맛배기
때깔	땟갈	코빼기	콧배기
빛깔	빛갈	객쩍다	객적다
성깔	성갈	겸연쩍다	겸연적다

제55항 두 가지로 구별하여 적던 다음 말들은 한 가지로 적는다. (ㄱ을 취하고, ㄴ을 버림)

ㄱ	ㄴ	용례
( )	마추다	입을 맞춘다. 양복을 맞춘다.
( )	뻐치다	다리를 뻗친다. 멀리 뻗친다.

제56항 '-더라, -던'과 '-든지'는 다음과 같이 적는다.

1. (   )을 나타내는 어미는 '-더라, -던'으로 적는다. (ㄱ을 취하고, ㄴ을 버림)

ㄱ	ㄴ
지난겨울은 몹시 춥더라.	지난겨울은 몹시 춥드라.
깊던 물이 얕아졌다.	깊든 물이 얕아졌다.
그렇게 좋던가?	그렇게 좋든가?
그 사람 말 잘하던데!	그 사람 말 잘하든데!
얼마나 놀랐던지 몰라.	얼마나 놀랐든지 몰라.

2. 물건이나 일의 내용을 가리지 아니하는 뜻을 나타내는 조사와 어미는 '(   )'로 적는다. (ㄱ을 취하고, ㄴ을 버림)

ㄱ	ㄴ
배든지 사과든지 마음대로 먹어라.	배던지 사과던지 마음대로 먹어라.
가든지 오든지 마음대로 해라.	가던지 오던지 마음대로 해라.

제57항 다음 말들은 각각 구별하여 적는다.

(   ) 둘로 가름.
(   ) 새 책상으로 갈음하였다.

(   ) 풀을 썩힌 거름.
(   ) 빠른 걸음.

(   ) 영월을 거쳐 왔다.
(   ) 외상값이 잘 걷힌다.

(   ) 걷잡을 수 없는 상태.
(   ) 겉잡아서 이틀 걸릴 일.

(   ) 그는 부지런하다. 그러므로 잘 산다.
(   ) 그는 열심히 공부한다. 그럼으로(써) 은혜에 보답한다.

(   ) 노름판이 벌어졌다.
(   ) 즐거운 놀음.

(   ) 진도가 너무 느리다.
(   ) 고무줄을 늘인다.
(   ) 수출량을 더 늘린다.

(   ) 옷을 다린다.
(   ) 약을 달인다.

(   ) 부주의로 손을 다쳤다.
(   ) 문이 저절로 닫혔다.
(   ) 문을 힘껏 닫쳤다.

(   ) 벌써 일을 마쳤다.
(   ) 여러 문제를 더 맞혔다.

(   ) 목거리가 덧났다.
(   ) 금목걸이, 은목걸이.

(   ) 나라를 위해 목숨을 바쳤다.
(   ) 우산을 받치고 간다. / 책받침을 받친다.

( ) 쇠뿔에 받혔다.
( ) 술을 체에 밭친다.

( ) 약속은 반드시 지켜라.
( ) 고개를 반듯이 들어라.

( ) 차와 차가 마주 부딪쳤다.
( ) 마차가 화물차에 부딪혔다.

( ) 힘이 부치는 일이다. 편지를 부친다.
논밭을 부친다. 빈대떡을 부친다.
식목일에 부치는 글. 회의에 부치는 안건.
인쇄에 부치는 원고. 삼촌 집에 숙식을 부친다.

( ) 우표를 붙인다. 책상을 벽에 붙였다.
흥정을 붙인다. 불을 붙인다.
감시원을 붙인다. 조건을 붙인다.
취미를 붙인다. 별명을 붙인다.

( ) 일을 시킨다.
( ) 끓인 물을 식힌다.

( ) 세 아름 되는 둘레.
( ) 전부터 알음이 있는 사이.
( ) 앎이 힘이다.

( ) 밥을 안친다.
( ) 윗자리에 앉힌다.

( ) 두 물건의 어름에서 일어난 현상.
( ) 얼음이 얼었다.

( ) 이따가 오너라.
( ) 돈은 있다가도 없다.

( ) 다친 다리가 저린다.
( ) 김장 배추를 절인다.

( ) 생선을 조린다. 통조림, 병조림.
( ) 마음을 졸인다.

( ) 여러 날을 주렸다.
( ) 비용을 줄인다.

( ) 하노라고 한 것이 이 모양이다.
( ) 공부하느라고 밤을 새웠다.

( ) 나를 찾아오느니보다 집에 있거라.
( ) 오는 이가 가는 이보다 많다.

( ) 나를 미워하리만큼 그에게 잘못한 일이 없다.
( ) 찬성할 이도 반대할 이만큼이나 많을 것이다.

( ) 공부하러 간다.
( ) 서울 가려 한다.

( ) 사람으로서 그럴 수는 없다.
( ) 닭으로써 꿩을 대신했다.

( ) 그가 나를 믿으므로 나도 그를 믿는다.
( ) 그는 믿음으로(써) 산 보람을 느꼈다.

ENERGY

사람이 먼 곳을 향하는 생각이 없다면
큰일을 이루기 어렵다.

– 안중근

02 문장 부호

정답▶P.132

1 마침표(.)

(1) 서술, 명령, 청유 등을 나타내는 문장의 (   )에 쓴다.

예 • 젊은이는 나라의 기둥입니다.
• 제 손을 꼭 잡으세요.
• 집으로 돌아갑시다.
• 가는 말이 고와야 오는 말이 곱다.

[붙임 1] (   )의 끝에는 쓰는 것을 원칙으로 하되, 쓰지 않는 것을 허용한다. (ㄱ을 원칙으로 하고, ㄴ을 허용함)

예 ㄱ. 그는 "지금 바로 떠나자."라고 말하며 서둘러 짐을 챙겼다.
ㄴ. 그는 "지금 바로 떠나자"라고 말하며 서둘러 짐을 챙겼다.

[붙임 2] (   )이나 (   )에는 쓰는 것을 원칙으로 하되, 쓰지 않는 것을 허용한다. (ㄱ을 원칙으로 하고, ㄴ을 허용함)

예 ㄱ. 목적을 이루기 위하여 몸과 마음을 다하여 애를 씀.
ㄴ. 목적을 이루기 위하여 몸과 마음을 다하여 애를 씀
ㄱ. 결과에 연연하지 않고 끝까지 최선을 다하기.
ㄴ. 결과에 연연하지 않고 끝까지 최선을 다하기
ㄱ. 신입 사원 모집을 위한 기업 설명회 개최.
ㄴ. 신입 사원 모집을 위한 기업 설명회 개최
ㄱ. 내일 오전까지 보고서를 제출할 것.
ㄴ. 내일 오전까지 보고서를 제출할 것

다만, (   )이나 (   )에는 쓰지 않음을 원칙으로 한다.

예 압록강은 흐른다　　꺼진 불도 다시 보자　　건강한 몸 만들기

(2) 아라비아 숫자만으로 연월일을 표시할 때 쓴다.

예 1919. 3. 1.　　10. 1.~10. 12.

(3) 특정한 의미가 있는 날을 표시할 때 월과 일을 나타내는 아라비아 숫자 사이에 쓴다.

예 3.1 운동　　8.15 광복

[붙임] 이때는 마침표 대신 (   )을 쓸 수 있다.

예 3·1 운동　　8·15 광복

(4) 장, 절, 항 등을 표시하는 문자나 숫자 다음에 쓴다.

예 가. 인명　　ㄱ. 머리말　　I. 서론　　1. 연구 목적

[붙임] '마침표' 대신 '(   )'이라는 용어를 쓸 수 있다.

2 물음표(?)

(1) 의문문이나 의문을 나타내는 어구의 끝에 쓴다.

예 • 점심 먹었어?
• 이번에 가시면 언제 돌아오세요?
• 제가 부모님 말씀을 따르지 않을 리가 있겠습니까?
• 남북이 통일되면 얼마나 좋을까?
• 다섯 살짜리 꼬마가 이 멀고 험한 곳까지 혼자 왔다?
• 지금? 뭐라고? 네?

[붙임 1] 한 문장 안에 몇 개의 (　　)인 물음이 이어질 때는 (　　)의 물음에만 쓰고, 각 물음이 독립적일 때는 (　　)의 뒤에 쓴다.

예 • 너는 중학생이냐, 고등학생이냐?
• 너는 여기에 언제 왔니? 어디서 왔니? 무엇하러 왔니?

[붙임 2] 의문의 정도가 약할 때는 물음표 대신 (　　)를 쓸 수 있다.

예 • 도대체 이 일을 어쩐단 말이냐.
• 이것이 과연 내가 찾던 행복일까.

다만, (　　)이나 (　　)에는 쓰지 않음을 원칙으로 한다.

예 • 역사란 무엇인가
• 아직도 담배를 피우십니까

(2) 특정한 어구의 내용에 대하여 (　　), (　　) 등을 표시할 때, 또는 적절한 말을 쓰기 어려울 때 소괄호 안에 쓴다.

예 • 우리와 의견을 같이할 사람은 최 선생(?) 정도인 것 같다.
• 30점이라, 거참 훌륭한(?) 성적이군.
• 우리 집 강아지가 가출(?)을 했어요.

(3) 모르거나 불확실한 내용임을 나타낼 때 쓴다.

예 • 최치원(857～?)은 통일 신라 말기에 이름을 떨쳤던 학자이자 문장가이다.
• 조선 시대의 시인 강백(1690?～1777?)의 자는 자청이고, 호는 우곡이다.

3 느낌표(!)

(1) 감탄문이나 감탄사의 끝에 쓴다.

예 이거 정말 큰일이 났구나! 어머!

[붙임] 감탄의 정도가 약할 때는 느낌표 대신 (　　)나 (　　)를 쓸 수 있다.

예 어, 벌써 끝났네. 날씨가 참 좋군.

(2) 특별히 강한 느낌을 나타내는 어구, 평서문, 명령문, 청유문에 쓴다.

예 • 청춘! 이는 듣기만 하여도 가슴이 설레는 말이다.
• 이야, 정말 재밌다! 지금 즉시 대답해! 앞만 보고 달리자!

(3) 물음의 말로 놀람이나 항의의 뜻을 나타내는 경우에 쓴다.

예 이게 누구야! 내가 왜 나빠!

(4) 감정을 넣어 대답하거나 다른 사람을 부를 때 쓴다.

예 네! 네, 선생님! 흥부야! 언니!

4 쉼표(,)

(1) 같은 자격의 어구를 (　　　)할 때 그 사이에 쓴다.

예 • 근면, 검소, 협동은 우리 겨레의 미덕이다.
• 충청도의 계룡산, 전라도의 내장산, 강원도의 설악산은 모두 국립 공원이다.
• 집을 보러 가면 그 집이 내가 원하는 조건에 맞는지, 살기에 편한지, 망가진 곳은 없는지 확인해야 한다.
• 5보다 작은 자연수는 1, 2, 3, 4이다.

다만,
(가) 쉼표 없이도 열거되는 사항임이 쉽게 드러날 때는 쓰지 않을 수 있다.

예 • 아버지 어머니께서 함께 오셨어요.
• 네 돈 내 돈 다 합쳐 보아야 만 원도 안 되겠다.

(나) 열거할 어구들을 생략할 때 사용하는 (　　　) 앞에는 쉼표를 쓰지 않는다.

예 광역시: 광주, 대구, 대전……

(2) 짝을 지어 구별할 때 쓴다.

예 닭과 지네, 개와 고양이는 상극이다.

(3) 이웃하는 수를 개략적으로 나타낼 때 쓴다.

예 5, 6세기　　6, 7, 8개

(4) 열거의 순서를 나타내는 어구 다음에 쓴다.

예 • 첫째, 몸이 튼튼해야 한다.
• 마지막으로, 무엇보다 마음이 편해야 한다.

(5) 문장의 (　　　)를 분명히 하고자 할 때 절과 절 사이에 쓴다.

예 • 콩 심은 데 콩 나고, 팥 심은 데 팥 난다.
• 저는 신뢰와 정직을 생명과 같이 여기고 살아온바, 이번 비리 사건과는 무관하다는 점을 분명히 밝힙니다.
• 떡국은 설날의 대표적인 음식인데, 이걸 먹어야 비로소 나이도 한 살 더 먹는다고 한다.

(6) 같은 말이 되풀이되는 것을 피하기 위하여 일정한 부분을 줄여서 열거할 때 쓴다.

예 여름에는 바다에서, 겨울에는 산에서 휴가를 즐겼다.

(7) 부르거나 대답하는 말 뒤에 쓴다.

예 지은아, 이리 좀 와 봐.　　네, 지금 가겠습니다.

(8) 한 문장 안에서 앞말을 '곧', '다시 말해' 등과 같은 어구로 다시 설명할 때 (　　　) 다음에 쓴다.

예 • 책의 서문, 곧 머리말에는 책을 지은 목적이 드러나 있다.
• 원만한 인간관계는 말과 관련한 예의, 즉 언어 예절을 갖추는 것에서 시작된다.
• 호준이 어머니, 다시 말해 나의 누님은 올해로 결혼한 지 20년이 된다.
• 나에게도 작은 소망, 이를테면 나만의 정원을 가졌으면 하는 소망이 있어.

(9) 문장 앞부분에서 조사 없이 쓰인 제시어나 주제어의 뒤에 쓴다.

예 • 돈, 돈이 인생의 전부이더냐?
• 열정, 이것이야말로 젊은이의 가장 소중한 자산이다.
• 지금 네가 여기 있다는 것, 그것만으로도 나는 충분히 행복해.
• 저 친구, 저러다가 큰일 한번 내겠어.
• 그 사실, 넌 알고 있었지?

(10) 한 문장에 같은 의미의 어구가 반복될 때 앞에 오는 어구 다음에 쓴다.

예 그의 애국심, 몸을 사리지 않고 국가를 위해 헌신한 정신을 우리는 본받아야 한다.

(11) (　　　)에서 (　　　)된 어구들 사이에 쓴다.

예 이리 오세요, 어머님.　　다시 보자, 한강수야.

(12) 바로 (　　　)과 직접적인 관계에 있지 않음을 나타낼 때 쓴다.

예
- 갑돌이는, 울면서 떠나는 갑순이를 배웅했다.
- 철원과, 대관령을 중심으로 한 강원도 산간 지대에 예년보다 일찍 첫눈이 내렸습니다.

(13) 문장 (　　　)에 (　　　) 어구의 앞뒤에 쓴다.

예
- 나는, 솔직히 말하면, 그 말이 별로 탐탁지 않아.
- 영호는 미소를 띠고, 속으로는 화가 치밀어 올라 잠시라도 견딜 수 없을 만큼 괴로웠지만, 그들을 맞았다.

[붙임 1] 이때는 쉼표 대신 (　　　)를 쓸 수 있다.

예
- 나는 ― 솔직히 말하면 ― 그 말이 별로 탐탁지 않아.
- 영호는 미소를 띠고 ― 속으로는 화가 치밀어 올라 잠시라도 견딜 수 없을 만큼 괴로웠지만 ― 그들을 맞았다.

[붙임 2] 끼어든 어구 안에 다른 (　　　)가 들어 있을 때는 (　　　) 대신 (　　　)를 쓴다.

예 이건 내 것이니까 ― 아니, 내가 처음 발견한 것이니까 ― 절대로 양보할 수 없다.

(14) 특별한 효과를 위해 끊어 읽는 곳을 나타낼 때 쓴다.

예
- 내가, 정말 그 일을 오늘 안에 해낼 수 있을까?
- 이 전투는 바로 우리가, 우리만이, 승리로 이끌 수 있다.

(15) 짧게 더듬는 말을 표시할 때 쓴다.

예 선생님, 부, 부정행위라니요? 그런 건 새, 생각조차 하지 않았습니다.

[붙임] '쉼표' 대신 (　　　)이라는 용어를 쓸 수 있다.

5 가운뎃점(·)

(1) 열거할 어구들을 일정한 기준으로 (　　　) 나타낼 때 쓴다.

예
- 민수·영희, 선미·준호가 서로 짝이 되어 윷놀이를 하였다.
- 지금의 경상남도·경상북도, 전라남도·전라북도, 충청남도·충청북도 지역을 예부터 삼남이라 일러 왔다.

(2) (　　　)을 이루는 어구들 사이에 쓴다.

예
- 한(韓)·이(伊) 양국 간의 무역량이 늘고 있다.
- 우리는 그 일의 참·거짓을 따질 겨를도 없었다.
- 하천 수질의 조사·분석
- 빨강·초록·파랑이 빛의 삼원색이다.

다만, 이때는 가운뎃점을 쓰지 않거나 (　　　)를 쓸 수도 있다.

예
- 한(韓) 이(伊) 양국 간의 무역량이 늘고 있다.
- 우리는 그 일의 참 거짓을 따질 겨를도 없었다.
- 하천 수질의 조사, 분석
- 빨강, 초록, 파랑이 빛의 삼원색이다.

(3) 공통 성분을 줄여서 하나의 어구로 묶을 때 쓴다.

예 상·중·하위권　　금·은·동메달　　통권 제54·55·56호

[붙임] 이때는 가운뎃점 대신 (　　　)를 쓸 수 있다.

예 상, 중, 하위권　　금, 은, 동메달　　통권 제54, 55, 56호

6 쌍점(:)

(1) 표제 다음에 해당 항목을 들거나 설명을 붙일 때 쓴다.

예 • 문방사우: 종이, 붓, 먹, 벼루
• 일시: 2014년 10월 9일 10시
• 흔하진 않지만 두 자로 된 성씨도 있다.(예: 남궁, 선우, 황보)
• 올림표(#): 음의 높이를 반음 올릴 것을 지시한다.

(2) 희곡 등에서 대화 내용을 제시할 때 말하는 이와 말한 내용 사이에 쓴다.

예 • 김 과장: 난 못 참겠다.
• 아들: 아버지, 제발 제 말씀 좀 들어 보세요.

(3) 시와 분, 장과 절 등을 구별할 때 쓴다.

예 • 오전 10:20(오전 10시 20분)
• 두시언해 6:15(두시언해 제6권 제15장)

(4) 의존 명사 (　　　)가 쓰일 자리에 쓴다.

예 65:60(65 대 60)　　청군:백군(청군 대 백군)

[붙임] 쌍점의 (　　　)은 붙여 쓰고 (　　　)는 띄어 쓴다. 다만, (3)과 (4)에서는 쌍점의 앞뒤를 (　　　) 쓴다.

7 빗금(/)

(1) 대비되는 두 개 이상의 어구를 묶어 나타낼 때 그 사이에 쓴다.

예 먹이다/먹히다　　남반구/북반구　　금메달/은메달/동메달　　(　)이/가 우리나라의 보물 제1호이다.

(2) 기준 단위당 수량을 표시할 때 해당 수량과 기준 단위 사이에 쓴다.

예 100미터/초　　1,000원/개

(3) (　　　)이 바뀌는 부분임을 나타낼 때 쓴다.

예 산에 / 산에 / 피는 꽃은 / 저만치 혼자서 피어 있네

다만, 연이 바뀜을 나타낼 때는 (　　　　　　).

예 산에는 꽃 피네 / 꽃이 피네 / 갈 봄 여름 없이 / 꽃이 피네 // 산에 / 산에 / 피는 꽃은 / 저만치 혼자서 피어 있네

[붙임] 빗금의 앞뒤는 (1)과 (2)에서는 붙여 쓰며, (3)에서는 띄어 쓰는 것을 원칙으로 하되 붙여 쓰는 것을 허용한다. 단, (1)에서 대비되는 어구가 두 어절 이상인 경우에는 빗금의 앞뒤를 띄어 쓸 수 있다.

8 큰따옴표(" ")

(1) 글 가운데에서 (　　　　)를 표시할 때 쓴다.

예 "어머니, 제가 가겠어요."　　"아니다. 내가 다녀오마."

(2) 말이나 글을 (　　　　)할 때 쓴다.

예 • 나는 "어, 광훈이 아니냐?" 하는 소리에 깜짝 놀랐다.
• 밤하늘에 반짝이는 별들을 보면서 "나는 아무 걱정도 없이 가을 속의 별들을 다 헬 듯합니다."라는 시구를 떠올렸다.
• 편지의 끝머리에는 이렇게 적혀 있었다.
"할머니, 편지에 사진을 동봉했다고 하셨지만 봉투 안에는 아무것도 없었어요."

9 작은따옴표(' ')

(1) 인용한 말 안에 있는 인용한 말을 나타낼 때 쓴다.

예 그는 "여러분! '시작이 반이다.'라는 말 들어 보셨죠?"라고 말하며 강연을 시작했다.

(2) (　　　)으로 한 말을 적을 때 쓴다.

예 • 나는 '일이 다 틀렸나 보군.' 하고 생각하였다.
• '이번에는 꼭 이기고야 말겠어.' 호연이는 마음속으로 몇 번이나 그렇게 다짐하며 주먹을 불끈 쥐었다.

10 소괄호(( ))

(1) (　　　)이나 (　　　)적인 내용을 덧붙일 때 쓴다.

예 • 니체(독일의 철학자)의 말을 빌리면 다음과 같다.
• 2014. 12. 19.(금)
• 문인화의 대표적인 소재인 사군자(매화, 난초, 국화, 대나무)는 고결한 선비 정신을 상징한다.

(2) (　　　)와 (　　　)를 아울러 보일 때 쓴다.

예 기호(嗜好)　자세(姿勢)　커피(coffee)　에티켓(étiquette)

(3) 생략할 수 있는 요소임을 나타낼 때 쓴다.

예 • 학교에서 동료 교사를 부를 때는 이름 뒤에 '선생(님)'이라는 말을 덧붙인다.
• 광개토(대)왕은 고구려의 전성기를 이끌었던 임금이다.

(4) 희곡 등 대화를 적은 글에서 동작이나 분위기, 상태를 드러낼 때 쓴다.

예 • 현우: (가쁜 숨을 내쉬며) 왜 이렇게 빨리 뛰어?
• "관찰한 것을 쓰는 것이 습관이 되었죠. 그러다 보니, 상상력이 생겼나 봐요." (웃음)

(5) 내용이 들어갈 자리임을 나타낼 때 쓴다.

예 • 우리나라의 수도는 (　　)이다.
• 다음 빈칸에 알맞은 조사를 쓰시오. 민수가 할아버지(　) 꽃을 드렸다.

(6) 항목의 순서나 종류를 나타내는 숫자나 문자 등에 쓴다.

예 • 사람의 인격은 (1) 용모, (2) 언어, (3) 행동, (4) 덕성 등으로 표현된다.
• (가) 동해, (나) 서해, (다) 남해

11 중괄호({ })

(1) 같은 범주에 속하는 여러 요소를 (　　　) 보일 때 쓴다.

예 주격 조사 {이, 가}

국가의 성립 요소 {영토, 국민, 주권}

(2) 열거된 항목 중 어느 하나가 자유롭게 선택될 수 있음을 보일 때 쓴다.

예 아이들이 모두 학교{에, 로, 까지} 갔어요.

12 대괄호([ ])

(1) (　　　) 안에 또 (　　　)를 쓸 필요가 있을 때 (　　　)의 괄호로 쓴다.

예 • 어린이날이 새로 제정되었을 당시에는 어린이들에게 경어를 쓰라고 하였다.[윤석중 전집(1988), 70쪽 참조]
• 이번 회의에는 두 명[이혜정(실장), 박철용(과장)]만 빼고 모두 참석했습니다.

(2) (　　　)에 대응하는 (　　　)를 함께 보일 때 쓴다.

예 나이[年歲]　낱말[單語]　손발[手足]

(3) 원문에 대한 이해를 돕기 위해 설명이나 논평 등을 덧붙일 때 쓴다.

예 • 그것[한글]은 이처럼 정보화 시대에 알맞은 과학적인 문자이다.
• 신경준의 《여암전서》에 "삼각산은 산이 모두 돌 봉우리인데, 그 으뜸 봉우리를 구름 위에 솟아 있다고 백운(白雲)이라 하며 [이하 생략]"
• 그런 일은 결코 있을 수 없다.[원문에는 '업다'임.]

13 겹낫표(『 』)와 겹화살괄호(《 》)

책의 (　　　)이나 신문 (　　　) 등을 나타낼 때 쓴다.

예 • 우리나라 최초의 민간 신문은 1896년에 창간된 『독립신문』이다.
• 『훈민정음』은 1997년에 유네스코 세계 기록 유산으로 지정되었다.
• 《한성순보》는 우리나라 최초의 근대 신문이다.
• 윤동주의 유고 시집인 《하늘과 바람과 별과 시》에는 31편의 시가 실려 있다.

[붙임] 겹낫표나 겹화살괄호 대신 (　　　　)를 쓸 수 있다.

예 • 우리나라 최초의 민간 신문은 1896년에 창간된 "독립신문"이다.
• 윤동주의 유고 시집인 "하늘과 바람과 별과 시"에는 31편의 시가 실려 있다.

14 홑낫표(「 」)와 홑화살괄호(〈 〉)

(　　　), 그림이나 노래와 같은 예술 작품의 제목, 상호, 법률, 규정 등을 나타낼 때 쓴다.

예 • 「국어 기본법 시행령」은 「국어 기본법」에서 위임된 사항과 그 시행에 필요한 사항을 규정함을 목적으로 한다.
• 이 곡은 베르디가 작곡한 「축배의 노래」이다.
• 사무실 밖에 「해와 달」이라고 쓴 간판을 달았다.
• 〈한강〉은 사진집 《아름다운 땅》에 실린 작품이다.
• 백남준은 2005년에 〈엄마〉라는 작품을 선보였다.

[붙임] 홑낫표나 홑화살괄호 대신 (　　　　)를 쓸 수 있다.

예 • 사무실 밖에 '해와 달'이라고 쓴 간판을 달았다.
• '한강'은 사진집 "아름다운 땅"에 실린 작품이다.

15 줄표(—)

제목 다음에 표시하는 (   )의 앞뒤에 쓴다.

예 • 이번 토론회의 제목은 '역사 바로잡기 — 근대의 설정 — '이다.
• '환경 보호 — 숲 가꾸기 — '라는 제목으로 글짓기를 했다.

다만, (   )에 오는 줄표는 생략할 수 있다.

예 • 이번 토론회의 제목은 '역사 바로잡기 — 근대의 설정'이다.
• '환경 보호 — 숲 가꾸기'라는 제목으로 글짓기를 했다.

[붙임] 줄표의 앞뒤는 띄어 쓰는 것을 원칙으로 하되, 붙여 쓰는 것을 허용한다.

16 붙임표(-)

(1) 차례대로 이어지는 내용을 하나로 묶어 열거할 때 각 어구 사이에 쓴다.

예 • 멀리뛰기는 도움닫기-도약-공중 자세-착지의 순서로 이루어진다.
• 김 과장은 기획-실무-홍보까지 직접 발로 뛰었다.

(2) 두 개 이상의 어구가 (   )이 있음을 나타내고자 할 때 쓴다.

예 드디어 서울-북경의 항로가 열렸다.　원-달러 환율　남한-북한-일본 삼자 관계

17 물결표(～)

(   )이나 (   ) 또는 (   )를 나타낼 때 쓴다.

예 • 9월 15일～9월 25일
• 김정희(1786～1856)
• 서울～천안 정도는 출퇴근이 가능하다.
• 이번 시험의 범위는 3～78쪽입니다.

[붙임] 물결표 대신 (   )를 쓸 수 있다.

예 • 9월 15일-9월 25일
• 김정희(1786-1856)
• 서울-천안 정도는 출퇴근이 가능하다.
• 이번 시험의 범위는 3-78쪽입니다.

18 드러냄표(˙)와 밑줄(_)

문장 내용 중에서 주의가 미쳐야 할 곳이나 중요한 부분을 특별히 드러내 보일 때 쓴다.

예 • 한글의 본디 이름은 훈민정음이다.
• 중요한 것은 왜 사느냐가 아니라 어떻게 사느냐이다.
• 지금 필요한 것은 지식이 아니라 실천입니다.
• 다음 보기에서 명사가 아닌 것은?

[붙임] 드러냄표나 밑줄 대신 (   )를 쓸 수 있다.

예 • 한글의 본디 이름은 '훈민정음'이다.
• 중요한 것은 '왜 사느냐'가 아니라 '어떻게 사느냐'이다.
• 지금 필요한 것은 '지식'이 아니라 '실천'입니다.
• 다음 보기에서 명사가 '아닌' 것은?

19 숨김표(○, ×)

(1) (   )나 공공연히 쓰기 어려운 (   )임을 나타낼 때, 그 글자의 (   )만큼 쓴다.

예 • 배운 사람 입에서 어찌 ○○○란 말이 나올 수 있느냐?
• 그 말을 듣는 순간 ×××란 말이 목구멍까지 치밀었다.

(2) 비밀을 유지해야 하거나 밝힐 수 없는 사항임을 나타낼 때 쓴다.

예 • 1차 시험 합격자는 김○영, 이○준, 박○순 등 모두 3명이다.
• 육군 ○○ 부대 ○○○ 명이 작전에 참가하였다.
• 그 모임의 참석자는 김×× 씨, 정×× 씨 등 5명이었다.

20 빠짐표(□)

(1) 옛 비문이나 문헌 등에서 글자가 (   ) 그 글자의 (   )만큼 쓴다.

예 大師爲法主□□賴之大□薦

(2) 글자가 들어가야 할 자리를 나타낼 때 쓴다.

예 훈민정음의 초성 중에서 아음(牙音)은 □□□의 석 자다.

21 줄임표(……)

(1) 할 말을 줄였을 때 쓴다.

예 "어디 나하고 한번……." 하고 민수가 나섰다.

(2) (   )을 나타낼 때 쓴다.

예 "빨리 말해!" "……."

(3) 문장이나 글의 일부를 (   )할 때 쓴다.

예 '고유'라는 말은 문자 그대로 본디부터 있었다는 뜻은 아닙니다. …… 같은 역사적 환경에서 공동의 집단생활을 영위해 오는 동안 공동으로 발견된, 사물에 대한 공동의 사고방식을 우리는 한국의 고유 사상이라 부를 수 있다는 것입니다.

(4) 머뭇거림을 보일 때 쓴다.

예 "우리는 모두…… 그러니까…… 예외 없이 눈물만…… 흘렸다."

[붙임 1] 점은 가운데에 찍는 대신 (   )에 찍을 수도 있다.

예 "어디 나하고 한번......." 하고 민수가 나섰다.
"실은...... 저 사람...... 우리 아저씨일지 몰라."

[붙임 2] 점은 여섯 점을 찍는 대신 (   )을 찍을 수도 있다.

예 "어디 나하고 한번…." 하고 민수가 나섰다.
"실은... 저 사람... 우리 아저씨일지 몰라."

[붙임 3] 줄임표는 앞말에 붙여 쓴다. 다만, (3)에서는 줄임표의 앞뒤를 띄어 쓴다.

03 표준어 사정 원칙

정답▶P.137

1 총칙

제1항 표준어는 (　　　) 있는 사람들이 두루 쓰는 현대 (　　　)로 정함을 원칙으로 한다.

제2항 (　　　)는 따로 사정한다.

2 발음 변화에 따른 표준어 규정

(1) 자음

제3항 다음 단어들은 (　　　　　)를 가진 형태를 표준어로 삼는다. (ㄱ을 표준어로 삼고, ㄴ을 버림)

ㄱ	ㄴ	비고
끄나풀	끄나불	
나팔-꽃	나발-꽃	
녘	녁	동~, 들~, 새벽~, 동틀 ~.
부엌	부억	
살-쾡이	삵-괭이	
칸	간	1. ~막이, 빈~, 방 한 ~. 2. '초가삼간, 윗간'의 경우에는 '간'임.
털어-먹다	떨어-먹다	재물을 다 없애다.

제4항 다음 단어들은 (　　　　　)로 나지 않는 형태를 표준어로 삼는다. (ㄱ을 표준어로 삼고, ㄴ을 버림)

ㄱ	ㄴ	비고
가을-갈이	가을-카리	
거시기	거시키	
분침	푼침	

제5항 (　　　)에서 (　　　) 형태로 굳어져서 널리 쓰이는 것은, 그것을 표준어로 삼는다. (ㄱ을 표준어로 삼고, ㄴ을 버림)

ㄱ	ㄴ	비고
(　　　)	강남-콩	
고삿	고샅	겉~, 속~.
사글-세	삭월-세	'월세'는 표준어임.
울력-성당	위력-성당	떼를 지어서 으르고 협박하는 일.

다만, 어원적으로 원형에 더 가까운 형태가 아직 쓰이고 있는 경우에는, 그것을 표준어로 삼는다. (ㄱ을 표준어로 삼고, ㄴ을 버림)

ㄱ	ㄴ	비고
갈비	가리	~구이, ~찜, 갈빗-대.
갓모	갈모	1. 사기 만드는 물레 밑 고리. 2. '갈모'는 갓 위에 쓰는, 유지로 만든 우비.

굴-젓	구-젓	
말-결	말-겻	
물-수란	물-수랄	
밀-뜨리다	미-뜨리다	
(　　　)	저으기	적이-나, 적이나-하면.
휴지	수지	

제6항 다음 단어들은 의미를 구별함이 없이, 한 가지 형태만을 표준어로 삼는다. (ㄱ을 표준어로 삼고, ㄴ을 버림)

ㄱ	ㄴ	비고
(　　　)	돐	생일, 주기.
둘-째	두-째	'제2, 두 개째'의 뜻.
(　　　)	세-째	'제3, 세 개째'의 뜻.
넷-째	네-째	'제4, 네 개째'의 뜻.
빌리다	빌다	1. 빌려주다, 빌려 오다. 2. '용서를 빌다'는 '빌다'임.

다만, '둘째'는 (　　　) 단위 이상의 서수사에 쓰일 때에 '두째'로 한다.

ㄱ	ㄴ	비고
열두-째		열두 개째의 뜻은 '열둘째'로.
스물두-째		스물두 개째의 뜻은 '스물둘째'로.

제7항 수컷을 이르는 접두사는 '수-'로 통일한다. (ㄱ을 표준어로 삼고, ㄴ을 버림)

ㄱ	ㄴ	비고
(　　　)	수-퀑/숫-꿩	'장끼'도 표준어임.
수-나사	숫-나사	
수-놈	숫-놈	
수-사돈	숫-사돈	
(　　　)	숫-소	'황소'도 표준어임.
수-은행나무	숫-은행나무	

다만 1. 다음 단어에서는 접두사 다음에서 나는 거센소리를 인정한다. 접두사 '암-'이 결합되는 경우에도 이에 준한다. (ㄱ을 표준어로 삼고, ㄴ을 버림)

ㄱ	ㄴ	비고
(　　　　　)	숫-강아지	
수-캐	숫-개	
수-컷	숫-것	
수-키와	숫-기와	
(　　　)	숫-닭	
수-탕나귀	숫-당나귀	
수-톨쩌귀	숫-돌쩌귀	
(　　　)	숫-돼지	
수-평아리	숫-병아리	

다만 2. 다음 단어의 접두사는 '숫-'으로 한다. (ㄱ을 표준어로 삼고, ㄴ을 버림)

ㄱ	ㄴ	비고
(　　　)	수-양	
숫-염소	수-염소	
(　　　)	수-쥐	

(2) 모음

제8항 양성 모음이 음성 모음으로 바뀌어 굳어진 다음 단어는 음성 모음 형태를 표준어로 삼는다. (ㄱ을 표준어로 삼고, ㄴ을 버림)

ㄱ	ㄴ	비고
( )	깡총-깡총	큰말은 '껑충껑충'임.
-둥이	-동이	← 童-이. 귀-, 막-, 선-, 쌍-, 검-, 바람-, 흰-.
발가-숭이	발가-송이	센말은 '빨가숭이', 큰말은 '벌거숭이, 뻘거숭이'임.
보퉁이	보통이	
봉죽	봉족	← 奉足. ~꾼, ~들다.
뻗정-다리	뻗장-다리	
아서, 아서라	앗아, 앗아라	하지 말라고 금지하는 말.
( )	오똑-이	부사도 '오뚝-이'임.
주추	주초	← 柱礎. 주춧-돌.

다만, 어원 의식이 강하게 작용하는 다음 단어에서는 양성 모음 형태를 그대로 표준어로 삼는다. (ㄱ을 표준어로 삼고, ㄴ을 버림)

ㄱ	ㄴ	비고
부조(扶助)	부주	~금, 부좃-술.
( )	사둔	밭~, 안~.
삼촌(三寸)	삼춘	시~, 외~, 처~.

제9항 'ㅣ' 역행 동화 현상에 의한 발음은 원칙적으로 표준 발음으로 인정하지 아니하되, 다만 다음 단어들은 그러한 동화가 적용된 형태를 표준어로 삼는다. (ㄱ을 표준어로 삼고, ㄴ을 버림)

ㄱ	ㄴ	비고
( )	-나기	서울-, 시골-, 신출-, 풋-.
( )	남비	
( )	동당이-치다	

제10항 다음 단어는 모음이 단순화한 형태를 표준어로 삼는다. (ㄱ을 표준어로 삼고, ㄴ을 버림)

ㄱ	ㄴ	비고
( )	괴퍅-하다/괴팩-하다	
-구먼	-구면	
미루-나무	미류-나무	← 美柳~.
미륵	미력	← 彌勒. ~보살, ~불, 돌~.
여느	여늬	
온-달	왼-달	만 한 달.
( )	으례	
( )	케케-묵다	
허우대	허위대	
허우적-허우적	허위적-허위적	허우적-거리다.

제11항 다음 단어에서는 모음의 발음 변화를 인정하여, 발음이 바뀌어 굳어진 형태를 표준어로 삼는다. (ㄱ을 표준어로 삼고, ㄴ을 버림)

ㄱ	ㄴ	비고
-구려	-구료	
깍쟁이	깍정이	1. 서울~, 알~, 찰~. 2. 도토리, 상수리 등의 받침은 '깍정이'임.
나무라다	나무래다	
미수	미시	미숫-가루.

바라다	바래다	'바램[所望]'은 비표준어임.
상추	상치	~쌈.
(　　　)	실업의-아들	
주책	주착	← 主着. ~망나니, ~없다.
지루-하다	지리-하다	← 支離.
튀기	트기	
(　　)	허드래	허드렛-물, 허드렛-일.
호루라기	호루루기	

제12항 '웃-' 및 '윗-'은 명사 '위'에 맞추어 '(　　　)'으로 통일한다. (ㄱ을 표준어로 삼고, ㄴ을 버림)

ㄱ	ㄴ	비고
윗-넓이	웃-넓이	
윗-눈썹	웃-눈썹	
(　　)	웃-니	
윗-당줄	웃-당줄	
윗-덧줄	웃-덧줄	
윗-도리	웃-도리	
윗-동아리	웃-동아리	준말은 '윗동'임.
윗-막이	웃-막이	
윗-머리	웃-머리	
(　　)	웃-목	
윗-몸	웃-몸	~ 운동.
윗-바람	웃-바람	
윗-배	웃-배	
윗-벌	웃-벌	
윗-변	웃-변	수학 용어.
윗-사랑	웃-사랑	
윗-세장	웃-세장	
윗-수염	웃-수염	
윗-입술	웃-입술	
윗-잇몸	웃-잇몸	
윗-자리	웃-자리	
윗-중방	웃-중방	

다만 1. 된소리나 거센소리 앞에서는 '(　　　)'로 한다. (ㄱ을 표준어로 삼고, ㄴ을 버림)

ㄱ	ㄴ	비고
위-짝	웃-짝	
위-쪽	웃-쪽	
위-채	웃-채	
(　　)	웃-층	
위-치마	웃-치마	
위-턱	웃-턱	~구름[上層雲].
위-팔	웃-팔	

다만 2. '아래, 위'의 대립이 없는 단어는 '웃-'으로 발음되는 형태를 표준어로 삼는다. (ㄱ을 표준어로 삼고, ㄴ을 버림)

ㄱ	ㄴ	비고
웃-국	윗-국	
웃-기	윗-기	

웃-돈	윗-돈	
웃-비	윗-비	~걷다.
(　　)	윗-어른	
웃-옷	윗-옷	

제13항　한자 '구(句)'가 붙어서 이루어진 단어는 '귀'로 읽는 것을 인정하지 아니하고, '구'로 통일한다. (ㄱ을 표준어로 삼고, ㄴ을 버림)

ㄱ	ㄴ	비고
구법(句法)	귀법	
(　　　)	귀절	
구점(句點)	귀점	
결구(結句)	결귀	
경구(警句)	경귀	
경인구(警人句)	경인귀	
난구(難句)	난귀	
단구(短句)	단귀	
단명구(短命句)	단명귀	
(　　　)	대귀	~법(對句法).
문구(文句)	문귀	
성구(成句)	성귀	~어(成句語).
시구(詩句)	시귀	
어구(語句)	어귀	
연구(聯句)	연귀	
인용구(引用句)	인용귀	
(　　　)	절귀	

다만, 다음 단어는 '귀'로 발음되는 형태를 표준어로 삼는다. (ㄱ을 표준어로 삼고, ㄴ을 버림)

ㄱ	ㄴ	비고
귀-글	구-글	
글-귀	글-구	

(3) 준말

제14항　준말이 널리 쓰이고 본말이 잘 쓰이지 않는 경우에는, 준말만을 표준어로 삼는다. (ㄱ을 표준어로 삼고, ㄴ을 버림)

ㄱ	ㄴ	비고
귀찮다	귀치 않다	
김	기음	~매다.
(　　)	또아리	
무	무우	~강즙, ~말랭이, ~생채, 가랑~, 갓~, 왜~, 총각~.
미다	무이다	1. 털이 빠져 살이 드러나다. 2. 찢어지다.
뱀	배암	
뱀-장어	배암-장어	
빔	비음	설~, 생일~.
샘	새암	~바르다, ~바리.
(　　)	새앙-쥐	
솔개	소리개	

온-갖	온-가지	
장사-치	장사-아치	

제15항 준말이 쓰이고 있더라도, 본말이 널리 쓰이고 있으면 본말을 표준어로 삼는다. (ㄱ을 표준어로 삼고, ㄴ을 버림)

ㄱ	ㄴ	비고
경황-없다	경-없다	
궁상-떨다	궁-떨다	
(　　　)	귀-개	
낌새	낌	
낙인-찍다	낙-하다/낙-치다	
내왕-꾼	냉-꾼	
돗-자리	돗	
뒤웅-박	뒹-박	
뒷물-대야	뒷-대야	
마구-잡이	막-잡이	
맵자-하다	맵자다	모양이 제격에 어울리다.
모이	모	
벽-돌	벽	
(　　　)	부럼	정월 보름에 쓰는 '부럼'은 표준어임.
살얼음-판	살-판	
수두룩-하다	수둑-하다	
암-죽	암	
어음	엄	
일구다	일다	
죽-살이	죽-살	
퇴박-맞다	퇴-맞다	
한통-치다	통-치다	

[붙임] 다음과 같이 명사에 조사가 붙은 경우에도 이 원칙을 적용한다. (ㄱ을 표준어로 삼고, ㄴ을 버림)

ㄱ	ㄴ	비고
아래-로	알-로	

제16항 준말과 본말이 다 같이 널리 쓰이면서 준말의 효용이 뚜렷이 인정되는 것은, 두 가지를 다 표준어로 삼는다. (ㄱ은 본말이며, ㄴ은 준말임)

ㄱ	ㄴ	비고
거짓-부리	거짓-불	작은말은 '가짓부리, 가짓불'임.
노을	놀	저녁~.
막대기	막대	
망태기	망태	
(　　　)	머물다	모음 어미가 연결될 때에는 준말의 활용형을 인정하지 않음.
(　　　)	서둘다	
(　　　)	서툴다	
석새-삼베	석새-베	
시-누이	시-뉘/시-누	
오-누이	오-뉘/오-누	
외우다	외다	외우며, 외워: 외며, 외어.
이기죽-거리다	이죽-거리다	
찌꺼기	찌끼	'찌꺽지'는 비표준어임.

(4) 단수 표준어

제17항 비슷한 발음의 몇 형태가 쓰일 경우, 그 의미에 아무런 차이가 없고, 그중 하나가 더 널리 쓰이면, 그 한 형태만을 표준어로 삼는다. (ㄱ을 표준어로 삼고, ㄴ을 버림)

ㄱ	ㄴ	비고
거든-그리다	거둥-그리다	1. 거든하게 거두어 싸다. 2. 작은말은 '가든-그리다'임.
구어-박다	구워-박다	사람이 한 군데에서만 지내다.
귀-고리	귀엣-고리	
귀-띔	귀-틤	
귀-지	귀에-지	
까딱-하면	까땍-하면	
(　　　)	꼭둑-각시	
내색	나색	감정이 나타나는 얼굴빛.
내숭-스럽다	내흉-스럽다	
냠냠-거리다	얌냠-거리다	냠냠-하다.
냠냠-이	얌냠-이	
(　　　)	네	~ 돈, ~ 말, ~ 발, ~ 푼.
(　　　)	너/네	~ 냥, ~ 되, ~ 섬, ~ 자.
다다르다	다닫다	
댑-싸리	대-싸리	
더부룩-하다	더뿌룩-하다/ 듬뿌룩-하다	
-던	-든	선택, 무관의 뜻을 나타내는 어미는 '-든'임. 가-든(지) 말-든(지), 보-든(가) 말-든(가).
-던가	-든가	
-던걸	-든걸	
-던고	-든고	
-던데	-든데	
-던지	-든지	
-(으)려고	-(으)ㄹ려고/ -(으)ㄹ라고	
-(으)려야	-(으)ㄹ려야/ -(으)ㄹ래야	
망가-뜨리다	망그-뜨리다	
멸치	며루치/메리치	
반빗-아치	반비-아치	'반빗' 노릇을 하는 사람, 찬비(饌婢). '반비'는 밥 짓는 일을 맡은 계집종.
보습	보십/보섭	
본새	뽄새	
(　　　)	봉숭화	'봉선화'도 표준어임.
뺨-따귀	뺌-따귀/ 뺨-따구니	'뺨'의 비속어임.
뻐개다[斫]	뻐기다	두 조각으로 가르다.
뻐기다[誇]	뻐개다	뽐내다.
사자-탈	사지-탈	
상-판대기	쌍-판대기	
서[三]	세/석	~ 돈, ~ 말, ~ 발, ~ 푼.
석[三]	세	~ 냥, ~ 되, ~ 섬, ~ 자.

( )	서령	
-습니다	-읍니다	먹습니다, 갔습니다, 없습니다, 있습니다, 좋습니다. 모음 뒤에는 '-ㅂ니다'임.
시름-시름	시늠-시늠	
씀벅-씀벅	썸벅-썸벅	
아궁이	아궁지	
아내	안해	
어-중간	어지-중간	
오금-팽이	오금-탱이	
오래-오래	도래-도래	돼지 부르는 소리.
-올시다	-올습니다	
옹골-차다	공골-차다	
우두커니	우두머니	작은말은 '오도카니'임.
잠-투정	잠-투세/잠-주정	
재봉-틀	자봉-틀	발~, 손~.
( )	짓-물다	
짚-북데기	짚-북세기	'짚북더기'도 비표준어임.
쪽	짝	편(便). 이~, 그~, 저~. 다만, '아무-쪽'은 '짝'임.
천장(天障)	천정	'천정부지(天井不知)'는 '천정'임.
코-맹맹이	코-맹녕이	
흉-업다	흉-헙다	

(5) 복수 표준어

제18항 다음 단어는 ㄱ을 원칙으로 하고, ㄴ도 허용한다.

ㄱ	ㄴ	비고
( )	예	
쇠-	소-	-가죽, -고기, -기름, -머리, -뼈.
괴다	고이다	물이 ~, 밑을 ~.
꾀다	꼬이다	어린애를 ~, 벌레가 ~.
( )	쏘이다	바람을 ~.
죄다	조이다	나사를 ~.
( )	쪼이다	볕을 ~.

제19항 어감의 차이를 나타내는 단어 또는 발음이 비슷한 단어들이 다 같이 널리 쓰이는 경우에는, 그 모두를 표준어로 삼는다. (ㄱ, ㄴ을 모두 표준어로 삼음)

ㄱ	ㄴ	비고
( )	게슴츠레-하다	
고까	꼬까	~신, ~옷.
고린-내	코린-내	
교기(驕氣)	갸기	교만한 태도.
( )	쿠린-내	
꺼림-하다	께름-하다	
( )	너부렁이	

3 어휘 선택의 변화에 따른 표준어 규정

(1) 고어

제20항 사어(死語)가 되어 쓰이지 않게 된 단어는 고어로 처리하고, 현재 널리 사용되는 단어를 표준어로 삼는다. (ㄱ을 표준어로 삼고, ㄴ을 버림)

ㄱ	ㄴ	비고
난봉	봉	
낭떠러지	낭	
(　　　)	설겆다	
(　　　)	애닯다	
오동-나무	머귀-나무	
(　　　)	오얏	

(2) 한자어

제21항 고유어 계열의 단어가 널리 쓰이고 그에 대응되는 한자어 계열의 단어가 용도를 잃게 된 것은, 고유어 계열의 단어만을 표준어로 삼는다. (ㄱ을 표준어로 삼고, ㄴ을 버림)

ㄱ	ㄴ	비고
가루-약	말-약	
구들-장	방-돌	
길품-삯	보행-삯	
(　　　)	맹-눈	
꼭지-미역	총각-미역	
나뭇-갓	시장-갓	
늙-다리	노-닥다리	
두껍-닫이	두껍-창	
떡-암죽	병-암죽	
마른-갈이	건-갈이	
마른-빨래	건-빨래	
메-찰떡	반-찰떡	
박달-나무	배달-나무	
밥-소라	식-소라	큰 놋그릇.
사래-논	사래-답	묘지기나 마름이 부쳐 먹는 땅.
사래-밭	사래-전	
삯-말	삯-마	
(　　　)	화곽	
솟을-무늬	솟을-문(~紋)	
외-지다	벽-지다	
움-파	동-파	
잎-담배	잎-초	
잔-돈	잔-전	
조-당수	조-당죽	
죽데기	피-죽	'죽더기'도 비표준어임.
지겟-다리	목-발	지게 동발의 양쪽 다리.
짐-꾼	부지-군(負持-)	
푼-돈	분-전/푼-전	
(　　　)	백-말/부루-말	'백마'는 표준어임.
흰-죽	백-죽	

제22항 고유어 계열의 단어가 생명력을 잃고 그에 대응되는 한자어 계열의 단어가 널리 쓰이면, 한자어 계열의 단어를 표준어로 삼는다. (ㄱ을 표준어로 삼고, ㄴ을 버림)

ㄱ	ㄴ	비고
(　　　)	개다리-밥상	
겸-상	맞-상	
고봉-밥	높은-밥	
단-벌	홑-벌	
마방-집	마바리-집	馬房~.
민망-스럽다/면구-스럽다	민주-스럽다	
방-고래	구들-고래	
(　　　)	뜸-단지	
산-누에	멧-누에	
산-줄기	멧-줄기/멧-발	
수-삼	무-삼	
심-돋우개	불-돋우개	
양-파	둥근-파	
어질-병	어질-머리	
윤-달	군-달	
장력-세다	장성-세다	
제석	젯-돗	
총각-무	알-무/알타리-무	
칫-솔	잇-솔	
포수	총-댕이	

(3) 방언

제23항 방언이던 단어가 표준어보다 더 널리 쓰이게 된 것은, 그것을 표준어로 삼는다. 이 경우, 원래의 표준어는 그대로 표준어로 남겨 두는 것을 원칙으로 한다. (ㄱ을 표준어로 삼고, ㄴ도 표준어로 남겨 둠)

ㄱ	ㄴ	비고
(　　)	우렁쉥이	
(　　)	선두리	
(　　)	어린-순	

제24항 방언이던 단어가 널리 쓰이게 됨에 따라 표준어이던 단어가 안 쓰이게 된 것은, 방언이던 단어를 표준어로 삼는다. (ㄱ을 표준어로 삼고, ㄴ을 버림)

ㄱ	ㄴ	비고
귀밑-머리	귓-머리	
까-뭉개다	까-무느다	
막상	마기	
(　　)	빈자-떡	
생인-손	생안-손	준말은 '생-손'임.
역-겹다	역-스럽다	
(　　)	코-보	

(4) 단수 표준어

제25항 의미가 똑같은 형태가 몇 가지 있을 경우, 그중 어느 하나가 압도적으로 널리 쓰이면, 그 단어만을 표준어로 삼는다. (ㄱ을 표준어로 삼고, ㄴ을 버림)

ㄱ	ㄴ	비고
-게끔	-게시리	
겸사-겸사	겸지-겸지/ 겸두-겸두	
고구마	참-감자	
고치다	낫우다	병을 ~.
골목-쟁이	골목-자기	
(　　　)	광우리	
괴통	호구	자루를 박는 부분.
국-물	멀-국/말-국	
군-표	군용-어음	
(　　　)	길-앞잡이	'길라잡이'도 표준어임.
까치-발	까치-다리	선반 따위를 받치는 물건.
꼬창-모	말뚝-모	꼬챙이로 구멍을 뚫으면서 심는 모.
나룻-배	나루	'나루[津]'는 표준어임.
납-도리	민-도리	
(　　　)	기롱-지거리	다른 의미의 '기롱지거리'는 표준어임.
다사-스럽다	다사-하다	간섭을 잘하다.
다오	다구	이리 ~.
(　　　)	담배-꼬투리/담배-꽁치/ 담배-꽁추	
담배-설대	대-설대	
대장-일	성냥-일	
뒤져-내다	뒤어-내다	
뒤통수-치다	뒤꼭지-치다	
등-나무	등-칡	
등-때기	등-떠리	'등'의 낮은 말.
등잔-걸이	등경-걸이	
(　　　)	떡-충이	
똑딱-단추	딸꼭-단추	
매-만지다	우미다	
먼-발치	먼-발치기	
며느리-발톱	뒷-발톱	
명주-붙이	주-사니	
목-메다	목-맺히다	
밀짚-모자	보릿짚-모자	
바가지	열-바가지/열-박	
바람-꼭지	바람-고다리	튜브의 바람을 넣는 구멍에 붙은, 쇠로 만든 꼭지.
반-나절	나절-가웃	
반두	독대	그물의 한 가지.
버젓-이	뉘연-히	
본-받다	법-받다	
부각	다시마-자반	
부끄러워-하다	부끄리다	

부스러기	부스럭지	
부지깽이	부지팽이	
부항-단지	부항-항아리	부스럼에서 피고름을 빨아내기 위하여 부항을 붙이는 데 쓰는 자그마한 단지.
붉으락-푸르락	푸르락-붉으락	
비켜-덩이	옆-사리미	김맬 때에 흙덩이를 옆으로 빼내는 일, 또는 그 흙덩이.
빙충-이	빙충-맞이	작은말은 '뱅충이'.
빠-뜨리다	빠-치다	'빠트리다'도 표준어임.
뻣뻣-하다	왜긋다	
뽐-내다	느물다	
사로-잠그다	사로-채우다	자물쇠나 빗장 따위를 반 정도만 걸어 놓다.
살-풀이	살-막이	
상투-쟁이	상투-꼬부랑이	상투 튼 이를 놀리는 말.
( )	생강-손이	
샛-별	새벽-별	
선-머슴	풋-머슴	
섭섭-하다	애운-하다	
속-말	속-소리	국악 용어 '속소리'는 표준어임.
( )	팔목-시계/팔뚝-시계	
손-수레	손-구루마	'구루마'는 일본어임.
쇠-고랑	고랑-쇠	
수도-꼭지	수도-고동	
숙성-하다	숙-지다	
순대	골-집	
( )	술-꾸러기/술-부대/술-보/술-푸대	
식은-땀	찬-땀	
신기-롭다	신기-스럽다	'신기-하다'도 표준어임.
( )	쪽-밤	
쏜살-같이	쏜살-로	
아주	영판	
안-걸이	안-낚시	씨름 용어.
안다미-씌우다	안다미-시키다	제가 담당할 책임을 남에게 넘기다.
안쓰럽다	안-슬프다	
( )	안절부절-하다	
앉은뱅이-저울	앉은-저울	
알-사탕	구슬-사탕	
암-내	곁땀-내	
앞-지르다	따라-먹다	
애-벌레	어린-벌레	
얕은-꾀	물탄-꾀	
언뜻	펀뜻	
언제나	노다지	
얼룩-말	워라-말	
열심-히	열심-으로	
입-담	말-담	
자배기	너벅지	

전봇-대	전선-대	
쥐락-펴락	펴락-쥐락	
-지만	-지만서도	←--지마는.
짓고-땡	지어-땡/짓고-땡이	
짧은-작	짜른-작	
찹-쌀	이-찹쌀	
청대-콩	푸른-콩	
칡-범	갈-범	

(5) 복수 표준어

제26항 **한 가지 의미를 나타내는 형태 몇 가지가 널리 쓰이며 표준어 규정에 맞으면, 그 모두를 표준어로 삼는다.**

복수 표준어	비고
가는-허리/잔-허리	
가락-엿/가래-엿	
가뭄/가물	
가엽다/(　　　　　)	가엾어/가여워, 가엾은/가여운.
감감-무소식/감감-소식	
개수-통/설거지-통	'설겆다'는 '설거지하다'로.
개숫-물/설거지-물	
갱-엿/검은-엿	
-거리다/-대다	가물-, 출렁-.
거위-배/횟-배	
것/해	내 ~, 네 ~, 뉘 ~.
게을러-빠지다/게을러-터지다	
(　　　　　)/푸줏-간	'고깃-관, 푸줏-관, 다림-방'은 비표준어임.
곰곰/(　　　　　)	
관계-없다/상관-없다	
교정-보다/준-보다	
구들-재/구재	
귀퉁-머리/귀퉁-배기	'귀퉁이'의 비어임.
극성-떨다/극성-부리다	
기세-부리다/기세-피우다	
기승-떨다/기승-부리다	
깃-저고리/배내-옷/배냇-저고리	
꼬까/때때/(　　　　　)	~신, ~옷.
꼬리-별/살-별	
꽃-도미/붉-돔	
나귀/당-나귀	
날-걸/세-뿔	윷판의 쨀밭 다음의 셋째 밭.
내리-글씨/세로-글씨	
(　　　　　)/덩굴	'덩쿨'은 비표준어임.
녘/쪽	동~, 서~.
눈-대중/눈-어림/눈-짐작	
느리-광이/느림-보/늘-보	
늦-모/마냥-모	← 만이앙-모.

다기-지다/다기-차다	
다달-이/매-달	
-다마다/-고말고	
다박-나룻/다박-수염	
닭의-장/(　　　　)	
댓-돌/툇-돌	
덧-창/겉-창	
독장-치다/독판-치다	
동자-기둥/쪼구미	
돼지-감자/뚱딴지	
되우/(　　　　)/되게	
두동-무니/두동-사니	윷놀이에서, 두 동이 한데 어울려 가는 말.
뒷-갈망/뒷-감당	
뒷-말/뒷-소리	
들락-거리다/들랑-거리다	
들락-날락/들랑-날랑	
딴-전/딴-청	
땅-콩/호-콩	
땔-감/땔-거리	
(　　　　)/-트리다	깨-, 떨어-, 쏟-.
뜬-것/뜬-귀신	
마룻-줄/용총-줄	돛대에 매어 놓은 줄. '이어줄'은 비표준어임.
마-파람/앞-바람	
만장-판/만장-중(滿場中)	
만큼/만치	
말-동무/말-벗	
매-갈이/매-조미	
매-통/목-매	
먹-새/먹음-새	'먹음-먹이'는 비표준어임.
멀찌감치/멀찌가니/멀찍-이	
멱-통/산-멱/산-멱통	
면-치레/외면-치레	
모-내다/모-심다	모-내기/모-심기.
모쪼록/아무쪼록	
목판-되/모-되	
목화-씨/(　　　　)	
무심-결/무심-중	
물-봉숭아/물-봉선화	
물-부리/빨-부리	
물-심부름/물-시중	
물추리-나무/물추리-막대	
물-타작/진-타작	
민둥-산/벌거숭이-산	
밑-층/아래-층	
바깥-벽/밭-벽	
바른/오른[右]	~손, ~쪽, ~편.
발-모가지/발-목쟁이	'발목'의 비속어임.

버들-강아지/(　　　　　　)	
벌레/(　　　　　　)	'벌거지, 벌러지'는 비표준어임.
변덕-스럽다/변덕-맞다	
보-조개/(　　　　　　)	
보통-내기/여간-내기/예사-내기	'행-내기'는 비표준어임.
볼-따구니/볼-퉁이/볼-때기	'볼'의 비속어임.
부침개-질/부침-질/지짐-질	'부치개-질'은 비표준어임.
불똥-앉다/등화-지다/등화-앉다	
불-사르다/사르다	
비발/비용(費用)	
(　　　　　　)/뾰루지	
살-쾡이/(　　　　　　)	삵-피.
삽살-개/삽사리	
상두-꾼/상여-꾼	'상도-꾼, 향도-꾼'은 비표준어임.
상-씨름/소-걸이	
생/(　　　　　　)/생강	
생-뿔/새앙-뿔/생강-뿔	'쇠뿔'의 형용.
생-철/양-철	1. '서양-철'은 비표준어임. 2. '生鐵'은 '무쇠'임.
서럽다/섧다	'설다'는 비표준어임.
서방-질/화냥-질	
성글다/성기다	
-(으)세요/-(으)셔요	
송이/송이-버섯	
수수-깡/수숫-대	
술-안주/안주	
-스레하다/-스름하다	거무-, 발그-.
시늉-말/흉내-말	
시새/세사(細沙)	
신/신발	
신주-보/독보(櫝褓)	
심술-꾸러기/심술-쟁이	
씁쓰레-하다/씁쓰름-하다	
아귀-세다/아귀-차다	
아래-위/위-아래	
아무튼/어떻든/어쨌든/하여튼/여하튼	
앉음-새/앉음-앉음	
알은-척/알은-체	
애-갈이/애벌-갈이	
애꾸눈-이/외눈-박이	'외대-박이, 외눈-퉁이'는 비표준어임.
양념-감/양념-거리	
어금버금-하다/어금지금-하다	
어기여차/어여차	
어림-잡다/어림-치다	
어이-없다/(　　　　　　)	
어저께/(　　　　　　)	
언덕-바지/언덕-배기	
얼렁-뚱땅/엄벙-뗑	
여왕-벌/장수-벌	

여쭈다/여쭙다	
여태/입때	'여직'은 비표준어임.
여태-껏/이제-껏/(　　　)	'여직-껏'은 비표준어임.
역성-들다/역성-하다	'편역-들다'는 비표준어임.
연-달다/잇-달다	
엿-가락/엿-가래	
엿-기름/엿-길금	
엿-반대기/엿-자박	
오사리-잡놈/오색-잡놈	'오합-잡놈'은 비표준어임.
옥수수/(　　　)	~떡, ~묵, ~밥, ~튀김.
왕골-기직/왕골-자리	
외겹-실/외올-실/홑-실	'홑겹-실, 올-실'은 비표준어임.
외손-잡이/한손-잡이	
욕심-꾸러기/욕심-쟁이	
(　　　)/천둥	우렛-소리/천둥-소리.
우지/울-보	
을러-대다/을러-메다	
의심-스럽다/의심-쩍다	
-이에요/-이어요	
이틀-거리/당-고금	학질의 일종임.
일일-이/하나-하나	
일찌감치/(　　　)	
입찬-말/입찬-소리	
자리-옷/잠-옷	
자물-쇠/자물-통	
장가-가다/(　　　)	'서방-가다'는 비표준어임.
재롱-떨다/재롱-부리다	
제-가끔/제-각기	
좀-처럼/좀-체	'좀-체로, 좀-해선, 좀-해'는 비표준어임.
줄-꾼/줄-잡이	
중신/중매	
짚-단/짚-뭇	
쪽/편	오른~, 왼~.
차차/차츰	
책-씻이/책-거리	
척/체	모르는 ~, 잘난 ~.
천연덕-스럽다/천연-스럽다	
철-따구니/철-딱서니/철-딱지	'철-때기'는 비표준어임.
추어-올리다/(　　　)	
축-가다/축-나다	
침-놓다/침-주다	
통-꼭지/통-젖	통에 붙은 손잡이.
파자-쟁이/해자-쟁이	점치는 이.
편지-투/편지-틀	
한턱-내다/(　　　)	
해웃-값/해웃-돈	'해우-차'는 비표준어임.
혼자-되다/홀로-되다	
흠-가다/흠-나다/흠-지다	

04 표준 발음법

정답▶P.144

1 총칙

제1항 표준 발음법은 표준어의 실제 ( )을 따르되, 국어의 ( )과 ( )을 고려하여 정함을 원칙으로 한다.

2 자음과 모음

제2항 표준어의 자음은 다음 ( )개로 한다.

ㄱ ㄲ ㄴ ㄷ ㄸ ㄹ ㅁ ㅂ ㅃ ㅅ ㅆ ㅇ ㅈ ㅉ ㅊ ㅋ ㅌ ㅍ ㅎ

제3항 표준어의 모음은 다음 ( )개로 한다.

ㅏ ㅐ ㅑ ㅒ ㅓ ㅔ ㅕ ㅖ ㅗ ㅘ ㅙ ㅚ ㅛ ㅜ ㅝ ㅞ ㅟ ㅠ ㅡ ㅢ ㅣ

제4항 'ㅏ ㅐ ㅓ ㅔ ㅗ ㅚ ㅜ ㅟ ㅡ ㅣ'는 ( )(單母音)으로 발음한다.

[붙임] '( ), ( )'는 이중 모음으로 발음할 수 있다.

제5항 'ㅑ ㅒ ㅕ ㅖ ㅘ ㅙ ㅛ ㅝ ㅞ ㅠ ㅢ'는 ( )으로 발음한다.

다만 1. 용언의 활용형에 나타나는 '져, 쪄, 쳐'는 [( ), ( ), ( )]로 발음한다.

가지어 → 가져[가저]　찌어 → 쪄[쩌]　다치어 → 다쳐[다처]

다만 2. '예, 례' 이외의 'ㅖ'는 [ ]로도 발음한다.

계집[계:집/게:집]　계시다[계:시다/게:시다]　시계[시계/시게](時計)　연계[연계/연게](連繫)
메별[메별/메별](袂別)　개폐[개폐/개페](開閉)　혜택[혜:택/헤:택](惠澤)　지혜[지혜/지헤](知慧)

다만 3. 자음을 첫소리로 가지고 있는 음절의 'ㅢ'는 [ ]로 발음한다.

늴리리　닁큼　무늬　띄어쓰기　씌어　틔어　희어　희떱다　희망　유희

다만 4. 단어의 첫음절 이외의 '의'는 [ ]로, 조사 '의'는 [ ]로 발음함도 허용한다.

주의[주의/주이]　협의[혀븨/혀비]　우리의[우리의/우리에]　강의의[강:의의/강:이에]

3 음의 길이

제6항 모음의 장단을 구별하여 발음하되, 단어의 ( )에서만 긴소리가 나타나는 것을 원칙으로 한다.

(1) 눈보라[눈:보라]　말씨[말:씨]　밤나무[밤:나무]　많다[만:타]　멀리[멀:리]　벌리다[벌:리다]

(2) 첫눈[천눈]　참말[참말]　쌍동밤[쌍동밤]　수많이[수:마니]　눈멀다[눈멀다]　떠벌리다[떠벌리다]

다만, 합성어의 경우에는 둘째 음절 이하에서도 분명한 긴소리를 인정한다.

반신반의[반:신바:늬/반:신바:니]　재삼재사[재:삼재:사]

[붙임] 용언의 ( ) 어간에 어미 '-아/-어'가 결합되어 한 음절로 ( )되는 경우에도 긴소리로 발음한다.

보아 → 봐[봐:]　기어 → 겨[겨:]　되어 → 돼[돼:]　두어 → 둬[둬:]　하여 → 해[해:]

다만, '오아 → ( ), 지어 → ( ), 찌어 → ( ), 치어 → ( )' 등은 ( )로 발음하지 않는다.

제7항 긴소리를 가진 음절이라도, 다음과 같은 경우에는 짧게 발음한다.

1. 단음절인 용언 어간에 (　　　)으로 시작된 어미가 결합되는 경우

감다[감ː따] — 감으니[가므니]　밟다[밥ː따] — 밟으면[발브면]　신다[신ː따] — 신어[시너]　알다[알ː다] — 알아[아라]

다만, 다음과 같은 경우에는 예외적이다.

끌다[끌ː다] — 끌어[끄ː러]　떫다[떨ː따] — 떫은[떨ː븐]　벌다[벌ː다] — 벌어[버ː러]　썰다[썰ː다] — 썰어[써ː러]
없다[업ː따] — 없으니[업ː쓰니]

2. 용언 어간에 (　　　), (　　　)의 접미사가 결합되는 경우

감다[감ː따] — 감기다[감기다]　꼬다[꼬ː다] — 꼬이다[꼬이다]　밟다[밥ː따] — 밟히다[발피다]

다만, 다음과 같은 경우에는 예외적이다.

끌리다[끌ː리다]　벌리다[벌ː리다]　없애다[업ː쌔다]

[붙임] 다음과 같은 복합어에서는 본디의 길이에 관계없이 짧게 발음한다.

밀-물　썰-물　쏜-살-같이　작은-아버지

4 받침의 발음

제8항 받침소리로는 '(　　　), (　　　), (　　　), (　　　), (　　　), (　　　), (　　　)'의 7개 자음만 발음한다.

제9항 받침 'ㄲ, ㅋ', 'ㅅ, ㅆ, ㅈ, ㅊ, ㅌ', 'ㅍ'은 어말 또는 자음 앞에서 각각 대표음 [(　　　), (　　　), (　　　)]으로 발음한다.

닦다[닥따]　키읔[키윽]　키읔과[키윽꽈]　옷[옫]　웃다[욷ː따]　있다[읻따]　젖[젇]　빚다[빋따]
꽃[꼳]　쫓다[쫃따]　솥[솓]　뱉다[밷ː따]　앞[압]　덮다[덥따]

제10항 겹받침 'ㄳ', 'ㄵ', 'ㄼ, ㄽ, ㄾ', 'ㅄ'은 어말 또는 자음 앞에서 각각 [(　　　), (　　　), (　　　), (　　　)]으로 발음한다.

넋[넉]　넋과[넉꽈]　앉다[안따]　여덟[여덜]　넓다[널따]　외곬[외골]　핥다[할따]　값[갑]　없다[업ː따]

다만, '(　　　)'은 자음 앞에서 [밥]으로 발음하고, '넓-'은 다음과 같은 경우에 [　　　]으로 발음한다.

(1) 밟다[밥ː따]　밟소[밥ː쏘]　밟지[밥ː찌]　밟는[밥ː는 → 밤ː는]　밟게[밥ː께]　밟고[밥ː꼬]

(2) 넓-죽하다[넙쭈카다]　넓-둥글다[넙뚱글다]

제11항 겹받침 'ㄺ, ㄻ, ㄿ'은 어말 또는 자음 앞에서 각각 [(　　　), (　　　), (　　　)]으로 발음한다.

닭[닥]　흙과[흑꽈]　맑다[막따]　늙지[늑찌]　삶[삼ː]　젊다[점ː따]　읊고[읍꼬]　읊다[읍따]

다만, 용언의 어간 말음 'ㄺ'은 '(　　　)' 앞에서 [ㄹ]로 발음한다.

맑게[말께]　묽고[물꼬]　얽거나[얼꺼나]

제12항 받침 'ㅎ'의 발음은 다음과 같다.

1. 'ㅎ(ㄶ, ㅀ)' 뒤에 'ㄱ, ㄷ, ㅈ'이 결합되는 경우에는, 뒤 음절 첫소리와 합쳐서 [(　　　), (　　　), (　　　)]으로 발음한다.

놓고[노코]　좋던[조ː턴]　쌓지[싸치]　많고[만ː코]　않던[안턴]　닳지[달치]

[붙임 1] 받침 'ㄱ(ㄺ), ㄷ, ㅂ(ㄼ), ㅈ(ㄵ)'이 뒤 음절 첫소리 'ㅎ'과 결합되는 경우에도, 역시 두 음을 합쳐서 [(　　　), (　　　), (　　　), (　　　)]으로 발음한다.

각하[가카]　먹히다[머키다]　밝히다[발키다]　맏형[마텽]　좁히다[조피다]
넓히다[널피다]　꽂히다[꼬치다]　앉히다[안치다]

[붙임 2] 규정에 따라 'ㄷ'으로 발음되는 'ㅅ, ㅈ, ㅊ, ㅌ'의 경우에도 이에 준한다.

옷 한 벌[오탄벌]　낮 한때[나탄때]　꽃 한 송이[꼬탄송이]　숱하다[수타다]

2. 'ㅎ(ㄶ, ㅀ)' 뒤에 'ㅅ'이 결합되는 경우에는, 'ㅅ'을 [(　　　)]으로 발음한다.

닿소[다ː쏘]　많소[만ː쏘]　싫소[실쏘]

3. 'ㅎ' 뒤에 'ㄴ'이 결합되는 경우에는, [(　　　)]으로 발음한다.

놓는[논는]　쌓네[싼네]

[붙임] 'ㄶ, ㅀ' 뒤에 (　　　)이 결합되는 경우에는, 'ㅎ'을 발음하지 않는다.

않네[안네]　않는[안는]　뚫네[뚤네 → 뚤레]　뚫는[뚤는 → 뚤른]

※ '뚫네[뚤네 → 뚤레], 뚫는[뚤는 → 뚤른]'에 대해서는 제20항 참조.

4. 'ㅎ(ㄶ, ㅀ)' 뒤에 모음으로 시작된 (　　　)나 (　　　)가 결합되는 경우에는, 'ㅎ'을 발음하지 않는다.

낳은[나은]　놓아[노아]　쌓이다[싸이다]　많아[마:나]　않은[아는]　닳아[다라]　싫어도[시러도]

제13항　홑받침이나 쌍받침이 모음으로 시작된 (　　　)나 (　　　), (　　　)와 결합되는 경우에는, 제 음가대로 뒤 음절 첫소리로 옮겨 발음한다.

깎아[까까]　옷이[오시]　있어[이써]　낮이[나지]　꽂아[꼬자]　꽃을[꼬츨]　쫓아[쪼차]　밭에[바테]　앞으로[아프로]　덮이다[더피다]

제14항　겹받침이 모음으로 시작된 (　　　)나 (　　　), (　　　)와 결합되는 경우에는, 뒤엣것만을 뒤 음절 첫소리로 옮겨 발음한다. (이 경우, 'ㅅ'은 된소리로 발음함)

넋이[넉씨]　앉아[안자]　닭을[달글]　젊어[절머]　곬이[골씨]　핥아[할타]　읊어[을퍼]　값을[갑쓸]　없어[업:써]

제15항　받침 뒤에 모음 'ㅏ, ㅓ, ㅗ, ㅜ, ㅟ' 들로 시작되는 (　　　　　)가 연결되는 경우에는, (　　　)으로 바꾸어서 뒤 음절 첫소리로 옮겨 발음한다.

밭 아래[바다래]　늪 앞[느밥]　젖어미[저더미]　맛없다[마덥따]　겉옷[거돋]　헛웃음[허두슴]　꽃 위[꼬뒤]

다만, '맛있다, 멋있다'는 [마싣따], [머싣따]로도 발음할 수 있다.

제16항　한글 자모의 이름은 그 받침소리를 연음하되, 'ㄷ, ㅈ, ㅊ, ㅋ, ㅌ, ㅍ, ㅎ'의 경우에는 특별히 다음과 같이 발음한다.

디귿이[　　　]　디귿을[　　　]　디귿에[　　　]　지읒이[　　　]　지읒을[　　　]　지읒에[　　　]
치읓이[　　　]　치읓을[　　　]　치읓에[　　　]　키읔이[　　　]　키읔을[　　　]　키읔에[　　　]
티읕이[　　　]　티읕을[　　　]　티읕에[　　　]　피읖이[　　　]　피읖을[　　　]　피읖에[　　　]
히읗이[　　　]　히읗을[　　　]　히읗에[　　　]

5 음의 동화

제17항　받침 'ㄷ, ㅌ(ㄾ)'이 (　　　)나 접미사의 모음 '(　　　)'와 결합되는 경우에는, [ㅈ, ㅊ]으로 바꾸어서 뒤 음절 첫소리로 옮겨 발음한다.

곧이듣다[고지듣따]　굳이[구지]　미닫이[미:다지]　땀받이[땀바지]　밭이[바치]　벼훑이[벼훌치]

[붙임] 'ㄷ' 뒤에 접미사 '히'가 결합되어 '티'를 이루는 것은 [　　　]로 발음한다.

굳히다[구치다]　닫히다[다치다]　묻히다[무치다]

제18항　받침 'ㄱ(ㄲ, ㅋ, ㄳ, ㄺ), ㄷ(ㅅ, ㅆ, ㅈ, ㅊ, ㅌ, ㅎ), ㅂ(ㅍ, ㄼ, ㄿ, ㅄ)'은 'ㄴ, ㅁ' 앞에서 [(　　　), (　　　), (　　　)]으로 발음한다.

먹는[　　　]　국물[궁물]　깎는[깡는]　키읔만[키응만]　몫몫이[몽목씨]
긁는[긍는]　흙만[흥만]　닫는[단는]　짓는[진:는]　옷맵시[　　　]
있는[인는]　맞는[만는]　젖멍울[전멍울]　쫓는[쫀는]　꽃망울[꼰망울]
붙는[분는]　놓는[논는]　잡는[잠는]　밥물[　　　]　앞마당[암마당]
밟는[　　　]　읊는[음는]　없는[엄:는]

[붙임] 두 단어를 이어서 한 마디로 발음하는 경우에도 이와 같다.

책 넣는다[챙넌는다]　흙 말리다[흥말리다]　옷 맞추다[온맏추다]　밥 먹는다[밤멍는다]　값 매기다[감매기다]

제19항 받침 'ㅁ, ㅇ' 뒤에 연결되는 'ㄹ'은 [ ]으로 발음한다.

담력[ ] 침략[침:냑] 강릉[강능] 항로[항:노] 대통령[대:통녕]

[붙임] 받침 'ㄱ, ㅂ' 뒤에 연결되는 'ㄹ'도 [ ]으로 발음한다.

막론[막논 → ( )] 석류[석뉴 → 성뉴] 협력[ ] 법리[법니 → 범니]

제20항 'ㄴ'은 'ㄹ'의 앞이나 뒤에서 [ ]로 발음한다.

(1) 난로[날:로] 신라[ ] 천리[철리] 광한루[ ] 대관령[대:괄령]

(2) 칼날[칼랄] 물난리[물랄리] 줄넘기[줄럼끼] 할는지[할른지]

[붙임] 첫소리 'ㄴ'이 'ㅀ', 'ㄾ' 뒤에 연결되는 경우에도 이에 준한다.

닳는[달른] 뚫는[뚤른] 핥네[할레]

다만, 다음과 같은 단어들은 'ㄹ'을 [ ]으로 발음한다.

의견란[의:견난] 임진란[임:진난] 생산량[생산냥] 결단력[결딴녁] 공권력[공꿘녁] 동원령[ ]
상견례[상견녜] 횡단로[횡단노] 이원론[ ] 입원료[이붠뇨] 구근류[구근뉴]

제21항 위에서 지적한 이외의 ( )는 인정하지 않는다.

감기[감:기](×[강:기]) 옷감[옫깜](×[옥깜]) 있고[읻꼬](×[익꼬]) 꽃길[꼳낄](×[꼭낄])
젖먹이[전머기](×[점머기]) 문법[문뻡](×[뭄뻡]) 꽃밭[꼳빧](×[꼽빧])

제22항 다음과 같은 용언의 어미는 [어]로 발음함을 원칙으로 하되, [여]로 발음함도 허용한다.

되어[( )/( )] 피어[( )/( )]

[붙임] '( ), ( )'도 이에 준하여 [( ), ( )]로 발음함을 허용한다.

6 경음화

제23항 받침 'ㄱ(ㄲ, ㅋ, ㄳ, ㄺ), ㄷ(ㅅ, ㅆ, ㅈ, ㅊ, ㅌ), ㅂ(ㅍ, ㄼ, ㄿ, ㅄ)' 뒤에 연결되는 'ㄱ, ㄷ, ㅂ, ㅅ, ㅈ'은 ( )로 발음한다.

국밥[ ] 깎다[깍따] 넋받이[넉빠지] 삯돈[삭똔] 닭장[닥짱]
칡범[칙뻠] 뻗대다[뻗때다] 옷고름[ ] 있던[읻떤] 꽂고[꼳꼬]
꽃다발[꼳따발] 낯설다[낟썰다] 밭갈이[받까리] 솥전[솓쩐] 곱돌[곱똘]
덮개[덥깨] 옆집[엽찝] 넓죽하다[ ] 읊조리다[읍쪼리다]
값지다[갑찌다]

제24항 어간 받침 'ㄴ(ㄵ), ㅁ(ㄻ)' 뒤에 결합되는 어미의 첫소리 'ㄱ, ㄷ, ㅅ, ㅈ'은 ( )로 발음한다.

신고[ ] 껴안다[껴안따] 앉고[안꼬] 얹다[언따] 삼고[ ] 더듬지[더듬찌] 닮고[담:꼬] 젊지[점:찌]

다만, ( ), ( )의 접미사 '( )'는 된소리로 발음하지 않는다.

안기다 감기다 굶기다 옮기다

제25항 어간 받침 'ㄼ, ㄾ' 뒤에 결합되는 어미의 첫소리 'ㄱ, ㄷ, ㅅ, ㅈ'은 ( )로 발음한다.

넓게[ ] 핥다[할따] 훑소[훌쏘] 떫지[ ]

제26항 한자어에서, 'ㄹ' 받침 뒤에 연결되는 'ㄷ, ㅅ, ㅈ'은 ( )로 발음한다.

갈등[ ] 발동[발똥] 절도[절또] 말살[말쌀] 불소[불쏘](弗素) 일시[일씨] 갈증[ ]
물질[물찔] 발전[발쩐] 몰상식[몰쌍식] 불세출[불쎄출]

다만, 같은 한자가 겹쳐진 단어의 경우에는 된소리로 발음하지 않는다.

허허실실[허허실실](虛虛實實) 절절-하다[절절하다](切切-)

제27항 관형사형 '-(으)ㄹ' 뒤에 연결되는 'ㄱ, ㄷ, ㅂ, ㅅ, ㅈ'은 (   )로 발음한다.

할 것을[   ] 갈 데가[갈떼가] 할 바를[할빠를] 할 수는[할쑤는]
할 적에[할쩌게] 갈 곳[   ] 할 도리[할또리] 만날 사람[만날싸람]

다만, 끊어서 말할 적에는 예사소리로 발음한다.

[붙임] '-(으)ㄹ'로 시작되는 (   )의 경우에도 이에 준한다.

할걸[   ] 할밖에[할빠께] 할세라[할쎄라] 할수록[   ]
할지라도[할찌라도] 할지언정[할찌언정] 할진대[할찐대]

제28항 표기상으로는 (   )이 없더라도, 관형적 기능을 지니는 (   )이 있어야 할(휴지가 성립되는) 합성어의 경우에는, 뒤 단어의 첫소리 'ㄱ, ㄷ, ㅂ, ㅅ, ㅈ'을 (   )로 발음한다.

문-고리[   ] 눈-동자[눈똥자] 신-바람[   ] 산-새[산쌔]
손-재주[손째주] 길-가[길까] 물-동이[물똥이] 발-바닥[발빠닥]
굴-속[굴:쏙] 술-잔[술짠] 바람-결[바람껼] 그믐-달[그믐딸]
아침-밥[아침빱] 잠-자리[잠짜리] 강-가[   ] 초승-달[초승딸]
등-불[   ] 창-살[창쌀] 강-줄기[강쭐기]

7 음의 첨가

제29항 합성어 및 파생어에서, 앞 단어나 접두사의 끝이 자음이고 뒤 단어나 접미사의 첫음절이 '이, 야, 여, 요, 유'인 경우에는, '(   )' 음을 첨가하여 [(   ), (   ), (   ), (   ), (   )]로 발음한다.

솜-이불[   ] 홑-이불[혼니불] 막-일[망닐] 삯-일[상닐]
맨-입[맨닙] 꽃-잎[꼰닙] 내복-약[내:봉냑] 한-여름[   ]
남존-여비[남존녀비] 신-여성[   ] 색-연필[생년필] 직행-열차[   ]
늑막-염[능망념] 콩-엿[콩녇] 담-요[담:뇨] 눈-요기[눈뇨기]
영업-용[영엄뇽] 식용-유[시굥뉴] 백분-율[백뿐뉼] 밤-윷[밤:뉻]

다만, 다음과 같은 말들은 '(   )' 음을 첨가하여 발음하되, 표기대로 발음할 수 있다.

이죽-이죽[(   )/(   )] 야금-야금[야금냐금/야그먀금]
검열[(   )/(   )] 욜랑-욜랑[욜랑뇰랑/욜랑욜랑]
금융[(   )/(   )]

[붙임 1] 'ㄹ' 받침 뒤에 첨가되는 'ㄴ' 음은 [   ]로 발음한다.

들-일[들:릴] 솔-잎[솔립] 설-익다[설릭따] 물-약[   ]
불-여우[불려우] 서울-역[   ] 물-엿[물렫] 휘발-유[휘발류]
유들-유들[유들류들]

[붙임 2] 두 단어를 이어서 한 마디로 발음하는 경우에도 이에 준한다.

한 일[   ] 옷 입다[온닙따] 서른여섯[   ] 3 연대[삼년대]
먹은 엿[머근녇] 할 일[할릴] 잘 입다[잘립따] 스물여섯[스물려섣]
1 연대[일련대] 먹을 엿[머글렫]

제30항 사이시옷이 붙은 단어는 다음과 같이 발음한다.

1. 'ㄱ, ㄷ, ㅂ, ㅅ, ㅈ'으로 시작하는 단어 앞에 사이시옷이 올 때는 이들 자음만을 (   )로 발음하는 것을 원칙으로 하되, 사이시옷을 [   ]으로 발음하는 것도 허용한다.

   냇가[(   )/(   )]　샛길[새:낄/샏:낄]　빨랫돌[빨래똘/빨랟똘]
   콧등[(   )/(   )]　깃발[기빨/긷빨]　대팻밥[대:패빱/대:팯빱]
   햇살[해쌀/핻쌀]　뱃속[배쏙/밷쏙]　뱃전[배쩐/밷쩐]
   고갯짓[고개찓/고갣찓]

2. 사이시옷 뒤에 'ㄴ, ㅁ'이 결합되는 경우에는 [   ]으로 발음한다.

   콧날[(   ) → (   )]　아랫니[아랟니 → 아랜니]
   툇마루[퇻:마루 → 퇸:마루]　뱃머리[밷머리 → 밴머리]

3. 사이시옷 뒤에 '이' 음이 결합되는 경우에는 [   ]으로 발음한다.

   베갯잇[(   ) → (   )]　깻잎[(   ) → (   )]　나뭇잎[나묻닙 → 나문닙]
   도리깻열[도리깯녈 → 도리깬녈]　뒷윷[뒫:뉻 → 뒨:뉻]

CHAPTER

05 국어의 로마자 표기법과 외래어 표기법

정답▶P.147

1 국어의 로마자 표기법

(1) 표기의 기본 원칙

제1항 국어의 로마자 표기는 국어의 (　　　　　)에 따라 적는 것을 원칙으로 한다.

제2항 로마자 이외의 (　　　)는 되도록 사용하지 않는다.

(2) 표기 일람

제1항 모음은 다음 각호와 같이 적는다.

1. 단모음

ㅏ	ㅓ	ㅗ	ㅜ	ㅡ	ㅣ	ㅐ	ㅔ	ㅚ	ㅟ
a	(　　)	o	u	(　　)	i	ae	e	(　　)	wi

2. 이중 모음

ㅑ	ㅕ	ㅛ	ㅠ	ㅒ	ㅖ	ㅘ	ㅙ	ㅝ	ㅞ	ㅢ
ya	yeo	yo	yu	(　　)	ye	wa	wae	wo	(　　)	(　　)

[붙임 1] 'ㅢ'는 'ㅣ'로 소리 나더라도 (　　　)로 적는다.

광희문 Gwanghuimun

[붙임 2] 장모음의 표기는 따로 하지 않는다.

제2항 자음은 다음 각호와 같이 적는다.

1. 파열음

ㄱ	ㄲ	ㅋ	ㄷ	ㄸ	ㅌ	ㅂ	ㅃ	ㅍ
(　　), (　　)	kk	k	(　　), (　　)	tt	t	(　　), (　　)	pp	p

2. 파찰음

ㅈ	ㅉ	ㅊ
j	jj	(　　)

3. 마찰음

ㅅ	ㅆ	ㅎ
s	(　　)	h

4. 비음

ㄴ	ㅁ	ㅇ
n	m	ng

5. 유음

ㄹ
(　　), (　　)

[붙임 1] 'ㄱ, ㄷ, ㅂ'은 모음 앞에서는 '(　　　), (　　　), (　　　)'로, 자음 앞이나 어말에서는 '(　　　), (　　　), (　　　)'로 적는다. ([ ] 안의 발음에 따라 표기함)

구미 Gumi　영동 Yeongdong　백암 Baegam　옥천 Okcheon　합덕 Hapdeok
호법 Hobeop　월곶[월곧] Wolgot　벚꽃[벋꼳] beotkkot　한밭[한받] Hanbat

[붙임 2] 'ㄹ'은 모음 앞에서는 (　　　)로, 자음 앞이나 어말에서는 (　　　)로 적는다. 단, 'ㄹㄹ'은 (　　　)로 적는다.

구리 Guri　설악 Seorak　칠곡 Chilgok　임실 Imsil　울릉 Ulleung　대관령[대괄령] Daegwallyeong

(3) 표기상의 유의점

제1항　음운 변화가 일어날 때에는 변화의 결과에 따라 다음 각호와 같이 적는다.

1. 자음 사이에서 동화 작용이 일어나는 경우
   백마[뱅마] (　　　)　신문로[신문노] Sinmunno　종로[종노] (　　　)
   왕십리[왕심니] Wangsimni　별내[별래] Byeollae　신라[실라] (　　　)
2. 'ㄴ, ㄹ'이 덧나는 경우
   학여울[항녀울] (　　　)　알약[알략] allyak
3. 구개음화가 되는 경우
   해돋이[해도지] (　　　)　같이[가치] gachi　굳히다[구치다] guchida
4. 'ㄱ, ㄷ, ㅂ, ㅈ'이 'ㅎ'과 합하여 거센소리로 소리 나는 경우
   좋고[조코] (　　　)　놓다[노타] nota　잡혀[자펴] japyeo　낳지[나치] nachi
   다만, 체언에서 'ㄱ, ㄷ, ㅂ' 뒤에 'ㅎ'이 따를 때에는 'ㅎ'을 밝혀 적는다.
   묵호 (　　　)　집현전 Jiphyeonjeon
   [붙임] 된소리되기는 표기에 반영하지 않는다.
   압구정 (　　　)　낙동강 (　　　)　죽변 Jukbyeon　낙성대 Nakseongdae
   합정 Hapjeong　팔당 Paldang　샛별 saetbyeol　울산 Ulsan

제2항　발음상 혼동의 우려가 있을 때에는 음절 사이에 (　　　)를 쓸 수 있다.

중앙 Jung-ang　반구대 Ban-gudae　세운 Se-un　해운대 Hae-undae

제3항　고유 명사는 첫 글자를 (　　　)로 적는다.

부산 Busan　세종 Sejong

제4항　인명은 성과 이름의 순서로 띄어 쓴다. 이름은 붙여 쓰는 것을 원칙으로 하되 음절 사이에 붙임표(-)를 쓰는 것을 허용한다. [( ) 안의 표기를 허용함]

민용하 (　　　) (Min Yong-ha)　송나리 Song Nari (Song Na-ri)

(1) 이름에서 일어나는 음운 변화는 표기에 반영하지 않는다.
   한복남 (　　　) (Han Bok-nam)　홍빛나 Hong Bitna (Hong Bit-na)

(2) 성의 표기는 따로 정한다.

제5항　'도, 시, 군, 구, 읍, 면, 리, 동'의 행정 구역 단위와 '가'는 각각 '(　　　), (　　　), (　　　), (　　　), (　　　), (　　　), (　　　), (　　　), (　　　)'로 적고, 그 앞에는 붙임표(-)를 넣는다. 붙임표(-) 앞뒤에서 일어나는 음운 변화는 표기에 반영하지 않는다.

충청북도 Chungcheongbuk-do　제주도 Jeju-do　의정부시 Uijeongbu-si　양주군 Yangju-gun
도봉구 Dobong-gu　신창읍 Sinchang-eup　삼죽면 Samjuk-myeon　인왕리 Inwang-ri
당산동 Dangsan-dong　봉천 1동 Bongcheon 1(il)-dong　종로 2가 (　　　)
퇴계로 3가 Toegyero 3(sam)-ga

[붙임] '(　　　)'의 행정 구역 단위는 생략할 수 있다.

청주시 Cheongju　　함평군 Hampyeong　　순창읍 Sunchang

제6항　(　　　), (　　　), (　　　)은 붙임표(-) 없이 붙여 쓴다.

남산 (　　　)　　속리산 (　　　)　　금강 Geumgang　　독도 Dokdo
경복궁 (　　　)　　무량수전 Muryangsujeon　　연화교 (　　　)　　극락전 Geungnakjeon
안압지 Anapji　　남한산성 Namhansanseong　　화랑대 Hwarangdae　　불국사 Bulguksa
현충사 Hyeonchungsa　　독립문 Dongnimmun　　오죽헌 Ojukheon　　촉석루 Chokseongnu
종묘 Jongmyo　　다보탑 Dabotap

제7항　(　　　), (　　　), (　　　) 등은 그동안 써 온 표기를 쓸 수 있다.

제8항　학술 연구 논문 등 (　　　)에서 한글 복원을 전제로 표기할 경우에는 한글 표기를 대상으로 적는다. 이때 글자 대응은 제2장을 따르되 'ㄱ, ㄷ, ㅂ, ㄹ'은 'g, d, b, l'로만 적는다. 음가 없는 'ㅇ'은 붙임표(-)로 표기하되 어두에서는 생략하는 것을 원칙으로 한다. 기타 분절의 필요가 있을 때에도 붙임표(-)를 쓴다.

집 jib　　짚 jip　　밖 bakk　　값 gabs　　붓꽃 buskkoch　　먹는 meogneun
독립 doglib　　문리 munli　　물엿 mul-yeos　　굳이 gud-i　　좋다 johda　　가곡 gagog
조랑말 jolangmal　　없었습니다 eobs-eoss-seubnida

2 외래어 표기법

(1) 표기의 기본 원칙

제1항　외래어는 국어의 현용 (　　　) 자모만으로 적는다.

제2항　외래어의 1 음운은 원칙적으로 (　　　)로 적는다.

제3항　받침에는 '(　　　), (　　　), (　　　), (　　　), (　　　), (　　　), (　　　)'만을 쓴다.

제4항　(　　　) 표기에는 된소리를 쓰지 않는 것을 원칙으로 한다.

제5항　이미 굳어진 외래어는 (　　　)을 존중하되, 그 범위와 용례는 따로 정한다.

(2) 표기 세칙: 영어의 표기

제1항　무성 파열음([p], [t], [k])

1. (　　　) 다음의 어말 무성 파열음([p], [t], [k])은 (　　　)으로 적는다.

gap[gæp] 갭　　cat[kæt] 캣　　book[buk] 북

2. 짧은 모음과 유음 · 비음([l], [r], [m], [n]) 이외의 자음 사이에 오는 무성 파열음([p], [t], [k])은 받침으로 적는다.

apt[æpt] 앱트　　setback[setbæk] 셋백　　act[ækt] 액트

3. 위 경우 이외의 어말과 자음 앞의 [p], [t], [k]는 '으'를 붙여 적는다.

stamp[stæmp] 스탬프　　cape[keip] 케이프
nest[nest] 네스트　　part[pɑːt] 파트
desk[desk] 데스크　　make[meik] 메이크
apple[æpl] 애플　　mattress[mætris] 매트리스
chipmunk[tʃipmʌŋk] 치프멍크　　sickness[siknis] 시크니스

제3항 마찰음([s], [z], [f], [v], [θ], [ð], [ʃ], [ʒ])

1. 어말 또는 자음 앞의 [s], [z], [f], [v], [θ], [ð]는 '으'를 붙여 적는다.

mask[mɑːsk] 마스크 jazz[dʒæz] 재즈 graph[græf] 그래프
olive[ɔliv] 올리브 thrill[θril] 스릴 bathe[beið] 베이드

2. 어말의 [ʃ]는 '( )'로 적고, 자음 앞의 [ʃ]는 '( )'로, 모음 앞의 [ʃ]는 뒤따르는 모음에 따라 '( ), ( ), ( ), ( ), ( ), ( ), ( )'로 적는다.

flash[flæʃ] 플래시 shrub[ʃrʌb] 슈러브 shark[ʃɑːk] 샤크
shank[ʃæŋk] 섕크 fashion[fæʃən] 패션 sheriff[ʃerif] 셰리프
shopping[ʃɔpiŋ] 쇼핑 shoe[ʃuː] 슈 shim[ʃim] 심

3. 어말 또는 자음 앞의 [ʒ]는 '지'로 적고, 모음 앞의 [ʒ]는 'ㅈ'으로 적는다.

mirage[mirɑːʒ] 미라지 vision[viʒən] 비전

(3) 동양의 인명, 지명 표기

제1항 중국 인명은 ( )과 ( )을 구분하여 과거인은 종전의 ( )대로 표기하고, 현대인은 원칙적으로 ( )에 따라 표기하되, 필요한 경우 한자를 병기한다.

제2항 중국의 역사 지명으로서 현재 쓰이지 않는 것은 우리 ( )대로 하고, 현재 지명과 동일한 것은 중국어 표기법에 따라 표기하되, 필요한 경우 한자를 병기한다.

제3항 일본의 인명과 지명은 과거와 현대의 구분 없이 ( )에 따라 표기하는 것을 원칙으로 하되, 필요한 경우 ( )를 병기한다.

제4항 중국 및 일본의 지명 가운데 한국 한자음으로 읽는 관용이 있는 것은 이를 허용한다.

東京 ( ), ( ) 京都 교토, 경도 上海 상하이, 상해 臺灣 타이완, 대만 黃河 ( ), ( )

(4) 바다, 섬, 강, 산 등의 표기 세칙

제1항 바다는 '( )'로 통일한다.

홍해 발트해 아라비아해

제2항 우리나라를 제외하고 섬은 모두 '( )'으로 통일한다.

타이완섬 코르시카섬 (우리나라: 제주도, 울릉도)

제3항 한자 사용 지역(일본, 중국)의 지명이 하나의 한자로 되어 있을 경우, '강', '산', '호', '섬' 등은 겹쳐 적는다.

온타케산(御岳) 주장강(珠江) 도시마섬(利島) 하야카와강(早川) 위산산(玉山)

제4항 지명이 산맥, 산, 강 등의 뜻이 들어 있는 것은 '산맥', '산', '강' 등을 겹쳐 적는다.

Rio Grande 리오그란데강 Monte Rosa 몬테로사산 Mont Blanc 몽블랑산 Sierra Madre 시에라마드레산맥

회독극대화 워크북

정 답

& answers

PART Ⅰ. 현대 문법

CHAPTER 01 | 언어와 국어 워크북 P.4

1 언어의 기호적 특성

(1) 자의성

언어는 그 형식인 음성과 내용인 의미 사이에 어떠한 필연적인 관계도 맺고 있지 않은 자의적·임의적 기호이다. 이를 '언어의 자의성'이라고 한다.

① 동일한 내용(의미)을 표현하는 형식(음성)이 언어마다 다르다.

예 '사랑'을 가리키는 말: [saraŋ](한국어), [ai](일본어), [lʌv](영어), [amu:R](프랑스어), [ljubóv'](러시아어)

② 한두 단계 전의 어원은 찾을 수 있으나 최초의 어원은 찾을 수 없다.

예 (?) ← (풀) ← (푸르다), (?) ← (불) ← (붉다)

③ 언어의 내용(의미)과 형식(음성)의 변화가 따로 이루어진다. 그래서 언어의 역사성은 자의성의 근거가 될 수 있다.

㉠ 의미 변화 없이 음성만 변화한 경우

예 ᄀᆞ숧 > ᄀᆞ옰 > ᄀᆞ을 > 가을

㉡ 음성 변화 없이 의미만 변화한 경우

예 어리다: 愚(어리석다) > 幼(나이가 적다)

④ 언어의 내용(의미)과 형식(음성)의 관계가 1:1이 아니다.

㉠ 동음이의어: 우연히 형태는 같으나, 뜻은 완전히 다른 단어이다.

㉡ 다의어: 두 가지 이상의 뜻을 가진 단어로, 다의어는 중심 의미와 주변 의미로 이루어지며, 그 어원이 동일하다.

㉢ 이음동의어: 소리는 다르나 뜻이 같은 단어이다.

예 죽다 – 사망하다 – 숨지다

㉣ 유의어: 형태는 다르나 뜻이 서로 비슷한 단어이다. 예 기쁨 – 환희

⑤ 의성어와 의태어의 경우 소리와 의미의 관계가 필연적인 것처럼 보이지만 그 사이에 유연성은 있으나 필연성은 없다.

예 [꼬끼오](한국어), [고케고꼬](일본어), [커커두둘두](영어), [꼬꼬리꼬](프랑스어), [키케리키](독일어)

(2) 사회성

언어 기호는 같은 언어 사회 내에서 특정한 의미를 특정한 말소리로 나타내자는 약속의 결과물이다. 따라서 이러한 약속이 한번 언중에게 수용되면 개인이 마음대로 바꿀 수 없다. 이를 '언어의 사회성'이라고 한다.

예 한 개인이 '법(法)'을 [밥]이라고 발음하거나 '발(足)'을 [발:]로 발음할 수 없다.

(3) 역사성

언어 기호가 비록 그 사회 구성원의 약속으로 성립된 관습이라 하더라도 고정불변하는 것은 아니다. 오랜 세월이 흐르면서 소리와 의미가 변하거나 문법 요소에 변화가 생기는 등 언어에 변화(신생, 성장, 사멸)가 일어나는데, 이를 '언어의 역사성'이라고 한다.

① 신생: 새로운 말이 만들어지는 것을 말한다.

예 인터넷, 인공위성, 컴퓨터, 원자로, 인공 지능

② 성장: 의미나 형태가 변화하는 것을 말한다.

예

의미 변화	확장	세수(洗手): 손을 씻다 > 손과 얼굴을 씻다
	축소	중생(衆生): 모든 생명체 > 사람
	이동	어리다: 어리석다[愚] > 나이가 적다[幼]
형태 변화		ᄆᆞᅀᆞᆷ > 마음, 바ᄅᆞᆯ > 바다, 거우루 > 거울

③ 사멸: 시간이 지나 과거에 사용되던 말이 없어지는 것을 말한다.

예 즈믄(천, 千), ᄀᆞᄅᆞᆷ(강, 江), 녀름짓다(농사짓다)

(4) 분절성(불연속성)

세상의 사물은 특별한 경계선을 가지고 있지 않음에도 불구하고 언어에서는 구분하여 표현하는데, 이를 '언어의 분절성'이라고 한다.

① 언어의 분절성: 연속적으로 이루어진 세계를 불연속적인 것으로 끊어서 표현한다.

예 • 무지개: 실제 무지개는 색깔 사이의 경계가 분명하지 않다. 하지만 우리는 그것과 상관없이 무지개 색깔을 일곱 가지로 나누어서 표현한다.
• 얼굴: 정확한 구획(區劃)이 정해져 있지 않은 얼굴을 '뺨, 턱, 이마' 등으로 나누어 표현한다.
• 방위: 방위의 경계는 실제로 연속된 공간이지만 우리는 이를 동, 서, 남, 북으로 나누어 그 경계를 구분한다.

② 기호의 분절성: 실제로는 연속적으로 발음되는 말소리를 자음과 모음으로 나누고, 이를 음절, 형태소, 단어, 어절, 문장 등으로 묶어서 인식한다.

예 개나리: '개나리'라는 단어는 '개, 나, 리'(3음절), 'ㄱ, ㅐ, ㄴ, ㅏ, ㄹ, ㅣ'(6음소)로 이루어진다. 하지만 이 소리를 물리학적 관점에서 보면 그 경계가 분명하지 않다.

(5) 개방성(창조성)

언어를 사용하는 우리는 제한된 음운이나 어휘를 가지고 무한한 문장을 만들어 사용할 수 있고, 처음 들어 보는 문장을 이해할 수 있다. 이러한 언어의 성질을 '개방성' 또는 '창조성', '열린 생산성'이라고 한다.

① 길이와 수에 제한 없이 무한에 가까운 문장을 만들 수 있다.

예 원숭이 엉덩이는 빨개, 빨가면 사과, 사과는 맛있어……

② 무한한 단어를 만들어 무한한 정보를 전달할 수 있다. 이것은 언어로 말미암아 인간의 사고(思考)가 미치는 범위에 제한이 사라지게 되었음을 의미한다. 즉, 상상하는 사물이나 관념적이고 추상적인 개념을 모두 표현할 수 있다.

예 용, 봉황새, 해태, 유토피아, 희망, 사랑, 평화, 위기, 우정 등

(6) 추상성

① 서로 다른 개별적이고 구체적인 대상으로부터 공통적인 요소를 뽑아 일반적인 것으로 파악하는 언어적 특성을 '추상성'이라고 한다. 그 공통적인 요소는 다른 대상에는 없는 한 대상만의 본질적 속성이어서 다른 사물과 확연히 구분된다. 이러한 과정을 통해 개념이 형성된다.

예 빨강, 주황, 노랑, 초록, 파랑, 남색, 보라 → 색깔(추상성)

② 추상화 과정에서는 대상을 한 번만 묶어 표현하는 것이 아니라 묶인 것을 다시 묶기도 한다.

예 • 냉이 → 풀 → 식물
• 개나리 → 꽃 → 식물

2 언어의 도상성

언어의 형식(음성)이 내용(의미)을 바탕으로 만들어진 결과물이라는 말로, 형식과 내용 둘 사이의 유사성을 전제하는 개념이다.

양적 도상성	언어의 형식이 내용의 언어적 재료의 양과 비례하는 경우 예 복수나 복합어(합성어, 파생어)의 경우 단수나 단일어보다 일반적으로 길이가 길다.
순서적 도상성	시간적, 순서적 선후 관계가 언어의 형식에 영향을 주는 경우 예 문답(問答)의 경우 먼저 묻고 그다음 답해야 하므로 '답문(答問)'보다는 '문답(問答)'이 더 자연스럽다.
거리적 도상성	개념의 가까운 정도가 언어의 형식에 영향을 주는 경우 예 '아버지와 할아버지', '어머니와 할머니'의 경우 가까운 정도가 둘의 결합 방식에 영향을 주고 있음을 알 수 있다.

3 언어의 기능

담화는 화자, 청자, 상황, 메시지로 구성되는데, 이러한 구성 요소 간의 상호 관계에 의해 여러 가지 기능을 가진다.

① 표현적(表現的) 기능: 화자가 현실 세계에 대한 자신의 사실적 판단이나 심리적 감정을 언어로 표현하는 기능을 말한다.

예 • 내 몸무게는 70kg이다. (사실적 판단)
• 넌 볼수록 재미있는 친구야. (지시 대상에 대한 화자의 태도)
• 철수는 영희를 좋아하는 것 같지 않다. (판단에 대한 확신 표현)
• 나는 고 3 때 견디기 어려웠다. (화자의 감정)

② 전달의 기능: 주제에 관한 객관적인 정보나 사실을 전달하는 기능을 말한다. 주로 공공 기관의 안내, 뉴스, 신문 등이 전달의 기능을 갖는다. 예 2022년 국가직 9급 시험일은 4월 2일이다.

③ 표출적(表出的) 기능: 언어를 의식하지 않고 거의 본능적으로 사용하는 것으로, 감탄사가 대표적이다. 표현 의도와 전달 의도가 없어서 기대하는 반응도 있기 어렵다. 예 "엄마야!" / "에구머니나!"

④ 지식과 정보의 보존 기능: 언어를 통해 지식과 정보를 축적하고 보존하는 기능으로, 언어의 전달 기능, 과정과 목적이라는 측면에서 밀접한 관계를 갖는다. 정보의 보존에 있어 문자가 주를 이루던 과거와 달리, 현대에 와서는 그 보존의 영역이 넓어졌다.

예 서적, 방송, CD

⑤ 감화적(感化的) 기능(지령적 기능): 청자로 하여금 특정 행동을 하게 하는 기능을 말한다. 청자에게 감화 작용을 하여 실제 행동에 옮기도록 한다는 점에서 표현적 기능과 다르다.

예 • 밥 먹어라. (명령)
• 열심히 공부하자. (청유)
• 빨리 못 가겠니? (반어 의문)
• 기타: 표어, 유세, 광고, 속담, 격언, 표지판 문구 등

⑥ 사교적(社交的) 기능(친교적 기능): 언어를 통해 친밀한 관계를 확인하는 행위로서, 원만한 사회생활을 유지하는 데 필요한 기능이다. 발화의 형식적 의미보다는 발화 상황과 밀접한 관계를 맺는다. 대표적인 예로 인사말이 있다.

예 안녕히 주무셨습니까? / 좋아 보이시네요.

⑦ 미적(美的) 기능(시적 기능): 화자가 말을 할 때 그 말을 아름답게 하려는 노력을 의미한다. 즉, 말의 미적 효과에 관심을 갖는 기능을 말한다. 주로 문학 작품에서 중시된다.

예 • 내 마음은 호수요
• 순이와 바둑이: '바둑이와 순이'라고 해도 의미상 아무 상관이 없으나 일반적으로 음절 수가 적은 단어를 먼저 말해야 말이 더 부드럽다. 즉, 미적 기능이 살아나게 된다.

⑧ 관어적 기능(초언어적 기능): 언어와 언어끼리 관계하는 기능으로, 말을 통해 새로운 말을 학습하고 지식을 증진하는 기능을 말한다.

예 • '춘부장'은 남의 아버지를 높여 이르는 말이다.
• '물'은 일상어이나, 'H_2O'는 전문어이다.

4 언어와 사고

① 언어 우위론적 관점: 사고는 언어라는 그릇 속에 담기기 전에는 불분명하고 불완전한 것이며 사고가 언어로 표현될 때 비로소 사고는 분명하게 그 모습을 드러내게 된다는 견해이다. 즉, 언어로 명명해야만 인식할 수 있다는 관점이다.

예 • 우리 국어에서 청색, 초록색, 남색을 구별하지 않고 모두 '푸르다' 혹은 '파랗다'라고 표현하는 경우가 많다 보니 아이들이 이 세 가지 색을 구별하지 못하는 경우
• 실제 무지개의 색을 쉽게 변별할 수 없지만 7가지 색으로 구분하는 경우

② 사고 우위론적 관점: 어린이들을 통해 알 수 있듯이 지각이나 사고가 먼저 발달한 후에 언어 발달이 이루어진다는 견해이다. 즉, 언어로 명명하는 과정이 없더라도 사고는 존재할 수 있다는 관점이다.

예 • 좋아하는 이성 친구에게 자신의 마음을 표현하고 싶은데 적당한 말이 떠오르지 않는 경우
• 공무원 시험에 합격했을 때의 기쁜 마음이 말이나 생각으로는 설명이 안 되는 경우

③ 언어와 사고가 상호 보완적이라는 견해: 어린이들의 경우도 언어를 통해 사고력이 향상되면 복잡한 문장을 사용할 수 있게 되어 언어 능력이 발달한다. 이처럼 언어와 사고는 일방통행이 아닌 상호 보완적인 관계라는 견해이다.

5 언어의 형태적 분류

(1) 교착어(agglutinative language)

단어가 활용될 때 단어의 어간과 어미가 비교적 명백하게 분리되는 언어이다. 우리에게 친숙한 예로 당연히 한국어를 들 수 있으며, 그 패턴은 고등학교 국어 시간에 배우는 형태소 분석을 이해하면 쉽게 파악된다. 대체로 하나의 형태소는 하나의 문법적인 기능을 한다. 교착어는 첨가어라고도 하며 한국어, 터키어, 일본어, 핀란드어 등이 교착어에 속한다. 영어의 경우 복수형 접미사 '-s'나 과거형 접미사 '-(e)d' 등에서 교착어적인 모습도 가지고 있음을 알 수 있다.

예 한국어: 아버지는 나귀 타고 장에 가신다. → 아버지/는(조사) 나귀 타(어간)/고(어미) 장/에(조사) 가(어간)/시(선어말 어미)/ㄴ(선어말 어미)/다(어말 어미)

(2) 굴절어(inflectional language)

굴절어는 단어의 활용 형태가 단어 자체의 변형으로 나타나는 언어로 어간과 접사(접사적 역할을 하는 형태소)가 쉽게 분리되지 않는 형태를 보인다. 따라서 어휘 자체에 격, 품사 등을 나타내는 요소가 포함되어 있다. 대표적인 것은 인도·유럽 어족이다.

예 영어: sing - sang - sung, He(3인칭 주격), loves(3인칭 동사), you(2인칭 목적격)

(3) 고립어(isolating language)
문법적인 형태를 나타내는 어형 변화나 접사가 거의 없고 어순과 위치만으로 문법적인 관계를 나타내는 언어이다. 중국어가 대표적이며 중국·티베트 어족에 속하는 중국어, 티베트어, 미얀마어가 고립어에 속한다고 알려져 있다.

예 중국어: 我愛你 → 나 사랑해 너

6 국어 어휘의 특질

(1) 음운상의 특질

① 국어의 자음 중 파열음 'ㄱ, ㄷ, ㅂ'과 파찰음 'ㅈ'은 '예사소리(평음), 된소리(경음), 거센소리(격음)'가 대립하는 3중 체계, 즉 삼지적 상관속을 이룬다.

예 • 예사소리(평음): ㄱ, ㄷ, ㅂ, ㅈ
• 된소리(경음): ㄲ, ㄸ, ㅃ, ㅉ
• 거센소리(격음): ㅋ, ㅌ, ㅍ, ㅊ
• 불－뿔－풀

② 유음 'ㄹ'의 특성: 설전음 [r]과 설측음 [l]의 구별이 분명하지 않다. 우리말의 유음 'ㄹ'은 음절의 끝소리 자리나 자음 앞에서는 [l]로 실현되며, 음절의 첫소리나 모음 앞 또는 유성 자음을 포함하는 유성음 사이에서는 [r]로 실현된다. 그러나 국어에서는 'ㄹ'을 [l]과 [r]로 특별히 구분하여 인식하지 않는다. 즉, 우리말에서 [l]과 [r]은 서로 다른 음운이 아니라 단지 'ㄹ'의 변이음(變異音)일 뿐이다.

예 '칼과'의 'ㄹ': [l], '칼이'의 'ㄹ': [r]

③ 두음 법칙

㉠ 영어와 달리 우리말에서는 첫소리에 둘 이상의 자음(어두 자음군)이 오는 것을 꺼린다. 단, 과거에는 어두 자음군이 올 수 있었다.

예 spring → 스프링, ᄢᅢ(時) → 때, ᄡᆞᆯ(米) → 쌀

㉡ 어두에 'ㄹ'이 오는 것을 꺼린다. 이때 'ㄹ'은 'ㄴ'으로 변한다.

예 락원 → 낙원, 로인 → 노인

㉢ 어두의 'ㄴ'은 'ㅣ' 또는 반모음 'ㅣ[j]' 앞에 오는 것을 꺼린다.

예 녀자 → 여자, 력도 → 녁도 → 역도

④ 음절의 끝소리 규칙: 음절의 끝에 받침으로 특정한 자음(ㄱ, ㄴ, ㄷ, ㄹ, ㅁ, ㅂ, ㅇ)만이 오는 규칙을 '음절의 끝소리 규칙'이라고 한다. 'ㄱ, ㄴ, ㄷ, ㄹ, ㅁ, ㅂ, ㅇ' 이외의 자음들은 음절의 끝에 오게 되면 이것들 중 하나로 바뀐다. 예를 들어, '잎'은 'ㅍ'이 음절의 끝소리 규칙에 의해 'ㅂ'으로 바뀌어 [입]으로 소리 난다. 그 외에 '옷[옫], 있고[읻꼬], 꽃[꼳], 부엌[부억], 밖[박]' 등도 모두 음절의 끝소리 규칙을 보여 주는 예이다.

⑤ 모음 조화: 양성 모음은 양성 모음끼리만 어울리고, 음성 모음은 음성 모음끼리만 어울리는 현상을 '모음 조화'라고 한다. '모음 조화'는 일종의 모음 동화 규칙으로, 언어의 다음절어(多音節語) 안에서, 혹은 어간·어근 형태소가 어미·접사 형태소들과 결합할 때 그에 포함되는 모음들이 일정한 자질을 공유하는 것을 말한다.

예 반짝반짝, 번쩍번쩍, 잡아, 먹어

⑥ 음상(音相)의 차이로 인해 어감이 변하며 심지어 낱말의 뜻이 분화되기도 한다.

㉠ 자음의 경우: '예사소리 → 된소리 → 거센소리'로 갈수록 강한 느낌이 난다.

예 뚱뚱하다 → 퉁퉁하다, 빙빙 → 삥삥 → 핑핑

㉡ 모음의 경우: 양성 모음이 음성 모음에 비하여 '작고, 날카롭고, 가볍고, 경쾌하고, 밝은' 느낌을 준다.

예 방글방글－벙글벙글, 졸졸－줄줄, 살살－슬슬, 옴찔－움찔

㉢ 음상의 차이는 어감을 다르게 하는 데 그치지 않고, 낱말의 뜻을 분화시키는 작용도 한다.

예 덜다[減]－털다[拂], 뛰다[躍]－튀다[彈], 맛(음식 따위를 혀에 댈 때 느끼는 감각)－멋(차림새, 행동, 됨됨이 따위가 세련되고 아름다움), 살(연령)－설(설날)

(2) 어휘상의 특질

① 기원전 3세기경 한자어의 유입을 시작으로 오늘날 국어의 어휘는 고유어, 한자어, 외래어의 삼중 체계를 가지고 있다.

② 윗사람과 아랫사람의 구별이 분명했던 사회 구조와 문화의 영향으로 높임법이 발달해 있다.

예 '하십시오/하오', '하게/해라', '자다/주무시다', '주다/드리다'

③ 고유어 중 색채어와 감각어가 풍부하게 발달해 있다. 또한 이러한 감각어는 정서적 유사성(類似性)에 의해 비유 표현으로까지 전용(轉用)되어 일반 언어생활에서 애용되기도 한다.

예 • 노란색을 나타내는 색채어: 노랗다, 노르께하다, 노르끄레하다, 노르무레하다, 노르스름하다, 노릇하다, 노릇노릇하다, 누릇누릇하다, 샛누렇다 등
• 감각어: 그 사람은 '짜다, 싱겁다, 가볍다.', 그 사람은 입이 '가볍다, 무겁다.'

④ 의성어와 의태어 같은 음성 상징어가 발달해 있다. 상징어란 주로 소리, 동작, 형태를 모사(模寫)한 단어로, 구체적이고 감각적인 표현 수단이며 음상의 차이에 의해 다양하게 분화될 수 있다.

예 • 의성어: 우당탕, 퍼덕퍼덕
• 의태어: 아장아장, 엉금엉금

(3) 구문상의 특질

① 교착어적 성질로 인해 조사, 어미가 발달해 있다.

② 조사와 어미는 뜻을 덧붙이거나 표현을 더 섬세하게 하는 문체적 효과가 있다.

예 철수<u>는</u> 밥을 먹는다. / 철수<u>도</u> 밥을 먹는다. / 철수<u>까지</u> 밥을 먹는다.

(4) 어순상의 특질

① 국어에서는 화자의 결론을 맨 끝에 진술한다.

> • 국어: 주어 + 목적어 + 서술어
> • 영어: 주어 + 서술어 + 목적어
>
> 국어는 이러한 어순상의 특성으로 인해 청자를 끝까지 잡아 놓을 수 있다는 장점이 있으나 비판적인 사고가 다소 어려울 수 있다는 단점이 있다. 반면, 영어의 경우 청자가 비판적으로 들을 수 있다는 장점이 있으나 청자를 끝까지 붙들어 두는 긴장감이 다소 부족할 수 있다는 단점이 있다.

② 수식어가 피수식어 앞에 온다.

③ 주어가 생략되는 경우가 많고, 주어가 둘 이상 나열될 수도 있다.

④ 문법적인 성(性, gender)의 구별이 없고, 단수·복수의 개념이 명확하지 않다.

7 국어의 문자: 한글 명칭의 변화

① 훈민정음(訓民正音): '백성을 가르치는 바른 소리'라는 뜻으로, 1443년에 세종이 창제한 우리나라 글자를 이르는 말이다. 줄여서 '정음(正音)'이라고 한다.
② 언문(諺文): '상말을 적는 문자'라는 뜻으로, 한글을 속되게 이르던 말이다.
③ 암글: 예전에, '여자들이나 쓰는 글'이라는 뜻으로, 한글을 낮잡아 이르던 말이다. 남자들이 쓰는 한문을 높여 이르는 말인 '진서(眞書)'에 비해 여자들은 쉬운 글자인 한글을 쓴다는 남존여비의 사고방식과 사대사상(事大思想)에서 나온 명칭이다.
④ 중글: 불교 사찰의 승려들이 한글을 이용하여 번역·교육하던 것에서 유래한 말로, 불교와 한글을 경시한 명칭이다.
⑤ 반절(反切): 중종 때 간행된 최세진의 『훈몽자회(訓蒙字會)』에 기록된 명칭이다. 한자음의 표기를 위해 적던 반절(反切)에서 가져온 표현이다. 최세진이 당시 한글을 한자음의 표기 수단 정도로 인식했음을 알 수 있는 용어이다.
⑥ 국서(國書): 김만중이 『서포만필(西浦漫筆)』에서 쓴 표현이다.
⑦ 국문(國文): 갑오개혁 이후 사대주의에서 벗어나 국어의 자주성과 존엄성을 자각하면서 생긴 명칭이다.
⑧ 가갸글: 한글 음절의 차례를 반영해 만든 명칭으로, 현재 '한글학회'의 전신인 '조선어연구회'에서 사용한 표현이다.
⑨ 한글: 주시경이 붙인 명칭이다. 1928년부터는 '가갸날'이 '한글날'로 개칭되었다.

8 어원에 따른 갈래: 고유어, 한자어, 외래어

(1) 고유어

우리가 옛날부터 사용하여 온 순수 우리말 어휘이다.
고유어의 특징과 기능은 다음과 같다.

① 의미의 폭이 넓고 상황에 따라 여러 가지 다른 의미로 해석되는 다의어가 많아서, 고유어 하나에 둘 이상의 한자어들이 폭넓게 대응한다.
② 우리 민족 특유의 문화와 정서를 표현하며, 정서적 감수성을 풍요롭게 한다.
③ 새말을 만들 때 중요한 자원으로 활용할 수 있다.

(2) 한자어

한자를 바탕으로 만들어진 어휘이다. 한자어는 중국의 한자 체계가 우리나라에 도입된 뒤 오랜 시간 우리말로서 자리 잡았고, 여전히 우리 국어 속에서 생산력을 가지고 있다는 점에서 중국어 차용어와 구별된다.
한자어의 특징과 기능은 다음과 같다.

① 주로 추상어·개념어로서, 정확하고 분화된 의미를 가지고 있어 고유어를 보완하는 역할을 한다.
② 이미 귀화가 끝난 우리말이다.
③ 의미가 전문화되고 분화되어 있어서 전문적이고 세부적인 분야에서 정밀한 의미를 나타내는 데 주로 사용된다.
④ 복잡한 개념을 집약하고 있어서 잡지 표제문과 같이 내용을 간단하게 제시하여야 할 경우 많이 사용된다.
⑤ 고유어에 대하여 '존대어'로 사용되는 경향이 있다.

(3) 외래어

외국에서 들어온 말들 중 국어의 일부로 인정되는 것들로, 귀화어와 차용어가 있다. 외래어는 일반적으로 한자어를 제외하고 외국에서 들어온 말을 의미하나 한자어까지 외래어에 포함하는 경우도 있다. 외래어는 외국 문화와 오랜 교류의 결과로 형성되는데, 지나치게 외래어가 많으면 문화적 자긍심이 손상되고 자국어의 정체성마저 위협받게 되므로 외래 문물을 받아들일 때부터 우리말로 바꾸어 쓰는 노력을 기울여야 한다.

① 귀화어: 한자어와 같이 완전히 우리말처럼 인식되거나 우리말로 받아들여진 외래어를 말한다. 오래전에 우리말에 들어와서 이미 외래어라는 감각마저 잃어버린 것들이라 할 수 있다.

한자어 어원	붓[筆], 먹[墨], 고추[苦草], 구역질(嘔逆－), 비위(脾胃), 반찬(飯饌), 자반[佐飯], 배추[白菜]
몽골어 어원	가라말[黑馬], 구렁말[栗色馬], 송골매, 보라매, 수라
범어(산스크리트어) 어원	부처, 달마, 석가, 보살, 사리, 열반, 탑, 바라문
여진어 어원	수수, 메주, 두만(강), 호미
포르투갈어 어원	담배(tabaco), 빵
일본어 어원	고구마, 구두, 냄비
영어 어원	남포(lamp)
네덜란드어 어원	가방
프랑스어 어원	고무, 망토, 루주

② 차용어: 외국에서 들어와 널리 쓰이는 말로, 완전히 우리말처럼 인식되지는 못하고 외국어라는 의식이 남아 있는 외래어이다.
예 버스, 컴퓨터, 아르바이트, 다다미

CHAPTER 02 | 음운론

워크북 P.11

1 음운

각각의 개별적인 음성일지라도, 사람들이 머릿속에서 같은 소리로 인식하는 추상적인 말소리를 '음운'이라고 한다. 음운은 말의 뜻을 변별해 주는 소리의 최소 단위로, 의미를 분화하는 기능을 한다. 다시 말해, 한 언어에서 어떤 음이 의미를 변별하여 주는 기능을 할 때, 이 음을 '음운'이라고 한다. 가령, '국'과 '묵'은 'ㄱ'과 'ㅁ'의 차이로 뜻이 변별되는데, 이렇게 뜻을 변별하는 'ㄱ'과 'ㅁ'이 음운인 것이다. 음운은 언어마다 다르며, 따라서 한 언어 내에서 음운의 수는 한정되어 있다. '음운'은 '음소'와 '운소'를 합친 말로, 각각의 특징은 다음과 같다.

| 음향, 음성, 음운의 비교

구분	소리의 차이		분절성	변별적 기능	단위
음향	자연의 소리		비분절적	의미와 무관	−
음성	언어음	개인적, 구체적, 물리적 소리	분절적	의미와 무관	음운의 음성적 실현 단위
음운	언어음	사회적, 추상적, 관념적 소리	분절적	의미와 관련	변별적인 기능을 하는 소리의 최소 단위

2 국어의 자음 체계: 19개

조음 방법 \ 조음 위치 / 소리의 세기			입술소리 (양순음)	혀끝소리 (잇몸소리, 치조음)	센입천장 소리 (경구개음)	여린입천장 소리 (연구개음)	목청소리 (후음)
안울림 소리	파열음	예사소리	ㅂ	ㄷ		ㄱ	
		된소리	ㅃ	ㄸ		ㄲ	
		거센소리	ㅍ	ㅌ		ㅋ	
	파찰음	예사소리			ㅈ		
		된소리			ㅉ		
		거센소리			ㅊ		
	마찰음	예사소리		ㅅ			ㅎ
		된소리		ㅆ			
울림 소리	비음		ㅁ	ㄴ		ㅇ	
	유음			ㄹ			

3 모음

허파에서 나오는 공기의 흐름이 발음 기관의 장애를 받지 않고 순하게 나는 소리를 '모음'이라고 한다.

(1) 단모음

발음하는 도중에 혀나 입술이 고정되어 움직이지 않고 발음되는 모음을 '단모음'이라고 한다. 단모음은 모두 10개이다.

| 국어의 단모음 체계: 10개

혀의 높이 \ 혀의 위치 / 입술의 모양	전설 모음		후설 모음	
	평순 모음	원순 모음	평순 모음	원순 모음
고모음	ㅣ[i]	ㅟ[y]	ㅡ[ɨ]	ㅜ[u]
중모음	ㅔ[e]	ㅚ[ø]	ㅓ[ə]	ㅗ[o]
저모음	ㅐ[ɛ]		ㅏ[a]	

(2) 반모음

이중 모음을 형성하는 'ㅣ[j], ㅗ[w]/ㅜ[w]'를 '반모음'이라고 한다. 반모음은 음성의 성질로 보면 모음과 비슷하지만, 반드시 다른 모음에 붙어야 발음될 수 있다는 점에서 자음과 비슷하다. 이 때문에 '반자음'이라고 부르기도 하며, 독립된 음운으로 보지 않아 반달표(˘)를 붙여 표기하기도 한다.

(3) 이중 모음

발음할 때 혀의 위치나 입술의 모양이 변하는 모음을 '이중 모음'이라고 한다. 이중 모음은 반모음과 단모음이 결합하여 이루어진다. 따라서 두 개의 모음이 연속적으로 발음되는 것과 비슷하며, 이중 모음을 길게 끌어서 발음하면 결국 단모음으로 끝나게 된다. 반모음이 단모음 앞에 오는 것을 '상향 이중 모음'이라고 하고, 반모음이 단모음 뒤에 오는 것을 '하향 이중 모음'이라고 한다.

| 국어의 이중 모음: 11개

상향 이중 모음	ㅣ[j] 계열	ㅑ, ㅕ, ㅛ, ㅠ, ㅒ, ㅖ
	ㅗ[w]/ㅜ[w] 계열	ㅘ, ㅙ, ㅝ, ㅞ
하향 이중 모음	ㅣ[j] 계열	ㅢ

4 소리의 길이(장음과 단음)

국어에서는 모음이 길게 발음되느냐 짧게 발음되느냐에 따라 그 음절의 뜻이 달라지므로, 소리의 길이는 하나의 음운이 된다.

예 [눈](眼)－[눈:](雪), [말](馬)－[말:](言語), [밤](夜)－[밤:](栗)

① 긴소리는 일반적으로 단어의 첫째 음절에서만 나타난다. 따라서 본래 길게 발음되던 단어도 둘째 음절 이하에 오면 짧게 발음된다.

예 눈보라[눈:보라] → 첫눈[천눈], 말씨[말:씨] → 잔말[잔말], 밤나무[밤:나무] → 생밤[생밤]

② 비록 긴소리를 가진 음절이라도 다음과 같은 경우에는 긴소리로 나지 않는다.

㉠ 단음절인 어간에 모음으로 시작된 어미가 이어지는 경우

예 (머리를, 눈을) 감다[감:따] → 감으니[가므니], 밟다[밥:따] → 밟으니[발브니]

㉡ 용언의 어간에 사동, 피동의 접미사가 결합되어 사동사나 피동사가 되는 경우

예 밟다[밥:따] → 밟히다[발피다], 꼬다[꼬:다] → 꼬이다[꼬이다], 삶다[삼:따] → 삶기다[삼기다]

③ **대표적인 긴소리의 발음**: 1음절 명사

간(맛) – 간:(肝)　　김(성씨) – 김:(먹는 김, 기체)
굴(먹는) – 굴:(窟)　　눈[眼] – 눈:[雪]
돌(생일) – 돌:[石]　　말[馬] – 말:[言語]
발[足] – 발:[簾]　　밤[夜] – 밤:[栗]
배(과일, 신체, 선박) – 배:(갑절)　　벌(죄) – 벌:(곤충)
병(용기) – 병:(질환)　　섬(단위) – 섬:[島]
손(신체) – 손:(孫)　　솔(나무) – 솔:(먼지떨이)
장(내장, 腸) – 장:(가구, 음식)　　종(種, 鐘) – 종:(하인)

5 음운의 변동

'음운의 변동'이란 어떤 형태소가 다른 형태소와 결합할 때 그 환경에 따라 발음이 달라지는 현상을 말한다. 음운의 변동에는 대표적으로 교체(대치), 축약, 탈락, 첨가가 있다.

① 교체(대치): 음운이 다른 음운으로 바뀌는 현상으로, 동화 현상도 포함한다.
② 축약: 두 음운이 하나의 음운으로 줄어드는 현상
③ 탈락: 두 음운 중 어느 하나가 없어지는 현상
④ 첨가: 형태소가 결합할 때 그 사이에 음운이 덧붙는 현상

(1) 음절의 끝소리 규칙(평파열음화)

국어의 음절 구조상, 받침에 해당하는 끝소리에는 하나의 자음만 올 수 있다. 그리고 이 끝소리에서 실제로 발음되는 자음은 'ㄱ, ㄴ, ㄷ, ㄹ, ㅁ, ㅂ, ㅇ'의 7개 대표음뿐이다. 따라서 음절 끝에 이 7개의 소리 이외의 자음이 오면, 이 7자음 중의 하나로 바뀌어 발음된다. 따라서 음절의 끝소리 규칙(평파열음화)은 음운의 교체로 볼 수 있다.

① **환경 1**

후행 형태소	받침의 유형	음절의 끝소리 규칙 (평파열음화)	용례
자음	홑자음	ㄲ, ㅋ → ㄱ	밖 → [박], 부엌 → [부억]
		ㅌ, ㅅ, ㅆ, ㅈ, ㅊ, ㅎ → ㄷ	바깥 → [바깓], 옷 → [옫], 있고 → [읻꼬], 낮 → [낟], 꽃 → [꼳], 히읗 → [히읃]
		ㅍ → ㅂ	잎 → [입]

② 환경 2

후행 형태소	받침의 유형	음절의 끝소리 규칙 (평파열음화)	용례	비고
모음으로 시작하는 실질 형태소	환경 1과 동일		잎 위 → [입위] → [이뷔], 옷 안 → [옫안] → [오단], 꽃 아래 → [꼳아래] → [꼬다래], 부엌 안 → [부억안] → [부어간]	절음화

㉠ 연음화: 앞 음절의 받침 소리가 모음으로 시작하는 뒤 음절의 초성으로 이어져 나는 것

㉡ 절음화: 앞 음절의 받침이 다음에 있는 모음에 바로 연음되지 않고 대표음으로 바뀐 뒤 연음되는 것

(2) 된소리되기(경음화)

안울림소리 뒤에 안울림 예사소리가 올 때 뒤의 소리가 된소리로 발음되는 현상을 '된소리되기'라고 한다. 된소리되기를 과도하게 적용하면 비표준 발음이 되므로 주의해야 한다.
된소리되기는 다음과 같은 조건에서 실현된다.

① 두 개의 안울림소리가 만나면 뒤의 예사소리를 된소리로 발음한다.
예 국밥 → [국빱], 걷다(步) → [걷:따], 없다 → [업:따], 덮개 → [덥깨], 역도 → [역또], 젖소 → [젇쏘]

② 한자어의 'ㄹ' 받침 다음에 'ㄷ, ㅅ, ㅈ'이 오면 'ㄷ, ㅅ, ㅈ'을 된소리로 발음한다.
예 갈등(葛藤) → [갈뜽], 말살(抹殺) → [말쌀]

③ 'ㄴ(ㄵ), ㅁ(ㄻ)'으로 끝나는 어간 뒤에 예사소리로 시작하는 어미가 오면 뒤의 예사소리를 된소리로 발음한다.
예 안고 → [안꼬], 심다 → [심:따]

6 음운의 동화

'음운의 동화'는 한 음운이 인접하는 다른 음운의 성질을 닮아 가는 음운 현상을 말한다. 동화가 일어나면 앞뒤 음운의 위치나 소리 내는 방법이 서로 유사하게 변하는데, 이는 소리를 좀 더 쉽게 내기 위함이다. 조음 위치가 가깝거나 조음 방법이 비슷한 소리가 연속되면 그렇지 않은 경우보다 발음할 때 힘이 덜 들고 편하기 때문이다. 동화는 그 대상에 따라 자음 동화와 모음 동화로 나뉘며, 방향과 정도에 따라 다음과 같이 나눌 수 있다.

① **순행 동화**: 앞 음운의 영향으로 뒤 음운이 변한다.
② **역행 동화**: 뒤 음운의 영향으로 앞 음운이 변한다.
③ **상호 동화**: 앞뒤 음운이 모두 변한다.
④ **완전 동화**: 똑같은 소리로 변한다.
⑤ **불완전 동화(부분 동화)**: 비슷한 소리로 변한다.

(1) 자음 동화

음절의 끝 자음이 그 뒤에 오는 자음과 만날 때, 어느 한쪽이 다른 쪽 자음을 닮아서 그와 비슷한 소리로 바뀌거나 양쪽이 서로 닮아서 두 소리가 모두 바뀌는 현상이다.

① **비음화**: 비음이 아니었던 것이 비음을 만나 비음이 되는 것을 말한다. 구체적으로는 파열음이나 유음이 비음을 만나 비음으로 바뀌는 현상을 가리킨다.

조음 방법 \ 소리의 세기 \ 조음 위치			입술소리(양순음)	혀끝소리(잇몸소리, 치조음)	센입천장 소리(경구개음)	여린입천장 소리(연구개음)	목청소리(후음)
안울림 소리	파열음	예사소리	ㅂ	ㄷ		ㄱ	
		된소리	ㅃ	ㄸ		ㄲ	
		거센소리	ㅍ	ㅌ		ㅋ	
	파찰음	예사소리			ㅈ		
		된소리			ㅉ		
		거센소리			ㅊ		
	마찰음	예사소리		ㅅ			ㅎ
		된소리		ㅆ			
울림 소리	비음		ㅁ	ㄴ		ㅇ	
	유음			ㄹ			

㉠ 파열음의 비음화(역행 비음 동화): 파열음 'ㅂ, ㄷ, ㄱ'이 비음 'ㅁ, ㄴ' 앞에서 비음에 동화되어 'ㅁ, ㄴ, ㅇ'으로 발음되는 현상을 말한다.

구분	예
양순음 'ㅂ, ㅍ'은 비음 앞에서 [ㅁ]으로 발음	예 밥물 → [밤물], 앞문 → [압문] → [암문]
치조음 'ㄷ, ㅌ'은 비음 앞에서 [ㄴ]으로 발음	예 닫는 → [단는], 겉문 → [걷문] → [건문]
연구개음 'ㄱ, ㄲ, ㅋ'은 비음 앞에서 [ㅇ]으로 발음	예 국민 → [궁민], 국물 → [궁물], 깎는 → [깍는] → [깡는], 부엌만 → [부억만] → [부엉만]

㉡ 유음의 비음화: 유음 'ㄹ'이 비음 'ㅁ, ㅇ'을 만나 비음 'ㄴ'으로 발음되는 현상을 말한다. 예 종로 → [종노], 남루 → [남:누]

㉢ 상호 동화: 앞 음절의 끝소리 'ㅂ, ㄷ, ㄱ'이 뒤에 오는 'ㄹ'을 'ㄴ'으로 변하게 하고, 변화된 'ㄴ'의 영향으로 앞의 'ㅂ, ㄷ, ㄱ'이 비음 'ㅁ, ㄴ, ㅇ'으로 동화되는 현상을 말한다.
예 섭리 → [섭니] → [섬니], 몇 리 → [멷리] → [멷니] → [면니], 백로 → [백노] → [뱅노], 국력 → [국녁] → [궁녁]

② **유음화**: 유음이 아니었던 것이 유음을 만나 유음으로 바뀌는 것을 말한다. 구체적으로는 비음인 'ㄴ'이 유음인 'ㄹ'을 만나 'ㄹ'로 바뀌는 현상을 가리킨다.

조음 방법 \ 소리의 세기 \ 조음 위치			입술소리(양순음)	혀끝소리(잇몸소리, 치조음)	센입천장 소리(경구개음)	여린입천장 소리(연구개음)	목청소리(후음)
안울림 소리	파열음	예사소리	ㅂ	ㄷ		ㄱ	
		된소리	ㅃ	ㄸ		ㄲ	
		거센소리	ㅍ	ㅌ		ㅋ	
	파찰음	예사소리			ㅈ		
		된소리			ㅉ		
		거센소리			ㅊ		
	마찰음	예사소리		ㅅ			ㅎ
		된소리		ㅆ			
울림 소리	비음		ㅁ	ㄴ		ㅇ	
	유음			ㄹ			

③ 표준 발음으로 인정하지 않는 자음 동화

㉠ 연구개음화: 연구개음이 아닌 'ㄷ, ㅂ, ㄴ, ㅁ' 등이 연구개음에 동화되어 연구개음인 'ㄱ, ㅇ'으로 발음되는 현상. 수의적 변화로 비표준 발음이다.

예 ㄷ → ㄱ: 숟가락[숙까락], ㅂ → ㄱ: 갑갑하다[각까파다],
ㄴ → ㅇ: 건강[겅강], ㅁ → ㅇ: 감기[강:기]

㉡ 양순음화: 양순음이 아닌 'ㄴ, ㄷ'이 양순음에 동화되어 양순음 'ㅁ, ㅂ'으로 발음되는 현상. 수의적 변화로 비표준 발음이다.

예 ㄴ → ㅁ: 신문[심문], ㄷ → ㅁ: 꽃말[꼼말], ㄷ → ㅂ: 꽃바구니[꼽빠구니]

(2) 구개음화

조음 방법 \ 소리의 세기 \ 조음 위치			입술소리 (양순음)	혀끝소리 (잇몸소리, 치조음)	센입천장 소리 (경구개음)	여린입천장 소리 (연구개음)	목청소리 (후음)
안울림 소리	파열음	예사소리	ㅂ	ㄷ		ㄱ	
		된소리	ㅃ	ㄸ		ㄲ	
		거센소리	ㅍ	ㅌ		ㅋ	
	파찰음	예사소리			ㅈ		
		된소리			ㅉ		
		거센소리			ㅊ		
	마찰음	예사소리		ㅅ			ㅎ
		된소리		ㅆ			
울림 소리	비음		ㅁ	ㄴ		ㅇ	
	유음			ㄹ			

① 끝소리가 'ㄷ, ㅌ'인 형태소가 모음 'ㅣ'나 반모음 'ㅣ'로 시작되는 형식 형태소와 만나면 'ㄷ, ㅌ'이 구개음 'ㅈ, ㅊ'으로 바뀌는 현상을 '구개음화'라고 한다.

예 • 굳이 → [구디] → [구지], 해돋이 → [해도디] → [해도지]
• 같이 → [가티] → [가치], 닫혀 → [다텨] → [다쳐] → [다처],
붙이다 → [부티다] → [부치다]
• 굳히다 → [구티다] → [구치다]

② 현대 국어의 경우 단일 형태소 안에서는 구개음화가 일어나지 않지만 근대 국어에서는 단일 형태소 안에서도 구개음화가 일어났다.

예 • 현대: 느티나무 → [느치나무] (×), 티끌 → [치끌] (×)
• 중세: 텬디 > 쳔지 > 천지(天地) (○)

(3) 모음 동화

모음과 모음이 만날 때 한 모음이 다른 모음을 닮는 현상이다.

① 'ㅣ' 모음 역행 동화

혀의 높이 \ 입술의 모양 \ 혀의 위치	전설 모음 평순 모음	전설 모음 원순 모음	후설 모음 평순 모음	후설 모음 원순 모음
고모음	ㅣ[i]	ㅟ[y]	ㅡ[ɨ]	ㅜ[u]
중모음	ㅔ[e]	ㅚ[ø]	ㅓ[ə]	ㅗ[o]
저모음	ㅐ[ɛ]		ㅏ[a]	

㉠ 앞 음절의 후설 모음 'ㅏ, ㅓ, ㅗ, ㅜ'가 뒤 음절의 전설 모음 'ㅣ'와 만나면 이에 끌려서 전설 모음 'ㅐ, ㅔ, ㅚ, ㅟ'로 변하는 현상을 말한다. 'ㅣ' 모음 역행 동화에 의한 변동은 대부분 표준어와 표준 발음으로 인정하지 않는다.

예 • 아비 → [애비], 잡히다 → [재피다]
• 먹이다 → [메기다] • 속이다 → [쇠기다]
• 죽이다 → [쥐기다] • 굶기다 → [귐기다]

㉡ 'ㅣ' 모음 역행 동화 중에서 표준어로 인정하는 예외적인 경우가 있다.

예 남비 → 냄비, 풋나기 → 풋내기

② 'ㅣ' 모음 순행 동화(이중 모음화): 전설 모음 'ㅣ' 뒤에 후설 모음 'ㅓ, ㅗ'가 오면 'ㅣ'의 영향을 받아 각각 'ㅕ, ㅛ'로 변하는 현상을 말한다. 'ㅣ' 모음 순행 동화는 표준 발음 인정 여부에 관한 논란이 있다.

예 • [되어](○)–[되여](○), [피어](○)–[피여](○), [이오](○)–[이요](○),
[아니오](○)–[아니요](○)
• [기어](○)–[기여](?), [미시오](○)–[미시요](?): [기여]와 [미시요] 등은 『표준국어대사전』에서는 허용되는 표준 발음이지만, 〈표준 발음법〉 기준으로는 비표준 발음이다.

③ 이외에 표준 발음으로 인정하지 않는 모음 동화

구분	원순 모음화	전설 모음화
내용	• 평순 모음 'ㅡ, ㅓ'가 원순 모음 'ㅜ'로 바뀌는 현상 • 주로 양순음 'ㅂ, ㅃ, ㅍ, ㅁ' 다음에 잘 일어남 • 비표준 발음이므로 발음에 주의해야 함	• 'ㅅ, ㅈ, ㅊ, ㅆ, ㅉ' 등의 치조음이나 경구개음 다음에 후설 모음 'ㅡ/ㅜ'가 오는 경우 'ㅡ/ㅜ'가 전설 모음 'ㅣ'로 바뀌는 현상 • 비표준 발음이므로 발음에 주의해야 함
용례	• 기쁘다(○) – 기뿌다(×) • 넙브러지다(○) – 넙부러지다(×) • 아버지(○) – 아부지(×) • 아등바등(○) – 아둥바둥(×) • 오므리다(○) – 오무리다(×) • 움츠리다(○) – 움추리다(×) • 주르륵(○) – 주루룩(×) • 푸드덕(○) – 푸두덕(×) • 후드득(○) – 후두둑(×)	• 괜스레(○) – 괜시리(×) • 부스스(○) – 부시시(×) • 스라소니(○) – 시라소니(×) • 까슬까슬(○) – 까실까실(×) • 으스대다(○) – 으시대다(×) • 고수레(○) – 고시레(×) • 으스스(○) – 으시시(×) • 추스르다(○) – 추스리다(×) • 메스껍다(○) – 메시껍다(×)

(4) 모음 조화

양성 모음 'ㅏ, ㅗ'는 'ㅏ, ㅗ'끼리, 음성 모음 'ㅓ, ㅜ, ㅡ'는 'ㅓ, ㅜ, ㅡ'끼리 어울리려는 현상이다. 현대 국어에서는 의성어, 의태어나 용언의 어간, 어미에서 모음 조화가 비교적 잘 지켜진다.

① 용언의 어미 '–아/–어, –아서/–어서, –아도/–어도, –아야/–어야, –아라/–어라, –았–/–었–' 등이 용언의 어간과 서로 어울리는 경우에 잘 나타난다.

예 • 깎아, 깎아서, 깎아도, 깎아야, 깎아라, 깎았다
• 먹어, 먹어서, 먹어도, 먹어야, 먹어라, 먹었다

② 의성어와 의태어에서 가장 뚜렷이 나타난다.

예 • 의성어: 졸졸–줄줄
• 의태어: 알락알락–얼럭얼럭, 살랑살랑–설렁설렁, 오목오목–우묵우묵

③ 모음의 종류에 따른 의미의 차이가 있다.

ㅏ, ㅗ(양성 모음)를 사용한 단어	밝고, 경쾌하고, 가볍고, 빠르고, 날카롭고, 작은 느낌
ㅓ, ㅜ(음성 모음)를 사용한 단어	어둡고, 무겁고, 크고, 둔하고, 느리고, 큰 느낌

④ 현대 국어에서 모음 조화는 규칙적이지 못하다.

모음 조화가 지켜진 예	곱–+–아 → 고와, 서럽–+–어 → 서러워, 거북스럽–+–어 → 거북스러워, 무겁–+–어 → 무거워
모음 조화가 지켜지지 않은 예	아름답–+–어 → 아름다워, 차갑–+–어 → 차가워, 날카롭–+–어 → 날카로워, 놀랍–+–어 → 놀라워

⑤ 모음 조화 파괴의 원인: 모음 조화는 15세기에는 매우 엄격히 지켜졌고, 16~18세기에는 'ㆍ(아래아)'의 소실로 'ㅡ'가 중성 모음이 되어 예외가 많이 생겼다. 현대 국어에서는 의성어, 의태어, 용언의 어간과 어미 정도에서만 모음 조화가 비교적 잘 지켜지고 있다.

'ㆍ(아래아)'의 소실

1단계	16세기 후반: 둘째 음절에서 'ㅡ'로 바뀜	← 모음 조화 붕괴의 직접적인 원인
2단계	18세기 중엽: 첫째 음절에서 'ㅏ'로 변천	

7 음운의 축약

앞뒤 형태소의 두 음운이 마주칠 때, 두 음운이 결합되어 하나의 음운으로 줄어드는 현상을 '음운의 축약'이라고 한다. 둘 중 어느 하나의 음운이 생략되는 것이 아니기 때문에 그 특성이 살아 있다.

8 음운의 탈락

앞뒤 형태소의 두 음운이 마주칠 때, 그중 한 음운이 완전히 생략되는 현상을 '음운의 탈락'이라고 한다. 음운의 축약과는 달리 음운의 탈락은 생략된 음운의 성질이 모두 사라진다.

(1) 자음 탈락

① 'ㄹ' 탈락

㉠ 용언 어간의 끝소리인 'ㄹ'이 어미의 첫소리 'ㄴ, ㄹ, ㅂ, ㅅ, 오' 앞에서 예외 없이 탈락하는 현상

예 • 갈다: 가니, 간, 갈, 갑니다, 가시다, 가오
• 둥글다: 둥그니, 둥근, 둥글, 둥급니다, 둥그시다, 둥그오

㉡ 파생어와 합성어를 만드는 과정에서 'ㄴ, ㄷ, ㅅ, ㅈ' 앞에서 'ㄹ'이 탈락하는 현상

예 • 'ㄴ' 앞: 따님(딸-님), 부나비(불-나비)
• 'ㄷ' 앞: 다달이(달-달-이), 마되(말-되), 여닫이(열-닫-이)
• 'ㅅ' 앞: 마소(말-소), 부삽(불-삽)
• 'ㅈ' 앞: 무자위(물-자위), 바느질(바늘-질), 싸전(쌀-전)

㉢ 'ㄷ, ㅈ' 앞에서 'ㄹ'이 탈락하는 현상

예 • 'ㄷ' 앞: 不同 → 부동, 不當 → 부당, 不得已 → 부득이, 不斷 → 부단
• 'ㅈ' 앞: 不知 → 부지, 不正 → 부정, 不條理 → 부조리

② 'ㅎ' 탈락: 'ㅎ(ㄶ, ㅀ)'을 끝소리로 가지는 용언의 어간이 모음으로 시작하는 어미 앞에서 'ㅎ'이 탈락하는 현상이다. 'ㅎ' 탈락은 명사에는 적용되지 않는다.

예 • 용언의 활용: 낳으니 → [나으니], 놓아 → [노아], 쌓이다 → [싸이다], 많아 → [마:나], 않은 → [아는], 닳아 → [다라], 끓이다 → [끄리다]
• 명사: 올해[오래](×) [올해](○), 전화[저:놔](×) [전:화](○)

③ 'ㅎ' 탈락의 유의 사항

㉠ '하얗습니다'에서 'ㅎ'이 탈락한 '하얍니다'는 표준어로 인정하지 않는다. 따라서 '하얗습니다, 까맣습니다, 퍼렇습니다, 동그랗습니다, 그렇습니다'로 적어야 한다.

㉡ 용언 어간의 끝소리 'ㅎ'이 어미 '-네'와 결합하는 경우, 'ㅎ'이 탈락한 형태와 탈락하지 않은 형태 모두를 표준어로 인정한다.

예 동그랗네(○) - 동그라네(○)

④ 자음군 단순화

㉠ 음절 끝에 겹받침이 올 경우 두 개의 자음 중 하나가 탈락하고 남은 하나만 발음된다.

예		
	앞 자음이 탈락하는 경우	밝다 → [박따], 젊다 → [점:따]
	뒤 자음이 탈락하는 경우	앉다 → [안따], 값 → [갑]

㉡ 자음군 단순화는 다음과 같은 조건에서 적용된다.

받침의 유형		용례	예외
겹자음	ㄳ, ㄵ, ㄶ, ㄼ, ㄽ, ㄾ, ㅀ, ㅄ → 첫째 자음이 남음	몫 → [목], 앉고 → [안꼬], 않는 → [안는], 넓다 → [널따], 외곬 → [외골/웨골], 핥고 → [할꼬], 앓는 → [알른], 값 → [갑]	ㄼ
	ㄺ, ㄻ, ㄿ → 둘째 자음이 남음('ㅍ'은 대표음인 'ㅂ'이 남음)	닭 → [닥], 읽지 → [익찌], 젊다 → [점:따], 읊지 → [읍찌]	ㄺ

⑤ 겹받침 발음의 유의 사항

예외 겹받침	내용	용례
ㄼ	• 'ㄼ'은 대개의 경우 앞의 'ㄹ'이 남는 것이 일반적 • 예외적으로 '밟-'은 뒤에 자음이 오면 앞의 'ㄹ'이 탈락	• 밟다 → [밥:따], 밟소 → [밥:쏘], 밟지 → [밥:찌], 밟는 → [밥:는] → [밤:는], 밟게 → [밥:께], 밟고 → [밥:꼬]
	• '넓죽하다, 넓둥글다'의 경우에도 예외적으로 앞의 'ㄹ'이 탈락	• 넓죽하다 → [넙쭈카다], 넓둥글다 → [넙뚱글다]
ㄺ	• 'ㄺ'은 대개의 경우 앞의 'ㄹ'이 탈락하는 것이 일반적 • 예외적으로 용언의 어간 말음 'ㄺ'은 'ㄱ' 앞에서 뒤의 'ㄱ'이 탈락	맑고 → [말꼬], 묽고 → [물꼬], 얽거나 → [얼꺼나]
ㄶ, ㅀ	• 'ㄶ, ㅀ'의 'ㅎ'은 뒤에 'ㄱ, ㄷ, ㅈ'이 오면 'ㅋ, ㅌ, ㅊ'으로 축약	• 않고 → [안코], 앓고 → [알코]
	• 'ㄶ, ㅀ' 뒤에 'ㅅ'이 오면 'ㅎ'이 탈락하고 'ㅅ'은 'ㅆ'으로 변화	• 않소 → [안쏘]
	• 'ㄶ, ㅀ' 뒤에 'ㄴ'이 오면 'ㅎ'을 발음하지 않음	• 앓는 → [알는] → [알른]
	• 'ㄶ, ㅀ' 뒤에 모음으로 시작하는 어미나 접미사가 오면 'ㅎ'을 발음하지 않음	• 않았다 → [안아따] → [아나따]

(2) 모음 탈락

① 동음 탈락: 'ㅏ, ㅓ'로 끝나는 용언의 어간 뒤에 같은 모음이 연달아 나오면, 하나의 모음이 탈락하는 현상이다.

예 타+아 → 타, 타+았다 → 탔다 / 서+어 → 서, 서+었다 → 섰다 / 켜+어 → 켜, 켜+었다 → 켰다 / 펴+어 → 펴, 펴+었다 → 폈다

② 'ㅡ' 탈락: 'ㅡ'로 끝나는 용언의 어간 뒤에 '-아/-어, -아서/-어서'로 시작하는 어미가 결합하면, 'ㅡ'가 예외 없이 탈락하는 현상이다.

예 뜨다 → 떠, 떴다 / 끄다 → 꺼, 껐다 / 크다 → 커, 컸다 / 담그다 → 담가, 담갔다 / 고프다 → 고파, 고팠다

9 음운의 첨가: 사잇소리 현상

앞뒤 형태소의 두 음운이 마주칠 때, 원래 없던 음운이 덧붙여지는 현상을 '음운의 첨가'라고 한다. 음운 첨가의 대표적인 예는 '사잇소리 현상'이다.

(1) 사잇소리의 유형

① 된소리되기: 두 개의 형태소 또는 단어가 합쳐져서 합성 명사를 이룰 때, 앞말의 끝소리가 울림소리이고 뒷말의 첫소리가 안울림 예사소리이면, 뒤의 예사소리가 된소리로 변한다. 이를 표시하기 위하여 합성어의 앞말이 모음으로 끝났을 때는 받침으로 사이시옷을 적는다.

예 • 촛불(초+불) → [초뿔/촏뿔], 뱃사공(배+사공) → [배싸공/밷싸공]
• 밤+길 → [밤낄], 촌+사람 → [촌:싸람], 등+불 → [등뿔], 길+가 → [길까]

② 'ㄴ' 첨가

㉠ 합성어가 형성되는 환경에서 앞말이 모음으로 끝나고 뒷말이 'ㅁ, ㄴ'으로 시작되면 'ㄴ' 소리가 첨가된다.

예 잇몸(이+몸) → [인몸], 콧날(코+날) → [콘날]

㉡ 합성어가 형성되는 환경에서 앞말이 자음으로 끝나고 뒷말이 모음 'ㅣ'나 반모음 'ㅣ[j]'로 시작되면 'ㄴ' 소리가 첨가된다.

예 논일(논+일) → [논닐], 집일(집+일) → [짐닐]

③ 'ㄴㄴ' 첨가: 합성어가 형성되는 환경에서 앞말이 모음으로 끝나고 뒷말이 모음 'ㅣ'나 반모음 'ㅣ[j]'로 시작되면 'ㄴㄴ' 소리가 첨가된다.

예 깻잎(깨+잎) → [깬닙], 베갯잇(베개+잇) → [베갠닏]

(2) 사잇소리 현상의 특징

① 발음상 사잇소리가 있다. 예 초+불(촛불) → [초뿔/촏뿔]

② 사잇소리 현상은 불규칙해서 일정한 법칙을 찾기 힘들고 예외 현상이 많다.

예 고래기름, 참기름, 기와집, 은돈, 콩밥, 말방울, 인사말, 머리말, 고무줄

③ 사잇소리 현상에 따른 의미의 분화가 일어날 수 있다.

예 • 고기+ㅅ+배 → [고기빼/고긷빼] (뜻: 고기잡이 하는 배)
고기+배 → [고기배] (뜻: 고기의 배[腹])
• 나무+ㅅ+집 → [나무찝/나묻찝] [뜻: 나무(장작)를 파는 집]
나무+집 → [나무집] (뜻: 나무로 만든 집)

④ 한자로 이루어진 합성어는 사잇소리 현상이 나타나더라도 사이시옷을 적지 않는 것을 원칙으로 한다. 단, 그 소리가 확실하게 인식되는 여섯 단어 '곳간(庫間), 셋방(貰房), 숫자(數字), 찻간(車間), 툇간(退間), 횟수(回數)'에서만 사이시옷을 받치어 적는다.

⑤ 두 단어를 이어서 한 마디로 발음할 때에도 사잇소리 현상과 같은 현상이 일어나는 경우가 있다.

예 한 일 → [한닐], 옷 입다 → [온닙따], 할 일 → [할닐] → [할릴],
잘 입다 → [잘닙다] → [잘립따], 먹은 엿 → [머근녇]

(3) 'ㄴ' 소리를 첨가하여 발음하되, 표기대로 발음할 수도 있는 단어들

감언이설[가먼니설/가머니설]
강약[강냑/강약]
검열[검:녈/거:멸]
그런 일[그런닐/그러닐]
금융[금늉/그뮹]
먹을 엿[머글렫/머그렫]
먹은 엿[머근녇/머그녇]
못 이기다[몬니기다/모디기다]
순이익[순니익/수니익]
야금야금[야금냐금/야그먀금]
연이율[연니율/여니율]
영영[영녕/영영]
옷 입다[온닙따/오딥따]
욜랑욜랑[욜랑뇰랑/욜랑욜랑]
이글이글[이글리글/이그리글]
이죽이죽[이중니죽/이주기죽]
못 잊다[몬닏따/모딛따]
못 잊어[몬니저/모디저]
밤이슬[밤니슬/바미슬]
서른여섯[서른녀섣/서르녀섣]
의기양양[의:기양냥/의:기양양]
잘 익히다[잘리키다/자리키다]
한 일[한닐/하닐]
할 일[할릴/하릴]

10 기타 음운 현상

(1) 호전 작용

'ㄹ' 받침을 가진 단어 또는 어간이 다른 단어 또는 접미사와 결합할 때, 'ㄹ'이 'ㄷ'으로 바뀌어 발음되고 표기되는 현상이다.

예 이틀+날 → 이튿날, 사흘+날 → 사흗날, 삼질+날 → 삼짇날, 설+달 → 섣달, 술+가락 → 숟가락, 잘+다랗다 → 잗다랗다

(2) 활음조

발음을 쉽고 매끄럽게 하기 위하여 음운을 변화 또는 첨가시키는 것을 말한다. 활음조는 다음의 두 가지 현상으로 나타난다.

'ㄴ' → 'ㄹ'	예 한아버지 → 할아버지, 안음[抱] → 아름, 한나산(漢拏山) → 한라산, 곤난(困難) → 곤란
'ㄴ, ㄹ' 첨가	예 폐염(肺炎) → 폐렴, 지이산(智異山) → 지리산

CHAPTER 03 | 형태론

워크북 P.21

1 형태소

'형태소'란 일정한 뜻을 가진 가장 작은 말의 단위로, 여기에서 '뜻'은 어휘적 의미와 문법적 의미를 모두 포괄한다.

하늘	이	맑-	-았-	-다
명사	주격 조사	어간	과거 시제 선어말 어미	어말 어미

형태소는 다음 기준에 따라 분류할 수 있다.

(1) 자립성의 유무에 따라

① 자립 형태소: 홀로 자립해서 단어가 될 수 있는 형태소로, 명사·대명사·수사·관형사·부사·감탄사가 자립 형태소에 해당한다.

예 하늘

② 의존 형태소: 반드시 다른 형태소와 결합해야만 단어가 되는 형태소로, 조사·용언의 어간과 어미·접사가 의존 형태소에 해당한다.

예 이, 맑-, -았-, -다

(2) 의미의 유형에 따라

① 실질 형태소: 구체적인 대상이나 구체적인 상태를 나타내는 실질적 의미를 가지고 있는 형태소로, 자립 형태소와 용언의 어간이 실질 형태소에 해당한다. 예 하늘, 맑-

② 형식 형태소: 형식적인 의미, 즉 문법적 의미만을 나타내는 형태소로, 조사와 어미·접사가 형식 형태소에 해당한다. 예 이, -았-, -다

(3) 형태소의 종류에 따른 품사의 구분

형태소 구분		품사 구분
자립성의 유무	자립 형태소	명사, 대명사, 수사, 관형사, 부사, 감탄사
	의존 형태소	조사, 용언의 어간과 어미

의미의 유형	실질 형태소	명사, 대명사, 수사, 관형사, 부사, 감탄사, 용언의 어간
	형식 형태소	조사, 용언의 어미

2 이형태(異形態)

하나의 형태소가 환경에 따라 모습을 달리하는 것을 '이형태'라고 한다. 이형태는 다음의 세 가지로 분류할 수 있다.

① 음운론적 이형태: 하나의 형태소가 음운 환경에 따라 다르게 나타나는 이형태로, 선행하는 음운이 모음이냐 자음이냐, 양성 모음이냐 음성 모음이냐에 따라 다르게 나타난다.

예 '이/가', '을/를', '로/으로', '-시-/-으시-', '-았-/-었-', '-아-/-어-'

② 형태론적 이형태: 연결되는 형태소 자체에 의해서만 설명되는 이형태이다.

예 • 과거 시제를 나타내는 '-였-/-었-': '-었-'이 기본 형태이지만, 특별히 어간 '하-' 뒤에서는 '-였-'으로 바뀌게 된다.
• 명령형 어미 '-아라/-어라', '-거라', '-너라': '-아라/-어라', '-거라'가 기본 형태이지만, 특별히 어간 '오-' 뒤에서는 '-너라'로 바뀌게 된다.

③ 자유 이형태: 음운적 환경이나 형태적인 환경에 영향을 받지 않고 동일한 환경에서 조건 없이 서로 대체될 수 있는 이형태이다.

예 • 밥+을/밥+ø(밥을 먹었다/밥 먹었다): '을'과 'ø'는 서로 같은 환경에서 자유롭게 교체되어 나타날 수 있다.
• 노을/놀: 복수 표준어도 자유 이형태로 볼 수 있다.

3 단어(낱말)

문장 내에서 자립하여 쓰일 수 있는 말이나 자립할 수 있는 형태소에 붙어서 쉽게 분리될 수 있는 말을 '단어'라고 한다. 단어는 품사 분류의 기준이며, 사전 등재의 기본 단위이다. 단어는 띄어 쓰는 것을 원칙으로 하며, 조사는 앞말에 붙여 쓴다.

① 자립성이 없는 조사가 단어로 인정받는 이유는 쉽게 분리될 수 있기 때문이다. 반면에, 어미는 자립성이 없고 앞말과 분리될 수 없으므로 단어로 보지 않는다.

② 의존 명사와 보조 용언은 자립성이 결여되어 있으나, 자립 형태소의 출현 환경에서 나타나고 의미도 문법적인 것이 아니므로 준자립어로 간주하여 단어로 분류한다.

③ 복합어의 경우 형태소는 두 개 이상으로 나눌 수 있지만 한 단어로 여긴다.

4 단어의 형성

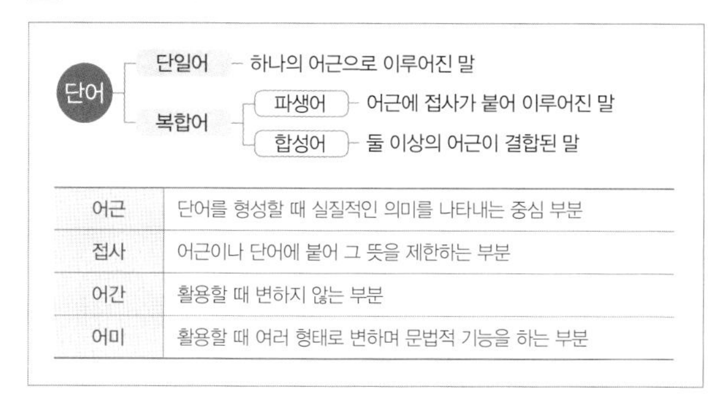

어근	단어를 형성할 때 실질적인 의미를 나타내는 중심 부분
접사	어근이나 단어에 붙어 그 뜻을 제한하는 부분
어간	활용할 때 변하지 않는 부분
어미	활용할 때 여러 형태로 변하며 문법적 기능을 하는 부분

(1) 단일어

하나의 어근으로 된 단어이다.

(2) 복합어

둘 이상의 어근이 결합하여 이루어진 단어(합성어)나, 하나의 어근에 파생 접사가 결합하여 이루어진 단어(파생어)이다.

(3) 파생어

어근의 앞이나 뒤에 접사가 붙어서 만들어진 단어를 '파생어'라고 한다.

5 합성어

(1) 어근의 결합 방식에 따른 분류

구분	합성 방법	예
대등 합성어	두 어근이 본래의 뜻을 유지하고 대등하게 결합한 합성어	앞뒤, 손발
종속 합성어	두 어근이 본래의 뜻을 유지하고 결합하되, 한 어근이 다른 한 어근에 종속되어 있는 합성어(한 어근이 다른 어근을 수식함)	돌다리, 국밥
융합 합성어	두 어근의 결합 결과, 두 어근과는 완전히 다른 제3의 의미가 도출되어 나온 합성어	춘추, 세월

(2) 통사적 구성 방식과의 일치 여부에 따른 분류

① 통사적 합성어: 두 어근의 결합 방식이 우리말의 일반적인 단어 배열 방법과 일치하는 합성어

합성 방법	예
명사+명사	손발, 밤낮, 손등, 코웃음
관형어+체언	첫사랑, 군밤, 새해, 어린이
부사+부사	곧잘, 이리저리
부사+용언	잘나다, 못나다
체언+(조사 생략)+용언	힘들다, 장가가다, 본받다, 값싸다
용언+연결 어미+용언	들어가다, 돌아가다, 뛰어가다
한자어의 결합이 우리말 어순과 일치하는 경우	북송(北送), 전진(前進)

② 비통사적 합성어: 두 어근의 결합 방식이 우리말의 일반적인 단어 배열 방법과 일치하지 않는 합성어

합성 방법	예
용언+(관형사형 전성 어미 생략)+체언	꺾쇠, 감발, 덮밥, 접칼
용언+(연결 어미 생략)+용언	여닫다, 우짖다, 검푸르다, 뛰놀다, 오가다
부사+체언	부슬비, 산들바람
우리말 어순과 다른 경우 참 한자어에서 많이 나타나는 구성임	독서(讀書), 급수(給水), 등산(登山)

6 품사

단어들을 성질이 공통된 것끼리 모아 갈래를 지어 놓은 것을 '품사'라고 한다. 품사는 형태, 기능, 의미에 따라 다음과 같이 구분할 수 있다.

(1) 형태에 따른 분류

단어의 형태 변화가 있는지 없는지에 따른 분류이다.

명칭	분류 기준
가변어	• 단어의 형태가 변함 • 용언, 서술격 조사가 해당됨
불변어	• 단어의 형태가 변하지 않음 • 체언, 관계언, 수식언, 독립언이 해당됨

(2) 기능에 따른 분류

단어가 문장 내에서 하는 역할(문장 성분)에 따른 분류로, '5언'이라고 지칭한다.

명칭	분류 기준
체언	대체로 문장에서 주어가 되는 자리에 놓여 주체의 역할을 하는 기능
관계언	체언에 붙어 문법적 관계를 표시하거나 뜻을 더해 주는 기능
용언	문장의 주체를 서술하는 기능
수식언	체언이나 용언 앞에 놓여 체언이나 용언을 꾸미거나 의미를 한정하는 기능
독립언	문장 속에서 다른 단어와 어울리지 않고 독립적으로 쓰임

(3) 의미에 따른 분류

단어가 가지는 의미에 따른 분류로, '9품사'라고 지칭한다.

명칭		분류 기준
체언	명사	사물의 명칭을 표시
	대명사	사물의 명칭을 대신하여 표시
	수사	사물의 수와 차례를 표시
관계언	조사	말과 말의 관계를 표시
용언	동사	사물의 움직임을 표시
	형용사	사물의 성질, 상태, 존재를 표시
수식언	관형사	체언 앞에 놓여 체언을 수식
	부사	용언 앞에 놓여 사물의 움직임, 성질, 상태를 한정
독립언	감탄사	느낌이나 부름, 대답을 표시

7 명사

(1) 사용 범위에 따른 분류

구분	내용
고유 명사	특정한 사람이나 사물에 대하여 붙여진 이름 예 사람 이름(이순신), 나라명(대한민국), 책 이름(열하일기)
보통 명사	일반적인 사물의 이름 예 자동차, 꽃, 시계, 책

(2) 자립성 유무에 따른 분류

구분		내용
자립 명사		문장에서 다른 말의 도움을 받지 않고 여러 성분으로 쓰이는 명사 예 자동차, 꽃, 시계, 책
의존 명사		명사의 성격을 띠면서도 그 의미가 형식적이어서 홀로 자립하여 쓰이지 못하고 반드시 관형어가 있어야만 문장에 쓰일 수 있는 명사 예 것, 데, 바, 수, 이
	보편성 의존 명사	• 격 조사가 붙어 주어, 목적어, 서술어 등으로 쓰이는 의존 명사 예 것, 분, 데, 바 • 문장의 여러 성분에 두루 쓰인다. 예 것이, 것을, 것에 • 보편성 의존 명사 중 대표적인 것은 '것'으로, 자립 명사의 대용 이외에도 여러 가지 특수한 기능을 한다. 예 • 선행 체언 지시: 우리 집의 백자는 조선 시대 후기의 것입니다. ('백자'를 지시) • 문장의 뜻 강조: 그들은 무한한 행복을 추구하고 있는 것이다.
	주어성 의존 명사	• 주로 주격 조사가 붙어 주어로 쓰이는 의존 명사 예 지, 수, 리, 나위 • 주격 조사와 결합하여 주어로 쓰이지만 주격 조사가 생략될 때도 있다. 예 이곳에 온 지가 벌써 한 해가 가까워 온다. / 나도 어쩔 수가 없었다. / 그럴 리 없다.
	서술성 의존 명사	• 주로 '이다'가 붙어 서술어로 쓰인다. 예 뿐, 터, 때문, 따름 • 서술어로 사용되며, '의존 명사+이다'의 형태나 '아니다'의 형태로 나타난다. 예 뿐이다, 터이다, 때문이 아니다
	부사성 의존 명사	• 주로 '하다' 앞에 와서 부사어로 쓰인다. 예 대로, 만큼, 듯, 채 • 부사격 조사와 결합하여 부사어로 쓰인다. • '뻔, 체, 양, 듯, 만' 등은 '하다'와 결합하여 동사, 형용사처럼 쓰이기도 한다. 예 비가 올 듯하다.
	단위성 의존 명사	• 수 관형사 다음에 쓰여 앞에 오는 명사의 수량 단위를 나타낸다. 예 마리, 자, 섬, 자루 • 선행하는 명사의 수량을 단위의 이름으로 지시하는 기능을 가진다. • 반드시 수 관형사와 결합한다. 예 사람이 열 명, 병이 다섯 개 • 자립 명사와 의존 명사의 기능을 함께 가지는 것도 있다. 예 나무 세 그루 – 그루만 남은 나무 / 막걸리 세 사발 – 사발에 담긴 막걸리

(3) 의존 명사의 판별

① '만큼, 대로, 뿐'은 용언의 관형사형 뒤에 오면 '의존 명사'이지만, 체언 뒤에 오면 '조사'로 취급하여 붙여 쓴다.

예 • 대로: 아는 대로(의존 명사), 나는 나대로(조사)
• 만큼: 먹을 만큼(의존 명사), 너만큼 나도 안다(조사)

② '법, 성, 만, 뻔, 체, 양, 듯, 척'이 혼자 쓰이면 의존 명사이고, '하다'와 함께 쓰이면 보조 용언이다.

예 척: 아는 척을 한다.(의존 명사), 아는 척한다.(동사)

③ 동일한 형태가 쓰임에 따라 의존 명사, 접미사, 어미로 구분되기도 한다. 이때, '의존 명사'는 앞말과 띄어 쓰고, '접미사'나 '어미'는 어근 또는 어간 뒤에 붙여 쓴다.

예 • 이: 말하는 이(의존 명사), 옮긴 이(의존 명사), 젖먹이/때밀이(접미사)
• 듯: 씻은 듯 깨끗하다.(의존 명사), 구름에 달 가듯(어미)

④ 동일한 형태가 쓰임에 따라 '의존 명사'와 '자립 명사'로 구분되기도 한다.

예 되: 열 되를 한 말이라고 한다.(의존 명사), 되는 말보다 적다.(자립 명사)

8 대명사

(1) 지시 대명사

① 개념: 사물이나 처소, 방향을 대신 가리키는 대명사를 '지시 대명사'라고 한다.

② 분류

구분	근칭	중칭	원칭	미지칭	부정칭
사물 대명사	이, 이것	그, 그것	저, 저것	무엇	–
처소 대명사	여기	거기	저기		–

③ 특징

㉠ '관형사+의존 명사'의 합성어 형태가 있다. 예 이것, 그것, 저것

㉡ '이, 그, 저'에 조사가 연결되거나 '이것, 그것, 저것'으로 바꿀 수 있으면 지시 대명사이다. 예 이를 보라. (→ 이것을 보라.)

㉢ '여기, 거기, 저기'가 주체 성분으로 쓰였으면 지시 대명사이고, 용언이나 문장 전체를 꾸미면 부사이다.

예 • 지시 대명사: 여기가 바로 대관령이다.
• 지시 부사: 바로 여기 있었구나.

(2) 인칭 대명사

① 개념: 사람을 대신 가리키는 대명사를 '인칭 대명사'라고 한다.

② 분류

㉠ 1인칭: 지시 대상이 화자 자신이다. 예 나, 우리, 저

㉡ 2인칭: 지시 대상이 청자이다. 예 너, 당신

㉢ 3인칭: 지시 대상이 제3의 인물이다. 예 이이, 그이, 저이

㉣ 미지칭: 대상의 이름이나 신분을 모를 때 쓰는 인칭 대명사로, 주로 의문문에 쓰인다. 예 누구 얼굴이 먼저 떠오르냐?

㉤ 부정칭: 특정 인물을 가리키지 않는 인칭 대명사이다.

예 아무라도 응시할 수 있다. 누구든지 할 수 있으면 해라!

㉥ 재귀칭: 한 문장 안에서 앞에 나온 명사(주로 3인칭 주어)를 다시 가리킬 때 쓰는 인칭 대명사이다.

예 • 철수도 자기 잘못을 알고 있다.
• 그분은 당신 딸만 자랑한다.
• 중이 제(저+의) 머리를 못 깎는다.

9 수사

고유어계 수사	양수사	정수	하나, 둘, 셋, 스물
		부정수	한둘, 두셋, 예닐곱
	서수사	정수	첫째, 둘째, 다섯째, 마흔째
		부정수	한두째, 서너째, 너덧째
한자어계 수사	양수사	정수	일, 이, 삼, 이십, 백, 천
		부정수	일이, 이삼, 오륙
	서수사	정수	제일, 제이, 제삼, 일호, 이호
		부정수	없음

10 관계언: 조사

(1) 개념

자립 형태소(체언 따위) 뒤에 붙어서 다양한 문법적 관계를 나타내거나 의미를 추가하는 의존 형태소를 '조사'라고 한다. 조사는 문장에서의 역할에 따라 격 조사, 접속 조사, 보조사로 분류할 수 있다.

(2) 조사 결합의 제약

다음에 제시된 한자어는 일부의 제한된 조사와만 결합한다.

구분	용례
불굴(不屈)	불굴의 의지
미연(未然)	미연에 방지하다.
가관(可觀)	가관이다.
가망(可望)	가망이 없다.
재래(在來)	재래의 관습
무진장(無盡藏)	무진장으로 깔려 있다.
불가분(不可分)	불가분의 관계이다.

11 격 조사

(1) 개념

앞에 오는 체언이 문장 안에서 일정한 자격(문장의 성분)을 가지도록 하여 주는 조사이다.

(2) 분류

선행 체언에 어떤 자격을 부여하느냐에 따라 주격 조사, 목적격 조사, 보격 조사, 관형격 조사, 부사격 조사, 호격 조사, 서술격 조사로 구분할 수 있다.

구분	형태	기능	용례
주격 조사	이/가, 께서, 에서, 서	선행 체언에 주어 자격 부여 • 께서: 선행 체언이 높임 대상일 때 • 에서: 일반적으로 선행 체언이 단체일 때	• 꽃이 예쁘다. • 아버님께서 신문을 보신다. • 우리 학교에서 우승을 했다.
목적격 조사	을/를	서술어에 대한 목적어의 자격 부여	• 밥을 먹는다. • 나는 학교를(에) 다닌다. • 그가 나를 사랑한다.
보격 조사	이/가	'되다/아니다' 앞에 붙어 선행 체언이나 용언의 명사형에 보어 자격 부여	• 그는 선생이 아니다. • 언니는 의사가 되었다.
관형격 조사	의	• 선행 체언에 붙어 후행 체언을 수식 • 선·후행 체언은 다양한 의미 관계를 가짐	이것은 나의 사진이다. → 내가 가진 사진(소유) → 내가 찍은 사진(행위의 주체) → 나를 찍은 사진(행위의 객체)
부사격 조사	에서, 한테, 에, 에게, 으로/로, 로써, 로서, 하고, 와/과, 보다, 에게서, 한테서	선행 체언에 부사어 자격 부여	아이들이 마당에서 뛰어 논다.
호격 조사	야, 아, 이여	주로 사람을 가리키는 체언 뒤에 붙어 독립어 자격 부여	호동아!
서술격 조사	이다	체언 뒤에 붙어 서술어 자격 부여	이것은 연필이다.

12 접속 조사

(1) 접속 조사 '와/과'의 기능

① 문장 접속

'철수와 영수'는 우등생이다.

⇨ 철수는 우등생이다. + 영수는 우등생이다.

여기서 '와'는 '철수'와 '영수'를 묶어서 주어가 되게 한다. 그리고 이 문장은 두 문장으로 나눌 수 있으므로 '철수와 영수는 우등생이다.'는 겹문장(대등하게 이어진문장)이다.

② 단어 접속

'영수와 철수'는 아주 닮았다.

⇨ *영수는 아주 닮았다. *철수는 아주 닮았다.

이 문장은 두 문장으로 나눌 수 없으므로 문장의 접속이 아니라 단어의 접속이다(홑문장). 이것은 대칭 서술어만의 특징이다. 그런데 서술어가 대칭 서술어가 아니더라도 부사 '함께, 같이, 서로' 등 대칭성 부사가 쓰이면 대칭 서술어처럼 행동한다.

(2) 접속 조사와 부사격 조사

'와/과' 등이 체언과 체언 사이에 쓰이지 않고 체언과 부사 혹은 용언 사이에 쓰여 '함께(공동)'나 '비교'의 뜻을 가지면 접속 조사가 아니라 부사격 조사이다.

체언과 부사 사이	'공동'의 의미	영희는 철수와 함께 학교에 갔다.
체언과 용언 사이	'비교'의 의미	이것은 저것과 다르다.

13 보조사

앞말에 특별한 뜻을 더하여 주는 조사를 '보조사'라고 한다.

(1) 특징

① 보조사는 일정한 격을 갖추지 않고 그 문장이 요구하는 격을 가진다.
② 부사나 용언과도 결합한다.
③ 격 조사와 어울려 쓰이기도 하고, 격 조사를 생략시키기도 한다.
④ 문장 성분의 제약 없이 쓰이며, 자리 이동이 자유롭다.

(2) 분류

① 성분 보조사: '만, 는, 도'와 같이 문장 성분 뒤에 붙는 보조사이다. 성분 보조사는 주어에도 붙고 부사어에도 붙고 용언에도 붙어 다양한 양상을 보인다.

종류	의미	용례
은/는	대조	산은 좋지만 왠지 바다는 싫어.
도	강조, 허용	구름도 쉬어 넘는 헐떡 고개 / 같이 가는 것도 좋습니다.
만, 뿐	단독, 한정	나만 몰랐어. / 이제 믿을 것은 오직 실력뿐이다.
까지, 마저, 조차	극단	할 수 있는 데까지 해 보자. / 브루투스, 너마저도!
부터	시작	내일부터 좀 쉬어야겠다.
마다	균일	학교마다 축제를 벌이는구나.
(이)야	강조	너야 잘 하겠지.
(이)나, (이)나마	최후 선택	애인은 그만두고 여자 친구나 있었으면 좋겠다.

② 종결 보조사: '그려, 그래' 같은 보조사로, 종결 보조사는 문장 맨 끝에 붙어서 '강조'의 의미를 더한다. 예 그가 갔네그려. / 그가 갔구먼그래.
③ 통용 보조사: '요'는 상대 높임을 나타내며, 어절이나 문장의 끝에 결합하는 독특한 성격을 가진다.
예 오늘은요, 학교에서 재미있는 노래를 배웠어요.

(3) 보조사 '은/는'

'은/는'이 주어 표지나 목적어 표지의 구실을 한다고는 할 수 없고, 다만 주어 표지나 목적어 표지를 대치한다고 보는 것이 적당하다. 따라서 '은/는'은 격 조사가 아니라 보조사이다.

의미	용례
문두(文頭)의 주어 자리에 쓰여 문장의 화제를 표시	귤은 노랗다.
대조의 의미	귤은 까서 먹고 배는 깎아서 먹는다.
강조의 의미	그렇게는 하지 마라.

14 동사

주어의 동작이나 작용을 나타내는 단어의 묶음을 '동사'라고 한다.
동사는 다음과 같은 특징을 가진다.

① 시제를 동반하며, 동작상을 나타낸다.
예 읽는다(현재), 읽었다(과거), 읽겠다(미래), 읽고 있다(현재 진행형)
② 조사와 결합이 가능하다.
③ 관형사와는 어울릴 수 없으나, 부사의 한정을 받는다.
④ 사동, 피동, 강세의 뜻을 나타내는 접사는 기본형에 넣어서 표제어로 삼는다.
예 먹다(타동사, 기본형) → 먹이다(사동사, 기본형), 먹히다(피동사, 기본형)
⑤ 높임법을 가진다.

15 형용사

주어의 성질이나 상태를 나타내는 단어의 부류이다. 사람이나 사물의 상태가 어떠한가를 형용하거나 그 존재를 나타내면서 문장 안에서 주로 서술어의 기능을 가지는 단어의 묶음을 '형용사'라고 한다.

(1) 특징

① 동사와 함께 활용을 하는 용언으로 사물의 성질, 상태를 표시한다.
② 목적어와의 호응이 없어 자동과 타동, 사동과 피동의 구별이 없다.
③ 부사어의 한정을 받을 수 있으며, 기본형이 현재형으로 쓰인다.
예 부사어+형용사 기본형: 몹시 달다.
④ 조사와 결합이 가능하다.
예 • 형용사의 명사형+격 조사: 달기가 꿀과 같다.
• 형용사 연결형 어미+보조사: 달지도 쓰지도 않다.

(2) 동사와 형용사의 구분 기준('있다, 크다, 밝다' 등과 같이 동사와 형용사로 모두 쓰이는 단어는 제외한다.)

① 동사는 주어의 동작이나 작용(과정)을, 형용사는 성질이나 상태를 나타낸다.

예

동사	• 그는 자리에서 일어난다. (유정 명사의 동작) • 피가 솟는다. (무정 명사의 과정)
형용사	• 과일은 대부분 맛이 달다. (성질) • 꽃이 매우 아름답다. (상태)

② 기본형에 현재 시제 선어말 어미 '-는-/-ㄴ-'이 결합할 수 있으면 동사이고, 결합할 수 없으면 형용사이다. (형용사는 기본형이 현재형으로 쓰임)

예

동사	그는 자리에서 일어난다.
형용사	*꽃이 매우 아름답는다.

③ 기본형에 현재를 나타내는 관형사형 전성 어미 '-는'이 결합할 수 있으면 동사이고, 결합할 수 없으면 형용사이다. 참고로, 동사 '본, 솟은'에 쓰인 '-(으)ㄴ'은 과거 시제를 나타내는 전성 어미이고

형용사 '단, 아름다운'에 쓰인 '-(으)ㄴ'은 현재 시제를 나타내는 전성 어미이다.

예
동사	산을 {보는 / 본} 나　　하늘로 {솟는 / 솟은} 불길
형용사	맛이 {*단는 / 단} 과일　　매우 {*아름답는 / 아름다운} 꽃

④ '의도'를 뜻하는 어미 '-(으)려'나 '목적'을 뜻하는 어미 '-러'와 함께 쓰일 수 있으면 동사, 그렇지 못하면 형용사이다.

예
동사	• 철수가 영희를 때리려 한다. • 호동이는 공책을 사러 나갔다.
형용사	• *영자는 아름다우려 화장을 한다. • *영자는 예쁘러 화장을 한다.

⑤ 동사는 명령형 어미 '-어라/-아라'와 청유형 어미 '-자'와 결합할 수 있는 데 반하여, 형용사는 명령형 어미나 청유형 어미와 결합할 수 없다.

예
동사	• 철수야, 일어나라. • 우리 심심한데 수수께끼 놀이나 하자.
형용사	• *영자야, 오늘부터 착해라. • *영자야, 우리 오늘부터 성실하자.

⑥ 동사는 감탄형 어미로 '-는구나'를, 형용사는 '-구나'를 취한다.

예
동사	잘 하는구나.
형용사	맛있구나.

16 본용언과 보조 용언

(1) 본용언

보조 용언 없이도 본래의 실질적 의미를 가지는 문장의 중심 서술어이다. 따라서 본용언은 단독으로 문장의 서술어가 될 수 있고, 본용언의 개수로 겹문장인지 홑문장인지 구별할 수 있다.

(2) 보조 용언

앞의 용언에 뜻을 더하는 기능을 하는 용언이다. 보조 용언은 본래의 실질적 의미를 상실한 상태로 쓰이고 자립성이 없어서 단독으로 주체를 서술할 수 없다. 따라서 보조 용언은 단독으로 사용될 수 없으므로 문장에 용언이 하나만 나타난다면 그것은 본용언이다. 또한 보조 용언은 한 문장에서 연달아 사용될 수 있다.

(3) 보조 동사와 보조 형용사의 구별

① 선어말 어미 '-는-/-ㄴ-'이 결합할 수 있으면 보조 동사, 결합할 수 없으면 보조 형용사이다. 즉, 일반적인 동사와 형용사의 구별법과 같다.

예 책을 읽어 본다. (보조 동사) / 책을 읽는가 보다. (보조 형용사)

② '아니하다, 못하다' 등의 부정 보조 용언은 선행 용언이 동사이면 보조 동사이고, 선행 용언이 형용사이면 보조 형용사이다.

예 • 아직도 꽃이 피지 않는다. (보조 동사)
• 이 꽃이 아름답지 않다. (보조 형용사)

③ 동사 뒤에 붙어 앞말이 뜻하는 행동을 일단 긍정하거나 강조하는 '-기는 하다, -기도 하다, -기나 하다'에서 '하다'는 선행 용언이 동사이면 보조 동사이고, 선행 용언이 형용사이면 보조 형용사이다. 단, '-다가 못하여'의 구성으로 쓰인 경우(극에 달해 더 이상 유지할 수 없음을 나타내는 경우)에는 보조 형용사로 본다.

예 • 철수가 옷을 잘 입기는 한다. (보조 동사)
• 사람이 괜찮기는 하네. (보조 형용사)
• 먹다 못해 음식을 남기는 경우 (보조 형용사)

④ '보다'는 추측, 의도, 원인 등의 의미를 나타내면 보조 형용사이고, 나머지 경우는 보조 동사이다.

예 • 밥이 다 됐나 보다. (보조 형용사 – 추측)
• 확, 욕할까 보다. (보조 형용사 – 의도)
• 돌이 워낙 무겁다 보니 혼자서 들 수가 없었다. (보조 형용사 – 원인)

⑤ '하다'는 앞말을 강조하거나 이유를 나타내면서 선행하는 본용언이 형용사인 경우에는 보조 형용사이고, 나머지 경우는 보조 동사이다.

예 • 부지런하기만 하면 됐다. (보조 형용사 – 강조)
• 할 일이 많기도 하니 어서 서두르자. (보조 형용사 – 이유)

17 용언의 활용

(1) 어간

활용할 때 변하지 않는 부분으로, 피동·사동·강세 등의 접사가 붙은 말도 포함된다.

(2) 어미

활용할 때 변하는 부분이다. 용언 및 서술격 조사 '이다'가 활용하여 변하는 부분으로, '선어말 어미'와 '어말 어미'로 구분된다.

① 선어말 어미: 어간과 어말 어미 사이에 오는 개방 형태소로, '높임, 시제, 공손'을 표시하는 어미이다. 선어말 어미는 그 자체만으로 단어를 완성시키지 못하고 반드시 어말 어미를 요구한다. 또한 분포에 따라 자리가 고정되어 있어 순서를 함부로 바꿀 수 없으며, 차례는 분포의 넓고 좁음에 비례한다.

| 선어말 어미의 구분

구분	기능	형태	용례
주체 높임 선어말 어미	주체 높임	-(으)시-	할머니께서 공부를 하신다.
시제 선어말 어미	과거	-았-/-었-	호동이가 공부를 했다.
	현재	-는-/-ㄴ-	호동이가 공부를 한다.
	미래(추측)	-겠-	나는 반드시 공부를 하겠다.
	(과거) 회상	-더-	호동이가 공부를 하더라.
공손 선어말 어미	상대방에게 공손한 뜻을 나타냄. 주로 문어체에 사용됨	-오-/-옵-, -삽-/-사옵-/-사오-, -잡-/-자옵-/-자오-	변변치 못한 물건이오나 정성으로 보내 드리오니 받아 주옵소서.

② 어말 어미: 용언의 맨 끝에서 단어나 문장을 종결하거나 연결하는 어미로, 반드시 필요한 형태소이다. 종결 어미와 연결 어미, 전성 어미로 구분된다.

㉠ 종결 어미: 문장의 서술어가 되어 그 문장을 종결시키는 어말 어미를 '종결 어미'라고 한다. 상대 높임법, 문장의 종류를 결정짓는다.

| 종결 어미의 분류

문장의 유형	비격식체		격식체			
	해체	해요체	해라체	하게체	하오체	하십시오체
평서형	-아/-어	-아요/-어요	-다	-네, -세	-오	-(습)니다
의문형	-아/-어	-아요/-어요	-느냐, -냐, -니, -지	-나, -는가	-오	-습니까

명령형	-아/-어, -지	-아요/ -어요	-아라/ -어라	-게	-오, -구려	-보시오
청유형	-아/-어	-아요/ -어요	-자	-세	-ㅂ시다	-시지요
감탄형	-군/-어	-군요	-구나, -어라	-구먼	-구려	-

㉡ 연결 어미: 뒤따르는 문장이나 용언을 연결시키는 어말 어미를 '연결 어미'라고 한다. 연결 어미는 다시 대등적 연결 어미와 종속적 연결 어미, 보조적 연결 어미로 나뉜다.

㉢ 전성 어미: 용언의 어간에 붙어 해당 용언이 명사, 관형사, 부사의 기능을 할 수 있도록 기능의 변화를 주는 어미이다. 기능만 변화시킬 뿐 품사는 용언이며, 명사형 전성 어미, 관형사형 전성 어미, 부사형 전성 어미로 구분할 수 있다.

(3) 규칙 활용

① 어간과 어미가 결합하는 과정에서 어간이나 어미 모두 형태 변화가 없는 활용을 말한다.

예 • 먹+어 → 먹어, 먹+고 → 먹고
• 입+어 → 입어, 입+고 → 입고

② 형태 변화가 있어도 보편적 음운 규칙으로 설명되는 활용은 규칙 활용으로 인정한다.

구분	내용(조건)	용례
모음 조화	어미 '-아/-어'의 교체	잡아, 먹어
어간 'ㄹ' 탈락	어간의 끝소리 'ㄹ'이 'ㄴ, ㄹ, ㅂ, ㅅ, 오' 앞에서 규칙적으로 탈락	• 살다: 사니, 살, 삽니다, 사시오, 사오 • 울다: 우는, 울, 웁니다, 우시오, 우오 • 놀다: 노는, 놀, 놉니다, 노시오, 노오
어간 모음 'ㅡ' 탈락	어말 어미 '-아/-어'로 시작되는 어미 및 선어말 어미 '-었-' 앞에서 규칙적으로 탈락	• 쓰다: 써 / 모으다: 모아 • 담그다: 담가 / 아프다: 아파 • 우러르다: 우러러 / 따르다: 따라
구체적 매개 모음 '으' 첨가	('ㄹ' 이외의 자음으로 끝난 어간)+'으'+('-ㄴ, -ㄹ, -오, -ㅁ, -시-' 등의 어미)	• 잡-+-ㄴ → 잡은 • 먹-+-ㄴ → 먹은

(4) 불규칙 활용

어간과 어미의 기본 형태가 유지되지 않고 보편적 음운 규칙으로 설명할 수도 없는 활용을 '불규칙 활용'이라고 한다. 어간이 바뀌는 불규칙과 어미가 바뀌는 불규칙, 어간과 어미가 모두 바뀌는 불규칙으로 구분할 수 있다.

① 어간이 바뀌는 경우

구분	내용(조건)	용례		규칙 활용 예
		동사	형용사	
'ㅅ' 불규칙	'ㅅ'이 모음 어미 앞에서 탈락	잇-+-어→이어 짓-+-어→지어 붓-+-어→부어[注] 낫-+-아→나아[癒]	낫-+-아 → 나아[勝, 好]	벗어, 씻어, 솟으니
'ㄷ' 불규칙	'ㄷ'이 모음 어미 앞에서 'ㄹ'로 바뀜	듣-+-어→들어 걷-+-어→걸어[步] 묻-+-어→물어[問] 깨닫-+-아→깨달아 싣-+-어→실어[載] 붇-+-어→불어	없음	묻어[埋], 얻어[得]
'ㅂ' 불규칙	• 'ㅂ'이 모음 어미 앞에서 '오/우'로 바뀜 • '돕-', '곱-'만 '오'로 바뀌고 나머지는 모두 '우'로 바뀜	돕-+-아→도와 눕-+-어→누워 줍-+-어→주워 굽-+-어→구워[燔]	곱-+-아 → 고와 덥-+-어 → 더워	굽어[曲], 잡아, 뽑으니
'ㄹ' 불규칙	'ㄹ'가 모음 어미 앞에서 'ㄹㄹ' 형태로 바뀜	흐르-+-어 → 흘러 이르-+-어 → 일러[謂] 가르-+-아 → 갈라[分] 나르-+-아 → 날라	빠르-+-아 → 빨라 배부르-+-어 → 배불러 이르-+-어 → 일러[早]	따라, 치러, 우러러
'우' 불규칙	'우'가 모음 어미 앞에서 탈락	푸-+-어 → 퍼	없음	주어(줘), 누어(눠), 꾸어(꿔)

② 어미가 바뀌는 경우

구분	내용(조건)	용례		규칙 활용 예
		동사	형용사	
'여' 불규칙	'하-' 뒤에서 어미 '-아'가 '-여'로 바뀜	공부하-+-아 → 공부하여 일하-+-아 → 일하여	상쾌하-+-아 → 상쾌하여 따뜻하-+-아 → 따뜻하여	먹어, 잡아
'러' 불규칙	어간이 'ㄹ'로 끝나는 일부 용언에서 '으'가 탈락하지 않고 어미 '-어'가 '-러'로 바뀜	이르[至]-+-어 → 이르러 (이것뿐임)	노르[黃]-+-어 → 노르러 누르[黃]-+-어 → 누르러 푸르-+-어 → 푸르러 (오직 이 세 개만 있음)	치러
'오' 불규칙	'달다'의 명령형 어미가 '-오'로 바뀜	달-+-아라 → 다오	없음	주어라
'너라' 불규칙	명령형 어미 '-아라/-어라'가 '-너라'로 바뀜	오-+-아라 → 오너라	없음	먹어라, 잡아라

③ 어간과 어미가 모두 바뀌는 경우

구분	내용(조건)	용례		규칙 활용 예
		동사	형용사	
'ㅎ' 불규칙	'ㅎ'으로 끝나는 어간에 '-아/-어'가 오면 어간의 일부인 'ㅎ'이 없어지고 어미도 바뀜	없음	하얗-+-아서 → 하얘서 파랗-+-아 → 파래	좋아서, 낳아서

18 관형사

체언 앞에 놓여서 체언을 꾸며 주는 기능을 하는 단어의 묶음을 '관형사'라고 한다.

(1) 특징

① 주로 명사를 꾸며 준다.

② 문장 안에서 관형어로만 쓰인다.

③ 관형사가 나란히 놓일 때는 뒤의 관형사를 꾸미는 것처럼 보이나, 궁극적으로는 뒤따르는 명사를 꾸민다.

예 저 모든 새 책상

④ 불변어이고, 조사와 결합할 수 없다.

예 새 옷 / *새가 옷, *새를 옷

(2) 관형사의 구별

① 성상 관형사 vs. 용언의 관형사형: '새'는 관형사이고, '새로운'은 형용사의 관형사형이다.

성상 관형사	새 신발
형용사의 관형사형	새로운 뉴스

② 성상 관형사 vs. 명사 vs. 부사: '－적(的)'이 붙은 말은 다음과 같이 품사를 달리한다.

성상 관형사	－적(的)＋체언	국가적 행사
명사	－적(的)＋조사	국가적으로 중요하다.
부사	－적(的)＋용언이나 부사	비교적 많이 쉬웠다.

③ 지시 관형사 vs. 대명사: '이, 그, 저'가 대명사로 쓰일 때에는 조사를 동반하고, 조사가 생략되었더라도 내용상 '이것, 저것, 그것'으로 대치할 수 있으면 대명사이다.

지시 관형사	이 책상(O) → 이것 책상(×)
대명사	이 가운데(O) → 이것 가운데(○)

④ 수 관형사 vs. 수사: 수 관형사는 뒤에 오는 체언을 꾸며 주므로 조사와 결합할 수 없다. 조사와 결합할 수 있으면 '수사'이다.

수 관형사	첫째 분이 나의 형이다.
수사	첫째로 물을 넣고 둘째로 간장을 넣는다.

19 부사

주로 용언 앞에 놓여서 뒤에 오는 용언이나 문장 등을 수식하여 그 의미를 더욱 분명히 해 주는 단어의 묶음을 '부사'라고 한다.

(1) 특징

① 불변어이며, 시제나 높임 표시를 못한다.

② 격 조사를 취할 수 없으나, 보조사는 취할 수 있다.

예 • 올 겨울은 너무도 춥다.
• 세월이 참 빨리도 간다.

③ 용언을 한정하는 것이 주기능이지만, 부사, 관형사, 체언, 문장 전체를 수식하기도 한다.

예 • 다행히 산불이 진압되었다. (문장 전체 수식)
• 1등은 바로 나! (체언 수식)

④ 자리 이동이 비교적 자유롭다.

(2) 분류

부사는 일반적으로 문장에서의 역할에 따라 성분 부사와 문장 부사로 나눌 수 있다.

① 성분 부사: 문장의 특정한 성분을 수식하는 부사로 성상 부사, 지시 부사, 의성 부사, 의태 부사, 부정 부사가 있다.

㉠ 성상 부사: 상태나 정도가 어떠한지 꾸미는 부사이다.

상태	빨리, 갑자기, 깊이, 많이, 펄쩍
정도	매우, 퍽, 아주, 너무, 잘, 거의, 가장

㉡ 지시 부사: 발화 현장을 중심으로 장소나 시간 및 앞에 나온 이야기의 내용을 지시하는 부사이다.

처소	이리, 그리, 저리, 이리저리, 요리조리
시간	오늘, 어제, 일찍이, 장차, 언제, 아까, 곧, 이미, 바야흐로, 앞서, 문득, 난데없이, 매일

㉢ 의성 부사: 사람이나 사물의 소리를 흉내 내는 부사이다.

예 철썩철썩, 콸콸, 도란도란, 쾅쾅, 땡땡

㉣ 의태 부사: 사람이나 사물의 모양이나 움직임을 흉내 내는 부사이다.

예 살금살금, 뒤뚱뒤뚱, 느릿느릿, 울긋불긋, 사뿐사뿐, 옹기종기, 깡충깡충

㉤ 부정 부사: 꾸밈을 받는 동사나 형용사의 내용을 부정하는 부사로, '못, 안(아니)'이 있다.

예 오늘 학원에 못 갔다. / 오늘 학원에 안 갔다.

② 문장 부사: 문장 전체를 꾸며 주는 부사로, 양태 부사와 접속 부사로 나뉜다.

㉠ 양태 부사: 말하는 이의 마음먹기나 태도를 표시하는 부사로, 문장 전체에 대한 판단을 내리는 기능을 한다. 문장의 첫머리에 오는 것이 일반적이다. 양태 부사는 그 의미에 상응하는 어미와 호응을 이루는데, 단정은 평서형, 의혹은 의문형, 희망은 명령문이나 조건의 연결 어미와 호응을 이룬다.

기능	형태	용례
사태에 대한 믿음, 서술 내용을 단정할 때	과연, 정말, 실로, 물론 등	과연 그분은 위대한 정치가였다.
믿음이 의심스럽거나 단정을 회피할 때	설마, 아마, 비록, 만일, 아무리	설마 거짓말이야 하겠느냐?
희망을 나타내거나 가상적 조건 아래에서 일이 이루어지기를 바랄 때	제발, 부디, 아무쪼록 등	제발 비가 조금이라도 왔으면 좋겠는데.

㉡ 접속 부사: 단어와 단어, 문장과 문장을 이어 주면서 뒤의 말을 꾸며 주는 부사이다. '그리고, 그러나, 혹은, 및' 등이 있다.

단어 접속	연필 또는 볼펜을 사야겠다.
문장 접속	지구는 돈다. 그러나 아무도 그것을 믿지 않았다.

20 독립언: 감탄사

문장 속의 다른 성분에 얽매이지 않고 독립성이 있는 단어를 묶어 '독립언'이라고 한다. 독립언 중 '감탄사'는 화자의 부름, 대답, 느낌, 놀람 등을 나타내는 데 쓰이면서, 다른 성분들에 비하여 비교적 독립성이 있는 말이다.

1 문장

생각이나 감정을 완결된 내용으로 표현하는 최소의 언어 형식을 '문장'이라고 한다.

(1) 문장의 특징

① 문장은 주어와 서술어를 갖추는 것을 기본 원칙으로 한다. 단, 문맥에 따라 생략할 수도 있다.

예 • 저 코스모스가(주어부) / 아주 아름답다(서술부)
• 불이야! (서술어 단독 구성)

② 문장은 의미상으로는 완결된 내용을 갖추고, 구성상으로는 주어와 서술어의 관계를 갖추며, 형식상으로는 문장이 끝났음을 나타내는 표지가 있다.

③ 문장은 형식 면에서 구성 요소가 질서 있고 통일되게 유의적으로 배열되어야 한다.

④ 문장을 구성하는 문법 단위로는 어절, 구, 절이 있다. 최소 자립 단위인 단어는 문장의 문법 단위에 해당하지 않는다.

(2) 문장을 구성하는 기본적인 문법 단위

① 어절

㉠ 문장을 구성하는 기본 문법 단위이다.

㉡ 띄어쓰기 단위와 일치한다.

㉢ 조사나 어미와 같이 문법적인 기능을 하는 요소들이 앞의 말에 붙어 한 어절을 이룬다.

예 영수가 집에서 밥을 먹는다. (4어절)

② 구

㉠ 중심이 되는 말과 그것에 딸린 말들의 묶음이다.

㉡ 두 개 이상의 어절이 모여 하나의 단어와 동등한 기능을 한다.

㉢ 주어와 서술어의 관계를 가지지 못한다.

㉣ 종류

구분	내용	용례
명사구	관형사+체언 체언+접속 조사+체언	• 새 차가 좋다. • 철수와 민수가 만났다.
동사구	부사+동사, 본동사+보조 용언	• 그는 문 쪽으로 빨리 달렸다. • 음식을 먹어 본다.
형용사구	부사+형용사, 본형용사+보조 용언	• 봄인데도 오늘은 매우 춥다. • 나도 재처럼 예쁘고 싶다.
관형사구	부사+관형사, 관형사+접속 부사+관형사	• 이 교재는 아주 새 책이다. • 이 그리고 저 사람이 했다.
부사구	부사+부사, 부사+접속 부사+부사	• 그는 매우 빨리 친해졌다. • 너무 그리고 자주 전화를 했다.

③ 절

㉠ 어떤 문장의 한 성분 노릇을 하는 문장이다.

㉡ 주어와 서술어의 관계를 가지는 단위를 설정할 수 있다는 점에서 구와 구별되고, 더 큰 문장 속에 들어가서 전체 문장의 일부분으로 쓰인다는 점에서 문장과 구별된다.

㉢ 종류

구분	내용	용례
명사절	문장 + 명사형 어미 '-(으)ㅁ/-기'	나는 철수가 학생임을 알았다.
서술절	이중 주어문의 끝 문장	철수가 키가 크다.
관형절	문장 + 관형사형 어미 '-(으)ㄴ/-는/-은/-던/-(으)ㄹ'	너는 마음이 예쁜 사람을 만나라.
부사절	문장 + 부사 파생 접미사 '-이'	철수가 말이 없이 집에 갔다.
인용절	인용 문장 + 직·간접 인용 조사 '하고/라고/고'	철수가 아기가 귀엽다고 말했다.

2 주성분: 주어, 서술어, 목적어, 보어

(1) 주어

주어는 문장에서 동작이나 작용, 상태, 성질의 주체를 나타내는 문장 성분으로, '무엇이', '누가'에 해당한다. 주어는 체언이나 체언 구실을 하는 구나 절에 '이/가', '께서' 등이 붙어 나타나는데, 주격 조사가 생략될 수도 있고 보조사가 붙을 수도 있다.

(2) 서술어

① 서술어는 주어를 동사(어찌하다), 형용사(어떠하다), 체언+서술격 조사 '이다'(무엇이다)로 나타내는 문장 성분이다. 즉, 서술어는 주어의 동작이나 작용, 상태, 성질 등을 풀이하는 기능을 한다.

② **서술어의 자릿수**: 서술어는 그 성격에 따라서 필요로 하는 문장 성분의 개수가 다른데, 이를 '서술어의 자릿수'라고 한다. 한 문장 안에서 서술어가 요구하는 문장 성분은 '주어, 목적어, 보어, 필수적 부사어'이다. 서술어의 자릿수에 따라서 나머지 필수 성분들이 결정되기 때문에 주성분으로서 서술어의 중요성이 크다고 할 수 있다.

(3) 목적어

타동사가 쓰인 문장에서 그 동작의 대상이 되는 문장 성분을 '목적어'라고 한다. 체언에 목적격 조사 '을/를'이 붙는 것이 일반적이나, 때로 '을/를'이 생략될 수도 있다. 또한 '을/를'이 생략되는 대신에 특정한 의미를 더하여 주는 보조사가 붙기도 한다.

(4) 보어

서술어 '되다, 아니다'가 필수적으로 요구하는 문장 성분을 '보어'라고 한다.

3 부속 성분: 관형어, 부사어

(1) 관형어의 특징

① 체언으로 실현되는 주어, 목적어 앞에서 이들을 꾸미는 문장 성분을 말한다.

② 의존 명사는 자립할 수 없으므로 의존 명사가 쓰인 문장에는 관형어가 반드시 나타난다. 즉, 관형어는 부속 성분이지만 의존 명사 앞에는 반드시 필요하므로 항상 수의적이라고 할 수 없다.

예 먹을 것이 필요하다.

③ 관형어 뒤에 체언으로 된 관형어가 쓰이는 경우 피수식어의 범위가 중의성을 갖게 되므로 쉼표 등을 사용하여 중의성을 없애야 한다.

예 아름다운, 친구의 동생을 만났다. (친구의 동생이 아름답다는 의미)

(2) 부사어의 특징

① 서술어의 의미가 분명하게 드러나도록 서술어를 꾸며 주는 문장 성분이다.

② 보조사와 비교적 자유롭게 결합한다.

예 저 개는 빨리도 뛴다.

③ 자리 옮김이 비교적 자유롭고, 문장 부사어가 성분 부사어보다 자리 옮김이 더 자유롭다.

예 • 영숙이가 역시 시험에 합격했어.
• 역시 영숙이가 시험에 합격했어.
• 영숙이가 시험에 역시 합격했어.

④ 부사어가 다른 부사어, 관형어, 체언을 꾸밀 때와 부정 부사일 때에는 자리 옮김이 불가능하다. 자리 옮김을 하면 꾸미는 대상이 달라지기 때문이다.

예 • 겨우 하나 끝낸 거니? ('하나'를 한정)
• 하나 겨우 끝낸 거니? ('끝내다'를 한정)

⑤ 부사어는 수의적 성분이다. 그러나 서술어 중 일부는 부사어를 반드시 요구하는 경우가 있는데, 이런 부사어를 '필수적 부사어'라고 한다. 따라서 필수적 부사어는 문장의 필수 성분이 된다.

4 독립 성분: 독립어

문장의 어느 성분과도 직접적인 관련이 없는 문장 성분으로, 생략해도 문장이 성립한다.

5 홑문장과 겹문장

(1) 홑문장

주어와 서술어의 관계가 한 번만 나타나는 문장이다.

예 • 철수가 커피를 마신다.
• 그녀가 결국 머리카락을 잘랐다.

(2) 겹문장

주어와 서술어의 관계가 두 번 이상 나타나는 문장이다. 겹문장은 다시 안은문장과 이어진문장으로 구분할 수 있다.

6 안은문장

다른 문장을 절의 형식으로 안고 있는 문장을 '안은문장'이라고 한다. 안은문장은 어떤 문장 성분(절)을 안았는지에 따라 다음과 같이 구분할 수 있다.

(1) 명사절을 안은문장

명사절은 절 전체가 문장에서 명사처럼 쓰이는 것으로, 주어, 목적어, 보어, 부사어 등의 기능을 한다. 명사절은 서술어에 명사형 어미 '-(으)ㅁ, -기'가 붙거나 관형사형 어미+의존 명사로 된 '-는 것'이 붙어서 만들어진다.

① **'-(으)ㅁ' 명사절**: 사건 완료의 의미를 나타내며, 어울리는 서술어로는 '알다, 밝혀지다, 드러나다, 깨닫다, 기억하다, 마땅하다' 등이 있다.

예 철수가 합격했음이 밝혀졌다. (주어 명사절)

② **'-기' 명사절**: 미완료의 의미를 나타내며, 어울리는 서술어로는 '바라다, 기다리다, 쉽다, 좋다, 나쁘다, 알맞다' 등이 있다.

예 나는 농사가 잘되기를 진정으로 빌었다. (목적어 명사절)

(2) 관형절을 안은문장

관형절은 절 전체가 문장에서 관형어의 기능을 하는 것으로, 관형사형 어미 '-(으)ㄴ, -는, -(으)ㄹ, -던'이 붙어서 만들어진다. 관형절은 길이와 성분의 쓰임에 따라 다음과 같이 구분할 수 있다.

① 길이에 따라

구분	내용	용례
긴 관형절	문장 종결형+관형사형 어미 '-는'	나는 그가 애썼다는 사실을 알았다.
짧은 관형절	용언의 어간+관형사형 어미 '-(으)ㄴ, -(으)ㄹ, -던'	나는 그가 애쓴 사실을 알았다.

② 성분의 쓰임에 따라

구분	내용	용례
관계 관형절	• 관형절의 수식을 받는 체언이 관형절의 한 성분이 되는 경우 • 성분 생략 가능	• 나는 극장에 가는 영수를 봤다. → (영수가) 극장에 갔다: 주어 생략 • 나는 영수가 그린 그림이 좋다. → 영수가 (그림을) 그렸다: 목적어 생략
동격(대등) 관형절	• 관형절의 피수식어(체언)가 관형절의 한 성분이 아니라 관형절 전체의 내용을 받아 주는 관형절 • 안긴문장이 뒤의 체언과 동일한 의미를 가짐 • 관형절 내 생략된 성분이 없음	나는 순이가 합격했다는 소식을 들었다. → 소식 = 순이가 합격했다.

(3) 부사절을 안은문장

① 부사절은 절 전체가 문장에서 부사어의 기능을 하는 것으로, 서술어를 수식하는 기능을 한다.

② 보통 부사 파생 접미사 '-이'가 문장의 서술어 자리에 붙어 형성된다.

예 철수가 말이 없이 집에 갔다.

③ 활용 어미 '-듯이, -게, -도록, -아서/-어서' 등이 붙어서 부사절을 이루기도 한다.

예 • 호동이가 바람이 불듯이 뛰어갔다.
• 그 건물은 옥상이 특별하게 꾸며졌다.
• 영표는 발에 땀이 나도록 뛰었다.
• 길이 비가 와서 미끄럽다.

(4) 서술절을 안은문장

① 서술절은 절 전체가 서술어의 기능을 하는 것으로, 서술절을 안은문장은 서술어 1개에 주어가 2개 이상 나타난다. 즉, '주어+(주어+서술어)' 구성을 취한다. 따라서 이중 주어문으로 보기도 한다.

예 영수는 키가 크다.

② 서술절은 그 속에 다시 다른 서술절을 가질 수 있다.

예 코끼리가 코가 길이가 길다.

(5) 인용절을 안은문장

① 직접 인용절: 주어진 문장을 그대로 직접 끌어오는 것을 말한다. 일반적으로 '라고'가 붙고 큰따옴표를 사용해 직접 인용한다.

예 철수가 "아기는 역시 귀여워."라고 말했다.

② 간접 인용절

㉠ 끌어올 문장을 말하는 사람의 표현으로 바꾸어서 표현하는 것으로, '고'가 붙어서 이루어진다.

예 철수는 영희가 학원에 간다고 말했다.

㉡ 서술격 조사 '이다'로 끝난 간접 인용절은 '(이)다고'가 아니라 '(이)라고'로 나타난다.

예 철수가 이것이 책이라고 말했다.

7 이어진문장

둘 또는 그 이상의 홑문장이 이어지는 방법에 따라 대등하게 이어진문장과 종속적으로 이어진문장으로 나뉜다.

(1) 대등하게 이어진문장

① 이어지는 홑문장들의 의미 관계가 대등한 경우를 말한다.

② 의미상 대칭 구조를 이루므로, 앞 절과 뒤 절의 순서가 바뀌어도 의미가 달라지지 않는다.

예 엄마는 라디오를 듣고, 아빠는 TV를 본다. = 아빠는 TV를 보고, 엄마는 라디오를 듣는다.

③ 대등하게 이어진문장에서 앞 절은 뒤 절과 '나열, 대조, 선택' 등의 의미 관계를 가지며, 대등적 연결 어미 '-고, -며'(나열), '-지만, -(으)나'(대조), '-든지'(선택) 등으로 나타난다.

(2) 종속적으로 이어진문장

① 앞 절과 뒤 절의 의미 관계가 독립적이지 못하고 종속적인 경우이다.

② 앞 절과 뒤 절의 순서를 바꾸면 원래 문장의 의미와 달라지거나 어색해진다.

③ 종속적 연결 어미 '-(다)면'(조건), '-어(서), -(으)니(까)'(원인, 이유) 등으로 나타난다.

8 문장의 종결 표현

(1) 평서문

화자가 청자에게 특별히 요구하는 바 없이 하고 싶은 말을 단순하게 진술하는 문장으로, 대표적으로 어미 '-다'를 붙여 종결한다.

(2) 의문문

화자가 청자에게 질문하여 대답을 요구하는 문장을 말하며, 대표적으로 어미 '-느냐, -냐' 등에 의해 실현된다. 의문문이 간접 인용절로 안길 때에는 종결 어미가 '-느냐, -(으)냐'로 바뀐다.

예 철수가 멋있니? → 민지는 철수가 멋있냐고 물었다.

① 설명 의문문: 어떤 사실에 대한 일정한 설명을 요구하는 의문문으로, 문장에 의문사가 포함되어 나타난다.

예 • 점심밥 뭐 먹었니?
• 그 친구를 얼마나 좋아하니?

② 판정 의문문: 단순히 긍정이나 부정의 대답을 요구하는 의문문으로, 문장에 의문사가 나타나지 않는다.

예 • 점심밥 먹었니?
• 장미꽃을 좋아하니?

③ 수사 의문문: 굳이 대답을 요구하지 않고 서술의 효과나 명령의 효과를 내는 의문문으로, 대표적으로 반어 의문문, 감탄 의문문, 명령 의문문이 있다.

㉠ 반어 의문문: 겉으로 나타난 의미와는 반대되는 뜻을 지니는 의문문으로, 강한 긍정 진술을 내포하는 것이 보통이다.

예 너한테 피자 한 판 못 사 줄까? (사줄 수 있다는 의미이다.)

㉡ 감탄 의문문: 감탄의 뜻을 지니는 의문문이다.

예 얼마나 아름다운가? (매우 아름답다는 의미이다.)

㉢ 명령 의문문: 명령, 권고, 금지의 뜻을 지니는 의문문이다.

예 빨리 가지 못하겠느냐? (빨리 가라는 의미이다.)

(3) 명령문

화자가 청자에게 어떤 행동을 하도록 강하게 요구하는 문장으로, 대표적으로 어미 '-아라/-어라'에 의해 실현된다.

① 직접 명령문: 얼굴을 서로 맞대고 하는 일반적인 명령문으로, 어미 '-아라/-어라, -여라, -거라, -너라'와 결합하여 실현된다.

예 밥은 꼭 챙겨 먹어라.

② 간접 명령문: 매체를 통해 이루어지는 특수한 명령문으로, 어미 '-(으)라'와 결합하여 실현된다.

예 정부는 수해 대책을 시급히 세우라.

③ 허락 명령문: 허락의 뜻을 나타내는 명령문으로, 어미 '-(으)려무나, -(으)렴'과 결합하여 실현된다. 단, 부정적인 말에는 쓰지 않는 것이 보통이다.

예 너도 먹어 보려무나. / *너도 실패해 보려무나.

④ 경계 명령문: '-(으)ㄹ라'는 청자로 하여금 조심하거나 경계할 것을 드러내는 종결 어미이다. 청자에게 명령하는 의미를 나타내고 있으므로 이 종결 어미를 사용한 문장도 명령문의 일종으로 볼 수 있다.

예 얘야, 넘어질라.

(4) 청유문

화자가 청자에게 어떤 행동을 함께하도록 요청하는 문장으로, 대표적으로 어미 '-자'에 의해 실현된다. 주어에는 화자와 청자가 함께 포함되고 서술어로는 동사만 올 수 있으며, 시간 표현의 선어말 어미 '-었-, -더-, -겠-'을 사용하지 않는다.

(5) 감탄문

화자가 청자를 별로 의식하지 않거나 거의 독백하는 상태에서 자기의 느낌을 표현하는 문장이다.

9 문장의 높임 표현

(1) 상대 높임법

화자가 청자에 대하여 높이거나 낮추어 말하는 방법으로, 상대 높임법은 종결 표현으로 실현된다. 상대 높임법은 국어 높임법 중 가장 발달해 있으며, 크게 격식체와 비격식체로 나뉜다.

① 격식체: 의례적 용법으로, 화자와 청자 사이의 심리적인 거리가 멀 때 사용한다.

② 비격식체: 화자와 청자 사이의 심리적인 거리가 가까울 때 사용하거나 격식을 덜 차리는 표현으로 사용한다.

③ 상대 높임법에 따른 문장 종결법

구분	격식체				비격식체	
	하십시오체 (아주 높임)	하오체 (예사 높임)	하게체 (예사 낮춤)	해라체 (아주 낮춤)	해요체 (두루 높임)	해체 (두루 낮춤)
평서법	합니다	하오	하네	하다	해요	해
의문법	합니까	하오	하나, 하는가	하느냐, 하니	해요	해
명령법	하십시오	하오	하게	해라 (하여라)	해요	해
청유법	하시지요	합시다	하세	하자	해요	해
감탄법	–	하는구려	하는구먼	하는구나	하는군요	해, 하는군

④ 명령법의 '하라체': 인쇄물의 표제나 군중의 구호 등과 같이 불특정 다수를 대상으로 명령을 할 때에는 높임과 낮춤이 중화된 '하라체'를 쓴다.

예 • 다음 글을 읽고 물음에 답하라.
• 정부는 미세 먼지에 대한 대책을 세우라.

(2) 주체 높임법

화자보다 서술어의 주체가 나이나 사회적 지위 등에서 상위자일 때, 서술어의 주체를 높이는 방법이다. 주체 높임 선어말 어미 '–(으)시–'를 붙여 높이며, 부수적으로 주격 조사 '이/가' 대신 '께서'가 쓰이기도 하고 주어 명사에 접사 '–님'이 덧붙기도 한다. 그리고 몇 개의 특수한 어휘 '계시다, 잡수시다, 주무시다, 편찮으시다, 돌아가시다'로 실현되기도 한다. 주체 높임법은 주체를 높이는 방식에 따라 직접 높임과 간접 높임으로 구분할 수 있다.

① 직접 높임

㉠ 용언의 어간에 주체 높임 선어말 어미 '–(으)시–'가 붙어 문장의 주체를 높인다.

예 아버지께서 운동을 하신다.

㉡ 주체가 말하는 이보다 낮아도 듣는 이보다 높으면 용언의 어간에 선어말 어미 '–(으)시–'를 붙일 수 있다.

예 (할머니가 손자에게) 이거 아버지가 쓰시게 가져다 드려라.

㉢ 특수 어휘를 사용하여 문장의 주체를 높인다.

예 할머니께서 댁에서 주무신다.

㉣ 조사 '께서', 접사 '–님'을 사용하여 문장의 주체를 높인다.

예 아버님께서 청소를 하셨다.

㉤ 객관적이고 역사적인 사실을 나타낼 때에는 선어말 어미 '–(으)시–'를 생략할 수 있다.

예 충무공은 뛰어난 장군이다.

② 간접 높임: 주체와 관련된 대상을 통하여 주체를 간접적으로 높이는 것을 말한다. 높여야 할 대상의 신체 부분, 생활의 필수적 조건, 개인적인 소유물 등을 높임으로써 주체에 대한 관심과 친밀감을 표현하여 주체에 대한 높임을 나타낸다.

신체 부분에 의한 간접 높임	그분은 아직도 귀가 밝으십니다.
사물에 의한 간접 높임	그분은 시계가 없으시다.

③ 과도한 간접 높임

㉠ 주체 높임법은 선어말 어미 '–(으)시–'를 통해 실현되는 것이 일반적이나 몇 개의 특수한 어휘(계시다, 잡수시다 등)로 실현되기도 한다. 특히 '있다'의 주체 높임 표현은 '–(으)시–'가 붙은 '있으시다'와 특수 어휘 '계시다'를 사용하는 방법이 있는데, 이 둘의 쓰임이 같지 않다. 즉, '계시다'는 화자가 주체를 직접 높일 때 사용하고, '있으시다'는 주체와 관련된 대상을 통하여 주체를 간접적으로 높일 때 사용한다. 전자를 직접 높임, 후자를 간접 높임이라고 한다.

예 • 어머니께서는 화장실에 있으시다. (×) / 어머니께서는 화장실에 계신다. (○)
→ 주체를 직접 높이므로 직접 높임인 '계시다'를 사용한다.
• 선생님께서는 고민이 계시다. (×) / 선생님께서는 고민이 있으시다. (○)
→ 주체인 '선생님'과 연관된 대상인 '고민'을 높이므로 간접 높임을 사용한다.

㉡ 상품을 판매하는 상황에서 고객을 과하게 의식하여 쓰는 간접 높임은 잘못된 표현이다.

예 • 주문하신 물건은 품절이십니다. (×) → 품절입니다. (○)
• 주문하신 물건은 사이즈가 없으십니다. (×) → 없습니다. (○)
• 주문하신 물건 나오셨습니다. (×) → 나왔습니다. (○)
• 주문하신 물건, 포장이세요? (×) → 포장해 드릴까요? (○)

(3) 객체 높임법

객체 높임법은 서술어의 객체(목적어, 부사어)를 높이는 방법이다.

① 서술어의 객체를 높이는 특수 어휘, 그중 특수한 동사(여쭙다, 모시다, 뵙다, 드리다)를 사용한다.

예 나는 아버지를 모시고 병원으로 갔다. (목적어 '아버지'를 높이고 있다.)

② 부사격 조사 '에게' 대신 '께'를 사용하기도 한다.

예 나는 선생님께 과일을 드렸다.

(4) 높임법 사용 시 주의할 점

① 압존법은 주로 가정에서 사용되며, 직장 등 사회생활에서는 사용하지 않는다. 즉, 회사에서는 직급에 상관없이 선어말 어미 '–(으)시–'를 붙이는 것이 바람직하다.

예 (평사원이) 회장님, 김 사장님께서 지금 도착하셨습니다.

② 직함은 항상 본인 이름 앞에 붙여야 자신을 낮추는 표현이 된다. 반대로 직함을 이름 뒤에 붙이면 높임의 의미를 갖게 된다.

예 안녕하십니까. 국어 강사 배영표입니다.

③ 윗사람 또는 남에게 말할 때 '우리'가 아닌 '저희'를 쓰는 것이 바람직하다. 다만, 나라를 나타낼 때 '저희 나라'는 잘못된 표현이며, 어떠한 상황에서도 '우리나라'라고 표현해야 한다.

예 • 저희 집으로 놀러 오세요.
• 우리나라가 4강에 진출했습니다.

④ 불길하거나 부정적인 표현 또는 어르신들이 본인의 나이를 의식하게 하는 표현은 피해야 한다.

예 • (칠순 잔치에서) 할머니 만수무강하세요. (×)
• (아버지를 배웅하며) 요즘 교통사고 사망자가 증가하는 추세래요. 조심히 다녀오세요. (×)

⑤ 스스로가 본인의 성을 지칭할 때에는 '씨(氏)'보다는 '–가(哥)'가 올바른 표현이다. 반면, 남의 성을 말할 때에는 '씨(氏)'가 올바른 표현이다.

예 저는 전주 이씨입니다. (×) → 저는 전주 이가입니다. (○)

⑥ 가족 이외의 다른 사람에게 부모를 말할 때에는 높임 표현을 사용한다.

예 사장님, 저희 아버지께서 말씀하셨습니다.

⑦ 존칭을 나타내는 조사 '께서, 께'는 공식적인 상황일 때 주로 사용하고 일반적인 구어 상황에서는 '이/가', '한테' 등을 사용하는 것이 더 자연스럽다.

예 • 사장님께서 도착하셨습니다. (공식 상황)
• 사장님이 도착하셨습니다. (구어 상황)

⑧ 부모님을 소개할 때에는 성(姓)에 '자(字)'를 붙이지 않는다.

예 저희 아버지가 김 철 자 수 자 쓰십니다.

⑨ 어른에게 '수고하다, 야단맞다, 당부하다' 등의 표현을 사용하지 않는다.

예 • 선생님, 수고하십시오. (×) → '고맙습니다' 정도로 수정
• 선생님께 야단을 맞았다. (×) → '꾸중을 들었다, 꾸지람을 들었다, 걱정을 들었다' 정도로 수정
• 선생님께 당부드렸습니다. (×) → '부탁드렸습니다' 정도로 수정

10 문장의 시간 표현: 시제

구분	개념	형태	용례
절대적 시제	발화시를 기준으로 결정되는 문장의 시제	종결형	• 나는 어제 삼계탕을 먹었다. (과거) • 영희가 지금 공부를 한다. (현재)
상대적 시제	사건시에 의존하여 상대적으로 결정되는 시제	관형사형, 연결형	나는 어제 청소하시는(상대적 시제 – 현재) 어머니를 도와드렸다(절대적 시제 – 과거).

11 피동 표현

주어가 동작을 제힘으로 하는 것을 '능동', 주어가 다른 주체에 의해서 동작을 당하게 되는 것을 '피동'이라고 한다.

예 • 철수가 물고기를 낚았다. (능동)
• 물고기가 철수에게 낚였다. (피동)

(1) 파생적 피동(짧은 피동)

① 능동사의 어간에 피동 접미사 '-이-, -히-, -리-, -기-'가 붙어 실현된다.

예 • 강아지가 민수를 물었다. (능동) → 민수가 강아지에게 물렸다. (피동)
• 민수가 강아지를 안았다. (능동) → 강아지가 민수에게 안겼다. (피동)

② '-하다' 대신 접미사 '-되다'가 붙어 피동의 뜻을 더한다.

예 • 사용하다 (능동) / 사용되다 (피동)
• 형성하다 (능동) / 형성되다 (피동)
• 생각하다 (능동) / 생각되다 (피동)
• 요구하다 (능동) / 요구되다 (피동)

(2) 통사적 피동(긴 피동)

① 보조적 연결 어미 '-아/-어'에 보조 용언 '지다'가 붙은 '-아(-어) 지다'로 실현된다.

예 동생이 신발 끈을 풀었다. (능동) / 신발 끈이 동생에 의해 풀어졌다. (피동)

② 보조적 연결 어미 '-게'에 보조 용언 '되다'가 붙은 '-게 되다'로 실현된다.

예 • 민지가 논술 대회에 나갔다. (능동)
• 민지가 논술 대회에 나가게 되었다. (피동)

(3) 이중 피동

① 피동 접사+'-어지다' 표현은 사용하지 않는다.

신발 끈이 풀려지다. (×)

'풀려지다'의 경우 '풀리어지다'로 분석된다. 즉, 어간 '풀-'에 짧은 피동을 나타내는 피동 접미사 '-리-'와 긴 피동을 나타내는 '-어지다'가 모두 붙어 중복된 형태이다. 이는 이중 피동으로, 국어에서 올바른 표현으로 인정받지 못한다. 따라서 '풀리다' 또는 '풀어지다' 중 하나로 표현해야 한다.

② '-되다'+'-어지다' 표현은 사용하지 않는다.

그 일이 잘 해결될 거라고 생각되어진다. (×)

'생각되다'에 '-어지다'가 붙어 피동의 표현을 중복 사용한 이중 피동이다. '생각된다'로 표현해야 한다.

③ '갈리우다, 불리우다, 잘리우다, 팔리우다' 등은 잘못된 표현이다. '갈리다'는 '가르다'의 피동사, '불리다'는 '부르다'의 피동사이므로, 또다시 접사가 결합되지 않는다.

예 • 그는 별명으로 불리웠다. (×) → 그는 별명으로 불렸다. (○)
• 두 갈래로 갈리운 길을 찾아라. (×) → 두 갈래로 갈린 길을 찾아라. (○)

12 사동 표현

주어가 동작을 직접 하는 것을 '주동'이라 하고, 주어가 남에게 동작을 하도록 시키는 것을 '사동'이라고 한다.

예 • 민지가 당근을 먹었다. (주동)
• 엄마가 민지에게 당근을 먹였다. (사동)

(1) 파생적 사동문(짧은 사동문)

주동사인 자동사나 타동사의 어간, 또는 형용사 어간에 사동 접미사 '-이-, -히-, -리-, -기-, -우-, -구-, -추-'가 붙거나 명사에 접미사 '-시키다'가 붙어 실현된다. 일부 자동사는 두 개의 접미사가 연속된 '-이우-'가 붙어서 사동사가 되기도 한다.

예 서다/세우다, 자다/재우다, 뜨다/띄우다, 차다/채우다, 타다/태우다

(2) 통사적 사동문(긴 사동문)

보조적 연결 어미 '-게'에 보조 용언 '하다'가 붙은 '-게 하다'로 실현된다.

(3) 사동 표현 더 알아보기

① 사동문의 의미 해석: 대개 파생적 사동문은 주어가 객체에게 직접적인 행위를 하거나 간접적인 행위를 한 것 모두를 나타내고, 통사적 사동문은 간접적인 행위를 한 것을 나타낸다.

파생적 사동문	어머니가 딸에게 옷을 입혔다. (직접·간접적 의미)
통사적 사동문	어머니가 딸에게 옷을 입게 하였다. (간접적 의미)

② 주의해야 할 표현: 접사 '-시키다'

컴퓨터를 구매하시면 저희 회사가 직접 교육시켜 드립니다.

'교육시켜'와 같이 표현하면 다른 회사 등을 시켜 위탁 교육을 하게 한다는 의미가 될 수 있다. 따라서 위탁 교육이 아닌 한, '교육하여'와 같이 표현해야 한다. 즉, 동사 '시키다'와 구별해서 사용해야 한다.

③ 과도하게 사동 표현을 사용하는 경우

• 헤매이다(×) – 헤매다(○)

13 문장의 부정 표현

부정 표현이란 긍정 표현에 대하여 언어 내용의 의미를 부정하는 문법 기능을 말한다. 국어에서는 부정 부사 '안, 못'과 부정 용언 '아니하다, 못하다, 말다'를 사용하여 부정 표현을 만들 수 있다. 명령문, 청유문에서는 '말다'를 '마/마라', '말자'의 형태로 바꾸어 부정 표현을 만든다.

(1) '안' 부정문

주체(동작주)의 의지에 의한 행동의 부정으로, '의지 부정', '단순 부정'이라고 한다. '안'이 무엇을 부정하느냐에 따라 문장의 의미가 달라진다.

예 민수가 철수를 때리지 않았다.
→ '민수'에 초점: 민수가 아닌 다른 사람이 철수를 때렸다.
→ '철수'에 초점: 민수가 때린 사람은 철수가 아니다.
→ '때리다'에 초점: 민수가 철수를 때리지 않고 다른 행위를 했다.

(2) '못' 부정문

주체의 의지가 아닌, 그의 능력상 불가능하거나 외부의 어떤 원인 때문에 그 행위가 일어나지 못하는 것을 표현할 때 쓰는 부정으로, '능력 부정'이라고 한다. '못' 부정문도 '안' 부정문과 마찬가지로 중의성을 지니며, 부사어 '다, 모두, 많이, 조금' 등이 쓰이면 중의적으로 해석된다.

예 • 내가 엄마를 못 만났다. (내가 엄마를 만나지 못했다.)
→ 내가 못 만난 사람은 엄마다.
→ 엄마를 만나지 못한 것은 나다.
→ 내가 엄마를 만나지만 못했을 뿐이다.

• 학생들이 다 못 왔다.
→ 학생들이 아무도 오지 못했다.
→ 학생들의 일부가 오지 못했다.

(3) '말다' 부정문

① 명령문이나 청유문 등에서는 '-지 말다'를 붙여 부정문을 만든다. '-지 마/마라, -지 말자'의 형태로 실현된다.

예 • 집에 가지 말아라. (명령문)
• 집에 가지 말자. (청유문)

② 소망을 나타내는 '바라다, 원하다, 희망하다' 등의 동사가 오면 명령문이나 청유문이 아니더라도 '-지 말다'를 쓰기도 한다.

예 비가 오지 말기를 바란다.
→ 희망을 나타내는 동사 앞에서는 평서문이더라도 '-지 말다'를 사용한다.

CHAPTER 05 | 의미론과 화용론

워크북 P.46

1 의미의 종류

(1) 중심적/주변적 의미

중심적 의미	가장 기본적이고 핵심적인 의미 예 '손'의 중심적 의미: 아기의 귀여운 손, 손바닥, 손가락
주변적 의미	중심적 의미에서 확장되어 사용되는 의미 예 '손'의 주변적 의미: 손이 모자라다, 이 일은 내 손에 달려 있다.

(2) 사전적/함축적 의미

사전적 의미 (외연적/개념적 의미)	• 어떤 낱말이 가지고 있는 가장 기본적이고 객관적인 의미 • 언어 전달의 중심된 요소를 다루는 의미 예 '낙엽'의 사전적 의미: 말라서 떨어진 나뭇잎
함축적 의미 (내포적 의미)	사전적 의미에 덧붙어 연상이나 관습 등에 의하여 형성되는 의미 예 '낙엽'의 함축적 의미: 쓸쓸함, 이별, 죽음

(3) 사회적/정서적 의미

사회적 의미	• 언어를 사용하는 사람의 사회적 환경을 드러내는 의미 • 선택하는 단어의 종류나 발화 시의 어투, 글의 문체 등에 의해서 말하는 사람의 출신지, 교양, 사회적 지위 등을 파악할 수 있음
정서적 의미	• 말하는 이(혹은 글쓴이)의 태도나 감정 등을 드러내는 의미 • 자신 및 상대에 대한 심리적 태도를 표현하기 위해 문체나 어조를 다르게 선택함

(4) 주제적/반사적 의미

주제적 의미	• 말하는 이(혹은 글쓴이)의 의도를 나타내는 의미 • 흔히 어순을 바꾸거나 강조하여 발음함으로써 드러남 예 • 사냥꾼이 사슴을 쫓는다.: '사냥꾼'에 초점 • 사슴이 사냥꾼에게 쫓긴다.: '사슴'에 초점
반사적 의미	• 단어가 가지는 사전적 의미와는 관계없이 특정 반응을 일으키는 의미 • 완곡어나 금기어의 사용은 반사적 의미가 고려된 것임 예 인민, 동무: 기본적인 의미 이외에 정치적인 의미가 반사적으로 전달된다.

2 단어 간의 의미 관계

(1) 유의 관계

말소리는 다르지만 의미가 같거나 비슷한 둘 이상의 단어가 맺는 의미 관계를 말한다.

(2) 동음이의 관계

서로 다른 두 개 이상의 단어가 우연히 소리만 같은 경우를 말한다.

(3) 반의 관계

① 둘 이상의 단어에서 의미가 서로 짝을 이루어 대립하는 경우를 '반의 관계'에 있다고 한다. 반의어는 둘 사이에 공통적인 의미 요소가 있으면서도 한 개의 요소만이 달라야 한다.

② 반의 관계를 등급 대립어, 상보 대립어, 방향 대립어, 다원 대립어 등으로 세분할 수 있다.

등급 대립어 (정도 대립어)	정도나 등급을 나타내는 대립어로, 중간이 존재할 수 있는 대립어 예 길다－짧다, 쉽다－어렵다
상보 대립어	개념적 영역을 상호 배타적인 두 구역으로 양분하는 대립어로, 중간이 존재할 수 없는 대립어 예 살다－죽다, 남성－여성
방향 대립어	맞선 방향으로 이동을 나타내는 대립쌍, 즉 방향성에 주안점이 있는 대립어 예 동쪽－서쪽, 위－아래, 앞－뒤
다원 대립어	등급, 상보, 방향 대립어는 대립이 둘로 나뉘는 이원 대립어이고, 이와는 달리 색채어나 요일, 명칭 같이 대립이 동일 층위상 여러 가지로 나뉠 수 있는 대립어를 다원 대립어라고 함

3 중의성

하나의 형식이나 언어 표현이 둘 이상의 의미를 지시하는 속성을 '중의성'이라고 한다. 중의성은 어휘적 중의성, 은유적 중의성, 구조적 중의성으로 구분할 수 있다.

① 어휘적 중의성: 한 문장에 동음이의어가 있을 때 두 가지 이상의 해석이 가능한 경우를 말한다.

② 은유적 중의성: 은유적 표현을 사용하여 중의성이 유발되는 경우를 말한다.

③ 구조적 중의성: 통사적 관계에 의해 두 가지 이상의 의미로 해석이 가능한 경우를 말한다.

4 의미의 변화

(1) 의미 변화의 원인

언어적 원인	단어와 단어의 접촉, 말소리나 낱말의 형태 변화가 원인이 되어 의미가 변하는 경우 예 • 우연치 않게: '우연하게'가 맞는 표현이나 잘못된 사용이 거듭되면서 의미가 바뀐 경우 • 아침(밥): '아침밥'이 맞는 표현이나 생략된 표현의 사용이 거듭되면서 표현이 굳어진 경우 • 행주치마: 행자승이 걸치는 치마의 의미이나 행주대첩의 의미와 잘못 연결된 경우
역사적 원인	단어는 그대로 남고 그 단어가 가리키는 대상이 변한 경우에 일어나는 의미 변화 예 영감, 배[船], 붓[毛筆], 공주
사회적 원인	특수 집단에서 사용되던 단어가 일반 사회에서 사용되거나 그 반대의 경우로 의미 변화가 일어난 경우 예 • 수술: 원래는 의학 용어로만 사용되어야 하나 일반화된 경우 • 공양: 원래는 불교 용어로만 사용되어야 하나 일반화된 경우 • 왕: 왕정의 최고 책임자의 의미로 사용되었으나 '일인자(암산왕)', '크다(왕방울)'의 의미로 쓰이고 있음 • 장가가다: '처갓집에 살러 들어간다.'는 의미로 사용되었으나 '남자가 결혼하다.'의 의미로 쓰이고 있음
심리적 원인	감정, 비유적 표현, 금기에 의한 완곡어 사용 등으로 단어의 의미가 변화한 경우 예 • 완곡어: 마마(천연두) • 비유적 표현: 곰(우둔하다는 의미), 컴퓨터(똑똑하다는 의미)

(2) 의미 변화의 유형

의미의 확대	• 다리[脚]: 사람이나 짐승의 다리 → 무생물에까지 적용 • 박사: 최고 학위 → 어떤 일에 정통한 사람을 비유적으로 이름 • 세수하다: 손만 씻는 행위 → 손이나 얼굴을 씻는 행위 • 목숨: 목구멍으로 드나드는 숨 → 생명 • 핵: 열매의 씨를 보호하는 속껍데기 → 사물의 중심이 되는 알맹이, 원자의 핵 • 겨레: 종친(宗親) → 동포 • 길: 도로 → 방법, 도리 • 지갑: 종이로 만든 것만 가리킴 → 재료의 다양화 인정 • 방석: 네모난 모양의 깔개 → 둥근 모양의 깔개까지 지칭 • 약주: 특정 술 → 술 전체 • 영감: 당상관에 해당하는 벼슬 이름 → 남자 노인 • 아저씨: 숙부 → 성인 남성 • 장인: 기술자 → 예술가
의미의 축소	• 학자: 학문을 하는 사람 → 학문을 연구하는 전문인 • 계집: 여성 전체 → 여성 비하 • 얼굴: 형체 → 안면부 • 미인: 남녀 모두 → 여성만 • 공갈: 무섭게 으르고 위협하는 행위 → 거짓말 • 놈: 남성 전체 → 남성 비하
의미의 이동	• 어리다: 어리석다 → 나이가 어리다 • 씩씩하다: 엄하다 → 굳세고 위엄이 있다 • 수작: 술잔을 건네다 → 말을 주고받음, 남의 말·행동·계획을 낮잡아 이르는 말 • 비싸다: 값이 적당하다 → 값이 나가다 • 인정: 뇌물 → 사람 사이의 정 • 엉터리: 대강 갖추어진 틀 → 갖추어진 틀이 없음 • 에누리: 값을 더 얹어서 부르는 일 → 값을 깎는 일 • 감투: 벼슬아치가 머리에 쓰는 모자 → 벼슬 • 방송(放送): 석방 → 음성이나 영상을 전파로 보냄 • 싸다: 값이 적당하다 → 값이 싸다 • 내외: 안과 밖 → 부부 • 어여쁘다: 불쌍하다 → 예쁘다
의미의 확대와 축소가 단계적으로 이루어지는 경우	수술: 손으로 하는 기술이나 재주 → 의학 용어(의미 축소) → 사회 병리 현상이나 폐단을 고침(의미 확대)

PART Ⅱ. 어문 규정

CHAPTER 01 | 한글 맞춤법

워크북 P.50

1 총칙

제1항 한글 맞춤법은 표준어를 소리대로 적되, 어법에 맞도록 함을 원칙으로 한다.

제2항 문장의 각 단어는 띄어 씀을 원칙으로 한다.

제3항 외래어는 '외래어 표기법'에 따라 적는다.

2 자모: 자음과 모음

제4항 한글 자모의 수는 스물넉 자로 하고, 그 순서와 이름은 다음과 같이 정한다.

ㄱ(기역) ㄴ(니은) ㄷ(디귿) ㄹ(리을) ㅁ(미음)
ㅂ(비읍) ㅅ(시옷) ㅇ(이응) ㅈ(지읒) ㅊ(치읓)
ㅋ(키읔) ㅌ(티읕) ㅍ(피읖) ㅎ(히읗)
ㅏ(아) ㅑ(야) ㅓ(어) ㅕ(여) ㅗ(오)
ㅛ(요) ㅜ(우) ㅠ(유) ㅡ(으) ㅣ(이)

3 소리에 관한 것

(1) 된소리

제5항 한 단어 안에서 뚜렷한 까닭 없이 나는 된소리는 다음 음절의 첫소리를 된소리로 적는다.

1. 두 모음 사이에서 나는 된소리

소쩍새 어깨 오빠 으뜸 아끼다
기쁘다 깨끗하다 어떠하다 해쓱하다 가끔
거꾸로 부썩 어찌 이따금

2. 'ㄴ, ㄹ, ㅁ, ㅇ' 받침 뒤에서 나는 된소리

산뜻하다 잔뜩 살짝 훨씬 담뿍 움찔
몽땅 엉뚱하다

다만, 'ㄱ, ㅂ' 받침 뒤에서 나는 된소리는, 같은 음절이나 비슷한 음절이 겹쳐 나는 경우가 아니면 된소리로 적지 아니한다.

국수 깍두기 딱지 색시 싹둑(~싹둑) 법석
갑자기 몹시

(2) 구개음화

제6항 'ㄷ, ㅌ' 받침 뒤에 종속적 관계를 가진 '-이(-)'나 '-히-'가 올 적에는 그 'ㄷ, ㅌ'이 'ㅈ, ㅊ'으로 소리 나더라도 'ㄷ, ㅌ'으로 적는다. (ㄱ을 취하고, ㄴ을 버림)

ㄱ	ㄴ	ㄱ	ㄴ
맏이	마지	핥이다	할치다
해돋이	해도지	걷히다	거치다
굳이	구지	닫히다	다치다
같이	가치	묻히다	무치다
끝이	끄치		

(3) 'ㄷ' 소리 받침

제7항 'ㄷ' 소리로 나는 받침 중에서 'ㄷ'으로 적을 근거가 없는 것은 'ㅅ'으로 적는다.

덧저고리 돗자리 엇셈 웃어른 핫옷 무릇
사뭇 얼핏 자칫하면 뭇[衆] 옛 첫
헛

(4) 모음

제8항 '계, 례, 몌, 폐, 혜'의 'ㅖ'는 'ㅔ'로 소리 나는 경우가 있더라도 'ㅖ'로 적는다. (ㄱ을 취하고, ㄴ을 버림)

ㄱ	ㄴ	ㄱ	ㄴ
계수(桂樹)	게수	혜택(惠澤)	헤택
사례(謝禮)	사레	계집	게집
연몌(連袂)	연메	핑계	핑게
폐품(廢品)	페품	계시다	게시다

다만, 다음 말은 본음대로 적는다.

게송(偈頌) 게시판(揭示板) 휴게실(休憩室)

제9항 '의'나, 자음을 첫소리로 가지고 있는 음절의 'ㅢ'는 'ㅣ'로 소리 나는 경우가 있더라도 'ㅢ'로 적는다. (ㄱ을 취하고, ㄴ을 버림)

ㄱ	ㄴ	ㄱ	ㄴ
의의(意義)	의이	닁큼	닝큼
본의(本義)	본이	띄어쓰기	띠어쓰기
무늬[紋]	무니	씌어	씨어
보늬	보니	틔어	티어
오늬	오니	희망(希望)	히망
하늬바람	하니바람	희다	히다
늴리리	닐리리	유희(遊戲)	유히

(5) 두음 법칙

제10항 한자음 '녀, 뇨, 뉴, 니'가 단어 첫머리에 올 적에는, 두음 법칙에 따라 '여, 요, 유, 이'로 적는다. (ㄱ을 취하고, ㄴ을 버림)

ㄱ	ㄴ	ㄱ	ㄴ
여자(女子)	녀자	유대(紐帶)	뉴대
연세(年歲)	년세	이토(泥土)	니토
요소(尿素)	뇨소	익명(匿名)	닉명

다만, 다음과 같은 의존 명사에서는 '냐, 녀' 음을 인정한다.

냥(兩) 냥쭝(兩-) 년(年)(몇 년)

제11항 한자음 '랴, 려, 례, 료, 류, 리'가 단어의 첫머리에 올 적에는, 두음 법칙에 따라 '야, 여, 예, 요, 유, 이'로 적는다. (ㄱ을 취하고, ㄴ을 버림)

ㄱ	ㄴ	ㄱ	ㄴ
양심(良心)	량심	용궁(龍宮)	룡궁
역사(歷史)	력사	유행(流行)	류행
예의(禮儀)	례의	이발(理髮)	리발

다만, 다음과 같은 의존 명사는 본음대로 적는다.

리(里): 몇 리냐?
리(理): 그럴 리가 없다.

[붙임 1] 단어의 첫머리 이외의 경우에는 본음대로 적는다.

개량(改良) 선량(善良) 수력(水力) 협력(協力)
사례(謝禮) 혼례(婚禮) 와룡(臥龍) 쌍룡(雙龍)
하류(下流) 급류(急流) 도리(道理) 진리(眞理)

다만, 모음이나 'ㄴ' 받침 뒤에 이어지는 '렬, 률'은 '열, 율'로 적는다. (ㄱ을 취하고, ㄴ을 버림)

ㄱ	ㄴ	ㄱ	ㄴ
나열(羅列)	나렬	분열(分裂)	분렬
치열(齒列)	치렬	선열(先烈)	선렬
비열(卑劣)	비렬	진열(陳列)	진렬
규율(規律)	규률	선율(旋律)	선률
비율(比率)	비률	전율(戰慄)	전률
실패율(失敗率)	실패률	백분율(百分率)	백분률

[붙임 2] 외자로 된 이름을 성에 붙여 쓸 경우에도 본음대로 적을 수 있다.

신립(申砬) 최린(崔麟) 채륜(蔡倫) 하륜(河崙)

제12항 한자음 '라, 래, 로, 뢰, 루, 르'가 단어의 첫머리에 올 적에는, 두음 법칙에 따라 '나, 내, 노, 뇌, 누, 느'로 적는다. (ㄱ을 취하고, ㄴ을 버림)

ㄱ	ㄴ	ㄱ	ㄴ
낙원(樂園)	락원	뇌성(雷聲)	뢰성
내일(來日)	래일	누각(樓閣)	루각
노인(老人)	로인	능묘(陵墓)	릉묘

(6) 겹쳐 나는 소리

제13항 한 단어 안에서 같은 음절이나 비슷한 음절이 겹쳐 나는 부분은 같은 글자로 적는다. (ㄱ을 취하고, ㄴ을 버림)

ㄱ	ㄴ	ㄱ	ㄴ
딱딱	딱닥	꼿꼿하다	꼿곳하다
쌕쌕	쌕색	놀놀하다	놀롤하다
씩씩	씩식	눅눅하다	눙눅하다
똑딱똑딱	똑닥똑닥	밋밋하다	민밋하다
쓱싹쓱싹	쓱삭쓱삭	싹싹하다	싹삭하다
연연불망(戀戀不忘)	연련불망	쌉쌀하다	쌉살하다
유유상종(類類相從)	유류상종	씁쓸하다	씁슬하다
누누이(屢屢-)	누루이	짭짤하다	짭잘하다

4 형태에 관한 것

(1) 체언과 조사

제14항 체언은 조사와 구별하여 적는다.

떡이 떡을 떡에 떡도 떡만
손이 손을 손에 손도 손만
팔이 팔을 팔에 팔도 팔만
밤이 밤을 밤에 밤도 밤만
집이 집을 집에 집도 집만
옷이 옷을 옷에 옷도 옷만
밖이 밖을 밖에 밖도 밖만
넋이 넋을 넋에 넋도 넋만
흙이 흙을 흙에 흙도 흙만
삶이 삶을 삶에 삶도 삶만
여덟이 여덟을 여덟에 여덟도 여덟만
곬이 곬을 곬에 곬도 곬만
값이 값을 값에 값도 값만

(2) 어간과 어미

제15항 용언의 어간과 어미는 구별하여 적는다.

먹다 먹고 먹어 먹으니
신다 신고 신어 신으니
믿다 믿고 믿어 믿으니
울다 울고 울어 (우니)
깎다 깎고 깎아 깎으니
앉다 앉고 앉아 앉으니
많다 많고 많아 많으니
늙다 늙고 늙어 늙으니

[붙임 1] 두 개의 용언이 어울려 한 개의 용언이 될 적에, 앞말의 본뜻이 유지되고 있는 것은 그 원형을 밝히어 적고, 그 본뜻에서 멀어진 것은 밝히어 적지 아니한다.

(1) 앞말의 본뜻이 유지되고 있는 것

넘어지다 늘어나다 늘어지다 돌아가다
되짚어가다 들어가다 떨어지다 벌어지다
엎어지다 접어들다 틀어지다 흩어지다

(2) 본뜻에서 멀어진 것

드러나다 사라지다 쓰러지다

[붙임 2] 종결형에서 사용되는 어미 '-오'는 '요'로 소리 나는 경우가 있더라도 그 원형을 밝혀 '오'로 적는다. (ㄱ을 취하고, ㄴ을 버림)

ㄱ	ㄴ
이것은 책이오.	이것은 책이요.
이리로 오시오.	이리로 오시요.
이것은 책이 아니오.	이것은 책이 아니요.

[붙임 3] 연결형에서 사용되는 '이요'는 '이요'로 적는다. (ㄱ을 취하고, ㄴ을 버림)

ㄱ	ㄴ
이것은 책이요, 저것은 붓이요, 또 저것은 먹이다.	이것은 책이오, 저것은 붓이오, 또 저것은 먹이다.

제16항 어간의 끝음절 모음이 'ㅏ, ㅗ'일 때에는 어미를 '-아'로 적고, 그 밖의 모음일 때에는 '-어'로 적는다.

1. '-아'로 적는 경우

나아 나아도 나아서 막아 막아도 막아서
얇아 얇아도 얇아서 돌아 돌아도 돌아서
보아 보아도 보아서

2. '-어'로 적는 경우

개어 개어도 개어서 되어 되어도 되어서
베어 베어도 베어서 쉬어 쉬어도 쉬어서
저어 저어도 저어서 희어 희어도 희어서

제17항 어미 뒤에 덧붙는 조사 '요'는 '요'로 적는다.

읽어 읽어요 참으리 참으리요 좋지 좋지요

제18항 다음과 같은 용언들은 어미가 바뀔 경우, 그 어간이나 어미가 원칙에 벗어나면 벗어나는 대로 적는다.

1. 어간의 끝 'ㄹ'이 줄어질 적

갈다: 가니 간 갑니다 가시다 가오

놀다: 노니 논 놉니다 노시다 노오
불다: 부니 분 붑니다 부시다 부오
둥글다: 둥그니 둥근 둥급니다 둥그시다 둥그오
어질다: 어지니 어진 어집니다 어지시다 어지오

[붙임] 다음과 같은 말에서도 'ㄹ'이 준 대로 적는다.

마지못하다 마지않다 (하)다마다 (하)자마자
(하)지 마라 (하)지 마(아)

2. 어간의 끝 'ㅅ'이 줄어질 적

긋다: 그어 그으니 그었다
낫다: 나아 나으니 나았다
잇다: 이어 이으니 이었다
짓다: 지어 지으니 지었다

3. 어간의 끝 'ㅎ'이 줄어질 적

그렇다: 그러니 그럴 그러면 그러오
까맣다: 까마니 까말 까마면 까마오
동그랗다: 동그라니 동그랄 동그라면 동그라오
퍼렇다: 퍼러니 퍼럴 퍼러면 퍼러오
하얗다: 하야니 하얄 하야면 하야오

4. 어간의 끝 'ㅜ, ㅡ'가 줄어질 적

푸다: 퍼 펐다 뜨다: 떠 떴다
끄다: 꺼 껐다 크다: 커 컸다
담그다: 담가 담갔다 고프다: 고파 고팠다
따르다: 따라 따랐다 바쁘다: 바빠 바빴다

5. 어간의 끝 'ㄷ'이 'ㄹ'로 바뀔 적

걷다[步]: 걸어 걸으니 걸었다
듣다[聽]: 들어 들으니 들었다
묻다[問]: 물어 물으니 물었다
싣다[載]: 실어 실으니 실었다

6. 어간의 끝 'ㅂ'이 'ㅜ'로 바뀔 적

깁다: 기워 기우니 기웠다
굽다[炙]: 구워 구우니 구웠다
가깝다: 가까워 가까우니 가까웠다
괴롭다: 괴로워 괴로우니 괴로웠다
맵다: 매워 매우니 매웠다
무겁다: 무거워 무거우니 무거웠다
밉다: 미워 미우니 미웠다
쉽다: 쉬워 쉬우니 쉬웠다

다만, '돕-, 곱-'과 같은 단음절 어간에 어미 '-아'가 결합되어 '와'로 소리 나는 것은 '-와'로 적는다.

돕다[助]: 도와 도와서 도와도 도왔다
곱다[麗]: 고와 고와서 고와도 고왔다

7. '하다'의 활용에서 어미 '-아'가 '-여'로 바뀔 적

하다: 하여 하여서 하여도 하여라 하였다

8. 어간의 끝음절 '르' 뒤에 오는 어미 '-어'가 '-러'로 바뀔 적

이르다[至]: 이르러 이르렀다
노르다: 노르러 노르렀다
누르다: 누르러 누르렀다
푸르다: 푸르러 푸르렀다

9. 어간의 끝음절 '르'의 'ㅡ'가 줄고, 그 뒤에 오는 어미 '-아/-어'가 '-라/-러'로 바뀔 적

가르다: 갈라 갈랐다 거르다: 걸러 걸렀다
구르다: 굴러 굴렀다 벼르다: 별러 별렀다
부르다: 불러 불렀다 오르다: 올라 올랐다
이르다: 일러 일렀다 지르다: 질러 질렀다

(3) 접미사가 붙어서 된 말

제19항 어간에 '-이'나 '-음/-ㅁ'이 붙어서 명사로 된 것과 '-이'나 '-히'가 붙어서 부사로 된 것은 그 어간의 원형을 밝히어 적는다.

1. '-이'가 붙어서 명사로 된 것

길이 깊이 높이 다듬이 땀받이 달맞이
먹이 미닫이 벌이 벼훑이 살림살이 쇠붙이

2. '-음/-ㅁ'이 붙어서 명사로 된 것

걸음 묶음 믿음 얼음 엮음 울음 웃음
졸음 죽음 앎

3. '-이'가 붙어서 부사로 된 것

같이 굳이 길이 높이 많이 실없이 좋이
짓궂이

4. '-히'가 붙어서 부사로 된 것

밝히 익히 작히

다만, 어간에 '-이'나 '-음'이 붙어서 명사로 바뀐 것이라도 그 어간의 뜻과 멀어진 것은 원형을 밝히어 적지 아니한다.

굽도리 다리[髢] 목거리(목병) 무녀리
코끼리 거름(비료) 고름[膿] 노름(도박)

[붙임] 어간에 '-이'나 '-음' 이외의 모음으로 시작된 접미사가 붙어서 다른 품사로 바뀐 것은 그 어간의 원형을 밝히어 적지 아니한다.

(1) 명사로 바뀐 것

귀머거리 까마귀 너머 뜨더귀
마감 마개 마중 무덤
비렁뱅이 쓰레기 올가미 주검

(2) 부사로 바뀐 것

거뭇거뭇 너무 도로 뜨덤뜨덤 바투
불긋불긋 비로소 오긋오긋 자주 차마

(3) 조사로 바뀌어 뜻이 달라진 것

나마 부터 조차

제20항 명사 뒤에 '-이'가 붙어서 된 말은 그 명사의 원형을 밝히어 적는다.

1. 부사로 된 것

곳곳이 낱낱이 몫몫이 샅샅이 앞앞이 집집이

2. 명사로 된 것

곰배팔이 바둑이 삼발이 애꾸눈이 육손이
절뚝발이/절름발이

제21항 명사나 혹은 용언의 어간 뒤에 자음으로 시작된 접미사가 붙어서 된 말은 그 명사나 어간의 원형을 밝히어 적는다.

1. 명사 뒤에 자음으로 시작된 접미사가 붙어서 된 것

값지다 홑지다 넋두리 빛깔 옆댕이 잎사귀

2. 어간 뒤에 자음으로 시작된 접미사가 붙어서 된 것

낚시 늙정이 덮개 뜯게질
갉작갉작하다 갉작거리다 뜯적거리다 뜯적뜯적하다
굵다랗다 굵직하다 깊숙하다 넓적하다
높다랗다 늙수그레하다 얽죽얽죽하다

제22항 용언의 어간에 다음과 같은 접미사들이 붙어서 이루어진 말들은 그 어간을 밝히어 적는다.

1. '-기-, -리-, -이-, -히-, -구-, -우-, -추-, -으키-, -이키-, -애-'가 붙는 것

맡기다 옮기다 웃기다 쫓기다 뚫리다
울리다 낚이다 쌓이다 핥이다 굳히다
굽히다 넓히다 앉히다 얽히다 잡히다
돋구다 솟구다 돋우다 갖추다 곧추다
맞추다 일으키다 돌이키다 없애다

다만, '-이-, -히-, -우-'가 붙어서 된 말이라도 본뜻에서 멀어진 것은 소리대로 적는다.

도리다(칼로 ~) 드리다(용돈을 ~) 고치다
바치다(세금을 ~) 부치다(편지를 ~) 거두다
미루다 이루다

2. '-치-, -뜨리-, -트리-'가 붙는 것

놓치다 덮치다 떠받치다
받치다 밭치다 부딪치다
뻗치다 엎치다 부딪뜨리다/부딪트리다
쏟뜨리다/쏟트리다 젖뜨리다/젖트리다
찢뜨리다/찢트리다 흩뜨리다/흩트리다

제23항 '-하다'나 '-거리다'가 붙는 어근에 '-이'가 붙어서 명사가 된 것은 그 원형을 밝히어 적는다. (ㄱ을 취하고, ㄴ을 버림)

ㄱ	ㄴ	ㄱ	ㄴ
깔쭉이	깔쭈기	살살이	살사리
꿀꿀이	꿀꾸리	쌕쌕이	쌕쌔기
눈깜짝이	눈깜짜기	오뚝이	오뚜기
더펄이	더퍼리	코납작이	코납자기
배불뚝이	배불뚜기	푸석이	푸서기
삐죽이	삐주기	홀쭉이	홀쭈기

[붙임] '-하다'나 '-거리다'가 붙을 수 없는 어근에 '-이'나 또는 다른 모음으로 시작되는 접미사가 붙어서 명사가 된 것은 그 원형을 밝히어 적지 아니한다.

개구리 귀뚜라미 기러기 깍두기 꽹과리
날라리 누더기 동그라미 두드러기 딱따구리
매미 부스러기 뻐꾸기 얼루기 칼싹두기

제24항 '-거리다'가 붙을 수 있는 시늉말 어근에 '-이다'가 붙어서 된 용언은 그 어근을 밝히어 적는다. (ㄱ을 취하고, ㄴ을 버림)

ㄱ	ㄴ	ㄱ	ㄴ
깜짝이다	깜짜기다	속삭이다	속사기다
꾸벅이다	꾸버기다	숙덕이다	숙더기다
끄덕이다	끄더기다	울먹이다	울머기다
뒤척이다	뒤처기다	움직이다	움지기다
들먹이다	들머기다	지껄이다	지꺼리다
망설이다	망서리다	퍼덕이다	퍼더기다
번득이다	번드기다	허덕이다	허더기다
번쩍이다	번쩌기다	헐떡이다	헐떠기다

제25항 '-하다'가 붙는 어근에 '-히'나 '-이'가 붙어서 부사가 되거나, 부사에 '-이'가 붙어서 뜻을 더하는 경우에는 그 어근이나 부사의 원형을 밝히어 적는다.

1. '-하다'가 붙는 어근에 '-히'나 '-이'가 붙는 경우

급히 꾸준히 도저히 딱히 어렴풋이 깨끗이

[붙임] '-하다'가 붙지 않는 경우에는 소리대로 적는다.

갑자기 반드시(꼭) 슬며시

2. 부사에 '-이'가 붙어서 역시 부사가 되는 경우

곰곰이 더욱이 생긋이 오뚝이 일찍이 해죽이

제26항 '-하다'나 '-없다'가 붙어서 된 용언은 그 '-하다'나 '-없다'를 밝히어 적는다.

1. '-하다'가 붙어서 용언이 된 것

딱하다 숱하다 착하다 텁텁하다 푹하다

2. '-없다'가 붙어서 용언이 된 것

부질없다 상없다 시름없다 열없다 하염없다

(4) 합성어 및 접두사가 붙은 말

제27항 둘 이상의 단어가 어울리거나 접두사가 붙어서 이루어진 말은 각각 그 원형을 밝히어 적는다.

국말이 꺾꽂이 꽃잎 끝장 물난리
밑천 부엌일 싫증 옷안 웃옷
젖몸살 첫아들 칼날 팥알 헛웃음
홀아비 홑몸 흙내 값없다 겉늙다
굶주리다 낮잡다 맞먹다 받내다 벋놓다
빗나가다 빛나다 새파랗다 샛노랗다 시꺼멓다
싯누렇다 엇나가다 엎누르다 엿듣다 옻오르다
짓이기다 헛되다

[붙임 1] 어원은 분명하나 소리만 특이하게 변한 것은 변한 대로 적는다.

할아버지 할아범

[붙임 2] 어원이 분명하지 아니한 것은 원형을 밝히어 적지 아니한다.

골병 골탕 끌탕 며칠 아재비 오라비
업신여기다 부리나케

[붙임 3] '이[齒, 虱]'가 합성어나 이에 준하는 말에서 '니' 또는 '리'로 소리 날 때에는 '니'로 적는다.

간니 덧니 사랑니 송곳니 앞니 어금니
윗니 젖니 톱니 틀니 가랑니 머릿니

제28항 끝소리가 'ㄹ'인 말과 딴 말이 어울릴 적에 'ㄹ' 소리가 나지 아니하는 것은 아니 나는 대로 적는다.

다달이(달-달-이) 따님(딸-님) 마되(말-되)
마소(말-소) 무자위(물-자위) 바느질(바늘-질)
부삽(불-삽) 부손(불-손) 싸전(쌀-전)
여닫이(열-닫이) 우짖다(울-짖다) 화살(활-살)

제29항 끝소리가 'ㄹ'인 말과 딴 말이 어울릴 적에 'ㄹ' 소리가 'ㄷ' 소리로 나는 것은 'ㄷ'으로 적는다.

반짇고리(바느질~) 사흗날(사흘~) 삼짇날(삼질~)
섣달(설~) 숟가락(술~) 이튿날(이틀~)
잗주름(잘~) 푿소(풀~) 섣부르다(설~)
잗다듬다(잘~) 잗다랗다(잘~)

제30항 사이시옷은 다음과 같은 경우에 받치어 적는다.

1. 순우리말로 된 합성어로서 앞말이 모음으로 끝난 경우

(1) 뒷말의 첫소리가 된소리로 나는 것

고랫재 귓밥 나룻배 나뭇가지 냇가

댓가지 뒷갈망 맷돌 머릿기름 모깃불
못자리 바닷가 뱃길 볏가리 부싯돌
선짓국 쇳조각 아랫집 우렁잇속 잇자국
잿더미 조갯살 찻집 쳇바퀴 킷값
핏대 햇볕 혓바늘

(2) 뒷말의 첫소리 'ㄴ, ㅁ' 앞에서 'ㄴ' 소리가 덧나는 것

멧나물 아랫니 텃마당 아랫마을 뒷머리
잇몸 깻묵 냇물 빗물

(3) 뒷말의 첫소리 모음 앞에서 'ㄴㄴ' 소리가 덧나는 것

도리깻열 뒷윷 두렛일 뒷일 뒷입맛
베갯잇 욧잇 깻잎 나뭇잎 댓잎

2. 순우리말과 한자어로 된 합성어로서 앞말이 모음으로 끝난 경우

(1) 뒷말의 첫소리가 된소리로 나는 것

귓병 머릿방 뱃병 봇둑 사잣밥
샛강 아랫방 자릿세 전셋집 찻잔
찻종 촛국 콧병 탯줄 텃세
핏기 햇수 횟가루 횟배

(2) 뒷말의 첫소리 'ㄴ, ㅁ' 앞에서 'ㄴ' 소리가 덧나는 것

곗날 제삿날 훗날 툇마루 양칫물

(3) 뒷말의 첫소리 모음 앞에서 'ㄴㄴ' 소리가 덧나는 것

가욋일 사삿일 예삿일 훗일

3. 두 음절로 된 다음 한자어

곳간(庫間) 셋방(貰房) 숫자(數字) 찻간(車間)
툇간(退間) 횟수(回數)

제31항 두 말이 어울릴 적에 'ㅂ' 소리나 'ㅎ' 소리가 덧나는 것은 소리대로 적는다.

1. 'ㅂ' 소리가 덧나는 것

댑싸리(대ㅂ싸리) 멥쌀(메ㅂ쌀) 볍씨(벼ㅂ씨)
입때(이ㅂ때) 입쌀(이ㅂ쌀) 접때(저ㅂ때)
좁쌀(조ㅂ쌀) 햅쌀(해ㅂ쌀)

2. 'ㅎ' 소리가 덧나는 것

머리카락(머리ㅎ가락) 살코기(살ㅎ고기)
수캐(수ㅎ개) 수컷(수ㅎ것) 수탉(수ㅎ닭)
안팎(안ㅎ밖) 암캐(암ㅎ개) 암컷(암ㅎ것)
암탉(암ㅎ닭)

(5) 준말

제32항 단어의 끝 모음이 줄어지고 자음만 남은 것은 그 앞의 음절에 받침으로 적는다.

(본말)	(준말)	(본말)	(준말)
기러기야	기럭아	가지고, 가지지	갖고, 갖지
어제그저께	엊그저께	디디고, 디디지	딛고, 딛지
어제저녁	엊저녁		

제33항 체언과 조사가 어울려 줄어지는 경우에는 준 대로 적는다.

(본말)	(준말)	(본말)	(준말)
그것은	그건	너는	넌
그것이	그게	너를	널
그것으로	그걸로	무엇을	뭣을/무얼/뭘
나는	난	무엇이	뭣이/무에
나를	날		

제34항 모음 'ㅏ, ㅓ'로 끝난 어간에 '-아/-어, -았-/-었-'이 어울릴 적에는 준 대로 적는다. (준말만 인정)

(본말)	(준말)	(본말)	(준말)
가아	가	가았다	갔다
나아	나	나았다	났다
타아	타	타았다	탔다
서어	서	서었다	섰다
켜어	켜	켜었다	켰다
펴어	펴	펴었다	폈다

[붙임 1] 'ㅐ, ㅔ' 뒤에 '-어, -었-'이 어울려 줄 적에는 준 대로 적는다. (본말, 준말 모두 허용)

(본말)	(준말)	(본말)	(준말)
개어	개	개었다	갰다
내어	내	내었다	냈다
베어	베	베었다	벴다
세어	세	세었다	셌다

[붙임 2] '하여'가 한 음절로 줄어서 '해'로 될 적에는 준 대로 적는다. (본말, 준말 모두 허용)

(본말)	(준말)	(본말)	(준말)
하여	해	하였다	했다
더하여	더해	더하였다	더했다
흔하여	흔해	흔하였다	흔했다

제35항 모음 'ㅗ, ㅜ'로 끝난 어간에 '-아/-어, -았-/-었-'이 어울려 'ㅘ/ㅝ, ㅘㅆ/ㅝㅆ'으로 될 적에는 준 대로 적는다.

(본말)	(준말)	(본말)	(준말)
꼬아	꽈	꼬았다	꽜다
보아	봐	보았다	봤다
쏘아	쏴	쏘았다	쐈다
두어	둬	두었다	뒀다
쑤어	쒀	쑤었다	쒔다
주어	줘	주었다	줬다

[붙임 1] '놓아'가 '놔'로 줄 적에는 준 대로 적는다.

[붙임 2] 'ㅚ' 뒤에 '-어, -었-'이 어울려 'ㅙ, ㅙㅆ'으로 될 적에도 준 대로 적는다.

(본말)	(준말)	(본말)	(준말)
괴어	괘	괴었다	괬다
되어	돼	되었다	됐다
뵈어	봬	뵈었다	뵀다
쇠어	쇄	쇠었다	쇘다
쐬어	쐐	쐬었다	쐤다

제36항 'ㅣ' 뒤에 '-어'가 와서 'ㅕ'로 줄 적에는 준 대로 적는다.

(본말)	(준말)	(본말)	(준말)
가지어	가져	가지었다	가졌다
견디어	견뎌	견디었다	견뎠다
다니어	다녀	다니었다	다녔다
막히어	막혀	막히었다	막혔다
버티어	버텨	버티었다	버텼다
치이어	치여	치이었다	치였다

제37항 'ㅏ, ㅕ, ㅗ, ㅜ, ㅡ'로 끝난 어간에 '-이-'가 와서 각각 'ㅐ, ㅖ, ㅚ, ㅟ, ㅢ'로 줄 적에는 준 대로 적는다.

(본말)	(준말)	(본말)	(준말)
싸이다	쌔다	누이다	뉘다
펴이다	폐다	뜨이다	띄다
보이다	뵈다	쓰이다	씌다

제38항 'ㅏ, ㅗ, ㅜ, ㅡ' 뒤에 '-이어'가 어울려 줄어질 적에는 준 대로 적는다.

(본말)	(준말)	(본말)	(준말)
싸이어	쌔어, 싸여	뜨이어	띄어
보이어	뵈어, 보여	쓰이어	씌어, 쓰여
쏘이어	쐬어, 쏘여	트이어	틔어, 트여
누이어	뉘어, 누여		

제39항 어미 '-지' 뒤에 '않-'이 어울려 '-잖-'이 될 적과 '-하지' 뒤에 '않-'이 어울려 '-찮-'이 될 적에는 준 대로 적는다.

(본말)	(준말)	(본말)	(준말)
그렇지 않은	그렇잖은	만만하지 않다	만만찮다
적지 않은	적잖은	변변하지 않다	변변찮다

제40항 어간의 끝음절 '하'의 'ㅏ'가 줄고 'ㅎ'이 다음 음절의 첫소리와 어울려 거센소리로 될 적에는 거센소리로 적는다.

(본말)	(준말)	(본말)	(준말)
간편하게	간편케	다정하다	다정타
연구하도록	연구토록	정결하다	정결타
가하다	가타	흔하다	흔타

[붙임 1] 'ㅎ'이 어간의 끝소리로 굳어진 것은 받침으로 적는다.

않다 않고 않지 않든지
그렇다 그렇고 그렇지 그렇든지
아무렇다 아무렇고 아무렇지 아무렇든지
어떻다 어떻고 어떻지 어떻든지
이렇다 이렇고 이렇지 이렇든지
저렇다 저렇고 저렇지 저렇든지

[붙임 2] 어간의 끝음절 '하'가 아주 줄 적에는 준 대로 적는다.

(본말)	(준말)	(본말)	(준말)
거북하지	거북지	넉넉하지 않다	넉넉지 않다
생각하건대	생각건대	못하지 않다	못지않다
생각하다 못해	생각다 못해	섭섭하지 않다	섭섭지 않다
깨끗하지 않다	깨끗지 않다	익숙하지 않다	익숙지 않다

[붙임 3] 다음과 같은 부사는 소리대로 적는다.

결단코 결코 기필코 무심코 아무튼 요컨대
정녕코 필연코 하마터면 하여튼 한사코

5 띄어쓰기

(1) 조사

제41항 조사는 그 앞말에 붙여 쓴다.

꽃이 꽃마저 꽃밖에 꽃에서부터 꽃으로만
꽃이나마 꽃이다 꽃입니다 꽃처럼 어디까지나
거기도 멀리는 웃고만

(2) 의존 명사, 단위를 나타내는 명사 및 열거하는 말 등

제42항 의존 명사는 띄어 쓴다.

아는 것이 힘이다. 나도 할 수 있다.
먹을 만큼 먹어라. 아는 이를 만났다.
네가 뜻한 바를 알겠다. 그가 떠난 지가 오래다.

제43항 단위를 나타내는 명사는 띄어 쓴다.

한 개 차 한 대 금 서 돈 소 한 마리
옷 한 벌 열 살 조기 한 손 연필 한 자루
버선 한 죽 집 한 채 신 두 켤레 북어 한 쾌

다만, 순서를 나타내는 경우나 숫자와 어울리어 쓰이는 경우에는 붙여 쓸 수 있다.

두시 삼십분 오초 제일과 삼학년 육층
1446년 10월 9일 2대대 16동 502호 제1실습실
80원 10개 7미터

제44항 수를 적을 적에는 '만(萬)' 단위로 띄어 쓴다.

십이억 삼천사백오십육만 칠천팔백구십팔
12억 3456만 7898

제45항 두 말을 이어 주거나 열거할 적에 쓰이는 다음의 말들은 띄어 쓴다.

국장 겸 과장 열 내지 스물 청군 대 백군
이사장 및 이사들 책상, 걸상 등이 있다 사과, 배, 귤 등등
사과, 배 등속 부산, 광주 등지

제46항 단음절로 된 단어가 연이어 나타날 적에는 붙여 쓸 수 있다.

좀더 큰것 이말 저말 한잎 두잎

(3) 보조 용언

제47항 보조 용언은 띄어 씀을 원칙으로 하되, 경우에 따라 붙여 씀도 허용한다. (ㄱ을 원칙으로 하고, ㄴ을 허용함)

ㄱ	ㄴ
불이 꺼져 간다.	불이 꺼져간다.
내 힘으로 막아 낸다.	내 힘으로 막아낸다.
어머니를 도와 드린다.	어머니를 도와드린다.
비가 올 듯하다.	비가 올듯하다.
그 일은 할 만하다.	그 일은 할만하다.
일이 될 법하다.	일이 될법하다.
비가 올 성싶다.	비가 올성싶다.
잘 아는 척한다.	잘 아는척한다.

다만, 앞말에 조사가 붙거나 앞말이 합성 용언인 경우, 그리고 중간에 조사가 들어갈 적에는 그 뒤에 오는 보조 용언은 띄어 쓴다.

잘도 놀아만 나는구나! 책을 읽어도 보고…….
네가 덤벼들어 보아라. 이런 기회는 다시없을 듯하다.
그가 올 듯도 하다. 잘난 체를 한다.

(4) 고유 명사 및 전문 용어

제48항 성과 이름, 성과 호 등은 붙여 쓰고, 이에 덧붙는 호칭어, 관직명 등은 띄어 쓴다.

김양수(金良洙) 서화담(徐花潭) 채영신 씨
최치원 선생 박동식 박사 충무공 이순신 장군

다만, 성과 이름, 성과 호를 분명히 구분할 필요가 있을 경우에는 띄어 쓸 수 있다.

남궁억/남궁 억　　독고준/독고 준
황보지봉(皇甫芝峰)/황보 지봉

제49항　성명 이외의 고유 명사는 단어별로 띄어 씀을 원칙으로 하되, 단위별로 띄어 쓸 수 있다. (ㄱ을 원칙으로 하고, ㄴ을 허용함)

ㄱ	ㄴ
대한 중학교	대한중학교
한국 대학교 사범 대학	한국대학교 사범대학

제50항　전문 용어는 단어별로 띄어 씀을 원칙으로 하되, 붙여 쓸 수 있다. (ㄱ을 원칙으로 하고, ㄴ을 허용함)

ㄱ	ㄴ
만성 골수성 백혈병	만성골수성백혈병
중거리 탄도 유도탄	중거리탄도유도탄

6 그 밖의 것

제51항　부사의 끝음절이 분명히 '이'로만 나는 것은 '-이'로 적고, '히'로만 나거나 '이'나 '히'로 나는 것은 '-히'로 적는다.

1. '이'로만 나는 것

가붓이　깨끗이　나붓이　느긋이　둥긋이
따뜻이　반듯이　버젓이　산뜻이　의젓이
가까이　고이　날카로이　대수로이　번거로이
많이　적이　헛되이　겹겹이　번번이
일일이　집집이　틈틈이

2. '히'로만 나는 것

극히　급히　딱히　속히　작히　족히
특히　엄격히　정확히

3. '이, 히'로 나는 것

솔직히　가만히　간편히　나른히　무단히
각별히　소홀히　쓸쓸히　정결히　과감히
꼼꼼히　심히　열심히　급급히　답답히
섭섭히　공평히　능히　당당히　분명히
상당히　조용히　간소히　고요히　도저히

제52항　한자어에서 본음으로도 나고 속음으로도 나는 것은 각각 그 소리에 따라 적는다.

본음으로 나는 것	속음으로 나는 것
승낙(承諾)	수락(受諾), 쾌락(快諾), 허락(許諾)
만난(萬難)	곤란(困難), 논란(論難)
안녕(安寧)	의령(宜寧), 회령(會寧)
분노(忿怒)	대로(大怒), 희로애락(喜怒哀樂)
토론(討論)	의논(議論)
오륙십(五六十)	오뉴월, 유월(六月)
목재(木材)	모과(木瓜)
십일(十日)	시방정토(十方淨土), 시왕(十王), 시월(十月)
팔일(八日)	초파일(初八日)

제53항　다음과 같은 어미는 예사소리로 적는다. (ㄱ을 취하고, ㄴ을 버림)

ㄱ	ㄴ	ㄱ	ㄴ
(으)ㄹ거나	(으)ㄹ꺼나	(으)ㄹ지니라	(으)ㄹ찌니라
-(으)ㄹ걸	-(으)ㄹ껄	-(으)ㄹ지라도	-(으)ㄹ찌라도
-(으)ㄹ게	-(으)ㄹ께	-(으)ㄹ지어다	-(으)ㄹ찌어다
-(으)ㄹ세	-(으)ㄹ쎄	-(으)ㄹ지언정	-(으)ㄹ찌언정
-(으)ㄹ세라	-(으)ㄹ쎄라	-(으)ㄹ진대	-(으)ㄹ찐대
-(으)ㄹ수록	-(으)ㄹ쑤록	-(으)ㄹ진저	-(으)ㄹ찐저
-(으)ㄹ시	-(으)ㄹ씨	-올시다	-올씨다
-(으)ㄹ지	-(으)ㄹ찌		

다만, 의문을 나타내는 다음 어미들은 된소리로 적는다.

-(으)ㄹ까?　-(으)ㄹ꼬?　-(스)ㅂ니까?
-(으)리까?　-(으)ㄹ쏘냐?

제54항　다음과 같은 접미사는 된소리로 적는다. (ㄱ을 취하고, ㄴ을 버림)

ㄱ	ㄴ	ㄱ	ㄴ
심부름꾼	심부름군	귀때기	귓대기
익살꾼	익살군	볼때기	볼대기
일꾼	일군	판자때기	판잣대기
장꾼	장군	뒤꿈치	뒷굼치
장난꾼	장난군	팔꿈치	팔굼치
지게꾼	지겟군	이마빼기	이맛배기
때깔	땟갈	코빼기	콧배기
빛깔	빛갈	객쩍다	객적다
성깔	성갈	겸연쩍다	겸연적다

제55항　두 가지로 구별하여 적던 다음 말들은 한 가지로 적는다. (ㄱ을 취하고, ㄴ을 버림)

ㄱ	ㄴ	용례
맞추다	마추다	입을 맞춘다. 양복을 맞춘다.
뻗치다	뻐치다	다리를 뻗친다. 멀리 뻗친다.

제56항　'-더라, -던'과 '-든지'는 다음과 같이 적는다.

1. 지난 일을 나타내는 어미는 '-더라, -던'으로 적는다. (ㄱ을 취하고, ㄴ을 버림)

ㄱ	ㄴ
지난겨울은 몹시 춥더라.	지난겨울은 몹시 춥드라.
깊던 물이 얕아졌다.	깊든 물이 얕아졌다.
그렇게 좋던가?	그렇게 좋든가?
그 사람 말 잘하던데!	그 사람 말 잘하든데!
얼마나 놀랐던지 몰라.	얼마나 놀랐든지 몰라.

2. 물건이나 일의 내용을 가리지 아니하는 뜻을 나타내는 조사와 어미는 '(-)든지'로 적는다. (ㄱ을 취하고, ㄴ을 버림)

ㄱ	ㄴ
배든지 사과든지 마음대로 먹어라.	배던지 사과던지 마음대로 먹어라.
가든지 오든지 마음대로 해라.	가던지 오던지 마음대로 해라.

제57항 다음 말들은 각각 구별하여 적는다.

가름	둘로 가름.
갈음	새 책상으로 갈음하였다.
거름	풀을 썩힌 거름.
걸음	빠른 걸음.
거치다	영월을 거쳐 왔다.
걷히다	외상값이 잘 걷힌다.
걷잡다	걷잡을 수 없는 상태.
겉잡다	겉잡아서 이틀 걸릴 일.
그러므로(그러니까)	그는 부지런하다. 그러므로 잘 산다.
그럼으로(써)(그렇게 하는 것으로)	그는 열심히 공부한다. 그럼으로(써) 은혜에 보답한다.
노름	노름판이 벌어졌다.
놀음(놀이)	즐거운 놀음.
느리다	진도가 너무 느리다.
늘이다	고무줄을 늘인다.
늘리다	수출량을 더 늘린다.
다리다	옷을 다린다.
달이다	약을 달인다.
다치다	부주의로 손을 다쳤다.
닫히다	문이 저절로 닫혔다.
닫치다	문을 힘껏 닫쳤다.
마치다	벌써 일을 마쳤다.
맞히다	여러 문제를 더 맞혔다.
목거리	목거리가 덧났다.
목걸이	금목걸이, 은목걸이.
바치다	나라를 위해 목숨을 바쳤다.
받치다	우산을 받치고 간다. / 책받침을 받친다.
받히다	쇠뿔에 받혔다.
밭치다	술을 체에 밭친다.
반드시	약속은 반드시 지켜라.
반듯이	고개를 반듯이 들어라.
부딪치다	차와 차가 마주 부딪쳤다.
부딪히다	마차가 화물차에 부딪혔다.
부치다	힘이 부치는 일이다. 편지를 부친다. 논밭을 부친다. 빈대떡을 부친다. 식목일에 부치는 글. 회의에 부치는 안건. 인쇄에 부치는 원고. 삼촌 집에 숙식을 부친다.
붙이다	우표를 붙인다. 책상을 벽에 붙였다. 흥정을 붙인다. 불을 붙인다. 감시원을 붙인다. 조건을 붙인다. 취미를 붙인다. 별명을 붙인다.
시키다	일을 시킨다.
식히다	끓인 물을 식힌다.
아름	세 아름 되는 둘레.
알음	전부터 알음이 있는 사이.
앎	앎이 힘이다.
안치다	밥을 안친다.
앉히다	윗자리에 앉힌다.
어름	두 물건의 어름에서 일어난 현상.
얼음	얼음이 얼었다.
이따가	이따가 오너라.
있다가	돈은 있다가도 없다.
저리다	다친 다리가 저린다.
절이다	김장 배추를 절인다.
조리다	생선을 조린다. 통조림, 병조림.
졸이다	마음을 졸인다.
주리다	여러 날을 주렸다.
줄이다	비용을 줄인다.
하노라고	하노라고 한 것이 이 모양이다.
하느라고	공부하느라고 밤을 새웠다.
-느니보다(어미)	나를 찾아오느니보다 집에 있거라.
-는 이보다(의존 명사)	오는 이가 가는 이보다 많다.
-(으)리만큼(어미)	나를 미워하리만큼 그에게 잘못한 일이 없다.
-(으)ㄹ 이만큼(의존 명사)	찬성할 이도 반대할 이만큼이나 많을 것이다.
-(으)러(목적)	공부하러 간다.
-(으)려(의도)	서울 가려 한다.
(으)로서(자격)	사람으로서 그럴 수는 없다.
(으)로써(수단)	닭으로써 꿩을 대신했다.
-(으)므로(어미)	그가 나를 믿으므로 나도 그를 믿는다.
(-ㅁ, -음)으로(써)(조사)	그는 믿음으로(써) 산 보람을 느꼈다.

CHAPTER 02 | 문장 부호

워크북 P.66

1 마침표(.)

(1) 서술, 명령, 청유 등을 나타내는 문장의 끝에 쓴다.

예 • 젊은이는 나라의 기둥입니다.
• 제 손을 꼭 잡으세요.
• 집으로 돌아갑시다.
• 가는 말이 고와야 오는 말이 곱다.

[붙임 1] 직접 인용한 문장의 끝에는 쓰는 것을 원칙으로 하되, 쓰지 않는 것을 허용한다. (ㄱ을 원칙으로 하고, ㄴ을 허용함)

예 ㄱ. 그는 "지금 바로 떠나자."라고 말하며 서둘러 짐을 챙겼다.
ㄴ. 그는 "지금 바로 떠나자"라고 말하며 서둘러 짐을 챙겼다.

[붙임 2] 용언의 명사형이나 명사로 끝나는 문장에는 쓰는 것을 원칙으로 하되, 쓰지 않는 것을 허용한다. (ㄱ을 원칙으로 하고, ㄴ을 허용함)

예 ㄱ. 목적을 이루기 위하여 몸과 마음을 다하여 애를 씀.
ㄴ. 목적을 이루기 위하여 몸과 마음을 다하여 애를 씀
ㄱ. 결과에 연연하지 않고 끝까지 최선을 다하기.
ㄴ. 결과에 연연하지 않고 끝까지 최선을 다하기
ㄱ. 신입 사원 모집을 위한 기업 설명회 개최.
ㄴ. 신입 사원 모집을 위한 기업 설명회 개최
ㄱ. 내일 오전까지 보고서를 제출할 것.
ㄴ. 내일 오전까지 보고서를 제출할 것

다만, 제목이나 표어에는 쓰지 않음을 원칙으로 한다.

예 압록강은 흐른다   꺼진 불도 다시 보자   건강한 몸 만들기

(2) 아라비아 숫자만으로 연월일을 표시할 때 쓴다.

예 1919. 3. 1.   10. 1.～10. 12.

(3) 특정한 의미가 있는 날을 표시할 때 월과 일을 나타내는 아라비아 숫자 사이에 쓴다.

예 3.1 운동   8.15 광복

[붙임] 이때는 마침표 대신 가운뎃점을 쓸 수 있다.

예 3·1 운동   8·15 광복

(4) 장, 절, 항 등을 표시하는 문자나 숫자 다음에 쓴다.

예 가. 인명   ㄱ. 머리말   I. 서론   1. 연구 목적

[붙임] '마침표' 대신 '온점'이라는 용어를 쓸 수 있다.

2 물음표(?)

(1) 의문문이나 의문을 나타내는 어구의 끝에 쓴다.

예 • 점심 먹었어?
• 이번에 가시면 언제 돌아오세요?
• 제가 부모님 말씀을 따르지 않을 리가 있겠습니까?
• 남북이 통일되면 얼마나 좋을까?
• 다섯 살짜리 꼬마가 이 멀고 험한 곳까지 혼자 왔다?
• 지금?   뭐라고?   네?

[붙임 1] 한 문장 안에 몇 개의 선택적인 물음이 이어질 때는 맨 끝의 물음에만 쓰고, 각 물음이 독립적일 때는 각 물음의 뒤에 쓴다.

예 • 너는 중학생이냐, 고등학생이냐?
• 너는 여기에 언제 왔니? 어디서 왔니? 무엇하러 왔니?

[붙임 2] 의문의 정도가 약할 때는 물음표 대신 마침표를 쓸 수 있다.

예 • 도대체 이 일을 어쩐단 말이냐.
• 이것이 과연 내가 찾던 행복일까.

다만, 제목이나 표어에는 쓰지 않음을 원칙으로 한다.

예 • 역사란 무엇인가
• 아직도 담배를 피우십니까

(2) 특정한 어구의 내용에 대하여 의심, 빈정거림 등을 표시할 때, 또는 적절한 말을 쓰기 어려울 때 소괄호 안에 쓴다.

예 • 우리와 의견을 같이할 사람은 최 선생(?) 정도인 것 같다.
• 30점이라, 거참 훌륭한(?) 성적이군.
• 우리 집 강아지가 가출(?)을 했어요.

(3) 모르거나 불확실한 내용임을 나타낼 때 쓴다.

예 • 최치원(857～?)은 통일 신라 말기에 이름을 떨쳤던 학자이자 문장가이다.
• 조선 시대의 시인 강백(1690?～1777?)의 자는 자청이고, 호는 우곡이다.

3 느낌표(!)

(1) 감탄문이나 감탄사의 끝에 쓴다.

예 이거 정말 큰일이 났구나!   어머!

[붙임] 감탄의 정도가 약할 때는 느낌표 대신 쉼표나 마침표를 쓸 수 있다.

예 어, 벌써 끝났네.   날씨가 참 좋군.

(2) 특별히 강한 느낌을 나타내는 어구, 평서문, 명령문, 청유문에 쓴다.

예 • 청춘! 이는 듣기만 하여도 가슴이 설레는 말이다.
• 이야, 정말 재밌다!   지금 즉시 대답해!   앞만 보고 달리자!

(3) 물음의 말로 놀람이나 항의의 뜻을 나타내는 경우에 쓴다.

예 이게 누구야!   내가 왜 나빠!

(4) 감정을 넣어 대답하거나 다른 사람을 부를 때 쓴다.

예 네!   네, 선생님!   흥부야!   언니!

4 쉼표(,)

(1) 같은 자격의 어구를 열거할 때 그 사이에 쓴다.

예 • 근면, 검소, 협동은 우리 겨레의 미덕이다.
• 충청도의 계룡산, 전라도의 내장산, 강원도의 설악산은 모두 국립 공원이다.
• 집을 보러 가면 그 집이 내가 원하는 조건에 맞는지, 살기에 편한지, 망가진 곳은 없는지 확인해야 한다.
• 5보다 작은 자연수는 1, 2, 3, 4이다.

다만,

(가) 쉼표 없이도 열거되는 사항임이 쉽게 드러날 때는 쓰지 않을 수 있다.

예 • 아버지 어머니께서 함께 오셨어요.
• 네 돈 내 돈 다 합쳐 보아야 만 원도 안 되겠다.

(나) 열거할 어구들을 생략할 때 사용하는 줄임표 앞에는 쉼표를 쓰지 않는다.

예 광역시: 광주, 대구, 대전……

(2) 짝을 지어 구별할 때 쓴다.

예 닭과 지네, 개와 고양이는 상극이다.

(3) 이웃하는 수를 개략적으로 나타낼 때 쓴다.

예 5, 6세기   6, 7, 8개

(4) 열거의 순서를 나타내는 어구 다음에 쓴다.

예 • 첫째, 몸이 튼튼해야 한다.
• 마지막으로, 무엇보다 마음이 편해야 한다.

(5) 문장의 연결 관계를 분명히 하고자 할 때 절과 절 사이에 쓴다.

예 • 콩 심은 데 콩 나고, 팥 심은 데 팥 난다.
• 저는 신뢰와 정직을 생명과 같이 여기고 살아온바, 이번 비리 사건과는 무관하다는 점을 분명히 밝힙니다.
• 떡국은 설날의 대표적인 음식인데, 이걸 먹어야 비로소 나이도 한 살 더 먹는다고 한다.

(6) 같은 말이 되풀이되는 것을 피하기 위하여 일정한 부분을 줄여서 열거할 때 쓴다.

예 여름에는 바다에서, 겨울에는 산에서 휴가를 즐겼다.

(7) 부르거나 대답하는 말 뒤에 쓴다.

예 지은아, 이리 좀 와 봐.   네, 지금 가겠습니다.

(8) 한 문장 안에서 앞말을 '곧', '다시 말해' 등과 같은 어구로 다시 설명할 때 앞말 다음에 쓴다.

예 • 책의 서문, 곧 머리말에는 책을 지은 목적이 드러나 있다.
• 원만한 인간관계는 말과 관련한 예의, 즉 언어 예절을 갖추는 것에서 시작된다.

• 호준이 어머니, 다시 말해 나의 누님은 올해로 결혼한 지 20년이 된다.
• 나에게도 작은 소망, 이를테면 나만의 정원을 가졌으면 하는 소망이 있어.

(9) 문장 앞부분에서 조사 없이 쓰인 제시어나 주제어의 뒤에 쓴다.

예 • 돈, 돈이 인생의 전부이더냐?
• 열정, 이것이야말로 젊은이의 가장 소중한 자산이다.
• 지금 네가 여기 있다는 것, 그것만으로도 나는 충분히 행복해.
• 저 친구, 저러다가 큰일 한번 내겠어.
• 그 사실, 넌 알고 있었지?

(10) 한 문장에 같은 의미의 어구가 반복될 때 앞에 오는 어구 다음에 쓴다.

예 그의 애국심, 몸을 사리지 않고 국가를 위해 헌신한 정신을 우리는 본받아야 한다.

(11) 도치문에서 도치된 어구들 사이에 쓴다.

예 이리 오세요, 어머님. 다시 보자, 한강수야.

(12) 바로 다음 말과 직접적인 관계에 있지 않음을 나타낼 때 쓴다.

예 • 갑돌이는, 울면서 떠나는 갑순이를 배웅했다.
• 철원과, 대관령을 중심으로 한 강원도 산간 지대에 예년보다 일찍 첫눈이 내렸습니다.

(13) 문장 중간에 끼어든 어구의 앞뒤에 쓴다.

예 • 나는, 솔직히 말하면, 그 말이 별로 탐탁지 않아.
• 영호는 미소를 띠고, 속으로는 화가 치밀어 올라 잠시라도 견딜 수 없을 만큼 괴로웠지만, 그들을 맞았다.

[붙임 1] 이때는 쉼표 대신 줄표를 쓸 수 있다.

예 • 나는 — 솔직히 말하면 — 그 말이 별로 탐탁지 않아.
• 영호는 미소를 띠고 — 속으로는 화가 치밀어 올라 잠시라도 견딜 수 없을 만큼 괴로웠지만 — 그들을 맞았다.

[붙임 2] 끼어든 어구 안에 다른 쉼표가 들어 있을 때는 쉼표 대신 줄표를 쓴다.

예 이건 내 것이니까 — 아니, 내가 처음 발견한 것이니까 — 절대로 양보할 수 없다.

(14) 특별한 효과를 위해 끊어 읽는 곳을 나타낼 때 쓴다.

예 • 내가, 정말 그 일을 오늘 안에 해낼 수 있을까?
• 이 전투는 바로 우리가, 우리만이, 승리로 이끌 수 있다.

(15) 짧게 더듬는 말을 표시할 때 쓴다.

예 선생님, 부, 부정행위라니요? 그런 건 새, 생각조차 하지 않았습니다.

[붙임] '쉼표' 대신 '반점'이라는 용어를 쓸 수 있다.

5 가운뎃점(·)

(1) 열거할 어구들을 일정한 기준으로 묶어서 나타낼 때 쓴다.

예 • 민수 · 영희, 선미 · 준호가 서로 짝이 되어 윷놀이를 하였다.
• 지금의 경상남도 · 경상북도, 전라남도 · 전라북도, 충청남도 · 충청북도 지역을 예부터 삼남이라 일러 왔다.

(2) 짝을 이루는 어구들 사이에 쓴다.

예 • 한(韓) · 이(伊) 양국 간의 무역량이 늘고 있다.
• 우리는 그 일의 참 · 거짓을 따질 겨를도 없었다.
• 하천 수질의 조사 · 분석
• 빨강 · 초록 · 파랑이 빛의 삼원색이다.

다만, 이때는 가운뎃점을 쓰지 않거나 쉼표를 쓸 수도 있다.

예 • 한(韓) 이(伊) 양국 간의 무역량이 늘고 있다.
• 우리는 그 일의 참 거짓을 따질 겨를도 없었다.
• 하천 수질의 조사, 분석
• 빨강, 초록, 파랑이 빛의 삼원색이다.

(3) 공통 성분을 줄여서 하나의 어구로 묶을 때 쓴다.

예 상 · 중 · 하위권 금 · 은 · 동메달 통권 제54 · 55 · 56호

[붙임] 이때는 가운뎃점 대신 쉼표를 쓸 수 있다.

예 상, 중, 하위권 금, 은, 동메달 통권 제54, 55, 56호

6 쌍점(:)

(1) 표제 다음에 해당 항목을 들거나 설명을 붙일 때 쓴다.

예 • 문방사우: 종이, 붓, 먹, 벼루
• 일시: 2014년 10월 9일 10시
• 흔하진 않지만 두 자로 된 성씨도 있다.(예: 남궁, 선우, 황보)
• 올림표(#): 음의 높이를 반음 올릴 것을 지시한다.

(2) 희곡 등에서 대화 내용을 제시할 때 말하는 이와 말한 내용 사이에 쓴다.

예 • 김 과장: 난 못 참겠다.
• 아들: 아버지, 제발 제 말씀 좀 들어 보세요.

(3) 시와 분, 장과 절 등을 구별할 때 쓴다.

예 • 오전 10:20(오전 10시 20분)
• 두시언해 6:15(두시언해 제6권 제15장)

(4) 의존 명사 '대'가 쓰일 자리에 쓴다.

예 65:60(65 대 60) 청군:백군(청군 대 백군)

[붙임] 쌍점의 앞은 붙여 쓰고 뒤는 띄어 쓴다. 다만, (3)과 (4)에서는 쌍점의 앞뒤를 붙여 쓴다.

7 빗금(/)

(1) 대비되는 두 개 이상의 어구를 묶어 나타낼 때 그 사이에 쓴다.

예 • 먹이다/먹히다 남반구/북반구 금메달/은메달/동메달
• ( )이/가 우리나라의 보물 제1호이다.

(2) 기준 단위당 수량을 표시할 때 해당 수량과 기준 단위 사이에 쓴다.

예 100미터/초 1,000원/개

(3) 시의 행이 바뀌는 부분임을 나타낼 때 쓴다.

예 산에 / 산에 / 피는 꽃은 / 저만치 혼자서 피어 있네

다만, 연이 바뀜을 나타낼 때는 두 번 겹쳐 쓴다.

예 산에는 꽃 피네 / 꽃이 피네 / 갈 봄 여름 없이 / 꽃이 피네 // 산에 / 산에 / 피는 꽃은 / 저만치 혼자서 피어 있네

[붙임] 빗금의 앞뒤는 (1)과 (2)에서는 붙여 쓰며, (3)에서는 띄어 쓰는 것을 원칙으로 하되 붙여 쓰는 것을 허용한다. 단, (1)에서 대비되는 어구가 두 어절 이상인 경우에는 빗금의 앞뒤를 띄어 쓸 수 있다.

8 큰따옴표(" ")

(1) 글 가운데에서 직접 대화를 표시할 때 쓴다.

예 "어머니, 제가 가겠어요." "아니다. 내가 다녀오마."

(2) 말이나 글을 직접 인용할 때 쓴다.

예 • 나는 "어, 광훈이 아니냐?" 하는 소리에 깜짝 놀랐다.
• 밤하늘에 반짝이는 별들을 보면서 "나는 아무 걱정도 없이 가을 속의 별들을 다 헬 듯합니다."라는 시구를 떠올렸다.
• 편지의 끝머리에는 이렇게 적혀 있었다.
"할머니, 편지에 사진을 동봉했다고 하셨지만 봉투 안에는 아무것도 없었어요."

9 작은따옴표(' ')

(1) 인용한 말 안에 있는 인용한 말을 나타낼 때 쓴다.

예 그는 "여러분! '시작이 반이다.'라는 말 들어 보셨죠?"라고 말하며 강연을 시작했다.

(2) 마음속으로 한 말을 적을 때 쓴다.

예 • 나는 '일이 다 틀렸나 보군.' 하고 생각하였다.
• '이번에는 꼭 이기고야 말겠어.' 호연이는 마음속으로 몇 번이나 그렇게 다짐하며 주먹을 불끈 쥐었다.

10 소괄호(( ))

(1) 주석이나 보충적인 내용을 덧붙일 때 쓴다.

예 • 니체(독일의 철학자)의 말을 빌리면 다음과 같다.
• 2014. 12. 19.(금)
• 문인화의 대표적인 소재인 사군자(매화, 난초, 국화, 대나무)는 고결한 선비 정신을 상징한다.

(2) 우리말 표기와 원어 표기를 아울러 보일 때 쓴다.

예 기호(嗜好) 자세(姿勢) 커피(coffee) 에티켓(étiquette)

(3) 생략할 수 있는 요소임을 나타낼 때 쓴다.

예 • 학교에서 동료 교사를 부를 때는 이름 뒤에 '선생(님)'이라는 말을 덧붙인다.
• 광개토(대)왕은 고구려의 전성기를 이끌었던 임금이다.

(4) 희곡 등 대화를 적은 글에서 동작이나 분위기, 상태를 드러낼 때 쓴다.

예 • 현우: (가쁜 숨을 내쉬며) 왜 이렇게 빨리 뛰어?
• "관찰한 것을 쓰는 것이 습관이 되었죠. 그러다 보니, 상상력이 생겼나 봐요." (웃음)

(5) 내용이 들어갈 자리임을 나타낼 때 쓴다.

예 • 우리나라의 수도는 ( )이다.
• 다음 빈칸에 알맞은 조사를 쓰시오. 민수가 할아버지( ) 꽃을 드렸다.

(6) 항목의 순서나 종류를 나타내는 숫자나 문자 등에 쓴다.

예 • 사람의 인격은 (1) 용모, (2) 언어, (3) 행동, (4) 덕성 등으로 표현된다.
• (가) 동해, (나) 서해, (다) 남해

11 중괄호({ })

(1) 같은 범주에 속하는 여러 요소를 세로로 묶어서 보일 때 쓴다.

예 주격 조사 {이, 가}

국가의 성립 요소 {영토, 국민, 주권}

(2) 열거된 항목 중 어느 하나가 자유롭게 선택될 수 있음을 보일 때 쓴다.

예 아이들이 모두 학교{에, 로, 까지} 갔어요.

12 대괄호([ ])

(1) 괄호 안에 또 괄호를 쓸 필요가 있을 때 바깥쪽의 괄호로 쓴다.

예 • 어린이날이 새로 제정되었을 당시에는 어린이들에게 경어를 쓰라고 하였다.[윤석중 전집(1988), 70쪽 참조]
• 이번 회의에는 두 명[이혜정(실장), 박철용(과장)]만 빼고 모두 참석했습니다.

(2) 고유어에 대응하는 한자어를 함께 보일 때 쓴다.

예 나이[年歲] 낱말[單語] 손발[手足]

(3) 원문에 대한 이해를 돕기 위해 설명이나 논평 등을 덧붙일 때 쓴다.

예 • 그것[한글]은 이처럼 정보화 시대에 알맞은 과학적인 문자이다.
• 신경준의 《여암전서》에 "삼각산은 산이 모두 돌 봉우리인데, 그 으뜸 봉우리를 구름 위에 솟아 있다고 백운(白雲)이라 하며 [이하 생략]"
• 그런 일은 결코 있을 수 없다.[원문에는 '업다'임.]

13 겹낫표(『 』)와 겹화살괄호(《 》)

책의 제목이나 신문 이름 등을 나타낼 때 쓴다.

예 • 우리나라 최초의 민간 신문은 1896년에 창간된 『독립신문』이다.
• 『훈민정음』은 1997년에 유네스코 세계 기록 유산으로 지정되었다.
• 《한성순보》는 우리나라 최초의 근대 신문이다.
• 윤동주의 유고 시집인 《하늘과 바람과 별과 시》에는 31편의 시가 실려 있다.

[붙임] 겹낫표나 겹화살괄호 대신 큰따옴표를 쓸 수 있다.

예 • 우리나라 최초의 민간 신문은 1896년에 창간된 "독립신문"이다.
• 윤동주의 유고 시집인 "하늘과 바람과 별과 시"에는 31편의 시가 실려 있다.

14 홑낫표(「 」)와 홑화살괄호(〈 〉)

소제목, 그림이나 노래와 같은 예술 작품의 제목, 상호, 법률, 규정 등을 나타낼 때 쓴다.

예 • 「국어 기본법 시행령」은 「국어 기본법」에서 위임된 사항과 그 시행에 필요한 사항을 규정함을 목적으로 한다.
• 이 곡은 베르디가 작곡한 「축배의 노래」이다.
• 사무실 밖에 「해와 달」이라고 쓴 간판을 달았다.
• 〈한강〉은 사진집 《아름다운 땅》에 실린 작품이다.
• 백남준은 2005년에 〈엄마〉라는 작품을 선보였다.

[붙임] 홑낫표나 홑화살괄호 대신 작은따옴표를 쓸 수 있다.

예 • 사무실 밖에 '해와 달'이라고 쓴 간판을 달았다.
• '한강'은 사진집 "아름다운 땅"에 실린 작품이다.

15 줄표(—)

제목 다음에 표시하는 부제의 앞뒤에 쓴다.

예 • 이번 토론회의 제목은 '역사 바로잡기 — 근대의 설정 — '이다.
• '환경 보호 — 숲 가꾸기 — '라는 제목으로 글짓기를 했다.

다만, 뒤에 오는 줄표는 생략할 수 있다.

예 • 이번 토론회의 제목은 '역사 바로잡기 — 근대의 설정'이다.
• '환경 보호 — 숲 가꾸기'라는 제목으로 글짓기를 했다.

[붙임] 줄표의 앞뒤는 띄어 쓰는 것을 원칙으로 하되, 붙여 쓰는 것을 허용한다.

16 붙임표(-)

(1) 차례대로 이어지는 내용을 하나로 묶어 열거할 때 각 어구 사이에 쓴다.

예 • 멀리뛰기는 도움닫기-도약-공중 자세-착지의 순서로 이루어진다.
• 김 과장은 기획-실무-홍보까지 직접 발로 뛰었다.

(2) 두 개 이상의 어구가 밀접한 관련이 있음을 나타내고자 할 때 쓴다.

예 드디어 서울-북경의 항로가 열렸다. 원-달러 환율
남한-북한-일본 삼자 관계

17 물결표(~)

기간이나 거리 또는 범위를 나타낼 때 쓴다.

예 • 9월 15일~9월 25일
• 김정희(1786~1856)
• 서울~천안 정도는 출퇴근이 가능하다.
• 이번 시험의 범위는 3~78쪽입니다.

[붙임] 물결표 대신 붙임표를 쓸 수 있다.

예 • 9월 15일-9월 25일
• 김정희(1786-1856)
• 서울-천안 정도는 출퇴근이 가능하다.
• 이번 시험의 범위는 3-78쪽입니다.

18 드러냄표(˙)와 밑줄(_)

문장 내용 중에서 주의가 미쳐야 할 곳이나 중요한 부분을 특별히 드러내 보일 때 쓴다.

예 • 한글의 본디 이름은 훈민정음이다.
• 중요한 것은 왜 사느냐가 아니라 어떻게 사느냐이다.
• 지금 필요한 것은 지식이 아니라 실천입니다.
• 다음 보기에서 명사가 아닌 것은?

[붙임] 드러냄표나 밑줄 대신 작은따옴표를 쓸 수 있다.

예 • 한글의 본디 이름은 '훈민정음'이다.
• 중요한 것은 '왜 사느냐'가 아니라 '어떻게 사느냐'이다.
• 지금 필요한 것은 '지식'이 아니라 '실천'입니다.
• 다음 보기에서 명사가 '아닌' 것은?

19 숨김표(○, ×)

(1) 금기어나 공공연히 쓰기 어려운 비속어임을 나타낼 때, 그 글자의 수효만큼 쓴다.

예 • 배운 사람 입에서 어찌 ○○○란 말이 나올 수 있느냐?
• 그 말을 듣는 순간 ×××란 말이 목구멍까지 치밀었다.

(2) 비밀을 유지해야 하거나 밝힐 수 없는 사항임을 나타낼 때 쓴다.

예 • 1차 시험 합격자는 김○영, 이○준, 박○순 등 모두 3명이다.
• 육군 ○○ 부대 ○○○ 명이 작전에 참가하였다.
• 그 모임의 참석자는 김×× 씨, 정×× 씨 등 5명이었다.

20 빠짐표(□)

(1) 옛 비문이나 문헌 등에서 글자가 분명하지 않을 때 그 글자의 수효만큼 쓴다.

예 大師爲法主□□賴之大□薦

(2) 글자가 들어가야 할 자리를 나타낼 때 쓴다.

예 훈민정음의 초성 중에서 아음(牙音)은 □□□의 석 자다.

21 줄임표(……)

(1) 할 말을 줄였을 때 쓴다.

예 "어디 나하고 한번……." 하고 민수가 나섰다.

(2) 말이 없음을 나타낼 때 쓴다.

예 "빨리 말해!" "……."

(3) 문장이나 글의 일부를 생략할 때 쓴다.

예 '고유'라는 말은 문자 그대로 본디부터 있었다는 뜻은 아닙니다. …… 같은 역사적 환경에서 공동의 집단생활을 영위해 오는 동안 공동으로 발견된, 사물에 대한 공동의 사고방식을 우리는 한국의 고유 사상이라 부를 수 있다는 것입니다.

(4) 머뭇거림을 보일 때 쓴다.

예 "우리는 모두…… 그러니까…… 예외 없이 눈물만…… 흘렸다."

[붙임 1] 점은 가운데에 찍는 대신 아래쪽에 찍을 수도 있다.

예 "어디 나하고 한번......" 하고 민수가 나섰다.
"실은...... 저 사람...... 우리 아저씨일지 몰라."

[붙임 2] 점은 여섯 점을 찍는 대신 세 점을 찍을 수도 있다.

예 "어디 나하고 한번…." 하고 민수가 나섰다.
"실은... 저 사람... 우리 아저씨일지 몰라."

[붙임 3] 줄임표는 앞말에 붙여 쓴다. 다만, (3)에서는 줄임표의 앞뒤를 띄어 쓴다.

CHAPTER 03 | 표준어 사정 원칙

워크북 P.75

1 총칙

제1항 표준어는 교양 있는 사람들이 두루 쓰는 현대 서울말로 정함을 원칙으로 한다.

제2항 외래어는 따로 사정한다.

2 발음 변화에 따른 표준어 규정

(1) 자음

제3항 다음 단어들은 거센소리를 가진 형태를 표준어로 삼는다. (ㄱ을 표준어로 삼고, ㄴ을 버림)

ㄱ	ㄴ	비고
끄나풀	끄나불	
나팔-꽃	나발-꽃	
녘	녁	동~, 들~, 새벽~, 동틀 ~.
부엌	부억	
살-쾡이	삵-괭이	
칸	간	1. ~막이, 빈~, 방 한 ~. 2. '초가삼간, 윗간'의 경우에는 '간'임.
털어-먹다	떨어-먹다	재물을 다 없애다.

제4항 다음 단어들은 거센소리로 나지 않는 형태를 표준어로 삼는다. (ㄱ을 표준어로 삼고, ㄴ을 버림)

ㄱ	ㄴ	비고
가을-갈이	가을-카리	
거시기	거시키	
분침	푼침	

제5항 어원에서 멀어진 형태로 굳어져서 널리 쓰이는 것은, 그것을 표준어로 삼는다. (ㄱ을 표준어로 삼고, ㄴ을 버림)

ㄱ	ㄴ	비고
강낭-콩	강남-콩	
고삿	고샅	겉~, 속~.
사글-세	삭월-세	'월세'는 표준어임.
울력-성당	위력-성당	떼를 지어서 으르고 협박하는 일.

다만, 어원적으로 원형에 더 가까운 형태가 아직 쓰이고 있는 경우에는, 그것을 표준어로 삼는다. (ㄱ을 표준어로 삼고, ㄴ을 버림)

ㄱ	ㄴ	비고
갈비	가리	~구이, ~찜, 갈빗-대.
갓모	갈모	1. 사기 만드는 물레 밑 고리. 2. '갈모'는 갓 위에 쓰는, 유지로 만든 우비.
굴-젓	구-젓	
말-곁	말-겻	
물-수란	물-수랄	
밀-뜨리다	미-뜨리다	
적-이	저으기	적이-나, 적이나-하면.
휴지	수지	

제6항 다음 단어들은 의미를 구별함이 없이, 한 가지 형태만을 표준어로 삼는다. (ㄱ을 표준어로 삼고, ㄴ을 버림)

ㄱ	ㄴ	비고
돌	돐	생일, 주기.
둘-째	두-째	'제2, 두 개째'의 뜻.
셋-째	세-째	'제3, 세 개째'의 뜻.
넷-째	네-째	'제4, 네 개째'의 뜻.
빌리다	빌다	1. 빌려주다, 빌려 오다. 2. '용서를 빌다'는 '빌다'임.

다만, '둘째'는 십 단위 이상의 서수사에 쓰일 때에 '두째'로 한다.

ㄱ	ㄴ	비고
열두-째		열두 개째의 뜻은 '열둘째'로.
스물두-째		스물두 개째의 뜻은 '스물둘째'로.

제7항 수컷을 이르는 접두사는 '수-'로 통일한다. (ㄱ을 표준어로 삼고, ㄴ을 버림)

ㄱ	ㄴ	비고
수-꿩	수-퀑/ 숫-꿩	'장끼'도 표준어임.
수-나사	숫-나사	
수-놈	숫-놈	
수-사돈	숫-사돈	
수-소	숫-소	'황소'도 표준어임.
수-은행나무	숫-은행나무	

다만 1. 다음 단어에서는 접두사 다음에서 나는 거센소리를 인정한다. 접두사 '암-'이 결합되는 경우에도 이에 준한다. (ㄱ을 표준어로 삼고, ㄴ을 버림)

ㄱ	ㄴ	비고
수-캉아지	숫-강아지	
수-캐	숫-개	
수-컷	숫-것	
수-키와	숫-기와	
수-탉	숫-닭	
수-탕나귀	숫-당나귀	
수-톨쩌귀	숫-돌쩌귀	
수-퇘지	숫-돼지	
수-평아리	숫-병아리	

다만 2. 다음 단어의 접두사는 '숫-'으로 한다. (ㄱ을 표준어로 삼고, ㄴ을 버림)

ㄱ	ㄴ	비고
숫-양	수-양	
숫-염소	수-염소	
숫-쥐	수-쥐	

(2) 모음

제8항 양성 모음이 음성 모음으로 바뀌어 굳어진 다음 단어는 음성 모음 형태를 표준어로 삼는다. (ㄱ을 표준어로 삼고, ㄴ을 버림)

ㄱ	ㄴ	비고
깡충-깡충	깡총-깡총	큰말은 '껑충껑충'임.
-둥이	-동이	← 童-이. 귀-, 막-, 선-, 쌍-, 검-, 바람-, 흰-.
발가-숭이	발가-송이	센말은 '빨가숭이', 큰말은 '벌거숭이, 뻘거숭이'임.

보통이	보통이	
봉죽	봉족	← 奉足. ~꾼, ~들다.
뻗정-다리	뻗장-다리	
아서, 아서라	앗아, 앗아라	하지 말라고 금지하는 말.
오뚝-이	오뚝-이	부사도 '오뚝-이'임.
주추	주초	← 柱礎. 주춧-돌.

다만, 어원 의식이 강하게 작용하는 다음 단어에서는 양성 모음 형태를 그대로 표준어로 삼는다. (ㄱ을 표준어로 삼고, ㄴ을 버림)

ㄱ	ㄴ	비고
부조(扶助)	부주	~금, 부좃-술.
사돈(査頓)	사둔	밭~, 안~.
삼촌(三寸)	삼춘	시~, 외~, 처~.

제9항 'ㅣ' 역행 동화 현상에 의한 발음은 원칙적으로 표준 발음으로 인정하지 아니하되, 다만 다음 단어들은 그러한 동화가 적용된 형태를 표준어로 삼는다. (ㄱ을 표준어로 삼고, ㄴ을 버림)

ㄱ	ㄴ	비고
-내기	-나기	서울-, 시골-, 신출-, 풋-.
냄비	남비	
동댕이-치다	동당이-치다	

제10항 다음 단어는 모음이 단순화한 형태를 표준어로 삼는다. (ㄱ을 표준어로 삼고, ㄴ을 버림)

ㄱ	ㄴ	비고
괴팍-하다	괴퍅-하다/ 괴팩-하다	
-구먼	-구면	
미루-나무	미류-나무	← 美柳~.
미륵	미력	← 彌勒. ~보살, ~불, 돌~.
여느	여늬	
온-달	왼-달	만 한 달.
으레	으례	
케케-묵다	켸켸-묵다	
허우대	허위대	
허우적-허우적	허위적-허위적	허우적-거리다.

제11항 다음 단어에서는 모음의 발음 변화를 인정하여, 발음이 바뀌어 굳어진 형태를 표준어로 삼는다. (ㄱ을 표준어로 삼고, ㄴ을 버림)

ㄱ	ㄴ	비고
-구려	-구료	
깍쟁이	깍정이	1. 서울~, 알~, 찰~. 2. 도토리, 상수리 등의 받침은 '깍정이'임.
나무라다	나무래다	
미수	미시	미숫-가루.
바라다	바래다	'바램[所望]'은 비표준어임.
상추	상치	~쌈.
시러베-아들	실업의-아들	
주책	주착	← 主着. ~망나니, ~없다.
지루-하다	지리-하다	← 支離.
튀기	트기	
허드레	허드래	허드렛-물, 허드렛-일.
호루라기	호루루기	

제12항 '웃-' 및 '윗-'은 명사 '위'에 맞추어 '윗-'으로 통일한다. (ㄱ을 표준어로 삼고, ㄴ을 버림)

ㄱ	ㄴ	비고
윗-넓이	웃-넓이	
윗-눈썹	웃-눈썹	
윗-니	웃-니	
윗-당줄	웃-당줄	
윗-덧줄	웃-덧줄	
윗-도리	웃-도리	
윗-동아리	웃-동아리	준말은 '윗동'임.
윗-막이	웃-막이	
윗-머리	웃-머리	
윗-목	웃-목	
윗-몸	웃-몸	~ 운동.
윗-바람	웃-바람	
윗-배	웃-배	
윗-벌	웃-벌	
윗-변	웃-변	수학 용어.
윗-사랑	웃-사랑	
윗-세장	웃-세장	
윗-수염	웃-수염	
윗-입술	웃-입술	
윗-잇몸	웃-잇몸	
윗-자리	웃-자리	
윗-중방	웃-중방	

다만 1. 된소리나 거센소리 앞에서는 '위-'로 한다. (ㄱ을 표준어로 삼고, ㄴ을 버림)

ㄱ	ㄴ	비고
위-짝	웃-짝	
위-쪽	웃-쪽	
위-채	웃-채	
위-층	웃-층	
위-치마	웃-치마	
위-턱	웃-턱	~구름[上層雲].
위-팔	웃-팔	

다만 2. '아래, 위'의 대립이 없는 단어는 '웃-'으로 발음되는 형태를 표준어로 삼는다. (ㄱ을 표준어로 삼고, ㄴ을 버림)

ㄱ	ㄴ	비고
웃-국	윗-국	
웃-기	윗-기	
웃-돈	윗-돈	
웃-비	윗-비	~걷다.
웃-어른	윗-어른	
웃-옷	윗-옷	

제13항 한자 '구(句)'가 붙어서 이루어진 단어는 '귀'로 읽는 것을 인정하지 아니하고, '구'로 통일한다. (ㄱ을 표준어로 삼고, ㄴ을 버림)

ㄱ	ㄴ	비고
구법(句法)	귀법	
구절(句節)	귀절	
구점(句點)	귀점	
결구(結句)	결귀	
경구(警句)	경귀	
경인구(警人句)	경인귀	
난구(難句)	난귀	

단구(短句)	단귀	
단명구(短命句)	단명귀	
대구(對句)	대귀	~법(對句法).
문구(文句)	문귀	
성구(成句)	성귀	~어(成句語).
시구(詩句)	시귀	
어구(語句)	어귀	
연구(聯句)	연귀	
인용구(引用句)	인용귀	
절구(絕句)	절귀	

다만, 다음 단어는 '귀'로 발음되는 형태를 표준어로 삼는다. (ㄱ을 표준어로 삼고, ㄴ을 버림)

ㄱ	ㄴ	비고
귀-글	구-글	
글-귀	글-구	

(3) 준말

제14항 준말이 널리 쓰이고 본말이 잘 쓰이지 않는 경우에는, 준말만을 표준어로 삼는다. (ㄱ을 표준어로 삼고, ㄴ을 버림)

ㄱ	ㄴ	비고
귀찮다	귀치 않다	
김	기음	~매다.
똬리	또아리	
무	무우	~강즙, ~말랭이, ~생채, 가랑~, 갓~, 왜~, 총각~.
미다	무이다	1. 털이 빠져 살이 드러나다. 2. 찢어지다.
뱀	배암	
뱀-장어	배암-장어	
빔	비음	설~, 생일~.
샘	새암	~바르다, ~바리.
생-쥐	새앙-쥐	
솔개	소리개	
온-갖	온-가지	
장사-치	장사-아치	

제15항 준말이 쓰이고 있더라도, 본말이 널리 쓰이고 있으면 본말을 표준어로 삼는다. (ㄱ을 표준어로 삼고, ㄴ을 버림)

ㄱ	ㄴ	비고
경황-없다	경-없다	
궁상-떨다	궁-떨다	
귀이-개	귀-개	
낌새	낌	
낙인-찍다	낙-하다/ 낙-치다	
내왕-꾼	냉-꾼	
돗-자리	돗	
뒤웅-박	뒹-박	
뒷물-대야	뒷-대야	
마구-잡이	막-잡이	
맵자-하다	맵자다	모양이 제격에 어울리다.
모이	모	
벽-돌	벽	
부스럼	부럼	정월 보름에 쓰는 '부럼'은 표준어임.
살얼음-판	살-판	
수두룩-하다	수둑-하다	
암-죽	암	
어음	엄	
일구다	일다	
죽-살이	죽-살	
퇴박-맞다	퇴-맞다	
한통-치다	통-치다	

[붙임] 다음과 같이 명사에 조사가 붙은 경우에도 이 원칙을 적용한다. (ㄱ을 표준어로 삼고, ㄴ을 버림)

ㄱ	ㄴ	비고
아래-로	알-로	

제16항 준말과 본말이 다 같이 널리 쓰이면서 준말의 효용이 뚜렷이 인정되는 것은, 두 가지를 다 표준어로 삼는다. (ㄱ은 본말이며, ㄴ은 준말임)

ㄱ	ㄴ	비고
거짓-부리	거짓-불	작은말은 '가짓부리, 가짓불'임.
노을	놀	저녁~.
막대기	막대	
망태기	망태	
머무르다	머물다	모음 어미가 연결될 때에는 준말의 활용형을 인정하지 않음.
서두르다	서둘다	
서투르다	서툴다	
석새-삼베	석새-베	
시-누이	시-뉘/ 시-누	
오-누이	오-뉘/ 오-누	
외우다	외다	외우며, 외워: 외며, 외어.
이기죽-거리다	이죽-거리다	
찌꺼기	찌끼	'찌꺽지'는 비표준어임.

(4) 단수 표준어

제17항 비슷한 발음의 몇 형태가 쓰일 경우, 그 의미에 아무런 차이가 없고, 그중 하나가 더 널리 쓰이면, 그 한 형태만을 표준어로 삼는다. (ㄱ을 표준어로 삼고, ㄴ을 버림)

ㄱ	ㄴ	비고
거든-그리다	거둥-그리다	1. 거든하게 거두어 싸다. 2. 작은말은 '가든-그리다'임.
구어-박다	구워-박다	사람이 한 군데에서만 지내다.
귀-고리	귀엣-고리	
귀-띔	귀-틤	
귀-지	귀에-지	
까딱-하면	까딱-하면	
꼭두-각시	꼭둑-각시	
내색	나색	감정이 나타나는 얼굴빛.
내숭-스럽다	내흉-스럽다	
냠냠-거리다	얌냠-거리다	냠냠-하다.
냠냠-이	얌냠-이	
너[四]	네	~ 돈, ~ 말, ~ 발, ~ 푼.
넉[四]	너/네	~ 냥, ~ 되, ~ 섬, ~ 자.
다다르다	다닫다	
댑-싸리	대-싸리	

더부룩-하다	더뿌룩-하다/ 듬뿌룩-하다	
-던	-든	선택, 무관의 뜻을 나타내는 어미는 '-든'임. 가-든(지) 말-든(지), 보-든(가) 말-든(가).
-던가	-든가	
-던걸	-든걸	
-던고	-든고	
-던데	-든데	
-던지	-든지	
-(으)려고	-(으)ㄹ려고/ -(으)ㄹ라고	
-(으)려야	-(으)ㄹ려야/ -(으)ㄹ래야	
망가-뜨리다	망그-뜨리다	
멸치	며루치/메리치	
반빗-아치	반비-아치	'반빗' 노릇을 하는 사람. 찬비(饌婢). '반비'는 밥 짓는 일을 맡은 계집종.
보습	보십/보섭	
본새	뽄새	
봉숭아	봉숭화	'봉선화'도 표준어임.
뺨-따귀	뺌-따귀/ 뺨-따구니	'뺨'의 비속어임.
뻐개다[斫]	뻐기다	두 조각으로 가르다.
뻐기다[誇]	뻐개다	뽐내다.
사자-탈	사지-탈	
상-판대기	쌍-판대기	
서[三]	세/석	~ 돈, ~ 말, ~ 발, ~ 푼.
석[三]	세	~ 냥, ~ 되, ~ 섬, ~ 자.
설령(設令)	서령	
-습니다	-읍니다	먹습니다, 갔습니다, 없습니다, 있습니다, 좋습니다. 모음 뒤에는 '-ㅂ니다'임.
시름-시름	시늠-시늠	
씀벅-씀벅	썸벅-썸벅	
아궁이	아궁지	
아내	안해	
어-중간	어지-중간	
오금-팽이	오금-탱이	
오래-오래	도래-도래	돼지 부르는 소리.
-올시다	-올습니다	
옹골-차다	공골-차다	
우두커니	우두머니	작은말은 '오도카니'임.
잠-투정	잠-투세/ 잠-주정	
재봉-틀	자봉-틀	발~, 손~.
짓-무르다	짓-물다	
짚-북데기	짚-북세기	'짚북더기'도 비표준어임.
쪽	짝	편(便). 이~, 그~, 저~. 다만, '아무-짝'은 '짝'임.
천장(天障)	천정	'천정부지(天井不知)'는 '천정'임.
코-맹맹이	코-맹녕이	
흉-업다	흉-헙다	

(5) 복수 표준어

제18항 다음 단어는 ㄱ을 원칙으로 하고, ㄴ도 허용한다.

ㄱ	ㄴ	비고
네	예	
쇠-	소-	-가죽, -고기, -기름, -머리, -뼈.
괴다	고이다	물이 ~, 밑을 ~.
꾀다	꼬이다	어린애를 ~, 벌레가 ~.
쐬다	쏘이다	바람을 ~.
죄다	조이다	나사를 ~.
쬐다	쪼이다	볕을 ~.

제19항 어감의 차이를 나타내는 단어 또는 발음이 비슷한 단어들이 다 같이 널리 쓰이는 경우에는, 그 모두를 표준어로 삼는다. (ㄱ, ㄴ을 모두 표준어로 삼음)

ㄱ	ㄴ	비고
거슴츠레-하다	게슴츠레-하다	
고까	꼬까	~신, ~옷.
고린-내	코린-내	
교기(驕氣)	갸기	교만한 태도.
구린-내	쿠린-내	
꺼림-하다	께름-하다	
나부랭이	너부렁이	

3 어휘 선택의 변화에 따른 표준어 규정

(1) 고어

제20항 사어(死語)가 되어 쓰이지 않게 된 단어는 고어로 처리하고, 현재 널리 사용되는 단어를 표준어로 삼는다. (ㄱ을 표준어로 삼고, ㄴ을 버림)

ㄱ	ㄴ	비고
난봉	봉	
낭떠러지	낭	
설거지-하다	설겆다	
애달프다	애닯다	
오동-나무	머귀-나무	
자두	오얏	

(2) 한자어

제21항 고유어 계열의 단어가 널리 쓰이고 그에 대응되는 한자어 계열의 단어가 용도를 잃게 된 것은, 고유어 계열의 단어만을 표준어로 삼는다. (ㄱ을 표준어로 삼고, ㄴ을 버림)

ㄱ	ㄴ	비고
가루-약	말-약	
구들-장	방-돌	
길품-삯	보행-삯	
까막-눈	맹-눈	
꼭지-미역	총각-미역	
나뭇-갓	시장-갓	
늙-다리	노-닥다리	
두껍-닫이	두껍-창	
떡-암죽	병-암죽	
마른-갈이	건-갈이	
마른-빨래	건-빨래	

메-찰떡	반-찰떡	
박달-나무	배달-나무	
밥-소라	식-소라	큰 놋그릇.
사래-논	사래-답	묘지기나 마름이 부쳐 먹는 땅.
사래-밭	사래-전	
삯-말	삯-마	
성냥	화곽	
솟을-무늬	솟을-문(~紋)	
외-지다	벽-지다	
움-파	동-파	
잎-담배	잎-초	
잔-돈	잔-전	
조-당수	조-당죽	
죽데기	피-죽	'죽더기'도 비표준어임.
지겟-다리	목-발	지게 동발의 양쪽 다리.
짐-꾼	부지-군(負持-)	
푼-돈	분-전/푼-전	
흰-말	백-말/부루-말	'백마'는 표준어임.
흰-죽	백-죽	

제22항 고유어 계열의 단어가 생명력을 잃고 그에 대응되는 한자어 계열의 단어가 널리 쓰이면, 한자어 계열의 단어를 표준어로 삼는다. (ㄱ을 표준어로 삼고, ㄴ을 버림)

ㄱ	ㄴ	비고
개다리-소반	개다리-밥상	
겸-상	맞-상	
고봉-밥	높은-밥	
단-벌	홑-벌	
마방-집	마바리-집	馬房~.
민망-스럽다/면구-스럽다	민주-스럽다	
방-고래	구들-고래	
부항-단지	뜸-단지	
산-누에	멧-누에	
산-줄기	멧-줄기/멧-발	
수-삼	무-삼	
심-돋우개	불-돋우개	
양-파	둥근-파	
어질-병	어질-머리	
윤-달	군-달	
장력-세다	장성-세다	
제석	젯-돗	
총각-무	알-무/알타리-무	
칫-솔	잇-솔	
포수	총-댕이	

(3) 방언

제23항 방언이던 단어가 표준어보다 더 널리 쓰이게 된 것은, 그것을 표준어로 삼는다. 이 경우, 원래의 표준어는 그대로 표준어로 남겨 두는 것을 원칙으로 한다. (ㄱ을 표준어로 삼고, ㄴ도 표준어로 남겨 둠)

ㄱ	ㄴ	비고
멍게	우렁쉥이	
물-방개	선두리	
애-순	어린-순	

제24항 방언이던 단어가 널리 쓰이게 됨에 따라 표준어이던 단어가 안 쓰이게 된 것은, 방언이던 단어를 표준어로 삼는다. (ㄱ을 표준어로 삼고, ㄴ을 버림)

ㄱ	ㄴ	비고
귀밑-머리	귓-머리	
까-뭉개다	까-무느다	
막상	마기	
빈대-떡	빈자-떡	
생인-손	생안-손	준말은 '생-손'임.
역-겹다	역-스럽다	
코-주부	코-보	

(4) 단수 표준어

제25항 의미가 똑같은 형태가 몇 가지 있을 경우, 그중 어느 하나가 압도적으로 널리 쓰이면, 그 단어만을 표준어로 삼는다. (ㄱ을 표준어로 삼고, ㄴ을 버림)

ㄱ	ㄴ	비고
-게끔	-게시리	
겸사-겸사	겸지-겸지/겸두-겸두	
고구마	참-감자	
고치다	낫우다	병을 ~.
골목-쟁이	골목-자기	
광주리	광우리	
괴통	호구	자루를 박는 부분.
국-물	멀-국/말-국	
군-표	군용-어음	
길-잡이	길-앞잡이	'길라잡이'도 표준어임.
까치-발	까치-다리	선반 따위를 받치는 물건.
꼬창-모	말뚝-모	꼬챙이로 구멍을 뚫으면서 심는 모.
나룻-배	나루	'나루[津]'는 표준어임.
납-도리	민-도리	
농-지거리	기롱-지거리	다른 의미의 '기롱지거리'는 표준어임.
다사-스럽다	다사-하다	간섭을 잘하다.
다오	다구	이리 ~.
담배-꽁초	담배-꼬투리/담배-꽁치/담배-꽁추	
담배-설대	대-설대	
대장-일	성냥-일	
뒤져-내다	뒤어-내다	
뒤통수-치다	뒤꼭지-치다	
등-나무	등-칡	
등-때기	등-떠리	'등'의 낮은 말.
등잔-걸이	등경-걸이	
떡-보	떡-충이	
똑딱-단추	딸꼭-단추	
매-만지다	우미다	
먼-발치	먼-발치기	
며느리-발톱	뒷-발톱	

명주-붙이	주-사니	
목-메다	목-맺히다	
밀짚-모자	보릿짚-모자	
바가지	열-바가지/열-박	
바람-꼭지	바람-고다리	튜브의 바람을 넣는 구멍에 붙은, 쇠로 만든 꼭지.
반-나절	나절-가웃	
반두	독대	그물의 한 가지.
버젓-이	뉘연-히	
본-받다	법-받다	
부각	다시마-자반	
부끄러워-하다	부끄리다	
부스러기	부스럭지	
부지깽이	부지팽이	
부항-단지	부항-항아리	부스럼에서 피고름을 빨아내기 위하여 부항을 붙이는 데 쓰는 자그마한 단지.
붉으락-푸르락	푸르락-붉으락	
비켜-덩이	옆-사리미	김맬 때에 흙덩이를 옆으로 빼내는 일, 또는 그 흙덩이.
빙충-이	빙충-맞이	작은말은 '뱅충이'.
빠-뜨리다	빠-치다	'빠트리다'도 표준어임.
뻣뻣-하다	왜긋다	
뽐-내다	느물다	
사로-잠그다	사로-채우다	자물쇠나 빗장 따위를 반 정도만 걸어 놓다.
살-풀이	살-막이	
상투-쟁이	상투-꼬부랑이	상투 튼 이를 놀리는 말.
새앙-손이	생강-손이	
샛-별	새벽-별	
선-머슴	풋-머슴	
섭섭-하다	애운-하다	
속-말	속-소리	국악 용어 '속소리'는 표준어임.
손목-시계	팔목-시계/팔뚝-시계	
손-수레	손-구루마	'구루마'는 일본어임.
쇠-고랑	고랑-쇠	
수도-꼭지	수도-고동	
숙성-하다	숙-지다	
순대	골-집	
술-고래	술-꾸러기/술-부대/술-보/술-푸대	
식은-땀	찬-땀	
신기-롭다	신기-스럽다	'신기-하다'도 표준어임.
쌍동-밤	쪽-밤	
쏜살-같이	쏜살-로	
아주	영판	
안-걸이	안-낚시	씨름 용어.
안다미-씌우다	안다미-시키다	제가 담당할 책임을 남에게 넘기다.
안쓰럽다	안-슬프다	
안절부절-못하다	안절부절-하다	
앉은뱅이-저울	앉은-저울	
알-사탕	구슬-사탕	
암-내	곁땀-내	
앞-지르다	따라-먹다	
애-벌레	어린-벌레	
얕은-꾀	물탄-꾀	
언뜻	펀뜻	
언제나	노다지	
얼룩-말	워라-말	
열심-히	열심-으로	
입-담	말-담	
자배기	너벅지	
전봇-대	전선-대	
쥐락-펴락	펴락-쥐락	
-지만	-지만서도	←-지마는.
짓고-땡	지어-땡/짓고-땡이	
짧은-작	짜른-작	
찹-쌀	이-찹쌀	
청대-콩	푸른-콩	
칡-범	갈-범	

(5) 복수 표준어

제26항 한 가지 의미를 나타내는 형태 몇 가지가 널리 쓰이며 표준어 규정에 맞으면, 그 모두를 표준어로 삼는다.

복수 표준어	비고
가는-허리/잔-허리	
가락-엿/가래-엿	
가뭄/가물	
가엾다/가엽다	가엾어/가여워, 가엾은/가여운.
감감-무소식/감감-소식	
개수-통/설거지-통	'설겆다'는 '설거지하다'로.
개숫-물/설거지-물	
갱-엿/검은-엿	
-거리다/-대다	가물-, 출렁-.
거위-배/횟-배	
것/해	내 ~, 네 ~, 뉘 ~.
게을러-빠지다/게을러-터지다	
고깃-간/푸줏-간	'고깃-관, 푸줏-관, 다림-방'은 비표준어임.
곰곰/곰곰-이	
관계-없다/상관-없다	
교정-보다/준-보다	
구들-재/구재	
귀퉁-머리/귀퉁-배기	'귀퉁이'의 비어임.
극성-떨다/극성-부리다	
기세-부리다/기세-피우다	
기승-떨다/기승-부리다	
깃-저고리/배내-옷/배냇-저고리	
꼬까/때때/고까	~신, ~옷.
꼬리-별/살-별	
꽃-도미/붉-돔	
나귀/당-나귀	
날-걸/세-뿔	윷판의 쨀밭 다음의 셋째 밭.
내리-글씨/세로-글씨	
넝쿨/덩굴	'덩쿨'은 비표준어임.
녘/쪽	동~, 서~.

눈-대중/눈-어림/눈-짐작	
느리-광이/느림-보/늘-보	
늦-모/마냥-모	←만이앙-모.
다기-지다/다기-차다	
다달-이/매-달	
-다마다/-고말고	
다박-나룻/다박-수염	
닭의-장/닭-장	
댓-돌/툇-돌	
덧-창/겉-창	
독장-치다/독판-치다	
동자-기둥/쪼구미	
돼지-감자/뚱딴지	
되우/된통/되게	
두동-무니/두동-사니	윷놀이에서, 두 동이 한데 어울려 가는 말.
뒷-갈망/뒷-감당	
뒷-말/뒷-소리	
들락-거리다/들랑-거리다	
들락-날락/들랑-날랑	
딴-전/딴-청	
땅-콩/호-콩	
땔-감/땔-거리	
-뜨리다/-트리다	깨-, 떨어-, 쏟-.
뜬-것/뜬-귀신	
마룻-줄/용총-줄	돛대에 매어 놓은 줄. '이어줄'은 비표준어임.
마-파람/앞-바람	
만장-판/만장-중(滿場中)	
만큼/만치	
말-동무/말-벗	
매-갈이/매-조미	
매-통/목-매	
먹-새/먹음-새	'먹음-먹이'는 비표준어임.
멀찌감치/멀찌가니/멀찍-이	
멱-통/산-멱/산-멱통	
면-치레/외면-치레	
모-내다/모-심다	모-내기/모-심기.
모쪼록/아무쪼록	
목판-되/모-되	
목화-씨/면화-씨	
무심-결/무심-중	
물-봉숭아/물-봉선화	
물-부리/빨-부리	
물-심부름/물-시중	
물추리-나무/물추리-막대	
물-타작/진-타작	
민둥-산/벌거숭이-산	
밑-층/아래-층	
바깥-벽/밭-벽	
바른/오른[右]	~손, ~쪽, ~편.
발-모가지/발-목쟁이	'발목'의 비속어임.
버들-강아지/버들-개지	
벌레/버러지	'벌거지, 벌러지'는 비표준어임.
변덕-스럽다/변덕-맞다	
보-조개/볼-우물	

보통-내기/여간-내기/예사-내기	'행-내기'는 비표준어임.
볼-따구니/볼-퉁이/볼-때기	'볼'의 비속어임.
부침개-질/부침-질/지짐-질	'부치개-질'은 비표준어임.
불똥-앉다/등화-지다/등화-앉다	
불-사르다/사르다	
비발/비용(費用)	
뾰두라지/뾰루지	
살-쾡이/삵	삵-피.
삽살-개/삽사리	
상두-꾼/상여-꾼	'상도-꾼, 향도-꾼'은 비표준어임.
상-씨름/소-걸이	
생/새앙/생강	
생-뿔/새앙-뿔/생강-뿔	'쇠뿔'의 형용.
생-철/양-철	1. '서양-철'은 비표준어임. 2. '生鐵'은 '무쇠'임.
서럽다/섧다	'설다'는 비표준어임.
서방-질/화냥-질	
성글다/성기다	
-(으)세요/-(으)셔요	
송이/송이-버섯	
수수-깡/수숫-대	
술-안주/안주	
-스레하다/-스름하다	거무-, 발그-.
시늉-말/흉내-말	
시새/세사(細沙)	
신/신발	
신주-보/독보(櫝褓)	
심술-꾸러기/심술-쟁이	
씁쓰레-하다/씁쓰름-하다	
아귀-세다/아귀-차다	
아래-위/위-아래	
아무튼/어떻든/어쨌든/하여튼/여하튼	
앉음-새/앉음-앉음	
알은-척/알은-체	
애-갈이/애벌-갈이	
애꾸눈-이/외눈-박이	'외대-박이, 외눈-통이'는 비표준어임.
양념-감/양념-거리	
어금버금-하다/어금지금-하다	
어기여차/어여차	
어림-잡다/어림-치다	
어이-없다/어처구니-없다	
어저께/어제	
언덕-바지/언덕-배기	
얼렁-뚱땅/엄벙-뗑	
여왕-벌/장수-벌	
여쭈다/여쭙다	
여태/입때	'여직'은 비표준어임.
여태-껏/이제-껏/입때-껏	'여직-껏'은 비표준어임.
역성-들다/역성-하다	'편역-들다'는 비표준어임.
연-달다/잇-달다	
엿-가락/엿-가래	
엿-기름/엿-길금	

엿-반대기/엿-자박	
오사리-잡놈/오색-잡놈	'오합-잡놈'은 비표준어임.
옥수수/강냉이	~떡, ~묵, ~밥, ~튀김.
왕골-기직/왕골-자리	
외겹-실/외올-실/홑-실	'홑겹-실, 올-실'은 비표준어임.
외손-잡이/한손-잡이	
욕심-꾸러기/욕심-쟁이	
우레/천둥	우렛-소리/천둥-소리.
우지/울-보	
을러-대다/을러-메다	
의심-스럽다/의심-쩍다	
-이에요/-이어요	
이틀-거리/당-고금	학질의 일종임.
일일-이/하나-하나	
일찌감치/일찌거니	
입찬-말/입찬-소리	
자리-옷/잠-옷	
자물-쇠/자물-통	
장가-가다/장가-들다	'서방-가다'는 비표준어임.
재롱-떨다/재롱-부리다	
제-가끔/제-각기	
좀-처럼/좀-체	'좀-체로, 좀-해선, 좀-해'는 비표준어임.
줄-꾼/줄-잡이	
중신/중매	
짚-단/짚-뭇	
쪽/편	오른~, 왼~.
차차/차츰	
책-씻이/책-거리	
척/체	모르는 ~, 잘난 ~.
천연덕-스럽다/천연-스럽다	
철-따구니/철-딱서니/철-딱지	'철-때기'는 비표준어임.
추어-올리다/추어-주다	
축-가다/축-나다	
침-놓다/침-주다	
통-꼭지/통-젖	통에 붙은 손잡이.
파자-쟁이/해자-쟁이	점치는 이.
편지-투/편지-틀	
한턱-내다/한턱-하다	
해웃-값/해웃-돈	'해우-차'는 비표준어임.
혼자-되다/홀로-되다	
흠-가다/흠-나다/흠-지다	

CHAPTER 04 | 표준 발음법

워크북 P.91

1 총칙

제1항 표준 발음법은 표준어의 실제 발음을 따르되, 국어의 전통성과 합리성을 고려하여 정함을 원칙으로 한다.

2 자음과 모음

제2항 표준어의 자음은 다음 19개로 한다.

ㄱ ㄲ ㄴ ㄷ ㄸ ㄹ ㅁ ㅂ ㅃ ㅅ ㅆ ㅇ ㅈ ㅉ ㅊ ㅋ ㅌ ㅍ ㅎ

제3항 표준어의 모음은 다음 21개로 한다.

ㅏ ㅐ ㅑ ㅒ ㅓ ㅔ ㅕ ㅖ ㅗ ㅘ ㅙ ㅚ ㅛ ㅜ ㅝ ㅞ ㅟ ㅠ ㅡ ㅢ ㅣ

제4항 'ㅏ ㅐ ㅓ ㅔ ㅗ ㅚ ㅜ ㅟ ㅡ ㅣ'는 단모음(單母音)으로 발음한다.

[붙임] 'ㅚ, ㅟ'는 이중 모음으로 발음할 수 있다.

제5항 'ㅑ ㅒ ㅕ ㅖ ㅘ ㅙ ㅛ ㅝ ㅞ ㅠ ㅢ'는 이중 모음으로 발음한다.

다만 1. 용언의 활용형에 나타나는 '져, 쪄, 쳐'는 [저, 쩌, 처]로 발음한다.

가지어 → 가져[가저]　　찌어 → 쪄[쩌]　　다치어 → 다쳐[다처]

다만 2. '예, 례' 이외의 'ㅖ'는 [ㅔ]로도 발음한다.

계집[계:집/게:집]　　계시다[계:시다/게:시다]
시계[시계/시게](時計)　　연계[연계/연게](連繫)
메별[메별/메별](袂別)　　개폐[개폐/개페](開閉)
혜택[혜:택/헤:택](惠澤)　　지혜[지혜/지헤](知慧)

다만 3. 자음을 첫소리로 가지고 있는 음절의 'ㅢ'는 [ㅣ]로 발음한다.

늴리리　늬큼　무늬　띄어쓰기　씌어
틔어　희어　희떱다　희망　유희

다만 4. 단어의 첫음절 이외의 '의'는 [ㅣ]로, 조사 '의'는 [ㅔ]로 발음함도 허용한다.

주의[주의/주이]　　협의[혀븨/혀비]
우리의[우리의/우리에]　　강의의[강:의의/강:이에]

3 음의 길이

제6항 모음의 장단을 구별하여 발음하되, 단어의 첫음절에서만 긴소리가 나타나는 것을 원칙으로 한다.

(1) 눈보라[눈:보라]　말씨[말:씨]　밤나무[밤:나무]
많다[만:타]　멀리[멀:리]　벌리다[벌:리다]

(2) 첫눈[천눈]　참말[참말]　쌍동밤[쌍동밤]
수많이[수:마니]　눈멀다[눈멀다]　떠벌리다[떠벌리다]

다만, 합성어의 경우에는 둘째 음절 이하에서도 분명한 긴소리를 인정한다.

반신반의[반:신바:늬/반:신바:니]　　재삼재사[재:삼재:사]

[붙임] 용언의 단음절 어간에 어미 '-아/-어'가 결합되어 한 음절로 축약되는 경우에도 긴소리로 발음한다.

보아 → 봐[봐:]　기어 → 겨[겨:]　되어 → 돼[돼:]
두어 → 둬[둬:]　하여 → 해[해:]

다만, '오아 → 와, 지어 → 져, 찌어 → 쪄, 치어 → 쳐' 등은 긴소리로 발음하지 않는다.

제7항 긴소리를 가진 음절이라도, 다음과 같은 경우에는 짧게 발음한다.

1. 단음절인 용언 어간에 모음으로 시작된 어미가 결합되는 경우

감다[감:따] — 감으니[가므니]　밟다[밥:따] — 밟으면[발브면]
신다[신:따] — 신어[시너]　알다[알:다] — 알아[아라]

다만, 다음과 같은 경우에는 예외적이다.

끌다[끌:다] — 끌어[끄:러]　　떫다[떨:따] — 떫은[떨:븐]
벌다[벌:다] — 벌어[버:러]　　썰다[썰:다] — 썰어[써:러]
없다[업:따] — 없으니[업:쓰니]

2. 용언 어간에 피동, 사동의 접미사가 결합되는 경우

감다[감:따] — 감기다[감기다]　　꼬다[꼬:다] — 꼬이다[꼬이다]
밟다[밥:따] — 밟히다[발피다]

다만, 다음과 같은 경우에는 예외적이다.

끌리다[끌:리다]　벌리다[벌:리다]　없애다[업:쌔다]

[붙임] 다음과 같은 복합어에서는 본디의 길이에 관계없이 짧게 발음한다.

밀-물　썰-물　쏜-살-같이　작은-아버지

4 받침의 발음

제8항 받침소리로는 'ㄱ, ㄴ, ㄷ, ㄹ, ㅁ, ㅂ, ㅇ'의 7개 자음만 발음한다.

제9항 받침 'ㄲ, ㅋ', 'ㅅ, ㅆ, ㅈ, ㅊ, ㅌ', 'ㅍ'은 어말 또는 자음 앞에서 각각 대표음 [ㄱ, ㄷ, ㅂ]으로 발음한다.

닦다[닥따]　키읔[키윽]　키읔과[키윽꽈]　옷[옫]
웃다[욷:따]　있다[읻따]　젖[젇]　빚다[빋따]
꽃[꼳]　쫓다[쫃따]　솥[솓]　뱉다[밷:따]
앞[압]　덮다[덥따]

제10항 겹받침 'ㄳ', 'ㄵ', 'ㄼ, ㄽ, ㄾ', 'ㅄ'은 어말 또는 자음 앞에서 각각 [ㄱ, ㄴ, ㄹ, ㅂ]으로 발음한다.

넋[넉]　넋과[넉꽈]　앉다[안따]　여덟[여덜]
넓다[널따]　외곬[외골]　핥다[할따]　값[갑]
없다[업:따]

다만, '밟-'은 자음 앞에서 [밥]으로 발음하고, '넓-'은 다음과 같은 경우에 [넙]으로 발음한다.

(1) 밟다[밥:따]　밟소[밥:쏘]　밟지[밥:찌]
　밟는[밥:는 → 밤:는]　밟게[밥:께]　밟고[밥:꼬]

(2) 넓-죽하다[넙쭈카다]　넓-둥글다[넙뚱글다]

제11항 겹받침 'ㄺ, ㄻ, ㄿ'은 어말 또는 자음 앞에서 각각 [ㄱ, ㅁ, ㅂ]으로 발음한다.

닭[닥]　흙과[흑꽈]　맑다[막따]　늙지[늑찌]
삶[삼:]　젊다[점:따]　읊고[읍꼬]　읊다[읍따]

다만, 용언의 어간 말음 'ㄺ'은 'ㄱ' 앞에서 [ㄹ]로 발음한다.

맑게[말께]　묽고[물꼬]　얽거나[얼꺼나]

제12항 받침 'ㅎ'의 발음은 다음과 같다.

1. 'ㅎ(ㄶ, ㅀ)' 뒤에 'ㄱ, ㄷ, ㅈ'이 결합되는 경우에는, 뒤 음절 첫소리와 합쳐서 [ㅋ, ㅌ, ㅊ]으로 발음한다.

놓고[노코]　좋던[조:턴]　쌓지[싸치]　많고[만:코]
않던[안턴]　닳지[달치]

[붙임 1] 받침 'ㄱ(ㄺ), ㄷ, ㅂ(ㄼ), ㅈ(ㄵ)'이 뒤 음절 첫소리 'ㅎ'과 결합되는 경우에도, 역시 두 음을 합쳐서 [ㅋ, ㅌ, ㅍ, ㅊ]으로 발음한다.

각하[가카]　먹히다[머키다]　밝히다[발키다]
맏형[마텽]　좁히다[조피다]　넓히다[널피다]
꽂히다[꼬치다]　앉히다[안치다]

[붙임 2] 규정에 따라 'ㄷ'으로 발음되는 'ㅅ, ㅈ, ㅊ, ㅌ'의 경우에도 이에 준한다.

옷 한 벌[오탄벌]　낮 한때[나탄때]　꽃 한 송이[꼬탄송이]
숱하다[수타다]

2. 'ㅎ(ㄶ, ㅀ)' 뒤에 'ㅅ'이 결합되는 경우에는, 'ㅅ'을 [ㅆ]으로 발음한다.

닿소[다:쏘]　많소[만:쏘]　싫소[실쏘]

3. 'ㅎ' 뒤에 'ㄴ'이 결합되는 경우에는, [ㄴ]으로 발음한다.

놓는[논는]　쌓네[싼네]

[붙임] 'ㄶ, ㅀ' 뒤에 'ㄴ'이 결합되는 경우에는, 'ㅎ'을 발음하지 않는다.

않네[안네]　않는[안는]　뚫네[뚤네 → 뚤레]
뚫는[뚤는 → 뚤른]

※ '뚫네[뚤네 → 뚤레], 뚫는[뚤는 → 뚤른]'에 대해서는 제20항 참조.

4. 'ㅎ(ㄶ, ㅀ)' 뒤에 모음으로 시작된 어미나 접미사가 결합되는 경우에는, 'ㅎ'을 발음하지 않는다.

낳은[나은]　놓아[노아]　쌓이다[싸이다]
많아[마:나]　않은[아는]　닳아[다라]　싫어도[시러도]

제13항 홑받침이나 쌍받침이 모음으로 시작된 조사나 어미, 접미사와 결합되는 경우에는, 제 음가대로 뒤 음절 첫소리로 옮겨 발음한다.

깎아[까까]　옷이[오시]　있어[이써]　낮이[나지]
꽂아[꼬자]　꽃을[꼬츨]　쫓아[쪼차]　밭에[바테]
앞으로[아프로]　덮이다[더피다]

제14항 겹받침이 모음으로 시작된 조사나 어미, 접미사와 결합되는 경우에는, 뒤엣것만을 뒤 음절 첫소리로 옮겨 발음한다. (이 경우, 'ㅅ'은 된소리로 발음함)

넋이[넉씨]　앉아[안자]　닭을[달글]　젊어[절머]
곬이[골씨]　핥아[할타]　읊어[을퍼]　값을[갑쓸]
없어[업:써]

제15항 받침 뒤에 모음 'ㅏ, ㅓ, ㅗ, ㅜ, ㅟ' 들로 시작되는 실질 형태소가 연결되는 경우에는, 대표음으로 바꾸어서 뒤 음절 첫소리로 옮겨 발음한다.

밭 아래[바다래]　늪 앞[느밥]　젖어미[저더미]
맛없다[마덥따]　겉옷[거돋]　헛웃음[허두슴]　꽃 위[꼬뒤]

다만, '맛있다, 멋있다'는 [마싣따], [머싣따]로도 발음할 수 있다.

제16항 한글 자모의 이름은 그 받침소리를 연음하되, 'ㄷ, ㅈ, ㅊ, ㅋ, ㅌ, ㅍ, ㅎ'의 경우에는 특별히 다음과 같이 발음한다.

디귿이[디그시]　디귿을[디그슬]　디귿에[디그세]
지읒이[지으시]　지읒을[지으슬]　지읒에[지으세]
치읓이[치으시]　치읓을[치으슬]　치읓에[치으세]
키읔이[키으기]　키읔을[키으글]　키읔에[키으게]
티읕이[티으시]　티읕을[티으슬]　티읕에[티으세]
피읖이[피으비]　피읖을[피으블]　피읖에[피으베]
히읗이[히으시]　히읗을[히으슬]　히읗에[히으세]

5 음의 동화

제17항 받침 'ㄷ, ㅌ(ㄾ)'이 조사나 접미사의 모음 'ㅣ'와 결합되는 경우에는, [ㅈ, ㅊ]으로 바꾸어서 뒤 음절 첫소리로 옮겨 발음한다.

곧이듣다[고지듣따] 굳이[구지] 미닫이[미:다지]
땀받이[땀바지] 밭이[바치] 벼훑이[벼훌치]

[붙임] 'ㄷ' 뒤에 접미사 '히'가 결합되어 '티'를 이루는 것은 [치]로 발음한다.

굳히다[구치다] 닫히다[다치다] 묻히다[무치다]

제18항 받침 'ㄱ(ㄲ, ㅋ, ㄳ, ㄺ), ㄷ(ㅅ, ㅆ, ㅈ, ㅊ, ㅌ, ㅎ), ㅂ(ㅍ, ㄼ, ㄿ, ㅄ)'은 'ㄴ, ㅁ' 앞에서 [ㅇ, ㄴ, ㅁ]으로 발음한다.

먹는[멍는] 국물[궁물] 깎는[깡는]
키읔만[키응만] 몫몫이[몽목씨] 긁는[긍는]
흙만[흥만] 닫는[단는] 짓는[진:는]
옷맵시[온맵씨] 있는[인는] 맞는[만는]
젖멍울[전멍울] 쫓는[쫀는] 꽃망울[꼰망울]
붙는[분는] 놓는[논는] 잡는[잠는]
밥물[밤물] 앞마당[암마당] 밟는[밤:는]
읊는[음는] 없는[엄:는]

[붙임] 두 단어를 이어서 한 마디로 발음하는 경우에도 이와 같다.

책 넣는다[챙넌는다] 흙 말리다[흥말리다]
옷 맞추다[온맏추다] 밥 먹는다[밤멍는다]
값 매기다[감매기다]

제19항 받침 'ㅁ, ㅇ' 뒤에 연결되는 'ㄹ'은 [ㄴ]으로 발음한다.

담력[담:녁] 침략[침:냑] 강릉[강능] 항로[항:노]
대통령[대:통녕]

[붙임] 받침 'ㄱ, ㅂ' 뒤에 연결되는 'ㄹ'도 [ㄴ]으로 발음한다.

막론[막논 → 망논] 석류[석뉴 → 성뉴]
협력[협녁 → 혐녁] 법리[법니 → 범니]

제20항 'ㄴ'은 'ㄹ'의 앞이나 뒤에서 [ㄹ]로 발음한다.

(1) 난로[날:로] 신라[실라] 천리[철리]
광한루[광:할루] 대관령[대:괄령]

(2) 칼날[칼랄] 물난리[물랄리] 줄넘기[줄럼끼]
할는지[할른지]

[붙임] 첫소리 'ㄴ'이 'ㅀ', 'ㄾ' 뒤에 연결되는 경우에도 이에 준한다.

닳는[달른] 뚫는[뚤른] 핥네[할레]

다만, 다음과 같은 단어들은 'ㄹ'을 [ㄴ]으로 발음한다.

의견란[의:견난] 임진란[임:진난] 생산량[생산냥]
결단력[결딴녁] 공권력[공꿘녁] 동원령[동:원녕]
상견례[상견녜] 횡단로[횡단노] 이원론[이:원논]
입원료[이붠뇨] 구근류[구근뉴]

제21항 위에서 지적한 이외의 자음 동화는 인정하지 않는다.

감기[감:기](×[강:기]) 옷감[옫깜](×[옥깜])
있고[읻꼬](×[익꼬]) 꽃길[꼳낄](×[꼭낄])
젖먹이[전머기](×[점머기]) 문법[문뻡](×[뭄뻡])
꽃밭[꼳빧](×[꼽빧])

제22항 다음과 같은 용언의 어미는 [어]로 발음함을 원칙으로 하되, [여]로 발음함도 허용한다.

되어[되어/되여] 피어[피어/피여]

[붙임] '이오, 아니오'도 이에 준하여 [이요, 아니요]로 발음함을 허용한다.

6 경음화

제23항 받침 'ㄱ(ㄲ, ㅋ, ㄳ, ㄺ), ㄷ(ㅅ, ㅆ, ㅈ, ㅊ, ㅌ), ㅂ(ㅍ, ㄼ, ㄿ, ㅄ)' 뒤에 연결되는 'ㄱ, ㄷ, ㅂ, ㅅ, ㅈ'은 된소리로 발음한다.

국밥[국빱] 깎다[깍따] 넋받이[넉빠지]
삯돈[삭똔] 닭장[닥짱] 칡범[칙뻠]
뻗대다[뻗때다] 옷고름[옫꼬름] 있던[읻떤]
꽂고[꼳꼬] 꽃다발[꼳따발] 낯설다[낟썰다]
밭갈이[받까리] 솥전[솓쩐] 곱돌[곱똘]
덮개[덥깨] 옆집[엽찝] 넓죽하다[넙쭈카다]
읊조리다[읍쪼리다] 값지다[갑찌다]

제24항 어간 받침 'ㄴ(ㄵ), ㅁ(ㄻ)' 뒤에 결합되는 어미의 첫소리 'ㄱ, ㄷ, ㅅ, ㅈ'은 된소리로 발음한다.

신고[신:꼬] 껴안다[껴안따] 앉고[안꼬] 얹다[언따]
삼고[삼:꼬] 더듬지[더듬찌] 닮고[담:꼬] 젊지[점:찌]

다만, 피동, 사동의 접미사 '-기-'는 된소리로 발음하지 않는다.

안기다 감기다 굶기다 옮기다

제25항 어간 받침 'ㄼ, ㄾ' 뒤에 결합되는 어미의 첫소리 'ㄱ, ㄷ, ㅅ, ㅈ'은 된소리로 발음한다.

넓게[널께] 핥다[할따] 훑소[훌쏘] 떫지[떨:찌]

제26항 한자어에서, 'ㄹ' 받침 뒤에 연결되는 'ㄷ, ㅅ, ㅈ'은 된소리로 발음한다.

갈등[갈뜽] 발동[발똥] 절도[절또]
말살[말쌀] 불소[불쏘](弗素) 일시[일씨]
갈증[갈쯩] 물질[물찔] 발전[발쩐]
몰상식[몰쌍식] 불세출[불쎄출]

다만, 같은 한자가 겹쳐진 단어의 경우에는 된소리로 발음하지 않는다.

허허실실[허허실실](虛虛實實) 절절-하다[절절하다](切切-)

제27항 관형사형 '-(으)ㄹ' 뒤에 연결되는 'ㄱ, ㄷ, ㅂ, ㅅ, ㅈ'은 된소리로 발음한다.

할 것을[할꺼슬] 갈 데가[갈떼가] 할 바를[할빠를]
할 수는[할쑤는] 할 적에[할쩌게] 갈 곳[갈꼳]
할 도리[할또리] 만날 사람[만날싸람]

다만, 끊어서 말할 적에는 예사소리로 발음한다.

[붙임] '-(으)ㄹ'로 시작되는 어미의 경우에도 이에 준한다.

할걸[할껄] 할밖에[할빠께] 할세라[할쎄라]
할수록[할쑤록] 할지라도[할찌라도] 할지언정[할찌언정]
할진대[할찐대]

제28항 표기상으로는 사이시옷이 없더라도, 관형격 기능을 지니는 사이시옷이 있어야 할(휴지가 성립되는) 합성어의 경우에는, 뒤 단어의 첫소리 'ㄱ, ㄷ, ㅂ, ㅅ, ㅈ'을 된소리로 발음한다.

문-고리[문꼬리] 눈-동자[눈똥자] 신-바람[신빠람]
산-새[산쌔] 손-재주[손째주] 길-가[길까]
물-동이[물똥이] 발-바닥[발빠닥] 굴-속[굴:쏙]
술-잔[술짠] 바람-결[바람껼] 그믐-달[그믐딸]
아침-밥[아침빱] 잠-자리[잠짜리] 강-가[강까]
초승-달[초승딸] 등-불[등뿔] 창-살[창쌀]
강-줄기[강쭐기]

7 음의 첨가

제29항 합성어 및 파생어에서, 앞 단어나 접두사의 끝이 자음이고 뒤 단어나 접미사의 첫음절이 '이, 야, 여, 요, 유'인 경우에는, 'ㄴ' 음을 첨가하여 [니, 냐, 녀, 뇨, 뉴]로 발음한다.

솜-이불[솜:니불] 홑-이불[혼니불] 막-일[망닐]
삯-일[상닐] 맨-입[맨닙] 꽃-잎[꼰닙]
내복-약[내:봉냑] 한-여름[한녀름] 남존-여비[남존녀비]
신-여성[신녀성] 색-연필[생년필] 직행-열차[지캥녈차]
늑막-염[능망념] 콩-엿[콩녇] 담-요[담:뇨]
눈-요기[눈뇨기] 영업-용[영엄뇽] 식용-유[시공뉴]
백분-율[백뿐뉼] 밤-윷[밤:뉻]

다만, 다음과 같은 말들은 'ㄴ' 음을 첨가하여 발음하되, 표기대로 발음할 수 있다.

이죽-이죽[이중니죽/이주기죽] 야금-야금[야금냐금/야그먀금]
검열[검:녈/거:멸] 욜랑-욜랑[욜랑뇰랑/욜랑욜랑]
금융[금늉/그뮹]

[붙임 1] 'ㄹ' 받침 뒤에 첨가되는 'ㄴ' 음은 [ㄹ]로 발음한다.

들-일[들:릴] 솔-잎[솔립] 설-익다[설릭따]
물-약[물략] 불-여우[불려우] 서울-역[서울력]
물-엿[물렫] 휘발-유[휘발류] 유들-유들[유들류들]

[붙임 2] 두 단어를 이어서 한 마디로 발음하는 경우에도 이에 준한다.

한 일[한닐] 옷 입다[온닙따] 서른여섯[서른녀섣]
3 연대[삼년대] 먹은 엿[머근녇] 할 일[할릴]
잘 입다[잘립따] 스물여섯[스물려섣] 1 연대[일련대]
먹을 엿[머글렫]

제30항 사이시옷이 붙은 단어는 다음과 같이 발음한다.

1. 'ㄱ, ㄷ, ㅂ, ㅅ, ㅈ'으로 시작하는 단어 앞에 사이시옷이 올 때는 이들 자음만을 된소리로 발음하는 것을 원칙으로 하되, 사이시옷을 [ㄷ]으로 발음하는 것도 허용한다.

냇가[내:까/낻:까] 샛길[새:낄/샏:낄]
빨랫돌[빨래똘/빨랟똘] 콧등[코뜽/콛뜽]
깃발[기빨/긷빨] 대팻밥[대:패빱/대:팯빱]
햇살[해쌀/핻쌀] 뱃속[배쏙/밷쏙]
뱃전[배쩐/밷쩐] 고갯짓[고개찓/고갣찓]

2. 사이시옷 뒤에 'ㄴ, ㅁ'이 결합되는 경우에는 [ㄴ]으로 발음한다.

콧날[콛날 → 콘날] 아랫니[아랟니 → 아랜니]
툇마루[퇻:마루 → 퇸:마루] 뱃머리[밷머리 → 밴머리]

3. 사이시옷 뒤에 '이' 음이 결합되는 경우에는 [ㄴㄴ]으로 발음한다.

베갯잇[베갣닏 → 베갠닏] 깻잎[깯닙 → 깬닙]
나뭇잎[나묻닙 → 나문닙] 도리깻열[도리깯녈 → 도리깬녈]
뒷윷[뒫:뉻 → 뒨:뉻]

CHAPTER 05 | 국어의 로마자 표기법과 외래어 표기법

워크북 P.97

1 국어의 로마자 표기법

(1) 표기의 기본 원칙

제1항 국어의 로마자 표기는 국어의 표준 발음법에 따라 적는 것을 원칙으로 한다.

제2항 로마자 이외의 부호는 되도록 사용하지 않는다.

(2) 표기 일람

제1항 모음은 다음 각호와 같이 적는다.

1. 단모음

ㅏ	ㅓ	ㅗ	ㅜ	ㅡ	ㅣ	ㅐ	ㅔ	ㅚ	ㅟ
a	eo	o	u	eu	i	ae	e	oe	wi

2. 이중 모음

ㅑ	ㅕ	ㅛ	ㅠ	ㅒ	ㅖ	ㅘ	ㅙ	ㅝ	ㅞ	ㅢ
ya	yeo	yo	yu	yae	ye	wa	wae	wo	we	ui

[붙임 1] 'ㅢ'는 'ㅣ'로 소리 나더라도 ui로 적는다.

광희문 Gwanghuimun

[붙임 2] 장모음의 표기는 따로 하지 않는다.

제2항 자음은 다음 각호와 같이 적는다.

1. 파열음

ㄱ	ㄲ	ㅋ	ㄷ	ㄸ	ㅌ	ㅂ	ㅃ	ㅍ
g, k	kk	k	d, t	tt	t	b, p	pp	p

2. 파찰음

ㅈ	ㅉ	ㅊ
j	jj	ch

3. 마찰음

ㅅ	ㅆ	ㅎ
s	ss	h

4. 비음

ㄴ	ㅁ	ㅇ
n	m	ng

5. 유음

ㄹ
r, l

[붙임 1] 'ㄱ, ㄷ, ㅂ'은 모음 앞에서는 'g, d, b'로, 자음 앞이나 어말에서는 'k, t, p'로 적는다. ([ ] 안의 발음에 따라 표기함)

구미 Gumi 영동 Yeongdong 백암 Baegam
옥천 Okcheon 합덕 Hapdeok 호법 Hobeop
월곶[월곧] Wolgot 벚꽃[벋꼳] beotkkot
한밭[한받] Hanbat

[붙임 2] 'ㄹ'은 모음 앞에서는 'r'로, 자음 앞이나 어말에서는 'l'로 적는다. 단, 'ㄹㄹ'은 'll'로 적는다.

구리 Guri 설악 Seorak 칠곡 Chilgok 임실 Imsil
울릉 Ulleung 대관령[대괄령] Daegwallyeong

(3) 표기상의 유의점

제1항 음운 변화가 일어날 때에는 변화의 결과에 따라 다음 각호와 같이 적는다.

1. 자음 사이에서 동화 작용이 일어나는 경우
   백마[뱅마] Baengma　신문로[신문노] Sinmunno
   종로[종노] Jongno　왕십리[왕심니] Wangsimni
   별내[별래] Byeollae　신라[실라] Silla
2. 'ㄴ, ㄹ'이 덧나는 경우
   학여울[항녀울] Hangnyeoul　알약[알략] allyak
3. 구개음화가 되는 경우
   해돋이[해도지] haedoji　같이[가치] gachi
   굳히다[구치다] guchida
4. 'ㄱ, ㄷ, ㅂ, ㅈ'이 'ㅎ'과 합하여 거센소리로 소리 나는 경우
   좋고[조코] joko　놓다[노타] nota　잡혀[자펴] japyeo
   낳지[나치] nachi

   다만, 체언에서 'ㄱ, ㄷ, ㅂ' 뒤에 'ㅎ'이 따를 때에는 'ㅎ'을 밝혀 적는다.
   묵호 Mukho　집현전 Jiphyeonjeon

   [붙임] 된소리되기는 표기에 반영하지 않는다.
   압구정 Apgujeong　낙동강 Nakdonggang
   죽변 Jukbyeon　낙성대 Nakseongdae
   합정 Hapjeong　팔당 Paldang
   샛별 saetbyeol　울산 Ulsan

제2항 발음상 혼동의 우려가 있을 때에는 음절 사이에 붙임표(-)를 쓸 수 있다.
중앙 Jung-ang　반구대 Ban-gudae　세운 Se-un
해운대 Hae-undae

제3항 고유 명사는 첫 글자를 대문자로 적는다.
부산 Busan　세종 Sejong

제4항 인명은 성과 이름의 순서로 띄어 쓴다. 이름은 붙여 쓰는 것을 원칙으로 하되 음절 사이에 붙임표(-)를 쓰는 것을 허용한다. [( ) 안의 표기를 허용함]
민용하 Min Yongha (Min Yong-ha)
송나리 Song Nari (Song Na-ri)

(1) 이름에서 일어나는 음운 변화는 표기에 반영하지 않는다.
   한복남 Han Boknam (Han Bok-nam)
   홍빛나 Hong Bitna (Hong Bit-na)

(2) 성의 표기는 따로 정한다.

제5항 '도, 시, 군, 구, 읍, 면, 리, 동'의 행정 구역 단위와 '가'는 각각 'do, si, gun, gu, eup, myeon, ri, dong, ga'로 적고, 그 앞에는 붙임표(-)를 넣는다. 붙임표(-) 앞뒤에서 일어나는 음운 변화는 표기에 반영하지 않는다.
충청북도 Chungcheongbuk-do
제주도 Jeju-do
의정부시 Uijeongbu-si
양주군 Yangju-gun
도봉구 Dobong-gu
신창읍 Sinchang-eup
삼죽면 Samjuk-myeon
인왕리 Inwang-ri
당산동 Dangsan-dong
봉천 1동 Bongcheon 1(il)-dong
종로 2가 Jongno 2(i)-ga
퇴계로 3가 Toegyero 3(sam)-ga

[붙임] '시, 군, 읍'의 행정 구역 단위는 생략할 수 있다.
청주시 Cheongju　함평군 Hampyeong　순창읍 Sunchang

제6항 자연 지물명, 문화재명, 인공 축조물명은 붙임표(-) 없이 붙여 쓴다.
남산 Namsan　속리산 Songnisan
금강 Geumgang　독도 Dokdo
경복궁 Gyeongbokgung　무량수전 Muryangsujeon
연화교 Yeonhwagyo　극락전 Geungnakjeon
안압지 Anapji　남한산성 Namhansanseong
화랑대 Hwarangdae　불국사 Bulguksa
현충사 Hyeonchungsa　독립문 Dongnimmun
오죽헌 Ojukheon　촉석루 Chokseongnu
종묘 Jongmyo　다보탑 Dabotap

제7항 인명, 회사명, 단체명 등은 그동안 써 온 표기를 쓸 수 있다.

제8항 학술 연구 논문 등 특수 분야에서 한글 복원을 전제로 표기할 경우에는 한글 표기를 대상으로 적는다. 이때 글자 대응은 제2장을 따르되 'ㄱ, ㄷ, ㅂ, ㄹ'은 'g, d, b, l'로만 적는다. 음가 없는 'ㅇ'은 붙임표(-)로 표기하되 어두에서는 생략하는 것을 원칙으로 한다. 기타 분절의 필요가 있을 때에도 붙임표(-)를 쓴다.
집 jib　짚 jip　밖 bakk
값 gabs　붓꽃 buskkoch　먹는 meogneun
독립 doglib　문리 munli　물엿 mul-yeos
굳이 gud-i　좋다 johda　가곡 gagog
조랑말 jolangmal　없었습니다 eobs-eoss-seubnida

2 외래어 표기법

(1) 표기의 기본 원칙

제1항 외래어는 국어의 현용 24 자모만으로 적는다.

제2항 외래어의 1 음운은 원칙적으로 1 기호로 적는다.

제3항 받침에는 'ㄱ, ㄴ, ㄹ, ㅁ, ㅂ, ㅅ, ㅇ'만을 쓴다.

제4항 파열음 표기에는 된소리를 쓰지 않는 것을 원칙으로 한다.

제5항 이미 굳어진 외래어는 관용을 존중하되, 그 범위와 용례는 따로 정한다.

(2) 표기 세칙: 영어의 표기

제1항 무성 파열음([p], [t], [k])

1. 짧은 모음 다음의 어말 무성 파열음([p], [t], [k])은 받침으로 적는다.
   gap[gæp] 갭　cat[kæt] 캣　book[buk] 북
2. 짧은 모음과 유음·비음([l], [r], [m], [n]) 이외의 자음 사이에 오는 무성 파열음([p], [t], [k])은 받침으로 적는다.
   apt[æpt] 앱트　setback[setbæk] 셋백　act[ækt] 액트

3. 위 경우 이외의 어말과 자음 앞의 [p], [t], [k]는 '으'를 붙여 적는다.

stamp[stæmp] 스탬프 cape[keip] 케이프
nest[nest] 네스트 part[pɑ:t] 파트
desk[desk] 데스크 make[meik] 메이크
apple[æpl] 애플 mattress[mætris] 매트리스
chipmunk[tʃipmʌŋk] 치프멍크 sickness[siknis] 시크니스

제3항 마찰음([s], [z], [f], [v], [θ], [ð], [ʃ], [ʒ])

1. 어말 또는 자음 앞의 [s], [z], [f], [v], [θ], [ð]는 '으'를 붙여 적는다.

mask[mɑ:sk] 마스크 jazz[dʒæz] 재즈
graph[græf] 그래프 olive[ɔliv] 올리브
thrill[θril] 스릴 bathe[beið] 베이드

2. 어말의 [ʃ]는 '시'로 적고, 자음 앞의 [ʃ]는 '슈'로, 모음 앞의 [ʃ]는 뒤따르는 모음에 따라 '샤, 섀, 셔, 셰, 쇼, 슈, 시'로 적는다.

flash[flæʃ] 플래시 shrub[ʃrʌb] 슈러브
shark[ʃɑ:k] 샤크 shank[ʃæŋk] 섕크
fashion[fæʃən] 패션 sheriff[ʃerif] 셰리프
shopping[ʃɔpiŋ] 쇼핑 shoe[ʃu:] 슈
shim[ʃim] 심

3. 어말 또는 자음 앞의 [ʒ]는 '지'로 적고, 모음 앞의 [ʒ]는 'ㅈ'으로 적는다.

mirage[mirɑ:ʒ] 미라지 vision[viʒən] 비전

(3) 동양의 인명, 지명 표기

제1항 중국 인명은 과거인과 현대인을 구분하여 과거인은 종전의 한자음대로 표기하고, 현대인은 원칙적으로 중국어 표기법에 따라 표기하되, 필요한 경우 한자를 병기한다.

제2항 중국의 역사 지명으로서 현재 쓰이지 않는 것은 우리 한자음대로 하고, 현재 지명과 동일한 것은 중국어 표기법에 따라 표기하되, 필요한 경우 한자를 병기한다.

제3항 일본의 인명과 지명은 과거와 현대의 구분 없이 일본어 표기법에 따라 표기하는 것을 원칙으로 하되, 필요한 경우 한자를 병기한다.

제4항 중국 및 일본의 지명 가운데 한국 한자음으로 읽는 관용이 있는 것은 이를 허용한다.

東京 도쿄, 동경 京都 교토, 경도 上海 상하이, 상해
臺灣 타이완, 대만 黃河 황허, 황하

(4) 바다, 섬, 강, 산 등의 표기 세칙

제1항 바다는 '해(海)'로 통일한다.

홍해 발트해 아라비아해

제2항 우리나라를 제외하고 섬은 모두 '섬'으로 통일한다.

타이완섬 코르시카섬 (우리나라: 제주도, 울릉도)

제3항 한자 사용 지역(일본, 중국)의 지명이 하나의 한자로 되어 있을 경우, '강', '산', '호', '섬' 등은 겹쳐 적는다.

온타케산(御岳) 주장강(珠江) 도시마섬(利島)
하야카와강(早川) 위산산(玉山)

제4항 지명이 산맥, 산, 강 등의 뜻이 들어 있는 것은 '산맥', '산', '강' 등을 겹쳐 적는다.

Rio Grande 리오그란데강 Monte Rosa 몬테로사산
Mont Blanc 몽블랑산 Sierra Madre 시에라마드레산맥

편저자 **배영표**

■ 약력
(現) 에듀윌 공무원 국어 대표 교수
(前) 노량진 아모르이그잼학원 국어 강사

2023 에듀윌 7·9급공무원 기본서 국어: 문법과 어문규정 워크북

발 행 일 2022년 6월 23일 초판 | 2023년 1월 19일 2쇄
편 저 자 배영표
펴 낸 이 김재환
펴 낸 곳 (주)에듀윌
등록번호 제25100-2002-000052호
주 소 08378 서울특별시 구로구 디지털로34길 55
코오롱싸이언스밸리 2차 3층

www.eduwill.net
대표전화 1600-6700

여러분의 작은 소리
에듀윌은 크게 듣겠습니다.

본 교재에 대한 여러분의 목소리를 들려주세요.
공부하시면서 어려웠던 점, 궁금한 점,
칭찬하고 싶은 점, 개선할 점, 어떤 것이라도 좋습니다.

에듀윌은 여러분께서 나누어 주신 의견을
통해 끊임없이 발전하고 있습니다.